히어로이트 지학사

개념 학습과 정리가 한번에 끝나는 기본서

개념풀

생명과학 Ⅱ

개념책

- 키워드와 흐름으로 쉽게 풀어 가는 개념 학습법 도입
- 생생한 자료와 탐구로 개념을 이해하는 특강 학습 구성
- 내신과 수능 대비를 위한 다양한 유형의 단계별 문제 수록

개념책+정리노트 제대로 활용하기

궁금하지~옹?
이 장을 넘겨봐~옹~

개념을 학습하고 노트에 스스로 정리하는 사과탐 기억 학습법 구현!!

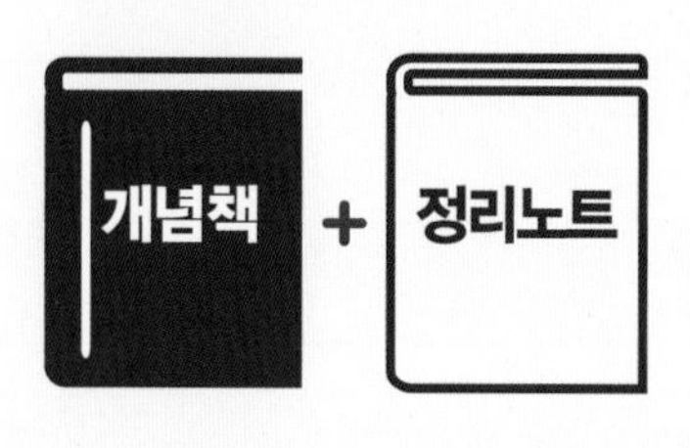

교재 구성

- 개념을 쉽게 풀어 이해가 잘되는 **개념책**
- 학습한 개념을 정리해 보는 개념책 맞춤 **정리노트**

사과탐 기억 학습법이란?

핵심 단어-주제어 기억법과 PQ4R 학습법을 적용하여 사과탐 공부를 효과적으로 할 수 있도록 구성된 개념풀만의 학습법입니다.

개념책을 보며 나만의 스타일로 노트 정리~

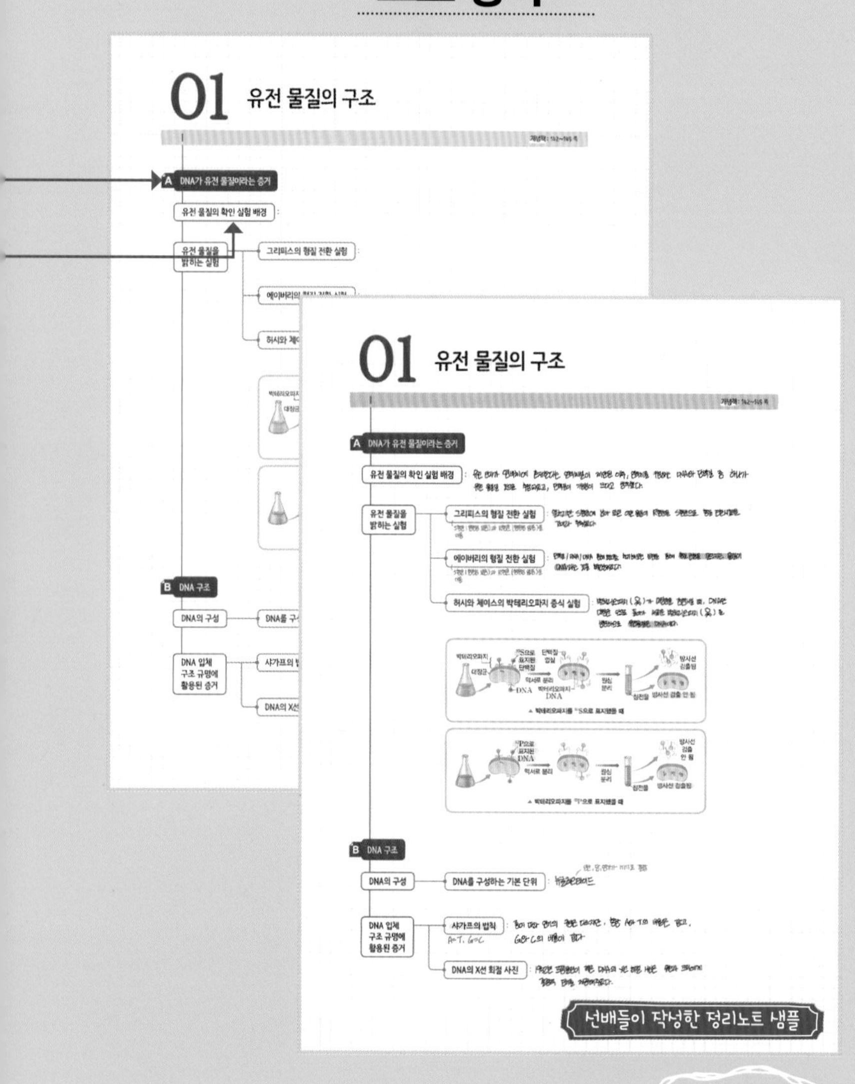

개념책을 보지 않고 노트 정리에 도전해 볼까?

정리가 막막하다면?

1등급 받은 선배들이 작성한 정리노트를 참고해 봐~

선배들의 노트 바로가기

선배들의 정리노트 활용법 동영상

선배들의 공부 팁! 동영상

군더더기 없이 핵심만 정리한 선배의 노트

자신만의 팁을 많이 제시한 선배의 노트

정리노트를 다시 쓰고 싶다면?

빈 노트 바로가기

개념 학습과 정리가 한번에 끝나는 개념풀이면, 생명과학Ⅱ의 모든 개념은 완벽하게 끝!!!

쉽게 풀어 이해가 빠른 개념책으로

개념 학습~

개념풀 TIP

개념책을 공부할 때, '핵심 키워드로 흐름잡기'로 휘리릭 먼저 점검하면 학습 속도가 빨라져.

01 유전 물질의 구조

핵심 키워드로 흐름잡기

- A S형 균, R형 균, 형질 전환, 박테리오파지, DNA, 단백질
- B 뉴클레오타이드, 샤가프의 법칙, 이중 나선 구조, 상보적 결합, 역평행 구조
- C 유전체, 유전자, 엑손, 인트론

A DNA가 유전 물질이라는 증거

|출·제·단·서| 시험에는 형질 전환 실험의 과정 및 의미와 박테리오파지 증식 실험에 대한 문제가 나와.

1. 유전 물질의 확인 실험 배경 1900년대 초에 유전 인자가 염색체에 존재한다는 염색체설이 제안된 이후 염색체를 구성하는 *DNA와 단백질 중 하나가 유전 물질일 것으로 추정하였고 단백질이 DNA보다 유전 물질일 가능성이 크다고 생각하였다.

2. 유전 물질을 밝히는 실험

(1) 그리피스의 *형질 전환❶ 실험 그리피스는 폐렴 쌍구균 중 폐렴을 일으키는 S형 균과 폐렴을 일으키지 않는 R형 균을 이용하여 형질 전환 현상을 발견하였다.

① **실험 과정 및 결과** 그리피스는 폐렴 쌍구균의 형질 전환 실험을 통해 유전 물질의 정체에 대한 최초의 실험적 증거를 제시하였다.

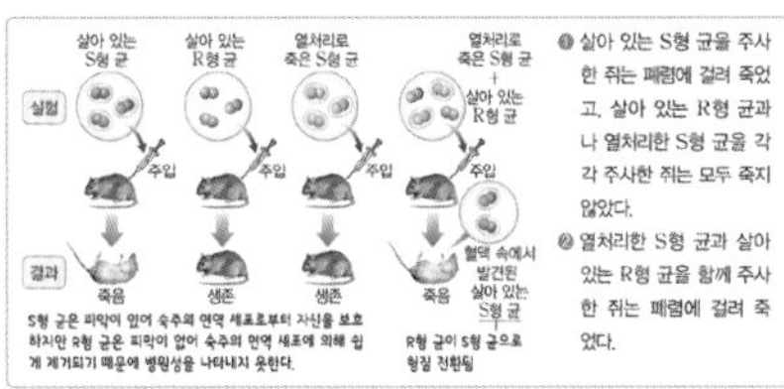

❶ 살아 있는 S형 균을 주사한 쥐는 폐렴에 걸려 죽었고, 살아 있는 R형 균과나 열처리한 S형 균을 각각 주사한 쥐는 모두 죽지 않았다.
❷ 열처리한 S형 균과 살아 있는 R형 균을 함께 주사한 쥐는 폐렴에 걸려 죽었다.

② 그리피스는 이 실험 결과 열처리한 S형 균에 남아 있던 어떤 물질이 R형 균을 S형 균으로 형질 전환시켰을 것이라고 추측하였다.

(2) 에이버리의 형질 전환 실험 에이버리는 유전 물질이 염색체에 있다는 것을 알고 염색체의 구성 성분 중 어떤 것이 폐렴 쌍구균에서 형질 전환을 일으키는지 규명하고자 하였다.

① **실험 과정 및 결과**

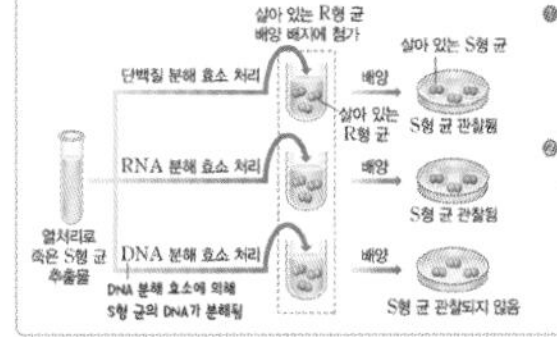

❶ 단백질 분해 효소와 RNA 분해 효소를 각각 처리한 경우 모두 R형 균이 S형 균으로 형질 전환되었다.
❷ DNA 분해 효소를 처리한 경우 R형 균이 S형 균으로 형질 전환되지 않았다.

② 에이버리는 이 실험 결과 형질 전환을 일으키는 물질이 DNA라는 것을 확인하였다.

(3) 허시와 체이스의 박테리오파지❷ 증식 실험 허시와 체이스는 박테리오파지와 방사성 동위 원소를 이용하여 DNA와 단백질 중 어떤 것이 유전 물질인지를 알아보기 위한 실험을 실시하였다.

⊕ 유전 물질이 단백질이라 생각한 이유
DNA는 4종류의 뉴클레오타이드로 이루어져 있지만, 단백질은 20종류의 아미노산으로 이루어져 있으므로 다양한 유전 정보를 저장하기에는 단백질이 더 적절하다고 생각했기 때문이다.

❶ 형질 전환
유전 물질의 도입으로 새로운 형질이 생물체에 나타나는 현상이다.

❷ 박테리오파지
바이러스에 속하며 DNA와 이를 감싸고 있는 단백질 껍질로만 이루어져 있다. 세균을 숙주 세포로 하는 바이러스를 박테리오파지 또는 파지라고 한다. 단순히 세균의 균체를 녹여서 증식하여 '세균을 먹는다.'는 뜻에서 박테리오파지(bacteria+phage)라고 명명되었다.

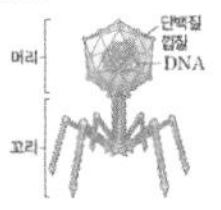

용어 알기

- *DNA(deoxyribonucleic acid) 디옥시리보 핵산의 줄임말로 유전 물질을 말함
- *형질(모양 形, 바탕 質) 생물의 모양이나 특성

142

공부할 때는 스트레칭 필수~

생명과학Ⅱ를 집필하신 선생님

윤세진 구일고등학교 교사

이재경 자양고등학교 교사

권주희 환일고등학교 교사

이승후 숭의여자고등학교 교사

개념과 정리가 한번에 끝나는 기본서

개념풀

생명과학 Ⅱ

쉽게 풀어 이해가 잘되는

개념책

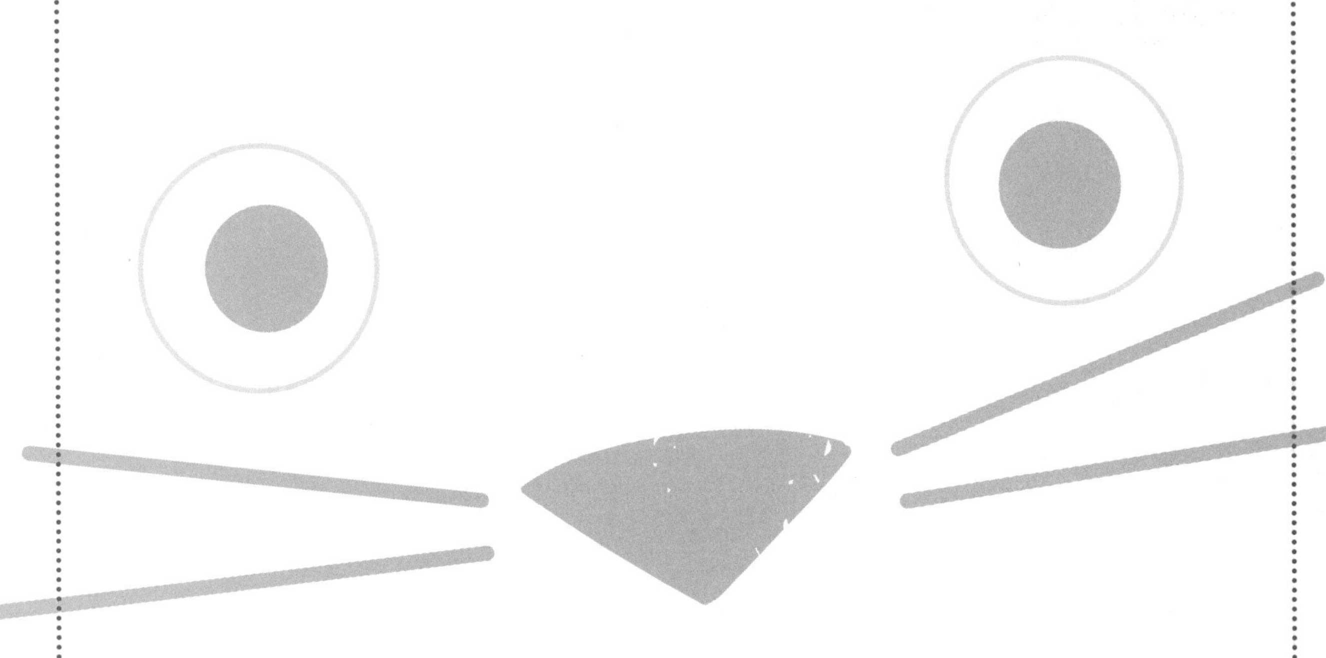

구성과 특징

쉽게 풀어 이해가 잘 되는 **개념책**

이해하기 쉬운 개념 학습

▪ 단원 도입 학습

'배울 내용 살펴보기'로 이 단원의 흐름을 한눈에 파악할 수 있습니다.

❶ 소단원별 흐름을 한눈에 파악

❷ 스토리로 단원의 흐름을 전개

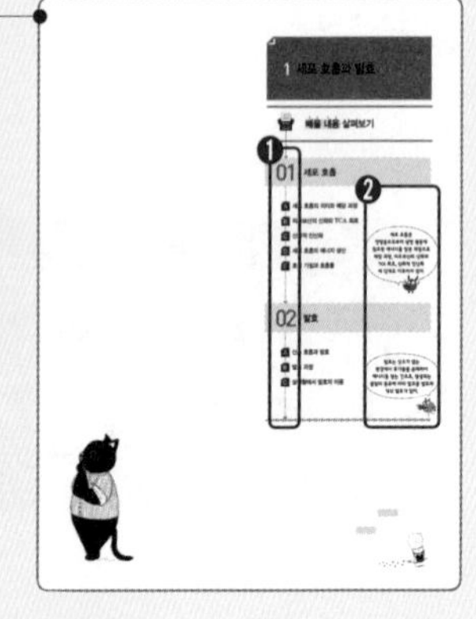

▪ 본문 학습

5종 교과서를 완벽 분석하여 중요 개념을 쉽게 풀어 정리하였습니다.

❶ '핵심 키워드로 흐름잡기'와 '출제 단서'를 통해 시험에 잘 나오는 중요 개념을 한눈에 파악

❷ '빈출 자료', '빈출 탐구', '빈출 계산연습'으로 관련 내용을 생생하게 설명

❸ '용어 알기'를 통해 내용을 이해하는 데 도움이 되는 단어 정리

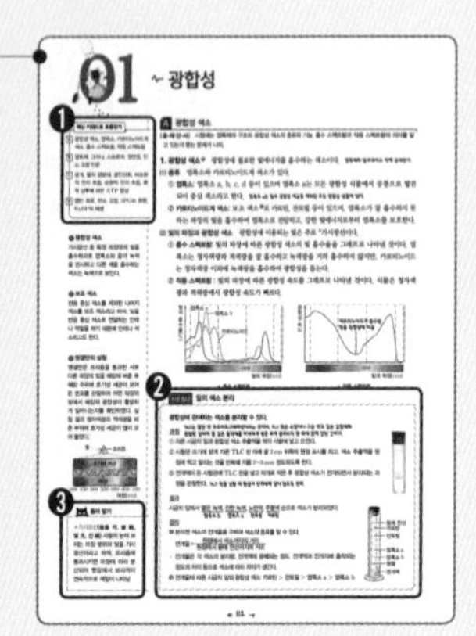

▪ 특강 학습

개념과 탐구의 완벽한 이해를 위해 생생한 자료로 자세하게 설명하였습니다.

❶ '개념 POOL'을 통해 개념을 한번에 쉽게 이해

❷ '탐구 POOL'을 통해 교과서 중요 탐구를 과정별 사진으로 생생하게 제시

❸ '확인 문제'로 이해도 점검

다양한 유형의 단계별 문제

▪ 콕콕! 개념 확인하기

개념 확인에 적합한 유형을 엄선하여 구성하였습니다.

▪ 탄탄! 내신 다지기

학교 시험 빈출 유형 중에서 난이도 중 이하의 문제로 구성하였습니다.

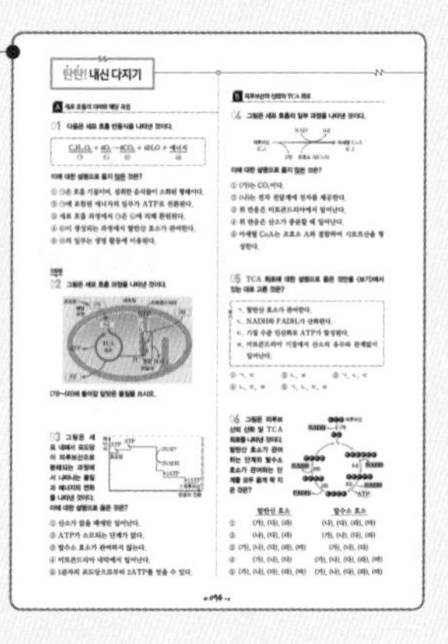

▪ 도전! 실력 올리기

학교 시험에 꼭 나오는 난이도 중상의 문제와 서답형 문제로 구성하였습니다.

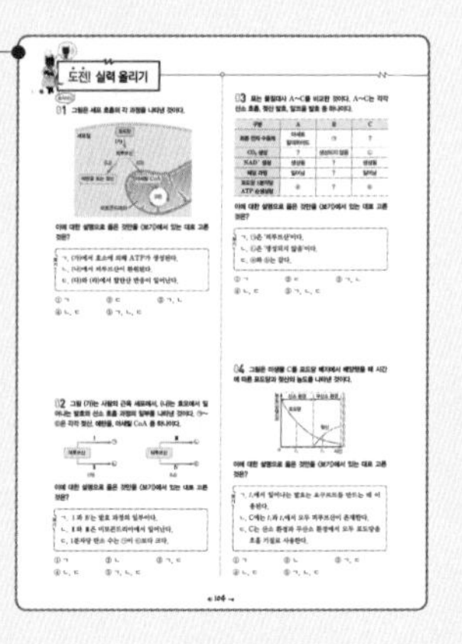

실전에 대비하는 마무리 학습

▪ 수능을 알기 쉽게 풀어주는 수능 POOL

출제 의도와 문제 분석을 통해 수능 대표 유형을 미리 연습할 수 있도록 구성하였습니다.

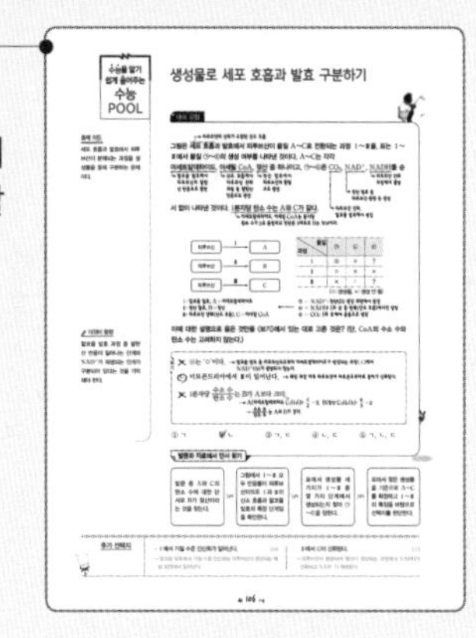

▪ 실전! 수능 도전하기

수능 기출 분석을 통한 실전 수능형 문제로 구성하여 수능에 대비할 수 있도록 구성하였습니다.

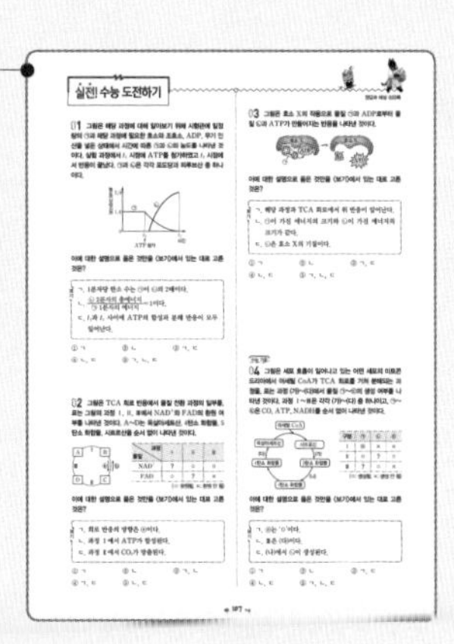

▪ 대단원 마무리

'한눈에 보는 대단원 정리'를 통해 대단원 핵심 내용을 다시 한 번 정리하고, '한번에 끝내는 대단원 문제'로 학교 시험에 대비할 수 있도록 구성하였습니다.

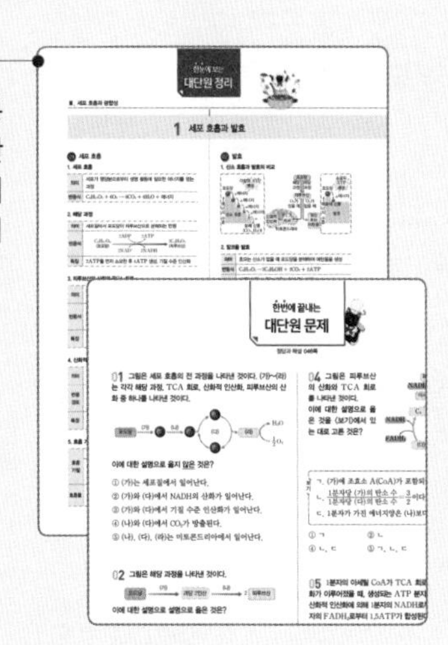

학습한 개념을 정리해 보는 나만의 정리노트

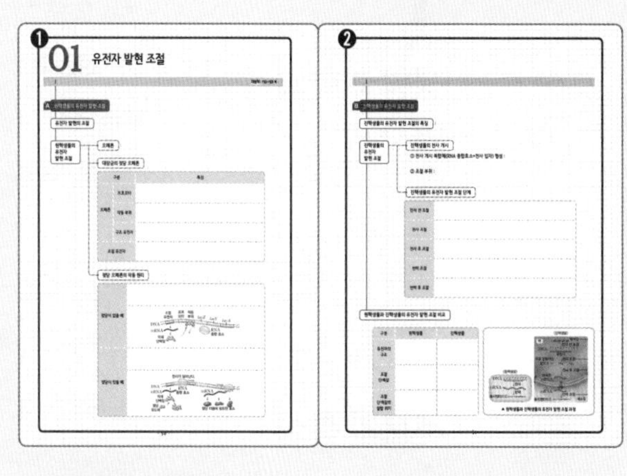

▪ 소단원별 노트 정리

❶ 개념책의 흐름을 한눈에 살펴보고 스스로 정리해 볼 수 있도록 충분한 여백을 두고 구성하였습니다.

❷ 개념책과 교과서를 보면서 소단원 전체의 중요한 내용을 정리하여 단권화할 수 있도록 최적의 노트 형태로 구성하였습니다.

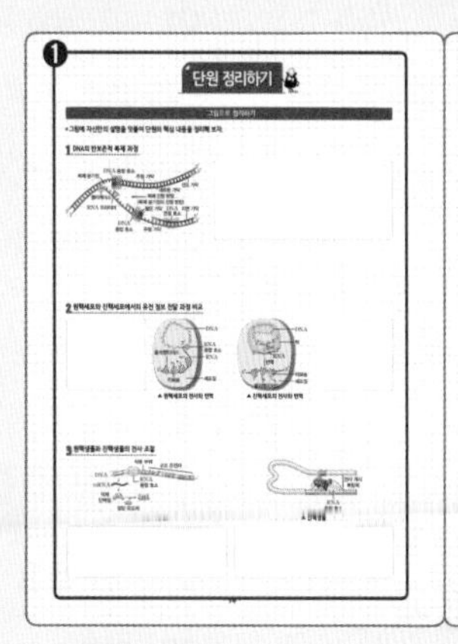

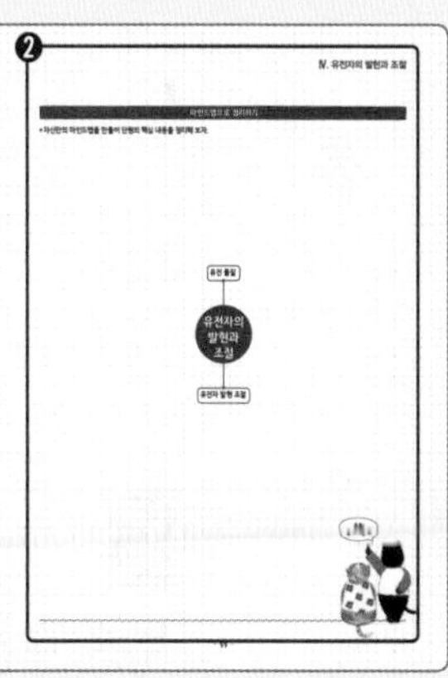

▪ 단원 정리하기

❶ '그림으로 정리하기'는 단원별로 중요한 그림에 자신만의 설명을 적어 정리할 수 있도록 구성하였습니다.

❷ '마인드맵으로 정리하기'는 자신만의 마인드맵을 만들어 단원의 핵심 내용을 구조화하여 정리할 수 있도록 구성하였습니다.

차례

I 생명 과학의 역사

1 생명 과학의 역사

II 세포의 특성

1 세포의 특성

2 세포막과 효소

III 세포 호흡과 광합성

1 세포 호흡과 발효

2 광합성

무엇을 공부할지 함께 확인해 볼까~옹?

Ⅳ 유전자의 발현과 조절

Ⅴ 생물의 진화와 다양성

Ⅵ 생명 공학 기술과 인간 생활

개념풀과 우리 학교

교과서 비교

교학사	미래엔	비상교육	지학사	천재교육
13～21	14～23	11～17	12～21	11～18
29～34	32～37	23～29	28～33	27～32
35～45	38～49	30～42	34～45	33～42
46～51	50～57	44～52	46～51	47～53
52～57	58～64	56～62	53～59	54～59
65～73	76～87	73～81	70～77	67～76
74～79	88～93	82～86	78～81	77～80
80～90	94～101	88～100	82～89	85～93
91	102～103	101	90~93	94～95
99～104	114～117	113～118	104～109	103～108
105～110	118～123	119～121	110～113	109～111
111～120	124～133	122～131	114～123	115～126
121～124	134~137	134～137	124～131	129～132
125～129	138～141	138～141	132～139	133～137
137～145	152～157	151～156	150～157	145～150
146～150	158～163	158～161	158～160	151～155
150～161	162～171	160～173	160～168	156～166
162～164	172～173	174～177	172～174	171～174
165～168, 170～173	173～183	178～185	175～181	175～181
181～186	194～197	195～198	192～198	189～196
188～192, 194～197	198～205	199～206	200～207	197～203
199～204	206～211	207～210	210～215	207～214

I

생명 과학의 역사

나의 학습 계획표

중단원	소단원	계획일	실천일	성취도
1 생명 과학의 역사	01. 생명 과학의 발달 과정과 연구 방법	/	/	○△×
	수능 POOL + 실전! 수능 도전하기	/	/	○△×
	대단원 정리 + 문제	/	/	○△×

1 생명 과학의 역사

배울 내용 살펴보기

01 생명 과학의 발달 과정과 연구 방법

A 생명 과학의 발달 과정

B 생명 과학의 연구 방법

생명 과학은 인간 생활에 밀접하게 이용되는 생물에 대한 관심에서 시작되었어.

01 생명 과학의 발달 과정과 연구 방법

핵심 키워드로 흐름잡기

A 생명 과학, 세포, 미생물, 생리학, 생물 분류학, 진화론, 유전학, 분자 생물학

B 자기 방사법, 돌연변이, 생물 정보학, 귀납적 탐구 방법, 연역적 탐구 방법

A 생명 과학의 발달 과정

|출·제·단·서| 시험에는 생명 과학의 발달 과정과 특징을 확인하는 문제가 나와.

1. 생명 과학 생명체를 과학적인 방법으로 관찰하고 실험하여 생명체 내에서 일어나는 생명 현상의 특성 및 생명체의 구조와 기능을 이해하는 학문이다.

2. 생명 과학의 시작 생명 과학은 인간 생활에 밀접하게 이용되는 생물에 대한 관심에서 시작되었다.

(1) **초기 인류** 인간은 동물과 식물을 이용하여 의식주를 해결하면서 동식물에 대한 지식을 축적하였다. 예 농작물 경작, 가축 사육, 미생물을 이용한 빵과 술 제조

(2) **고대** 기원전 4세기에 아리스토텔레스는 생물을 관찰·분류·해부하였고, 생물의 자연 발생설❶을 주장하였다.

3. 생명 과학의 발달 중세와 근대를 지나면서 경험과 실험을 통한 연구와 과학 기술의 발달로 여러 분야의 생명 과학이 발달하였다.

(1) **세포와 미생물 연구**

세포와 미생물 관찰 (1665~1673)	• 훅이 자신이 만든 현미경으로 세포를 관찰하였다. • 레이우엔훅은 현미경을 제작하여 다양한 미생물을 관찰하였다.
세포설 확립 (1838~1856)	• 슐라이덴이 식물체가 세포로 이루어져 있다는 식물 세포설을, 슈반이 동물체도 세포로 이루어져 있다는 동물 세포설을 주장하였다. • 피르호는 세포는 생명의 특징을 모두 갖고 있으며, 모든 세포는 세포에서 생성된다는 세포설을 완성하여 일반화하였다.
생물 속생설 확립 (1861)	파스퇴르가 생물은 생물로부터 생긴다는 것을 실험으로 입증함으로써 생물 속생설이 확립되었다. 백조목 플라스크에 고기즙을 담아 실험하여 고기즙에 공기 중의 미생물이 접촉하지 않으면 미생물이 생기지 않음을 확인
감염병❷ 원인 규명 (1882)	코흐가 감염병의 원인을 규명하고, 결핵균과 콜레라균을 발견하였다.
페니실린 발견(1928)	플레밍이 푸른곰팡이에서 항생 물질인 페니실린을 발견하였다.

(2) •생리학의 발달

해부학 발달에 영향(16세기)	베살리우스가 인체를 해부하고 인체 해부도를 그려 인체 구조의 특징을 설명하였다.
혈액 순환 원리 발견(1628)	하비가 실험을 통해 혈액이 몸속을 순환한다는 것을 발견하였다.
신경 전도 원리 발견(1963)	호지킨과 헉슬리는 오징어를 이용해 신경의 흥분 전도 기작을 규명하였다.
호르몬 작용 원리 발견 (1971)	서덜랜드가 호르몬의 작용 기작을 밝혀 내분비 생리학이 발달하게 되었다.

(3) **생물 분류학과 진화론 확립**

분류 체계 정립(1753)	린네가 동물과 식물의 분류 체계를 제시하고 동물과 식물을 체계적으로 분류하였다. 또한, 종의 개념을 명확히 하였으며, •이명법을 확립하였다.
용불용설(1801)	라마르크가 용불용설로 생물 진화를 설명하였다. 현대의 종합적인 진화론에서 용불용설은 배제됨
자연 선택설(1859)	다윈이 자연 선택에 의한 진화론을 확립하였다.

❶ **자연 발생설**
생명체가 부모 없이 스스로 생길 수 있다는 가설. 아리스토텔레스는 곤충이나 진드기는 구더기나 쓰레기에서, 새우나 장어는 흙탕물에서 저절로 생긴다고 주장하였다.

❷ **감염병**
병원체에 감염되어 발병하는 질환이다.

? 생태학은 어떤 학문일까?
20세기 초에 생태학은 생물 지리학을 토대로 챈들러, 허친슨, 엘튼 등에 의해 태동되었으며, 20세기 중반부터 생물과 환경에 관한 다양한 개념들이 하나로 융합되면서 생태학이 시작되었다.

용어 알기

•생리학(날 生, 다스릴 理, 배울 學) 생물의 기능과 활동의 원리를 연구하는 학문

•이명법(두 二, 이름 名, 법 法) 생물 분류학에서 속명 다음에 종소명을 적어 생물 하나하나의 종류를 나타내는 명명법

(4) 유전학과 분자 생물학의 발달

유전의 기본 원리 발견 (1865)	멘델이 완두의 교배 실험으로 유전 법칙을 발견하였다.
유전자설(1926)	모건이 초파리의 교배 실험으로 유전자가 염색체의 일정 위치에 있음을 밝혔다.
DNA가 유전 물질임을 증명(1944)	에이버리는 폐렴 쌍구균의 형질 전환 실험으로 DNA가 유전 물질임을 알아냈다.
DNA 입체 구조 밝힘 (1953)	왓슨과 크릭이 DNA의 이중 나선 구조를 밝혔다.
유전부호 해독(1961)	니런버그와 마테이가 인공 RNA로 단백질을 합성하여 유전부호를 해독하였다.
DNA 재조합 기술 개발 (1973)	코헨과 보이어가 제한 효소와 DNA 연결 효소로 DNA 재조합 기술 개발
DNA 염기 서열 분석법 (1975)	생어가 DNA 염기 서열 분석 방법을 고안하였다. 최근에는 DNA 염기 서열 자동 분석기를 통한 유전자 분석이 가능하다.
DNA 증폭 기술 개발 (1983)	멀리스가 중합 효소 연쇄 반응(PCR)❸으로 DNA를 대량 복제하는 방법을 개발하였다.
사람의 유전체 지도 완성 (2003)	사람의 DNA 염기 서열을 밝히고, 사람 유전체❹ 연구가 활발해졌다.

B 생명 과학의 연구 방법

|출·제·단·서| 시험에는 생명 과학의 발달에 기여한 연구 방법과 사례를 묻는 문제가 나와.

1. 생명 과학의 발달에 기여한 주요 연구 방법과 사례 개념 POOL

(1) •오감을 이용한 직접적인 관찰 베살리우스는 인체를 해부하여 인체 구조의 특징을 설명하였고, 해부학과 생리학의 발달에 영향을 주었다.

(2) 현미경을 사용한 관찰

① 훅은 현미경으로 코르크를 관찰하여 방과 같은 구조를 발견하고 '세포'라고 명명하였다.

② 전자 현미경이 발명된 후 세포 소기관이 발견되었고, 바이러스를 관찰할 수 있게 되었다.

(3) 자기 방사법 방사성 동위 원소❺로 특정 물질을 표지하면 구조 및 위치를 파악할 수 있다.

① 캘빈은 방사성 동위 원소를 이용하여 광합성 산물의 합성 경로를 발견하였다.

② 허시와 체이스는 방사성 동위 원소로 표지된 박테리오파지를 대장균에 감염시키는 실험을 통해 DNA가 유전 물질이라는 것을 증명하였다.

(4) 돌연변이를 이용한 연구 DNA 유전 정보 연구에 돌연변이가 활용된다.

① 모건은 초파리의 흰 눈 돌연변이를 이용해 유전자설을 증명하였다.

② 비들은 붉은빵곰팡이의 영양 요구성 돌연변이를 이용해 1유전자 1효소설❻을 주장하였다.

(5) 기술과 기기 활용

① 호지킨과 헉슬리는 동물에서 발생하는 전기적 현상을 측정하는 기술로 신경 전도의 원리를 발견하였다.

② DNA 증폭 기술이 개발되어 중합 효소 연쇄 반응(PCR) 기기가 발명되고, DNA 염기 서열 분석기가 발명되어 생물의 유전체 해독에 사용되고 있다.

(6) 다른 학문과 협동 연구 생물 정보학은 컴퓨터 과학과 통계학을 활용한 분야로, 컴퓨터를 이용하여 얻은 •빅데이터를 통계적으로 처리하여 특정 질병에 걸릴 확률 등을 계산한다.

2. 생명 과학의 탐구 방법

귀납적 탐구 방법	연역적 탐구 방법
자연 현상에 대한 관찰을 통해 수집한 자료를 종합하고 분석하여 일반적인 원리나 법칙을 도출한다. 예 구달의 침팬지 연구, 로렌츠의 동물 행동 연구	자연 현상을 관찰하여 생긴 의문점을 해결하기 위해 가설을 세우고, 이를 실험을 통해 검증한다. 예 플레밍의 페니실린 발견, 파스퇴르의 백신 발견 등

왓슨과 크릭의 DNA 이중 나선 구조 규명도 귀납적 탐구 방법에 해당한다.

❸ 중합 효소 연쇄 반응(PCR－Polymerase Chain Reaction)
DNA의 특정 부분을 반복적으로 복제하여 적은 양의 DNA로부터 짧은 시간 안에 다량의 DNA를 얻는 기술이다.

❹ 유전체
한 개체가 가지고 있는 모든 유전 정보의 총합을 말한다.

❺ 동위 원소
원자 번호가 같지만 원자량이 다른 원소를 말한다. 즉, 한 원소의 동위 원소는 그 원소와 양성자와 전자수가 같지만 중성자 수는 다르다.

❻ 1유전자 1효소설
1개의 유전자가 1개의 특정 효소를 만들어낸다는 이론이다. 이후에 1유전자 1단백질설로 바뀌었고, 최종적으로 1유전자 1폴리펩타이드설로 바뀌었다.

용어 알기

•오감(다섯 五, 느낄 感) 시각, 청각, 후각, 미각, 촉각의 다섯 가지 감각

•빅데이터(bigdata) 통상적으로 사용되는 데이터 수집, 관리 및 처리 소프트웨어의 수용 한계를 넘어서는 크기의 데이터

개념을 알기 쉽게 풀어주는 개념 POOL

인류에 영향을 미친 생명 과학의 연구 사례

목표 인류에 공헌한 생명 과학의 연구 사례를 설명할 수 있다.

1 파스퇴르의 백신 연구

파스퇴르는 오랜 기간 방치하여 독성이 약화된 콜레라균을 닭에게 주사한 후 독성이 강한 콜레라균을 주사하면 닭이 콜레라균에 저항성을 가진다는 것을 발견하고 약화시킨 병원체를 '백신'이라고 명명하였다.

공헌 감염성 질병의 백신을 발견하여 질병을 예방하는 데 기여하였다.

2 란트슈타이너의 혈액형 연구

란트슈타이너는 다양한 사람의 혈액을 섞은 후 응집 반응을 확인하여 혈액형의 종류를 밝혀냈다. 이러한 혈액형의 발견은 이후 안전한 수혈을 가능하게 하였다.

공헌 수혈 부작용을 크게 줄여 안전하게 수혈을 할 수 있게 하였다.

3 밴팅의 인슐린 연구

밴팅은 이자에서 분비되는 물질이 당뇨병과 관계있다는 논문을 읽은 후, 개의 이자에서 인슐린을 추출하는 데 성공하였다. 이후 순수한 인슐린을 분리하여 인슐린에 의한 혈당량 감소 결과를 확인하였다.

공헌 당뇨병 환자들의 삶의 질을 개선하는 데 큰 기여를 하였다.

4 로렌츠의 동물 행동 연구

로렌츠는 야생 동물을 직접 찾아가 관찰하거나, 집에서 야생 동물을 키우면서 동물 행동을 연구하였다. 이 연구 결과 동물 행동에서 본능이 중요한 역할을 한다는 사실을 밝혔다.

공헌 동물 행동 연구에 대한 기초를 확립했으며, 이를 바탕으로 인간 행동에 대한 이해를 높였다.

한·줄·핵심 생명 과학의 여러 연구 결과는 인류의 삶을 증진시키는 역할을 하였다.

확인 문제

정답과 해설 002쪽

01 다음 설명 중 옳은 것은 ○, 옳지 않은 것은 ×로 표시하시오.

(1) 파스퇴르는 생물의 자연 발생설을 증명하였다. ( )

(2) 밴팅의 연구는 생리학 분야의 연구이다. ( )

(3) 로렌츠의 연구는 구달의 침팬지 연구와 같은 탐구 방법을 사용한 것이다. ( )

02 다음 중 연역적 탐구 방법을 사용한 연구는 '연역', 귀납적 탐구 방법을 사용한 연구는 '귀납'이라고 쓰시오.

(1) 파스퇴르의 백신 연구 ( )

(2) 란트슈타이너의 혈액형 연구 ( )

(3) 밴팅의 인슐린 연구 ( )

(4) 로렌츠의 동물 행동 연구 ( )

콕콕!
개념 확인하기

정답과 해설 002쪽

✔ 잠깐 확인!

1. ☐☐ 훅이 최초로 현미경을 통해 관찰하였다.

2. ☐☐ 혈액이 순환한다는 것을 밝힌 사람

3. 다윈은 ☐☐ ☐☐에 의해 진화가 일어난다고 주장하였다.

4. ☐☐☐☐ 모건이 초파리 교배 실험으로 유전자가 염색체의 일정 위치에 있다는 것을 밝혔다.

5. 니런버그와 마테이가 인공 RNA로 단백질을 합성하여 ☐☐☐☐를 해독하였다.

6. ☐☐☐ 멀리스가 개발한 DNA 대량 복제 기술

7. ☐☐ ☐☐☐ 방사성 동위 원소로 특정 물질을 표지하여 구조를 파악하거나 위치를 알 수 있는 기술

A 생명 과학의 발달 과정

01 생명 과학의 발달 과정에 대한 설명으로 옳은 것은 ○, 옳지 않은 것은 ×로 표시하시오.

(1) 파스퇴르는 생물은 생물로부터 생긴다는 것을 입증했다. ( )

(2) 호지킨과 헉슬리는 오징어를 사용하여 신경 흥분 전도 기작을 밝혔다. ( )

(3) 린네는 용불용설로 진화를 설명하였다. ( )

(4) 생어는 DNA의 입체 구조를 밝혔다. ( )

02 생명 과학의 발달 과정과 관련이 깊은 과학자의 이름을 〈보기〉에서 각각 골라 쓰시오.

보기: 멘델, 슈반, 코흐, 플레밍, 서덜랜드, 니런버그

(1) 유전부호를 해독하였다.

(2) 페니실린을 발견하였다.

(3) 감염병의 원인을 발견하였다.

(4) 동물 세포를 관찰하고 세포설을 주장하였다.

03 다음은 유전학의 발전 과정이다. (가)~(다)를 시대 순으로 나열하시오.

(가) 멘델은 완두의 교배 실험을 통해 유전 원리를 발견하였다.
(나) 에이버리는 폐렴 쌍구균의 형질 전환 실험으로 DNA가 유전 물질임을 증명하였다.
(다) 모건은 초파리의 교배 실험을 통해 유전자설을 발표하였다.

B 생명 과학의 연구 방법

04 생명 과학의 연구 방법과 연구한 사례를 옳게 연결하시오.

(1) 오감 사용 •	• ㉠ 생물 정보학
(2) 전자 현미경 •	• ㉡ 광합성 산물의 경로 연구
(3) 자기 방사법 •	• ㉢ 초파리 교배를 이용한 유전자설
(4) 돌연변이 연구 •	• ㉣ 인체 해부
(5) 다른 학문과 연계 •	• ㉤ 세포 소기관 관찰

05 다음은 생명 과학 분야 중 어느 분야에 대한 설명인지 쓰시오.

컴퓨터 과학과 통계학을 활용한 분야로, 컴퓨터를 이용하여 얻은 빅데이터를 통계적으로 처리하여 특정 질병에 걸릴 확률 등을 계산한다.

탄탄! 내신 다지기

A 생명 과학의 발달 과정

단답형

01 과학적인 방법으로 생물체를 관찰하고 실험하여 생명 현상의 특성과 생명체의 구조 및 기능을 연구하는 학문은 무엇인지 쓰시오.

02 생명 과학의 탄생과 초기 발달 과정에 대한 설명으로 옳은 것만을 〈보기〉에서 있는 대로 고른 것은?

보기
ㄱ. 인간 생활과 밀접한 생물에 대한 관심에서 시작되었다.
ㄴ. 빵과 술 제조에 미생물을 이용하였다.
ㄷ. 아리스토텔레스는 생물을 관찰하고 분류하였다.

① ㄱ ② ㄷ ③ ㄱ, ㄴ
④ ㄴ, ㄷ ⑤ ㄱ, ㄴ, ㄷ

03 생명 과학자와 그들의 업적을 짝 지은 것으로 옳지 않은 것은?

① 훅 – 현미경으로 세포를 관찰하였다.
② 파스퇴르 – 생물 속생설을 입증하였다.
③ 플레밍 – 결핵균과 콜레라균을 발견하였다.
④ 서덜랜드 – 호르몬의 기작을 밝혀냈다.
⑤ 린네 – 생물 분류 체계를 확립하였다.

04 세포와 미생물에 대한 연구와 발달에 대한 설명으로 옳은 것만을 〈보기〉에서 있는 대로 고른 것은?

보기
ㄱ. 현미경 발명 전에 세포를 관찰하였다.
ㄴ. 슐라이덴과 슈반은 세포설을 주장하였다.
ㄷ. 코흐는 감염병의 원인을 규명하였다.

① ㄱ ② ㄴ ③ ㄷ
④ ㄱ, ㄷ ⑤ ㄴ, ㄷ

05 생리학의 발달에 대한 설명으로 옳은 것만을 〈보기〉에서 있는 대로 고른 것은?

보기
ㄱ. 베살리우스는 해부학의 발달에 영향을 주었다.
ㄴ. 하비는 혈액이 순환한다는 것을 발견하였다.
ㄷ. 호지킨과 헉슬리는 호르몬 작용의 원리를 발견하였다.

① ㄱ ② ㄴ ③ ㄱ, ㄴ
④ ㄴ, ㄷ ⑤ ㄱ, ㄴ, ㄷ

06 다음은 유전학과 분자 생물학의 발달 과정에서 이루어진 주요 발견들을 순서 없이 나열한 것이다.

(가) DNA의 입체 구조를 밝혔다.
(나) 초파리 교배로 유전자설을 밝혔다.
(다) PCR이라는 DNA 대량 복제 방법을 개발했다.
(라) 완두 교배 실험으로 유전의 기본 원리를 밝혔다.

(가)~(라)를 발견된 순서대로 옳게 나열한 것은?

① (가) → (나) → (다) → (라)
② (나) → (다) → (라) → (가)
③ (다) → (라) → (가) → (나)
④ (라) → (나) → (가) → (다)
⑤ (라) → (다) → (나) → (가)

단답형

07 다음은 유전부호를 해독한 과학자와 그 방법에 대한 설명이다. ㉠과 ㉡에 해당하는 과학자와 물질의 이름을 각각 쓰시오.

(㉠)와 마테이는 인공적으로 합성한 (㉡)로 단백질을 합성하는 방법을 사용하여 최초로 유전부호를 해독하였다.

B 생명 과학의 연구 방법

단답형

08 베살리우스는 인체를 해부하여 구조를 파악하고 그 결과를 그림으로 남김으로써 해부학과 생리학의 발달에 영향을 주었다. 베살리우스가 사용한 생명 과학의 연구 방법은 무엇인지 쓰시오.

09 현미경에 대한 설명으로 옳은 것만을 <보기>에서 있는 대로 고른 것은?

보기
ㄱ. 훅은 광학 현미경으로 코르크를 관찰하면서 세포 구조를 관찰하였다.
ㄴ. 세포 소기관의 구조는 전자 현미경으로 관찰할 수 있다.
ㄷ. 전자 현미경으로 바이러스는 관찰할 수 없다.

① ㄱ ② ㄷ ③ ㄱ, ㄴ
④ ㄴ, ㄷ ⑤ ㄱ, ㄴ, ㄷ

10 자기 방사법에 대한 진술로 옳지 않은 것은?

① 세포 소기관의 기능을 파악할 수 있다.
② 방사성 동위 원소를 사용하는 연구 방법이다.
③ 세포 내에 존재하는 특정 물질의 위치를 파악할 수 있다.
④ 캘빈은 광합성 산물의 합성 경로를 알아보기 위해 이 방법을 사용하였다.
⑤ 박테리오파지가 대장균에 감염시키는 물질이 DNA임을 밝히는 데 사용된 기술이다.

단답형

11 다음 두 이론은 과학이 발전하는 과정에서 나타난 것이다.

유전자설, 1유전자 1효소설

이 두 이론에 대한 연구 방법의 공통점은 ㉠을 이용했다는 것이다. ㉠은 무엇인지 쓰시오.

12 생명 과학 연구 방법에 대한 진술로 옳은 것만을 <보기>에서 있는 대로 고른 것은?

보기
ㄱ. 동물에서 발생하는 전기 현상을 측정하는 기술을 이용해 신경 전도 원리를 발견하였다.
ㄴ. DNA 증폭 기술과 DNA 염기 서열 분석기를 사용하여 생물의 유전체 해독을 하고 있다.
ㄷ. 생명 과학과 컴퓨터 과학, 통계학이 연계되어 생물 정보학이 탄생하였다.

① ㄱ ② ㄱ, ㄴ ③ ㄱ, ㄷ
④ ㄴ, ㄷ ⑤ ㄱ, ㄴ, ㄷ

단답형

13 다음 각 연구는 귀납적 탐구와 연역적 탐구 중 어느 것에 해당하는지 쓰시오.

(1) 로렌츠의 동물 행동 연구
(2) 파스퇴르의 백신 발견 연구

14 생명 과학의 탐구 방법에 대한 설명 중 옳은 것만을 <보기>에서 있는 대로 고른 것은?

보기
ㄱ. 구달의 침팬지 연구는 연역적 탐구이다.
ㄴ. 연역적 탐구에는 가설을 세우는 과정이 포함된다.
ㄷ. 플레밍이 페니실린을 발견한 연구는 귀납적 탐구이다.

① ㄱ ② ㄴ ③ ㄷ
④ ㄱ, ㄴ ⑤ ㄴ, ㄷ

도전! 실력 올리기

01 생명 과학자와 그 업적에 대한 설명으로 옳지 않은 것은?

① 세포를 처음 명명한 사람은 레이우엔훅이다.
② 푸른곰팡이에서 항생 물질인 페니실린을 발견한 사람은 플레밍이다.
③ 호르몬의 작용 기작은 서덜랜드가 발견하였다.
④ 자연 선택에 의한 진화론은 다윈이 확립하였다.
⑤ 유전의 기본 원리는 멘델이 밝혔다.

02 생물 분류 및 진화론에 대한 설명으로 옳은 것만을 〈보기〉에서 있는 대로 고른 것은?

보기
ㄱ. 아리스토텔레스는 생물을 관찰 및 분류하였다.
ㄴ. 다윈은 용불용설로 생물의 진화를 설명하였다.
ㄷ. 20세기가 지나서 체계적인 생물 분류가 시작되었다.

① ㄱ ② ㄴ ③ ㄷ
④ ㄱ, ㄴ ⑤ ㄴ, ㄷ

출제예감

03 다음은 생명 과학의 발전에 관한 설명이다.

(㉠)은 현미경을 이용해 생물을 관찰한 후 세포라는 용어를 최초로 사용하였으며, (㉡)은 자신이 개발한 현미경을 사용하여 다양한 미생물을 관찰하였다. 슐라이덴과 (㉢)은 다양한 동·식물을 관찰한 후 세포설을 발표하였다.

㉠~㉢에 들어갈 생명 과학자를 옳게 짝 지은 것은?

	㉠	㉡	㉢
①	훅	슈반	레이우엔훅
②	훅	레이우엔훅	슈반
③	슈반	훅	레이우엔훅
④	레이우엔훅	슈반	훅
⑤	레이우엔훅	훅	슈반

04 그림은 분류와 진화 이론의 변천 과정을 나타낸 것이며, (가)와 (나)는 각각 자연 선택설과 동·식물 분류 중 하나이다.

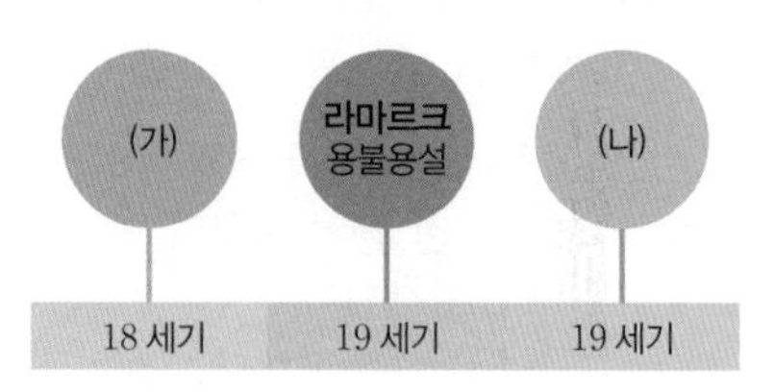

이에 대한 설명으로 옳은 것만을 〈보기〉에서 있는 대로 고른 것은?

보기
ㄱ. (가)는 린네에 의해 체계화되었다.
ㄴ. (나)는 멘델이 주장한 것이다.
ㄷ. 진화 이론의 통합에는 용불용설과 자연 선택설이 함께 포함되었다.

① ㄱ ② ㄷ ③ ㄱ, ㄴ
④ ㄴ, ㄷ ⑤ ㄱ, ㄴ, ㄷ

05 다음은 유전학과 분자 생물학의 발달 과정에서 실시한 실험에 대한 설명이다.

(가) 폐렴 쌍구균에는 R형 균과 S형 균이 있다.
(나) 열처리를 하여 죽은 S형 균의 추출물을 섞은 배지에 살아 있는 R형 균을 배양하면 살아 있는 S형 균이 발견된다.
(다) 열처리를 하여 죽은 S형 균의 추출물에 DNA 분해 효소를 처리한 후 배지에 섞고, 살아 있는 R형 균을 배양하면 살아 있는 S형 균이 발견되지 않는다.

이에 대한 설명으로 옳은 것만을 〈보기〉에서 있는 대로 고른 것은?

보기
ㄱ. 이 실험은 멀리스에 의해 수행되었다.
ㄴ. R형 균을 S형 균으로 바꾼 것은 DNA이다.
ㄷ. S형 균의 유전 물질은 열처리로 파괴된다.

① ㄱ ② ㄴ ③ ㄱ, ㄴ
④ ㄴ, ㄷ ⑤ ㄱ, ㄴ, ㄷ

06 다음은 어떤 생명 과학자가 연구한 내용을 나타낸 것이다.

> (가) 백조목 플라스크를 이용하여 생물은 생물로부터 나온다는 생물 속생설을 주장하였다.
> (나) 독성을 약화시킨 콜레라균을 닭에게 주입하는 실험으로 콜레라균에 대한 백신을 개발하였다.

이에 대한 설명으로 옳은 것만을 <보기>에서 있는 대로 고른 것은?

> 보기
> ㄱ. 이 생명 과학자는 플레밍이다.
> ㄴ. (가)는 자연 발생설을 부정한 실험이다.
> ㄷ. (나) 실험은 연역적 탐구를 실행한 것이다.

① ㄱ ② ㄴ ③ ㄷ
④ ㄴ, ㄷ ⑤ ㄱ, ㄴ, ㄷ

출제예감

07 다음은 생명 과학의 중요한 발견에 대한 내용이다.

> (가) 세포 소기관을 발견하였고, 바이러스를 관찰할 수 있게 되었다.
> (나) 붉은빵곰팡이를 이용하여 1유전자 1효소설을 제시하였다.
> (다) 광합성 산물의 합성 경로를 발견하였다.

이에 대한 설명으로 옳은 것만을 <보기>에서 있는 대로 고른 것은?

> 보기
> ㄱ. (가)는 광학 현미경을 이용한 결과이다.
> ㄴ. (나) 실험에는 전기적 현상을 측정하는 기술을 사용하였다.
> ㄷ. (다)에는 방사성 동위 원소를 이용하는 연구 방법이 사용되었다.

① ㄱ ② ㄴ ③ ㄷ
④ ㄱ, ㄴ ⑤ ㄴ, ㄷ

08 호지킨과 헉슬리가 생물체에서 발생하는 전기 현상을 측정하는 기술을 오징어에 적용하여 알게 된 원리는 무엇인지 쓰시오.

서술형

09 그림은 훅의 현미경과 레이우엔훅이 사용한 현미경을 나타낸 것이다.

▲ 훅의 현미경

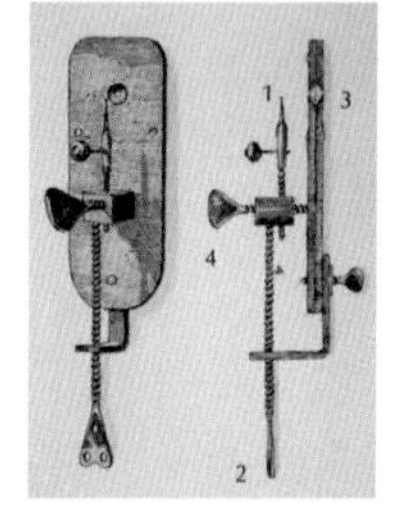

▲ 레이우엔훅의 현미경

생명 과학의 발달에 현미경이 기여한 점을 서술하시오.

서술형

10 다음은 모건이 초파리를 가지고 수행한 연구의 일부를 나타낸 것이다.

> 모건은 붉은색 눈 초파리와 흰색 눈 초파리의 교배 실험 결과를 종합, 분석하여 초파리의 눈 색깔을 결정하는 유전자는 X 염색체에 있다는 결론을 내렸다.
> 그리고 이 결론을 증명하기 위해 가설을 세운 후, 실험을 수행하여 X 염색체에 의한 유전을 밝혀냈다.

이 연구에서 사용한 탐구 방법이 무엇인지 서술하시오.

수능을 알기 쉽게 풀어주는 수능 POOL

생명 과학의 탐구 방법

대표 유형

출제 의도

연역적 탐구 과정과 귀납적 탐구 과정을 명확하게 이해하고 있는지를 확인하는 문제이다.

표는 다윈이 수행한 탐구 과정을 간략하게 나타낸 것이고, 그림은 두 가지 탐구 방법 (가)와 (나)를 나타낸 것이다.

다윈은 비글호 탐사에서 수많은 동식물 표본과 화석을 수집하고, 갈라파고스 군도의 핀치를 관찰한 결과를 분석·종합하여 자연 선택설을 주장하였다.

→ 귀납적 탐구 과정

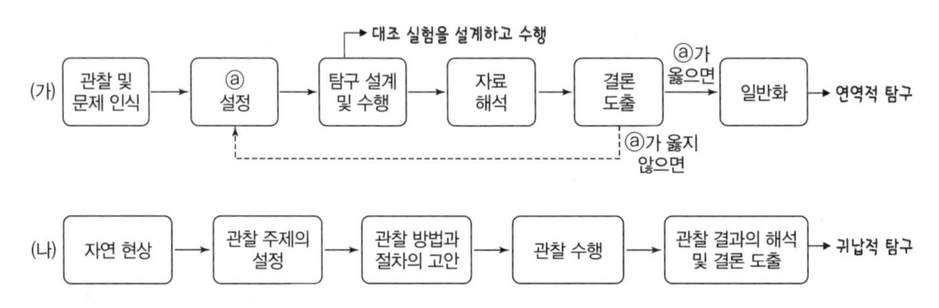

이에 대한 설명으로 옳은 것만을 〈보기〉에서 있는 대로 고른 것은?

〈보기〉

ㄱ. (가)의 ⓐ는 의문에 대한 잠정적인 답에 해당한다. → 가설

ㄴ. 대조 실험이 수행되는 탐구 방법은 (나)이다. → 대조 실험은 연역적 탐구인 (가)에 포함된다.

ㄷ. 다윈은 (나)를 이용하였다. → 다윈은 귀납적 탐구를 수행하였으므로 (나)를 이용하였다.

① ㄱ ② ㄴ ③ ㄱ, ㄷ ④ ㄴ, ㄷ ⑤ ㄱ, ㄴ, ㄷ

이것이 함정

연역적 탐구 과정과 귀납적 탐구 과정을 구분할 때 연역적 탐구에는 가설 설정과 대조 실험이 포함된다는 것을 알아야 한다.

두 탐구 과정의 차이점 찾기

귀납적 탐구와 연역적 탐구의 차이점이 가설 설정에 있음을 명확히 한다. ››› 대조 실험은 연역적 탐구에서 수행된다는 것을 확인한다. ››› 다윈의 탐구 과정을 분석하여 귀납적 탐구임을 확인한다.

추가 선택지

- ㄴ. 대조 실험이 수행되는 탐구 방법은 (가)이다. (○)
  ⋯→ (가)는 연역적 탐구 과정이므로 대조 실험이 수행된다.
- ㄷ. 다윈은 연역적 탐구 과정을 이용하였다. (×)
  ⋯→ 다윈은 관찰 결과를 분석·종합하는 귀납적 탐구 과정을 이용하였다.

실전! 수능 도전하기

정답과 해설 004쪽

01 생명 과학의 역사에 대한 설명으로 옳은 것만을 〈보기〉에서 있는 대로 고른 것은?

보기
ㄱ. 아리스토텔레스는 자연 발생설을 주장하였다.
ㄴ. 린네는 자연 선택에 의한 종 분화를 주장하였다.
ㄷ. 왓슨과 크릭은 DNA의 입체 구조를 밝혔다.

① ㄱ ② ㄷ ③ ㄱ, ㄴ
④ ㄱ, ㄷ ⑤ ㄴ, ㄷ

02 다음은 유전학의 발전에 기여한 생명 과학자들의 연구 성과를 나타낸 것이다.

(가) 모건은 초파리 교배 실험으로 유전자가 염색체의 특정 위치에 있음을 밝혔다.
(나) 멘델은 완두의 교배 실험을 통해 유전의 기본 원리를 발견하였다.
(다) 왓슨과 크릭은 DNA의 입체적인 구조를 밝혔다.

이에 대한 설명으로 옳은 것만을 〈보기〉에서 있는 대로 고른 것은?

보기
ㄱ. (가)의 연구에 전자 현미경이 사용되었다.
ㄴ. (다)는 귀납적 탐구 과정을 통해 연구되었다.
ㄷ. 위의 연구 성과를 시간 순서대로 나열하면 (나)→(가)→(다) 순이다.

① ㄱ ② ㄴ ③ ㄱ, ㄷ
④ ㄴ, ㄷ ⑤ ㄱ, ㄴ, ㄷ

03 다음은 생명 과학의 여러 연구 사례를 나타낸 것이다.

(가) 방사성 동위 원소를 포함하는 이산화 탄소를 이용하여 광합성 산물의 합성 경로를 밝혔다.
(나) 이자에서 분비되는 물질이 당뇨병과 관계있다는 논문을 읽은 후, 개에서 인슐린을 추출하여 당뇨병 치료에 적용하였다.
(다) 야생 동물을 직접 관찰하거나, 집에서 키우는 연구를 통해 동물 행동 연구의 기초를 놓았다.

이에 대한 설명으로 옳은 것만을 〈보기〉에서 있는 대로 고른 것은?

보기
ㄱ. (가)는 자기 방사법을 사용한 것이다.
ㄴ. (나)는 돌연변이 생물로 연구하였다.
ㄷ. (다)에는 귀납적 탐구 방법이 사용되었다.

① ㄱ ② ㄴ ③ ㄱ, ㄷ
④ ㄴ, ㄷ ⑤ ㄱ, ㄴ, ㄷ

04 다음은 생리학이 발달하는 과정에 기여한 주요 발견을 나열한 것이다.

(가) 해부학 발달에 영향
(나) 혈액 순환의 원리 발견
(다) 신경 전도 원리 발견
(라) 호르몬 작용 기작 발견

이에 대한 설명으로 옳은 것만을 〈보기〉에서 있는 대로 고른 것은?

보기
ㄱ. (나)는 하비의 업적이다.
ㄴ. (라)는 호지킨과 헉슬리에 의해 발견되었다.
ㄷ. (가), (다)는 현미경의 역할이 결정적이었다.

① ㄱ ② ㄷ ③ ㄱ, ㄴ
④ ㄴ, ㄷ ⑤ ㄱ, ㄴ, ㄷ

05 다음은 플레밍이 푸른곰팡이의 항생 효과를 입증하기 위해 수행한 실험 과정이다.

(가) 모든 조건이 동일한 세균 배양 접시 A와 B를 준비하였다.
(나) A에는 푸른곰팡이를 접종하였고, B에는 푸른곰팡이를 접종하지 않았다.
(다) B에만 세균이 증식하였다.
(라) 푸른곰팡이는 세균의 증식을 억제한다.

이에 대한 설명으로 옳은 것만을 〈보기〉에서 있는 대로 고른 것은?

보기
ㄱ. 이 실험의 가설은 '푸른곰팡이는 세균의 증식을 억제할 것이다.'이다.
ㄴ. 플레밍은 이후에 푸른곰팡이에서 항생 물질인 페니실린을 발견하였다.
ㄷ. 플레밍은 이후 감염병의 원인을 규명하였다.

① ㄴ ② ㄷ ③ ㄱ, ㄴ
④ ㄱ, ㄷ ⑤ ㄴ, ㄷ

06 그림은 파스퇴르의 백신 연구 과정을 나타낸 것이다.

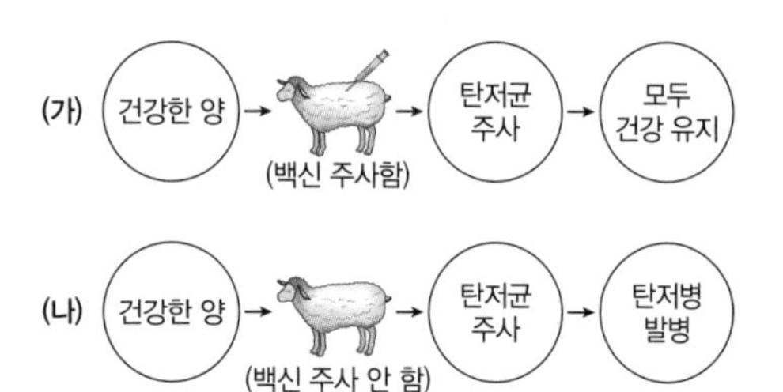

이에 대한 설명으로 옳은 것만을 〈보기〉에서 있는 대로 고른 것은?

보기
ㄱ. (가)는 실험군, (나)는 대조군이다.
ㄴ. 파스퇴르는 귀납적 탐구 방법을 사용하였다.
ㄷ. 이 실험으로 생물은 생물로부터 생기는 것을 입증하였다.

① ㄱ ② ㄷ ③ ㄱ, ㄴ
④ ㄴ, ㄷ ⑤ ㄱ, ㄴ, ㄷ

07 다음은 유전학과 분자 생물학의 발달 과정에서 일어난 주요 사건과 해당 과학자들을 순서 없이 나열한 것이다.

(가) 유전부호 해독 – 니런버그, 마테이
(나) 유전의 기본 원리 발견 – ㉠
(다) DNA 염기 서열 분석법 – ㉡
(라) DNA 이중 나선 구조 규명 – 왓슨, 크릭

이에 대한 설명으로 옳은 것만을 〈보기〉에서 있는 대로 고른 것은?

보기
ㄱ. ㉠은 모건과 멀리스이다.
ㄴ. ㉡에 해당하는 과학자는 생어이다.
ㄷ. (나) – (라) – (가) – (다) 순으로 일어났다.

① ㄱ ② ㄷ ③ ㄱ, ㄴ
④ ㄱ, ㄷ ⑤ ㄴ, ㄷ

08 다음은 생물의 발생에 대한 두 가지 학설이다.

(가) 생물은 자연적으로 무기물로부터 발생한 것이다.
(나) 생물이 발생하기 위해서는 반드시 그 어버이가 있어야 한다.

이에 대한 설명으로 옳은 것만을 〈보기〉에서 있는 대로 고른 것은?

보기
ㄱ. 아리스토텔레스가 (가)를 주장하였다.
ㄴ. 파스퇴르는 실험을 통해 (가) 이론을 부정하였다.
ㄷ. 플레밍은 푸른곰팡이 실험으로 (나)를 입증하였다.

① ㄱ ② ㄷ ③ ㄱ, ㄴ
④ ㄴ, ㄷ ⑤ ㄱ, ㄴ, ㄷ

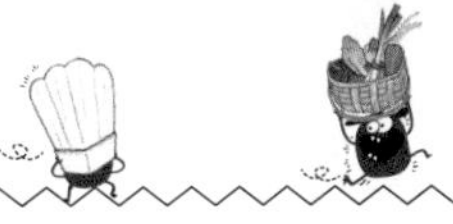
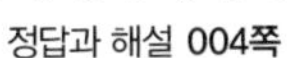

정답과 해설 004쪽

09 그림은 생명 과학의 연역적 탐구 방법을 나타낸 것이다.

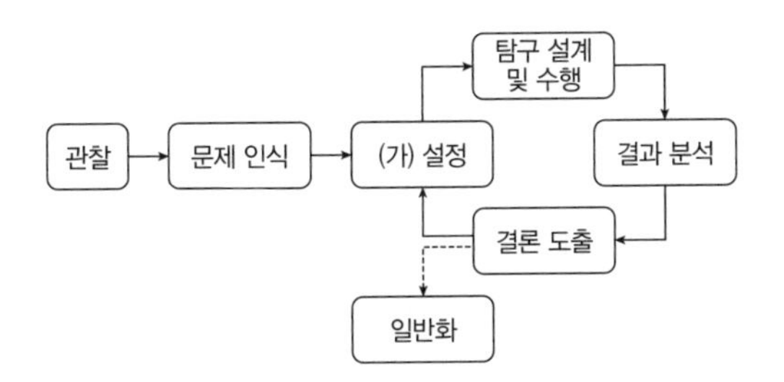

이에 대한 설명으로 옳은 것만을 〈보기〉에서 있는 대로 고른 것은?

보기
ㄱ. (가)는 인식한 문제에 대한 잠정적인 답이다.
ㄴ. 구달이 침팬지를 연구할 때 사용한 탐구 방법에 해당한다.
ㄷ. 대조군과 실험군을 설정하여 탐구를 수행한다.

① ㄱ ② ㄴ ③ ㄱ, ㄷ ④ ㄴ, ㄷ ⑤ ㄱ, ㄴ, ㄷ

10 다음은 2가지 생명 과학 탐구 사례를 나타낸 것이다.

(가) 에이크만은 '현미에는 닭의 각기병을 예방하는 물질이 들어 있을 것이다.'라는 가설을 설정하였다. 이를 검증하기 위해 닭을 두 집단으로 나누어 ㉠한 집단에는 백미를, ㉡다른 집단에는 현미를 먹여 기르면서 각기병의 발병 여부를 관찰하였다.
(나) 로렌츠는 야생 동물을 직접 관찰하거나, 집에서 키우면서 동물 행동을 연구하였다. 그 결과 동물 행동에서 본능이 중요한 역할을 한다는 사실을 밝혔다.

이에 대한 설명으로 옳은 것만을 〈보기〉에서 있는 대로 고른 것은?

보기
ㄱ. (가)에서 ㉡은 실험군에 해당한다.
ㄴ. (나)는 오감에 의한 직접 관찰이라는 연구 방법을 사용하였다.
ㄷ. (가)와 (나)는 모두 귀납적 탐구 방법을 사용하였다.

① ㄱ ② ㄷ ③ ㄱ, ㄴ ④ ㄴ, ㄷ ⑤ ㄱ, ㄴ, ㄷ

11 그림은 유전학과 분자 생물학의 발달 과정에서 주요한 연구를 나열한 것이다. A와 B는 각각 왓슨과 크릭의 DNA 구조 규명과 모건의 초파리 연구 중 하나이다.

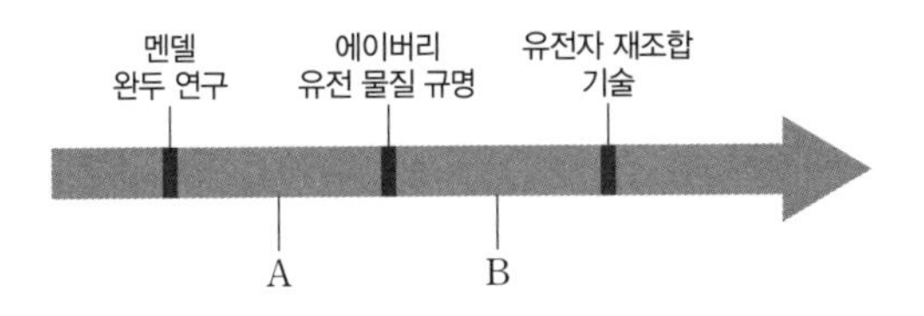

이에 대한 설명으로 옳은 것만을 〈보기〉에서 있는 대로 고른 것은?

보기
ㄱ. A는 모건의 초파리 연구이다.
ㄴ. B는 연역적 탐구 방법으로 연구한 것이다.
ㄷ. 멘델은 완두 교배 실험으로 유전의 기본 원리를 밝혔다.

① ㄱ ② ㄷ ③ ㄱ, ㄴ ④ ㄱ, ㄷ ⑤ ㄴ, ㄷ

12 다음은 생명 과학과 인류의 복지에 관한 설명이다.

(가) 혈액형을 발견하여 안전한 수혈이 가능해졌다.
(나) 백신 연구로 감염성 질병을 예방할 수 있게 되었다.
(다) 항생제 발견으로 세균을 효과적으로 제거할 수 있게 되었다.

이에 대한 설명으로 옳은 것만을 〈보기〉에서 있는 대로 고른 것은?

보기
ㄱ. (가)는 란트슈타이너의 혈액형 발견과 연관이 있다.
ㄴ. (나)는 귀납적 탐구 방법을 사용하였다.
ㄷ. 최초로 발견된 항생제는 페니실린이다.

① ㄱ ② ㄴ ③ ㄱ, ㄴ ④ ㄱ, ㄷ ⑤ ㄱ, ㄴ, ㄷ

한눈에 보는
대단원 정리

1 생명 과학의 역사

01 생명 과학의 발달 과정과 연구 방법

1. 생명 과학: 생명체를 과학적인 방법으로 관찰하고 실험하여 생명 현상의 특성 및 생명체의 구조와 기능을 이해하는 학문

2. 생명 과학의 시작

① **초기 인류:** 인간은 동물과 식물을 이용하여 의식주를 해결하면서 동식물에 대한 지식이 축적되었다.

② **고대:** 기원전 4세기에 아리스토텔레스는 생물을 관찰·분류·해부하였고, 생물의 자연 발생설을 주장하였다.

3. 생명 과학의 발달 과정

① 세포와 미생물 연구

세포 관찰(1665)	훅이 자신이 만든 현미경으로 세포 관찰
미생물 관찰(1673)	레이우엔훅은 현미경을 제작하여 다양한 미생물 관찰
세포설(1838)	슐라이덴은 식물 세포설, 슈반은 동물 세포설 주장
생물 속생설(1861)	파스퇴르가 생물은 생물로부터 생긴다는 것을 실험으로 입증
감염병 원인 규명(1882)	코흐가 결핵균, 콜레라균 발견
페니실린 발견(1928)	플레밍이 푸른곰팡이에서 항생 물질인 페니실린 발견

② 생리학의 발달

해부학 발달(16세기)	베살리우스가 인체를 해부
혈액 순환 원리 발견(1628)	하비가 실험을 통해 혈액이 몸속을 순환한다는 것을 발견
신경 전도의 원리 발견(1963)	호지킨과 헉슬리는 오징어를 이용해 신경의 흥분 전도 기작 규명
호르몬 작용 원리 발견(1971)	서덜랜드가 호르몬의 작용 기작 밝혀냄

③ 생물 분류와 진화론 확립

분류 체계 정립(1753)	린네가 동식물을 체계적으로 분류함
용불용설(1801)	라마르크가 용불용설로 생물 진화를 설명
자연 선택설(1859)	다윈이 자연 선택에 의한 진화론 확립

④ 유전학과 분자 생물학의 발달

유전의 기본 법칙(1865)	멘델이 완두 교배 실험으로 유전 법칙 발견
유전자설(1926)	모건이 초파리 교배 실험으로 유전자가 염색체의 일정 위치에 있음을 밝혀냄
DNA가 유전 물질임을 증명(1944)	에이버리가 폐렴 쌍구균의 형질 전환 실험으로 DNA가 유전 물질임을 알아냄
DNA 입체 구조 밝힘(1953)	왓슨과 크릭이 DNA 이중 나선 구조 밝혀냄
유전부호 해독(1961)	니런버그와 마테이가 인공 RNA로 단백질 합성하여 유전부호 해독
DNA 재조합 기술 개발(1973)	코헨과 보이어가 제한 효소와 DNA 연결 효소로 DNA 재조합 기술 개발
DNA 염기 서열 분석법(1975)	생어가 DNA 염기 서열 분석 방법 고안
DNA 증폭 기술 개발(1983)	멀리스가 중합 효소 연쇄 반응(PCR)으로 DNA 대량 복제 기술 개발
사람의 유전체 지도 완성(2003)	사람의 DNA 염기 서열을 밝혀냄

4. 생명 과학의 연구 방법과 사례

① **오감 사용:** 오감으로 관찰한다. 예 베살리우스의 인체 해부

② **현미경을 사용한 관찰:** 광학 현미경과 전자 현미경을 사용한다. 예 세포의 발견과 세포 소기관이나 바이러스 관찰

③ **자기 방사법:** 방사성 동위 원소로 특정 물질을 표지하여 구조 및 위치를 파악한다. 예 광합성 산물 합성 경로 발견

④ **돌연변이를 이용한 연구:** DNA 유전 정보 연구에 돌연변이를 이용한다. 예 모건의 초파리 연구

⑤ **기술과 기기 활용:** 전기 현상 측정 기술, DNA 증폭 기술 등을 활용한다. 예 DNA 증폭 기술과 PCR 기기 발명

⑥ **다른 학문과의 연계:** 컴퓨터, 통계학 등 다른 학문과 연계하여 연구한다. 예 생물 정보학

5. 생명 과학의 탐구 방법

귀납적 탐구 방법	자연 현상에 대한 관찰을 통해 수집한 자료를 종합하고 분석하여 일반적인 원리나 법칙을 도출하는 탐구 방법 예 구달의 침팬지 연구 등
연역적 탐구 방법	자연 현상을 관찰하여 생긴 의문점을 해결하기 위해 가설을 세우고, 이를 실험을 통해 검증하는 탐구 방법 예 파스퇴르의 백신 발견 등

한번에 끝내는

대단원 문제

정답과 해설 006쪽

01 생명 과학의 역사에 대한 설명으로 옳지 않은 것은?

① 생명 과학은 생명 현상의 특성과 생명체의 구조 및 기능을 이해하는 학문이다.
② 아리스토텔레스는 자연 발생설을 주장하였다.
③ 베살리우스는 생물을 해부하였다.
④ 린네는 생물 분류법을 제안하였다.
⑤ 모건은 완두 실험으로 유전 원리를 제시하였다.

02 그림은 1950년 이후 생명 과학 발달에 대한 세 학생의 대화이다.

옳게 설명한 학생을 있는 대로 고른 것은?

① A ② B ③ A, B
④ B, C ⑤ A, B, C

03 다음은 생명 과학의 중요한 발견에 대한 설명이다.

- 백조목 플라스크 실험으로 자연 발생설이 옳지 않음을 밝히고 생물 속생설을 주장하였다.
- 콜레라균의 독성을 약화시켜 닭에 주입하는 실험으로 백신을 개발하였다.

이 내용에 해당하는 생명 과학자로 옳은 것은?

① 밴팅 ② 다윈 ③ 로렌츠
④ 파스퇴르 ⑤ 레이우엔훅

고난도

04 다음 생명 과학자를 연구 순서대로 옳게 나열한 것은?

(가) 왓슨과 크릭 (나) 코흐
(다) 베살리우스 (라) 모건

① (가)→(나)→(다)→(라) ② (가)→(다)→(라)→(나)
③ (나)→(라)→(다)→(가) ④ (다)→(나)→(라)→(가)
⑤ (다)→(라)→(나)→(가)

05 다음은 페니실린의 발견 과정에 대한 설명이다. ㉠과 ㉡은 각각 푸른곰팡이와 페니실린 중 하나이다.

플레밍 연구실의 세균 배지에 우연히 (㉠)의 포자가 떨어져 자랐다. (㉠)이/가 자란 주위에는 세균이 생장하지 못하는 것을 발견하였다. 이후 (㉠)이/가 만드는 물질이 최초의 항생 물질인 (㉡)임이 밝혀졌다.

이에 대한 설명으로 옳은 것만을 〈보기〉에서 있는 대로 고른 것은?

보기
ㄱ. ㉠은 푸른곰팡이이다.
ㄴ. ㉡은 세균에 의한 질병 치료에 사용한다.
ㄷ. ㉡이 발견된 이후, 혹은 현미경으로 세포를 관찰했다.

① ㄱ ② ㄷ ③ ㄱ, ㄴ
④ ㄴ, ㄷ ⑤ ㄱ, ㄴ, ㄷ

06 생명 과학이 발달함에 따라 생명 과학 지식이 변화한 내용을 진술한 것으로 옳지 않은 것은?

① 자연 발생설이 부정되고 생물 속생설이 확립되었다.
② 전염병은 신의 저주가 아니라 감염균의 전염으로 발생한다.
③ 생물종은 불변하는 것이 아니라 환경에 적응하여 변화한다.
④ 생물의 진화는 다양한 요인이 아니라 한 가지 요인에 의해 일어난다.
⑤ 자손이 부모를 닮는 것은 부모의 형질이 섞이는 것이 아니라 DNA가 전달되어 나타나는 현상이다.

07 다음은 생명 과학의 중요한 발견에 대한 설명이다.

(가) 생명 과학자들이 여러 생물에서 세포를 관찰하고 얻은 결과를 종합하여 '모든 생물은 세포로 이루어져 있다.'라는 세포설을 발표하였다.
(나) 갈라파고스 제도를 비롯한 여러 나라에서 수집한 자료를 바탕으로 생물의 진화를 설명하는 자연 선택설을 제안하였다.

이에 대한 설명으로 옳은 것만을 〈보기〉에서 있는 대로 고른 것은?

〈보기〉
ㄱ. (가)의 세포설을 기초로 현미경이 발명되었다.
ㄴ. (나) 이론은 생명 과학뿐 아니라 다른 분야에도 영향을 끼쳤다.
ㄷ. (가)와 (나) 모두 귀납적 탐구 방법을 사용하였다.

① ㄱ ② ㄷ ③ ㄱ, ㄴ
④ ㄴ, ㄷ ⑤ ㄱ, ㄴ, ㄷ

08 그림은 파스퇴르의 실험 과정을 나타낸 것이다.

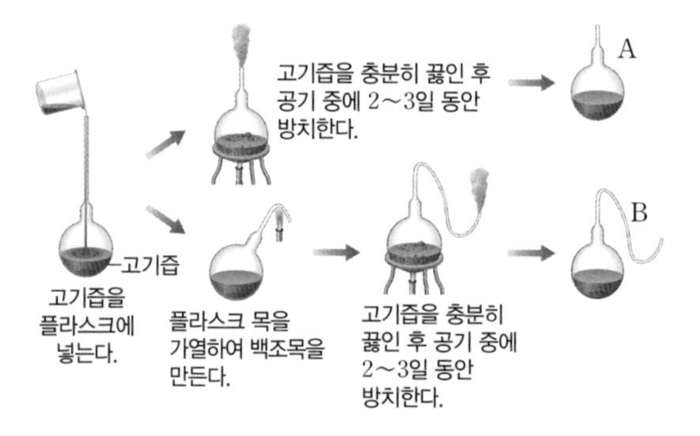

이에 대한 설명으로 옳은 것만을 〈보기〉에서 있는 대로 고른 것은?

〈보기〉
ㄱ. A에서는 미생물이 증식한다.
ㄴ. B에서는 공기 중의 미생물이 플라스크 안으로 들어가지 못한다.
ㄷ. 자연 발생설을 부정한 실험이다.

① ㄱ ② ㄷ ③ ㄱ, ㄴ
④ ㄴ, ㄷ ⑤ ㄱ, ㄴ, ㄷ

고난도

09 다음은 생명 과학자와 그가 수행한 생명 과학의 연구 방법이다.

(가) 훅은 자신이 만든 현미경으로 코르크를 관찰하다가 세포 구조를 발견하였다.
(나) 캘빈은 방사성 동위 원소를 이용하여 광합성 산물의 합성 경로를 발견하였다.
(다) 비들은 붉은빵곰팡이의 영양 요구성 돌연변이를 이용한 실험으로 1유전자 1효소설을 주장하였다.

이에 대한 설명으로 옳은 것만을 〈보기〉에서 있는 대로 고른 것은?

〈보기〉
ㄱ. (가)는 오감을 직접 사용한 관찰 방법이다.
ㄴ. (나)는 자기 방사법을 사용한 것이다.
ㄷ. (다)는 모건과 같은 연구 방법을 사용하였다.

① ㄱ ② ㄷ ③ ㄱ, ㄴ
④ ㄴ, ㄷ ⑤ ㄱ, ㄴ, ㄷ

10 다음은 생명 과학의 연구 사례를 나타낸 것이다.

(가) 독성이 약화된 콜레라균을 닭에게 주사한 후 독성이 강한 콜레라균을 주사하면, 닭이 콜레라균에 저항성을 가진다는 것을 발견하고 약화시킨 병원체를 '백신'이라고 명명하였다.
(나) 란트슈타이너는 다양한 사람의 혈액을 섞어 응집 반응을 확인하여 혈액형의 종류를 밝혀냈다.
(다) 로렌츠는 야생 동물을 직접 관찰하거나, 집에서 키우면서 동물 행동을 연구하였다. 그 결과 동물 행동에서 본능이 중요한 역할을 한다는 사실을 밝혔다.

이에 대한 설명으로 옳은 것만을 〈보기〉에서 있는 대로 고른 것은?

〈보기〉
ㄱ. (가)는 백신을 통한 질병 예방에 기여하였다.
ㄴ. (나)는 안전한 수혈이 가능하게 하였다.
ㄷ. (다)는 귀납적 탐구 방법을 사용한 것이다.

① ㄱ ② ㄷ ③ ㄱ, ㄴ
④ ㄴ, ㄷ ⑤ ㄱ, ㄴ, ㄷ

11 다음은 생명 과학에서 사용하는 기구에 대한 설명이다. 이 기구의 이름을 쓰시오.

> 1931년에 처음 발명된 기구이다. 이 기구가 발명된 이후로 세포의 내부 구조와 세포 소기관을 관찰하게 되었다. 또한, 세균보다 작은 바이러스도 관찰할 수 있게 되었다.

12 다음은 생명 과학의 한 분야가 발달하는 과정을 나타낸 것이다.

> - 베살리우스는 인체를 해부하여 해부학 발달에 영향을 주었다.
> - 하비가 혈액이 심장 박동으로 순환한다는 것을 발견하였다.
> - 호지킨과 헉슬리는 오징어 신경 연구로 신경 전도 원리를 밝혔다.
> - 서덜랜드가 호르몬의 작용 기작을 규명하였다.

이 분야는 무엇인지 쓰시오.

서술형

13 다음은 생명 과학의 발달 과정에서 플레밍이 수행한 연구에 대한 설명이다.

> 1928년에 플레밍은 포도상 구균 배지에서 독감 바이러스에 관한 연구를 하던 중 우연히 발생한 푸른곰팡이 주위의 포도상 구균이 사라진 것을 발견했다. 이후 푸른곰팡이의 배양물을 800배로 묽게 하여도 포도상 구균의 증식을 방지할 수 있다는 사실을 발견하고, 이 물질을 페니실린이라고 명명하였다.

플레밍이 발견한 항생제가 인류 복지에 어떤 기여를 하였는지 서술하시오.

서술형

14 다음은 유전 물질이 무엇인지 확인하는 데 이바지한 2가지 연구에 관한 내용이다.

> (가) 1928년에 그리피스(Griffith, F., 1879~1941)는 폐렴 쌍구균(S형 균, R형 균)을 생쥐에 주입하는 실험을 통해 S형 균의 어떤 물질에 의해 R형 균이 S형 균으로 형질 전환된다는 것을 밝혀냈다.
> (나) 1952년에 허시(Hershey, A. D., 1908~1997)와 체이스(Chase, M., 1927~2003)는 방사성 동위 원소로 표지된 박테리오파지를 대장균에 감염시키는 실험을 통해 새로운 파지가 만들어지는 데 필요한 유전 물질은 DNA라는 것을 밝혀냈다.

두 실험에 사용된 연구 방법이 무엇인지 비교하여 서술하시오.

서술형

15 왓슨과 크릭은 그림의 DNA X선 회절 사진과 DNA에 관한 여러 연구 자료에 기초하여 DNA 이중 나선 구조를 알아냈다.

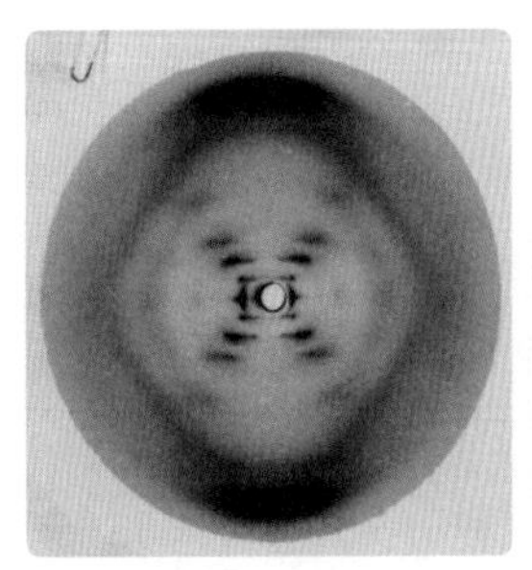

▲ DNA X선 회절 사진

▲ 왓슨과 크릭

왓슨과 크릭이 DNA 이중 나선 구조를 알아내는 데 사용한 탐구 방법에 대해 서술하시오.

Ⅱ 세포의 특성

나의 학습 계획표

중단원	소단원	계획일	실천일	성취도
1 세포의 특성	01. 생명체의 구성	/	/	○△×
	02. 세포의 구조와 기능	/	/	○△×
	수능 POOL + 실전! 수능 도전하기	/	/	○△×
2 세포막과 효소	01. 세포막을 통한 물질 이동	/	/	○△×
	02. 효소	/	/	○△×
	수능 POOL + 실전! 수능 도전하기	/	/	○△×
	대단원 정리 + 문제	/	/	○△×

1 세포의 특성

배울 내용 살펴보기

01 생명체의 구성

A 생명체의 구성 물질

B 생명체의 유기적 구성

동물과 식물 같은 다세포 생물은 많은 세포가 유기적으로 결합하여 정교한 체제를 이루지.

02 세포의 구조와 기능

A 세포 소기관의 연구 방법

B 원핵세포와 진핵세포

C 세포 소기관의 구조와 기능

원핵세포는 핵막이 없어 유전 물질이 세포질에 퍼져 있는 세포이고, 진핵세포는 핵막이 있어 유전 물질이 핵 속에 들어 있는 세포야.

생명체의 구성

핵심 키워드로 흐름잡기

- A 탄수화물, 지질, 단백질, 핵산
- B 조직, 조직계, 기관, 기관계

A 생명체의 구성 물질❶

|출·제·단·서| 시험에는 주로 탄수화물, 지질, 단백질, 핵산의 특징을 묻는 문제가 나와.

1. 탄수화물

(1) 구성 원소 탄소(C), 수소(H), 산소(O)로 구성된다. (C : H : O = 1 : 2 : 1의 비로 이루어져 있다.)

(2) 기능 생명체의 주된 에너지원(4 kcal/g)이며, 생명체의 구성 물질이다.

(3) 종류 단당류, 이당류, 다당류로 구분된다. 단당류와 이당류는 물에 잘 녹고 단맛이 나며, 다당류는 물에 잘 녹지 않고, 단맛이 없다.

단당류	이당류	다당류
탄수화물을 이루는 기본 단위이다.	(글리코사이드 결합) 2개의 단당류가 결합한 탄수화물이다.	수백 또는 수천 개의 단당류가 결합되어 긴 사슬을 이루는 탄수화물이다.
예 포도당❷, 과당, 갈락토스	예 • 엿당(포도당+포도당) • 설탕(포도당+과당) • 젖당(포도당+갈락토스)	예 • 녹말: 식물의 저장 탄수화물이다. • 글리코젠: 동물의 저장 탄수화물이다. • 셀룰로스: 식물의 세포벽을 구성하는 주성분이다.

2. 지질

물에 잘 녹지 않고 •유기 용매에는 잘 녹는 화합물이다.

(1) 구성 원소 탄소(C), 수소(H), 산소(O)로 구성되며, 인지질은 인(P)을 포함한다.

(2) 기능 에너지 저장 물질로 이용되며, 세포막과 일부 호르몬의 구성 성분이다.

(3) 종류 중성 지방, 인지질, 스테로이드로 구분된다. (중성 지방: 기름, 버터와 같은 식품에 주로 들어 있다.)

중성 지방	인지질	스테로이드
(글리세롤, 지방산) 1분자의 글리세롤에 3분자의 지방산이 결합한 구조이다.	(인산기를 포함하는 부분, 글리세롤, 친수성 머리, 지방산, 소수성 꼬리) 중성 지방에서 지방산 1분자 대신 인산기를 포함한 화합물이 결합한 구조이다.	4개의 탄소 고리 화합물로 구성된다.
• 생명체에서 주요 에너지 저장 물질로 이용된다.(9 kcal/g) • 동물의 피부 밑에 축적되어 체온 유지에 중요한 역할을 한다.	• 친수성 머리와 소수성 꼬리로 구성된다. • 세포막, 핵막 등 생체막의 주요 성분이다.	• 성호르몬, 부신 겉질 호르몬의 구성 성분으로 생리 기능을 조절한다. • 콜레스테롤이 대표적이다. (콜레스테롤은 동물 세포막의 구성 성분이다.)

축적된 중성 지방, 세포막, 지방 세포, 글리세롤, 지방산, 인지질, 세포막의 인지질 2중층, 콜레스테롤

▲ 지방 세포를 구성하는 여러 가지 지질

❶ 생명체의 구성 물질

생명체는 주로 물과 탄소 화합물(단백질, 지질, 탄수화물, 핵산)로 구성된다.

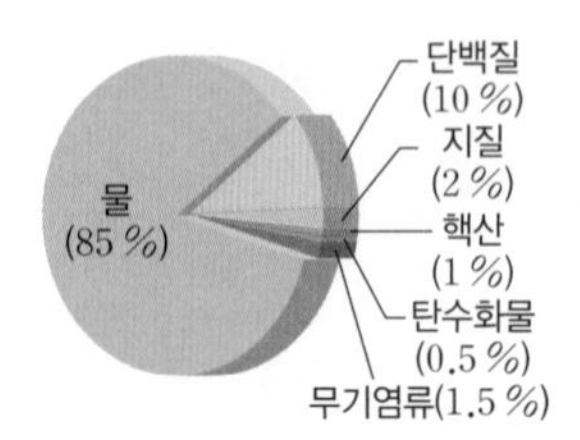

▲ 사람(간)의 구성 물질

지질과 지방은 같은 말일까?

지질에는 지방뿐만 아니라 인지질, 스테로이드 등이 포함되므로 지질과 지방은 동의어가 아니다.

❷ 포도당의 분자 구조

포도당($C_6H_{12}O_6$)은 광합성의 주요 산물이며, 대다수 생물의 에너지원이 되는 단당류이다.

▲ 포도당

용어 알기

•유기 용매(있을 有, 틀 機, 흐를 溶, 매개 劑) 액체 상태의 유기물로 된 용매로, 알코올, 아세톤, 에테르 등이 있음

3. 단백질

(1) 구성 원소 탄소(C), 수소(H), 산소(O), 질소(N)로 구성되며, 일부 황(S)을 포함한다.

(2) 기본 단위 아미노산❸ 단백질은 많은 아미노산이 펩타이드 결합으로 연결된 화합물이다.

① **펩타이드 결합:** 한 아미노산의 카복실기와 다른 아미노산의 아미노기 사이에서 물 1분자가 빠지면서 형성된 *공유 결합이다.

② 여러 개의 아미노산이 펩타이드 결합으로 연결된 물질을 폴리펩타이드❹라고 하며, 단백질은 1개 이상의 폴리펩타이드로 이루어져 있다.

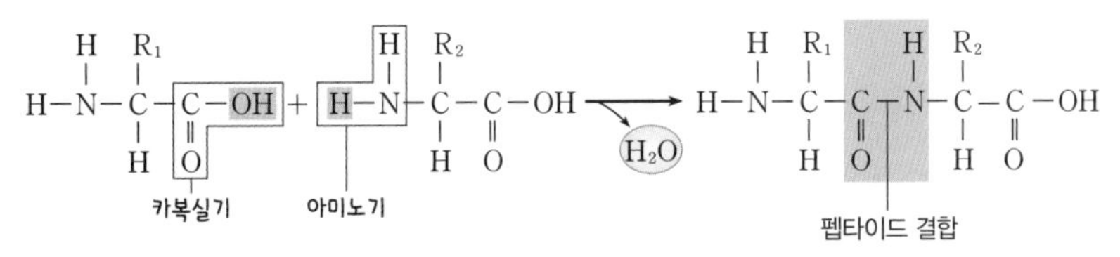

▲ 펩타이드 결합

(3) 구조 단백질은 종류마다 고유의 입체 구조를 가지며, 이 입체 구조에 의해 기능이 결정된다.

① 단백질을 구성하는 아미노산의 수와 종류, 배열 순서에 의해 입체 구조가 결정된다.

② 높은 온도와 강한 산 등으로 단백질의 입체 구조가 변하면❺ 일반적으로 단백질은 그 기능을 잃는다.

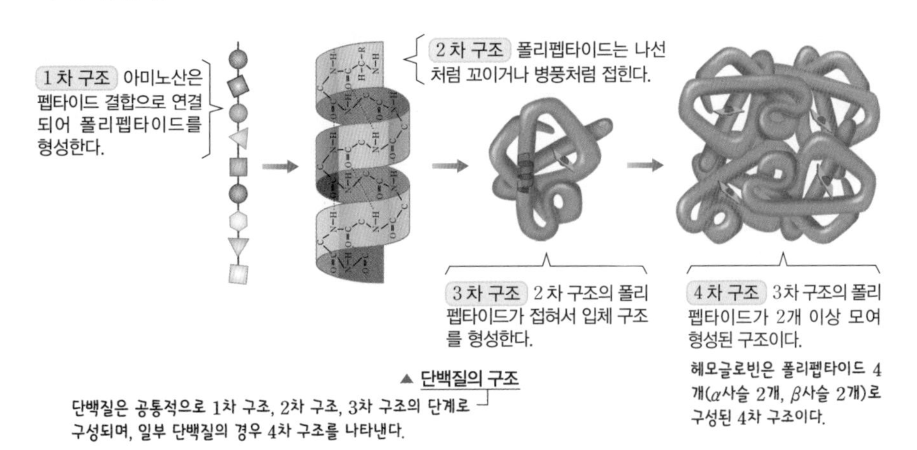

▲ 단백질의 구조

단백질은 공통적으로 1차 구조, 2차 구조, 3차 구조의 단계로 구성되며, 일부 단백질의 경우 4차 구조를 나타낸다.

(4) 기능

① 몸의 주요 구성 성분이며, 지지 작용을 한다. ㉠ 근육(마이오신), 피부(콜라젠), 머리카락과 손톱(케라틴) 등을 구성

② 물질대사와 생리 기능을 조절한다. ㉠ 효소, 호르몬의 성분

③ 몸을 보호하는 방어 작용을 한다. ㉠ 항체의 성분

④ 물질을 운반하는 작용을 한다. ㉠ 헤모글로빈(산소 운반)

⑤ 인지질과 함께 세포막을 구성한다.

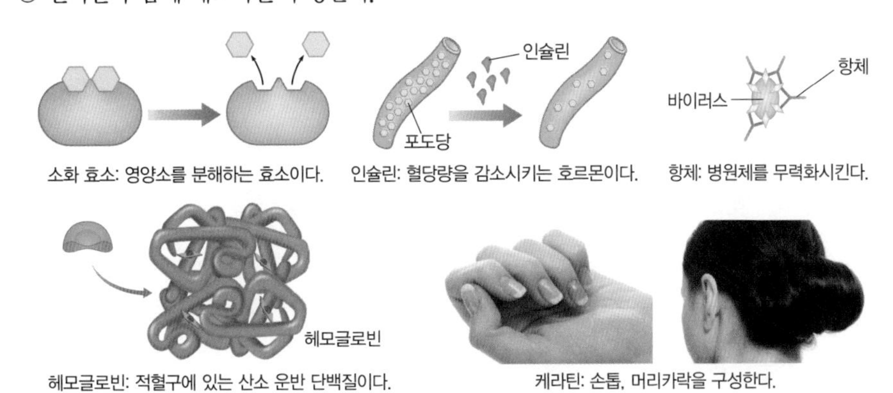

▲ 여러 가지 단백질의 기능

---

❸ 아미노산의 구조

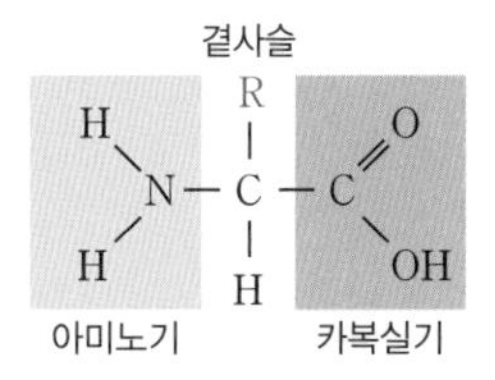

▲ 아미노산의 구조

- 아미노산은 아미노기($-NH_2$), 카복실기($-COOH$), *곁사슬(R), 수소 원자로 구성되며, 곁사슬의 종류에 따라 아미노산의 종류가 달라진다.
- 단백질을 구성하는 아미노산은 20종류이다.

❹ 펩타이드

아미노산이 펩타이드 결합으로 연결되어 형성된 화합물을 모두 펩타이드라고 한다.

- 다이펩타이드: 2분자의 아미노산이 결합한 것
- 트라이펩타이드: 3분자의 아미노산이 결합한 것
- 폴리펩타이드: 여러 분자의 아미노산이 결합한 것

❺ 단백질의 변성

단백질은 열, 산, 염기 등에 의해 입체 구조가 파괴될 수 있는데, 이를 단백질의 변성이라고 한다. 이렇게 변성된 단백질은 그 기능을 정상적으로 수행하지 못한다.

용어 알기

- 곁사슬(**side chain**) 사슬이나 고리 모양으로 구성된 유기 화합물의 주된 골격에 몇 개 원자가 결합하여 가지처럼 붙어 있는 부분
- 공유 결합(**함께 共, 있을 有, 맺을 結, 합할 合**) 두 원자 사이에 한 쌍 이상의 전자를 함께 공유하여 이루어지는 화학 결합

4. 핵산

(1) 구성 원소 탄소(C), 수소(H), 산소(O), 질소(N), 인(P)이다.

(2) 기본 단위 뉴클레오타이드 ➡ 핵산은 많은 수의 뉴클레오타이드가 연결된 중합체이다.

① **뉴클레오타이드:** •염기, 당❻, 인산이 1:1:1로 결합한 물질이다.

② 뉴클레오타이드의 당과 다른 뉴클레오타이드의 인산 사이의 결합으로 여러 개의 뉴클레오타이드가 길게 연결된 물질을 폴리뉴클레오타이드라고 하며, 핵산은 폴리뉴클레오타이드로 이루어져 있다.

(3) 종류 DNA와 RNA가 있다.

구분	DNA(deoxyribonucleic acid)	RNA(ribonucleic acid)
구조	폴리뉴클레오타이드 2가닥이 꼬인 이중 나선	폴리뉴클레오타이드 1가닥으로 된 단일 가닥
기능	유전 정보 저장	유전 정보 전달, 단백질 합성에 관여
당	디옥시리보스	리보스
염기❼	아데닌(A), 구아닌(G), 사이토신(C), 타이민(T)	아데닌(A), 구아닌(G), 사이토신(C), 유라실(U)

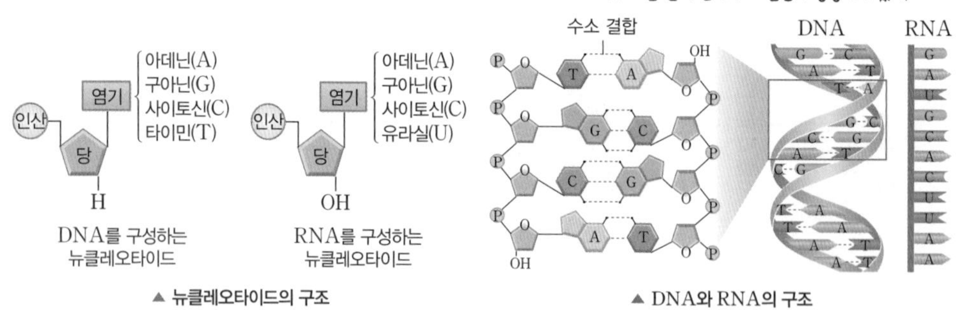

▲ 뉴클레오타이드의 구조 ▲ DNA와 RNA의 구조

B 생명체의 유기적 구성

|출·제·단·서| 시험에는 동물과 식물을 구성하는 단계의 예를 묻는 문제가 나와.

1. 생명체의 유기적 구성 동물과 식물 같은 다세포 생물은 많은 세포가 유기적으로 결합하여 정교한 체제를 이룬다.

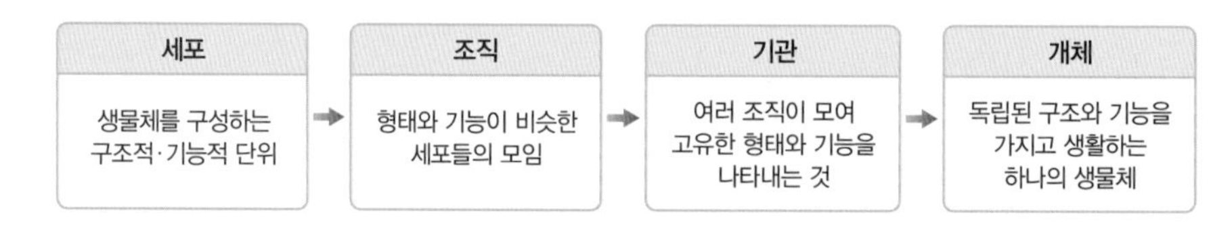

2. 동물의 구성 단계

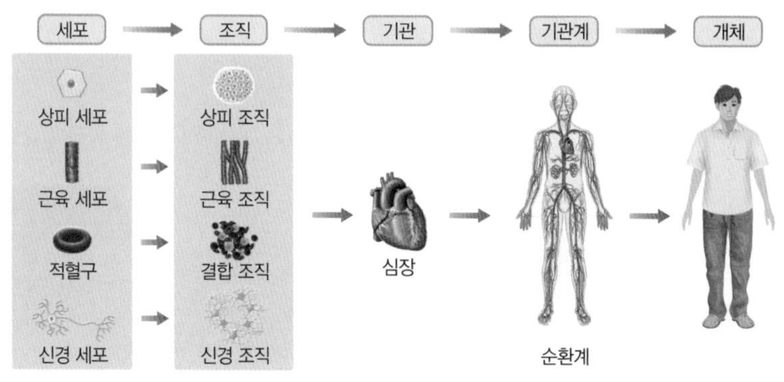

▲ 동물의 구성 단계

---

❻ DNA와 RNA를 구성하는 당
디옥시리보스와 리보스는 모두 탄소를 5개 가진 5탄당이며, 디옥시리보스가 리보스보다 산소가 하나 적다.

❼ 염기의 분류
염기는 2중 고리 구조를 가진 퓨린계 염기와 단일 구조를 가진 피리미딘계 염기로 구분된다.

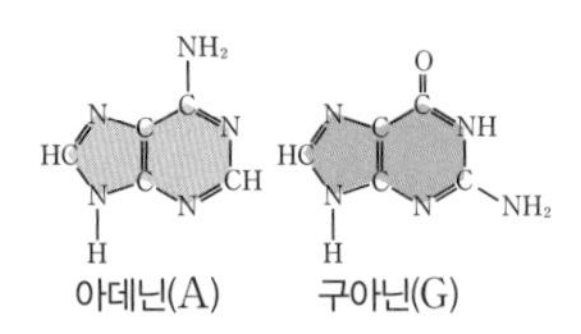

▲ 퓨린계 염기

사이토신(C) 타이민(T) 유라실(U)

▲ 피리미딘계 염기

➕ 물의 특성
- 생명체 구성 성분 중 가장 많은 양을 차지한다. 체액의 주성분이다.
- 물 분자(H_2O)는 산소 원자 1개와 수소 원자 2개가 공유 결합을 형성하며, 극성을 띤다.
- 극성을 띠는 물 분자 사이에 수소 결합이 형성된다. ➡ 비열과 기화열이 커서 체온을 일정하게 유지할 수 있다.
- 용매로 작용하여 각종 물질을 운반하고, 화학 반응의 매개체 역할을 한다.

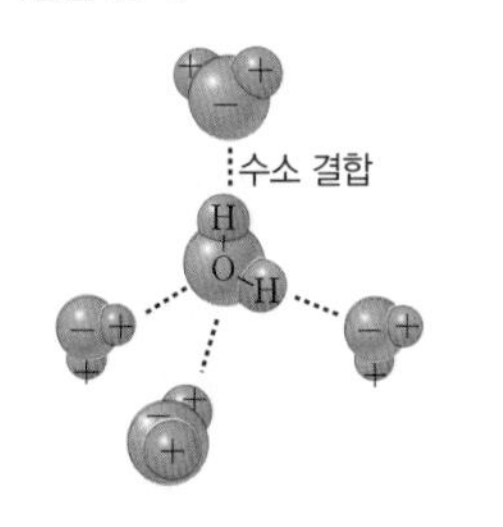

용어 알기

•**염기(base)** DNA나 RNA의 구성 성분이며, 질소를 함유하는 고리 모양의 유기 화합물

(1) 세포 상피 세포, 근육 세포, 혈구, 신경 세포 등 형태와 기능이 다양하다.

(2) 조직[8] 기능과 특징에 따라 상피 조직, 결합 조직, 근육 조직, 신경 조직으로 구분한다.

(3) 기관 위, 간, 심장, 콩팥, 소장, 대장 등이 기관에 해당한다.

(4) 기관계 서로 관련된 기능을 하는 기관이 모여 특정 기능을 수행하는 기관계를 이룬다.

└ 식물에는 존재하지 않는 구성 단계이다.

기관계	기능	구성 기관
소화계	영양소의 소화와 흡수	입, 식도, 위, 소장, 대장, 간 등
호흡계	산소와 이산화 탄소의 교환	코, 기관, 기관지, 폐 등
순환계	양분, 노폐물, 기체의 운반	심장, 혈관 등
배설계	노폐물의 배설	콩팥, 오줌관, 방광, 요도 등
신경계	흥분의 전달 및 기관의 작용 조절	뇌, 척수, 감각 기관 등
내분비계	호르몬의 생성과 분비 및 항상성 유지	뇌하수체, 갑상샘, 부갑상샘, 부신 등
면역계	질병으로부터 방어	골수, 림프관, 가슴샘 등

(5) 개체 사람 한 명, 동물 한 마리가 개체에 해당한다.

3. 식물의 구성 단계

암기TiP 동물에는 기관계가 있고, 식물에는 조직계가 있다.

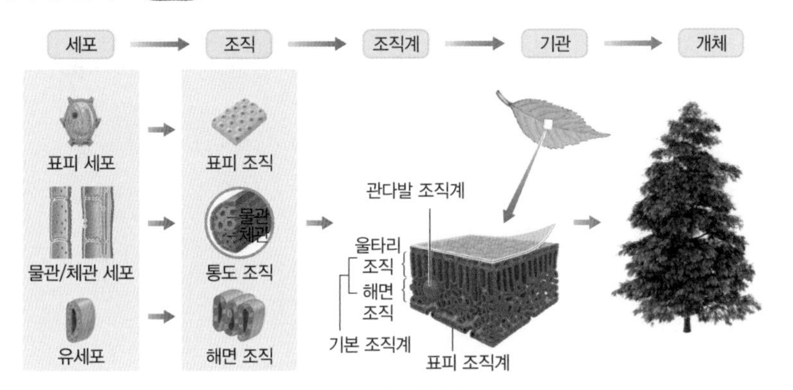

▲ 식물의 구성 단계

(1) 세포 표피 세포, 물관 세포, 체관 세포, 유세포 등 형태와 기능이 다양하다.

(2) 조직 세포 분열이 일어나는 분열 조직과 생성 후 더 이상 세포 분열이 일어나지 않는 영구 조직으로 구분된다.

① **분열 조직:** 세포 분열이 왕성하게 일어나는 조직이다. 예 형성층, 생장점

② **영구 조직**[9]**:** 분열 조직으로부터 분화된 조직이다. 예 표피 조직, 유조직, 통도 조직 등

(3) 조직계[10] 여러 조직이 모여 특정한 기능을 수행하는 조직계를 이룬다.

└ 동물에는 존재하지 않는 구성 단계이다.

조직계	기능
표피 조직계	• 표피 조직으로 구성된다. • 식물의 바깥 표면을 덮어 내부를 보호하고 기체 교환과 수분 출입을 조절한다.
관다발 조직계	• 물관부와 체관부 및 형성층으로 구성된다. • 물과 양분의 이동 통로 역할을 한다.
기본 조직계	• 표피 조직계와 관다발 조직계를 제외한 나머지 부분으로, 대부분 유조직으로 구성된다. • 광합성, 호흡, 물과 양분의 저장 등이 일어난다.

(4) 기관 영양 기관과 생식 기관으로 구분된다.

① **영양 기관:** 양분의 합성과 저장을 담당하는 기관이다. 예 뿌리, 줄기, 잎

② **생식 기관:** 씨를 만들어서 자손을 퍼뜨리는 기관이다. 예 꽃, 열매

(5) 개체 풀 한 포기, 나무 한 그루 등이 개체에 해당된다.

⑧ 조직의 구분

• 상피 조직: 상피 세포로 구성되어 있으며, 몸의 표면이나 내장 기관의 안쪽 벽 등을 덮어 몸 보호, 물질 흡수 및 분비 등의 기능을 한다. 예 피부, 입안의 상피, 망막, 분비샘 등

• 결합 조직: 서로 다른 조직이나 기관을 결합시켜 지지한다. 예 연골, 뼈, 지방 조직, 혈액, 힘줄 등

• 근육 조직: 근육 세포(섬유)로 구성되어 있으며, 몸이나 내장 기관의 근육을 구성하여 운동을 담당한다. 예 골격근, 심장근, 내장근 등

• 신경 조직: 뉴런(신경 세포)과 지지 세포로 이루어져 있으며, 자극을 받아들이고 전달한다. 예 감각 신경, 운동 신경 등

⑨ 영구 조직의 구분

• 표피 조직: 식물의 표면을 덮어 보호한다. 예 표피, 뿌리털, 공변 세포 등

• 유조직: 식물을 구성하는 기본 조직으로 광합성, 호흡, 물질 저장, 분비 작용이 일어난다. 예 울타리 조직, 해면 조직 등

• 기계 조직: 식물을 지탱하며 세포벽이 두껍고 단단한 세포로 구성된다. 예 섬유 조직 등

• 통도 조직: 물과 양분의 이동 통로이다. 예 물관, 체관 등

⑩ 조직계의 분포

조직계는 뿌리, 줄기, 잎 식물 전체에 연속적으로 분포한다.

용어 알기

• 물관부(xylem) 물과 무기 양분의 이동 통로 역할을 하는 관다발 조직

• 체관부(phloem) 광합성으로 합성된 양분의 이동 통로 역할을 하는 관다발 조직

콕콕! 개념 확인하기

정답과 해설 008쪽

✔ 잠깐 확인!

1. 탄수화물의 종류는 크게 단당류, 2개의 단당류가 결합한 □□□, 수백~수천 개의 단당류가 결합한 □□□로 구분한다.

2. □□□
지질에 속하며, 생체막의 주요 구성 성분이다.

3. □□□□ 결합
아미노산과 아미노산 사이의 공유 결합

4. 단백질은 고유의 □□□□를 가지며, 이는 구성하는 아미노산의 수, 종류, 배열 순서에 따라 결정된다.

5. 핵산의 기본 단위인 뉴클레오타이드는 인산, □, □□가 1 : 1 : 1의 비로 결합한 물질이다.

6. DNA의 기능은 유전 정보의 □□, RNA의 기능은 유전 정보의 □□이다.

7. □□□
동물에서 관련된 여러 기관이 모여 특정한 기능을 수행하는 구성 단계로, 식물에는 없다.

8. □□□
식물에서 여러 조직이 모여 특정한 기능을 수행하는 구성 단계로, 동물에는 없다.

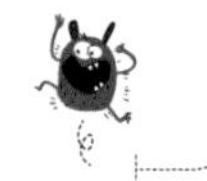

A 생명체의 구성 물질

01 탄수화물, 지질, 단백질, 핵산을 구성하는 공통 원소를 모두 쓰시오.

02 다음은 핵산, 지질, 단백질, 탄수화물의 기능을 순서 없이 설명한 것이다. 각 설명에 해당하는 물질의 이름을 쓰시오.

(1) 생명체의 주된 에너지원이다. (　　　　)
(2) 유전 정보를 저장하거나 전달한다. (　　　　)
(3) 에너지원으로 사용되며, 세포막과 성호르몬의 구성 성분이다. (　　　　)
(4) 효소와 호르몬의 주성분으로 물질대사와 생리 기능을 조절한다. (　　　　)

03 생명체의 구성 물질에 대한 설명으로 옳은 것은 ○, 옳지 않은 것은 ×로 표시하시오.

(1) 녹말은 동물, 글리코젠은 식물의 저장 탄수화물이다. (　　)
(2) 스테로이드는 성호르몬, 부신 겉질 호르몬의 구성 성분이다. (　　)
(3) 중성 지방은 1분자의 지방산과 3분자의 글리세롤로 구성되어 있다. (　　)
(4) DNA의 구성 당은 리보스, RNA의 구성 당은 디옥시리보스이다. (　　)

04 그림 (가)~(다)는 핵산, 단백질, 탄수화물을 구성하는 단위체를 순서 없이 나타낸 것이다.

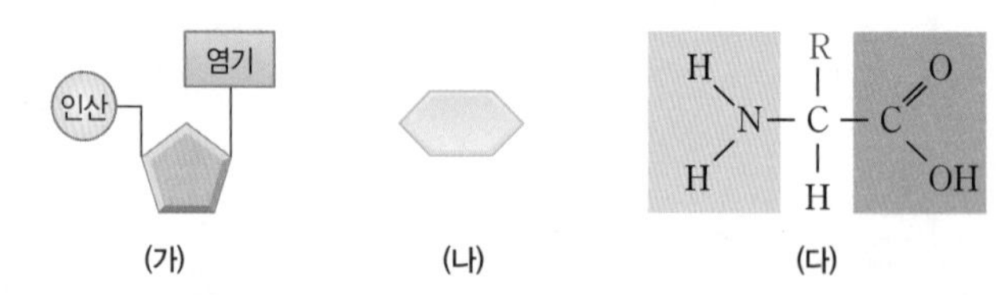

(가)~(다)의 이름을 각각 쓰시오.

B 생명체의 유기적 구성

05 그림은 동물과 식물의 구성 단계를 나타낸 것이다.

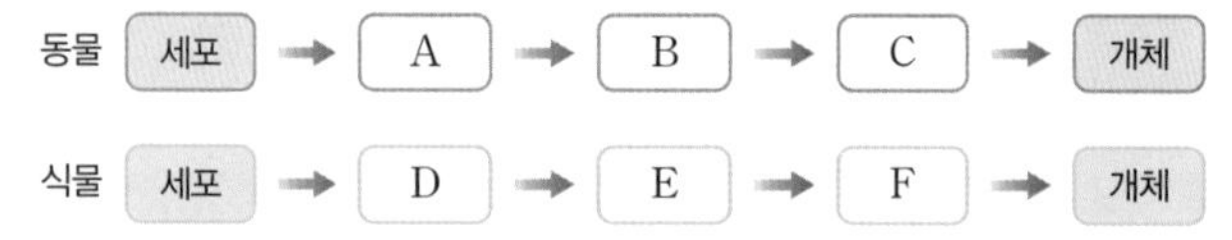

A~F에 해당하는 구성 단계를 각각 쓰시오.

06 동물의 각 기관계를 구성하는 기관을 옳게 연결하시오.

(1) 호흡계 • 　　　　• ㉠ 위, 소장
(2) 소화계 • 　　　　• ㉡ 콩팥, 방광
(3) 배설계 • 　　　　• ㉢ 기관지, 폐
(4) 신경계 • 　　　　• ㉣ 뇌, 척수

07 다음 각 설명에 해당하는 식물의 조직계를 쓰시오.

(1) 물과 양분의 이동 통로 역할을 한다. (　　　　)
(2) 대부분 유조직으로 구성되며, 광합성 등이 일어난다. (　　　　)
(3) 표면을 덮어 내부를 보호하고 기체 교환과 수분 출입을 조절한다. (　　　　)

탄탄! 내신 다지기

정답과 해설 008쪽

A 생명체의 구성 물질

01 그림은 탄수화물의 종류를 나타낸 것이다. (가)~(다)는 각각 단당류, 이당류, 다당류 중 하나이다.

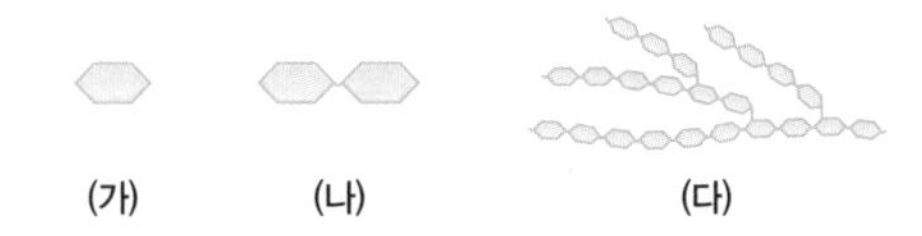

(가)~(다)의 예를 옳게 짝 지은 것은?

	(가)	(나)	(다)
①	과당	설탕	젖당
②	과당	글리코젠	갈락토스
③	포도당	과당	설탕
④	포도당	엿당	녹말
⑤	갈락토스	녹말	셀룰로스

02 그림 (가)~(다)는 인지질, 중성 지방, 스테로이드를 순서 없이 나타낸 것이다. ㉠과 ㉡은 각각 지방산과 글리세롤 중 하나이다.

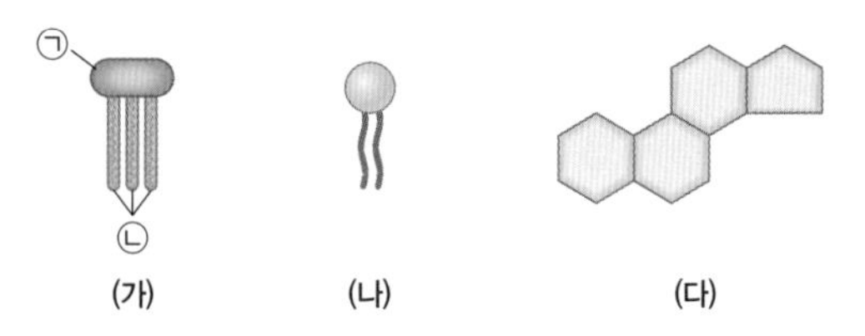

이에 대한 설명으로 옳지 않은 것은?

① (가)는 중성 지방이다.
② (나)는 세포막을 구성한다.
③ (다)의 예로 콜레스테롤이 있다.
④ ㉠은 글리세롤, ㉡은 지방산이다.
⑤ (가)는 유기 용매보다 물에 잘 녹는다.

03 단백질에 대한 설명으로 옳지 않은 것은?

① 고유한 입체 구조를 가진다.
② 효소, 항체의 구성 성분이다.
③ 머리카락, 손톱의 구성 성분이다.
④ 기본 단위는 뉴클레오타이드이다.
⑤ 구성 원소에 탄소(C), 수소(H), 산소(O), 질소(N)가 있다.

04 그림은 아미노산의 결합 과정을 나타낸 것이다.

$$\underbrace{H_2N}_{\text{I}}-\underset{H}{\overset{R_1}{C}}-\underbrace{COOH}_{\text{II}} + H_2N-\underset{H}{\overset{R_2}{C}}-COOH \rightarrow ㉠ + H_2N-\underset{H}{\overset{R_1}{C}}-\underbrace{\underset{O}{\overset{}{\underset{\|}{C}}}-\underset{}{\overset{H}{N}}}_{㉡}-\underset{H}{\overset{R_2}{C}}-COOH$$

이에 대한 설명으로 옳지 않은 것은?

① Ⅰ은 아미노기이다.
② Ⅱ은 카복실기이다.
③ ㉠은 CO_2이다.
④ ㉡은 펩타이드 결합이다.
⑤ 이와 같은 반응으로 폴리펩타이드가 형성된다.

05 그림은 2종류의 핵산을 나타낸 것이다. (가)와 (나)는 각각 RNA와 DNA 중 하나이다.

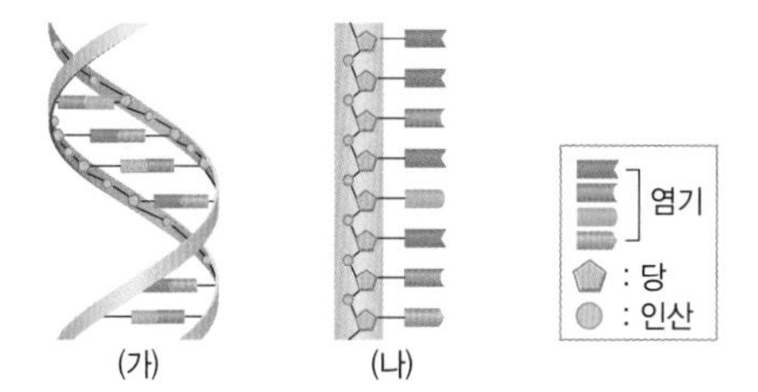

이에 대한 설명으로 옳지 않은 것은?

① (가)는 2중 나선 구조이다.
② (나)는 RNA이다.
③ (가)는 유전 정보를 저장한다.
④ (나)를 구성하는 당은 리보스이다.
⑤ (가)와 (나)는 모두 타이민(T)을 가진다.

06 그림 (가)와 (나)는 2가지 뉴클레오타이드를 나타낸 것이다. ㉠과 ㉡은 서로 다른 염기이다.

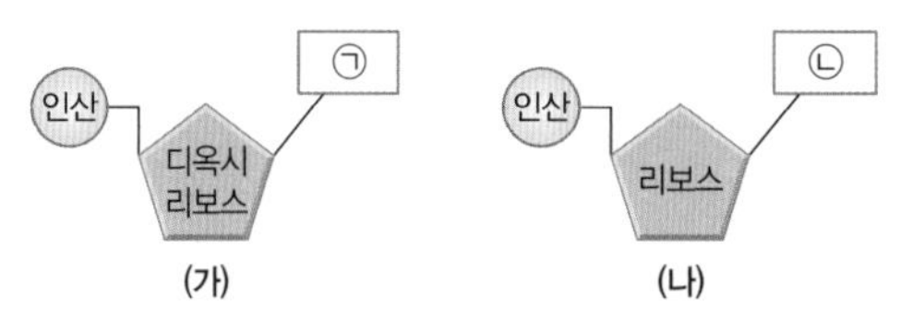

이에 대한 설명으로 옳은 것만을 〈보기〉에서 있는 대로 고른 것은?

> 보기
> ㄱ. (가)는 DNA를, (나)는 RNA를 구성한다.
> ㄴ. 유라실(U)은 ㉠에 해당한다.
> ㄷ. ㉡에 해당하는 염기는 4종류이다.

① ㄱ ② ㄷ ③ ㄱ, ㄴ
④ ㄱ, ㄷ ⑤ ㄴ, ㄷ

B 생명체의 유기적 구성

07 그림은 사람 몸의 구성 단계를 나타낸 것이다. (가)~(다)는 각각 기관, 기관계, 조직 중 하나이다.

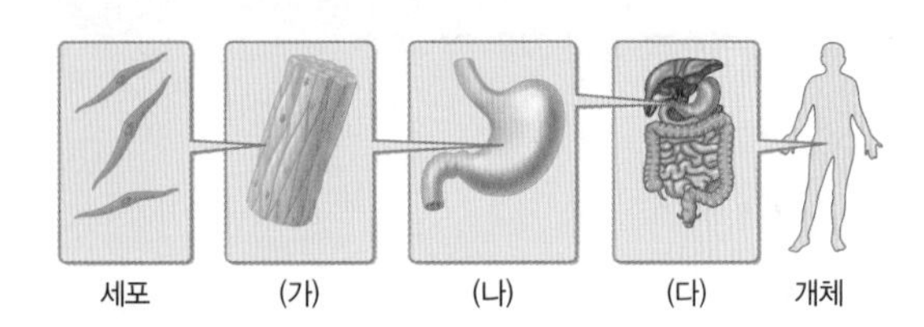

이에 대한 설명으로 옳지 <u>않은</u> 것은?

① (가)는 조직이다.
② (가)는 모양과 기능이 비슷한 세포들이 모인 것이다.
③ (나)는 여러 조직이 모여 특정한 형태와 기능을 나타낸다.
④ (다)는 식물에도 있는 구성 단계이다.
⑤ 생명체는 유기적이고 정교한 체제를 갖추고 있다.

08 그림은 사람의 위와 그 구성 조직을, 표는 위를 구성하는 조직의 특징을 나타낸 것이다.

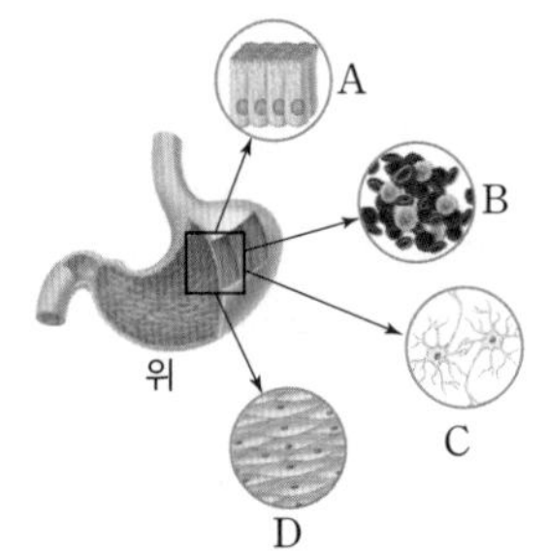

조직	특징
A	위의 표면이나 안쪽 벽을 덮고 있다.
B	조직을 연결하거나 지지한다.
C	자극을 전달한다.
D	위의 운동에 관여한다.

이에 대한 설명으로 옳은 것은?

① A는 결합 조직이다.
② B는 상피 조직이다.
③ C는 뉴런으로 구성된다.
④ D는 소화 효소를 분비하는 기능이 있다.
⑤ 위는 동물의 구성 단계 중 조직계에 해당한다.

09 그림 (가)와 (나)는 각각 사람과 참나무의 구성 단계의 예를 나타낸 것이다.

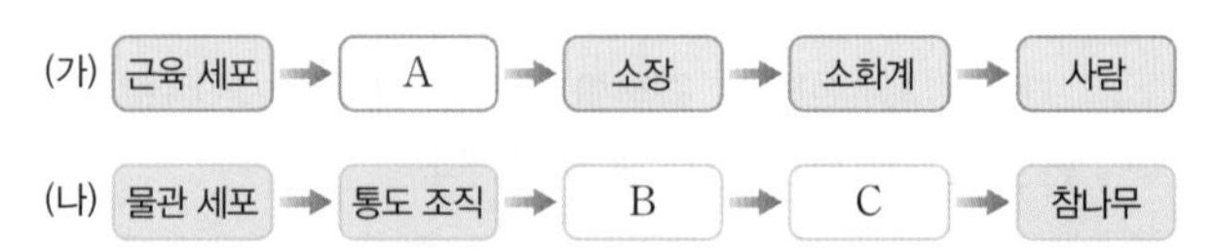

이에 대한 설명으로 옳은 것만을 〈보기〉에서 있는 대로 고른 것은?

보기
ㄱ. A는 근육 조직이다.
ㄴ. B에 물관부와 체관부가 존재한다.
ㄷ. 줄기는 C에 해당한다.

① ㄱ ② ㄷ ③ ㄱ, ㄴ
④ ㄴ, ㄷ ⑤ ㄱ, ㄴ, ㄷ

단답형

10 표는 식물의 조직 (가)~(라)의 특징을 나타낸 것이다.

조직	특징
(가)	식물의 표면을 덮고 있다.
(나)	울타리 조직과 해면 조직이 해당한다.
(다)	물과 양분의 이동 통로이다.
(라)	세포 분열이 활발히 일어난다.

(가)~(라)에 해당하는 조직의 이름을 각각 쓰시오.

11 그림은 식물 잎의 단면 구조를 나타낸 것이며, (가)~(라)는 식물 잎을 구성하는 여러 조직에 해당한다.

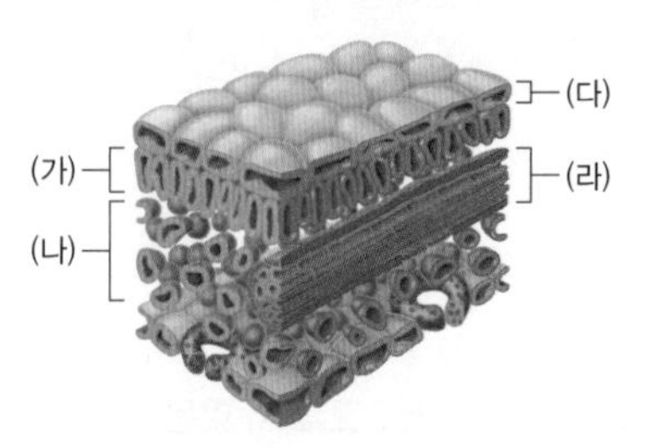

이에 대한 설명으로 옳은 것은?

① (가)는 표피 조직이다.
② (나)는 통도 조직이다.
③ (다)는 분열 조직에 해당한다.
④ (라)는 관다발 조직계에 속한다.
⑤ 잎은 식물의 생식 기관에 해당한다.

도전! 실력 올리기

서답형 문제

정답과 해설 010쪽

출제예감

01 표는 인체를 구성하는 물질 ㉠~㉢에서 2가지 특징의 유무를 나타낸 것이다. ㉠~㉢은 각각 DNA, 단백질, 스테로이드 중 하나이다.

물질 \ 특징	기본 단위가 아미노산이다.	호르몬의 구성 성분이다.
㉠	○	○
㉡	×	×
㉢	×	○

(○: 있음, ×: 없음)

이에 대한 설명으로 옳은 것만을 〈보기〉에서 있는 대로 고른 것은?

보기
ㄱ. ㉠의 구성 원소에는 질소(N)가 포함된다.
ㄴ. ㉡의 기본 단위는 뉴클레오타이드이다.
ㄷ. ㉢은 단백질이다.

① ㄱ ② ㄷ ③ ㄱ, ㄴ
④ ㄱ, ㄷ ⑤ ㄴ, ㄷ

02 그림은 (가)와 (나)의 공통점과 차이점을 나타낸 것이다. (가)와 (나)는 각각 사람과 국화 중 하나이고, ㉠과 ㉡ 중 하나는 '기관계가 있다.'이다.

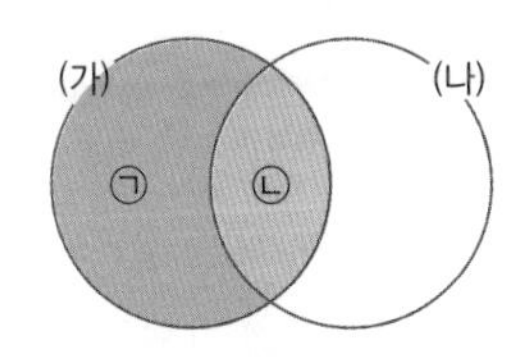

이에 대한 설명으로 옳은 것만을 〈보기〉에서 있는 대로 고른 것은?

보기
ㄱ. (가)는 사람이다.
ㄴ. '조직계가 있다.'는 ㉡에 해당한다.
ㄷ. 사람의 적혈구와 국화의 유세포는 생물의 구성 단계 중 같은 구성 단계에 해당한다.

① ㄱ ② ㄴ ③ ㄱ, ㄷ
④ ㄴ, ㄷ ⑤ ㄱ, ㄴ, ㄷ

서술형

03 그림 (가)~(다)는 녹말, DNA, 단백질의 구조를 순서 없이 나타낸 것이다.

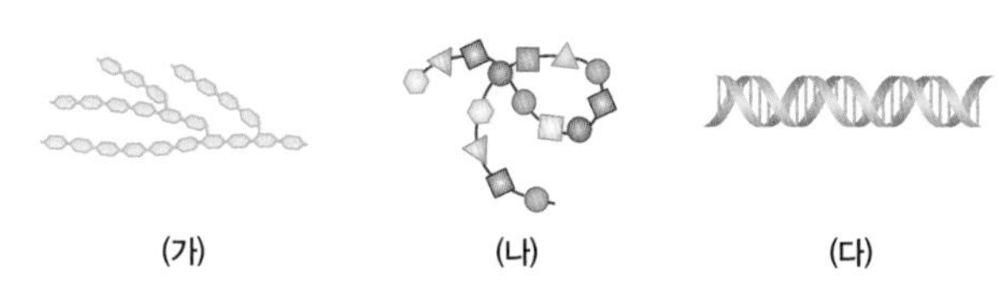

(1) (가)~(다)는 각각 무엇인지 쓰시오.

(2) 생명체에서 (가)~(다)가 수행하는 기능을 각각 1가지씩 서술하시오.

서술형

04 DNA와 RNA를 구성하는 물질의 차이점을 2가지 서술하시오.

서술형

05 표는 토끼와 장미에서 구성 단계 ㉠~㉢의 유무를 나타낸 것이다. ㉠~㉢은 각각 조직, 기관계, 조직계 중 하나이다.

구분	토끼	장미
㉠	있음	있음
㉡	없음	있음
㉢	있음	없음

㉠~㉢은 각각 무엇인지 쓰고, 그렇게 판단한 까닭을 서술하시오.

02 세포의 구조와 기능

핵심 키워드로 흐름잡기

- A 광학 현미경, 투과 전자 현미경, 주사 전자 현미경, 세포 분획법, 자기 방사법
- B 원핵세포, 진핵세포
- C 핵, 리보솜, 소포체, 골지체, 리소좀, 액포, 엽록체, 미토콘드리아, 세포 골격, 섬모와 편모, 세포벽, 중심체

A 세포 소기관의 연구 방법

|출·제·단·서| 시험에는 현미경, 세포 분획법, 자기 방사법의 특징과 이용 사례에 대해 묻는 문항이 나와.

1. 현미경 세포와 세포 소기관을 관찰할 수 있어 세포의 구조를 연구할 때 사용한다.

(1) 현미경의 종류와 특징

구분	광학 현미경(LM)❶	투과 전자 현미경(TEM)	주사 전자 현미경(SEM)
광원	가시광선	전자선	전자선
해상력❷	0.2 μm	0.0002 μm	0.005 μm
최고 •배율	1000배~1500배	수백만 배	수십만 배
원리	•대물렌즈에서 확대된 상을 •접안렌즈에서 다시 확대하여 상을 관찰한다.	얇게 자른 표본에 금속을 입힌 후, 전자선을 투과시켜 2차원의 상을 얻는다.	금속으로 코팅한 표본의 표면에 전자선을 주사하여 반사된 2차 전자를 감지하여 3차원의 상을 얻는다.
구조	눈, 접안렌즈, 대물렌즈, 표본, 집광렌즈, 가시광선, 광원	전자총, 집광렌즈, 표본, 대물렌즈, 전자선, 투사렌즈, 눈, 형광 스크린	전자총, 전자선, 집광렌즈, 주사용 코일, 모니터, 대물렌즈, 표본, 증폭기, 전자 검출기, 2차 전자
관찰 결과 (백혈구)	(330배)	(1800배/색 처리)	(900배/색 처리)
특징	• 세포와 일부 소기관의 대략적 구조를 관찰할 수 있다.(세포 내 미세 구조는 관찰할 수 없다.) • 살아 있는 세포를 관찰할 수 있다. • 색깔 구분이 가능하다.	• 세포와 세포 내 미세 구조의 단면을 관찰할 수 있다. • 살아 있는 세포를 관찰할 수 없다. – 시료 준비 과정에서 세포가 죽고, 전자 현미경 내부가 진공 상태이기 때문이다. • 상이 흑백이기 때문에 색깔이 구분되지 않는다. – 특정 구조를 관찰하기 위해 색깔을 입힌다.	• 세포나 조직의 표면이나 입체 구조를 관찰할 수 있다. • 살아 있는 세포를 관찰할 수 없다. • 상이 흑백이기 때문에 색깔이 구분되지 않는다.

(2) 현미경의 종류에 따른 관찰 가능 범위 가시광선보다 파장이 짧은 전자선을 이용하는 전자 현미경은 해상력이 높아 광학 현미경보다 작은 범위까지 관찰이 가능하다.

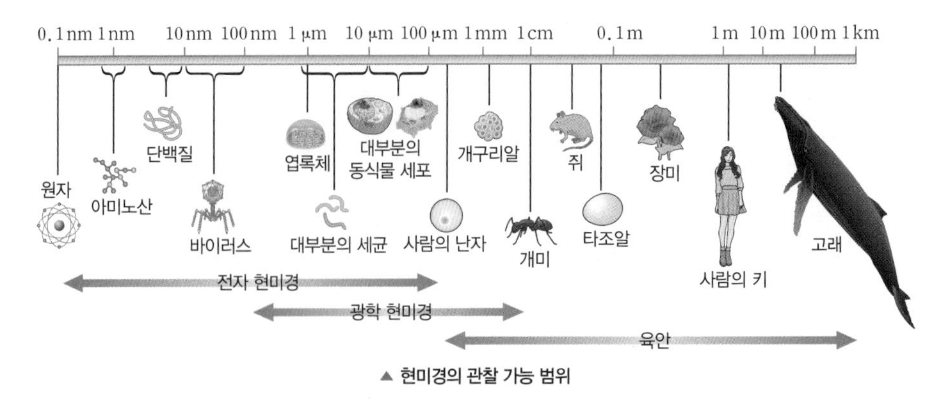

▲ 현미경의 관찰 가능 범위

---

❶ 광학 현미경
일반적으로 사용하는 광학 현미경 이외에도 실체 현미경, 형광 현미경 등의 광학 현미경이 있다.

❷ 해상력
가까운 거리에 있는 두 점을 분별하는 능력을 말하며, 가까이 있는 두 점이 확실하게 분리되어 보이는 최소한의 거리로 나타낸다. 따라서 해상력의 수치가 작을수록 해상력이 높아 상이 선명하게 보인다.

용어 알기

- •배율(곱 倍, 비율 率) 물체의 실제 크기에 대한 상의 비
- •대물(대할 對, 물건 物)렌즈 현미경 등에서 물체에 가까운 쪽에 있는 렌즈
- •접안(이을 接, 눈 眼)렌즈 현미경 등에서 눈으로 보는 쪽의 렌즈

2. 세포 분획법

(1) 원리 원심 분리기의 속도와 시간을 다르게 하여 회전시킴으로써 세포 소기관을 크기와 밀도에 따라 분리하는 방법으로, 세포의 성분 분석과 세포 소기관의 기능 연구에 사용된다.

(2) 방법 세포를 등장액에 넣고 균질기로 부순 후 회전 속도와 시간을 단계적으로 증가시키면서 원심 분리한다. ➡ 크고 무거운 세포 소기관부터 차례대로 분리된다.

(3) 결과(세포 소기관이 가라앉아 분리되는 순서)❸

① **동물 세포:** 핵 → 미토콘드리아 → 소포체 → 리보솜 → 세포액

② **세포벽이 제거된 식물 세포:** 핵 → 엽록체 → 미토콘드리아 → 소포체 → 리보솜 → 세포액

빈출 자료 세포 분획법(식물 세포를 분획한 경우)

세포 소기관의 모양 유지를 위해 세포와 삼투압이 같은 설탕 용액(등장액)에서 세포를 파쇄한다.

균질기
설탕 용액
얼음
조직 세포
원심 분리기

저온 처리 이유: 균질기에 의한 마찰열 냉각, 효소 활동 억제(세포 파괴 시 나오는 가수 분해 효소의 활동 억제)

원심 분리 1000 g 10분 → 핵
상층액 원심 분리 3000 g 10분 → 엽록체
상층액 원심 분리 20000 g 20분 → 미토콘드리아
상층액 원심 분리 150000 g 3시간 → 리보솜, 소포체

크기가 큰 세포 소기관이 침전된 후 남은 상층액을 더 빠른 속도로 오래 돌리면 이전에 침전된 세포 소기관보다 크기가 작은 세포 소기관이 침전된다.

세포 소기관의 크기와 밀도가 클수록 빨리 가라앉는다.

원심 분리기의 속도는 중력 가속도(g)의 배율로 나타낸다. 1000 g는 중력 가속도(g)의 1000배에 해당하는 원심력을 의미한다.

> **❸ 세포 분획 결과**
> 동물 세포는 식물 세포와 달리 세포벽, 엽록체가 없으므로 세포벽과 엽록체만 제외하면 동물 세포와 식물 세포의 세포 분획 순서는 같다.

3. 자기 방사법

(1) 원리 방사성 동위 원소❹에서 방출하는 •방사선을 추적하는 방법으로, 세포 내 물질의 이동 경로나 변화 과정을 알아볼 때 사용한다.

(2) 방법 방사성 동위 원소가 포함된 화합물을 세포나 조직에 넣어 준 후, 방사성 동위 원소에서 방출되는 방사선을 추적한다. 현재는 방사선의 위험 때문에 대부분 방사성 동위 원소 대신 형광 물질을 사용한다.

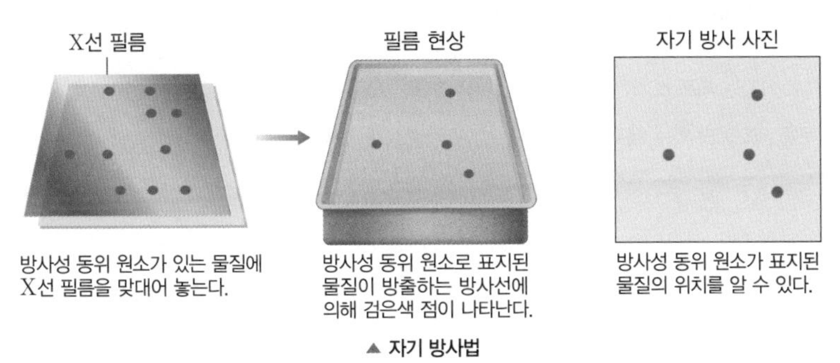

▲ 자기 방사법

(3) 이용 사례

① ^{35}S으로 표지된 아미노산이 들어 있는 배양액에서 세포를 배양하면서 시간 경과에 따라 방사선을 방출하는 세포 소기관을 조사한다. ➡ 세포 내에서 단백질이 합성되어 이동하는 경로를 알아내었다.

② DNA를 구성하는 염기인 타이민(T)을 ^{3}H로 표지하여 세포에 주입한 후 관찰한다. ➡ ^{3}H로 표지된 타이민(T)이 핵이 집중되어 있는 것을 통해 DNA는 주로 핵에서 합성된다는 것을 알아내었다.

③ ^{14}C로 표지된 이산화 탄소를 식물 세포에 주입하고 관찰한다. ➡ 광합성 과정과 생성물을 알아내었다.

> **❹ 방사성 동위 원소**
> 동일한 원소인데 중성자 수가 달라 질량이 다른 원소를 동위 원소라 하며, 동위 원소 중 불안정한 원자핵을 가지고 있어 중성자가 붕괴하면서 방사선을 방출하는 것을 방사성 동위 원소라고 한다.
> 예 ^{3}H, ^{14}C, ^{32}P, ^{35}S, ^{125}I

용어 알기

•방사선(놓을 放, 쏠 射, 줄 線) 방사성 원소의 붕괴에 따라 물체에서 방출되는 입자들

B 원핵세포와 진핵세포

|출·제·단·서| 시험에는 원핵세포와 진핵세포의 특징을 비교하는 문제가 나와.

1. 원핵세포와 진핵세포의 비교 원핵세포와 진핵세포는 공통적으로 세포막으로 둘러싸여 있으며, 유전 물질(DNA)과 리보솜을 갖는다.

구분	원핵세포	진핵세포
정의	핵막이 없어서 유전 물질(DNA)이 세포질에 퍼져 있는 세포이다.	핵막이 있어 유전 물질(DNA)이 핵 속에 들어 있는 세포이다.
구조	플라스미드, 리보솜, 유전 물질, 세포질, 세포막, 세포벽	세포질, 핵, 리보솜, 세포막
크기	상대적으로 작다(지름 1 μm~5 μm).	상대적으로 크다(지름 10 μm~100 μm).
핵과 막성 세포 소기관❺	없다. 원핵세포는 주염색체 이외에 원형의 플라스미드 DNA가 있는 경우도 있다.	있다.
염색체	일반적으로 1개의 원형 DNA를 갖는다.	여러 개의 선형 DNA를 갖는다.
리보솜❻	있다.(70S 리보솜)	있다.(80S 리보솜)
세포벽	있다. ➡ 대장균 같은 세균은 •펩티도글리칸 성분의 세포벽을 갖는다.	동물 세포는 없고, 식물 세포(셀룰로스)와 균류(키틴)는 있다.
생물 예	원핵생물(세균이 대표적)	진핵생물(식물, 동물, 균류 등)

❺ 막성 세포 소기관
세포막과 비슷한 막(생체막)으로 둘러싸인 세포 소기관으로, 소포체, 골지체, 리소좀, 액포, 엽록체, 미토콘드리아 등이 있다.

❻ 원핵세포와 진핵세포의 리보솜
- 원핵세포와 진핵세포의 리보솜은 구성 성분인 단백질과 RNA의 종류가 다르다.
- 원핵세포의 리보솜은 진핵세포의 리보솜보다 크기가 작다.

용어 알기
•펩티도글리칸(**peptidoglycan**) 당 사슬에 짧은 폴리펩타이드가 결합한 당단백질

C 세포 소기관의 구조와 기능

|출·제·단·서| 시험에는 각 세포 소기관의 기능을 묻는 문제가 나와.

1. 동물 세포와 식물 세포의 세포 소기관

공통으로 가지는 세포 소기관	핵, 미토콘드리아, 소포체, 골지체, 리보솜, 세포 골격
주로 동물 세포에만 있는 세포 소기관	중심체, 리소좀
주로 식물 세포에만 있는 세포 소기관	엽록체, 세포벽, 액포

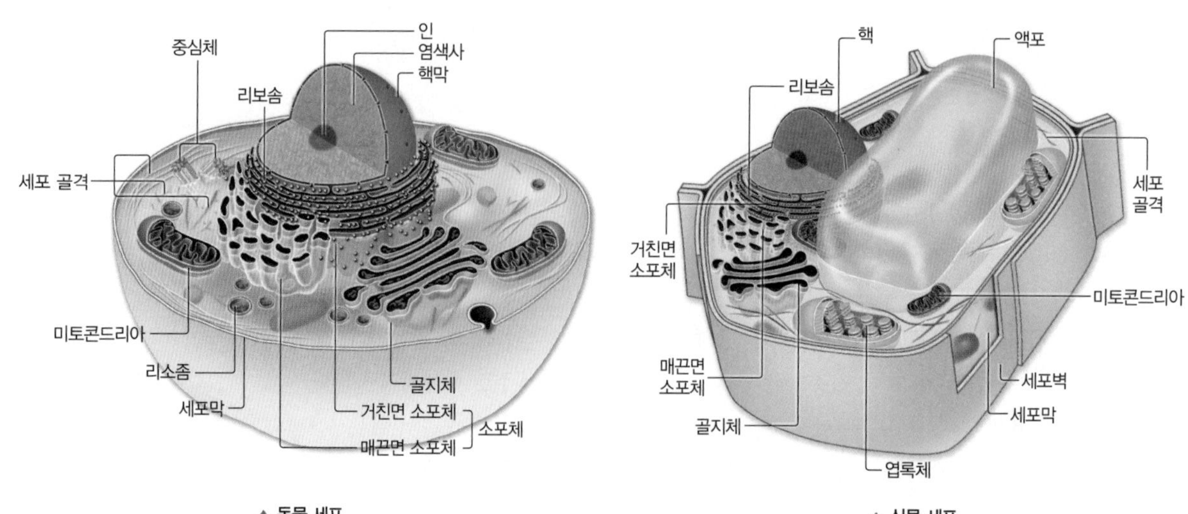

▲ 동물 세포 ▲ 식물 세포

2. 단백질의 합성, 가공 및 운반에 관여하는 세포 소기관 개념 POOL

(1) 핵 세포에서 가장 크고 뚜렷한 세포 소기관으로, 구형이며 보통 세포 하나에 1개가 있다.

① **구조:** 핵막으로 둘러싸여 있으며, 내부에 유전 물질(DNA)과 인이 있다.

핵막	• 외막과 내막의 2중막 구조이고, 외막의 일부는 소포체 막과 연결되어 있다. • 여러 개의 핵공이 있어 핵과 세포질 사이의 물질 이동 통로 역할을 한다.
염색사	• DNA가 히스톤 단백질과 결합한 실 모양의 구조이다. • 세포 분열 시 꼬이고 응축되어 염색체를 형성한다.
인	• 단백질과 RNA가 모여 있는 부분이며, 막은 없다. • 리보솜을 구성하는 rRNA가 합성되는 장소로, 리보솜 합성에 관여한다.

② **기능:** 유전 물질(DNA)이 있어 세포의 생명 활동을 조절하고, 세포의 구조와 기능을 결정한다.

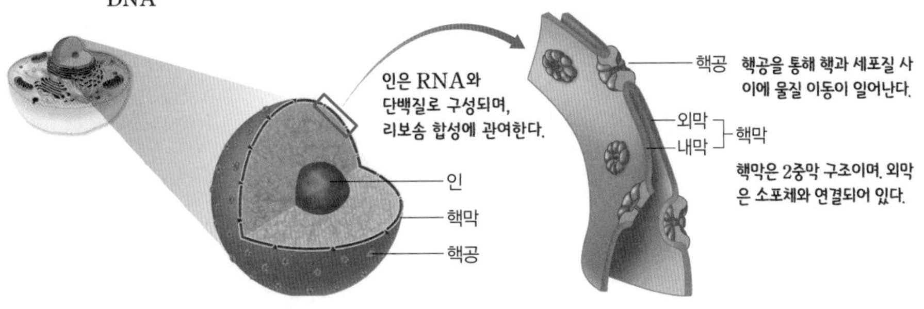

▲ 핵의 구조와 기능

(2) 리보솜[7] 작은 알갱이 모양으로, 거친면 소포체에 붙어 있거나 세포질에 분포한다.

① **구조:** •rRNA와 단백질로 이루어진 2개의 단위체(대단위체와 소단위체)가 결합한 형태로, 막으로 싸여 있지 않다.

② **기능:** 유전 정보에 따라 단백질을 합성한다.

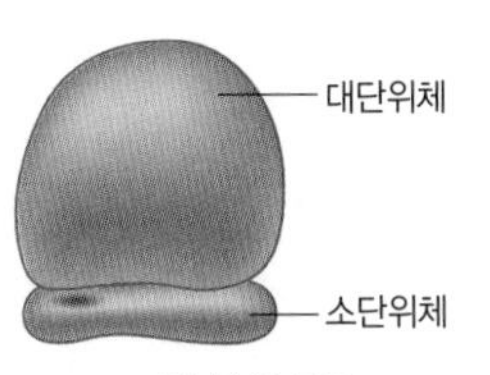

▲ 리보솜의 구조

(3) 소포체 거친면 소포체와 매끈면 소포체로 구분된다.

① **구조:** 납작한 주머니나 관 모양의 막이 연결된 모양이며, 단일막 구조이다.

② **기능:** 주로 물질 이동의 통로 역할을 한다.

거친면 소포체	• 표면에 리보솜이 붙어 있다. • 리보솜에서 합성된 단백질을 가공(단백질이 입체 구조를 갖는다.)하고, 운반한다. ➡ 분비 작용이 활발한 이자 세포, 형질 세포 등에 발달해 있다.
매끈면 소포체	• 표면에 리보솜이 붙어 있지 않다. • 세포에 따라 지질 합성, 독성 물질 해독, Ca^{2+} 저장 등의 기능을 한다. ➡ 소장의 흡수 상피 세포나 부신 겉질 세포 등에 발달해 있다.

리보솜 핵막 내강 거친면 소포체 매끈면 소포체

▲ 소포체의 구조

(4) 골지체[8] 소포체 일부가 떨어져 나와 생긴 것이다.

① **구조:** 납작한 주머니 모양의 •시스터나가 층층이 쌓인 형태이며, 단일막 구조이다.

② **기능:** 소포체에서 이동해 온 단백질이나 지질을 저장하고, 가공·포장하여 세포 밖으로 분비하거나 세포의 다른 부위로 이동시킨다. ➡ 분비 작용이 활발한 소화샘 세포, 내분비샘 세포, 형질 세포 등에 발달해 있다.

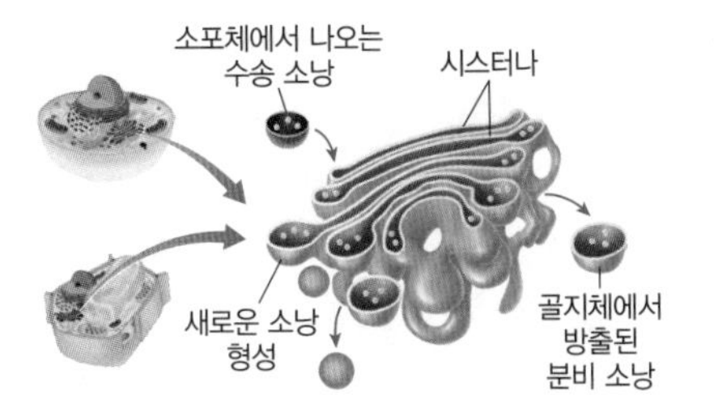

▲ 골지체의 구조

❓ 핵은 어떻게 세포의 구조와 기능을 결정할까?
핵 속의 유전 물질(DNA)에 저장된 유전 정보에 의해 단백질이 합성되며, 단백질에 의해 세포 내 대부분의 생명 활동이 조절된다.

[7] 리보솜의 형성 과정
rRNA는 핵공을 통해 들어온 리보솜 단백질과 합쳐져서 대단위체와 소단위체를 구성한다. 각 단위체는 핵공을 통해 세포질로 빠져 나간 후 단백질을 합성할 때 결합하여 완전한 리보솜을 형성한다.

[8] 소포체와 골지체의 차이점
• 소포체는 주로 물질의 이동 통로 역할을 하며, 골지체는 물질의 저장 및 분비에 관여한다.
• 소포체는 막 일부가 핵막과 연결되어 있고 내부가 서로 연결되어 있지만, 골지체는 핵막과 연결되어 있지 않고 내부가 서로 연결되어 있지 않다.

용어 알기
• **rRNA(ribosomal ribonucleic acid)** 리보솜의 구성 요소 중 단백질을 제외한 RNA 부분
• **시스터나(cisterna)** 소포체나 골지체를 구성하는 넓적하고 편평한 막 주머니

3. 물질 분해와 저장에 관여하는 세포 소기관

(1) 리소좀

① **구조:** 골지체 막의 일부가 떨어져 만들어진 작은 주머니 모양으로, 단일막 구조이다.

② **기능:** 다당류, 지질, 핵산, 단백질 등을 분해하는 다양한 가수 분해 효소가 있어 세포내 소화를 한다. 세포 내부로 들어온 세균 등의 이물질을 분해하고, 오래되고 손상된 세포 소기관과 세포내 유기물을 분해한다.

❼ 리소좀 내의 가수 분해 효소가 리소좀 자체를 분해하지는 않을까?
리소좀 내부에 존재하는 가수 분해 효소는 주머니 모양의 막에 의해 세포질과 분리되어 있어 세포의 자가 분해가 일어나지 않는다.

빈출 자료 **리소좀의 세포내 소화**

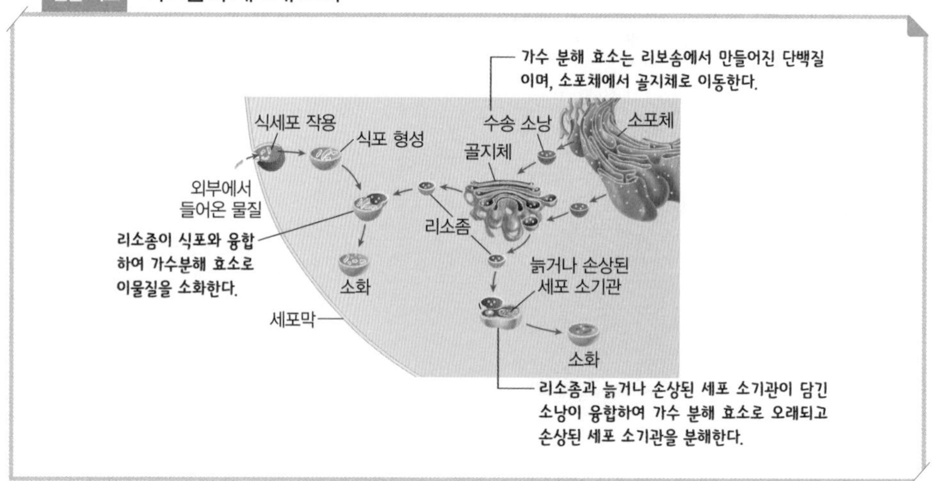

(2) 액포(중심 액포)❾

① **구조:** 주머니 모양이며, 단일막 구조이다.

② **기능:** 영양소, 노폐물, 독성 물질, 색소 등을 저장하며, 물을 흡수하여 세포의 수분량과 삼투압을 조절하고 식물의 형태 유지에도 관여한다. ➡ 오래된 식물 세포일수록 발달해 있다.

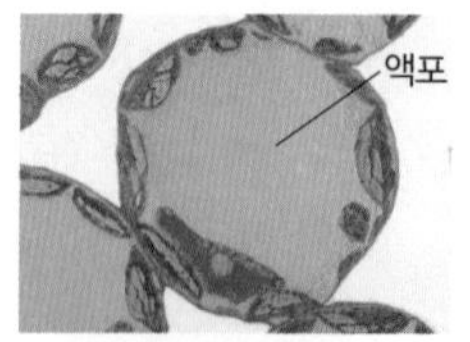

▲ 액포(중심 액포)

❾ 중심 액포
성숙한 식물 세포에 들어 있는 큰 액포를 동물 세포의 소낭과 구분하여 중심 액포라고 한다.

4. 에너지 전환에 관여하는 세포 소기관❿

(1) 엽록체 식물 세포에만 존재

(암기TiP) 엽록체는 식물 세포에만 있고 동물 세포에는 없지만, 미토콘드리아는 식물 세포와 동물 세포에 둘 다 있다.

① **구조:** 원반 모양으로 외막과 내막의 2중막으로 싸여 있으며, 내막 안쪽은 틸라코이드가 쌓여 이루어진 •그라나와 •스트로마로 구분된다. 스트로마에 자체 DNA, RNA, 리보솜이 있어 엽록체는 스스로 복제, 증식하며, 단백질 합성이 가능하다.

② **기능:** 광합성이 일어난다. ➡ 빛에너지를 이용하여 이산화 탄소(CO_2)와 물(H_2O)로부터 포도당과 산소(O_2)가 생성되는 반응이 일어난다.

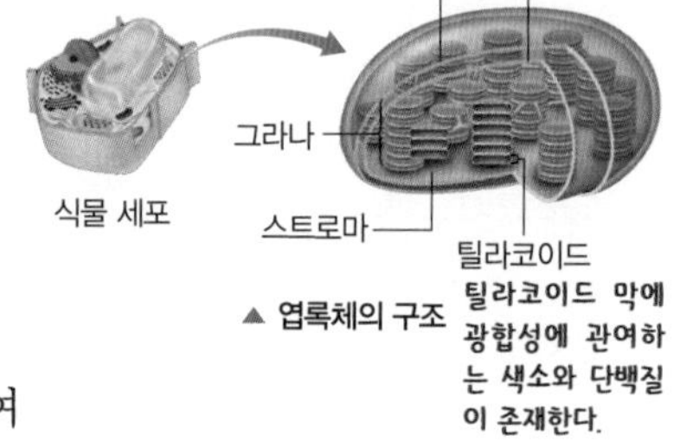

▲ 엽록체의 구조

❿ 엽록체와 미토콘드리아의 에너지 전환
엽록체에서는 광합성이 일어나 빛에너지를 포도당의 화학 에너지로 전환하고, 미토콘드리아에서는 세포 호흡이 일어나 포도당의 화학 에너지를 ATP의 화학 에너지로 전환한다.

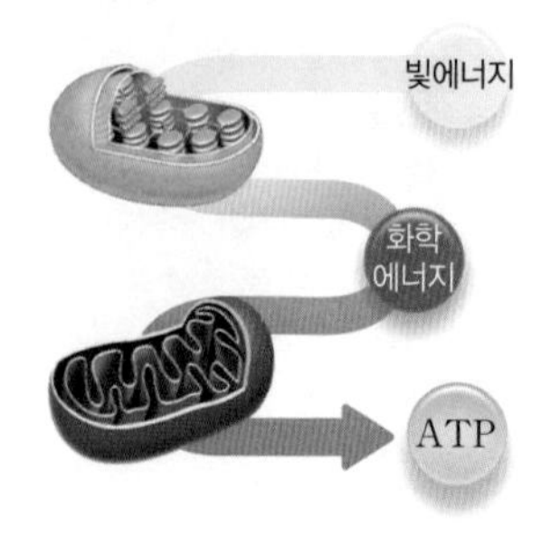

(2) 미토콘드리아

① **구조:** 타원형으로 외막과 내막의 2중막으로 싸여 있고, 내막은 크리스타를 형성한다. 기질은 액체 상태의 내막 안쪽 공간이며, DNA, RNA, 리보솜이 있어 미토콘드리아는 스스로 복제, 증식, 단백질 합성이 가능하다.

② **기능:** 세포 호흡이 일어난다. ➡ 산소(O_2)를 이용하여 유기물을 분해해 생명 활동에 필요한 에너지(ATP)를 얻는 반응이 일어난다.

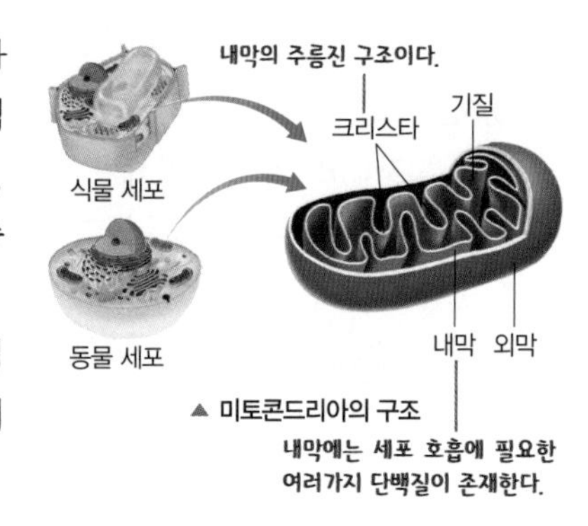

▲ 미토콘드리아의 구조

용어 알기
•그라나(grana) 양치식물 이상의 고등 식물의 엽록체 속에 있는 층상 구조
•스트로마(stroma) 엽록체 속의 틸라코이드를 둘러싸고 있는 기질

5. 지지와 운동에 관여하는 세포 소기관

(1) 세포 골격 세포질에 단백질 섬유가 그물처럼 얽혀 있는 구조이다.

① 세포의 형태를 유지하는 뼈대 역할을 한다.

② 굵은 것부터 순서대로 미세 소관, 중간 섬유, 미세 섬유로 구성된다.

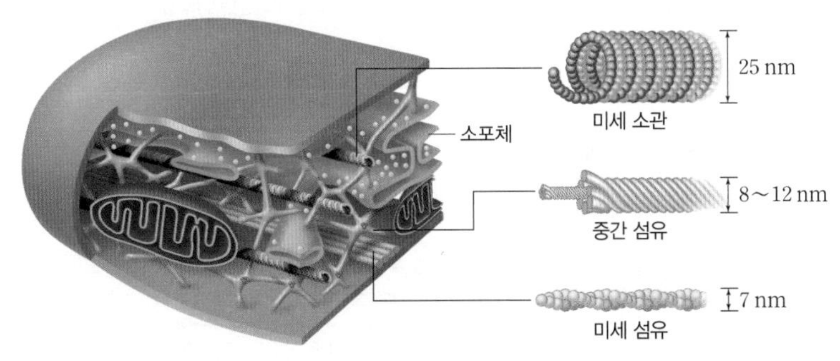

▲ 세포 골격의 구조와 분포

구분	미세 소관	중간 섬유	미세 섬유
구조	튜불린 단백질로 구성되며, 길고 속이 빈 원통 모양이다.	여러 가닥의 단백질이 두껍게 꼬여 있는 모양이다.	액틴 단백질로 이루어진 액틴 필라멘트 두 가닥이 꼬여 있는 모양이다.
기능	• 세포의 형태를 유지한다. • 방추사를 형성하여 염색체 이동에 관여한다. • 섬모와 편모를 형성한다.	• 세포의 형태를 유지한다. • 세포 소기관의 위치를 고정시킨다.	• 세포의 형태를 유지한다. • 근육의 수축에 관여한다. • 동물 세포의 세포질 분열에 관여한다.

(2) 섬모와 편모 세포 표면에 돌출되어 있는 운동 기관이다.

① 섬모는 길이가 짧고 수가 많으며, 편모는 길이가 길고 수가 적다.

② 2개의 미세 소관으로 이루어진 미세 소관 다발 9개가 둥글게 배열되고, 중앙에 2개의 미세 소관이 있는 구조이다.

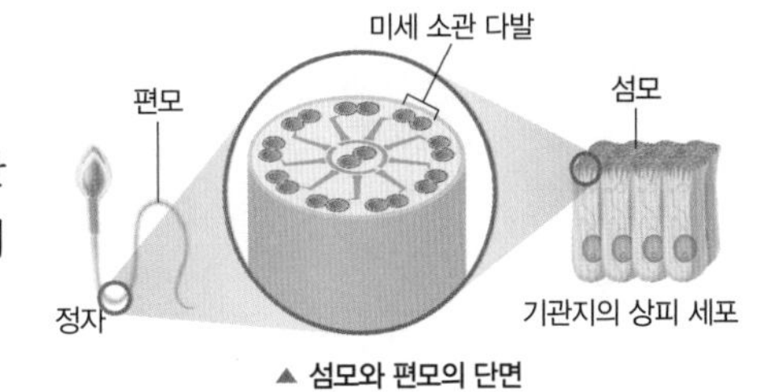

▲ 섬모와 편모의 단면

(3) 세포벽 식물 세포의 세포막 바깥쪽에 형성된 두껍고 단단한 벽으로, 물과 용질을 모두 통과시키는 전투과성이다. 세포벽은 물질 출입을 조절하지 못한다.

① **구조:** 주성분은 ●셀룰로스이며, 어린 식물 세포에서는 얇은 1차 세포벽이 형성되고, 세포가 성숙하면서 1차 세포벽과 세포막 사이에 두껍고 단단한 2차 세포벽이 형성된다. 2차 세포벽은 리그닌, 수베린, 큐틴 등의 물질이 첨가되어 형성된다.

② **기능:** 세포를 보호하고 형태를 유지하며, 식물체를 지탱한다.

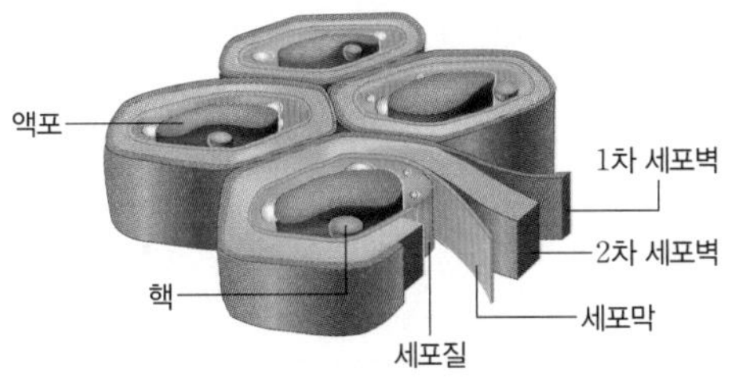

▲ 세포벽의 구조

(4) 중심체 주로 동물 세포에서 발견되며, 1쌍의 중심립으로 구성된다.

① **구조:** 미세 소관 다발로 이루어진 중심립 2개가 직각으로 배열되어 있다.

② **기능**[11]**:** 세포 분열 시 염색체 이동에 관여한다.

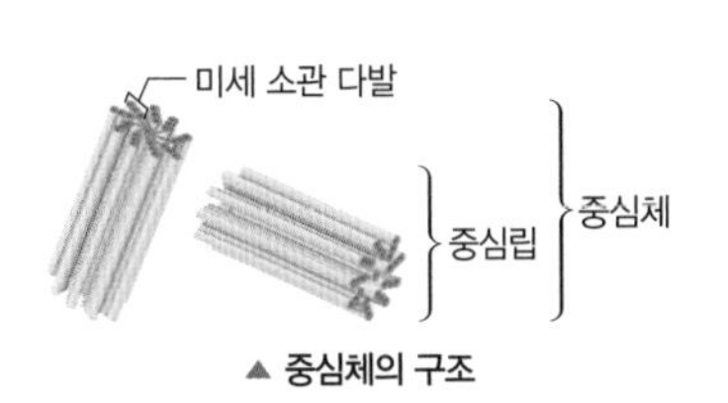

▲ 중심체의 구조

⊕ 막의 유무에 따른 세포 소기관 분류

- 단일 막 구조: 소포체, 골지체, 리소좀, 액포
- 2중막 구조: 핵, 엽록체, 미토콘드리아
- 막 구조 없음: 인, 리보솜, 중심립

⑪ 중심체의 기능

세포가 분열할 때 중심체가 복제된 후 둘로 나뉘어 양극으로 이동하며, 여기에서 방추사가 나와 염색체를 양극으로 끌어당긴다.

용어 알기

●셀룰로스(cellulose) 고등 식물의 세포벽의 주성분인 다당류이며, 섬유소라고도 한다.

단백질의 합성과 이동

목표 여러 세포 소기관의 유기적 관계에 의해 일어나는 단백질의 합성과 이동 과정을 설명할 수 있다.

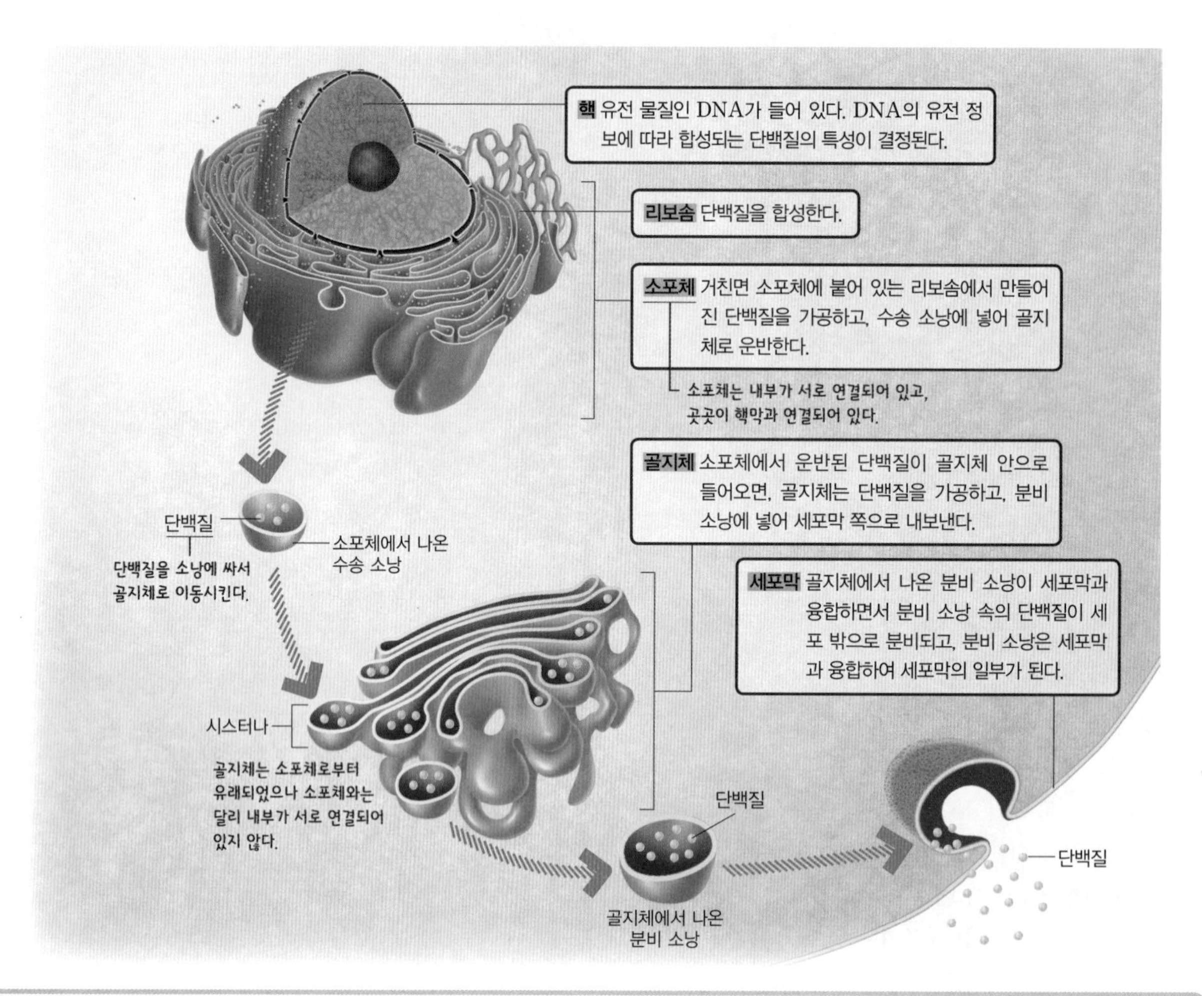

단백질 이동 경로 확인

쥐의 이자 세포에 방사성 동위 원소 ^{14}C로 표지된 아미노산을 3분 동안 공급한 후 시간에 따라 세포 소기관에서 검출되는 단백질의 방사선량을 조사하면 방사선량이 거친면 소포체→골지체→분비 소낭 순서로 증가한다. 따라서 리보솜에서 합성된 단백질이 이와 같은 경로로 이동한다는 것을 알 수 있다.

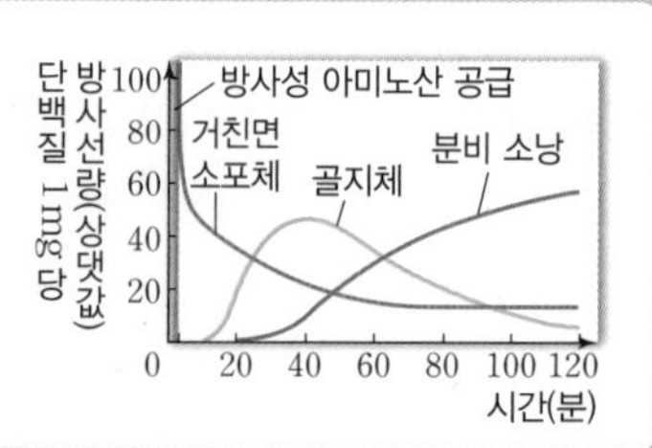

한·줄·핵심 리보솜에서 DNA의 유전 정보에 따라 합성된 분비 단백질은 소포체→골지체→분비 소낭의 경로를 거쳐 세포 밖으로 분비된다.

확인 문제

정답과 해설 011쪽

01 다음은 이자 세포에서 인슐린이 합성되어 세포 밖으로 분비되기까지의 경로를 나열한 것이다. ㉠~㉢은 각각 골지체, 분비 소낭, 거친면 소포체 중 하나이다.

> 리보솜 → (㉠) → (㉡) → (㉢) → 세포 밖

㉠~㉢은 각각 무엇인지 쓰시오.

02 단백질의 합성과 분비에 관여하는 세포 소기관에 대한 설명으로 옳은 것은 ○, 옳지 않은 것은 ×로 표시하시오.

(1) 핵은 단백질 합성에 관여하지 않는다. ( )

(2) 리보솜은 단백질이 합성되는 장소이다. ( )

(3) 거친면 소포체에서 단백질이 가공된다. ( )

(4) 골지체에서는 소낭이 형성되지 않는다. ( )

콕콕!
개념 확인하기

정답과 해설 011쪽

✔ 잠깐 확인!

1. ☐☐ 현미경
광원으로 가시광선을 이용하며, 대물렌즈에서 확대된 상을 접안렌즈에서 확대하여 관찰한다.

2. ☐☐ ☐☐ 현미경
표본의 표면을 금속 등으로 코팅한 다음, 전자선을 주사하여 반사되어 나온 2차 전자를 감지하여 3차원의 상을 얻는다.

3. ☐☐ ☐☐☐
세포를 부순 후 단계적으로 원심 분리하여 세포 소기관을 크기와 밀도 차에 따라 분리하는 방법

4. ☐☐☐☐는 핵막이 없어서 유전 물질이 세포질에 퍼져 있는 세포이고, ☐☐☐☐는 핵막이 있어 유전 물질이 핵 속에 들어 있는 세포이다.

5. 핵은 ☐☐으로 둘러싸여 있으며, 핵 속에는 유전 물질과 ☐이 존재한다.

6. 리보솜은 ☐☐☐☐와 ☐☐☐로 이루어진 2개의 단위체가 결합한 형태로, 세포질에 있거나 ☐☐☐ 소포체에 붙어 있다.

7. 식물 세포에는 영양소, 노폐물, 독성 물질, 색소 등을 저장하는 ☐☐와 셀룰로스로 이루어진 ☐☐☐이 있다.

A 세포 소기관의 연구 방법

01 세포 소기관의 연구 방법에 대한 설명으로 옳은 것은 ○, 옳지 않은 것은 ×로 표시 하시오.

(1) 광학 현미경으로 살아 있는 세포를 관찰할 수 있다. ( )

(2) 전자 현미경은 광원으로 가시광선을 이용한다. ( )

(3) 세포 분획법에서 무거운 세포 소기관을 분리할 때는 가벼운 세포 소기관을 분리할 때보다 원심 분리 속도를 더 빠르게 한다. ( )

(4) 세포 내에서 특정 물질의 위치와 이동 경로를 알아보고자 할 때 자기 방사법을 이용한다. ( )

02 다음은 세포벽을 제거한 식물 세포를 세포 분획법으로 분리할 때 세포 소기관이 가라앉아 분리되는 순서를 나타낸 것이다. ㉠~㉣은 각각 엽록체, 핵, 소포체, 미토콘드리아 중 하나이다. ㉠~㉣은 각각 무엇인지 쓰시오.

(㉠) → (㉡) → (㉢) → (㉣) → 리보솜 → 세포액

B 원핵세포와 진핵세포

03 표는 원핵세포와 진핵세포의 특징을 비교하여 나타낸 것이다. ㉠~㉢에 들어갈 알맞은 말을 각각 쓰시오.

구분	원핵세포	진핵세포
핵과 막성 세포 소기관	(㉠)	있음
염색체 모양	원형 DNA	(㉡)
세포벽 성분	(㉢)(진정세균)	셀룰로스(식물), 키틴(균류)

C 세포 소기관의 구조와 기능

04 각 세포 소기관과 기능을 옳게 연결하시오.

(1) 리소좀 • • ㉠ 광합성

(2) 엽록체 • • ㉡ 세포 호흡

(3) 골지체 • • ㉢ 단백질 합성

(4) 리보솜 • • ㉣ 세포내 소화

(5) 미토콘드리아 • • ㉤ 단백질 가공, 분비

05 그림은 세포 골격을 나타낸 것이다. (가)~(다)의 명칭을 각각 쓰시오.

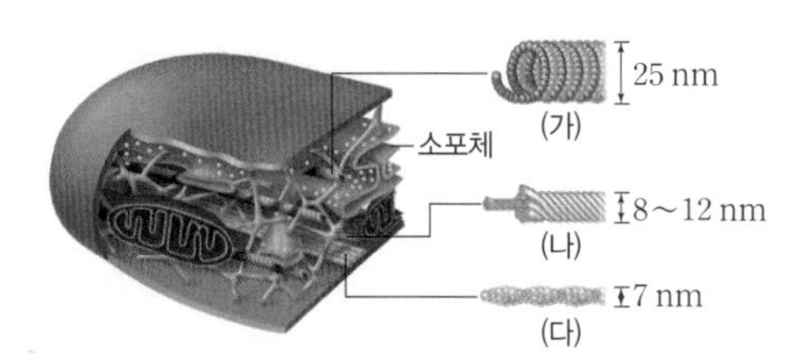

탄탄! 내신 다지기

A 세포 소기관의 연구 방법

01 **현미경에 대한 설명으로 옳지 않은 것은?**

① 광학 현미경은 가시광선을 광원으로 사용한다.
② 투과 전자 현미경(TEM)은 전자선을 광원으로 사용한다.
③ 투과 전자 현미경(TEM)은 세포 소기관의 미세 구조 단면을 관찰하는 데 적합하다.
④ 주사 전자 현미경(SEM)으로 세포를 관찰하면 세포 표면의 3차원적인 입체 구조를 관찰할 수 있다.
⑤ 주사 전자 현미경(SEM)은 살아 있는 생물의 운동성을 관찰하기에 적합하다.

02 **그림은 전자 현미경 (가)와 (나)의 구조를 나타낸 것이다. (가)와 (나)는 각각 주사 전자 현미경(SEM)과 투과 전자 현미경(TEM) 중 하나이다.**

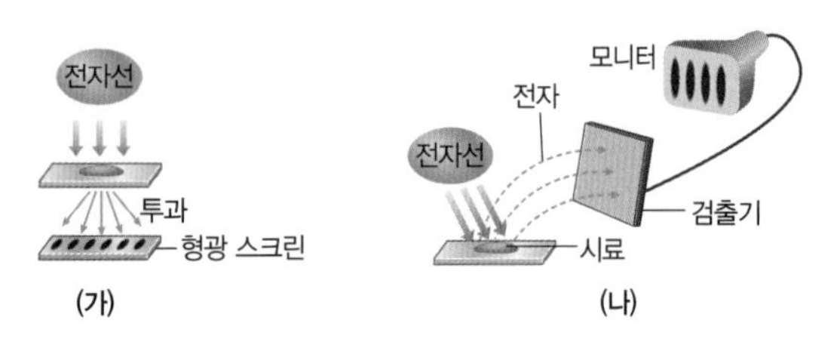

이에 대한 설명으로 옳은 것만을 〈보기〉에서 있는 대로 고른 것은?

보기
ㄱ. (나)는 (가)보다 해상력이 뛰어나다.
ㄴ. (가)는 시료 표면에서 반사되어 나온 전자를 이용한다.
ㄷ. (나)는 세포나 조직의 입체 구조를 관찰하는 데 적합하다.

① ㄱ ② ㄷ ③ ㄱ, ㄴ
④ ㄱ, ㄷ ⑤ ㄴ, ㄷ

03 **그림은 식물 세포를 파쇄한 후 원심 분리기를 이용하여 세포 소기관을 분리하는 과정을 나타낸 것이다.**

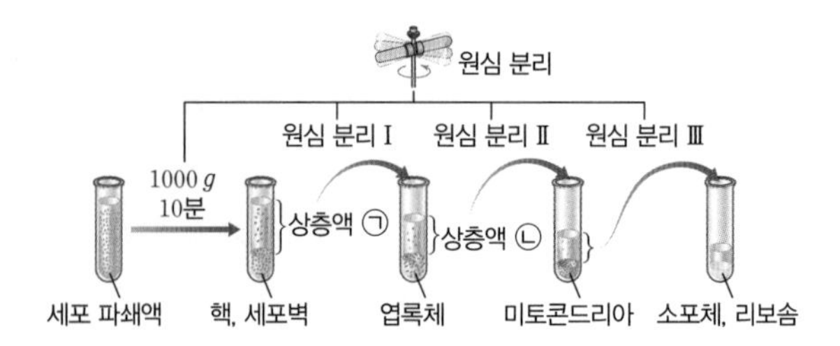

이에 대한 설명으로 옳지 않은 것은?

① 이 과정은 세포 분획법이다.
② ㉠에는 엽록체가 있다.
③ ㉡에는 미토콘드리아와 리보솜이 모두 있다.
④ 원심 분리 속도의 크기는 Ⅰ > Ⅱ > Ⅲ이다.
⑤ 원심 분리의 속도를 빠르게 할수록 작고 가벼운 세포 소기관이 분리된다.

단답형

04 **다음은 세포의 연구 방법 (가)~(다)에 대한 내용이다.**

(가) 방사성 동위 원소 ^{35}S으로 표지된 아미노산이 들어 있는 배양액에 세포를 배양하면서 시간 경과에 따라 방사선을 방출하는 세포 소기관을 조사하였다.
(나) DNA를 구성하는 염기인 타이민(T)을 방사성 동위 원소 ^{3}H로 표지하여 세포에 주입한 후 방사선을 방출하는 세포 소기관을 관찰하였다.
(다) 비방사성 동위 원소 ^{18}O를 포함한 H_2O과, CO_2를 각각 다른 비율로 넣은 클로렐라 배양액에서 발생하는 산소 중 ^{18}O의 비율을 조사하였다.

(가)~(다) 중 자기 방사법을 이용한 연구만을 있는 대로 고르시오.

B 원핵세포와 진핵세포

05 그림 (가)와 (나)는 원핵세포와 진핵세포를 순서 없이 나타낸 것이다.

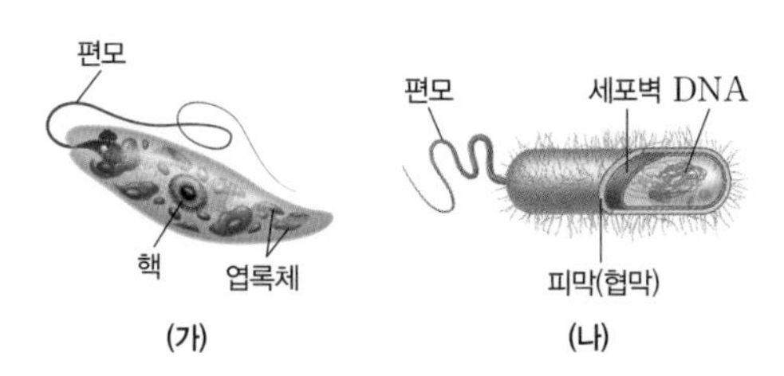

(가) (나)

이에 대한 설명으로 옳은 것만을 <보기>에서 있는 대로 고른 것은?

보기
ㄱ. (가)는 진핵세포이다.
ㄴ. (나)의 세포벽의 성분은 셀룰로스이다.
ㄷ. (가)와 (나)에는 모두 막성 세포 소기관이 있다.

① ㄱ ② ㄴ ③ ㄷ
④ ㄱ, ㄴ ⑤ ㄱ, ㄷ

C 세포 소기관의 구조와 기능

06 그림은 동물 세포의 구조를 나타낸 것이다.

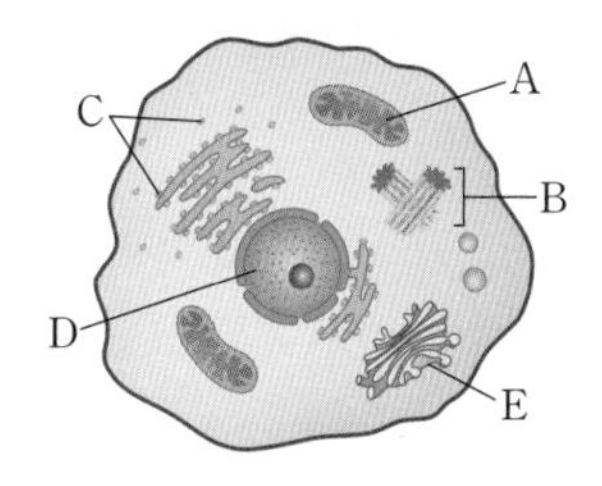

A~E의 기능으로 옳은 것은?

① A: 광합성을 한다.
② B: 세포내 소화를 한다.
③ C: 단백질을 합성한다.
④ D: 세포 호흡을 한다.
⑤ E: 유전 정보를 저장한다.

07 그림은 세포의 핵 구조를 나타낸 것이다. A와 B는 각각 인과 염색사 중 하나이다.

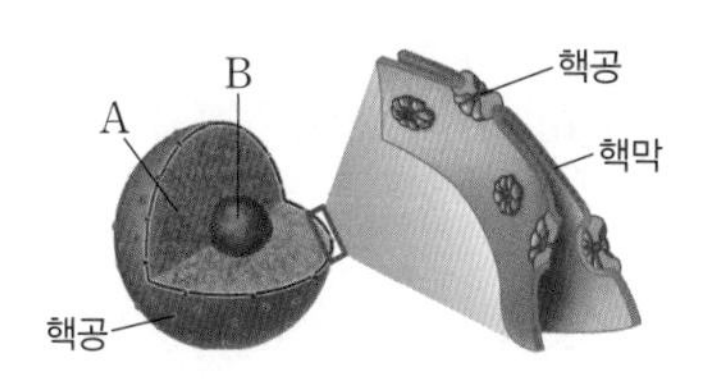

이에 대한 설명으로 옳은 것만을 <보기>에서 있는 대로 고른 것은?

보기
ㄱ. A는 DNA와 단백질로 구성되어 있다.
ㄴ. B에서 rRNA가 합성된다.
ㄷ. DNA는 핵공을 통해 세포질로 이동한다.

① ㄱ ② ㄴ ③ ㄱ, ㄴ
④ ㄴ, ㄷ ⑤ ㄱ, ㄴ, ㄷ

08 그림은 2종류의 세포 소기관을 나타낸 것이다. (가)와 (나)는 각각 미토콘드리아와 엽록체 중 하나이다.

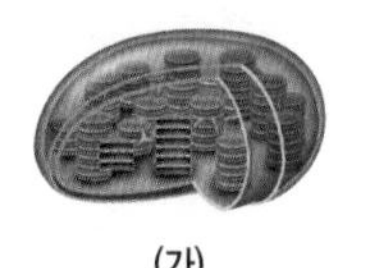
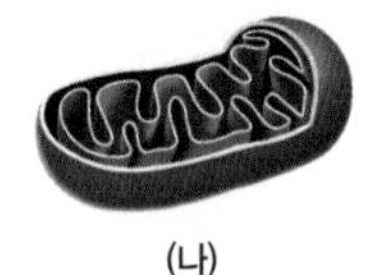
(가) (나)

이에 대한 설명으로 옳지 않은 것은?

① (가)는 엽록체이다.
② (가)에서 빛에너지가 화학 에너지로 전환된다.
③ (나)에서 ATP가 생성된다.
④ (가)와 (나)는 모두 식물 세포에 존재한다.
⑤ (가)와 (나)는 모두 동물 세포에 존재한다.

09 그림은 세포 골격을 구성하는 3가지 구조물을 나타낸 것이다. 이에 대한 설명으로 옳은 것만을 <보기>에서 있는 대로 고른 것은?

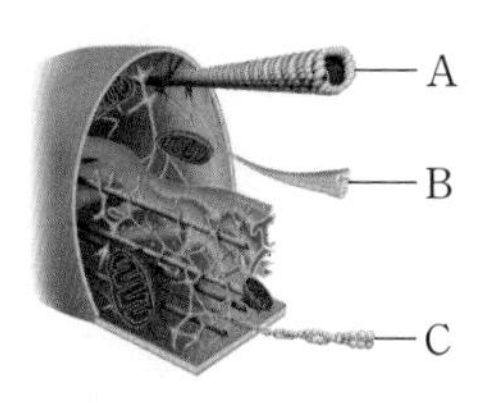

보기
ㄱ. A는 염색체의 이동에 관여한다.
ㄴ. B는 튜불린으로 구성된다.
ㄷ. C는 근육의 수축에 관여한다.

① ㄱ ② ㄷ ③ ㄱ, ㄴ
④ ㄱ, ㄷ ⑤ ㄱ, ㄴ, ㄷ

도전! 실력 올리기

출제예감

01 표는 현미경 (가)~(다)의 해상력과 각 현미경으로 백혈구를 관찰한 결과를 나타낸 것이다. (가)~(다)는 각각 광학 현미경, 주사 전자 현미경, 투과 전자 현미경 중 하나이다.

현미경	(가)	(나)	(다)
해상력	0.2 μm	0.0002 μm	0.005 μm
관찰 결과			

이에 대한 설명으로 옳은 것만을 〈보기〉에서 있는 대로 고른 것은?

보기
ㄱ. (가)는 광학 현미경이다.
ㄴ. (나)를 통해 10 μm의 바이러스를 관찰할 수 있다.
ㄷ. (다)의 광원은 전자선이다.

① ㄱ ② ㄷ ③ ㄱ, ㄴ
④ ㄴ, ㄷ ⑤ ㄱ, ㄴ, ㄷ

02 표는 세포의 연구 방법 A~C의 연구 사례를 나타낸 것이다. A~C는 각각 세포 분획법, 자기 방사법, 현미경 관찰법 중 하나이다.

연구 방법	연구 사례
A	^{35}S으로 표지한 아미노산을 세포에 주입하고 단백질 합성 경로 연구
B	세포에서 엽록체를 분리하여 특성 연구
C	시료 표면에서 방출된 전자선을 이용하여 핵의 입체적인 형태를 관찰

이에 대한 설명으로 옳은 것만을 〈보기〉에서 있는 대로 고른 것은?

보기
ㄱ. A는 자기 방사법이다.
ㄴ. A~C 중 동물 세포의 형태를 관찰하기에 가장 적절한 방법은 B이다.
ㄷ. A~C 중 원심 분리기를 사용하는 방법은 C이다.

① ㄱ ② ㄴ ③ ㄷ
④ ㄱ, ㄴ ⑤ ㄱ, ㄷ

03 그림 (가)는 식물 세포를, (나)는 동물 세포를 나타낸 것이다. A~C는 각각 액포, 중심체, 리보솜 중 하나이다.

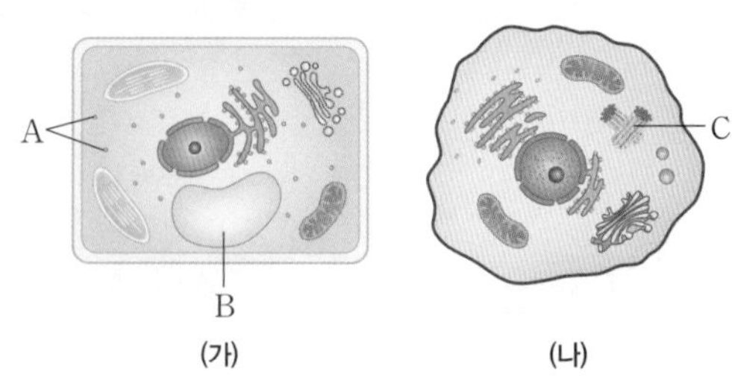

이에 대한 설명으로 옳은 것만을 〈보기〉에서 있는 대로 고른 것은?

보기
ㄱ. A는 인지질 2중층의 막 구조이다.
ㄴ. B의 크기는 성숙한 식물 세포일수록 크다.
ㄷ. 중간 섬유는 C를 구성한다.

① ㄱ ② ㄴ ③ ㄷ
④ ㄱ, ㄴ ⑤ ㄴ, ㄷ

04 그림은 어떤 세포에서 일어나는 물질의 이동 과정을 나타낸 것이다. A~C는 각각 골지체, 리소좀, 거친면 소포체 중 하나이다.

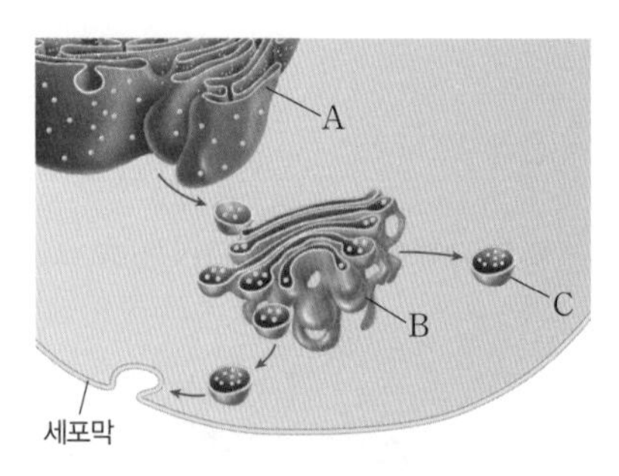

이에 대한 설명으로 옳은 것만을 〈보기〉에서 있는 대로 고른 것은?

보기
ㄱ. A에 리보솜이 붙어 있다.
ㄴ. B는 단백질의 분비 작용이 활발한 세포에 발달되어 있다.
ㄷ. C에 가수 분해 효소가 들어 있다.

① ㄱ ② ㄴ ③ ㄷ
④ ㄴ, ㄷ ⑤ ㄱ, ㄴ, ㄷ

정답과 해설 013쪽

출제예감

05 그림은 동물 세포, 식물 세포, 세균의 공통점과 차이점을 나타낸 것이다.

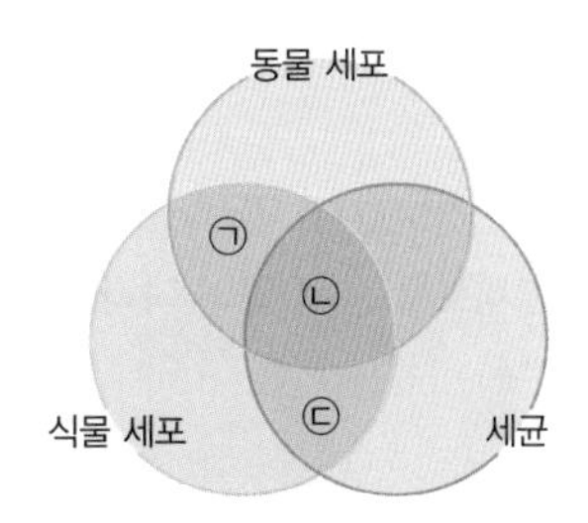

이에 대한 설명으로 옳은 것만을 <보기>에서 있는 대로 고른 것은?

보기
ㄱ. '막성 세포 소기관이 있다.'는 ㉠에 해당한다.
ㄴ. 'DNA가 들어 있다.'는 ㉡에 해당한다.
ㄷ. '세포벽이 있다.'는 ㉢에 해당한다.

① ㄱ ② ㄷ ③ ㄱ, ㄴ
④ ㄴ, ㄷ ⑤ ㄱ, ㄴ, ㄷ

06 그림 (가)와 (나)는 각각 대장균과 동물 세포를 나타낸 것이다.

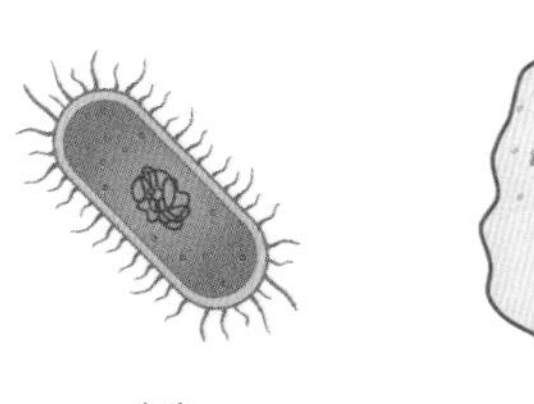
(가)

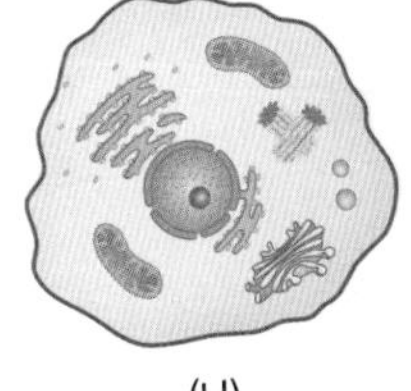
(나)

(가)와 (나)의 공통점으로 옳은 것만을 <보기>에서 있는 대로 고른 것은?

보기
ㄱ. 핵이 있다.
ㄴ. DNA가 있다.
ㄷ. 단백질이 합성된다.

① ㄱ ② ㄷ ③ ㄱ, ㄴ
④ ㄱ, ㄷ ⑤ ㄴ, ㄷ

서술형

07 다음은 분비 단백질의 합성과 이동 경로에 대한 실험이다.

(가) 방사성 동위 원소로 표지한 아미노산을 쥐의 이자 세포에 공급한다.
(나) 방사성 아미노산 공급을 중단하고, 방사성을 띠지 않는 아미노산을 공급한다.
(다) A, B, 분비 소낭에서 나타나는 단백질 1 mg당 방사선량을 측정한 결과는 그림과 같다. A와 B는 각각 골지체와 거친면 소포체 중 하나이다.

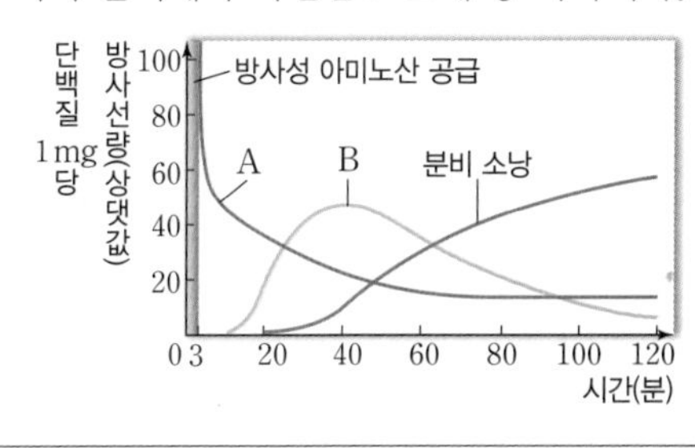

(1) 이 실험 결과를 바탕으로 리보솜에서 합성된 단백질이 세포 밖으로 분비되기까지의 이동 경로를 쓰시오.

(2) A와 B의 기능을 단백질을 중심으로 각각 서술하시오.

서술형

08 그림은 식물 세포를 파쇄한 후 세포벽을 제거하고 원심 분리하여 세포 소기관 A~C를 분리하는 과정을 나타낸 것이다. A~C는 각각 미토콘드리아, 핵, 엽록체 중 하나이다.

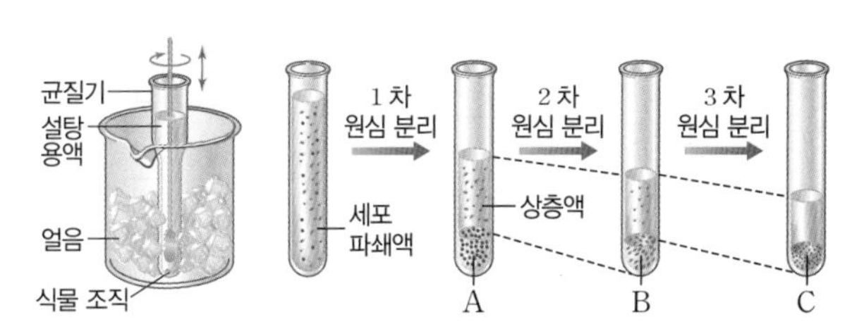

A~C의 명칭과 각각의 기능을 서술하시오.

수능을 알기 쉽게 풀어주는 수능 POOL

세포의 구조와 기능

출제 의도

남세균, 대장균, 공변세포의 특징을 알고 있는지 묻는 문제이다.

이것이 함정

일반적으로 광합성은 식물 세포에서만 일어난다고 생각할 수 있는데, 남세균은 광합성을 하는 세균이다. 또한 남세균과 대장균은 펩티도글리칸 성분의 세포벽을, 식물 세포에 해당하는 공변세포는 셀룰로스 성분의 세포벽을 가진다는 것을 알아야 한다.

대표 유형

표 (가)는 세포 A~C에서 특징 ㉠~㉢의 유무를 나타낸 것이고, (나)는 ㉠~㉢을 순서 없이 나타낸 것이다. A~C는 남세균, 대장균, 시금치의 공변세포를 순서 없이 나타낸 것이다.

(남세균 → 광합성 세균, 대장균 → 원핵세포, 시금치의 공변세포 → 식물 세포, 진핵세포)

구분	㉠	㉡	㉢
공변세포 A	○	○	○
대장균 B	×	? ○	×
남세균 C	×	○	? ○

(○: 있음, ×: 없음)

(가)

특징(㉠~㉢)
핵막이 있다. 공변세포
광합성을 한다. 남세균, 공변세포
세포벽이 있다. 남세균, 대장균, 공변세포

(나)

(남세균, 대장균 → 펩티도글리칸 성분의 세포벽 / 공변세포 → 셀룰로스 성분의 세포벽)

이에 대한 설명으로 옳은 것만을 <보기>에서 있는 대로 고른 것은?

보기

ㄱ. '㉢은 광합성을 한다'이다.
→ 공변세포와 남세균은 광합성을 한다.

ㄴ. B는 남세균이다. (대장균)

ㄷ. C에는 펩티도글리칸 성분의 세포벽이 있다.
→ 남세균과 대장균은 펩티도글리칸 성분의 세포벽이 있다.

① ㄱ ② ㄴ ③ ㄱ, ㄷ ④ ㄴ, ㄷ ⑤ ㄱ, ㄴ, ㄷ

제시된 특징의 유무로 세포의 종류 유추하기

남세균, 대장균, 공변세포에서 특징 ㉠~㉢을 모두 가진 세포 A를 찾아낸다. >>> 세균, 대장균, 공변세포에서 특징 ㉠~㉢ 중 2가지가 없는 세포 B를 찾아내고, 따라서 C도 알아낸다. >>> A~C의 특징을 토대로 ㉠~㉢이 각각 무엇인지 유추한다. >>> C의 세포가 가진 세포벽의 성분을 기억한다.

추가 선택지

• A와 C에는 모두 엽록체가 있다. (×)
⋯ 공변세포(A)에는 엽록체가 있지만, 남세균(C)은 원핵세포이므로 엽록체가 없다.

• A~C에는 모두 리보솜이 있다. (○)
⋯ 진핵세포와 원핵세포에는 모두 리보솜이 있어 단백질을 합성할 수 있다.

실전! 수능 도전하기

정답과 해설 014쪽

수능 기출

01 표 (가)는 식물에 있는 물질 A~C에서 특징 ㉠~㉢의 유무를 나타낸 것이고, (나)는 ㉠~㉢을 순서 없이 나타낸 것이다. A~C는 단백질, 셀룰로스, DNA를 순서 없이 나타낸 것이다.

물질 \ 특징	㉠	㉡	㉢
A	?	○	×
B	×	?	○
C	?	?	?

(○: 있음, ×: 없음)

(가)

특징(㉠~㉢)
• 탄소 화합물이다. • 염색체의 구성 성분이다. • 펩타이드 결합이 존재한다.

(나)

이에 대한 설명으로 옳은 것만을 〈보기〉에서 있는 대로 고른 것은?

보기
ㄱ. ㉠은 '펩타이드 결합이 존재한다.'이다.
ㄴ. A의 기본 단위는 뉴클레오타이드이다.
ㄷ. B는 탄수화물에 속한다.

① ㄱ ② ㄷ ③ ㄱ, ㄴ
④ ㄴ, ㄷ ⑤ ㄱ, ㄴ, ㄷ

02 다음은 인체를 구성하는 물질 (가)와 (나)에 대한 설명이다. (가)와 (나)는 각각 핵산과 단백질 중 하나이다.

• (가)에는 펩타이드 결합이 존재한다.
• (나)의 기본 단위는 뉴클레오타이드이다.

이에 대한 설명으로 옳은 것만을 〈보기〉에서 있는 대로 고른 것은?

보기
ㄱ. (가)는 헤모글로빈의 구성 성분이다.
ㄴ. (가)와 (나)는 모두 탄소 화합물이다.
ㄷ. 핵에는 (가)와 (나)가 들어 있다.

① ㄱ ② ㄷ ③ ㄱ, ㄴ
④ ㄴ, ㄷ ⑤ ㄱ, ㄴ, ㄷ

03 표 (가)는 생물을 구성하는 물질 A~C의 특징을, (나)는 A~C 중 하나의 기본 단위를 나타낸 것이다. A~C는 단백질, 지질, 탄수화물을 순서 없이 나타낸 것이다.

물질	특징
A	중성 지방, 스테로이드를 포함한다.
B	효소, 항체의 주성분이다.
C	단당류, 이당류, 다당류를 포함한다.

(가)

Ⓡ
|
$H_2N-C-COOH$
|
H

(나)

이에 대한 설명으로 옳은 것만을 〈보기〉에서 있는 대로 고른 것은?

보기
ㄱ. A는 지질이다.
ㄴ. (나)는 B의 기본 단위이다.
ㄷ. C는 인체를 구성하는 물질 중 비율이 가장 높다.

① ㄱ ② ㄷ ③ ㄱ, ㄴ
④ ㄴ, ㄷ ⑤ ㄱ, ㄴ, ㄷ

04 표는 생명체에 있는 물질 A~C의 특징을 나타낸 것이다. A~C는 각각 엿당, DNA, 스테로이드 중 하나이다.

물질	특징
A	지질에 속한다.
B	핵산에 속한다.
C	탄수화물에 속한다.

이에 대한 설명으로 옳은 것만을 〈보기〉에서 있는 대로 고른 것은?

보기
ㄱ. A는 스테로이드이다.
ㄴ. B의 기본 단위를 구성하는 당은 리보스이다.
ㄷ. C는 단당류에 속한다.

① ㄱ ② ㄴ ③ ㄷ
④ ㄱ, ㄴ ⑤ ㄱ, ㄷ

실전! 수능 도전하기

수능 기출

05 표는 식물의 구성 단계의 일부와 예를 나타낸 것이다. Ⅰ~Ⅲ은 각각 기관, 조직, 조직계 중 하나이다.

구성 단계	예
Ⅰ	ⓐ 잎
Ⅱ	기본 조직계
Ⅲ	ⓑ 형성층

이에 대한 설명으로 옳은 것만을 〈보기〉에서 있는 대로 고른 것은?

보기
ㄱ. ⓐ에는 관다발 조직계가 있다.
ㄴ. 체관은 Ⅱ의 예에 해당한다.
ㄷ. ⓑ는 분열 조직이다.

① ㄱ ② ㄴ ③ ㄱ, ㄷ
④ ㄴ, ㄷ ⑤ ㄱ, ㄴ, ㄷ

06 표는 어떤 동물의 조직 A~C의 특징을 나타낸 것이다. A~C는 각각 결합 조직, 상피 조직, 근육 조직 중 하나이다.

조직	특징
A	동물체의 표면이나 내장 기관의 안쪽 벽을 덮고 있다.
B	다른 조직을 연결시키거나 지지한다.
C	골격근, 심장근, 내장근이 있다.

이에 대한 설명으로 옳은 것만을 〈보기〉에서 있는 대로 고른 것은?

보기
ㄱ. A는 결합 조직이다.
ㄴ. 적혈구는 B를 구성한다.
ㄷ. 심장에는 A~C가 모두 있다.

① ㄱ ② ㄴ ③ ㄱ, ㄴ
④ ㄱ, ㄷ ⑤ ㄴ, ㄷ

07 그림 (가)는 동물의, (나)는 식물의 구성 단계를 예로 나타낸 것이다. A~C는 각각 관다발 조직계, 뉴런, 신경계 중 하나이다.

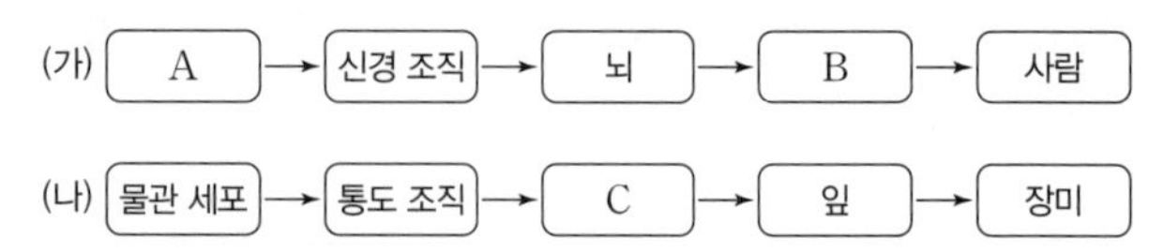

이에 대한 설명으로 옳은 것만을 〈보기〉에서 있는 대로 고른 것은?

보기
ㄱ. A와 적혈구는 동물의 구성 단계 중 같은 구성 단계에 해당한다.
ㄴ. B와 소화계는 모두 동물의 구성 단계 중 기관계에 해당한다.
ㄷ. 표피 조직은 C에 속한다.

① ㄱ ② ㄴ ③ ㄱ, ㄴ
④ ㄴ, ㄷ ⑤ ㄱ, ㄴ, ㄷ

08 그림은 식물 잎의 단면 구조 일부를 나타낸 것이다. A와 B는 각각 해면 조직과 표피 조직 중 하나이다.

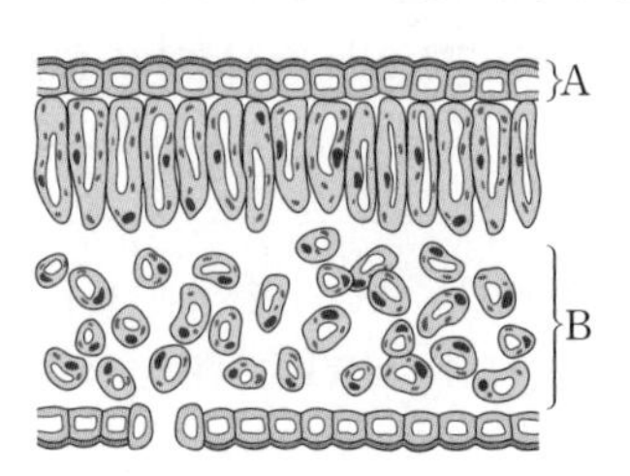

이에 대한 설명으로 옳은 것만을 〈보기〉에서 있는 대로 고른 것은?

보기
ㄱ. A는 기본 조직계에 속한다.
ㄴ. B에서 광합성이 활발하게 일어난다.
ㄷ. 잎은 식물의 생식 기관에 해당한다.

① ㄱ ② ㄴ ③ ㄱ, ㄴ
④ ㄱ, ㄷ ⑤ ㄴ, ㄷ

수능 기출

09 그림은 원심 분리기를 이용하여 동물 세포 파쇄액으로부터 핵과 미토콘드리아를 분리하는 과정을 나타낸 것이다.

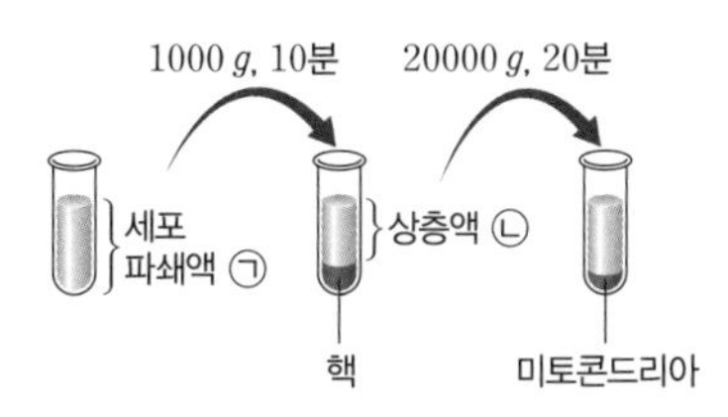

이에 대한 설명으로 옳은 것만을 〈보기〉에서 있는 대로 고른 것은?

〈보기〉
ㄱ. ㉠에는 리보솜이 있다.
ㄴ. ㉡에는 DNA를 갖는 세포 소기관이 있다.
ㄷ. 핵을 분리하는 과정에 세포 분획법이 이용되었다.

① ㄱ ② ㄷ ③ ㄱ, ㄴ
④ ㄴ, ㄷ ⑤ ㄱ, ㄴ, ㄷ

10 표는 세포 연구에 이용하는 실험 방법 (가)~(다)의 내용을 나타낸 것이다. (가)~(다)는 세포 분획법, 자기 방사법, 현미경을 이용한 방법을 순서 없이 나타낸 것이다.

실험 방법	내용
(가)	광학 현미경으로 세포를 관찰한다.
(나)	원심 분리기를 이용하여 세포 파쇄액으로부터 세포 소기관을 분리한다.
(다)	방사성 동위 원소로 표지된 아미노산을 세포에 주입한 후 시간에 따라 방출되는 방사선을 추적한다.

이에 대한 설명으로 옳은 것만을 〈보기〉에서 있는 대로 고른 것은?

〈보기〉
ㄱ. (가)는 세포 분획법이다.
ㄴ. (나)를 이용하여 동물 세포로부터 미토콘드리아를 분리할 수 있다.
ㄷ. ^{3}H를 이용하여 DNA의 합성 장소를 알아내는 방법은 (다)이다.

① ㄱ ② ㄴ ③ ㄷ
④ ㄱ, ㄴ ⑤ ㄴ, ㄷ

11 그림은 세포를 파쇄한 후 원심 분리기를 이용하여 세포 소기관 ㉠~㉢을 분리하는 과정을 나타낸 것이다. ㉠~㉢은 핵, 거친면 소포체, 미토콘드리아를 순서 없이 나타낸 것이다.

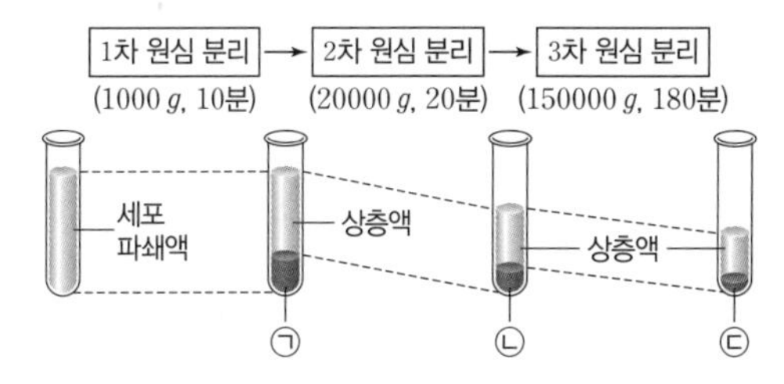

이에 대한 설명으로 옳은 것만을 〈보기〉에서 있는 대로 고른 것은?

〈보기〉
ㄱ. ㉠은 미토콘드리아이다.
ㄴ. 동물 세포에는 ㉠과 ㉡이 모두 있다.
ㄷ. ㉡과 ㉢에는 모두 단백질이 들어 있다.

① ㄱ ② ㄴ ③ ㄱ, ㄴ
④ ㄴ, ㄷ ⑤ ㄱ, ㄴ, ㄷ

12 그림은 동물 세포를, 표는 동물 세포 연구에 이용하는 실험 방법 (가)~(다)를 나타낸 것이다. A~D는 각각 핵, 거친면 소포체, 골지체, 미토콘드리아 중 하나이다.

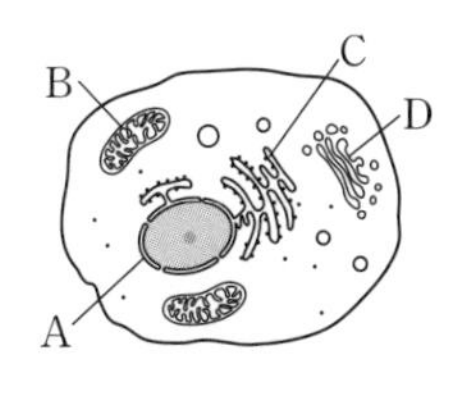

실험 방법	내용
(가)	투과 전자 현미경으로 세포를 관찰한다.
(나)	원심 분리기를 이용하여 세포 파쇄액으로부터 세포 소기관을 분리한다.
(다)	방사성 동위 원소 ^{14}C로 표지된 아미노산을 세포에 주입한 후 시간에 따라 방출되는 방사선을 검출한다.

이에 대한 설명으로 옳은 것만을 〈보기〉에서 있는 대로 고른 것은?

〈보기〉
ㄱ. (가)를 통해 A를 관찰할 수 있다.
ㄴ. (나)를 통해 B를 분리할 수 있다.
ㄷ. (다)를 통해 C에서 D로 이동하는 단백질을 추적할 수 있다.

① ㄱ ② ㄷ ③ ㄱ, ㄴ
④ ㄴ, ㄷ ⑤ ㄱ, ㄴ, ㄷ

정답과 해설 014쪽

수능 기출

13 동물 세포에 있는 핵, 리보솜, 매끈면 소포체에 대한 설명으로 옳은 것만을 〈보기〉에서 있는 대로 고른 것은?

보기
ㄱ. 매끈면 소포체의 표면에는 리보솜이 붙어 있다.
ㄴ. 핵과 리보솜에는 모두 rRNA가 있다.
ㄷ. 핵과 매끈면 소포체는 모두 인지질 2중층을 가진다.

① ㄱ ② ㄴ ③ ㄷ
④ ㄱ, ㄴ ⑤ ㄴ, ㄷ

14 표 (가)는 핵, 리보솜, 엽록체에서 특징 ㉠~㉢의 유무를 나타낸 것이고, (나)는 ㉠~㉢을 순서 없이 나타낸 것이다.

구분	㉠	㉡	㉢
핵	○	○	×
리보솜	×	○	ⓐ
엽록체	○	○	○

(○: 있음, ×: 없음)

(가)

특징(㉠~㉢)
• RNA가 있다. • 2중막을 갖는다. • 그라나를 갖는다.

(나)

이에 대한 설명으로 옳은 것만을 〈보기〉에서 있는 대로 고른 것은?

보기
ㄱ. ⓐ는 '○'이다.
ㄴ. ㉠은 '2중막을 갖는다.'이다.
ㄷ. 리보솜은 단백질을 합성한다.

① ㄱ ② ㄷ ③ ㄱ, ㄴ
④ ㄴ, ㄷ ⑤ ㄱ, ㄴ, ㄷ

15 그림은 동물 세포에서 일어나는 리소좀의 형성과 세포 내 소화 과정을 나타낸 것이다. ㉠~㉢은 각각 골지체, 리소좀, 거친면 소포체 중 하나이다.

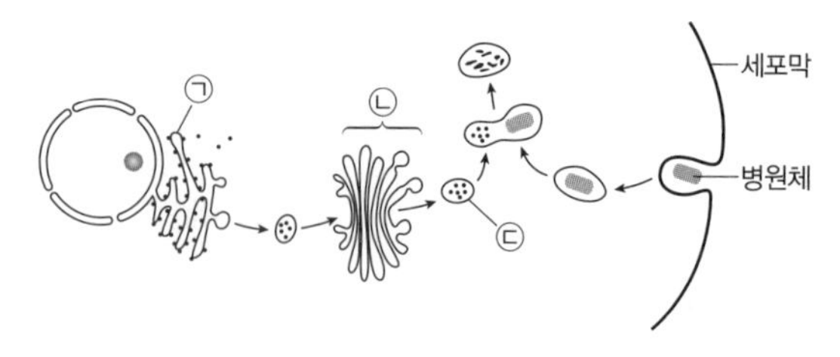

이에 대한 설명으로 옳은 것만을 〈보기〉에서 있는 대로 고른 것은?

보기
ㄱ. ㉠에 단백질이 있다.
ㄴ. ㉡에서 분비 소낭이 형성된다.
ㄷ. ㉢은 세포내 소화를 담당한다.

① ㄱ ② ㄷ ③ ㄱ, ㄴ
④ ㄴ, ㄷ ⑤ ㄱ, ㄴ, ㄷ

16 표는 세포 (가)~(다)에 존재하는 구조와 성분의 유무를 나타낸 것이다. (가)~(다)는 대장균, 사람의 간세포, 시금치의 공변세포를 순서 없이 나타낸 것이다.

구분	소포체	세포벽	엽록체
(가)	○	×	×
(나)	○	○	○
(다)	×	○	?

(○: 있음, ×: 없음)

이에 대한 설명으로 옳은 것만을 〈보기〉에서 있는 대로 고른 것은?

보기
ㄱ. (가)는 사람의 간세포이다.
ㄴ. (나)의 세포벽은 펩티도글리칸 성분이다.
ㄷ. (다)는 원핵세포에 해당한다.

① ㄱ ② ㄴ ③ ㄱ, ㄷ
④ ㄴ, ㄷ ⑤ ㄱ, ㄴ, ㄷ

2 세포막과 효소

배울 내용 살펴보기

01 세포막을 통한 물질 이동

- A 세포막의 구조와 특성
- B 세포막을 통한 물질의 이동

세포막은 물질의 종류와 특성에 따라 물질을 투과시키는 방식과 정도가 다른 선택적 투과성을 갖고 있어.

02 효소

- A 효소의 작용과 특성
- B 효소의 구성과 종류
- C 효소의 작용에 영향을 미치는 요인

효소는 활성화 에너지를 낮추어 반응을 촉진하는 생체 촉매야.

01 세포막을 통한 물질 이동

핵심 키워드로 흐름잡기

[A] 세포막, 인지질, 막단백질, 유동 모자이크막, 선택적 투과성

[B] 단순 확산, 촉진 확산, 삼투, 능동 수송, 세포내 섭취, 세포외 배출

A 세포막의 구조와 특성

|출·제·단·서| 시험에는 세포막의 구조적 특징을 묻는 문제가 나와.

1. 세포막❶ 세포질 바깥쪽을 둘러싸고 있는 얇은 막이다.

2. 세포막의 구조 인지질 2중층과 막단백질로 이루어져 있다.

(1) **인지질** 인산을 포함하는 머리 부분은 •친수성이고, 2분자의 지방산으로 이루어진 꼬리 부분은 •소수성이다. ➡ 물로 둘러싸인 세포 안팎의 환경에서 2중층을 형성한다.

(2) **막단백질** 인지질 2중층에 파묻혀 있거나, 인지질 2중층을 관통하거나 표면에 붙어 있다. 막단백질은 세포 간 인식, 신호 전달, 효소 작용, 물질 수송 등 여러 가지 기능을 한다.

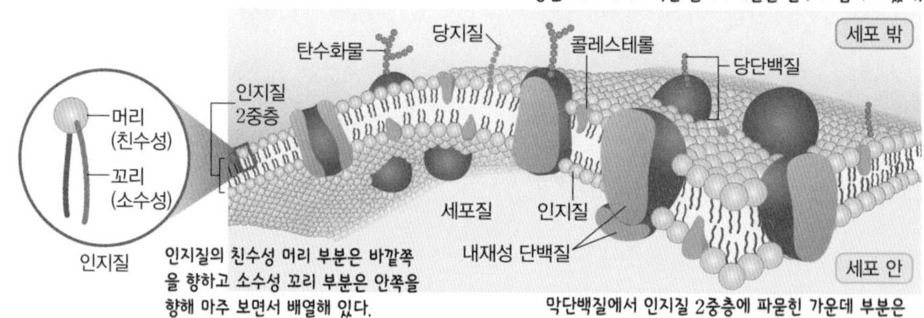

▲ 세포막의 구조

[막단백질의 기능]

세포 간 인식	신호 전달	효소 작용	물질 수송
탄수화물	신호 물질, 수용체, 신호 전달	효소	ATP
단백질에 붙어 있는 탄수화물은 다른 세포의 인식에 관여한다.	수용체 단백질은 호르몬 등을 인식하여 세포 내로 정보를 전달한다.	효소 단백질은 세포의 물질대사를 조절한다.	수송 단백질은 물질의 이동 통로 역할을 한다.

3. 세포막의 특성

(1) **유동 모자이크막** 인지질과 막단백질은 유동성이 있어 움직일 수 있다. 세포막에서 막단백질은 인지질 2중층의 곳곳에 분포한다.

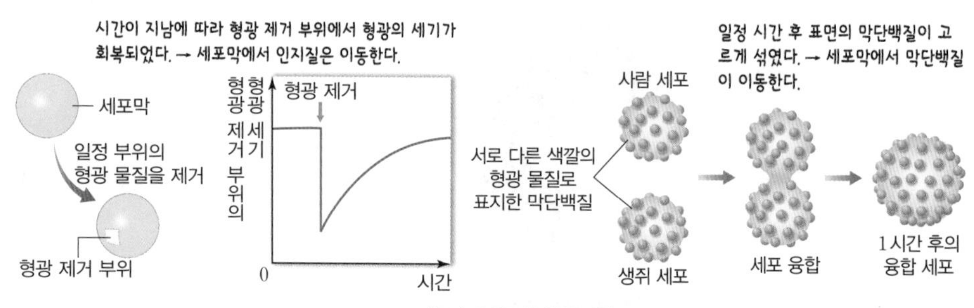

▲ 세포막의 유동성 확인 실험

(2) **선택적 투과성❷** 세포막은 물질의 종류와 특성에 따라 물질을 투과시키는 방식과 정도가 다른 선택적 투과성을 갖는다.

❶ **세포막의 기능**

- 세포의 형태를 유지하고, 세포를 보호한다.
- 세포와 외부 환경 사이의 물질 출입을 선택적으로 조절한다.
- 세포 밖의 환경에서 오는 신호를 세포 안으로 전달한다.

❷ **세포막의 선택적 투과성**

산소나 이산화 탄소 같은 크기가 작고 극성이 없는 물질은 인지질 2중층을 직접 통과하지만, 포도당이나 아미노산과 같은 크기가 큰 분자나 이온과 같은 극성 물질은 막단백질을 통해 세포막을 통과한다.

용어 알기

•친수성(친할 親, 물 水, 성질 性) 물 분자와 쉽게 결합하는 성질

•소수성(멀 疏, 물 水, 성질 性) 물 분자와 쉽게 결합하지 못하는 성질

B 세포막을 통한 물질의 이동 개념 POOL

|출·제·단·서| 시험에는 확산, 삼투, 능동 수송을 구분하는 문제가 나와.

1. 확산 물질이 스스로 운동하여 농도가 높은 곳에서 낮은 곳으로 퍼져 나가는 현상이다.

(1) 세포막을 통한 확산의 특징

암기TiP 물질이 '고 → 저'로 확산

① 분자 운동에 의해 일어나므로 에너지(ATP)가 소모되지 않는다.

② 물질이 고농도에서 저농도로 이동하므로 세포 안과 밖의 농도 차가 줄어든다.

③ 여러 물질이 섞여 있을 경우 각 물질은 자체의 농도 기울기에 따라 독립적으로 확산한다.❸

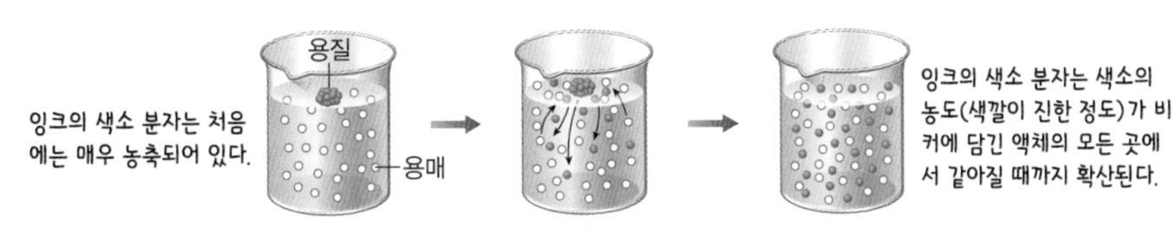

▲ 물질의 확산

(2) 세포막을 통한 확산의 종류❹

① **단순 확산**: 산소(O_2), 이산화 탄소(CO_2)와 같은 물질이 인지질 2중층을 직접 통과하여 확산하는 것이다. •극성이 없고, 지질 용해도가 크며, 분자량이 작은 물질이 단순 확산을 통해 이동한다. ㉠ 폐포와 모세 혈관 사이에서 일어나는 O_2와 CO_2의 기체 교환, 지용성 물질의 이동 등

② **촉진 확산**: 이온, 포도당, 아미노산과 같은 물질이 세포막의 수송 단백질을 통해 이동하는 방식이다.
└ 통로 단백질과 운반체 단백질이 있다.

통로 단백질	운반체 단백질
이온과 같은 특정 물질이 세포막을 통과할 수 있도록 통로 역할을 한다. ㉠ 신경 세포에서의 흥분 전도에 따른 이온(Na^+, K^+)의 이동	포도당, 아미노산 같은 특정 물질과 결합 후 구조가 변하면서 물질을 세포막 반대쪽으로 운반한다. ㉠ 인슐린 작용에 의한 체세포의 포도당 흡수
세포 밖 (고농도) / 세포 안 (저농도) / 통로 단백질 / Na^+ 등의 이온	운반체 단백질 / 포도당 등의 큰 분자

빈출 자료 단순 확산과 촉진 확산 비교

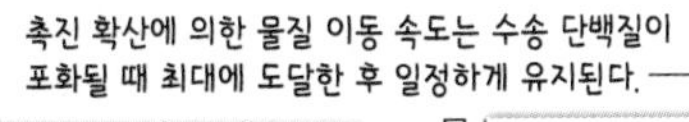

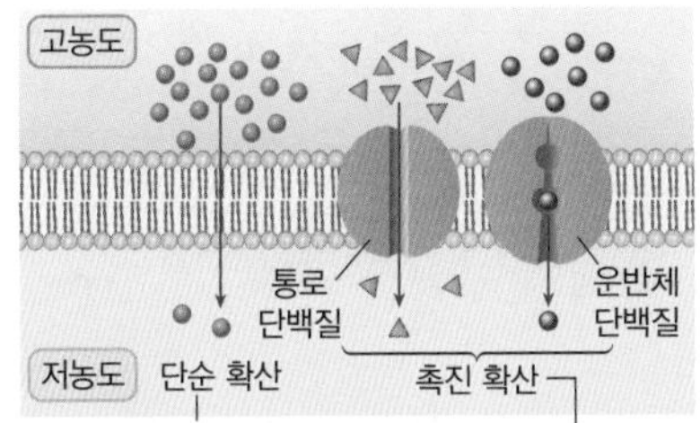

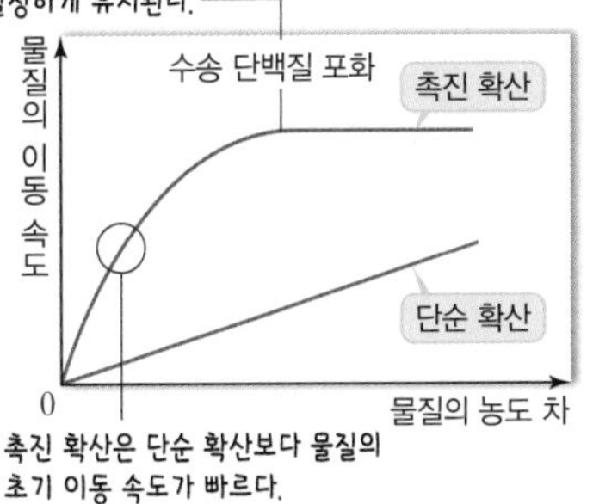

❶ 단순 확산에서는 물질의 이동 속도가 세포 안과 밖의 물질 농도 차이에 비례한다.

❷ 촉진 확산에서는 일정 수준까지는 세포 안과 밖의 농도차가 증가할수록 이동 속도가 증가하지만, 세포막에 존재하는 수송 단백질의 수가 한정되어 있어서 수송 단백질이 모두 물질 이동에 참여하는 포화 상태가 되면 농도 차가 증가해도 이동 속도가 더 이상 증가하지 않고 일정해진다.

---

❸ 여러 물질의 확산

막을 경계로 여러 물질이 있을 경우 각각의 물질은 다른 물질의 농도와는 관계 없이 그 물질만의 농도 차에 의해 확산된다.

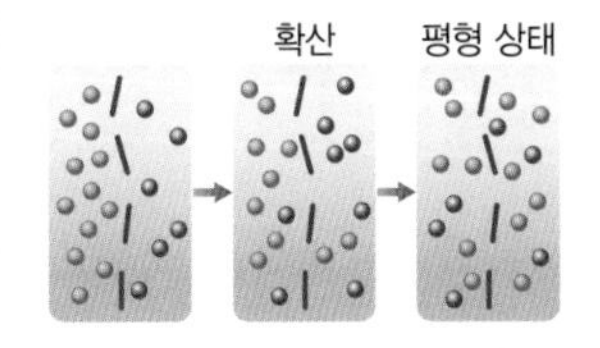

❹ 확산으로 세포막을 이동하는 물질

- O_2, CO_2와 같은 기체 분자, 벤젠과 같은 소수성 분자, 물, 에탄올, 글리세롤과 같은 작은 비극성 분자들은 단순 확산으로 이동한다.
- 지질층을 통과하지 못하는 포도당, 아미노산, 뉴클레오타이드와 같은 크기가 큰 비극성 분자와 이온들은 촉진 확산으로 이동한다.

? 단순 확산과 촉진 확산의 공통점과 차이점은 무엇일까?

- 공통점: 둘 다 농도 기울기에 따라 물질이 고농도 → 저농도로 이동하며, 세포가 에너지를 사용하지 않는다.
- 차이점: 단순 확산은 인지질 2중층을 통해 물질이 이동하지만 촉진 확산은 수송 단백질을 통해 물질이 이동한다.

용어 알기

•극성(이를 極, 성질 性) 분자 내에서 양 극단의 전하의 분리가 있는 분자

❓ **반투과성과 선택적 투과성은 같은 것일까?**
반투과성은 분자의 크기에 따라서만 물질의 이동이 결정되는 것이고, 선택적 투과성은 분자의 크기, 지질에 대한 용해도나 수송 단백질 등 물질의 여러 가지 특징에 따라 물질의 이동이 결정되는 것이다.

❺ 삼투압의 공식

$$P=CRT$$

P : 삼투압(기압)
C : 용액의 몰 농도(M)
R : 기체 상수(0.082)
T : 절대 온도($273+t$ ℃)

2. 삼투 용질은 통과시키지 않고 용매만 통과시키는 반투과성 막을 경계로 농도가 다른 용액이 있을 때, 농도가 낮은 쪽에서 높은 쪽으로 용매(물)가 이동하는 현상으로 에너지(ATP)가 소모되지 않는다. 삼투는 물(용매)이 많은 쪽에서 적은 쪽으로 확산하는 현상이다.

(1) 삼투압 삼투가 일어날 때 물(용매)의 이동에 의해 반투과성 막이 받는 압력으로, 용액의 농도 차가 클수록 크다.❺

빈출 자료 **삼투 실험**

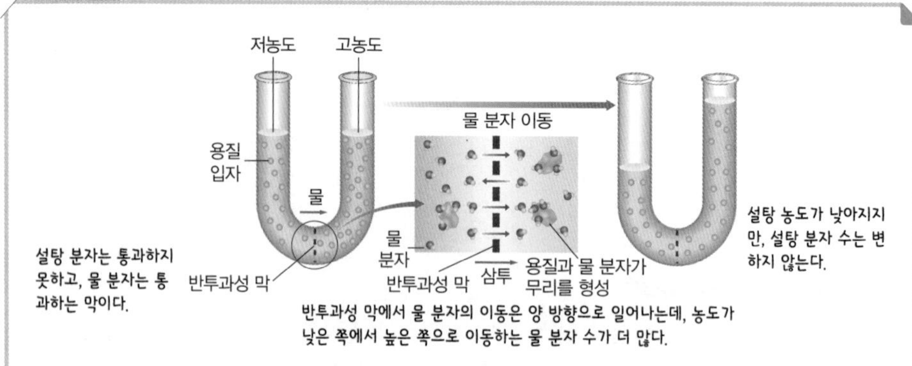

❶ **실험 장치:** 물 분자는 통과하지만 설탕 분자는 통과하지 못하는 반투과성 막을 U자관 가운데에 설치하고 한쪽에는 농도가 낮은 설탕 용액을, 다른 쪽에는 농도가 높은 설탕 용액을 같은 양씩 넣는다.

❷ **실험 결과:** 반투과성 막을 통해 농도가 낮은 설탕 용액 쪽에서 농도가 높은 설탕 용액 쪽으로 물이 이동한다. ➡ 일정 시간이 지나면 농도가 높은 용액의 높이는 높아지고 농도가 낮은 용액의 높이는 낮아진다.

(2) 세포에서의 삼투 현상 세포를 삼투압이 다른 용액에 담가 두면 삼투에 의해 세포 안팎으로 물이 이동하여 세포의 부피와 모양이 변한다.

① 동물 세포에서의 삼투 현상

[적혈구를 서로 다른 농도의 용액에 넣었을 때의 변화]

저장액❻	등장액	고장액
H_2O H_2O 유입되는 물의 양이 유출되는 물의 양보다 많다. 증류수	H_2O H_2O 유입되는 물의 양과 유출되는 물의 양이 같다. 0.9 % 소금 용액	H_2O H_2O 유출되는 물의 양이 유입되는 물의 양보다 많다. 5 % 소금 용액
세포의 부피가 증가하여 세포가 부풀어 올라 심하면 세포막이 터지는 •용혈 현상이 일어난다.	세포의 부피와 모양에 변화가 없다.	세포의 부피가 감소하여 세포가 쭈그러든다.

② 식물 세포에서의 삼투 현상❼ 탐구 POOL

[양파 세포를 서로 다른 농도의 용액에 넣었을 때의 변화]

저장액	등장액	고장액
H_2O H_2O 세포막 세포벽 액포 유입되는 물의 양이 유출되는 물의 양보다 많다.	H_2O H_2O 유입되는 물의 양과 유출되는 물의 양이 같다.	H_2O H_2O 세포막 세포벽 유출되는 물의 양이 유입되는 물의 양보다 많다.
세포의 부피가 증가하는 •팽윤 상태가 된다.	세포의 부피와 모양에 변화가 없다.	세포의 부피가 감소하여 세포막이 세포벽으로부터 떨어지는 원형질 분리가 일어난다.

❻ 저장액, 등장액, 고장액
어떤 용액과 비교하여 상대적으로 농도가 낮은 용액을 저장액, 농도가 같은 용액을 등장액, 농도가 높은 용액을 고장액이라고 한다.

❼ 식물 세포의 삼투
식물 세포는 세포막 밖에 단단한 세포벽이 있기 때문에 삼투 현상에 의해 물이 들어오거나 나가더라도 세포가 터지거나 쭈그러드는 현상이 나타나지 않는다.

용어 알기
•용혈(**흐를 溶, 피 血**) 적혈구가 파괴되어 헤모글로빈이 유출되는 현상
•팽윤(**부풀 膨, 젖을 潤**) 용매를 흡수하여 부피가 늘어나는 것

(3) 식물 세포의 흡수력 식물 세포가 물을 흡수하는 힘을 흡수력이라고 한다.

① 흡수력은 세포 안으로 물이 들어오려는 힘(삼투압)과 세포 내부에서 밖으로 미는 힘(•팽압)의 차에 의해 결정된다. ➡ 흡수력은 삼투압이 높을수록, 팽압이 낮을수록 크다.

흡수력 = 삼투압 − 팽압

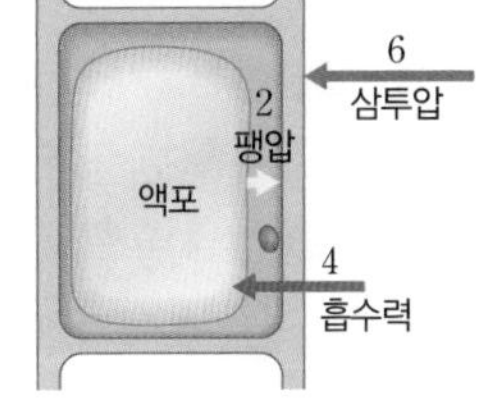

▲ 흡수력의 계산

② 삼투압과 팽압이 같아져 흡수력이 0이 되는 상태가 최대 팽윤 상태이다. ➡ 더 이상 물을 흡수하지 못한다.

빈출 자료 **식물 세포의 삼투압, 팽압, 흡수력의 관계**

다음은 고장액에 담가 두었던 식물 세포를 저장액에 넣었을 때 세포의 부피에 따른 삼투압과 팽압을 나타낸 것이다.❽

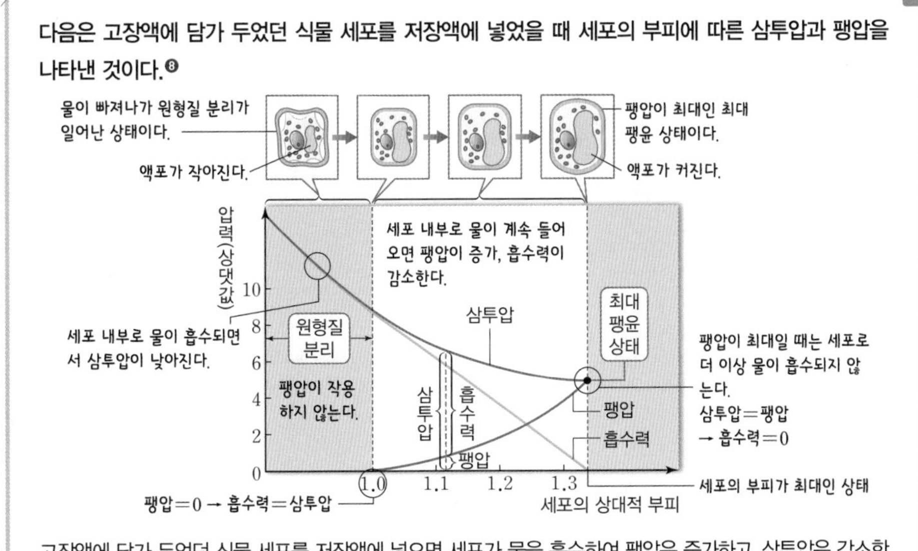

고장액에 담가 두었던 식물 세포를 저장액에 넣으면 세포가 물을 흡수하여 팽압은 증가하고, 삼투압은 감소한다. 따라서 흡수력도 감소한다.

3. 능동 수송 물질을 에너지(ATP)를 소모하여 농도가 낮은 쪽에서 높은 쪽으로 농도 기울기를 거슬러 이동시키는 방식으로, 운반체 단백질에 의해 일어난다.

(1) 능동 수송의 특징

① 운반체 단백질에 의해 물질이 선택적으로 이동된다.

② 물질이 저농도에서 고농도로 이동하므로 세포 안과 밖의 농도 차가 유지된다.❾

③ 세포 호흡이 멈추면 에너지가 생성되지 않으므로 능동 수송이 일어나지 않는다.

④ 물질 이동 속도는 일정 수준 이상으로 빨라지지 않는다. – 운반체 단백질의 수가 한정되어 있기 때문

(2) 능동 수송의 예 Na^+-K^+ 펌프❿에 의한 이온의 이동, 세뇨관에서 일어나는 포도당의 재흡수, 해조류의 아이오딘(I) 흡수, 소장에서 일어나는 양분의 흡수, 뿌리털의 무기 양분 흡수

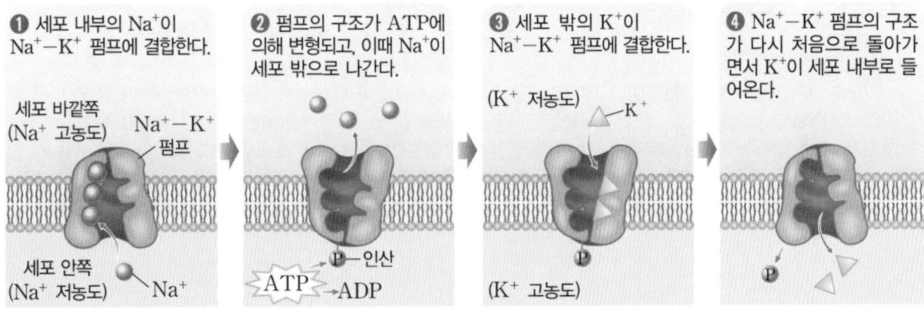

▲ Na^+-K^+ 펌프의 작용

❽ 원형질 복귀
고장액에 넣어 원형질 분리가 일어난 세포를 저장액에 넣으면 물이 세포 안으로 들어와 세포가 원래의 상태로 돌아오는데, 이것을 원형질 복귀라고 한다.

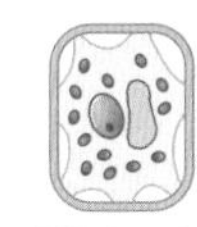
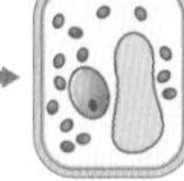

❾ 적혈구 안팎의 이온 농도 차

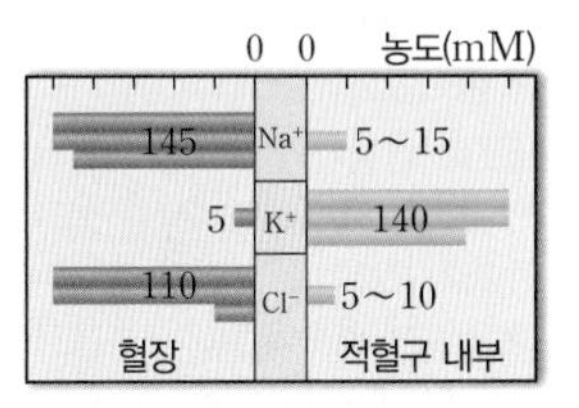

적혈구 내부는 혈장보다 K^+ 농도는 높고, Na^+, Cl^- 농도는 낮다. 이와 같은 농도 차가 유지되는 것은 적혈구의 세포막에서 ATP를 소비하여 K^+, Na^+, Cl^-을 농도가 낮은 쪽에서 높은 쪽으로 능동 수송하기 때문이다.

❿ Na^+-K^+ 펌프
세포막에 있는 운반체 단백질로, ATP를 소모하며 농도 기울기를 거슬러 Na^+을 세포 밖으로, K^+을 세포 안으로 운반한다.

용어 알기

•팽압(**부풀 膨, 누를 壓**) 식물 세포의 내부에서 세포벽 쪽으로 가해지는 압력

4. 세포내 섭취와 세포외 배출 세포막을 통과할 수 없는 크기가 큰 물질을 막으로 싸서 세포 안이나 밖으로 이동시키는 방식으로, 에너지(ATP)가 소모된다.

(1) 세포내 섭취 세포 밖의 큰 물질을 세포 안으로 이동시키는 방식으로, 물질을 세포막으로 감싸 소낭을 만들어 세포 내로 끌어들인다.

① **식세포 작용**[11]: 미생물이나 세포 조각 같은 크기가 큰 고형 물질을 세포막으로 감싸서 세포 내로 이동시키는 작용이다. 예 백혈구가 세균이나 감염된 세포를 제거하는 식균 작용

② **음세포 작용**: 액체 상태의 물질을 세포막으로 감싸서 세포 내로 이동시키는 작용이다. 예 모세 혈관 벽의 세포에서 혈액의 액체 성분 흡수[12]

(2) 세포외 배출 세포 내에서 생성된 효소, 호르몬, 노폐물 등을 세포 밖으로 내보내는 이동 방식으로, 물질을 담은 소낭의 막이 세포막과 융합하면서 소낭 속의 물질을 세포 밖으로 내보낸다. 예 이자 세포에서 인슐린과 글루카곤의 분비, 뉴런의 축삭 돌기 말단에서 시냅스 틈으로의 신경 전달 물질 분비

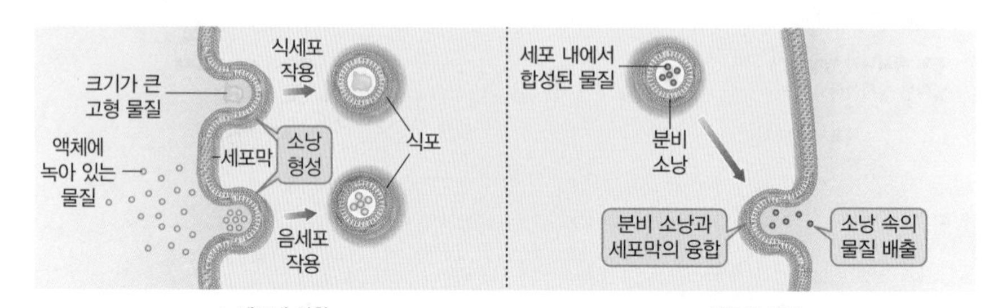

▲ 세포내 섭취
세포내 섭취에 의해 세포막의 일부가 소낭을 형성 → 세포막의 표면적 감소

▲ 세포외 배출
세포외 배출이 일어나면서 소낭이 세포막과 융합 → 세포막의 표면적 증가

⑪ 아메바의 식세포 작용
아메바는 위족으로 먹이를 감싸서 세포내 섭취로 집어삼킨다. 그 결과 아메바 내에 먹이가 들어 있는 식포가 만들어진다.

⑫ 모세 혈관 벽에서의 음세포 작용
모세 혈관의 벽을 이루는 세포에서 음세포 작용이 일어나 세포 내에 작은 소낭이 형성된다.

세포내 섭취와 세포외 배출에 의해 세포막의 면적은 어떻게 변화할까?
세포내 섭취가 일어나면 세포막이 물질을 둘러싸서 소낭을 형성하므로 세포막의 면적이 줄어든다. 세포외 배출이 일어나면 소낭의 막이 세포막과 합쳐지므로 세포막의 면적이 증가한다. 따라서 세포내 섭취와 세포외 배출이 일어나도 결과적으로 세포막의 면적은 거의 일정하게 유지된다.

빈출 자료 리포솜의 구조와 활용

- **리포솜**: 인지질 2중층으로 이루어진 구형 또는 타원형의 인공 구조물이다.
- **리포솜의 특징**: 리포솜의 막은 세포막과 같이 유동성이 있으며, 인지질로 이루어진 다른 막과 쉽게 융합할 수 있다. ➡ 리포솜 내부에 특정한 물질을 넣어 세포로 전달하는 매개체로 활용할 수 있다.

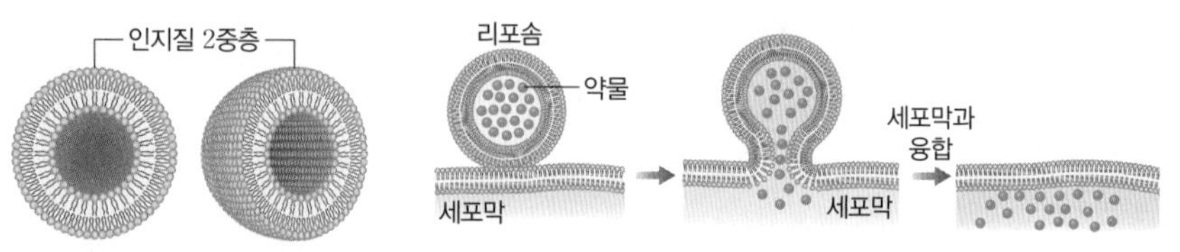

▲ 리포솜의 단면 구조 ▲ 리포솜이 세포막과 융합하는 모습

리포솜의 활용 예

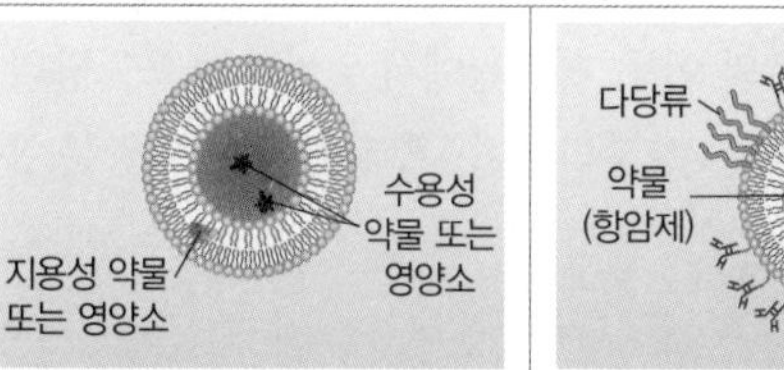	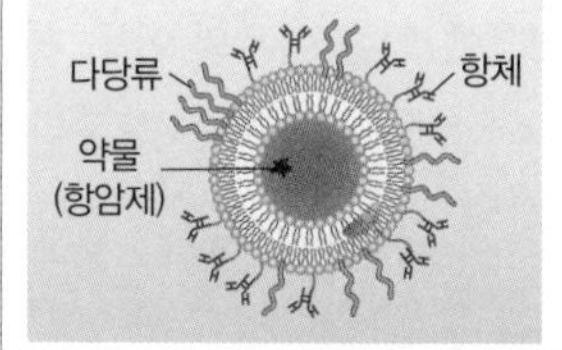	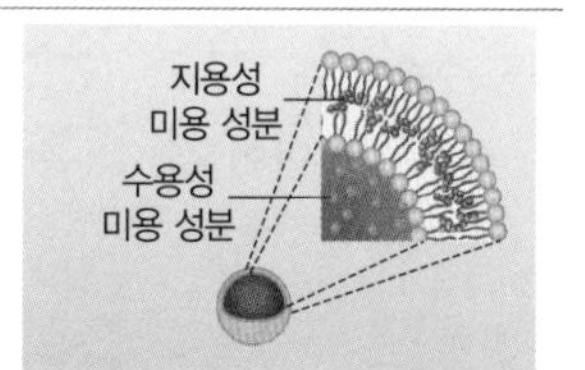
리포솜 내부에는 수용성 약물, 영양소, DNA 등을 담을 수 있고, 인지질 2중층 막에는 지용성 약물이나 영양소를 삽입할 수 있다. ➡ 리포솜은 약물이나 영양소, DNA 등을 세포로 운반해 주는 운반체로 이용될 수 있다.	리포솜 표면을 면역계에 의해 파괴되지 않는 다당류로 코팅하고, 표적 세포를 인지하는 물질(항체, 리간드 등)을 결합시킨 후 내부에 항암제 등의 약물을 담을 수 있다. ➡ 약물이 암세포 등 치료 대상이 되는 세포에만 선택적으로 작용할 수 있다.	미용 성분을 미세한 리포솜에 담아 캡슐화할 수 있다. ➡ 리포솜이 피부의 표피 세포 사이의 틈을 통과하여 피부 깊숙이 있는 진피층에까지 미용 성분을 안정적으로 전달할 수 있다.

용어 알기
- 식(먹을 食)세포 작용 세포가 외부의 고형 성분을 세포 내로 끌어들이는 작용
- 음(마실 飮)세포 작용 세포가 외부의 액체 성분을 세포 내로 끌어들이는 작용

확산과 능동 수송

목표 확산과 능동 수송의 공통점과 차이점을 설명할 수 있다.

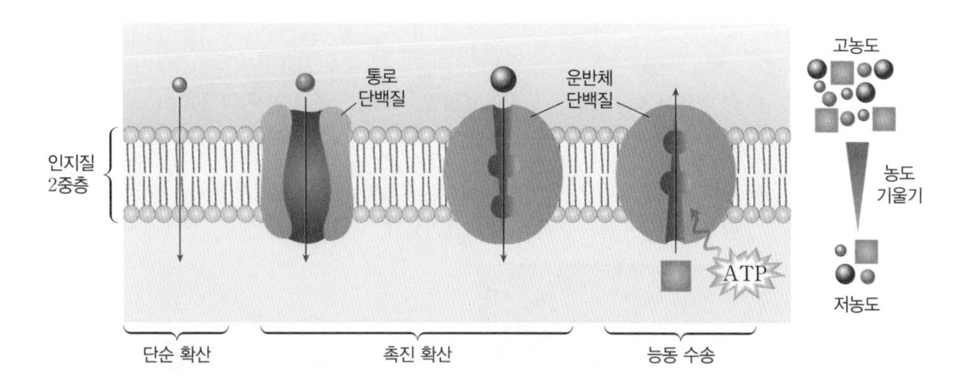

구분	확산		능동 수송
	단순 확산	촉진 확산	
물질의 이동 방향	고농도 → 저농도 (농도 기울기에 따라 이동한다.)		저농도 → 고농도 (농도 기울기에 역행하여 이동한다.)
ATP 소모	소모되지 않음		소모됨
수송 단백질	관여하지 않음 ➡ 수송 단백질이 관여하지 않기 때문에 물질의 농도 차가 클수록 확산이 빠르게 일어난다.	관여함 ➡ 수송 단백질이 포화 상태가 되면 농도 차가 증가해도 확산 속도가 증가하지 않고 일정해진다.	관여함 ➡ 운반체 단백질이 포화 상태가 되면 물질 이동 속도가 일정해진다.
예	• 폐포와 모세 혈관 사이의 기체 교환 • 글리세롤, 에탄올 등의 세포막 출입	• 전하를 띤 이온의 이동(Na^+ 통로, K^+ 통로에 의한 Na^+과 K^+의 이동) • 포도당, 아미노산 등의 이동	• Na^+-K^+ 펌프에 의한 이온의 이동 • 소장 융털에서의 양분 흡수 • 콩팥에서의 물질 재흡수 • 식물 뿌리털에서의 무기 양분 흡수

한·줄·핵심 확산은 농도 기울기에 따라 물질이 이동하고, 능동 수송은 농도 기울기에 역행하여 물질이 이동한다.

확인 문제

정답과 해설 016쪽

01 그림은 동물 세포에서 세포막을 통한 물질의 이동 방식 (가)~(다)를 나타낸 것이다.

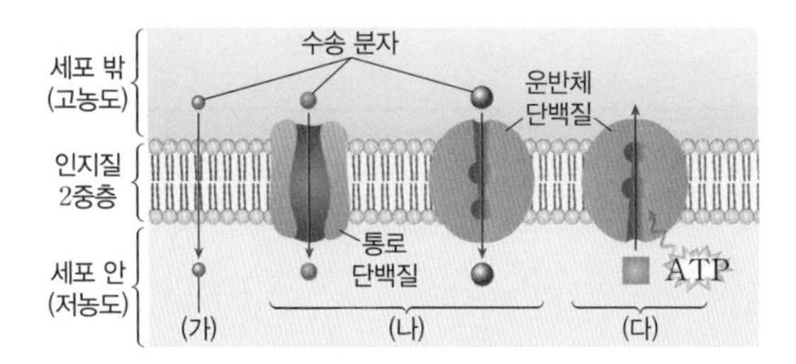

(가)~(다)는 무엇인지 각각 쓰시오.

02 그림은 단순 확산, 촉진 확산, 능동 수송의 공통점과 차이점을 나타낸 것이다.

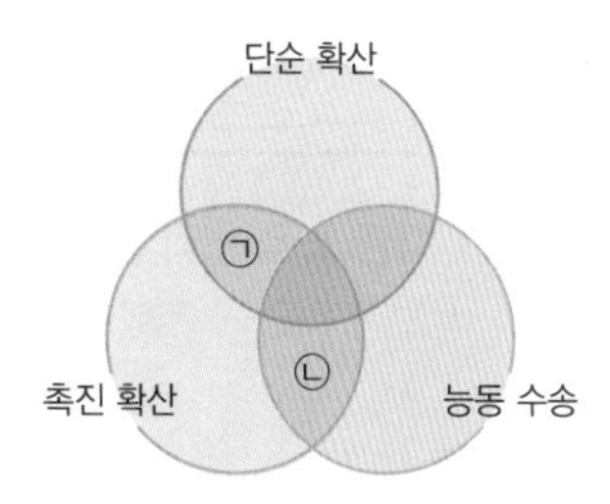

㉠과 ㉡에 해당하는 특징을 각각 쓰시오.

양파 세포의 삼투 현상 관찰

목표 양파 세포에서 나타나는 삼투 현상을 관찰하고 삼투 현상의 원리를 설명할 수 있다.

과정

❶ **양파 표피 조각 준비하기:** 양파 비늘잎 안쪽에 가로, 세로 각각 5 mm 크기로 칼집을 내고, 핀셋을 이용하여 양파 표피 조각을 벗겨 낸다.

❷ **양파 표피를 여러 가지 용액에 담가 두기**

양파 표피 조각을 증류수, 0.9 % 소금물, 2 % 소금물이 담긴 페트리 접시에 각각 약 10분 동안 담가 둔다.

❸ **양파 표피 세포의 현미경 표본 만들기**

양파 표피 조각을 꺼내어 받침유리에 각각 올려놓고, 그 조각이 담겨 있던 용액을 한 방울씩 떨어뜨린 후 덮개유리를 덮는다.

❹ **양파 표피 세포 염색하기**

덮개유리 한쪽에 아세트산 카민 용액을 한두 방울 떨어뜨리고, 반대쪽에서 거름종이로 용액을 흡수해 양파 표피 조각을 염색한다.

❺ **양파 표피 세포 관찰하기:** 현미경으로 양파 표피 조각의 현미경 표본을 관찰한다.

유의점

• 현미경으로 세포를 관찰할 때는 먼저 저배율로 관찰하여 관찰할 부분을 먼저 찾은 후에 배율을 높여 관찰한다.

이런 실험도 있어요!

감자를 이용한 삼투 실험

홈이 있는 2개의 감자 조각을 준비하여 1개의 감자 조각 홈에만 소금을 넣고 감자 조각을 모두 페트리 접시에 넣은 후 감자 조각이 반쯤 잠길 정도로 물을 붓는다.
➡ 시간이 지남에 따라 소금을 넣은 감자 조각에서는 물이 빠져나와 홈에 물이 고이지만, 다른 감자 조각에는 물이 고이지 않는다.

결과 및 해석

용액	증류수	0.9 % 소금물	2 % 소금물
결과	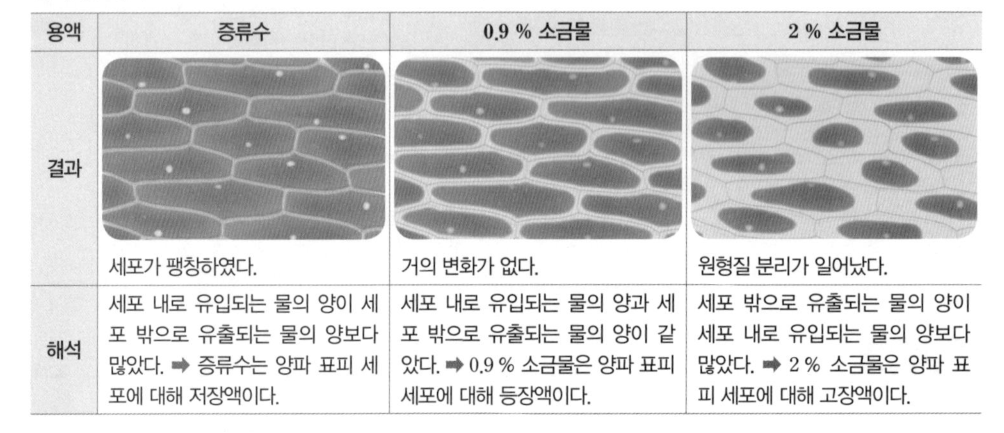 세포가 팽창하였다.	거의 변화가 없다.	원형질 분리가 일어났다.
해석	세포 내로 유입되는 물의 양이 세포 밖으로 유출되는 물의 양보다 많았다. ➡ 증류수는 양파 표피 세포에 대해 저장액이다.	세포 내로 유입되는 물의 양과 세포 밖으로 유출되는 물의 양이 같았다. ➡ 0.9 % 소금물은 양파 표피 세포에 대해 등장액이다.	세포 밖으로 유출되는 물의 양이 세포 내로 유입되는 물의 양보다 많았다. ➡ 2 % 소금물은 양파 표피 세포에 대해 고장액이다.

한·줄·핵심 식물 세포는 저장액에서는 세포 안으로 물이 흡수되어 팽윤 상태가 되고, 등장액에서는 변화가 없으며, 고장액에서는 세포 밖으로 물이 빠져나가 원형질 분리 상태가 된다.

확인 문제

정답과 해설 016쪽

01 그림은 농도가 서로 다른 소금 용액 (가)~(다)에 양파 표피 세포를 담가 두고 일정한 시간이 지났을 때의 모습을 나타낸 것이다.

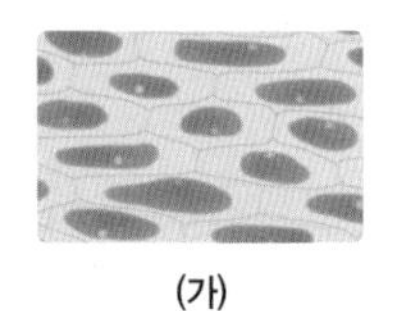
(가)

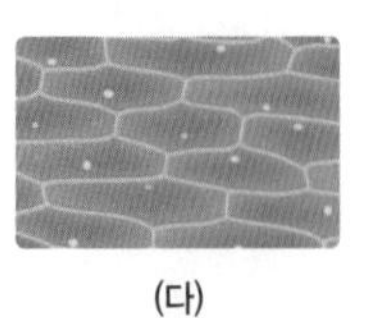
(나)

(다)

(가)~(다)를 소금 농도가 높은 것부터 순서대로 나열하시오.

콕콕! 개념 확인하기

정답과 해설 016쪽

✔ 잠깐 확인!

1. 세포막은 물질의 종류와 특성에 따라 물질을 투과시키는 방식과 정도가 다른 ☐☐☐ 투과성 막이다.

2. ☐☐ 확산
물질이 인지질 2중층을 직접 통과하여 확산하는 방식

3. ☐☐ 확산
세포막에 있는 수송 단백질에 의해 물질이 이동하는 방식

4. ☐☐
세포막을 통해 용액의 농도가 낮은 쪽에서 높은 쪽으로 용매(물)가 이동하는 현상

5. 흡수력은 식물 세포가 물을 흡수하는 힘으로, ☐☐☐-☐☐이다.

6. ☐☐ ☐☐
세포막에서 에너지(ATP)를 소모하여 물질을 저농도에서 고농도로 농도 기울기를 거슬러 이동시키는 방식

7. ☐☐☐ ☐☐
크기가 큰 물질을 세포막으로 감싸서 세포 내로 끌어들이는 방식

8. ☐☐☐ ☐☐
세포 내에서 생성된 물질을 소낭에 담아 세포 밖으로 내보내는 방식

A 세포막의 구조와 특성

01 그림은 세포막의 구조를 나타낸 것이다. 이에 대한 설명으로 옳은 것은 ○, 옳지 않은 것은 ×로 표시하시오.

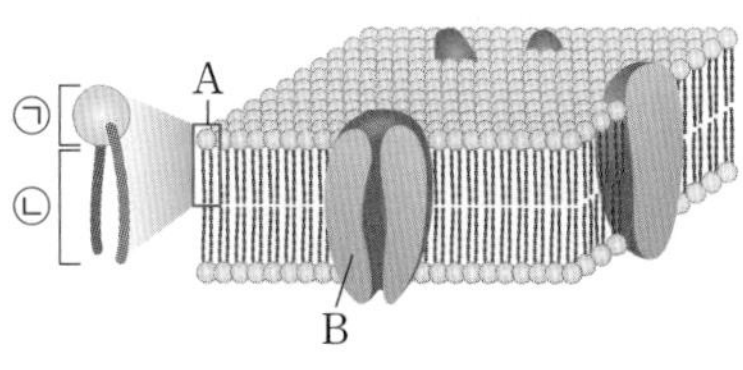

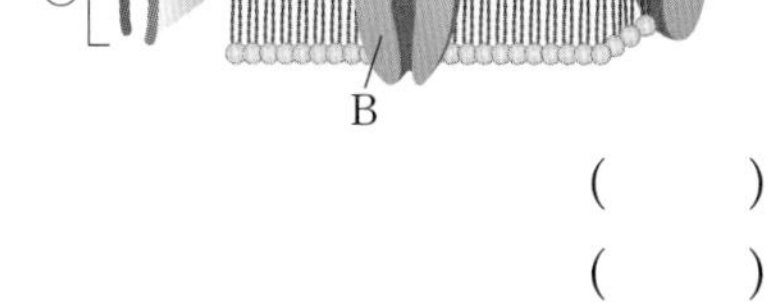

(1) A는 인지질, B는 단백질이다. ( )

(2) ㉠은 소수성, ㉡은 친수성을 띤다. ( )

(3) A와 B는 위치가 고정되어 이동하지 않는다. ( )

B 세포막을 통한 물질의 이동

02 세포막을 통한 물질의 이동 방식에 대한 설명으로 옳은 것은 ○, 옳지 않은 것은 ×로 표시하시오.

(1) 확산으로 물질이 이동할 때 에너지가 소비된다. ( )

(2) Na^{+}은 단순 확산을 통해 세포막을 통과한다. ( )

(3) 촉진 확산으로 물질이 세포막을 통과할 때 수송 단백질이 이용된다. ( )

(4) 삼투는 반투과성 막을 경계로 고농도에서 저농도로 용매가 이동하는 현상이다. ( )

(5) 세뇨관에서 포도당이 재흡수될 때 능동 수송이 일어난다. ( )

03 그림은 세포막을 통한 물질의 이동 방식 A~D를 나타낸 것이다. A~D는 각각 능동 수송, 단순 확산, 세포외 배출, 촉진 확산 중 하나이다. A~D는 무엇인지 각각 쓰시오.

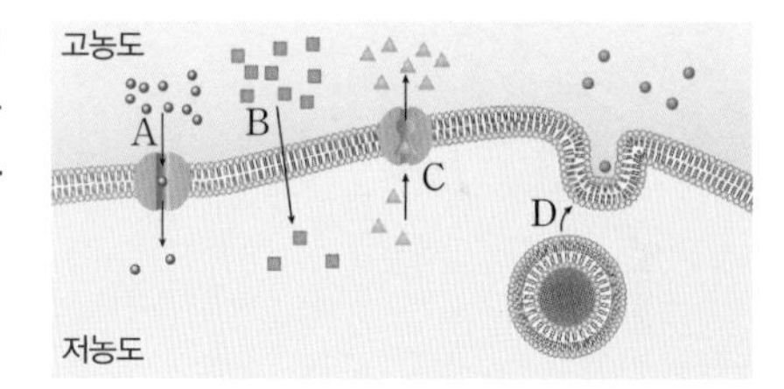

04 그림은 적혈구를 농도가 서로 다른 용액 (가)~(다)에 넣고 일정 시간 동안 두었을 때 적혈구의 모습을 나타낸 것이다.

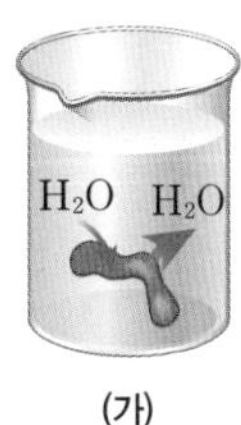

(가)

(나)

(다)

(가)~(다)는 각각 등장액, 고장액, 저장액 중 어떤 용액에 해당하는지 쓰시오.

05 그림은 고장액에 있던 식물 세포를 저장액에 옮긴 후 세포의 부피에 따른 삼투압과 팽압을 나타낸 것이다.

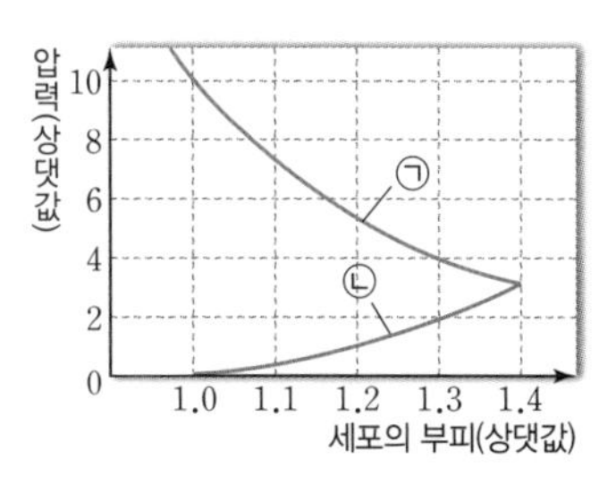

(1) ㉠과 ㉡은 각각 삼투압과 팽압 중 무엇인지 쓰시오.

(2) 세포의 부피가 1.3일 때 흡수력의 크기를 쓰시오.

탄탄! 내신 다지기

A 세포막의 구조와 특성

01 그림은 어떤 세포의 세포막 구조를 나타낸 것이다.

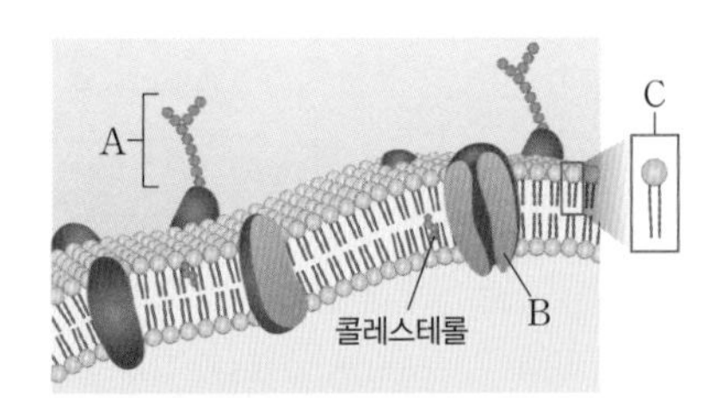

이에 대한 설명으로 옳지 않은 것은?

① A는 다른 세포의 인식에 관여한다.
② B는 물질 수송에 관여한다.
③ B는 리보솜에서 합성된다.
④ B는 인지질 2중층에서 이동할 수 없다.
⑤ C는 친수성과 소수성이 모두 있다.

02 그림은 막단백질을 서로 다른 색의 형광 물질로 표지한 사람 세포와 생쥐 세포를 융합한 후 융합된 세포막에서 형광 물질의 분포를 관찰한 실험을 나타낸 것이다.

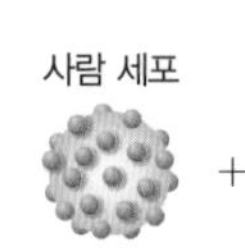
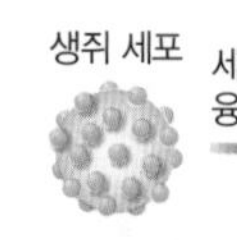
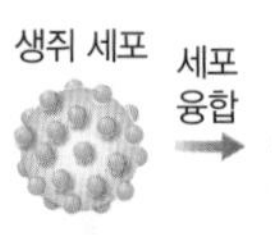
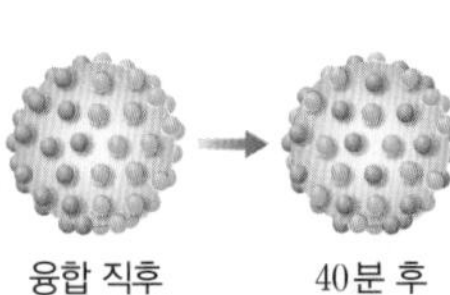
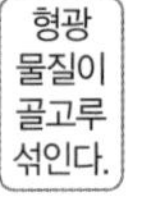

이에 대한 설명으로 옳은 것만을 〈보기〉에서 있는 대로 고른 것은?

> 보기
> ㄱ. 막단백질은 유동성을 가진다.
> ㄴ. 인지질은 특정 위치에 고정되어 있다.
> ㄷ. 실험 결과와 관련 있는 세포막의 구조 모형은 유동 모자이크막 모델이다.

① ㄱ ② ㄴ ③ ㄱ, ㄴ
④ ㄱ, ㄷ ⑤ ㄱ, ㄴ, ㄷ

B 세포막을 통한 물질의 이동

03 그림은 세포 안과 밖의 농도 차에 따른 물질 A와 B의 세포막 통과 속도를 나타낸 것이다. A와 B는 각각 촉진 확산과 단순 확산 중 하나의 방식으로 이동한다.

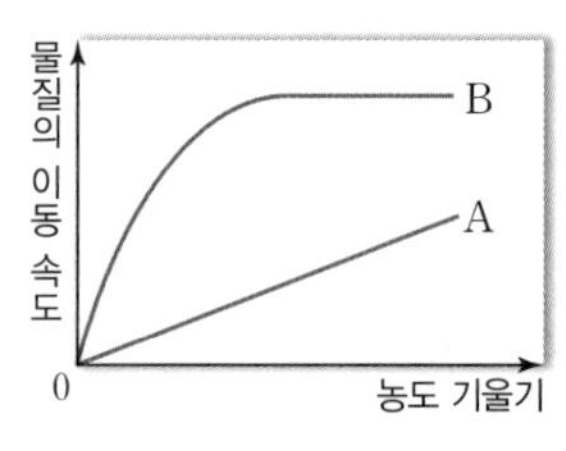

이에 대한 설명으로 옳은 것만을 〈보기〉에서 있는 대로 고른 것은?

> 보기
> ㄱ. A의 이동 방식은 단순 확산이다.
> ㄴ. B의 이동에는 막단백질이 관여한다.
> ㄷ. A와 B는 모두 고농도에서 저농도로 물질이 이동하는 방식이다.

① ㄱ ② ㄷ ③ ㄱ, ㄴ
④ ㄴ, ㄷ ⑤ ㄱ, ㄴ, ㄷ

04 그림은 U자관에 물과 포도당은 통과하지만 설탕은 통과하지 못하는 반투과성 막을 설치하고, 양쪽에 농도가 서로 다른 용액을 넣어 둔 모습을 나타낸 것이다.

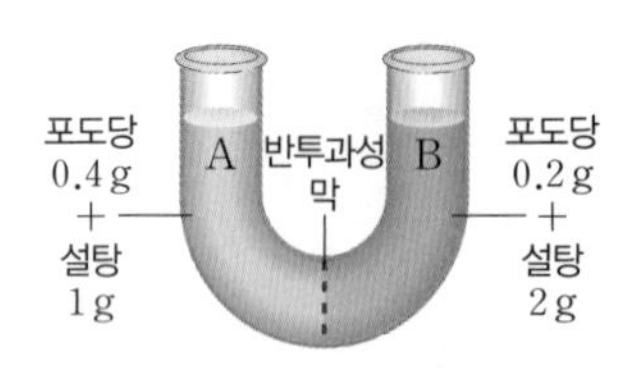

이에 대한 설명으로 옳은 것만을 〈보기〉에서 있는 대로 고른 것은?

> 보기
> ㄱ. 물이 반투과성 막을 통과할 때 에너지가 소모된다.
> ㄴ. 일정 시간이 지난 후 B 쪽의 포도당 양은 증가한다.
> ㄷ. 일정 시간이 지난 후 A 쪽의 수면이 B 쪽의 수면보다 더 높아진다.

① ㄱ ② ㄴ ③ ㄱ, ㄴ
④ ㄴ, ㄷ ⑤ ㄱ, ㄴ, ㄷ

단답형

05 그림은 같은 종류의 식물 세포를 각각 농도가 서로 다른 용액 (가)~(다)에 넣고 충분한 시간이 지났을 때의 모습이다.

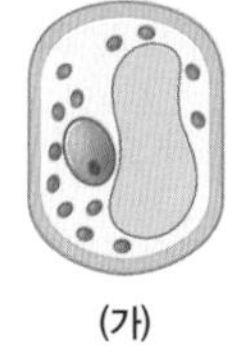
(가)
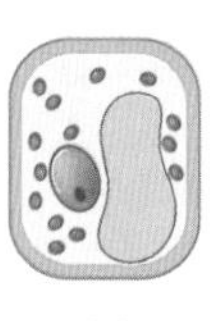
(나)
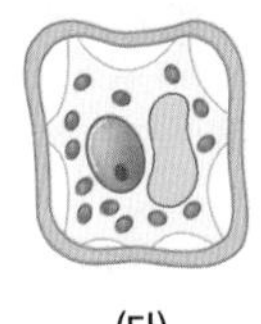
(다)

(가)~(다)를 농도가 높은 것부터 순서대로 나열하시오.

06 그림은 고장액에 있던 어떤 식물 세포를 저장액에 넣었을 때 세포의 부피에 따른 압력 A~C를 나타낸 것이다. A~C는 각각 삼투압, 팽압, 수분 흡수력 중 하나이다.

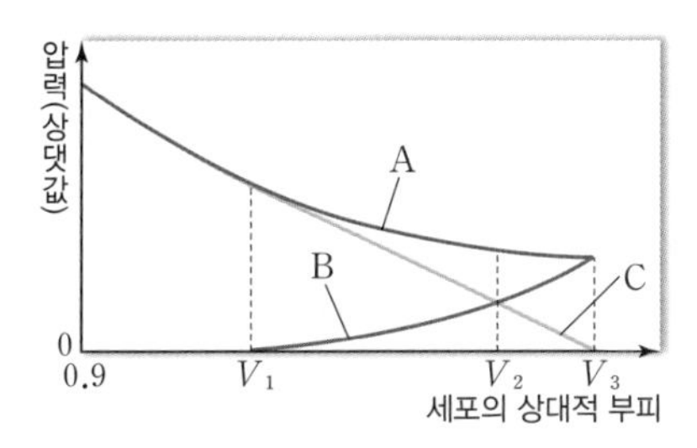

이에 대한 설명으로 옳은 것은?

① A는 수분 흡수력이다.
② V_2일 때 이 세포는 원형질 분리 상태이다.
③ V_3일 때 이 세포는 최대 팽윤 상태이다.
④ 이 세포의 팽압은 V_2일 때가 V_3일 때보다 높다.
⑤ V_1일 때 이 세포의 수분 흡수력은 0이다.

07 그림은 세포막에 있는 Na^+-K^+ 펌프에 의해 Na^+과 K^+이 세포막을 통과하는 과정을 나타낸 것이다.

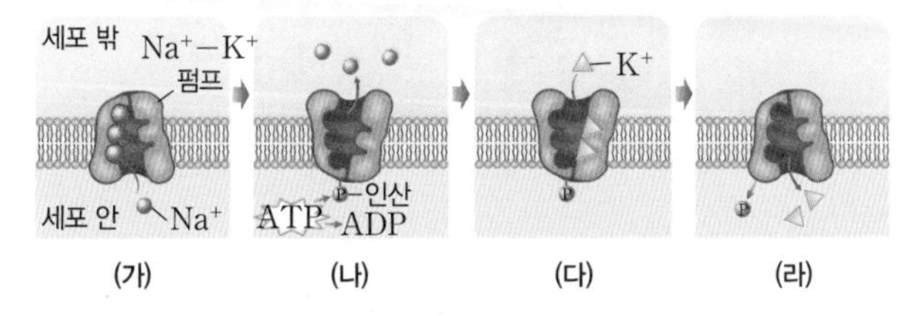

이에 대한 설명으로 옳은 것은?

① (가)에서 ATP가 소모된다.
② 인산기가 결합하면서 운반체의 단백질 구조가 변형된다.
③ Na^+-K^+ 펌프에 의해 Na^+은 세포 밖으로 확산된다.
④ 세포 호흡이 중단되어도 Na^+-K^+ 펌프는 계속 작동한다.
⑤ Na^+-K^+ 펌프에 의해 K^+의 세포 안 농도가 낮게 유지된다.

08 표는 물질이 세포막을 통과하는 방식 A~C의 특징을 나타낸 것이다. A~C는 능동 수송, 단순 확산, 촉진 확산을 순서 없이 나타낸 것이다.

이동 방식	막단백질	에너지 소비
A	관여함	ⓐ
B	?	없음
C	관여함	있음

이에 대한 설명으로 옳은 것만을 〈보기〉에서 있는 대로 고른 것은?

보기
ㄱ. ⓐ는 '없음'이다.
ㄴ. B 방식으로 이동하는 물질은 세포 안팎의 농도 차가 클수록 이동 속도가 빠르다.
ㄷ. C는 물질이 고농도에서 저농도로 이동하는 방식이다.

① ㄱ ② ㄷ ③ ㄱ, ㄴ
④ ㄱ, ㄷ ⑤ ㄴ, ㄷ

09 그림 (가)~(다)는 세포막을 통한 물질의 이동 방식 3가지를 나타낸 것이다.

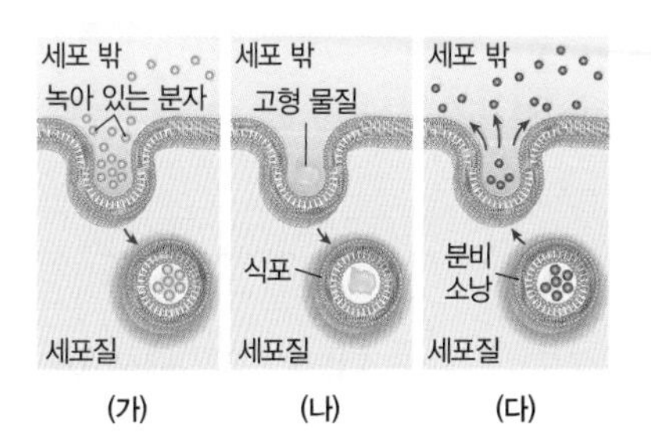

이에 대한 설명으로 옳지 않은 것은?

① (가)는 음세포 작용이다.
② (나)는 식세포 작용이다.
③ (가)가 일어날 때 에너지가 소모된다.
④ 이자에서 인슐린은 (다)의 방식으로 분비된다.
⑤ 폐포와 모세 혈관 사이에서 산소의 이동 방식은 (나)에 해당한다.

도전! 실력 올리기

출제예감

01 그림은 세포막의 구조를 나타낸 것이다.

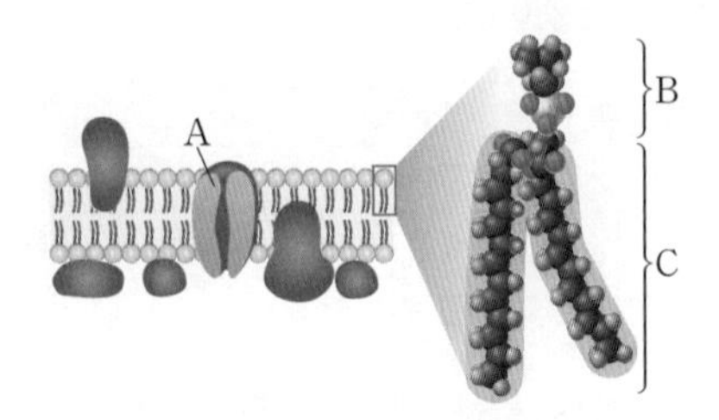

이에 대한 설명으로 옳은 것만을 〈보기〉에서 있는 대로 고른 것은?

보기
ㄱ. A는 막단백질이다.
ㄴ. A는 물질 이동의 통로 역할을 한다.
ㄷ. B는 소수성을, C는 친수성을 띤다.

① ㄱ ② ㄷ ③ ㄱ, ㄴ
④ ㄱ, ㄷ ⑤ ㄴ, ㄷ

02 그림은 물질 A와 B의 농도가 일정할 때 ATP 농도에 따른 각 물질의 세포막 통과 속도를 나타낸 것이다. A와 B의 이동 방식은 각각 단순 확산과 능동 수송 중 하나이다.

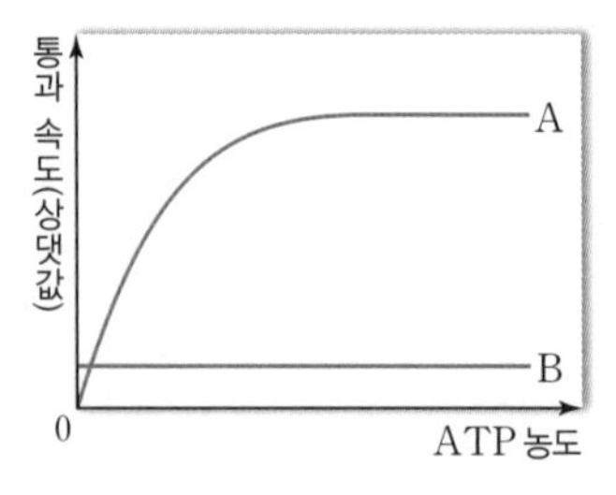

이에 대한 설명으로 옳은 것만을 〈보기〉에서 있는 대로 고른 것은?

보기
ㄱ. A가 세포막을 통과할 때 ATP가 소모된다.
ㄴ. A와 B는 모두 막단백질이 관여한다.
ㄷ. 세포 안팎의 B의 농도 기울기가 커질수록 B의 이동 속도는 증가한다.

① ㄱ ② ㄴ ③ ㄷ
④ ㄱ, ㄷ ⑤ ㄱ, ㄴ, ㄷ

03 그림은 고장액에 있던 어떤 식물 세포를 저장액에 넣었을 때 세포의 부피에 따른 삼투압과 팽압을 나타낸 것이다. A와 B는 각각 삼투압과 팽압 중 하나이다.

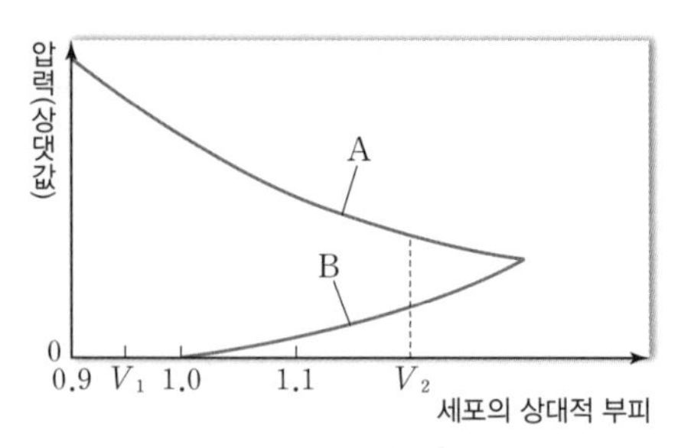

이에 대한 설명으로 옳은 것만을 〈보기〉에서 있는 대로 고른 것은?

보기
ㄱ. A는 팽압이다.
ㄴ. V_2일 때 세포 안으로 물이 들어온다.
ㄷ. 세포의 수분 흡수력은 V_1일 때가 V_2일 때보다 크다.

① ㄱ ② ㄷ ③ ㄱ, ㄴ
④ ㄴ, ㄷ ⑤ ㄱ, ㄴ, ㄷ

04 그림은 동물 세포에서 세포막을 통한 물질의 이동 방식 A~C를 나타낸 것이다. A~C는 각각 단순 확산, 촉진 확산, 능동 수송 중 하나이다.

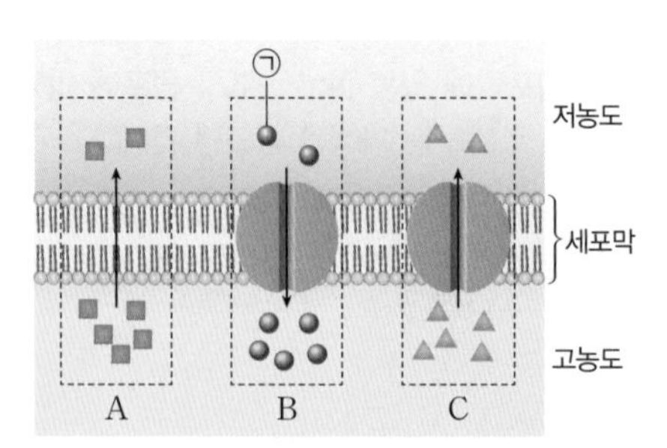

이에 대한 설명으로 옳은 것만을 〈보기〉에서 있는 대로 고른 것은?

보기
ㄱ. A는 촉진 확산이다.
ㄴ. ATP 공급이 차단되면 차단되기 전보다 B에 의한 ㉠의 이동량이 감소한다.
ㄷ. 뉴런에서 만들어진 신경 전달 물질의 분비는 C에 의해 일어난다.

① ㄱ ② ㄴ ③ ㄷ
④ ㄱ, ㄴ ⑤ ㄴ, ㄷ

정답과 해설 018쪽

05 그림은 인지질로 구성된 리포솜을 통해 어떤 물질을 세포 내로 이동시키는 과정을 나타낸 것이다.

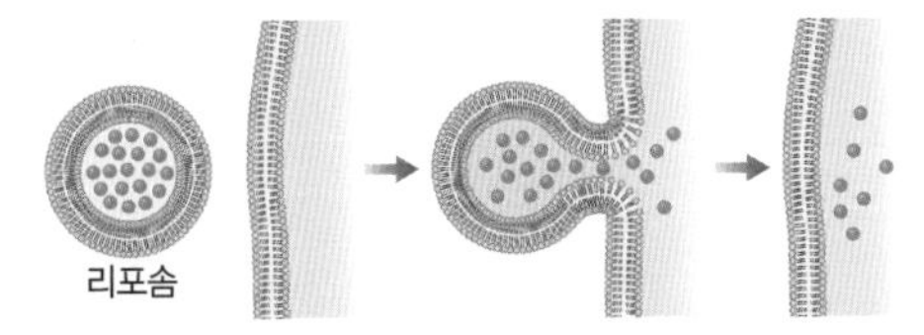

이에 대한 설명으로 옳은 것만을 〈보기〉에서 있는 대로 고른 것은?

보기
ㄱ. 리포솜은 인지질 2중층의 막 구조이다.
ㄴ. 세포막은 유동성이 있다.
ㄷ. 이 과정에서 세포막의 표면적이 감소한다.

① ㄱ ② ㄷ ③ ㄱ, ㄴ
④ ㄴ, ㄷ ⑤ ㄱ, ㄴ, ㄷ

출제예감

06 그림 (가)는 물질 ㉠과 ㉡이 들어 있는 배양액에 세포를 넣은 후 시간에 따른 각 물질의 세포 안 농도를, (나)는 신경 축삭 돌기에서 Na^+의 이동 방식 ⓐ와 ⓑ를 나타낸 것이다. ㉠과 ㉡의 이동 방식은 각각 촉진 확산과 능동 수송 중 하나이고, C_1은 ㉠의 세포 안과 밖의 농도가 같아졌을 때, C_2는 ㉡의 세포 안과 밖의 농도가 같아졌을 때 각 물질의 세포 안 농도이다.

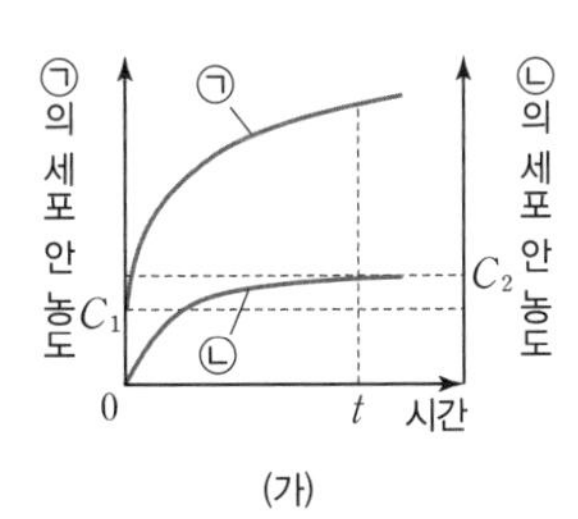

(가)

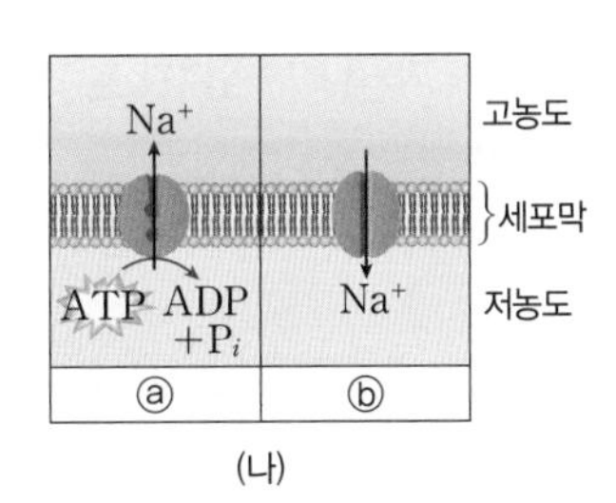

(나)

이에 대한 설명으로 옳은 것만을 〈보기〉에서 있는 대로 고른 것은?

보기
ㄱ. ⓐ는 ㉠의 이동 방식과 같다.
ㄴ. ㉡은 농도 기울기에 따라 이동한다.
ㄷ. t일 때 세포막을 통과하는 이동 속도는 ㉠이 ㉡보다 느리다.

① ㄱ ② ㄴ ③ ㄱ, ㄴ
④ ㄴ, ㄷ ⑤ ㄱ, ㄴ, ㄷ

서술형

07 그림은 사람의 적혈구를 동물 (가)~(다)의 혈장과 삼투압이 같은 용액에 넣었을 때 일어나는 변화를 나타낸 것이다.

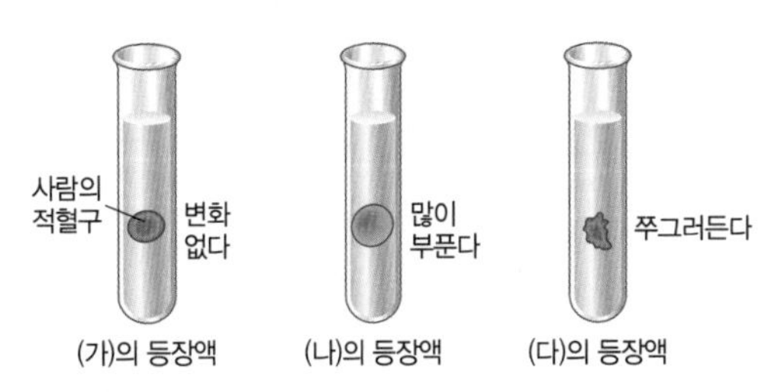

(가)~(다)의 등장액 중 사람의 등장액보다 농도가 높은 것을 고르고, 그렇게 판단한 까닭을 서술하시오.

서술형

08 그림 (가)와 (나)는 살아 있는 파래와 죽은 파래의 세포 내 Na^+과 K^+의 농도를 바닷물과 비교하여 순서 없이 나타낸 것이다.

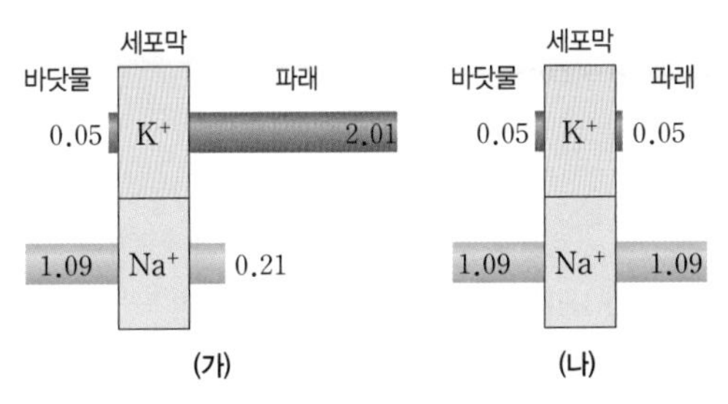

(1) (가)와 (나)에서 세포막을 통한 Na^+과 K^+의 주된 이동 방식을 각각 쓰시오.

(2) 살아 있는 파래는 (가)와 (나) 중 어느 것인지 쓰고, 그렇게 판단한 까닭을 서술하시오.

02 효소

핵심 키워드로 흐름잡기

A 활성화 에너지, 효소, 활성 부위, 효소·기질 복합체, 기질 특이성

B 전효소, 주효소, 보조 인자, 금속 이온, 조효소

C 온도, pH, 기질의 농도, 경쟁적 저해제, 비경쟁적 저해제

A 효소의 작용과 특성

|출·제·단·서| 시험에는 효소의 기능과 효소의 작용 원리를 묻는 문제가 나와.

1. 활성화 에너지와 효소의 기능

(1) 활성화 에너지❶ 화학 반응을 일으키기 위해 필요한 최소한의 에너지이다. 활성화 에너지는 에너지 장벽에 비유할 수 있다.

① 반응물이 활성화 에너지 이상의 에너지를 가지고 있어야 화학 반응이 일어난다.

② 활성화 에너지가 낮을수록 더 많은 반응물이 화학 반응에 참여하여 반응 속도가 빠르다.

(2) 효소의 기능 효소는 활성화 에너지를 낮추어 반응을 촉진하는 생체 •촉매이다.

① 효소가 없을 때보다 효소가 있을 때 활성화 에너지가 낮아 반응 속도가 빠르다.

② 효소는 반응열❷의 크기에는 영향을 주지 않는다. 반응열은 효소의 유무에 따라 변하지 않고 일정하다.

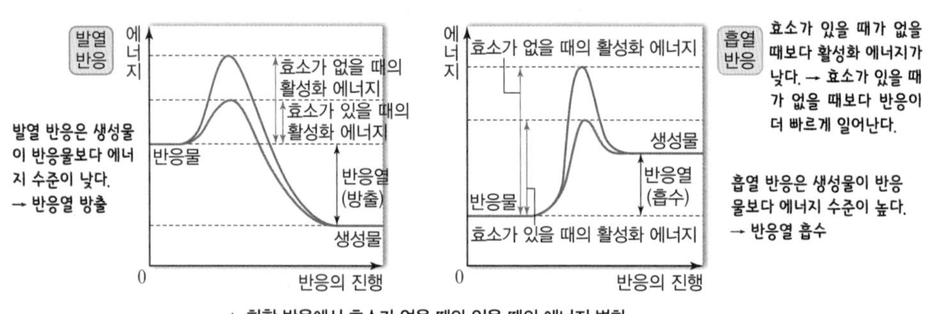

▲ 화학 반응에서 효소가 없을 때와 있을 때의 에너지 변화

2. 효소의 특성

(1) 효소의 작용 원리 효소는 기질(효소와 결합하는 반응물)과 결합하여 활성화 에너지를 낮춘다.

① **효소·기질 복합체 형성❸:** 효소의 활성 부위(기질이 결합하는 효소의 특정 부위이다.)에 기질이 결합하여 효소·기질 복합체를 형성하면 활성화 에너지가 낮아진다.

② 효소·기질 복합체를 이루고 있는 동안 효소의 촉매 작용으로 기질은 생성물로 전환되며, 화학 반응이 끝나면 효소와 생성물이 분리된다.

③ **효소의 재사용:** 효소는 반응에서 소모되거나 변형되지 않고 반응이 끝나면 생성물과 분리된 후 새로운 기질과 결합하여 다시 반응을 촉매한다.

(2) 기질 특이성 효소는 활성 부위에 잘 들어맞는 입체 구조를 가진 특정 기질하고만 결합하는 특이성이 있다. 예 •수크레이스는 설탕은 분해하지만 같은 이당류인 엿당은 분해하지 못한다. 수크레이스의 활성 부위에 설탕은 결합하지만 엿당은 결합하지 못하기 때문이다.

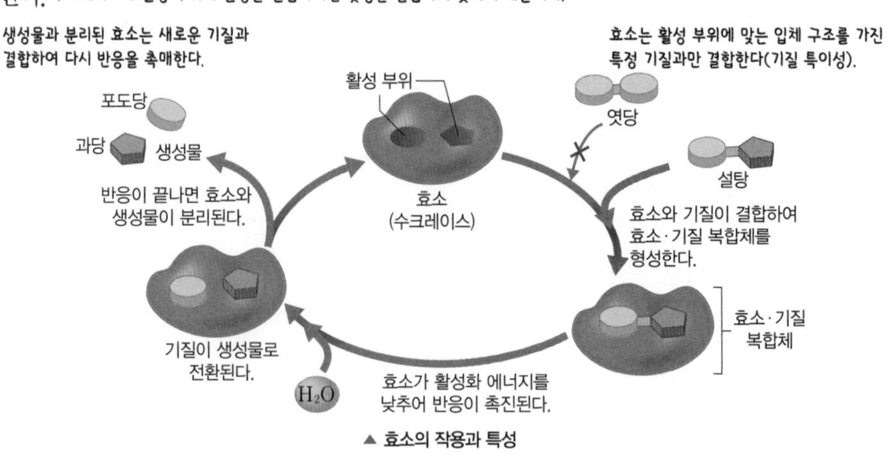

▲ 효소의 작용과 특성

---

❶ 활성화 에너지와 화학 반응

화학 반응은 일정량 이상의 에너지를 가진 분자들끼리 충돌해야만 일어난다. 활성화 에너지가 낮아지면 활성화 에너지 이상의 에너지를 가진 분자의 수가 많아져 반응 속도가 빨라진다.

❷ 반응열

화학 반응이 일어날 때 방출 또는 흡수되는 열량으로, 반응물과 생성물의 에너지 차이에 해당한다.

❸ 효소와 기질의 결합에 대한 가설

- 열쇠와 자물쇠 모델: 효소의 활성 부위와 기질이 원래부터 열쇠와 자물쇠처럼 꼭 들어맞는 구조로 되어 있어 효소·기질 복합체를 형성한다는 가설이다.
- 유도 적합 모델: 기질이 효소에 결합할 때 활성 부위의 구조가 약간 변하여 기질에 들어맞는 구조가 되면서 효소·기질 복합체를 형성한다는 가설이다. 최근에는 유도 적합 모델로 효소와 기질의 결합을 설명하고 있다.

용어 알기

•촉매(닿을 觸, 중매 媒) 화학 반응에 참여하여 반응 속도를 변화시키지만 그 자신은 반응 전후에 원래대로 남는 물질

•수크레이스(sucrase) 설탕을 포도당과 과당으로 가수 분해하는 효소

B 효소의 구성과 종류

|출·제·단·서| 시험에는 효소를 구성하는 물질과 효소의 종류를 묻는 문제가 나와.

1. 효소의 구성 효소의 주성분은 단백질이다. 대부분의 효소는 단백질과 비단백질 성분이 모두 있어야 활성을 나타낸다.

(1) 단백질로만 구성된 효소 아밀레이스, 펩신, 라이페이스 등의 소화 효소

(2) 단백질과 보조 인자로 구성된 효소 효소에서 단백질 부분을 주효소, 비단백질 부분을 보조 인자라고 하며, 이들이 결합하여 완전한 활성을 가지는 효소를 전효소라고 한다.

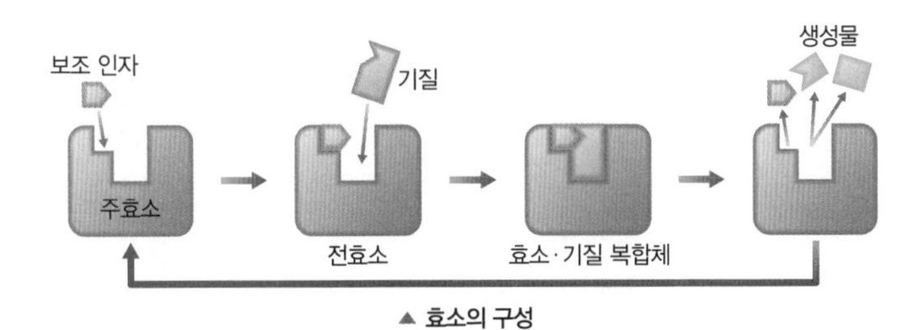

▲ 효소의 구성

주효소	단백질로 이루어져 있어 열, 산, 염기에 의해 입체 구조가 변하므로, 온도와 pH의 영향을 받는다.
보조 인자	비단백질 부분이므로 온도와 pH의 영향을 적게 받으며, 금속 이온과 조효소가 있다. • 금속 이온: 일반적으로 주효소와 강하게 결합하고 있어 반응이 끝나도 주효소로부터 분리되지 않는다. ㉠ 철 이온(Fe^{2+}), 구리 이온(Cu^{2+}), 아연 이온(Zn^{2+}), 마그네슘 이온(Mg^{2+}) 등 • 조효소❹: 비타민과 같은 유기 화합물로, 일반적으로 반응이 끝나면 주효소로부터 분리되며, 한 종류의 조효소가 여러 종류의 주효소와 결합하여 주효소의 작용에 관여한다. ㉠ NAD^+, $NADP^+$, FAD 등 (NAD^+ 결합 부위, 활성 부위, 기질, 탈수소 효소, NAD^+, NAD^+ 기질, NADH, 산화된 기질)

❹ **조효소의 분리**

조효소는 약한 자극에도 주효소와 쉽게 분리되며, 주효소보다 크기가 매우 작다. 따라서 효소액을 넣은 반투과성 막 주머니를 증류수에 넣고 흔들어 주면 주효소와 조효소가 분리되어 조효소가 주머니 밖으로 빠져나와 분리된다.

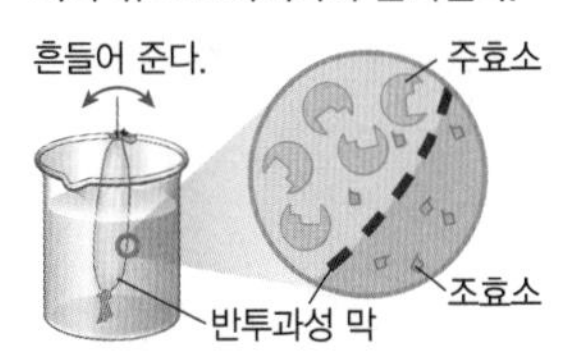

2. 효소의 종류 생물체 내에서 일어나는 물질대사의 종류가 다양한 만큼 이에 관여하는 효소의 종류도 다양하다. 효소는 작용하는 반응의 종류에 따라 6가지 효소군으로 분류된다.

효소군	작용	효소군	작용
산화 환원 효소	산화 환원 반응에서 H, O 또는 전자를 다른 분자에 전달한다. □-H_2 + ⬡ ⇄ □ + ⬡-H_2	제거 부가 효소	기질로부터 작용기를 제거하여 이중 결합을 형성하거나 반대로 이중 결합에 작용기를 첨가해 단일 결합을 형성한다. △-□ ⇄ △=□ + 작용기
전이 효소	특정 기질에서 •작용기를 떼어 다른 분자에 전달한다. ○-작용기 + ⬠ → ○ + ⬠-작용기	이성질화 효소	기질을 이루는 원자의 위치를 변화시켜 분자 구조와 성질이 다른 •이성질체로 전환한다. ⬡ → ◇
가수 분해 효소	물 분자를 첨가하여 기질을 분해한다. ○-⬠ + H_2O → ○-H + ⬠-OH	연결 효소	에너지를 사용해 두 기질 분자를 연결한다. □ + △ (ATP → ADP+P*i*) □-△

❓ **왜 효소의 종류에 비해 효소의 양이 적을까?**

사람의 체내에는 많은 종류의 효소가 있지만 각 효소의 양은 많지 않다. 이는 효소가 재사용될 수 있기 때문이다. 즉, 하나의 효소가 여러 개의 기질에 반복하여 작용할 수 있으므로 효소의 종류에 비해 그 양이 적은 것이다.

3. 일상생활 속 효소의 이용 효소는 생명체 밖에서도 조건이 맞으면 활발하게 작용하여 반응을 촉진하므로, 다양한 분야에서 활용되고 있다.

식품 분야	된장, 고추장, 김치, 치즈 등 발효 식품(발효 미생물의 효소), 천연 연육제(키위나 파인애플 속 단백질 분해 효소), 식혜(엿기름 속 아밀레이스)
의약 분야	소화제(소화 효소), 혈당 측정기(포도당 산화 효소), 요 검사지(포도당 산화 효소 등), 항생제
환경 및 생활용품 분야	수질 정화(미생물의 효소), 효소 세제(단백질이나 지방 분해 효소), 효소 치약(탄수화물 분해 효소), 화학 제품
생명 공학 분야	유전자 재조합(제한 효소, DNA 연결 효소), 중합 효소 연쇄 반응(PCR)(DNA 중합 효소)

용어 알기

• **작용기**(지을 作, 쓸 用, 터 基) 탄소 화합물에서 독특한 성질을 나타내는 원자단 ㉠ 아미노기($-NH_2$), 카복실기($-COOH$)

• **이성질체**(다를 異, 성품 性, 바탕 質, 몸 體) 분자식은 같으나 분자 내에 있는 구성 원자의 연결 방식이나 공간 배열이 다른 화합물

C 효소의 작용에 영향을 미치는 요인

|출·제·단·서| 시험에는 저해제의 유무에 따른 반응 속도의 변화를 묻는 문제가 나와.

1. 온도, pH, 기질의 농도⑤

(1) 온도 *최적 온도가 될 때까지 온도가 높을수록 반응 속도가 빨라지며, 최적 온도보다 온도가 높아지면 반응 속도가 급격히 느려진다. ➡ 열에 의해 효소 단백질의 입체 구조가 변하여 효소·기질 복합체를 형성하지 못하기 때문이다. 고온에서 변성된 효소는 온도를 낮추어도 활성이 회복되지 않는다.

(2) pH *최적 pH에서 반응 속도가 가장 빠르고, 최적 pH를 벗어나면 반응 속도는 느려진다. ➡ 효소 단백질의 입체 구조가 pH의 영향을 받아 변하기 때문이다. 효소의 최적 pH는 효소의 종류에 따라 다르다. 예 펩신: pH 2, 아밀레이스(침): pH 7, 트립신: pH 8

(3) 기질의 농도 효소의 농도가 일정할 때 기질의 농도가 증가할수록 이에 비례하여 초기 반응 속도가 증가한다. 기질의 농도가 높아져 일정 수준에 이르면 반응 속도는 더 이상 증가하지 않고 일정해진다. ➡ 모든 효소가 기질과 결합한 포화 상태에 이르렀기 때문이다. 효소의 농도를 증가시키면 반응 속도는 다시 증가한다.

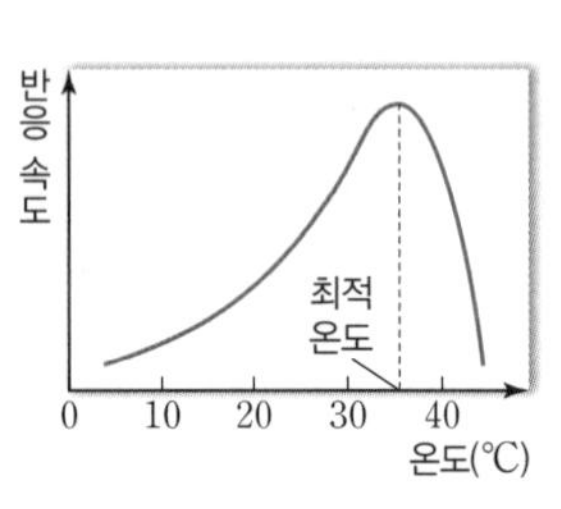

▲ 온도에 따른 효소의 반응 속도

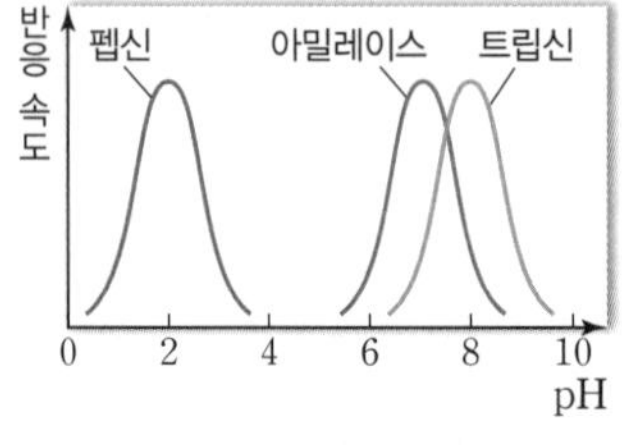

▲ pH에 따른 효소의 반응 속도

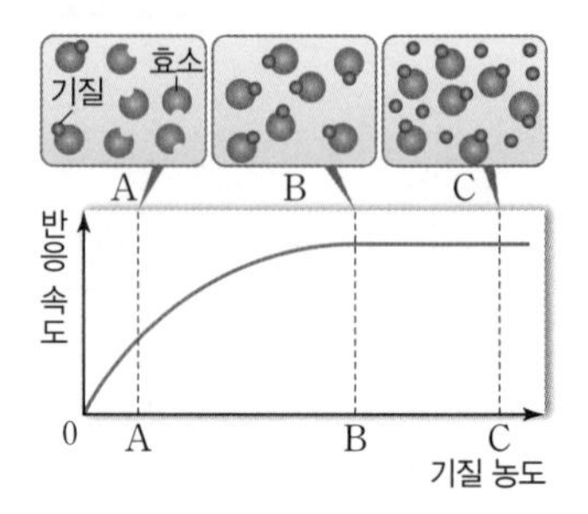

▲ 기질 농도에 따른 효소의 반응 속도

2. 저해제 개념 POOL

효소와 결합하여 효소·기질 복합체의 형성을 저해함으로써 효소의 촉매 작용을 방해하는 물질이며, 경쟁적 저해제와 비경쟁적 저해제로 구분된다.

경쟁적 저해제	비경쟁적 저해제
기질과 구조가 유사하여 기질과 경쟁적으로 효소의 활성 부위에 결합하므로 반응 속도가 감소한다. (그림: 경쟁적 저해제, 기질, 활성 부위, 효소)	효소의 활성 부위가 아닌 다른 부위에 결합하여 활성 부위의 입체 구조를 변화시키므로 반응 속도가 감소한다. (그림: 활성 부위, 기질, 비경쟁적 저해제, 효소)

빈출 탐구 온도가 효소의 작용에 미치는 영향

온도가 감자즙에 포함된 효소(카탈레이스⑥)의 활성에 미치는 영향을 알아볼 수 있다.

과정

① 비커 A~C에 감자즙을 같은 양씩 넣고, A는 얼음물, B는 35 ℃의 물, C는 90 ℃의 물에 담가 둔다.

② 같은 크기의 거름종이 조각을 비커 A~C의 감자즙에 각각 넣어 적신다.

③ 감자즙을 적신 거름종이 조각을 1 % 과산화 수소 용액이 들어 있는 3개의 비커에 각각 1개씩 넣어 가라앉힌 다음, 거름종이 조각이 완전히 수면으로 떠오르는 데 걸린 시간을 측정한다.

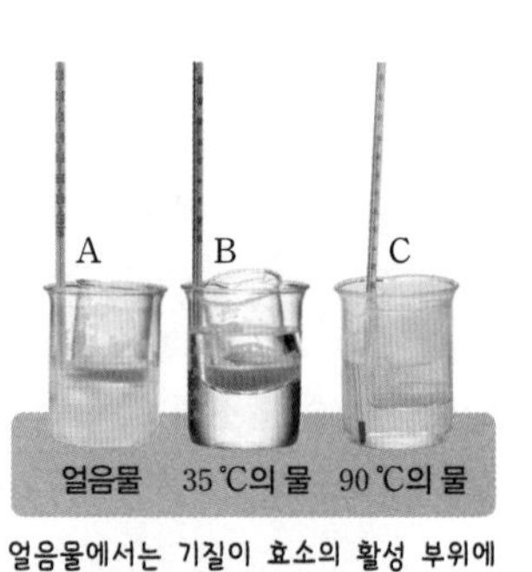

얼음물에서는 기질이 효소의 활성 부위에 충돌하는 빈도가 낮아 반응 속도가 느리며, 90° C의 물에서는 감자즙 속의 효소가 열에 의해 변성되어 활성을 잃는다.

결과

A~C 중 B의 감자즙을 적신 거름종이 조각이 가장 빨리 떠올랐다.

정리

❶ 감자즙 속의 효소(카탈레이스)가 과산화 수소를 분해하는 반응을 촉매하여 산소 기포가 발생한 결과 거름종이 조각이 떠오른다.

❷ 감자즙 속의 효소(카탈레이스)는 35 ℃에서 가장 활발하게 작용한다.

? 왜 최적 온도가 될 때까지 온도가 높아지면 반응 속도가 빨라질까?

최적 온도가 될 때까지는 온도가 높아지면 기질이 효소의 활성 부위에 더 빈번하게 충돌하여 효소·기질 복합체가 더 많이 형성되므로 반응 속도가 빨라진다.

⑤ 효소의 농도에 따른 반응 속도

기질의 농도가 충분하고, 온도와 pH 등의 조건이 최적일 경우 효소의 농도가 증가하면 이에 비례하여 반응 속도가 증가한다. ➡ 효소·기질 복합체가 많이 만들어지기 때문이다.

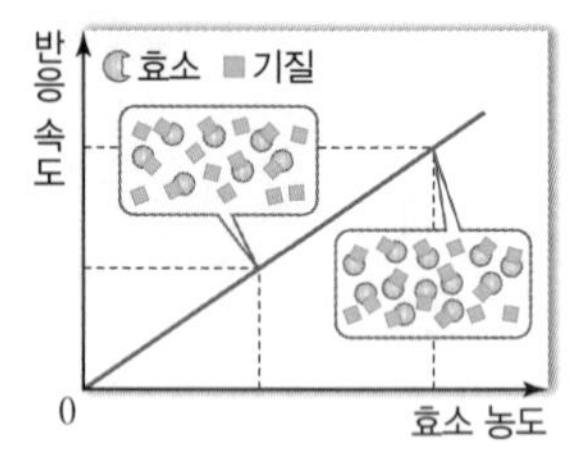

⑥ 카탈레이스

거의 모든 생물에 있는 효소로, 과산화 수소의 분해 반응을 촉매한다.

$2H_2O_2 \rightarrow 2H_2O + O_2\uparrow$

용어 알기

- 최적(가장 最, 갈 適) 온도 반응 속도가 최대일 때의 온도
- 최적(가장 最, 갈 適) pH 반응 속도가 최대일 때의 pH

경쟁적 저해제와 비경쟁적 저해제

목표 경쟁적 저해제와 비경쟁적 저해제의 작용에 따른 초기 반응 속도의 변화를 이해한다.

1 경쟁적 저해제

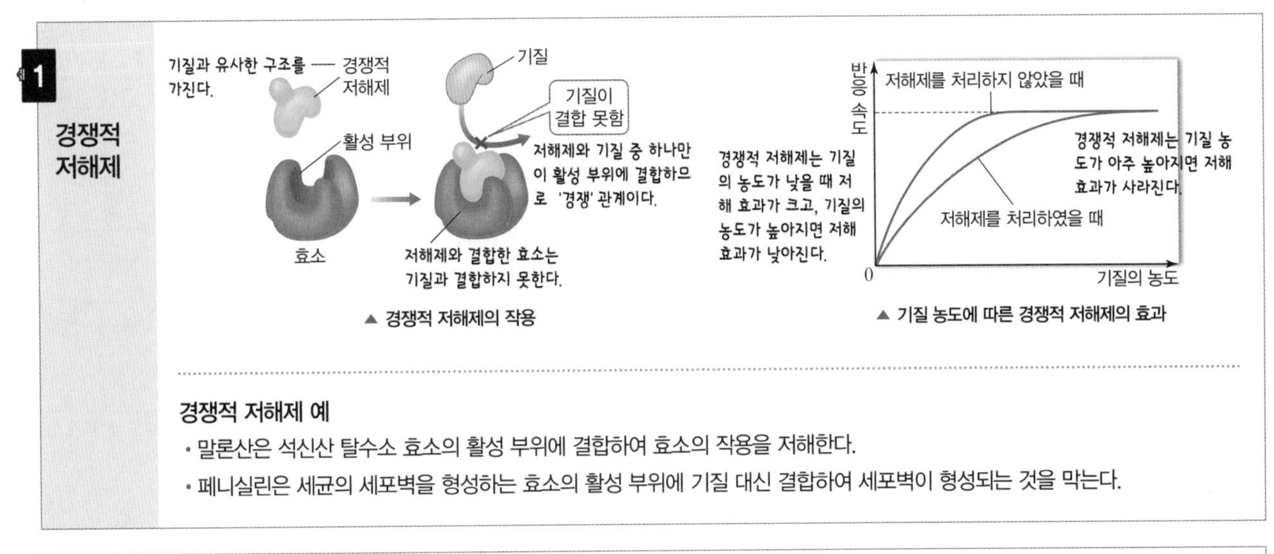

▲ 경쟁적 저해제의 작용 ▲ 기질 농도에 따른 경쟁적 저해제의 효과

경쟁적 저해제 예

- 말론산은 석신산 탈수소 효소의 활성 부위에 결합하여 효소의 작용을 저해한다.
- 페니실린은 세균의 세포벽을 형성하는 효소의 활성 부위에 기질 대신 결합하여 세포벽이 형성되는 것을 막는다.

2 비경쟁적 저해제

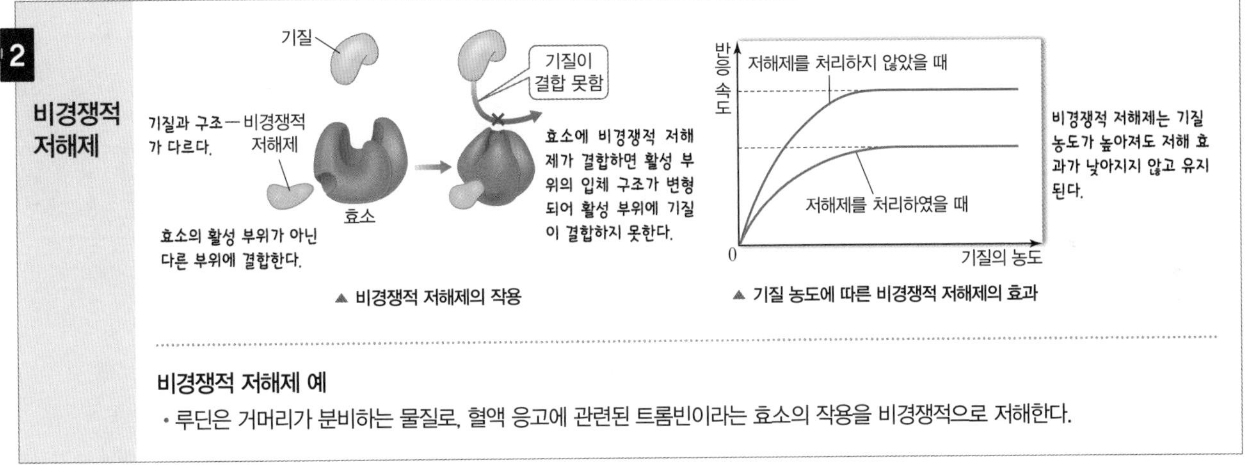

▲ 비경쟁적 저해제의 작용 ▲ 기질 농도에 따른 비경쟁적 저해제의 효과

비경쟁적 저해제 예

- 루딘은 거머리가 분비하는 물질로, 혈액 응고에 관련된 트롬빈이라는 효소의 작용을 비경쟁적으로 저해한다.

한·줄·핵심 경쟁적 저해제는 기질의 농도가 증가할수록 저해 효과가 감소하고, 비경쟁적 저해제는 기질의 농도가 증가해도 저해 효과가 유지된다.

확인 문제

정답과 해설 020쪽

01 그림은 물질 A와 B가 각각 효소와 결합하여 효소의 작용을 방해하는 과정을 나타낸 것이다. A와 B는 각각 경쟁적 저해제와 비경쟁적 저해제 중 하나이다.

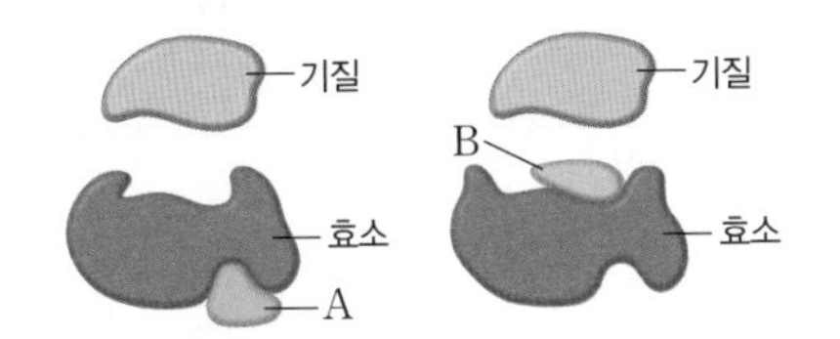

A와 B는 각각 무엇인지 쓰시오.

02 그림은 서로 다른 조건 Ⅰ~Ⅲ에서 효소 A의 농도가 동일할 때 기질 농도에 따른 초기 반응 속도를 나타낸 것이다. Ⅰ~Ⅲ은 각각 경쟁적 저해제 처리, 비경쟁적 저해제 처리, 저해제 처리하지 않음 중 하나이다.

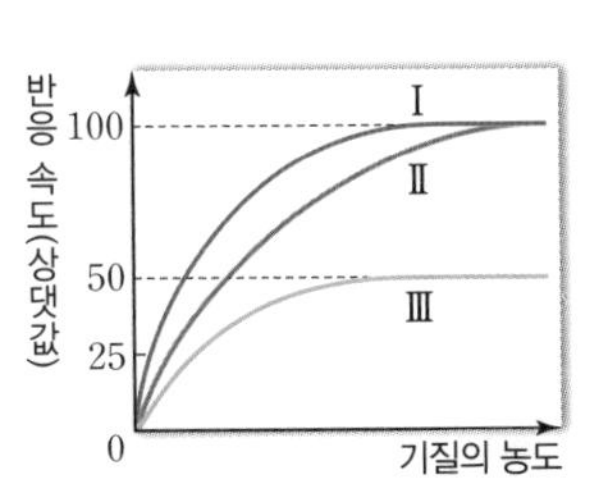

Ⅰ~Ⅲ은 각각 무엇인지 쓰시오.

콕콕! 개념 확인하기

정답과 해설 020쪽

✔ 잠깐 확인!

1. □□□ 에너지
어떤 물질이 화학 반응을 일으키기 위해 필요한 최소한의 에너지

2. □□
생물체 내에서 활성화 에너지를 낮추어 반응 속도를 빠르게 하는 생체 촉매

3. 효소가 작용하는 반응물을 □□이라 하고, 효소는 기질과 결합하는 □□ □□를 가진다.

4. □□ □□□
효소가 활성 부위에 잘 들어맞는 입체 구조를 가진 특정 기질하고만 결합하는 특성

5. 단백질과 보조 인자로 구성된 효소에서 단백질 부분을 □□□, 비단백질 부분을 □□ □□라고 한다.

6. 보조 인자에는 □□ □□과 유기 화합물인 □□□가 있다.

7. 효소의 활성은 □□, pH, □□의 농도, 효소의 농도, 저해제 등의 영향을 받는다.

8. □□□ 저해제
구조가 기질과 유사하여 기질과 경쟁적으로 효소의 활성 부위에 결합하는 저해제

A 효소의 작용과 특성

01 활성화 에너지와 효소에 대한 설명으로 옳은 것은 ○, 옳지 않은 것은 ×로 표시하시오.

(1) 반응물이 활성화 에너지 이상의 에너지를 가지고 있어야 화학 반응이 일어난다. ( )

(2) 효소는 활성화 에너지를 낮추어 반응을 촉진한다. ( )

(3) 한 종류의 효소는 한 종류의 기질에만 작용한다. ( )

(4) 효소는 반응이 끝나면 구조가 변형되어 다시 반응에 사용될 수 없다. ( )

02 그림은 어떤 화학 반응에서 효소가 있을 때와 없을 때의 에너지 변화를 나타낸 것이다.

㉠~㉢ 중 (가) 효소가 있을 때의 활성화 에너지와 (나) 효소가 없을 때의 활성화 에너지를 각각 쓰시오.

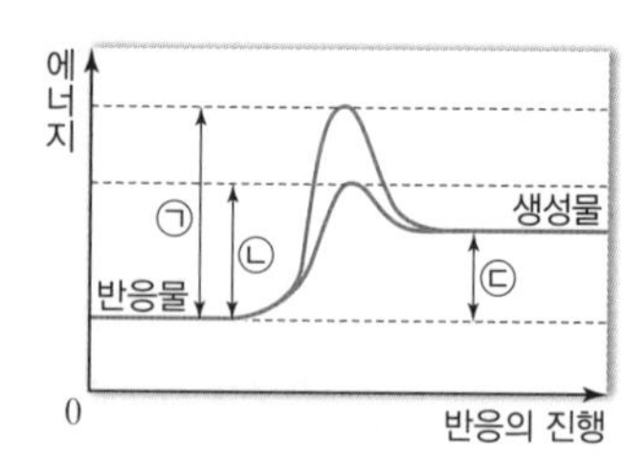

B 효소의 구성과 종류

03 그림은 어떤 효소의 반응 과정을 나타낸 것이다. A~D는 각각 기질, 생성물, 주효소, 보조 인자 중 하나이다.

A~D는 각각 무엇인지 쓰시오.

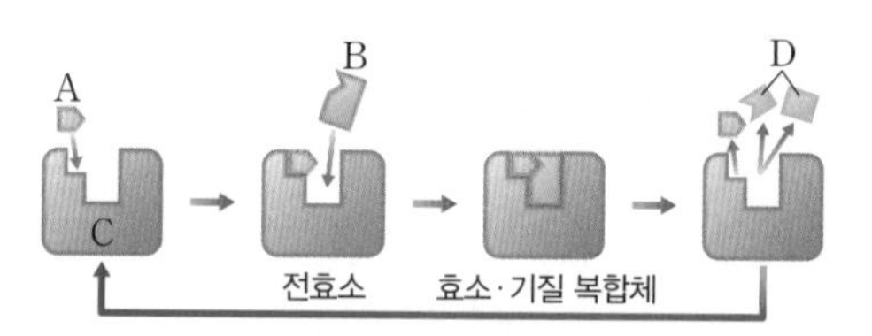

04 그림은 효소 (가)~(다)의 작용을 나타낸 것이다.

효소	(가)	(나)	(다)
작용	특정 기질에서 작용기를 떼어 다른 분자에 전달한다. ●작용기 + ⬠ → ● + ⬠작용기	기질을 이루는 원자의 위치를 변화시켜 이성질체로 전환한다. ⬡ → ◆	에너지를 사용하여 두 기질 분자를 연결한다. ■ + ▲ (ATP → ADP+P*i*) → ■—▲

(가)~(다)는 각각 어떤 효소군에 해당하는지 쓰시오.

C 효소의 작용에 영향을 미치는 요인

05 효소의 작용에 영향을 미치는 요인에 대한 설명으로 옳은 것은 ○, 옳지 않은 것은 ×로 표시하시오.

(1) 효소가 관여하는 화학 반응의 반응 속도는 온도가 높을수록 빠르다. ( )

(2) 효소가 활발하게 작용하는 pH 범위는 효소의 종류에 따라 다르다. ( )

(3) 효소의 농도가 일정할 때 반응 속도는 기질의 농도에 비례하여 계속 증가한다. ( )

탄탄! 내신 다지기

정답과 해설 020쪽

A 효소의 작용과 특성

01 그림은 어떤 화학 반응에서 효소 X가 있을 때와 없을 때의 에너지 변화를 나타낸 것이다.

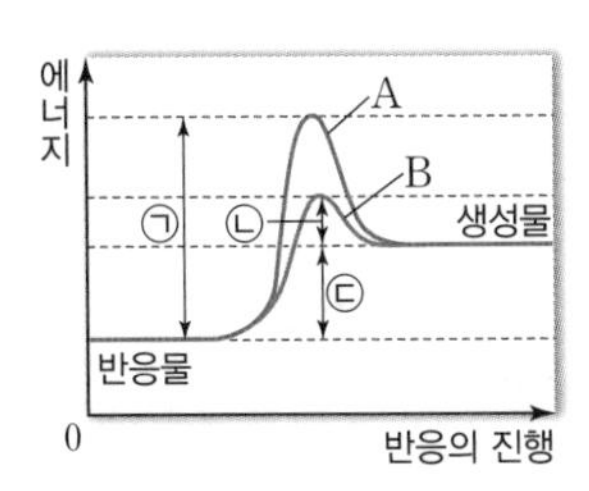

이에 대한 설명으로 옳지 않은 것은?

① 이 반응은 흡열 반응이다.
② A는 X가 없을 때의 에너지 변화이다.
③ X가 없을 때 활성화 에너지는 ㉠이다.
④ X가 있을 때 활성화 에너지는 ㉡+㉢이다.
⑤ X의 농도가 증가하면 ㉢의 크기는 감소한다.

02 그림은 효소 A의 작용을 나타낸 것이다.

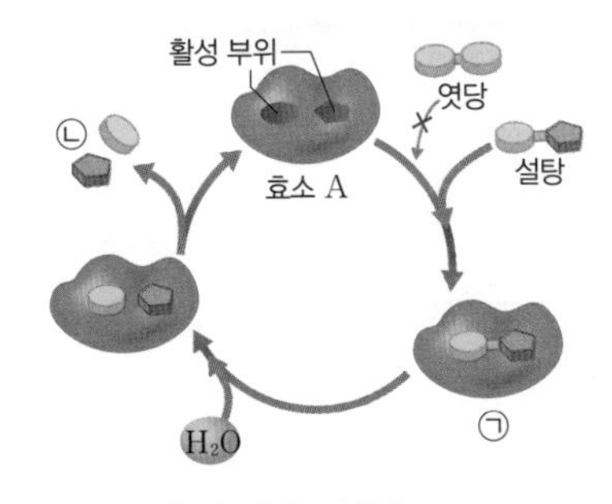

이에 대한 설명으로 옳지 않은 것은?

① 효소 A는 기질 특이성을 갖는다.
② ㉠은 효소·기질 복합체이다.
③ ㉡은 생성물이다.
④ A는 ㉠을 형성하여 반응의 활성화 에너지를 낮춘다.
⑤ 반응이 끝나면 효소 A는 변성된다.

B 효소의 구성과 종류

03 그림은 어떤 효소 반응을 나타낸 것이다. A~D는 각각 반응물, 생성물, 주효소, 보조 인자 중 하나이다.

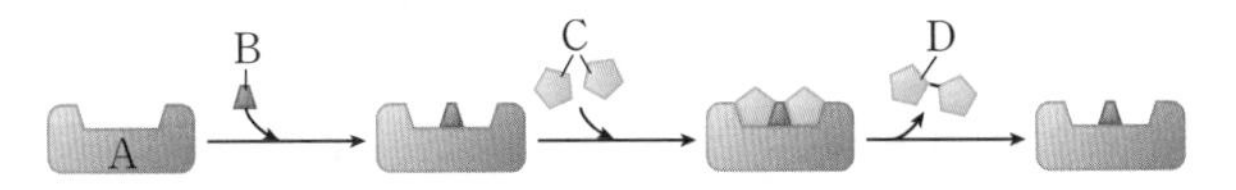

이에 대한 설명으로 옳은 것만을 〈보기〉에서 있는 대로 고른 것은?

〈보기〉
ㄱ. 전효소는 A와 B가 결합한 것이다.
ㄴ. A는 B보다 온도의 영향을 적게 받는다.
ㄷ. C는 반응물, D는 생성물이다.

① ㄱ ② ㄴ ③ ㄱ, ㄷ ④ ㄴ, ㄷ ⑤ ㄱ, ㄴ, ㄷ

04 표는 효소 (가)~(다)의 작용 방식을 나타낸 것이다.

(가) 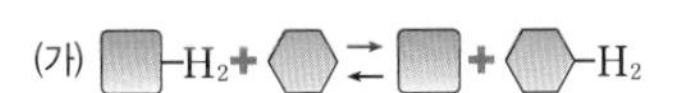

(나) 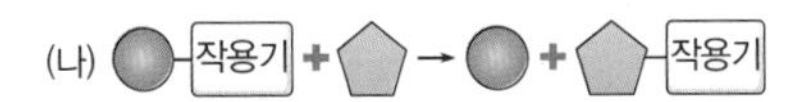

(다) 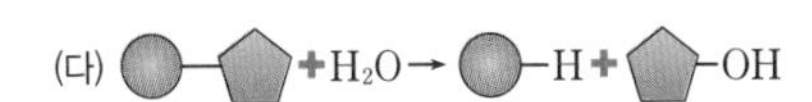

이에 대한 설명으로 옳은 것만을 〈보기〉에서 있는 대로 고른 것은?

〈보기〉
ㄱ. (가)는 산화 환원 효소이다.
ㄴ. (나)는 제거 부가 효소이다.
ㄷ. (다)는 물을 첨가하여 특정 기질을 분해한다.

① ㄱ ② ㄴ ③ ㄱ, ㄷ ④ ㄴ, ㄷ ⑤ ㄱ, ㄴ, ㄷ

C 효소의 작용에 영향을 미치는 요인

단답형

05 그림 (가)는 효소 X의 농도가 일정할 때 기질 농도에 따른 반응 속도를, (나)의 A~C는 기질 농도가 각각 S_1~S_3일 때 효소·기질 복합체의 형성 정도를 순서 없이 나타낸 것이다.

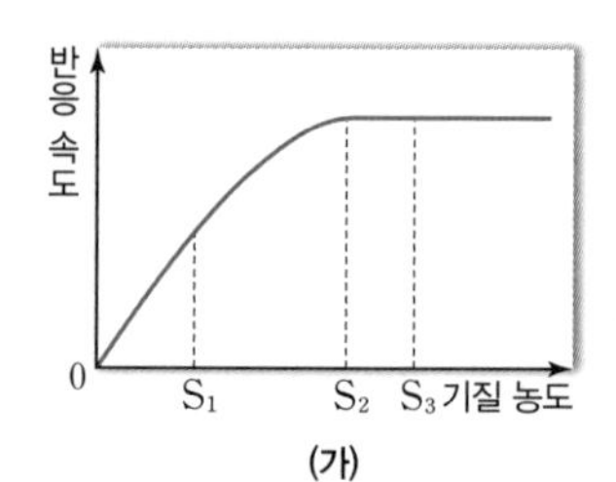

(가)

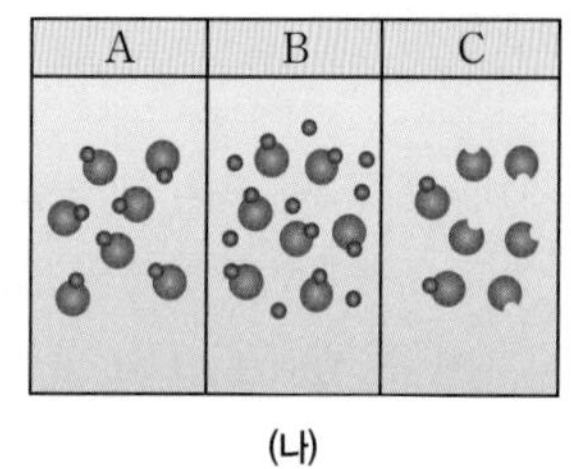

(나)

S_1~S_3일 때의 효소·기질 복합체의 형성 정도 A~C를 각각 옳게 짝 지으시오.

06 그림은 사람의 소화 기관에서 작용하는 효소 (가)~(다)의 pH에 따른 반응 속도를 나타낸 것이다.

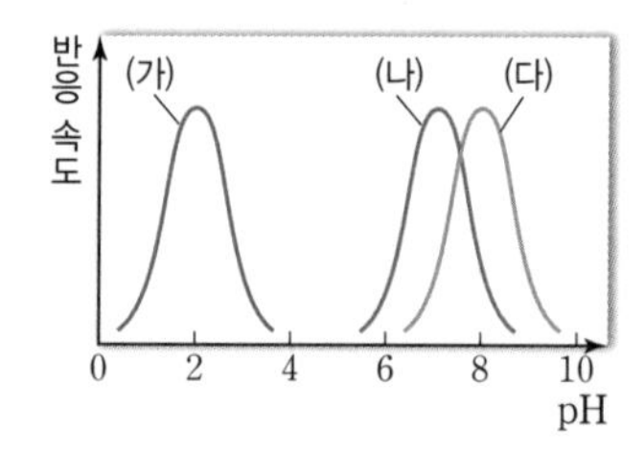

이에 대한 설명으로 옳은 것만을 〈보기〉에서 있는 대로 고른 것은?

보기
ㄱ. (가)는 pH가 2일 때 구조의 변성이 일어난다.
ㄴ. (나)의 최적 pH는 (다)의 최적 pH보다 낮다.
ㄷ. (가)~(다)는 모두 같은 소화 기관에서 작용한다.

① ㄱ ② ㄴ ③ ㄷ
④ ㄱ, ㄴ ⑤ ㄴ, ㄷ

07 그림은 어떤 효소 반응에서 저해제 A가 있을 때와 없을 때의 기질 농도에 따른 초기 반응 속도를 나타낸 것이다.

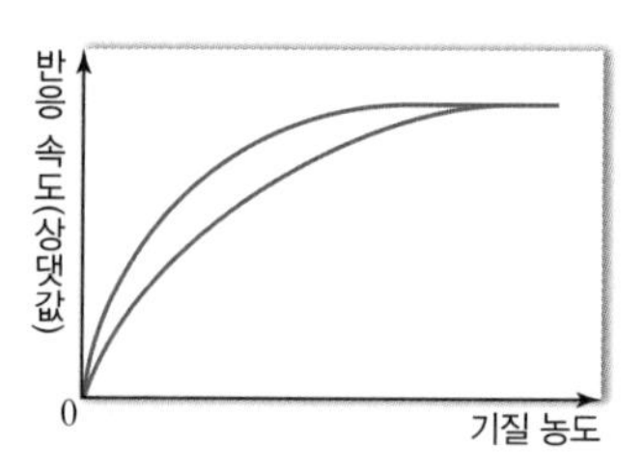

A에 대한 설명으로 옳은 것만을 〈보기〉에서 있는 대로 고른 것은? (단, 저해제 유무 이외의 다른 조건은 동일하다.)

보기
ㄱ. 경쟁적 저해제이다.
ㄴ. 효소의 활성 부위에 결합한다.
ㄷ. 기질의 농도가 증가해도 저해 효과는 감소하지 않는다.

① ㄱ ② ㄷ ③ ㄱ, ㄴ
④ ㄱ, ㄷ ⑤ ㄴ, ㄷ

08 그림은 어떤 효소 반응에서 저해제 B가 있을 때와 없을 때의 기질 농도에 따른 초기 반응 속도를 나타낸 것이다.

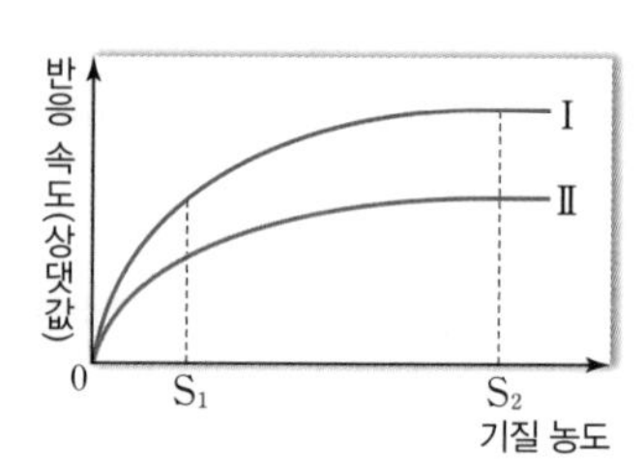

이에 대한 설명으로 옳은 것은? (단, 저해제 유무 이외의 다른 조건은 동일하다.)

① B는 경쟁적 저해제이다.
② B는 효소의 활성 부위에 결합한다.
③ Ⅱ에서 효소·기질 복합체의 농도는 S_1이 S_2보다 크다.
④ S_1일 때 이 효소 반응의 활성화 에너지는 Ⅰ이 Ⅱ보다 크다.
⑤ Ⅰ에서 S_2일 때 이 효소를 첨가하면 초기 반응 속도는 증가한다.

도전! 실력 올리기

정답과 해설 021쪽

출제예감

01 그림은 어떤 반응에서 효소 X의 유무에 따른 생성물의 농도 변화를 나타낸 것이다. ㉠과 ㉡은 각각 X가 있을 때와 없을 때 중 하나이다.

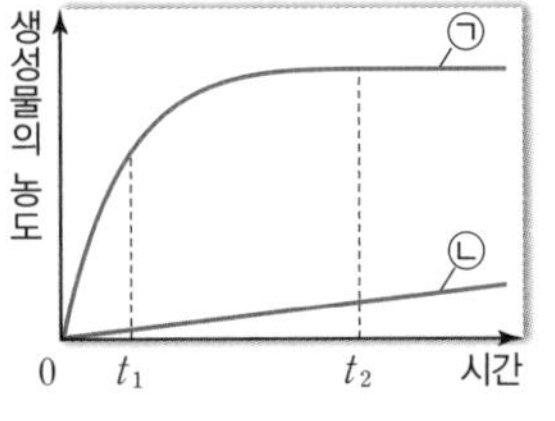

이에 대한 설명으로 옳은 것만을 〈보기〉에서 있는 대로 고른 것은? (단, 효소 이외의 조건은 동일하다.)

보기
ㄱ. ㉠은 X가 있을 때이다.
ㄴ. t_1일 때 이 반응의 활성화 에너지는 ㉠이 ㉡보다 높다.
ㄷ. ㉠에서 효소·기질 복합체의 농도는 t_1일 때가 t_2일 때보다 높다.

① ㄱ ② ㄴ ③ ㄱ, ㄴ
④ ㄱ, ㄷ ⑤ ㄴ, ㄷ

02 그림 (가)는 효소 X의 저해제 A와 B의 작용을, (나)는 효소 X에 의한 반응에서 기질 농도에 따른 초기 반응 속도를 나타낸 것이다. Ⅰ~Ⅲ 중 하나는 저해제가 없는 경우이고, 나머지는 각각 A와 B 중 하나가 있는 경우이다.

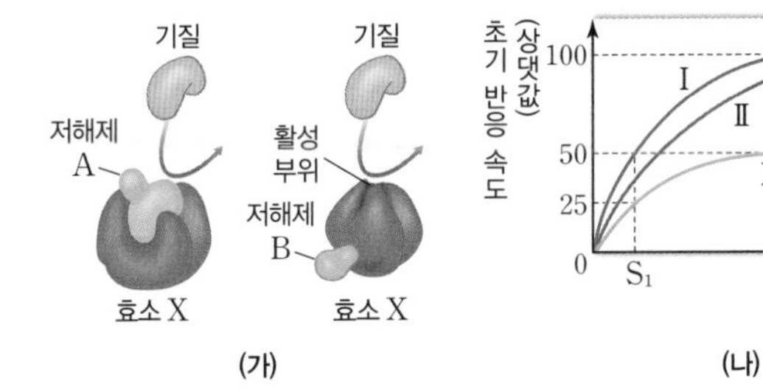

(가) (나)

이에 대한 설명으로 옳은 것만을 〈보기〉에서 있는 대로 고른 것은? (단, X의 양은 Ⅰ~Ⅲ에서 모두 같다.)

보기
ㄱ. B는 비경쟁적 저해제이다.
ㄴ. Ⅱ는 저해제 A가 있는 경우이다.
ㄷ. Ⅰ에서 $\frac{\text{기질과 결합한 X의 수}}{\text{X의 총 수}}$는 S_1일 때가 S_2일 때보다 작다.

① ㄱ ② ㄴ ③ ㄱ, ㄴ
④ ㄴ, ㄷ ⑤ ㄱ, ㄴ, ㄷ

서술형

03 그림은 어떤 효소의 작용을 나타낸 것이다.

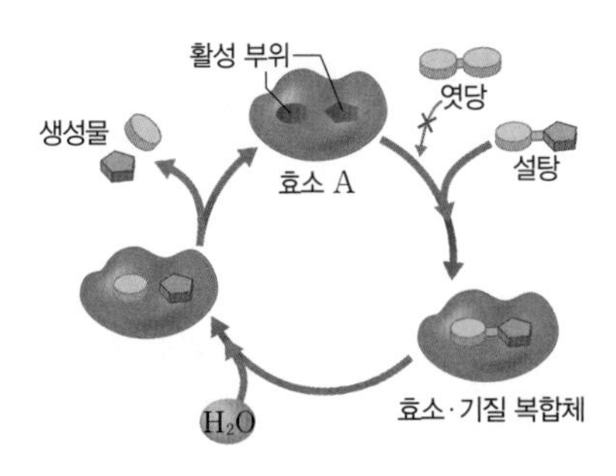

(1) 이 효소가 속한 효소군의 이름을 쓰시오.

(2) 위 그림을 통해 알 수 있는 효소의 특성 2가지를 서술하시오.

서술형

04 그림은 온도에 따른 효소의 반응 속도를 나타낸 것이다.

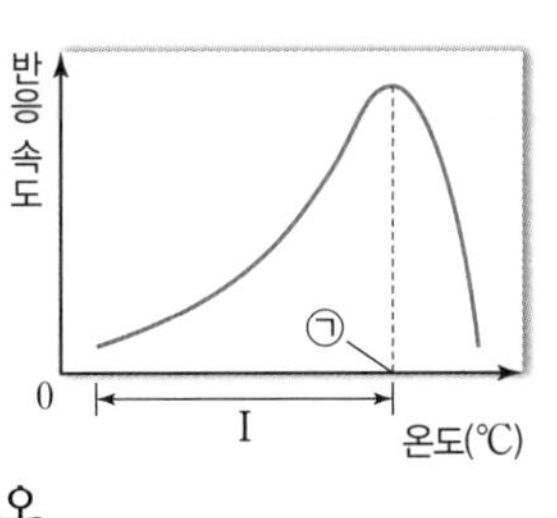

(1) 구간 Ⅰ에서 온도가 높아질수록 반응 속도가 증가하는 까닭을 서술하시오.

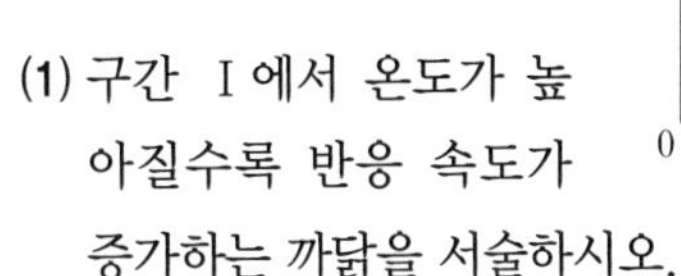

(2) 온도가 ㉠보다 증가하면 반응 속도가 감소하는 까닭을 서술하시오.

수능을 알기 쉽게 풀어주는 수능 POOL

세포막을 통한 물질의 이동

출제 의도

능동 수송과 촉진 확산의 특징을 알고, 물질의 세포 안 농도 변화 그래프를 해석하여 물질의 이동 방식을 알아내는 문제이다.

이것이 함정

㉠의 세포 안 농도가 (나)에서 세포 안과 밖의 농도가 같아졌을 때 ㉠의 세포 밖 농도인 C보다 높아지므로 ㉠은 능동 수송을 통해 세포 안으로 들어오고 있다는 것을 알 수 있어야 한다.

대표 유형

그림 (가)는 세포막을 통한 물질의 이동 방식 Ⅰ과 Ⅱ를, (나)는 물질 ㉠이 들어 있는 배양액에 세포를 넣은 후 시간에 따른 ㉠의 세포 안의 농도를 나타낸 것이다. Ⅰ과 Ⅱ는 능동 수송과 촉진 확산을 순서 없이 나타낸 것이고, ㉠의 이동 방식은 Ⅰ과 Ⅱ 중 하나이다. C는 ㉠의 세포 안과 밖의 농도가 같아졌을 때 ㉠의 세포 밖 농도이다.

세포 안과 밖의 농도가 같아졌을 때이므로 ㉠의 세포 밖 농도=㉠의 세포 안 농도

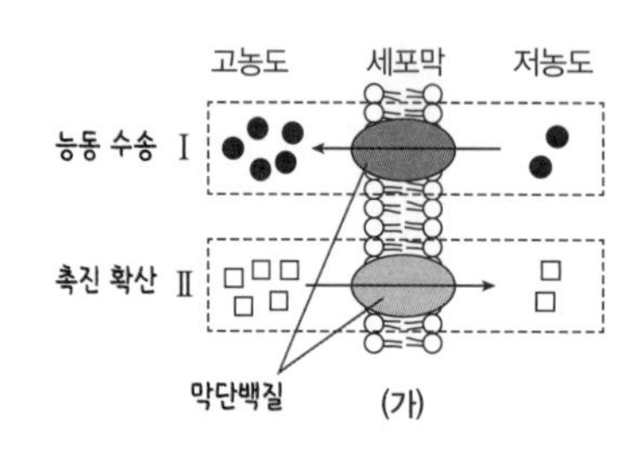

(가)

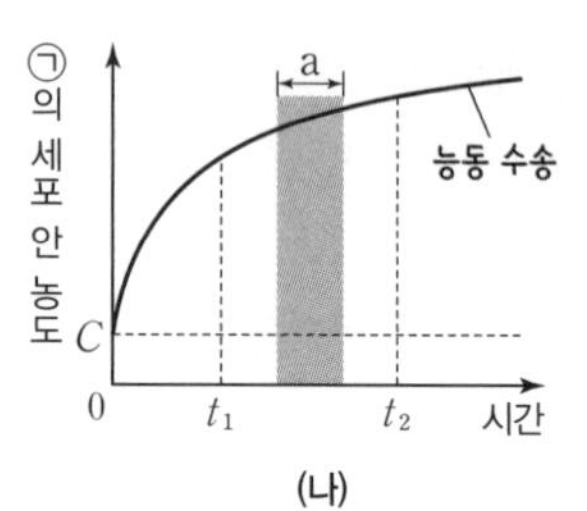

(나)

이에 대한 설명으로 옳은 것만을 <보기>에서 있는 대로 고른 것은?

보기

ㄱ. 구간 a에서 ㉠의 이동 방식은 Ⅰ이다.
→ 능동 수송에 의해 ㉠이 세포 안으로 들어오고 있다.

ㄴ. 인슐린이 세포 밖으로 이동하는 방식은 ~~Ⅱ에 해당한다~~. → 세포외 배출이다.

ㄷ. 배양액의 ㉠ 농도는 t_2일 때가 t_1일 때보다 ~~높다~~. → 낮다.
㉠이 세포 안으로 들어오고 있으므로 배양액의 ㉠ 농도는 ㉠의 세포 안 농도와 반비례한다.

① ㄱ ② ㄴ ③ ㄱ, ㄷ ④ ㄴ, ㄷ ⑤ ㄱ, ㄴ, ㄷ

표나 그래프에서 경향성 찾기

(가)에서 물질의 농도 기울기와 물질의 이동 방향을 통해 Ⅰ과 Ⅱ의 이동 방식을 구분한다. >>> (나)에서 ㉠의 세포 안 농도가 시간에 따라 어떻게 변하는지 분석하여 ㉠의 이동 방식을 파악한다. >>> 세포 내에서 생산된 인슐린과 같은 단백질이 세포 밖으로 이동하는 방식을 파악한다. >>> ㉠의 이동 방식을 알고, ㉠이 세포 안으로 이동함에 따라 배양액에서 ㉠의 농도는 어떻게 변하는지 유추한다.

추가 선택지

• Ⅰ과 Ⅱ에서 물질의 이동에 모두 ATP가 소모된다. (×)
⋯ 촉진 확산(Ⅱ)은 농도 차에 의해 물질이 이동하는 방식이므로 ATP가 소모되지 않는다.

• Na^+-K^+ 펌프를 통한 K^+의 이동 방식은 ㉠의 이동 방식과 같다. (○)
⋯ Na^+-K^+ 펌프를 통한 K^+의 이동 방식은 능동 수송이므로 ㉠의 이동 방식과 같다.

실전! 수능 도전하기

정답과 해설 022쪽

수능 기출

01 표는 세포막을 통한 물질 이동 방식 Ⅰ~Ⅲ에서 특징의 유무를, 그림은 물질 ㉠이 들어 있는 배양액에 세포를 넣은 후 시간에 따른 ㉠의 세포 안 농도를 나타낸 것이다. Ⅰ~Ⅲ은 각각 단순 확산, 촉진 확산, 능동 수송 중 하나이고, ㉠의 이동 방식은 Ⅰ~Ⅲ 중 하나이다. C는 ㉠의 세포 안과 밖의 농도가 같아졌을 때 ㉠의 세포 밖 농도이다.

이동 방식 \ 특징	막단백질을 이용함	저농도에서 고농도로 물질이 이동함
Ⅰ	ⓐ	○
Ⅱ	○	×
Ⅲ	×	?

(○: 있음, ×: 없음)

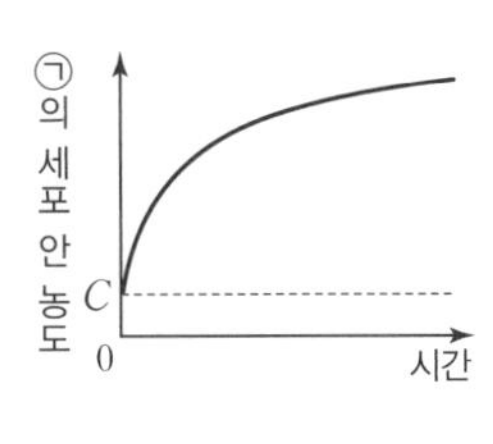

이에 대한 설명으로 옳은 것만을 〈보기〉에서 있는 대로 고른 것은?

보기
ㄱ. ⓐ는 '○'이다.
ㄴ. ㉠의 이동 방식은 Ⅱ이다.
ㄷ. 폐포에서 세포막을 통한 O_2의 이동은 Ⅲ에 의해 일어난다.

① ㄴ ② ㄷ ③ ㄱ, ㄴ
④ ㄱ, ㄷ ⑤ ㄱ, ㄴ, ㄷ

02 그림은 물질 ㉠이 들어 있는 배양액에 세포를 넣은 후 시간에 따른 ㉠의 세포 안 농도를 나타낸 것이다. C는 ㉠의 세포 안과 밖의 농도가 같아졌을 때 ㉠의 세포 밖 농도이다. ㉠의 이동 방식은 능동 수송과 촉진 확산 중 하나이다.

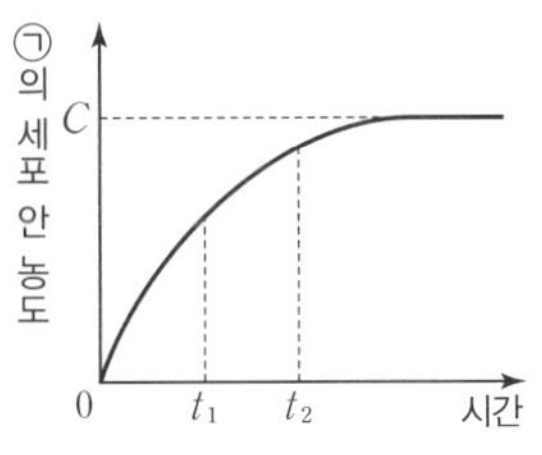

이에 대한 설명으로 옳은 것만을 〈보기〉에서 있는 대로 고른 것은?

보기
ㄱ. ㉠의 이동 방식은 능동 수송이다.
ㄴ. ㉠의 세포 안과 밖의 농도 차는 t_1일 때가 t_2일 때보다 크다.
ㄷ. Na^+-K^+ 펌프를 통한 Na^+의 이동 방식은 ㉠의 이동 방식과 같다.

① ㄱ ② ㄴ ③ ㄷ
④ ㄴ, ㄷ ⑤ ㄱ, ㄴ, ㄷ

03 표는 세포막을 통한 물질의 이동 방식 Ⅰ과 Ⅱ의 예를 나타낸 것이다. Ⅰ과 Ⅱ는 각각 단순 확산과 세포외 배출 중 하나이다.

이동 방식	예
Ⅰ	폐포와 모세 혈관 사이의 기체 교환
Ⅱ	인슐린의 세포 밖 분비

이에 대한 설명으로 옳은 것만을 〈보기〉에서 있는 대로 고른 것은?

보기
ㄱ. Ⅰ에서 막단백질이 이용된다.
ㄴ. Ⅰ에 의해 물질이 저농도에서 고농도로 이동한다.
ㄷ. Ⅱ에서 ATP가 사용된다.

① ㄱ ② ㄷ ③ ㄱ, ㄴ
④ ㄱ, ㄷ ⑤ ㄴ, ㄷ

04 그림 (가)는 고장액에 있던 어떤 식물 세포를 저장액에 넣었을 때 세포의 부피에 따른 팽압과 삼투압을, (나)는 이 세포의 부피가 V_1일 때와 V_3일 때 중 하나의 상태를 나타낸 것이다. A와 B는 각각 팽압과 삼투압 중 하나이다.

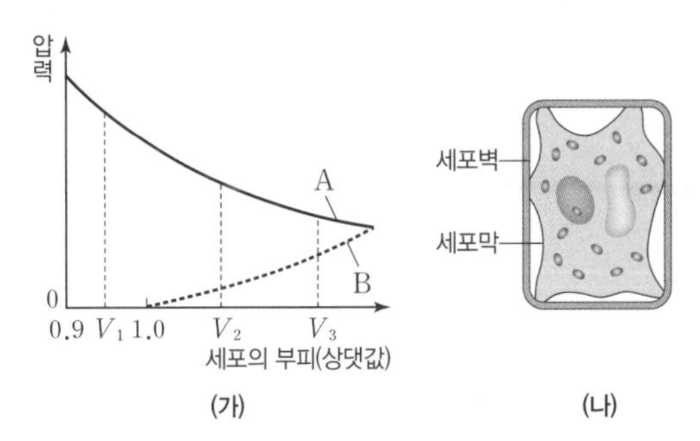

(가) (나)

이에 대한 설명으로 옳은 것만을 〈보기〉에서 있는 대로 고른 것은?

보기
ㄱ. A는 삼투압이다.
ㄴ. (가)에서 V_2일 때의 흡수력은 V_3일 때의 흡수력보다 작다.
ㄷ. (나)는 V_1일 때의 상태이다.

① ㄱ ② ㄴ ③ ㄷ
④ ㄱ, ㄷ ⑤ ㄴ, ㄷ

실전! 수능 도전하기

05 표 (가)는 세포막을 통한 물질의 이동 방식 Ⅰ~Ⅲ에서 특징 ㉠과 ㉡의 유무를, (나)는 ㉠과 ㉡을 순서 없이 나타낸 것이다. Ⅰ~Ⅲ은 단순 확산, 촉진 확산, 능동 수송을 순서 없이 나타낸 것이다.

특징 \ 이동 방식	Ⅰ	Ⅱ	Ⅲ
㉠	○	ⓐ	ⓑ
㉡	×	○	×

(○: 있음, ×: 없음)

(가)

특징(㉠, ㉡)
• 막단백질을 이용한다. • 저농도에서 고농도로 물질이 이동한다

(나)

이에 대한 설명으로 옳은 것만을 〈보기〉에서 있는 대로 고른 것은?

〈보기〉
ㄱ. Ⅰ은 능동 수송이다.
ㄴ. ㉠은 '막단백질을 이용한다.'이다.
ㄷ. ⓐ와 ⓑ는 모두 '○'이다.

① ㄱ ② ㄴ ③ ㄱ, ㄷ
④ ㄴ, ㄷ ⑤ ㄱ, ㄴ, ㄷ

06 그림은 어떤 세포의 막단백질을 통해 물질 ㉠이 이동하는 두 가지 방식 (가)와 (나)를 나타낸 것이다. (가)와 (나)는 각각 능동 수송과 촉진 확산 중 하나이다. ㉠은 능동 수송을 통해 세포 내부에서 외부로 이동한다.

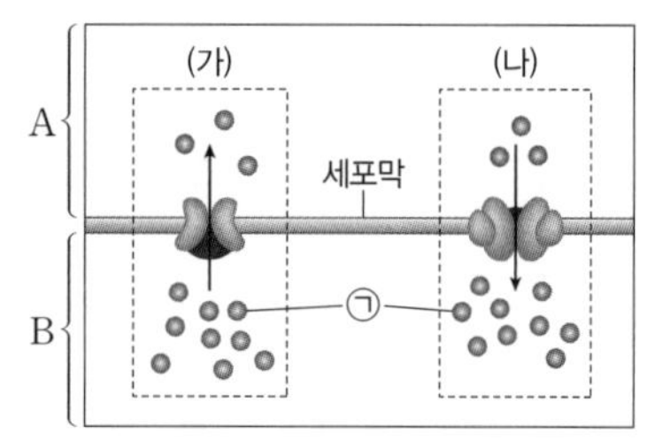

이에 대한 설명으로 옳은 것만을 〈보기〉에서 있는 대로 고른 것은?

〈보기〉
ㄱ. (가)는 촉진 확산이다.
ㄴ. B는 세포 외부이다.
ㄷ. (가)를 통한 ㉠의 이동과 (나)를 통한 ㉠의 이동에서 모두 ATP가 소모된다.

① ㄱ ② ㄴ ③ ㄷ
④ ㄱ, ㄴ ⑤ ㄱ, ㄷ

수능 기출

07 그림 (가)는 효소 X에 의한 반응과 물질 A의 작용을, (나)는 X에 의한 반응에서의 에너지 변화를 나타낸 것이다. A는 경쟁적 저해제와 비경쟁적 저해제 중 하나이다.

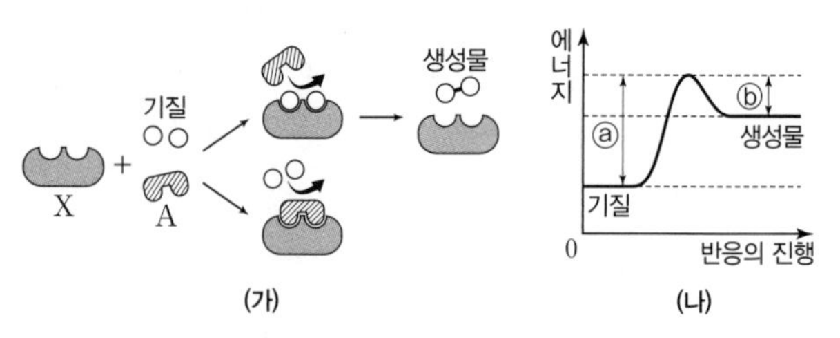

(가) (나)

이에 대한 설명으로 옳은 것만을 〈보기〉에서 있는 대로 고른 것은?

〈보기〉
ㄱ. X는 이성질화 효소이다.
ㄴ. A는 경쟁적 저해제이다.
ㄷ. X에 의한 반응의 활성화 에너지는 ⓑ이다.

① ㄱ ② ㄴ ③ ㄷ
④ ㄱ, ㄴ ⑤ ㄴ, ㄷ

08 그림 (가)는 어떤 효소가 관여하는 반응을, (나)는 (가) 반응에서의 에너지 변화를 나타낸 것이다. A와 B는 각각 기질과 효소 중 하나이다.

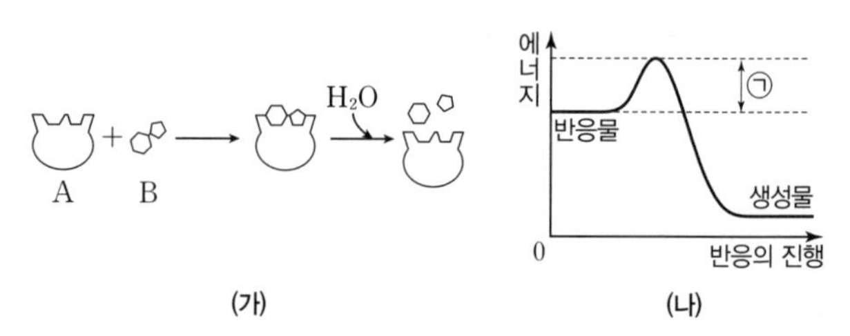

(가) (나)

이에 대한 설명으로 옳은 것만을 〈보기〉에서 있는 대로 고른 것은?

〈보기〉
ㄱ. A는 가수 분해 효소이다.
ㄴ. B는 A의 활성 부위에 결합한다.
ㄷ. A에 의한 반응의 활성화 에너지는 ㉠이다.

① ㄱ ② ㄴ ③ ㄱ, ㄴ
④ ㄴ, ㄷ ⑤ ㄱ, ㄴ, ㄷ

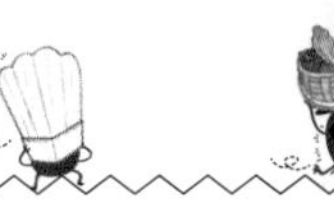

정답과 해설 022쪽

09 그림은 어떤 효소 반응을 나타낸 것이다. A~C는 기질, 주효소, 보조 인자를 순서 없이 나타낸 것이다.

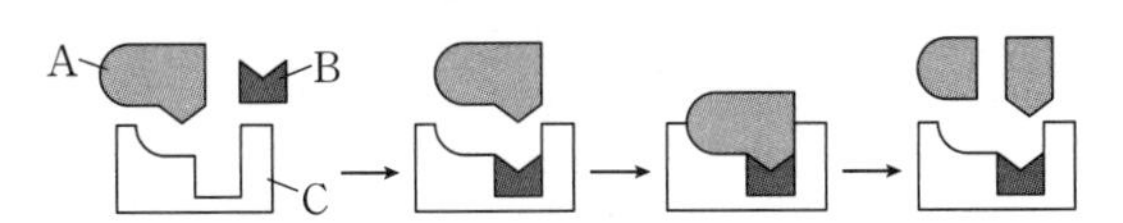

이에 대한 설명으로 옳은 것만을 〈보기〉에서 있는 대로 고른 것은?

보기
ㄱ. A는 주효소이다.
ㄴ. 전효소는 A와 C의 합이다.
ㄷ. C의 주성분은 단백질이다.

① ㄱ ② ㄴ ③ ㄷ
④ ㄱ, ㄴ ⑤ ㄴ, ㄷ

10 다음은 효소의 작용에 대한 실험이다.

• 감자즙에 있는 카탈레이스는 다음 반응을 촉매하는 효소이다.

$$2H_2O_2 \rightarrow 2H_2O + O_2$$

[실험 과정 및 결과]

(가) 시험관 Ⅰ~Ⅲ을 준비하여 Ⅰ에는 증류수 4 mL를, Ⅱ에는 증류수 2 mL와 감자즙 2 mL를, Ⅲ에는 묽은 수산화 나트륨 용액 2 mL와 감자즙 2 mL를 각각 넣은 후 일정 시간 둔다.

(나) (가)의 각 시험관에 과산화 수소(H_2O_2) 용액 2 mL를 넣은 후, 기포 발생량을 측정한 결과는 표와 같다.

시험관	Ⅰ	Ⅱ	Ⅲ
기포 발생량	+	+++++	++

(+ 개수가 많을수록 발생량이 많음)

이에 대한 설명으로 옳은 것만을 〈보기〉에서 있는 대로 고른 것은? (단, 제시된 조건 이외의 다른 조건은 동일하다.)

보기
ㄱ. Ⅱ에서 O_2가 생성되었다.
ㄴ. 감자즙에 있는 카탈레이스는 이성질화 효소이다.
ㄷ. (나)에서 카탈레이스 활성은 중성일 때가 염기성일 때보다 높다.

① ㄱ ② ㄴ ③ ㄷ
④ ㄱ, ㄷ ⑤ ㄴ, ㄷ

수능 기출

11 표는 효소 X에 의한 반응에서 실험 Ⅰ~Ⅲ의 조건을, 그림은 Ⅰ~Ⅲ에서 기질 농도에 따른 초기 반응 속도를 나타낸 것이다. A~C는 Ⅰ~Ⅲ의 결과를 순서 없이 나타낸 것이고, ㉠은 경쟁적 저해제와 비경쟁적 저해제 중 하나이다.

실험	Ⅰ	Ⅱ	Ⅲ
X의 농도 (상댓값)	1	1	2
㉠	없음	있음	없음

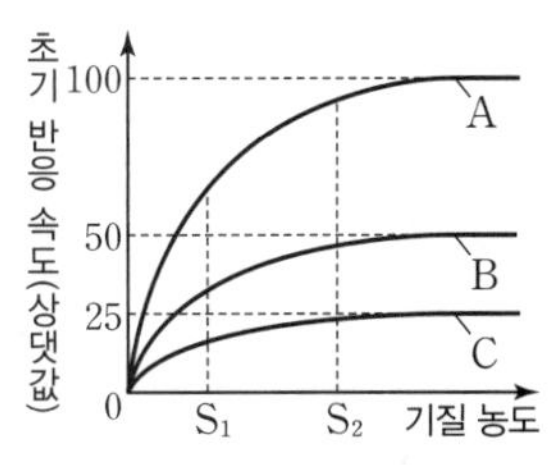

이에 대한 설명으로 옳은 것만을 〈보기〉에서 있는 대로 고른 것은?

보기
ㄱ. A는 Ⅰ의 결과이다.
ㄴ. ㉠은 비경쟁적 저해제이다.
ㄷ. Ⅲ에서 $\frac{\text{기질과 결합하지 않은 X의 수}}{\text{X의 총수}}$는 S_1일 때가 S_2일 때보다 크다.

① ㄱ ② ㄴ ③ ㄱ, ㄷ
④ ㄴ, ㄷ ⑤ ㄱ, ㄴ, ㄷ

12 표는 효소 X에 의해 기질 A가 생성물 B로 전환되는 반응에서 실험 Ⅰ~Ⅲ의 조건을, 그림은 Ⅰ~Ⅲ에서 시간에 따른 B의 농도를 나타낸 것이다. X의 최적 온도는 37 ℃이고, ㉠~㉢은 각각 Ⅰ~Ⅲ의 결과 중 하나이다.

실험	Ⅰ	Ⅱ	Ⅲ
X의 농도 (상댓값)	1	2	2
온도(℃)	15	15	37

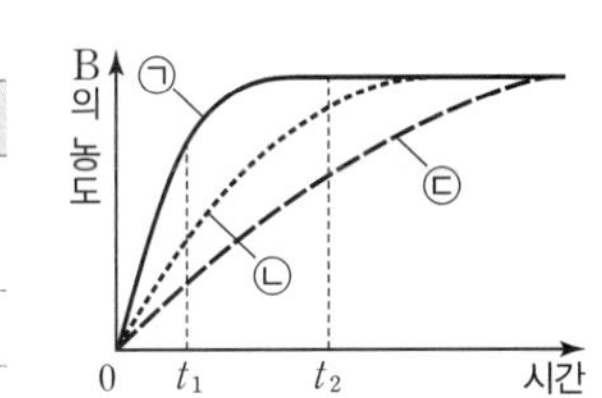

이에 대한 설명으로 옳은 것만을 〈보기〉에서 있는 대로 고른 것은? (단, 제시된 조건 이외의 다른 조건은 동일하다.)

보기
ㄱ. ㉠은 Ⅰ의 결과이다.
ㄴ. Ⅲ에서 효소·기질 복합체의 농도는 t_1일 때가 t_2일 때보다 높다.
ㄷ. t_2일 때 X의 활성화 에너지는 Ⅱ에서가 Ⅲ에서보다 낮다.

① ㄱ ② ㄴ ③ ㄷ
④ ㄱ, ㄴ ⑤ ㄴ, ㄷ

1 세포의 특성

01 생명체의 구성

1. 생명체의 구성 물질

① **탄수화물:** 생명체의 주된 에너지원

단당류	포도당, 과당, 갈락토스
이당류	엿당, 설탕, 젖당
다당류	녹말, 글리코젠, 셀룰로스

② **지질:** 에너지 저장 물질로 이용, 세포막과 일부 호르몬의 구성 성분

중성 지방	에너지 저장, 체온 유지
인지질	생체막의 주요 성분
스테로이드	성호르몬 등의 구성 성분

③ **단백질:** 세포막, 효소, 호르몬 등 생명체의 주성분
- 기본 단위: 아미노산
- 구조: 많은 아미노산이 펩타이드 결합을 형성하며, 고유의 입체 구조와 기능을 갖는다. ➡ 입체 구조는 아미노산의 수, 종류, 배열 순서에 의해 결정된다.

④ **핵산:** 유전 정보 저장 및 전달, 단백질 합성에 관여
- 기본 단위: 뉴클레오타이드(염기, 당, 인산=1:1:1)

구분	DNA	RNA
구조	2중 나선 구조	단일 가닥 구조
기능	유전 정보 저장	유전 정보 전달
당	디옥시리보스	리보스
염기	A, G, C, T	A, G, C, U

2. 생명체의 유기적 구성

① **동물의 구성 단계:** 세포 → 조직 → 기관 → 기관계 → 개체

조직	상피 조직, 결합 조직, 근육 조직, 신경 조직
기관	위, 소장, 대장, 심장, 콩팥, 폐 등
기관계	소화계, 호흡계, 순환계, 배설계, 신경계 등

② **식물의 구성 단계:** 세포 → 조직 → 조직계 → 기관 → 개체

조직	분열 조직(생장점, 형성층), 영구 조직(표피 조직, 통도 조직, 유조직, 기계 조직)
조직계	표피 조직계, 관다발 조직계, 기본 조직계
기관	영양 기관(뿌리, 줄기, 잎), 생식 기관(꽃, 열매)

02 세포의 구조와 기능

1. 세포 소기관의 연구 방법

현미경	• 광학 현미경: 세포의 대략적 구조 관찰 • 투과 전자 현미경: 세포, 세포 내 미세 구조의 단면 관찰 • 주사 전자 현미경: 세포 등의 표면이나 입체 구조 관찰
세포 분획법	• 세포 소기관을 크기와 밀도 차에 따라 분리 ➡ 세포의 성분 분석, 세포 소기관의 기능 연구에 사용
자기 방사법	• 방사성 동위 원소가 포함된 물질을 넣어 방사선 추적 • 세포 내 물질의 이동 경로나 변화 과정 연구에 사용

2. 원핵세포와 진핵세포

원핵 세포	• 핵과 막성 세포 소기관이 없으며, 1개의 원형 DNA가 세포질에 존재 • 작은 크기의 리보솜이 있으며, 세포벽이 있음
진핵 세포	• 핵과 막성 세포 소기관이 있으며, 여러 개의 선형 DNA가 핵 속에 존재 • 리보솜이 있으며, 식물 세포와 균류에 세포벽이 있음

3. 세포 소기관의 구조와 기능

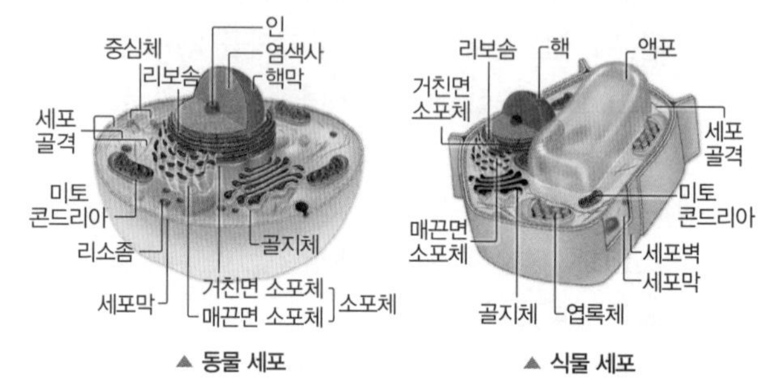

▲ 동물 세포 ▲ 식물 세포

핵	세포의 생명 활동 조절		
리보솜	단백질 합성 장소		
거친면 소포체	단백질 가공, 운반		
매끈면 소포체	지질 합성, 독성 물질 해독, Ca^{2+} 저장		
골지체	단백질이나 지질 저장, 가공, 포장, 분비		
리소좀	세포내 소화		
액포	노폐물, 색소 등 저장, 삼투압 조절, 식물의 형태 유지		
엽록체	광합성 장소	미토콘드리아	세포 호흡 장소
세포 골격	세포의 형태 유지	섬모와 편모	세포의 운동 기관
세포벽	세포 보호 및 형태 유지		

2 세포막과 효소

01 세포막을 통한 물질 이동

1. 세포막의 구조와 특성

① **세포막의 구조:** 인지질 2중층에 막단백질이 군데군데 파묻혀 있거나 관통하거나 표면에 결합해 있는 구조

- 인지질: 친수성 머리와 소수성 꼬리 ➡ 인지질 2중층 형성
- 막단백질: 세포 간 인식, 신호 전달, 효소 작용, 물질 수송

② **세포막의 특성:** 유동 모자이크막, 선택적 투과성

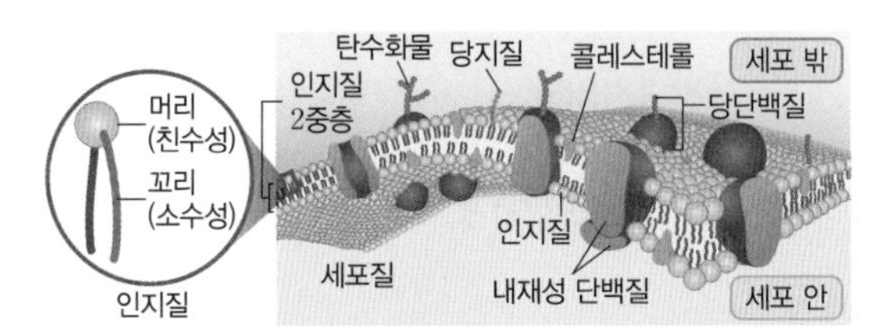

▲ 세포막의 구조

2. 세포막을 통한 물질의 이동

① **확산:** 분자가 스스로 운동하여 농도가 높은 쪽에서 낮은 쪽으로 이동하는 현상 ➡ 에너지 (ATP)가 소모되지 않는다.

- 단순 확산: 물질이 인지질 2중층을 직접 통과하여 확산
- 촉진 확산: 물질이 수송 단백질을 통해 확산

② **삼투:** 반투과성 막을 경계로 농도가 다른 용액이 있을 때 용질의 농도가 낮은 쪽에서 높은 쪽으로 용매(물)가 이동하는 현상 ➡ 확산의 일종이므로 에너지(ATP)가 소모되지 않는다.

- 식물 세포의 흡수력

흡수력 = 삼투압 − 팽압

③ **능동 수송:** 물질을 에너지(ATP)를 소모하여 농도가 낮은 쪽에서 높은 쪽으로 이동시키는 방식. 운반체 단백질에 의해 일어난다. ㉐ Na^+-K^+ 펌프에 의한 이온의 이동

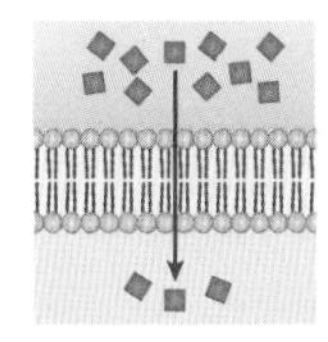
단순 확산

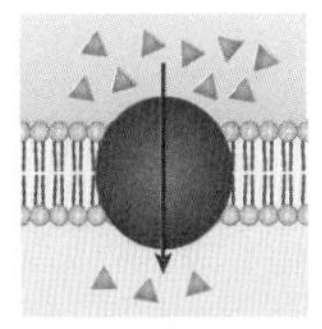
촉진 확산

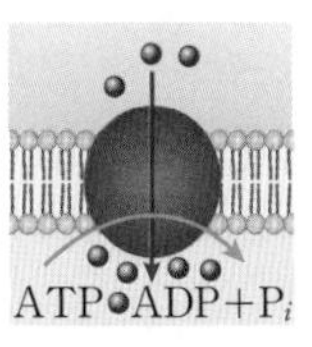

능동 수송

④ **세포내 섭취와 세포외 배출**

- 세포내 섭취: 물질을 세포막으로 감싸 소낭을 만들어 세포 내로 끌어들이는 방식. 식세포 작용과 음세포 작용이 있다.
- 세포외 배출: 물질을 담은 소낭의 막이 세포막과 융합하면서 소낭 속의 물질을 세포 밖으로 내보내는 방식

02 효소

1. 효소의 작용과 특성

① **활성화 에너지와 효소의 작용**

- 활성화 에너지: 화학 반응을 일으키기 위해 필요한 최소한의 에너지 ➡ 활성화 에너지가 낮을수록 반응 속도가 빠르다.
- 효소의 기능: 활성화 에너지를 낮추어 반응을 촉진한다.

② **기질 특이성:** 특정 효소는 활성 부위에 잘 들어맞는 입체 구조를 가진 특정 기질하고만 결합하여 반응을 촉진한다.

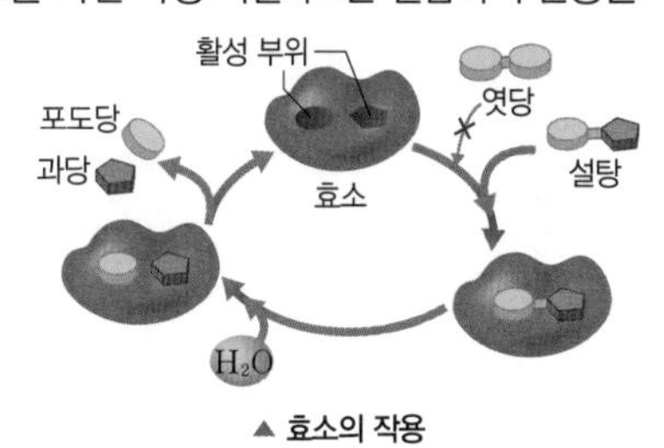

▲ 효소의 작용

2. 효소의 구성과 종류

① **효소의 구성:** 대부분 단백질 성분의 주효소와 비단백질 성분의 보조 인자로 구성된다. ➡ 보조 인자는 금속 이온이나 유기 화합물로 된 조효소가 있다.

전효소 = 주효소 + 보조 인자(금속 이온 또는 조효소)

② **효소의 종류:** 산화 환원 효소, 제거 부가 효소, 전이 효소, 이성질화 효소, 가수 분해 효소, 연결 효소

3. 효소의 작용에 영향을 미치는 요인

① **온도:** 최적 온도보다 높은 온도에서 반응 속도가 급격히 느려진다. ➡ 효소 단백질의 입체 구조가 변하기 때문이다.

② **pH:** 최적 pH를 벗어나면 효소 활성 부위의 입체 구조가 변성되어 반응 속도가 급격히 느려진다.

③ **기질의 농도:** 초기 반응 속도가 기질 농도에 따라 증가하다가 기질 농도가 일정 수준에 이르면 모든 효소가 기질과 결합한 포화 상태에 이르기 때문에 반응 속도가 일정해진다.

④ **저해제**

경쟁적 저해제	비경쟁적 저해제
기질과 경쟁적으로 효소의 활성 부위에 결합하여 효소·기질 복합체 형성을 저해함	효소의 활성 부위가 아닌 다른 부위에 결합하여 효소·기질 복합체 형성을 저해함

한번에 끝내는 대단원 문제

정답과 해설 024쪽

01 그림은 생물을 구성하는 물질 (가)~(다)와 각각의 특징 ㉠~㉢을 선으로 연결한 것을, 표는 특징 ㉠~㉢을 순서 없이 나타낸 것이다. (가)~(다)는 각각 탄수화물, 단백질, 핵산 중 하나이다.

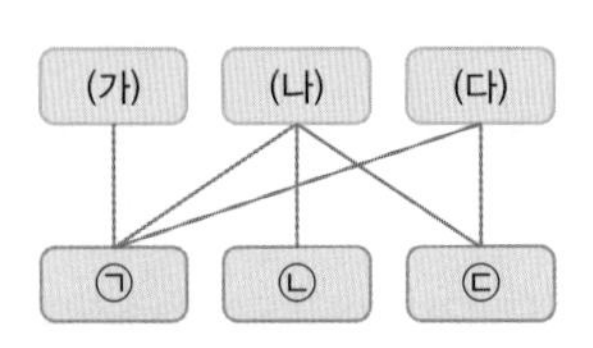

특징(㉠~㉢)
• 효소의 주성분이다.
• 구성 원소에 질소(N)가 있다.
• 탄소 화합물이다.

이에 대한 설명으로 옳은 것만을 〈보기〉에서 있는 대로 고른 것은?

〈보기〉
ㄱ. (가)는 탄수화물이다.
ㄴ. (나)에 펩타이드 결합이 있다.
ㄷ. '탄소 화합물이다.'는 ㉡이다.

① ㄱ ② ㄴ ③ ㄱ, ㄴ
④ ㄱ, ㄷ ⑤ ㄴ, ㄷ

02 표는 DNA와 RNA의 특징 ㉠~㉢의 유무를 나타낸 것이다.

특징 \ 핵산	DNA	RNA
㉠	○	○
㉡	○	×
㉢	×	○

(○: 있음, ×: 없음)

이에 대한 설명으로 옳은 것만을 〈보기〉에서 있는 대로 고른 것은?

〈보기〉
ㄱ. '기본 단위는 뉴클레오타이드이다.'는 ㉠에 해당한다.
ㄴ. '2중 나선 구조이다.'는 ㉡에 해당한다.
ㄷ. '염기에 타이민(T)이 있다.'는 ㉢에 해당한다.

① ㄱ ② ㄴ ③ ㄱ, ㄴ
④ ㄱ, ㄷ ⑤ ㄱ, ㄴ, ㄷ

03 표는 생물 ㉠과 ㉡에서 구성 단계 Ⅰ~Ⅲ의 유무를 나타낸 것이다. ㉠과 ㉡은 각각 사자와 해바라기 중 하나이고, Ⅰ~Ⅲ은 각각 조직, 기관계, 기관 중 하나이다.

구성 단계 \ 생물	㉠	㉡
Ⅰ	○	×
Ⅱ	ⓐ	○
Ⅲ	○	ⓑ

(○: 있음, ×: 없음)

이에 대한 설명으로 옳은 것만을 〈보기〉에서 있는 대로 고른 것은?

〈보기〉
ㄱ. ㉠은 해바라기이다.
ㄴ. Ⅰ은 기관계이다.
ㄷ. ⓐ와 ⓑ는 모두 '○'이다.

① ㄱ ② ㄷ ③ ㄱ, ㄴ
④ ㄱ, ㄷ ⑤ ㄴ, ㄷ

고난도

04 그림은 리보솜, 미세 소관, 미토콘드리아를 특징에 따라 구분하는 과정을 나타낸 것이다.

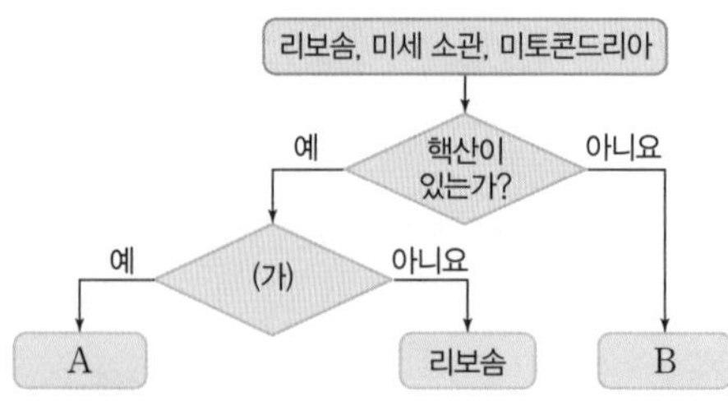

이에 대한 설명으로 옳은 것만을 〈보기〉에서 있는 대로 고른 것은?

〈보기〉
ㄱ. A는 크리스타를 가지고 있다.
ㄴ. '단백질이 있는가?'는 (가)에 해당한다.
ㄷ. B는 섬모를 구성한다.

① ㄱ ② ㄷ ③ ㄱ, ㄴ
④ ㄱ, ㄷ ⑤ ㄱ, ㄴ, ㄷ

05 표는 세포 소기관 A~C의 특징을, 그림은 A~C의 공통점과 차이점을 나타낸 것이다. A~C는 각각 핵, 엽록체, 미토콘드리아 중 하나이다.

세포 소기관	특징
A	광합성이 일어난다.
B	생명 활동의 중심이다.
C	세포 호흡이 일어난다.

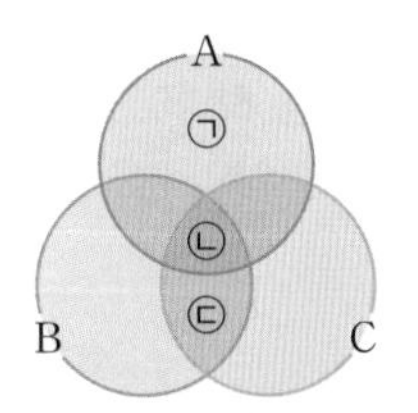

이에 대한 설명으로 옳은 것만을 〈보기〉에서 있는 대로 고른 것은?

보기
ㄱ. '인이 있다.'는 ㉠에 해당한다.
ㄴ. 'DNA가 있다.'는 ㉡에 해당한다.
ㄷ. '2중막으로 구성되어 있다.'는 ㉢에 해당한다.

① ㄱ ② ㄴ ③ ㄱ, ㄴ
④ ㄱ, ㄷ ⑤ ㄱ, ㄴ, ㄷ

06 그림은 세포벽을 제거한 식물 세포 파쇄액으로부터 세포 소기관을 분리하는 과정을 나타낸 것이다. 미토콘드리아, 엽록체, 핵은 각각 A~C 중 서로 다른 하나에만 있으며, B와 C는 각각 2차 원심 분리했을 때의 상층액과 침전물 중 하나이다. B에는 세포 호흡을 하는 세포 소기관이 있다.

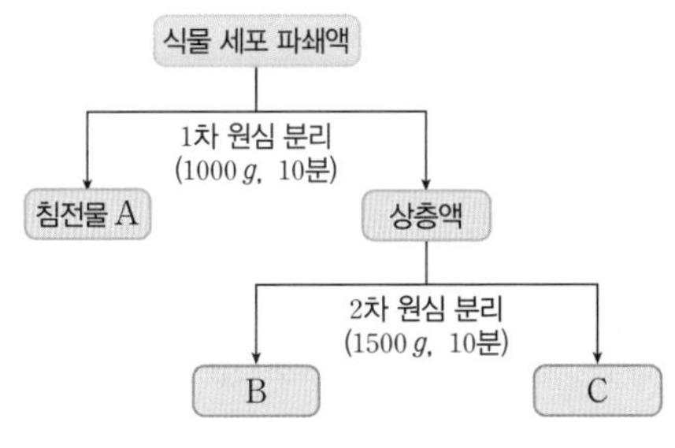

이에 대한 설명으로 옳은 것만을 〈보기〉에서 있는 대로 고른 것은?

보기
ㄱ. A에는 핵이 있다.
ㄴ. B는 2차 원심 분리의 상층액이다.
ㄷ. C에는 광합성을 하는 세포 소기관이 있다.

① ㄱ ② ㄴ ③ ㄱ, ㄴ
④ ㄴ, ㄷ ⑤ ㄱ, ㄴ, ㄷ

고난도

07 다음은 막을 통한 물질 이동에 대한 실험이다.

[실험 과정 및 결과]
(가) 반투과성 막으로 된 주머니에 10 % 설탕 용액을 넣고 밀봉한다.
(나) 밀봉된 주머니를 4 % 설탕 용액이 들어 있는 비커에 넣는다.

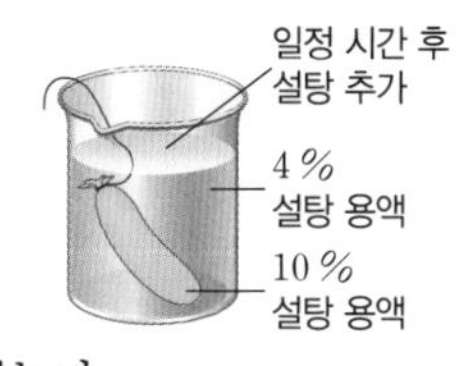

(다) 일정 시간 후 비커에 설탕을 추가로 넣는다.
(라) (나) 시점부터 시간에 따른 주머니의 부피를 측정한 결과는 그림과 같다.

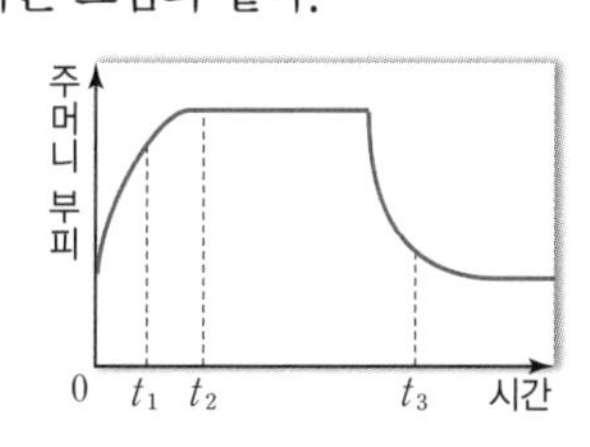

이에 대한 설명으로 옳은 것만을 〈보기〉에서 있는 대로 고른 것은?

보기
ㄱ. 주머니 안의 삼투압은 t_1일 때가 t_2일 때보다 낮다.
ㄴ. t_3일 때 주머니 안과 밖으로의 물의 이동은 없다.
ㄷ. 단위 시간당 주머니 안으로 이동하는 물의 양은 t_1에서가 t_3에서보다 많다.

① ㄱ ② ㄷ ③ ㄱ, ㄴ
④ ㄱ, ㄷ ⑤ ㄴ, ㄷ

08 그림은 기준 A와 B에 따라 능동 수송, 촉진 확산, 단순 확산을 구분하는 과정을 나타낸 것이다.

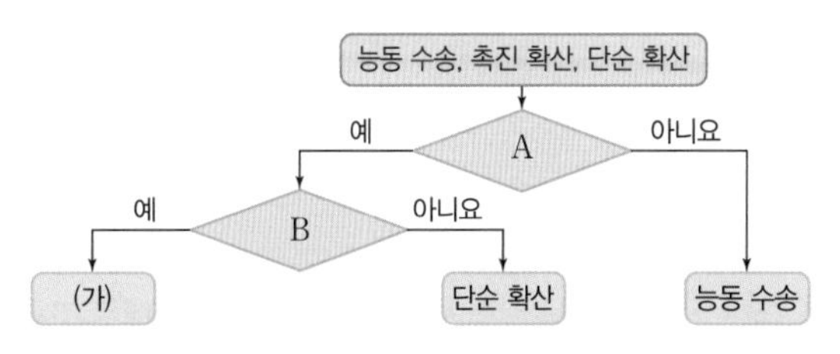

이에 대한 설명으로 옳은 것만을 〈보기〉에서 있는 대로 고른 것은?

보기
ㄱ. '고농도에서 저농도로 물질이 이동하는가?'는 A에 해당한다.
ㄴ. '막단백질을 이용하는가?'는 B에 해당한다.
ㄷ. (가)는 에너지를 소비하는 물질 이동 방식이다.

① ㄱ ② ㄷ ③ ㄱ, ㄴ
④ ㄱ, ㄷ ⑤ ㄴ, ㄷ

09 그림 (가)는 세포막을 통한 물질의 이동 방식 Ⅰ과 Ⅱ를, (나)는 물질 ㉠이 들어 있는 배양액에 세포를 넣은 후 시간에 따른 ㉠의 세포 안 농도를 나타낸 것이다. Ⅰ과 Ⅱ는 능동 수송과 촉진 확산을 순서 없이 나타낸 것이고, ㉠의 이동 방식은 Ⅰ과 Ⅱ 중 하나이다. C는 ㉠의 세포 안과 밖의 농도가 같아졌을 때 ㉠의 세포 안 농도이다.

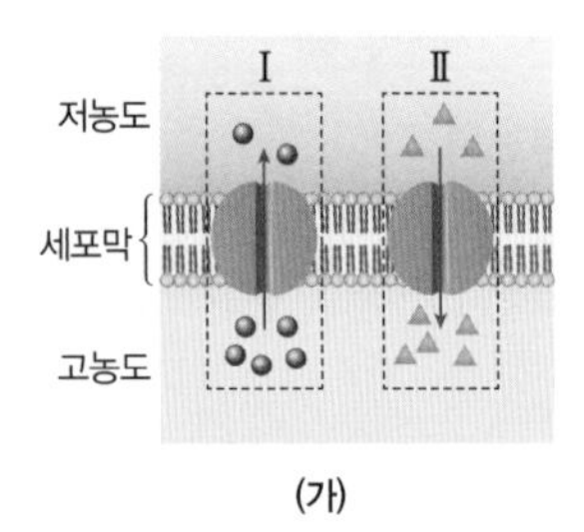

(가)

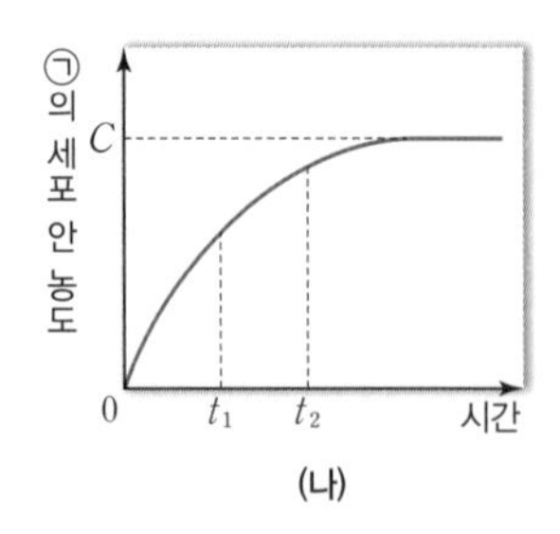

(나)

이에 대한 설명으로 옳은 것만을 〈보기〉에서 있는 대로 고른 것은?

> 보기
> ㄱ. Ⅰ은 촉진 확산이다.
> ㄴ. ㉠의 이동 방식은 Ⅱ이다.
> ㄷ. ㉠의 세포 안과 밖의 농도 차는 t_1일 때가 t_2일 때보다 작다.

① ㄱ ② ㄴ ③ ㄷ
④ ㄱ, ㄴ ⑤ ㄱ, ㄷ

10 그림 (가)는 효소 X에 의한 반응을, (나)는 온도에 따른 효소 X의 반응 속도를 나타낸 것이다.

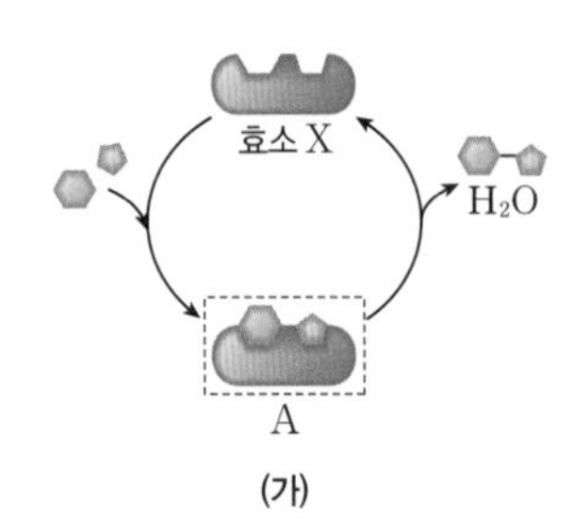

(가)

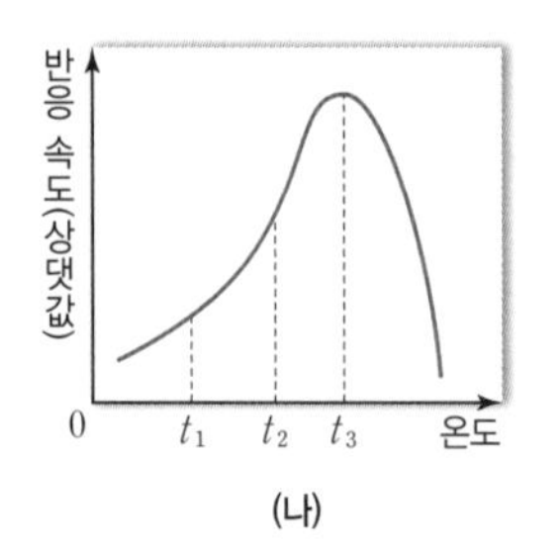

(나)

이에 대한 설명으로 옳은 것만을 〈보기〉에서 있는 대로 고른 것은?

> 보기
> ㄱ. A는 효소·기질 복합체이다.
> ㄴ. (나)에서 단위 시간당 형성되는 A의 농도는 t_1일 때가 t_2일 때보다 높다.
> ㄷ. t_3 이후 X의 반응 속도가 감소하는 것은 X가 변성되기 때문이다.

① ㄱ ② ㄷ ③ ㄱ, ㄴ
④ ㄱ, ㄷ ⑤ ㄴ, ㄷ

고난도

11 그림 (가)는 사람의 효소 A에 의한 반응에서 저해제 X가 있을 때와 없을 때의 기질 농도에 따른 초기 반응 속도를, (나)는 효소 A에 의한 반응에서 기질의 농도가 S_1일 때 생성물 양의 변화를 나타낸 것이다. X는 경쟁적 저해제와 비경쟁적 저해제 중 하나이고, ㉠과 ㉡은 반응 온도가 15 ℃와 37 ℃일 때 생성물 양의 변화를 순서 없이 나타낸 것이다.

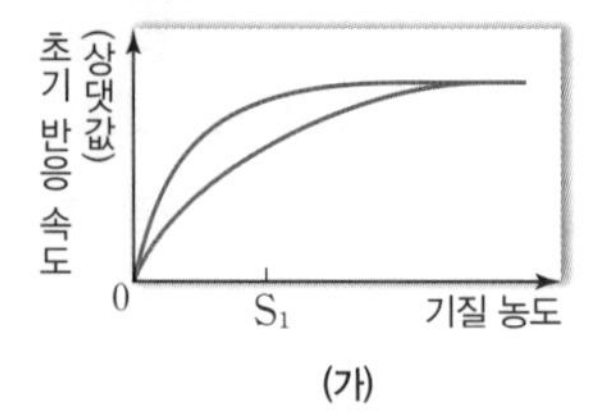

(가)

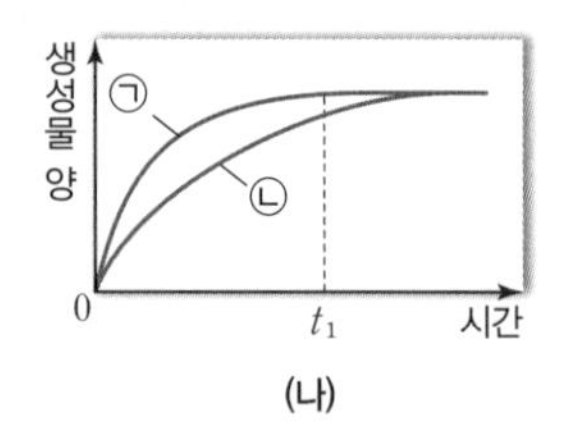

(나)

이에 대한 설명으로 옳은 것만을 〈보기〉에서 있는 대로 고른 것은? (단, 제시된 조건 이외의 다른 조건은 동일하며, (나)는 X가 없을 때이다.)

> 보기
> ㄱ. X는 경쟁적 저해제이다.
> ㄴ. ㉠은 37 ℃에서 생성물 양의 변화이다.
> ㄷ. t_1일 때 효소 A의 초기 반응 속도는 ㉠에서가 ㉡에서보다 빠르다.

① ㄱ ② ㄴ ③ ㄱ, ㄴ
④ ㄴ, ㄷ ⑤ ㄱ, ㄴ, ㄷ

12 표는 효소 X에 의한 반응에서 실험 Ⅰ~Ⅳ의 조건을, 그림은 Ⅰ~Ⅳ에서 기질 농도에 따른 초기 반응 속도를 나타낸 것이다. ㉠과 ㉡은 각각 경쟁적 저해제와 비경쟁적 저해제 중 하나이다.

실험	Ⅰ	Ⅱ	Ⅲ	Ⅳ
X의 농도 (상댓값)	1	1	1	0.5
저해제 ㉠	×	○	×	×
저해제 ㉡	×	×	○	○

(○: 있음, ×: 없음)

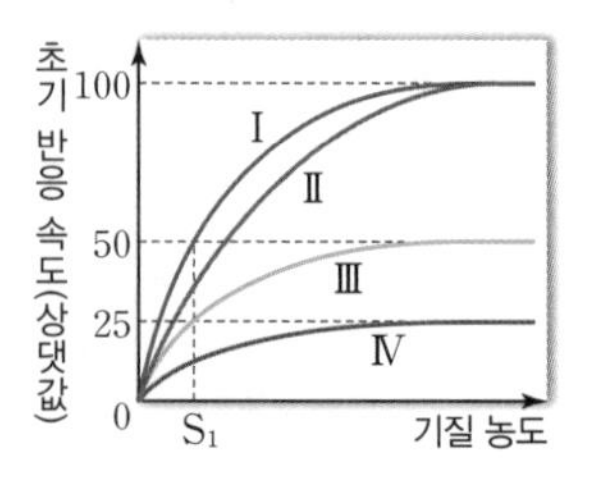

이에 대한 설명으로 옳은 것만을 〈보기〉에서 있는 대로 고른 것은? (단, 제시된 조건 이외의 다른 조건은 동일하다.)

> 보기
> ㄱ. ㉡은 X의 활성 부위에 결합한다.
> ㄴ. S_1일 때 $\frac{\text{기질과 결합한 X의 수}}{\text{효소 X의 총 수}}$는 Ⅰ에서가 Ⅲ에서의 2배이다.
> ㄷ. S_1일 때 X에 의한 반응의 활성화 에너지는 Ⅲ에서가 Ⅳ에서보다 크다.

① ㄱ ② ㄴ ③ ㄷ
④ ㄱ, ㄴ ⑤ ㄱ, ㄷ

13 그림 (가)와 (나)는 각각 DNA와 단백질을 구성하는 단위체를 나타낸 것이다.

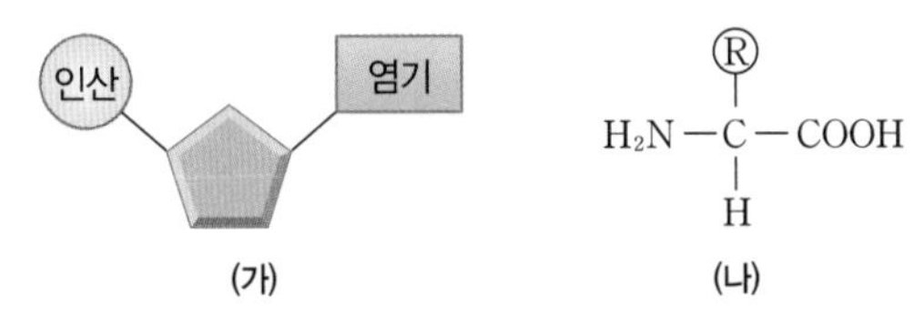

DNA와 단백질을 구성하는 (가)와 (나)는 각각 모두 몇 종류가 있으며, (가)와 (나)의 종류는 위 그림에서 어느 부분에 의해 결정되는지 각각 쓰시오.

[14~16] 그림 (가)~(다)는 각각 대장균, 동물 세포, 식물 세포를 순서 없이 나타낸 것이다. A와 B는 각각 엽록체, 미토콘드리아 중 하나이다.

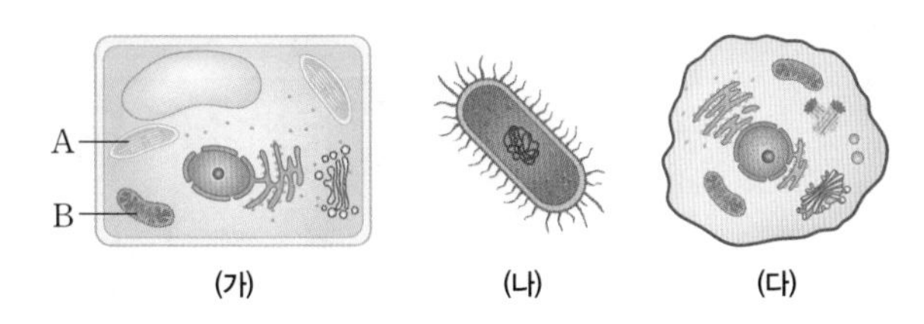

14 (가)~(다)는 각각 무엇인지 쓰시오.

서술형

15 (가)~(다)의 공통점을 2가지 서술하시오.

서술형

16 A와 B 각각의 명칭을 쓰고, A와 B의 공통점을 2가지 서술하시오.

서술형

17 그림 (가)는 농도가 서로 다른 설탕 용액 A와 B를 반투과성 막으로 분리된 U자관의 양쪽에 각각 같은 양씩 넣은 모습을, (나)는 충분한 시간이 지난 후 더 이상 수면의 높이 변화가 없을 때의 설탕 용액 A′와 B′의 모습을 나타낸 것이다. 설탕은 반투과성 막을 통과하지 못한다.

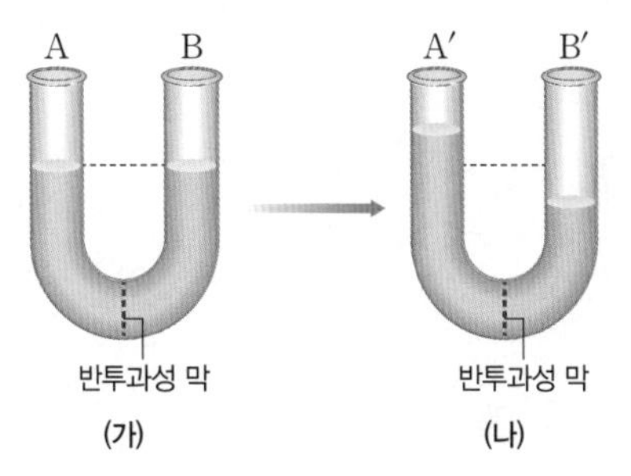

A와 B 중 설탕 농도가 더 높은 용액을 쓰고, 그렇게 판단한 까닭을 서술하시오.

서술형

18 다음은 감자즙에 들어 있는 효소인 카탈레이스의 활성을 알아보기 위한 실험이다.

(가) 시험관 A~C에 1 % 과산화 수소수를 넣고 A는 35 ℃ 물, B는 얼음물, C는 90 ℃ 물에 담가 둔다.
(나) 일정 시간 후 A~C에 감자즙을 충분히 묻힌 거름종이 조각을 넣고, 거름종이 조각이 용액 위로 완전히 떠오르는 데 걸리는 시간을 측정한다.

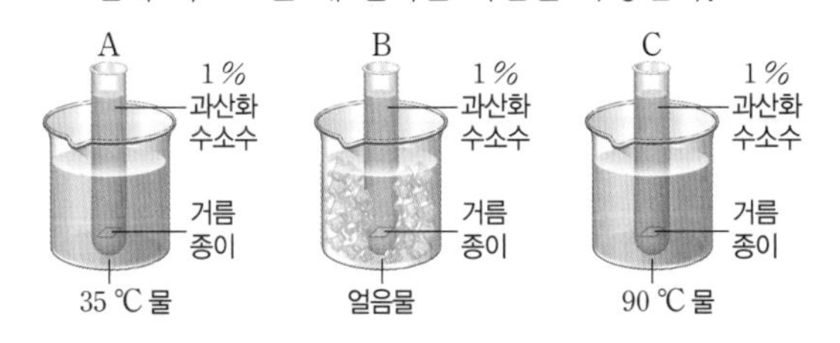

[실험 결과]

시험관	A	B	C
거름종이가 떠오르는 데 걸리는 시간(초)	3.8	20.6	17.8

거름종이가 떠오를 수 있는 이유와 이 실험 결과로 알 수 있는 사실을 서술하시오.

Ⅲ 세포 호흡과 광합성

나의 학습 계획표

중단원	소단원	계획일	실천일	성취도
1 세포 호흡과 발효	01. 세포 호흡	/	/	○△×
	02. 발효	/	/	○△×
	수능 POOL + 실전! 수능 도전하기	/	/	○△×
2 광합성	01. 광합성	/	/	○△×
	02. 광합성과 세포 호흡의 비교	/	/	○△×
	수능 POOL + 실전! 수능 도전하기	/	/	○△×
	대단원 정리 + 문제	/	/	○△×

1 세포 호흡과 발효

배울 내용 살펴보기

01 세포 호흡

- A 세포 호흡의 의미와 해당 과정
- B 피루브산의 산화와 TCA 회로
- C 산화적 인산화
- D 세포 호흡의 에너지 생산
- E 호흡 기질과 호흡률

세포 호흡은 영양분으로부터 생명 활동에 필요한 에너지를 얻은 과정으로 해당 과정, 피루브산의 산화와 TCA 회로, 산화적 인산화 세 단계로 이루어져 있어.

02 발효

- A 산소 호흡과 발효
- B 발효 과정
- C 실생활에서 발효의 이용

발효는 산소가 없는 환경에서 유기물을 분해하여 에너지를 얻는 것으로, 생성되는 물질의 종류에 따라 알코올 발효와 젖산 발효가 있어.

01 세포 호흡

핵심 키워드로 흐름잡기

- A 세포 호흡, 해당 과정, 기질 수준 인산화
- B 피루브산의 산화, TCA 회로, 탈탄산 효소, 탈수소 효소
- C 전자 전달계, 화학 삼투, ATP 합성, 산화적 인산화
- D 기질 수준 인산화에 의한 ATP 합성, 산화적 인산화에 의한 ATP 합성, 에너지 효율
- E 호흡 기질, 탄수화물, 지방, 단백질, 호흡률

A 세포 호흡의 의미와 해당 과정

|출·제·단·서| 시험에는 세포 호흡의 각 단계가 일어나는 장소와 해당 과정의 의의, 해당 과정의 구체적인 화학 반응을 알고 있는지 묻는 문제가 나와.

1. 세포 호흡 세포가 영양분으로부터 생명 활동에 필요한 에너지를 얻는 과정이다.

(1) 세포 호흡 전체의 반응식

$$C_6H_{12}O_6 + 6O_2 \longrightarrow 6CO_2 + 6H_2O + \text{에너지(최대 32ATP + 열에너지)}$$

(2) 세포 호흡의 단계 세포질에서 일어나는 해당 과정, 미토콘드리아 기질에서 일어나는 피루브산의 산화와 TCA 회로, 미토콘드리아 내막에서 일어나는 산화적 인산화로 이루어진다.

2. 해당 과정 1분자의 포도당이 2분자의 •피루브산으로 분해되는 과정이다.

(1) 반응의 특징 세포질에서 일어나고 산소의 유무와 관계없이 일어나지만 NAD^+가 공급되어야 한다. 해당 과정은 진핵세포에서는 포도당이 미토콘드리아로 들어갈 수 없어 작은 분자인 피루브산으로 분해되는 과정이고, 미토콘드리아가 없는 원핵세포에서는 에너지를 얻기 위한 과정이다.

(2) 반응 경로 암기TIP 1분자의 포도당의 해당 과정 결과: 2피루브산, 2NADH, 2ATP

① **ATP 소모 단계:** 2ATP를 소비하여 포도당(C_6)이 과당 2인산(C_6)으로 전환된다.

② **ATP 생성 단계:** 과당 2인산(C_6)이 여러 단계를 거쳐 2분자의 피루브산(C_3)으로 산화되면서 기질 수준 인산화❶ 과정에 의해 4ATP, 탈수소 효소❷의 작용으로 2NADH가 생성된다.

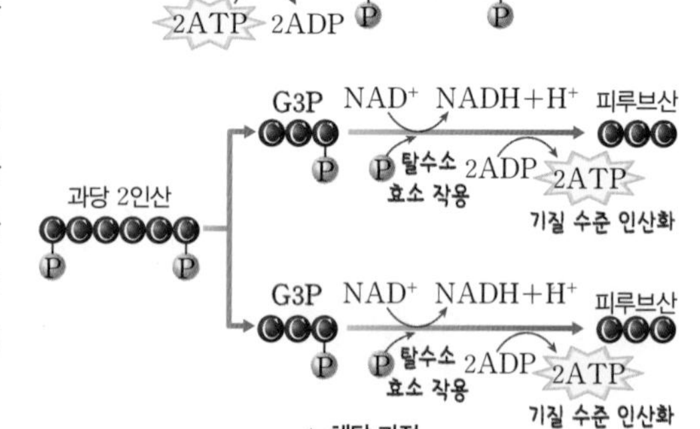

▲ 해당 과정

(3) 전체 반응 1분자의 포도당(C_6)이 2분자의 피루브산(C_3)으로 분해되는 동안 2ATP와 2NADH가 순생성된다.

$$C_6H_{12}O_6 + 2NAD^+ + 2ADP + 2P_i \longrightarrow 2C_3H_4O_3 + 2NADH + 2H^+ + 2ATP$$

빈출 자료 세포 호흡의 단계와 반응 장소

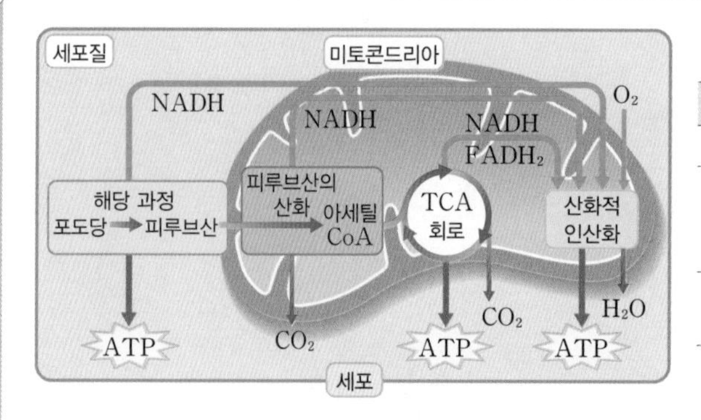

단계	장소	산소
해당 과정	세포질	무관
피루브산의 산화와 TCA 회로	미토콘드리아 기질	필요
산화적 인산화	미토콘드리아 내막	필요

❶ 기질 수준 인산화
세포 호흡 과정 중 일부(해당 과정, TCA 회로)에서 효소의 작용으로 기질에 결합한 P(인산)이 ADP로 전달되어 ATP가 합성된다. 기질 수준 인산화의 '기질'은 호흡 기질인 유기물을 뜻하는 말이다.

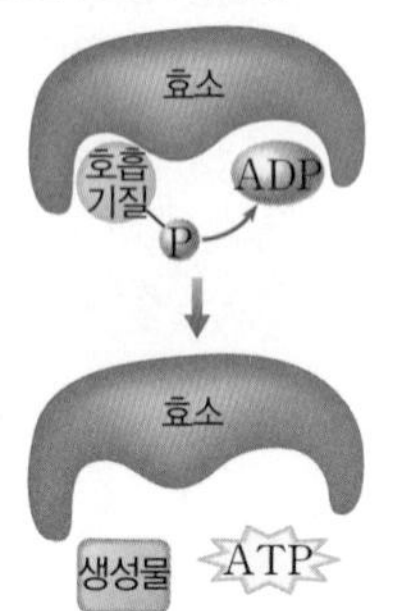

❷ 탈수소 효소
호흡 기질로부터 수소(전자)를 떼어내어 기질을 산화시키는 효소이다. 조효소로 NAD^+나 FAD를 이용한다. 탈수소 효소의 작용으로 NAD^+는 1개의 H^+과 함께 2개의 전자를 받고, FAD는 2개의 H^+과 함께 2개의 전자를 받는다.

$$NAD^+ + 2H^+ + 2e^- \rightleftharpoons NADH + H^+$$

$$FAD + 2H^+ + 2e^- \rightleftharpoons FADH_2$$

용어 알기

•피루브산(pyruvic acid) 화학식은 $C_3H_4O_3$이며, 자극적인 냄새를 가진 산성 물질

B 피루브산의 산화와 TCA 회로

|출·제·단·서| 시험에는 피루브산의 산화와 TCA 회로의 과정, 생성물, 해당 과정 및 산화적 인산화와의 관계를 아는지 함께 묻는 문제가 나와.

1. 피루브산의 산화❸ 해당 과정에서 생성된 피루브산은 산소가 있을 때 미토콘드리아 기질로 이동하여 산화되고 •아세틸 CoA가 된다.

(1) 피루브산의 이동 피루브산은 미토콘드리아 내막에 있는 운반체 단백질에 의해 미토콘드리아 기질로 이동하고 피루브산 탈수소 효소 복합체❹에 의해 산화된다.

(2) 반응 경로 피루브산이 이동하는 동안 이산화 탄소가 방출되고, NAD^+는 H^+과 전자를 받아 NADH로 환원된다. 피루브산은 조효소A(CoA)와 결합해 아세틸 CoA로 전환된다.

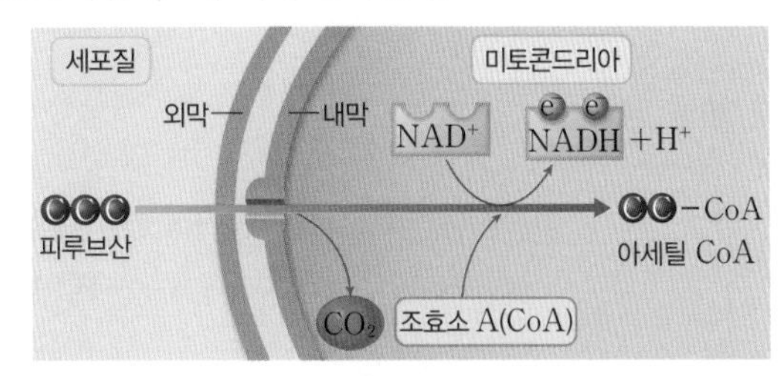

▲ 피루브산의 산화

2. TCA 회로❺ 피루브산의 산화로 형성된 아세틸 CoA는 옥살아세트산과 결합하여 시트르산이 되고, 시트르산은 여러 화학 반응을 거쳐 다시 옥살아세트산이 되는데, 재생된 옥살아세트산은 아세틸 CoA와 결합하여 시트르산이 되는 회로를 반복한다.

(1) 반응의 특징 미토콘드리아 기질에 있는 여러 종류의 효소에 의해 일어나며, 반응에 산소가 직접 사용되지는 않지만 산소가 있어야 회로가 지속적으로 진행된다. ➡ NADH와 $FADH_2$가 산소를 직접 이용하는 산화적 인산화에서 산화되면 NAD^+와 FAD가 재생되므로 NADH와 $FADH_2$가 다량 생성되는 TCA 회로가 진행될 수 있다.

(2) 반응 경로 암기TiP 1분자의 포도당의 해당 과정, 피루브산의 산화와 TCA 회로 결과: $6CO_2$, 10NADH, $2FADH_2$, 4ATP

① **시트르산의 형성❶:** 2탄소 화합물(C_2)인 아세틸 CoA는 4탄소 화합물(C_4)인 옥살아세트산과 결합하여 6탄소 화합물(C_6)인 시트르산이 된다.

② **탈탄산 효소, 탈수소 효소의 작용❷:** 6탄소 화합물(C_6)인 시트르산이 산화되면서 NAD^+를 NADH로 환원시키고, CO_2를 잃으면서 5탄소 화합물(C_5)이 된다.

③ **탈탄산 효소, 탈수소 효소의 작용, 기질 수준 인산화❸:** 5탄소 화합물(C_5)이 CO_2를 잃고, NAD^+를 NADH로 환원시키면서 4탄소 화합물(C_4)이 된다. 이 과정에서 기질 수준 인산화로 ATP 1분자가 생성된다.

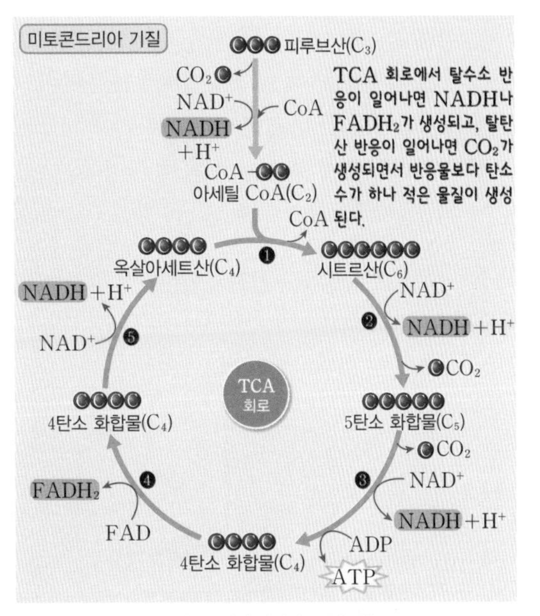

▲ 피루브산의 산화와 TCA 회로

④ **탈수소 효소의 작용❹:** 4탄소 화합물(C_4)이 산화되면서 FAD를 $FADH_2$로 환원시킨다.

⑤ **탈수소 효소의 작용, 옥살아세트산 재생❺:** 4탄소 화합물(C_4)이 산화되면서 NAD^+를 NADH로 환원시키고, 옥살아세트산(C_4)이 된다.

(3) 전체 반응 1분자의 아세틸 CoA(C_2)가 TCA 회로를 통해 완전 분해되는 과정에서 $2CO_2$, 3NADH와 $1FADH_2$, 기질 수준 인산화로 1ATP가 생성된다.

❸ 산화
산화는 어떤 물질이 산소를 얻거나 수소 또는 전자를 잃는 것이고, 환원은 어떤 물질이 산소를 잃거나 수소 또는 전자를 얻는 것이다. 산화 반응과 환원 반응은 동시에 일어나므로 산화 환원 반응이라고 한다. 세포 호흡 전체 반응 또한 산화 환원 반응이라고 볼 수 있다.

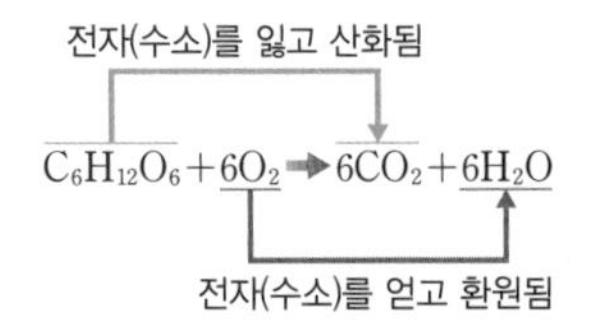

❹ 피루브산 탈수소 효소 복합체
미토콘드리아 내막에 붙어 있으며, 피루브산이 아세틸 CoA로 되는 과정에서 일어나는 탈탄산 반응, 탈수소 반응, 아세틸기 전이 반응의 세 과정을 촉매하는 효소들이 모여 복합체를 이룬 것이다.

❺ TCA 회로
TCA는 Tri-Carboxylic Acid의 약자이다. TCA는 이 회로의 초기 반응 물질인 시트르산이 3개의 카복실기(-COOH)를 갖기 때문에 붙여진 이름으로, 이 물질의 이름을 사용하여 시트르산 회로라고도 하고, TCA 회로를 발견한 생화학자인 크레브스(Krebs, H. A.)의 이름을 사용하여 크레브스 회로라고도 한다.

➕ 1분자의 피루브산(C_3)이 피루브산의 산화와 TCA 회로를 통해 완전 분해되는 과정 결과
탈탄산 효소의 작용으로 $3CO_2$가, 탈수소 효소의 작용으로 4NADH와 $1FADH_2$가, 기질 수준 인산화로 1ATP가 생성된다.

용어 알기
•아세틸 CoA(Acetyl coenzyme A) 아세트산이 조효소 A(CoA)와 결합하여 반응성이 높아진 상태로, 활성 아세트산이라고도 함

C 산화적 인산화

|출·제·단·서| 시험에는 전자 전달계와 산화적 인산화의 과정, 화학 삼투의 원리를 묻는 문제가 나와.

1. 산화적 인산화 전자 전달계와 화학 삼투에 의해 ATP가 합성되는 과정이다.

(1) 미토콘드리아 내막❻에 있는 전자 전달계와 ATP 합성 효소❼에 의해 일어난다.

(2) 전자 전달계의 최종 전자 수용체로 산소가 직접 사용된다.

(3) 산소가 없으면 NADH와 $FADH_2$가 산화되지 않으므로 피루브산의 산화와 TCA 회로가 억제된다.

2. 반응 경로

산화적 인산화 = 전자 전달계(전자의 전달) + 화학 삼투(H^+ 확산, ATP 합성)
└── H^+ 농도 차 형성 ──┘

(1) 전자 전달계에 의한 H^+의 농도 기울기 형성 개념 POOL

① **전자 전달계:** 미토콘드리아 내막의 전자 운반체들이 일련의 사슬을 이루며 산화 환원 반응을 통해 차례대로 전자를 주고받는 반응계로, 일부 전자 운반체는 H^+을 미토콘드리아 기질에서 막 사이 공간으로 •능동 수송한다.

② **전자 전달계에 의한 전자 전달 과정**

NADH와 $FADH_2$의 산화로 고에너지 전자와 H^+을 방출 → 고에너지 전자가 일련의 전자 전달 효소 복합체와 전자 운반체의 산화 환원 반응에 의해 차례대로 전달 → 최종적으로 전자는 O_2로 전달되고 O_2는 전자와 H^+을 받아 H_2O로 환원

③ **H^+의 농도 기울기 형성:** 고에너지 전자가 여러 전자 운반체에 차례대로 전달되는 과정에서 방출되는 에너지를 이용해 일부 전자 전달 효소 복합체가 양성자 펌프로 작용하여 H^+을 능동 수송한다. ➡ 내막을 경계로 H^+의 농도 기울기(pH 기울기)가 형성된다.

(2) 화학 삼투❽와 ATP 합성 미토콘드리아 내막을 경계로 형성된 H^+의 농도 기울기에 의해 H^+이 ATP 합성 효소를 통해 막 사이 공간에서 미토콘드리아 기질로 확산되는 과정이다.
➡ H^+이 화학 삼투에 의해 ATP 합성 효소를 통과할 때 ATP가 합성된다. 탐구 POOL

빈출 자료 화학 삼투와 산화적 인산화

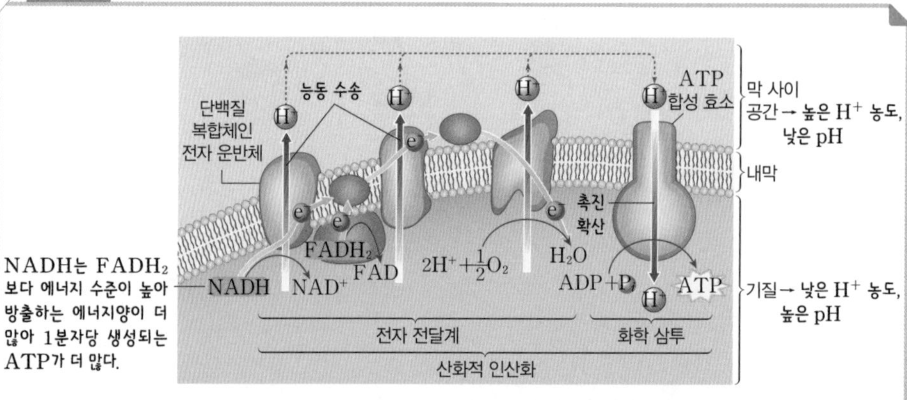

❶ 세포 호흡에서 산소 소모량: NADH와 $FADH_2$가 전자 전달계를 통해 이동할 때 NADH와 $FADH_2$ 각 1분자당 $\frac{1}{2}$분자의 O_2가 최종 전자 수용체로 소모되어 1분자의 H_2O이 생성된다.

❷ NADH와 $FADH_2$의 에너지 수준: NADH와 $FADH_2$가 전자 전달계를 통해 산화될 때 NADH 1분자당 약 2.5분자의 ATP가 합성되고, $FADH_2$ 1분자당 약 1.5분자의 ATP가 합성된다.

---

❻ 미토콘드리아 내막
미토콘드리아는 2중막을 가진 세포 소기관으로 세포질 쪽 막이 외막, 미토콘드리아 기질 쪽 막이 내막이다. 외막과 내막 사이의 공간을 막 사이 공간 또는 막간 공간이라고 한다.

❼ ATP 합성 효소
미토콘드리아 내막에 존재하며, H^+의 이동으로 발생하는 에너지를 이용하여 ADP와 P_i을 결합시켜 ATP를 합성하는 효소이다.

❽ 화학 삼투
생체막을 경계로 H^+의 농도 기울기에 따라 H^+ 농도가 높은 곳에서 낮은 곳으로 H^+이 확산되는 것이다. 화학 삼투에 의해 H^+이 ATP 합성 효소를 통해 확산될 때 ATP가 합성된다.

⊕ 미첼(Mitchell, P. D.)
미토콘드리아의 내막에서 전자 전달과 ATP 합성이 모두 일어난다는 화학 삼투설을 주장하였으며, 이 공로로 1978년 노벨 화학상을 수상하였다.

용어 알기
•능동 수송(능할 能, 움직일 動, 보낼 輸, 보낼 送, active transport) 에너지와 특정 수송 단백질의 도움으로 농도 기울기를 거슬러 낮은 농도 쪽에서 높은 농도 쪽으로 물질을 이동시키는 현상

D 세포 호흡의 에너지 생산

|출·제·단·서| 시험에는 산소 호흡 과정에서 각 단계별 ATP 생성 원리 및 ATP 생성량을 비교하는 문제가 나와.

1. 세포 호흡에서 에너지 생성 해당 과정과 TCA 회로에서 기질 수준 인산화로, 해당 과정, 피루브산의 산화와 TCA 회로에서 생성된 NADH와 $FADH_2$에 의해 산화적 인산화로 ATP가 합성된다.

2. 세포 호흡의 단계에 따른 ATP 합성

(1) 기질 수준 인산화에 의한 ATP 합성 1분자의 포도당이 세포 호흡에 사용되면 해당 과정에서 2ATP, TCA 회로에서 2ATP가 생성된다.

(2) 산화적 인산화에 의한 ATP 합성[9] 1분자의 포도당이 해당 과정, 피루브산의 산화와 TCA 회로를 거치면 10NADH와 $2FADH_2$[10]가 생성되므로 최대 28ATP가 생성된다.

1분자의 포도당이 세포 호흡 전체에서 32ATP 생성＝해당 과정 2ATP＋피루브산의 산화와 TCA 회로 2ATP＋산화적 인산화 28ATP

과정	전자의 흐름	ATP 생성	장소
해당 과정	2NADH ← 포도당 (C_6) → 피루브산 ($2C_3$)	기질 수준 인산화 → 2ATP	세포질
피루브산의 산화	2NADH ← 아세틸 CoA ($2C_2$)	$2CO_2$	기질 (미토콘드리아)
TCA 회로	6NADH, $2FADH_2$ ← TCA 회로 → $4CO_2$ → $6CO_2$; $10NADH+10H^+$, $2FADH_2$	기질 수준 인산화 → 2ATP	기질 (미토콘드리아)
산화적 인산화	$24e^-$ → 전자 전달계; $6O_2+24H^+$ → $12H_2O$	산화적 인산화 → 28ATP; 32ATP	내막 (미토콘드리아)

▲ 세포 호흡의 단계에 따른 ATP 합성

빈출 계산연습 세포 호흡의 전 과정에서 *에너지 효율[11] 계산하기

1몰의 포도당이 세포 호흡을 거쳐 이산화 탄소와 물로 분해되는 반응에서 에너지 효율을 구해 보자.

- 1분자의 NADH로부터 2.5ATP가, 1분자의 $FADH_2$로부터 1.5ATP가 생성된다.
- 포도당이 이산화 탄소와 물로 완전히 분해되면 약 686 kcal/몰의 에너지가 방출된다.
- ADP가 ATP로 합성될 때 약 7.3 kcal/몰의 에너지가 필요하다.

1단계 1몰의 포도당에서 ATP 생성량을 구한다.
기질 수준 인산화 4ATP(해당 과정 2ATP + TCA 회로 2ATP)
+ 산화적 인산화 28ATP($10NADH \times 2.5ATP + 2FADH_2 \times 1.5ATP$) = 32ATP

2단계 1몰의 포도당의 열량에 대한 ATP 생성량의 비율을 구한다.
세포 호흡의 에너지 효율(%)$=\frac{32\times7.3\text{ kcal/몰}}{686\text{ kcal/몰}}\times100 \fallingdotseq 34\ \%$

⑨ 산화적 인산화에 의한 ATP 합성
해당 과정에서 생성된 2NADH가 전자 전달계로 들어가기 위해 미토콘드리아로 운반될 때 2ATP가 소모되는 경우가 있다. 이 경우는 1분자의 포도당으로부터 산화적 인산화에 의해 26분자의 ATP가 합성된다고 볼 수 있다. 즉, 해당 과정과 TCA 회로에서 기질 수준 인산화로 생성되는 ATP와 달리 산화적 인산화로 생성되는 ATP의 수는 세포의 유형에 따라 다를 수 있다.

⑩ NADH와 $FADH_2$로부터 합성되는 ATP 분자 수
NADH와 $FADH_2$ 각각의 분자로부터 생성되는 ATP 분자 수를 2.5, 1.5 등으로 나타내는데, 이것은 산화 환원 반응과 인산화 반응이 직접 연결되지 않아 대략적인 값으로 설명한 것이다.

⊕ ATP 합성 방해 물질

저해제	작용
DNP	미토콘드리아 막 사이 공간의 H^+이 내막의 인지질을 통해 기질 쪽으로 새어나가게 함
사이안화 물, 일산화 탄소	전자 전달계에서 전자의 전달을 억제
올리고 마이신	ATP 합성 효소의 작용을 억제

⑪ 세포 호흡의 에너지 효율
자동차 엔진 같은 내연 기관의 에너지 효율이 15~30 %인 것에 비하면 세포 호흡의 에너지 효율은 높다.

용어 알기

• 에너지 효율(본받을 效, 비율 率)(energy efficiency) 에너지 전환 장치에서 투입한 에너지의 양에 대하여 얻은 일의 양의 비율

E 호흡 기질과 호흡률

|출·제·단·서| 시험에는 호흡 기질에 따른 세포 호흡 과정, 호흡률을 통해 호흡 기질을 파악하는 문제가 나와.

1. •호흡 기질 세포 호흡을 통해 분해되어 에너지를 방출하는 유기물을 호흡 기질이라고 하며, 호흡 기질에는 탄수화물, 지방, 단백질이 있고 탄수화물이 주로 이용된다. 탄수화물이 고갈되면 지방이, 탄수화물과 지방이 거의 소모되면 단백질이 호흡 기질로 이용된다.

(1) 탄수화물 다당류인 글리코젠과 녹말은 포도당과 같은 단당류로 분해된 후 호흡 기질로 이용된다.

- **포도당:** 해당 과정 → 피루브산의 산화, TCA 회로 → 산화적 인산화

(2) 지방 지방산과 글리세롤로 분해된 후 호흡 기질로 이용된다.

① **지방산:** 아세틸 CoA로 분해된 후 TCA 회로 → 산화적 인산화

② **글리세롤:** 해당 과정 중간 산물로 전환된 후 해당 과정 → 피루브산의 산화, TCA 회로 → 산화적 인산화

(3) 단백질 아미노산으로 분해된 후 호흡 기질로 이용된다.

① 아미노산은 아미노기($-NH_2$)가 떨어져 나가는 탈아미노 반응⑫을 거쳐 유기산으로 전환된다.

② 유기산은 피루브산이나 아세틸 CoA, TCA 회로의 중간 산물 등으로 전환되어 피루브산의 산화 또는 TCA 회로 → 산화적 인산화

? 왜 지방은 탄수화물보다 에너지를 저장하는 데 효과적일까?
산소 호흡에서 에너지의 대부분은 산화적 인산화 과정에서 발생하는데, 산화적 인산화 과정에서 산소는 호흡 기질의 탄소와 반응하며, 수소는 고에너지 전자를 포함하게 된다. 탄수화물과 지방은 공통적으로 탄소, 수소, 산소로 구성되어 있는데 지방은 탄수화물보다 산소의 비율이 낮고 수소의 비율이 높아 에너지를 저장하는 데 효과적이다.

⑫ 탈아미노 반응
아미노기($-NH_2$)가 제거되는 반응이다. 여러 종류의 아미노산에서 탈아미노 반응이 일어나면, 아미노산의 종류만큼 다양한 유기산이 생성된다.

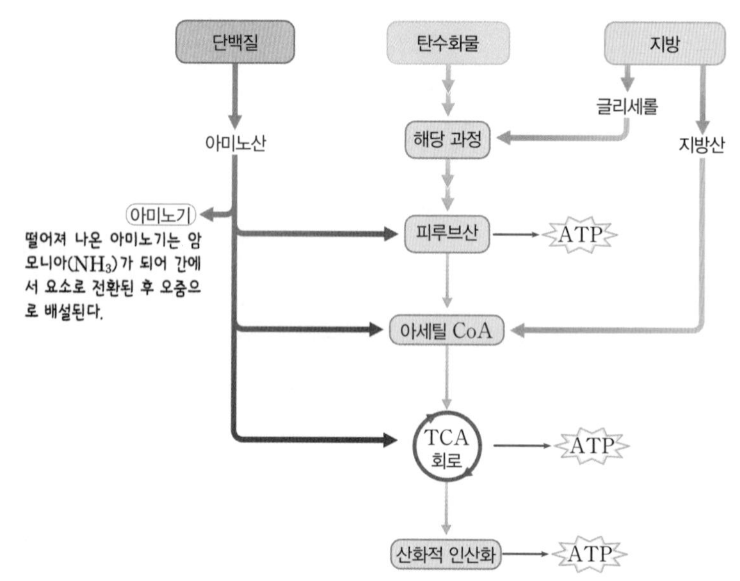

▲ 호흡 기질이 세포 호흡에 이용되는 경로

2. 호흡률

(1) 호흡률 호흡 기질이 세포 호흡을 통해 분해될 때 세포 호흡에 소비되는 산소의 부피에 대해 발생한 이산화 탄소의 부피 비이다. 탄수화물이 세포 호흡으로 분해될 때보다 같은 양의 지방이 분해될 때 더 많은 산소가 소비된다.

$$호흡률 = \frac{생성된\ 이산화\ 탄소의\ 부피}{이용된\ 산소의\ 부피}$$

(2) 호흡 기질의 종류에 따른 호흡률⑬

① 호흡 기질로 이용되는 탄수화물, 단백질, 지방은 각각 탄소, 수소, 산소의 구성비가 다르므로 호흡 기질의 종류에 따라 호흡률이 달라진다.

② 탄수화물, 지방, 단백질의 호흡률이 각각 1.0, 0.7, 0.8로 서로 다르기 때문에 호흡률을 측정하면 이용되는 호흡 기질의 종류를 알 수 있다.

⑬ 호흡 기질의 종류에 따른 호흡률

호흡 기질	반응식	호흡률
탄수화물 (포도당)	$C_6H_{12}O_6 + 6O_2 \rightarrow 6CO_2 + 6H_2O$	$\frac{6}{6}=1$
지방 (스테아르산)	$C_{18}H_{36}O_2 + 26O_2 \rightarrow 18CO_2 + 18H_2O$	$\frac{18}{26} \fallingdotseq 0.7$
단백질 (류신)	$2C_6H_{13}O_2N + 15O_2 \rightarrow 12CO_2 + 10H_2O + 2NH_3$	$\frac{12}{15}=0.8$

용어 알기

•호흡 기질(숨을 내쉴 呼, 숨을 들이쉴 吸, 터 基, 바탕 質, respiratory substrate) 생물체 내에서 분해되어 에너지를 방출하는 데 이용되는 물질

미토콘드리아 속 전자의 여행

목표 미토콘드리아 내막에서 일어나는 전자 전달계를 통한 전자 이동의 원리를 이해할 수 있다.

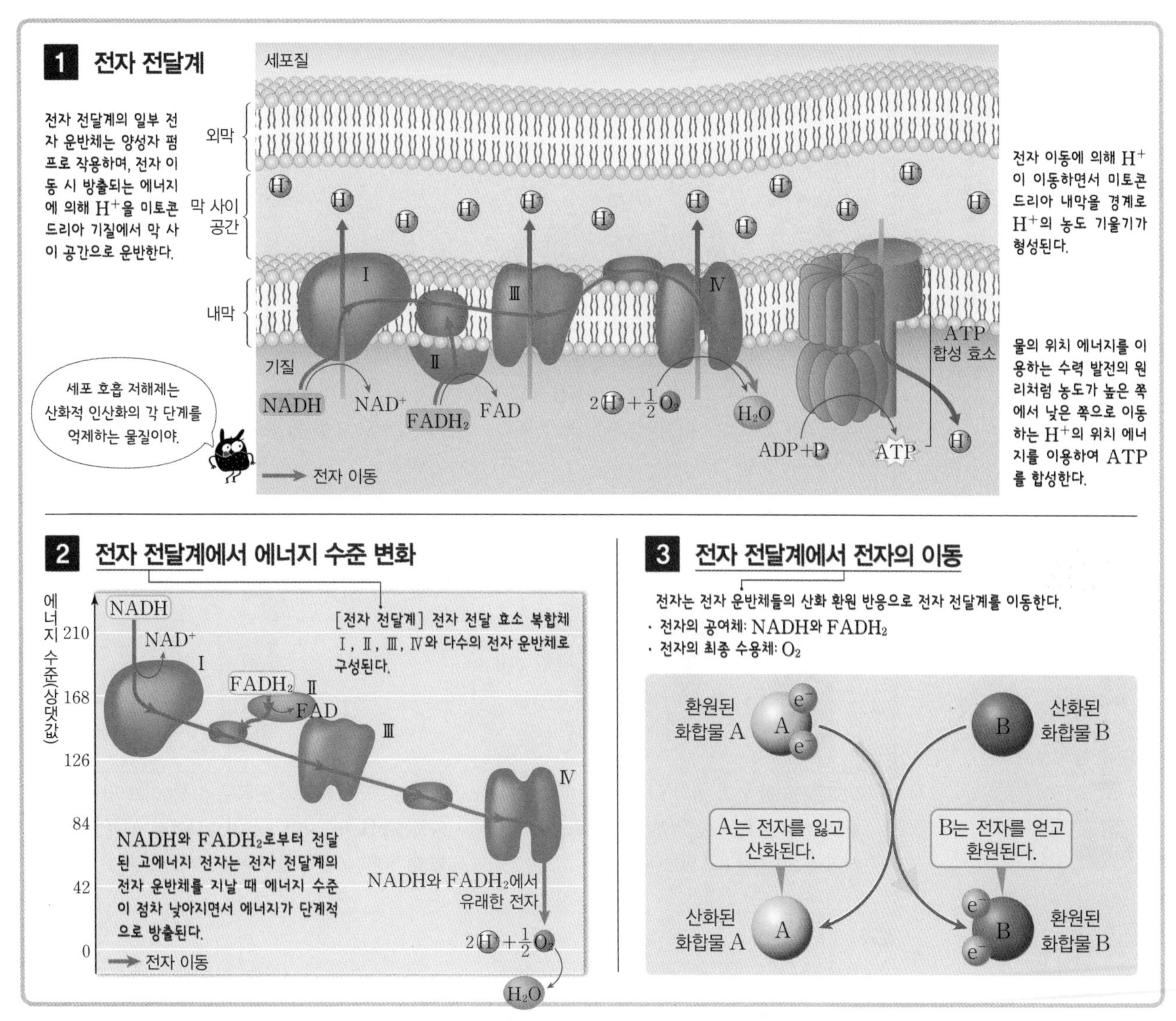

한·줄·핵심 NADH와 $FADH_2$의 고에너지 전자는 전자 전달계를 통해 이동하면서 에너지를 방출하고, 이 에너지에 의해 미토콘드리아 내막을 경계로 H^+ 농도 차가 형성된다.

확인 문제

정답과 해설 027쪽

01 그림은 미토콘드리아의 전자 전달계를 나타낸 것이다. (가)~(다), ㉠~㉢이 무엇인지 각각 쓰시오.

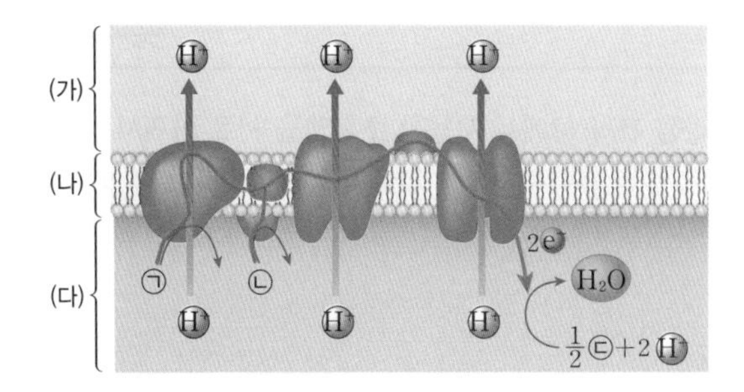

02 다음 설명 중 옳은 것은 ○, 옳지 않은 것은 ×로 표시하시오.

(1) 미토콘드리아 내막에 있는 전자 전달계에서 H^+의 능동 수송에 이용되는 에너지는 ATP이다. ( )

(2) 전자 전달계에서 전자는 최종적으로 ATP 합성 효소에 전달된다. ( )

(3) 전자 전달계에서 NADH와 $FADH_2$는 산화되고, O_2는 환원된다. ( )

미토콘드리아에서의 ATP 합성 원리

목표 미토콘드리아에서 화학 삼투에 의해 ATP가 합성되는 원리를 이해할 수 있다.

유의점

1960년대 초반 피터 미첼이 설계한 실험으로, 미첼은 실험 결과를 통해 미토콘드리아와 엽록체에서 H^+의 농도 기울기에 의해 ATP가 합성된다는 화학 삼투를 주장하였다.

과정

❶ 미토콘드리아를 pH 8인 수용액 속에 넣기

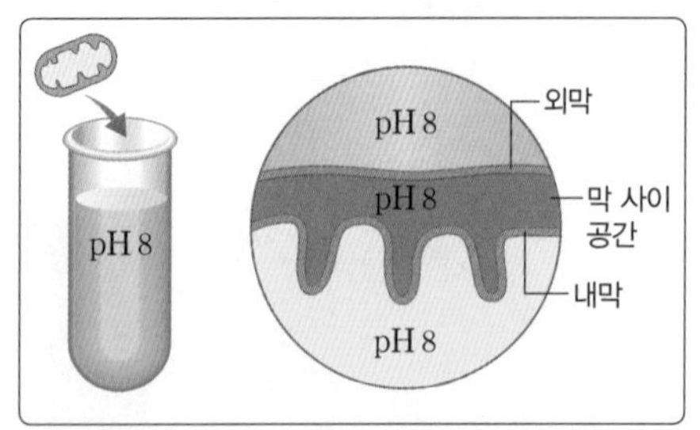

세포에서 미토콘드리아를 분리하여 pH 8인 수용액에 넣어 미토콘드리아 내부를 pH 8로 만든다.

❷ ADP와 P_i을 첨가하기

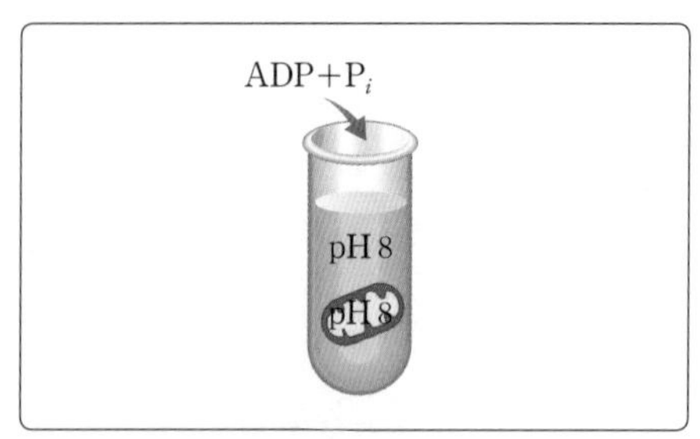

미토콘드리아 안과 밖의 pH가 8로 같아진 상태에서 ADP와 P_i을 첨가하여 ATP 합성 여부를 확인한다.

❸ ❷의 미토콘드리아를 pH 4인 수용액에 옮겨 넣기

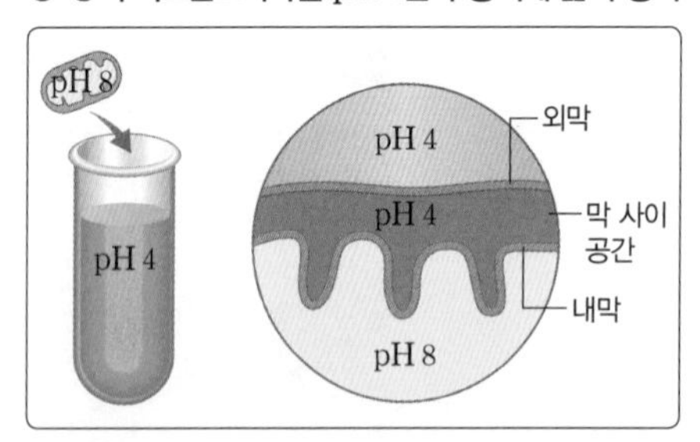

미토콘드리아 안과 밖의 pH가 8인 미토콘드리아를 꺼내 pH 4인 수용액에 넣어 미토콘드리아 막 사이 공간을 pH 4로 만든다.

❹ ADP와 P_i을 첨가하기

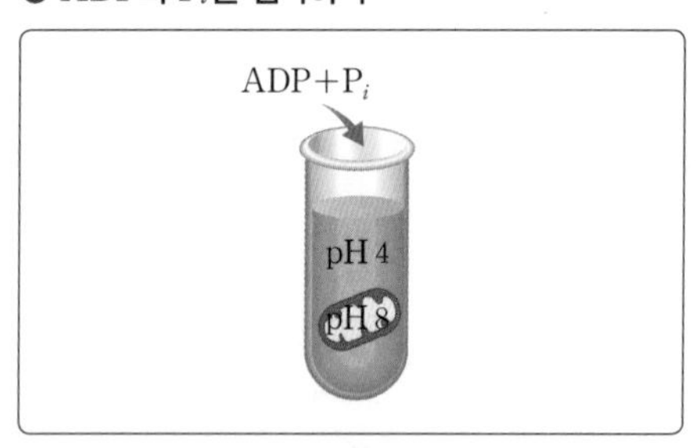

미토콘드리아 내막의 안쪽은 pH 8이고 막 사이 공간은 pH 4로 차이가 생긴 상태에서 ADP와 P_i을 첨가하여 ATP 합성 여부를 확인한다.

이런 실험도 있어요!

틸라코이드를 이용한 ATP 합성 실험

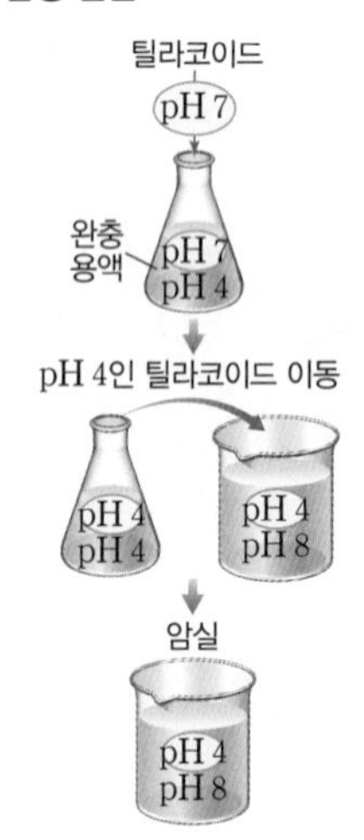

엽록체의 틸라코이드 내부와 외부의 H^+ 농도 차이가 있을 때 ATP가 합성된다(틸라코이드 내부의 pH가 바깥쪽보다 낮을 때).

결과

과정	상태	ATP 합성 여부
❷	미토콘드리아 안과 밖의 pH가 모두 8로 동일	합성되지 않음
❹	미토콘드리아 내막의 안쪽(기질)은 pH 8, 바깥쪽(막 사이 공간)은 pH 4로 차이가 있음	합성됨

정리 및 해석

미토콘드리아의 내막 안쪽 기질 부분(pH 높다.)과 바깥쪽인 막 사이 공간(pH 낮다.)의 H^+ 농도 차이가 있을 때 ATP가 합성되며, H^+이 ATP 합성 효소를 통해 막 사이 공간에서 기질 쪽으로 확산되면서 ATP가 합성된다.

한·줄·핵·심 세포 호흡의 산화적 인산화 과정에서 H^+ 농도 차이에 의해 ATP가 합성된다.

확인 문제

정답과 해설 027쪽

01 다음 ( ) 안에 들어갈 알맞은 말을 쓰시오.

> 생물체의 세포 내에서 미토콘드리아 막 사이 공간과 기질의 H^+ 농도 차이가 발행하는 원인은 미토콘드리아 내막의 (   )에 의한 H^+의 능동 수송 때문이다.

02 과정 ❶과 ❸에서 사용한 수용액을 서로 바꿔서 실험한다면, ❷와 ❹에서 ATP 합성 여부는 각각 어떻게 될지 예상하여 쓰시오.

콕콕! 개념 확인하기

정답과 해설 027쪽

✔ 잠깐 확인!

1. □□□
해당 과정이 일어나는 장소

2. □□ □□ □□□
호흡 기질에 붙어 있던 인산기를 효소의 작용으로 직접 ADP에 이동시켜 ATP를 합성하는 방법

3. 1분자의 피루브산이 피루브산의 산화와 TCA 회로를 통해 □분자의 CO_2, □분자의 NADH, □분자의 $FADH_2$, □분자의 ATP가 생성된다.

4. □□□ □□ □□
미토콘드리아 내막에 존재하며, H^+의 이동으로 발생하는 에너지를 이용하여 ADP와 P_i을 결합시켜 ATP를 합성하는 효소

5. □□ □□
전자 전달계를 통해 형성된 H^+의 농도 기울기를 따라 H^+이 ATP 합성 효소를 통해 막 사이 공간에서 미토콘드리아 기질로 확산되는 과정

6. □□□
호흡 기질이 산화될 때 소모된 산소 부피에 대해 발생한 이산화 탄소의 부피 비

A 세포 호흡의 의미와 해당 과정

01 세포 호흡에 대한 설명으로 옳은 것은 ○, 옳지 않은 것은 ×로 표시하시오.

(1) 세포 호흡의 모든 과정에는 반드시 산소가 필요하다. ( )

(2) 세포 호흡에는 해당 과정, 피루브산의 산화와 TCA 회로, 산화적 인산화의 단계가 있다. ( )

(3) 해당 과정에서 ATP의 소모와 ATP의 생성 모두 일어난다. ( )

B 피루브산의 산화와 TCA 회로

02 다음은 해당 과정에서 생성된 피루브산에 대한 설명이다. ㉠~㉢에 들어갈 알맞은 말을 쓰시오.

> 해당 과정에서 생성된 피루브산은 (㉠)가 있을 때 미토콘드리아의 기질로 들어가 (㉡) 방출, NADH 생성을 거쳐 조효소 A(CoA)와 결합하여 (㉢)가 된다.

03 TCA 회로의 생성물을 〈보기〉에서 있는 대로 고르시오.

> 보기
> 피루브산, ATP, NADH, $FADH_2$, CO_2, O_2

C 산화적 인산화

04 다음은 산화적 인산화가 일어날 때 전자 전달계에 대한 설명이다. ㉠, ㉡에 들어갈 알맞은 말을 쓰시오.

> 고에너지 전자가 여러 전자 전달 효소 복합체로 구성된 (㉠)를 따라 이동하는 과정에서 방출되는 에너지에 의해 미토콘드리아 내막을 사이에 두고 (㉡)의 농도 기울기가 형성된다.

D 세포 호흡의 에너지 생산

05 포도당 1분자가 세포 호흡을 통해 분해되어 32분자의 ATP가 생성되었을 때, 기질 수준 인산화와 산화적 인산화로 생성된 ATP 분자 수의 비를 구하시오.

E 호흡 기질과 호흡률

06 탄수화물, 지방, 단백질 중 탈아미노 과정으로 아미노기가 제거된 후 유기산으로 전환되어 호흡 기질로 이용되는 것을 쓰시오.

탄탄! 내신 다지기

A 세포 호흡의 의미와 해당 과정

01 다음은 세포 호흡 반응식을 나타낸 것이다.

$\underset{㉠}{\underline{C_6H_{12}O_6}} + \underset{㉡}{\underline{6O_2}} \rightarrow \underset{㉢}{\underline{6CO_2}} + 6H_2O + \underset{㉣}{\underline{\text{에너지}}}$

이에 대한 설명으로 옳지 않은 것은?

① ㉠은 호흡 기질이며, 섭취한 음식물이 소화된 형태이다.
② ㉠에 포함된 에너지의 일부가 ATP로 전환된다.
③ 세포 호흡 과정에서 ㉠은 ㉡에 의해 환원된다.
④ ㉢이 생성되는 과정에서 탈탄산 효소가 관여한다.
⑤ ㉣의 일부는 생명 활동에 이용된다.

단답형

02 그림은 세포 호흡 과정을 나타낸 것이다.

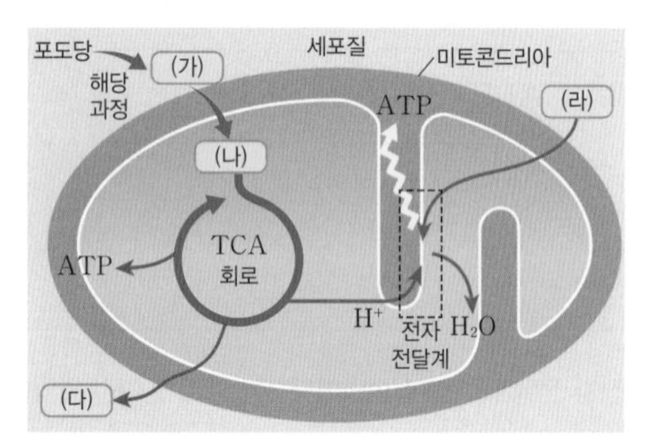

(가)~(라)에 들어갈 알맞은 물질을 쓰시오.

03 그림은 세포 내에서 포도당이 피루브산으로 분해되는 과정에서 나타나는 물질과 에너지의 변화를 나타낸 것이다.

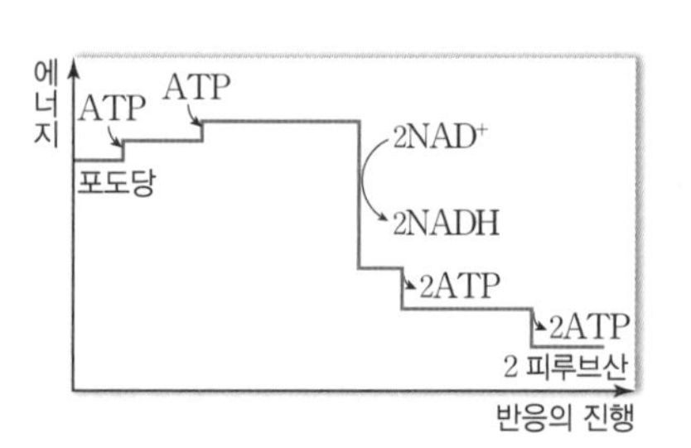

이에 대한 설명으로 옳은 것은?

① 산소가 없을 때에만 일어난다.
② ATP가 소모되는 단계가 없다.
③ 탈수소 효소가 관여하지 않는다.
④ 미토콘드리아 내막에서 일어난다.
⑤ 1분자의 포도당으로부터 2ATP를 얻을 수 있다.

B 피루브산의 산화와 TCA 회로

04 그림은 세포 호흡의 일부 과정을 나타낸 것이다.

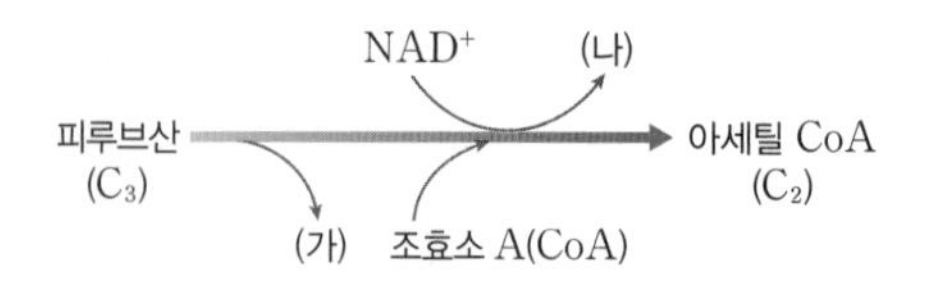

이에 대한 설명으로 옳지 않은 것은?

① (가)는 CO_2이다.
② (나)는 전자 전달계에 전자를 제공한다.
③ 위 반응은 미토콘드리아에서 일어난다.
④ 위 반응은 산소가 충분할 때 일어난다.
⑤ 아세틸 CoA는 조효소 A와 결합하여 시트르산을 형성한다.

05 TCA 회로에 대한 설명으로 옳은 것만을 〈보기〉에서 있는 대로 고른 것은?

보기
ㄱ. 탈탄산 효소가 관여한다.
ㄴ. NADH와 $FADH_2$가 산화된다.
ㄷ. 기질 수준 인산화로 ATP가 합성된다.
ㄹ. 미토콘드리아 기질에서 산소의 유무와 관계없이 일어난다.

① ㄱ, ㄷ ② ㄴ, ㄹ ③ ㄱ, ㄴ, ㄷ
④ ㄴ, ㄷ, ㄹ ⑤ ㄱ, ㄴ, ㄷ, ㄹ

06 그림은 피루브산의 산화 및 TCA 회로를 나타낸 것이다. 탈탄산 효소가 관여하는 단계와 탈수소 효소가 관여하는 단계를 모두 옳게 짝 지은 것은?

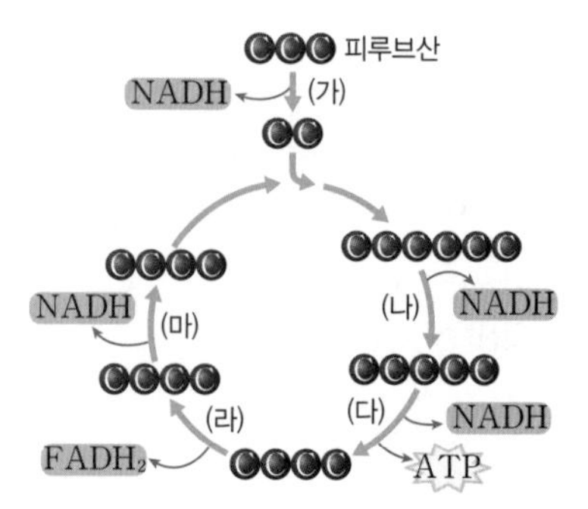

	탈탄산 효소	탈수소 효소
①	(가), (다), (라)	(나), (다), (라), (마)
②	(나), (다), (라)	(가), (나), (다), (라)
③	(가), (나), (다), (라), (마)	(가), (나), (다)
④	(가), (나), (다)	(가), (나), (다), (라), (마)
⑤	(가), (나), (다), (라), (마)	(가), (나), (다), (라), (마)

C 산화적 인산화

[07~08] 그림은 세포 호흡의 일부 과정을 나타낸 것이다.

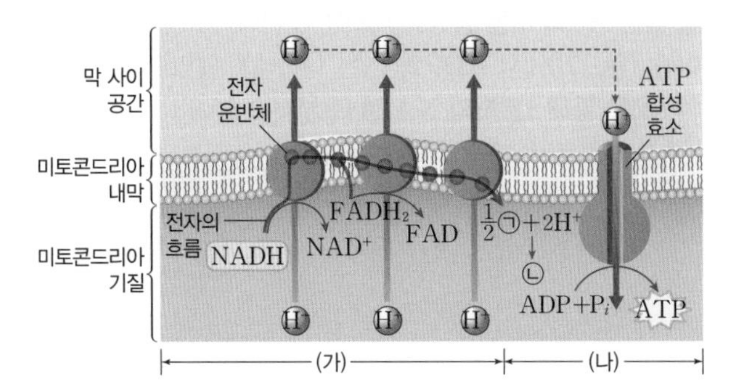

단답형

07 (가)와 (나) 과정의 명칭과 ㉠, ㉡에 해당하는 물질을 각각 쓰시오.

08 이에 대한 설명으로 옳지 않은 것은?

① (가)와 (나)를 합쳐서 산화적 인산화라고 한다.
② (가) 과정이 일어나지 않으면 TCA 회로도 일어나지 않는다.
③ (가)에서 전자의 에너지를 이용한 H^+의 능동 수송이 일어난다.
④ (나)에서 ATP 합성 효소에 의해 H^+의 촉진 확산이 일어난다.
⑤ (가)의 결과 미토콘드리아 기질의 H^+ 농도가 막 사이 공간보다 높아진다.

09 산화적 인산화 과정에 대한 설명으로 옳은 것만을 〈보기〉에서 있는 대로 고른 것은?

> 보기
> ㄱ. NAD^+와 FAD의 환원이 일어난다.
> ㄴ. 미토콘드리아 내막의 전자 전달 효소 복합체가 관여한다.
> ㄷ. H^+ 농도 기울기에 따라 H^+이 확산되면서 ATP가 합성된다.
> ㄹ. 전자 전달계를 따라 이동하는 전자는 ATP 합성 효소에 최종적으로 전달된다.

① ㄱ, ㄹ　② ㄴ, ㄷ　③ ㄱ, ㄴ, ㄷ　④ ㄱ, ㄷ, ㄹ　⑤ ㄴ, ㄷ, ㄹ

D 세포 호흡의 에너지 생산

단답형

10 그림은 간세포에서 1분자의 포도당이 산소 호흡으로 완전히 산화될 때 각 단계에서 생성되는 ATP 분자 수를 나타낸 것이다.

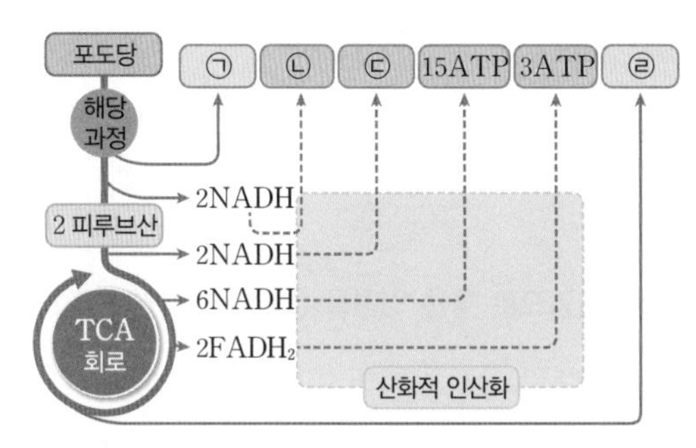

㉠~㉣의 ATP 분자 수를 각각 쓰시오. (단, 1분자의 NADH로부터 2.5ATP, 1분자의 $FADH_2$로부터 1.5ATP가 생성된다.)

E 호흡 기질과 호흡률

11 그림은 호흡 기질의 종류에 따른 세포 호흡 과정의 일부를 나타낸 것이다. (가)~(다)는 각각 포도당, 지방산, 아미노산 중 하나이다.

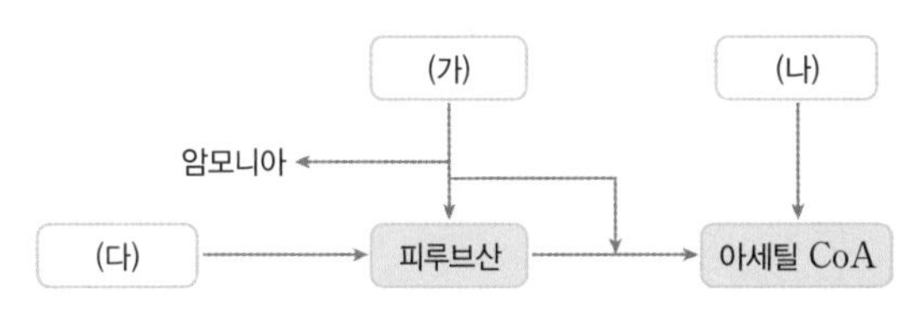

이에 대한 설명으로 옳은 것만을 〈보기〉에서 있는 대로 고른 것은?

> 보기
> ㄱ. (가)는 아미노산이다.
> ㄴ. 1 g당 발생하는 에너지는 (나)보다 (다)가 많다.
> ㄷ. (가)~(다)가 호흡 기질로 이용될 때, 모두 해당 과정을 거친다.

① ㄱ　② ㄷ　③ ㄱ, ㄴ　④ ㄴ, ㄷ　⑤ ㄱ, ㄴ, ㄷ

단답형

12 다음은 단백질(류신)의 세포 호흡 과정을 나타낸 것이다. 호흡률을 구하시오.

$$2C_6H_{13}O_2N + 15O_2 \longrightarrow 12CO_2 + 12NH_3$$

도전! 실력 올리기

01 그림은 해당 과정, TCA 회로, 산화적 인산화를 구분하는 과정을 나타낸 것이다.

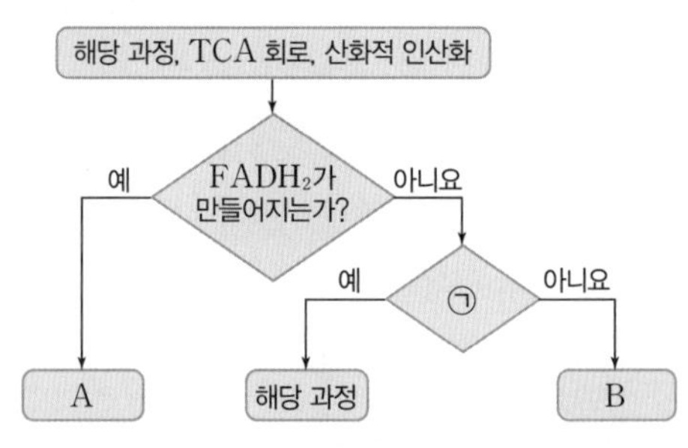

이에 대한 설명으로 옳은 것만을 〈보기〉에서 있는 대로 고른 것은?

> 보기
> ㄱ. A에는 탈탄산 반응이 일어나는 단계가 있다.
> ㄴ. B에는 ATP가 소모되는 단계가 있다.
> ㄷ. 'NADH의 산화가 일어나는 단계가 있는가?'는 ㉠에 해당한다.

① ㄱ ② ㄷ ③ ㄱ, ㄴ
④ ㄴ, ㄷ ⑤ ㄱ, ㄴ, ㄷ

출제예감

02 그림은 해당 과정을 나타낸 것이다.

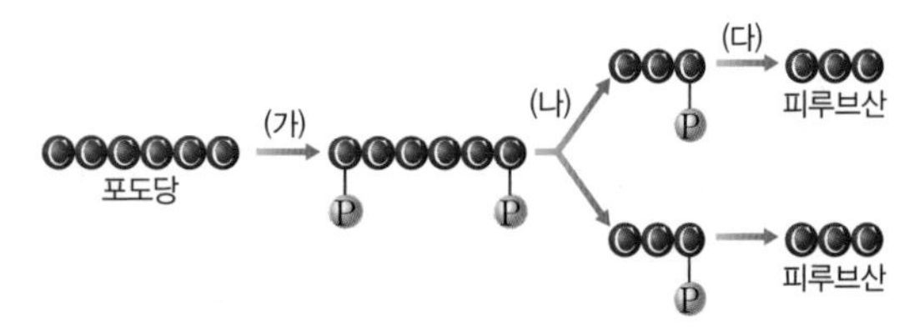

이에 대한 설명으로 옳은 것만을 〈보기〉에서 있는 대로 고른 것은?

> 보기
> ㄱ. (가)에서 NAD^+가 생성된다.
> ㄴ. (나)에서 CO_2가 생성된다.
> ㄷ. (다)에서 ATP가 생성된다.

① ㄱ ② ㄷ ③ ㄱ, ㄴ
④ ㄴ, ㄷ ⑤ ㄱ, ㄴ, ㄷ

[03~04] 그림 (가)는 어떤 세포에서 2분자의 피루브산이 피루브산의 산화와 TCA 회로 및 산화적 인산화를 거쳐 분해되는 반응을, (나)는 이 세포의 미토콘드리아에서 전자 전달계를 통한 H^+의 이동 방향을 나타낸 것이다. ㉠~㉣은 분자 수이다. (단, (가)에서 ADP와 P_i은 나타내지 않았으며, 산화적 인산화를 통해 1분자의 NADH로부터 2.5ATP가, 1분자의 $FADH_2$로부터 1.5ATP가 생성된다.)

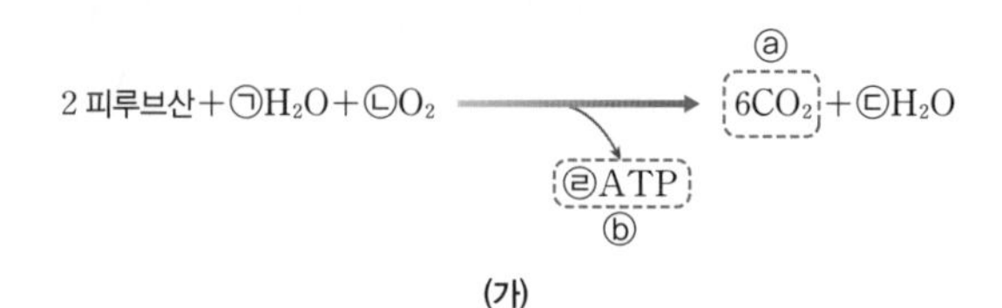

(가)

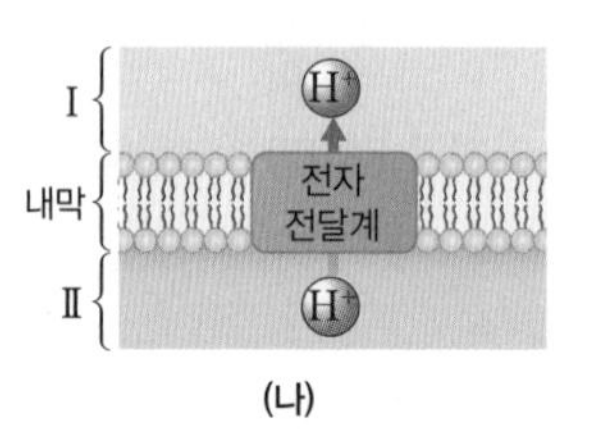

(나)

03 ㉡~㉣에 해당하는 분자 수를 옳게 짝 지은 것은?

	㉡	㉢	㉣
①	3	6	20
②	5	6	23
③	5	10	20
④	5	10	25
⑤	10	12	28

출제예감

04 이에 대한 설명으로 옳은 것만을 〈보기〉에서 있는 대로 고른 것은?

> 보기
> ㄱ. (가)의 ⓐ는 (나)의 Ⅱ에서 생성된다.
> ㄴ. ⓑ는 모두 NADH와 $FADH_2$의 산화에 의해 방출되는 에너지로 생성된다.
> ㄷ. (나)의 전자 전달계에서 H^+이 이동할 때 (가)의 ATP가 소모된다.

① ㄱ ② ㄴ ③ ㄱ, ㄷ
④ ㄴ, ㄷ ⑤ ㄱ, ㄴ, ㄷ

정답과 해설 029쪽

출제예감

05 그림은 단백질, 탄수화물, 지방이 세포 호흡에 이용되는 과정을 나타낸 것이다.

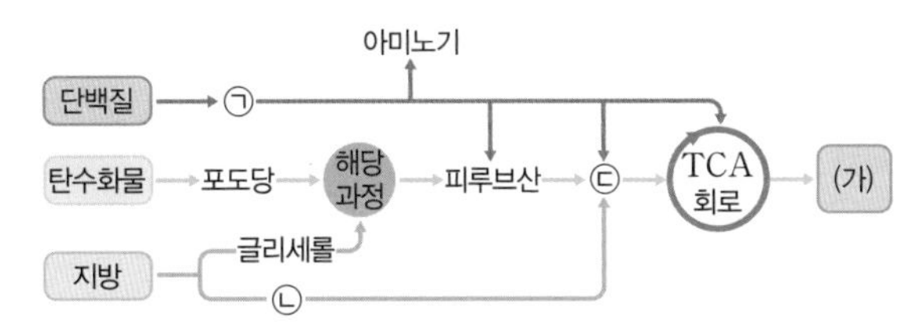

이에 대한 설명으로 옳은 것만을 〈보기〉에서 있는 대로 고른 것은?

〈보기〉
ㄱ. ㉠에서 제거된 아미노기는 세포 호흡에 이용되지 않는다.
ㄴ. ㉡이 세포 호흡에 이용되기 위해서는 산소가 필요하다.
ㄷ. ㉢에 포함된 조효소 A는 (가)에서 ATP 합성의 에너지원으로 이용된다.

① ㄴ ② ㄷ ③ ㄱ, ㄴ
④ ㄱ, ㄷ ⑤ ㄱ, ㄴ, ㄷ

06 다음은 호흡률에 대한 세 학생의 설명이다.

제시된 내용이 옳은 학생만을 있는 대로 고른 것은?

① A ② B ③ A, C
④ B, C ⑤ A, B, C

서술형

07 해당 과정으로 생성된 피루브산이 산소가 충분할 때 미토콘드리아에 들어가 아세틸 CoA가 되기까지 일어나는 3가지 과정을 서술하시오.

서술형

08 TCA 회로에 산소가 직접 이용되지 않지만, 산소가 없으면 TCA 회로가 진행되지 않는다. 그 까닭을 산화적 인산화 반응과 관련지어 서술하시오.

09 다음은 분리된 미토콘드리아를 이용한 실험 내용이다.

미토콘드리아를 pH 8의 완충 용액에 충분한 시간 동안 넣었다가 꺼내 pH 4인 완충 용액에 옮기자 미토콘드리아에서 ATP가 합성되었다. 그림은 이 실험에서 ATP가 합성될 때 미토콘드리아 내의 pH를 나타낸 것이다.

(1) (가)와 (나)는 각각 어떤 부분인지 쓰시오.

(2) ATP 합성 효소를 통한 H^+의 이동 방향을 (가)와 (나)를 이용하여 나타내고, ATP가 합성되는 장소는 (가)와 (나) 중 어디인지 쓰시오.

02 발효

A 산소 호흡과 발효

|출·제·단·서| 시험에는 발효의 의미, 산소 호흡과 발효를 비교하는 문제가 나와.

1. 산소 호흡과 무산소 호흡❶ 산소 호흡은 세포질과 미토콘드리아에서 유기물을 완전히 분해하여 에너지를 얻는 과정이고, 무산소 호흡은 산소가 없는 상태에서 유기물을 분해하여 에너지를 얻는 과정이다. 생물에 따라 산소가 있을 때는 산소 호흡을 하고 산소가 부족할 때는 무산소 호흡을 하는 경우도 있다.

2. •발효 일부 미생물이 산소가 없는 환경에서 전자 전달계를 사용하지 않고 유기물을 분해하여 ATP를 얻는 과정이다.

(1) 특징

① 포도당과 같은 호흡 기질이 완전히 분해되지 않고 에너지를 다량 포함한 중간 산물이 생성되므로 산소 호흡보다 발생하는 에너지양이 적다.

② 여러 미생물의 세포질에서 일어나며, 산소가 부족할 때 사람의 근육에서도 일어난다.

(2) 과정 사람의 근육 세포에서 해당 과정 이후 피루브산 → 산소가 있을 때 아세틸 CoA로, 산소가 없을 때 젖산으로!

해당 과정에서 생성된 피루브산이 에탄올이나 젖산으로 환원되면서 NAD^+를 계속 재생시켜 해당 과정에서 ATP 합성이 계속 일어나게 한다.

(3) 종류 생성되는 물질의 종류에 따라 알코올 발효, 젖산 발효 등으로 구분한다.

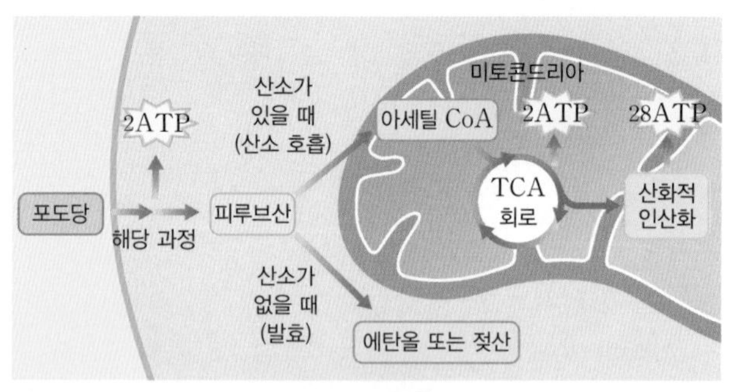

▲ 산소 호흡과 발효

산소 호흡에서 전자의 최종 수용체는 산소이지만, 알코올 발효의 경우 아세트알데하이드, 젖산 발효의 경우 피루브산이 전자의 최종 수용체이다.

빈출 자료 산소 호흡과 발효의 비교

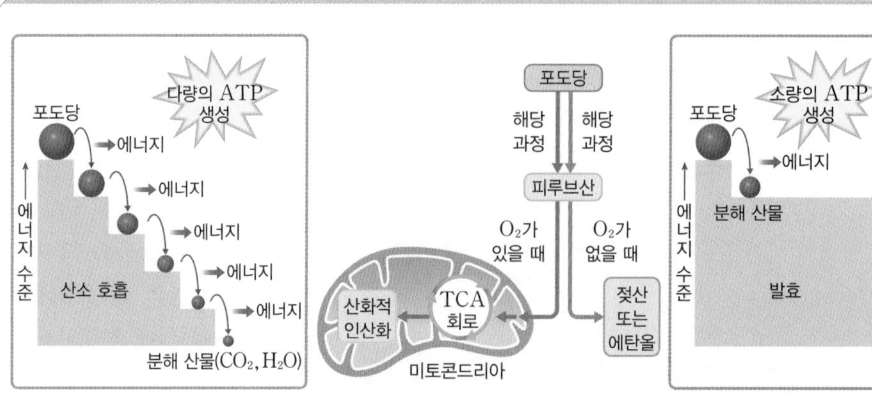

❶ 산소 호흡과 발효의 공통점: 생명 활동에 필요한 에너지가 생산되는 이화 작용이다. 포도당이 해당 과정을 통해 피루브산으로 분해되면서 기질 수준 인산화로 ATP가 생성된다.

❷ 산소 호흡과 발효의 차이점: 발효는 산소 호흡의 과정 중 미토콘드리아에서 일어나는 피루브산의 산화와 TCA 회로, 산화적 인산화가 일어나지 않아 세포질에서 일어난다. 또한, 해당 과정에서 생성되는 ATP 이외의 에너지 생성 단계가 없어 산소 호흡에 비해 소량의 ATP가 생성되며, 포도당이 이산화 탄소와 물로 완전 분해되지 않고 젖산이나 에탄올과 같은 고에너지 물질이 생성된다.

핵심 키워드로 흐름잡기

- A 산소 호흡, 무산소 호흡, 발효
- B 알코올 발효, 젖산 발효, 해당 과정, 탈탄산 반응, NAD^+의 재생
- C 알코올 발효의 이용, 젖산 발효의 이용, 식품 산업, 바이오 에너지, 환경 산업

❶ 무산소 호흡
혐기성 호흡이라고도 하며 유기물 분해에 산소 이외의 물질을 산화제로 하여 얻는 호흡으로, 호흡 기질로부터 탈수소 반응이 일어날 때 산소 이외의 물질이 전자 수용체로 작용한다. 발효와 부패는 무산소 호흡의 예에 해당한다.

⊕ 부패
유기물의 분해 결과 생성된 중간 산물이 악취나 유독성 물질 등 인간에게 해로운 경우이다. 곰팡이나 세균 등 생태계에서 분해자의 역할을 담당하는 미생물의 호흡 과정에서 악취를 내거나 유해한 물질을 생성하므로 인간에게 해로울 수 있지만, 산소가 없는 상황에서 생물의 사체나 배설물을 분해하므로 생태계의 물질 순환에서 중요한 역할을 담당한다.

용어 알기

•발효(술이 괼 醱, 술이 괼 酵, fermentation) 효모나 세균 등의 미생물이 지니고 있는 효소의 작용으로 유기물이 분해되어 알코올류, 유기산류 등이 발생하는 작용

B 발효 과정

|출·제·단·서| 시험에는 알코올 발효와 젖산 발효의 반응 경로를 알고 있는지를 묻거나 산소 호흡과 비교하여 묻는 문제가 나와.

1. 알코올 발효❷

암기TIP 1분자의 포도당 알코올 발효 시 생성물: 2에탄올, 2ATP, $2CO_2$

(1) 과정 1분자의 포도당이 2분자의 에탄올로 분해되며, 2ATP와 $2CO_2$가 생성된다.

(2) 반응 경로

① **해당 과정:** 1분자의 포도당이 2분자의 피루브산으로 분해되며, 이 과정에서 2ATP와 2NADH가 생성된다.

② **탈탄산 반응:** 2분자의 피루브산이 2분자의 아세트알데하이드❸와 2분자의 CO_2로 분해된다.

③ **NAD^+의 재생:** 2분자의 아세트알데하이드가 2분자의 에탄올로 환원되며, 이 과정에서 2NADH가 $2NAD^+$로 산화된다. NAD^+가 재생되어야 해당 과정을 반복할 수 있다.

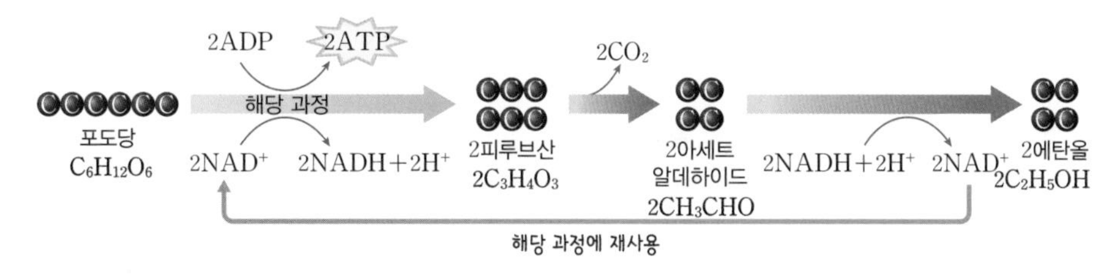

빈출 탐구 •효모의 알코올 발효 실험❹

효모 발효 실험으로 알코올 발효의 생성물을 알아낼 수 있다.

과정

① 증류수에 건조 효모를 넣고 저어 가면서 녹여 효모액을 만든다.

② 발효관 A에는 효모액과 증류수, 발효관 B에는 효모액과 포도당 용액을 넣고, 두 발효관 모두 맹관부에 기포가 들어가지 않도록 세운 다음 입구를 솜으로 막는다. 공기와의 접촉을 차단하기 위해 솜마개를 한다.

③ 일정 시간 후 두 발효관의 맹관부에 발생한 기체의 부피를 기록하고, 솜을 뺀 다음 각각 어떤 냄새가 나는지 기록한다.

④ 각 발효관의 용액을 스포이트로 일부 뽑아내고, 묽은 수산화 칼륨(KOH) 수용액을 넣는다. 발효관을 살짝 기울여 묽은 수산화 칼륨 수용액과의 접촉면을 넓혀 준 후 맹관부에서 일어나는 변화를 관찰한다.

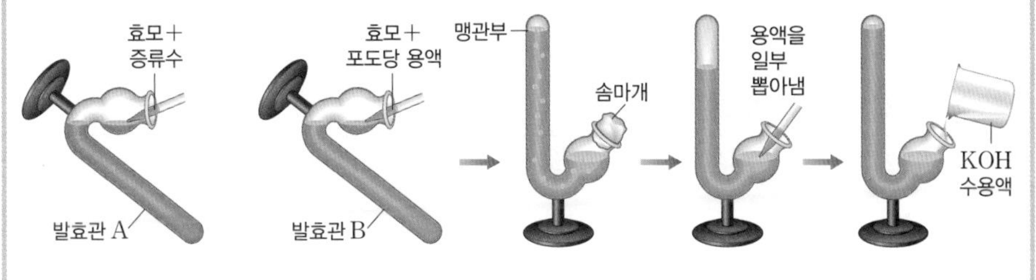

결과

관찰 및 측정 / 발효관	맹관부 기체 발생	냄새	묽은 수산화 칼륨(KOH) 수용액을 넣었을 때 변화
발효관 A	거의 없음	구수한 냄새	거의 변화 없음
발효관 B	맹관부 용액 높이 낮아짐 (기체 일정량 발생)	알코올 냄새	맹관부의 기체가 빠르게 사라지면서 용액 상승

발효관 A의 구수한 냄새는 효모 수용액 고유의 냄새이다.

정리

❶ 효모의 알코올 발효 결과 이산화 탄소 생성의 확인: 발효관 B에서 일정량의 기체가 발생하였고 이산화 탄소를 흡수하는 성질이 있는 수산화 칼륨(KOH) 수용액을 넣었을 때 이 기체가 사라짐 ➡ 효모가 무산소 환경에서 포도당을 분해하여 이산화 탄소가 생성됨

❷ 효모의 알코올 발효 결과 알코올 생성의 확인: 발효관 B에서만 알코올 냄새가 남 ➡ 효모가 무산소 환경에서 포도당을 분해하여 알코올이 생성됨

❷ 알코올 발효
효모의 알코올 발효에서 효모가 분해하는 당에는 포도당 이외에도 과당, 갈락토스 등의 단당류와 설탕 등의 이당류가 있다. 녹말과 같은 다당류는 효모가 분해할 수 없어 효소로 분해해 주어야 발효가 시작된다. 보리가 발아할 때 생성되는 효소를 이용한 것이 맥주, 곰팡이가 성장하면서 생성되는 효소를 이용한 것이 전통주이다.

❸ 아세트알데하이드
화학식은 CH_3CHO이며, 에탄올이 산화되면서 생성되는 물질이다. 술을 마셨을 때 에탄올이 간에서 분해되는 과정에서 생성되어 숙취의 원인이 된다.

❹ 효모의 알코올 발효 실험
효모는 산소가 충분할 때는 산소 호흡을 하고, 산소가 없을 때는 알코올 발효를 하는데, 산소 호흡이나 알코올 발효 시 공통적으로 이산화 탄소가 생성되므로 이산화 탄소의 검출만을 통해 효모의 알코올 발효를 확인할 수는 없다.

용어 알기
•효모(술이 괼 酵, 어미 母, yeast) 술을 빚을 때 사용하는 미생물의 의미로 이름 붙여짐. 균계의 자낭균류에 속하는 단세포 진핵생물

2. 젖산 발효⑤

(암기TiP) 1분자의 포도당 젖산 발효 시 생성물: 2젖산, 2ATP

(1) 과정 1분자의 포도당이 2분자의 •젖산으로 분해되며, 2ATP가 생성된다.

(2) 반응 경로

① **해당 과정:** 1분자의 포도당이 2분자의 피루브산으로 분해되며, 이 과정에서 2ATP와 2NADH가 생성된다. 젖산 발효에서는 알코올 발효와 달리 CO_2가 방출되지 않는다.

② **NAD^+의 재생:** 2분자의 피루브산이 2분자의 젖산으로 환원되며, 이 과정에서 2NADH가 $2NAD^+$로 산화된다.

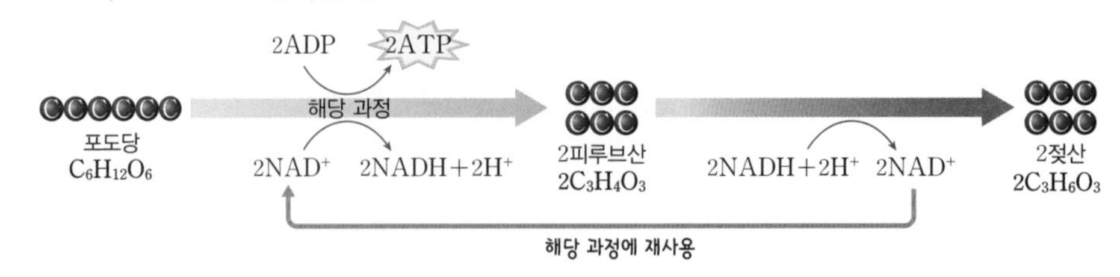

⑤ 젖산 발효가 일어나는 생물체

- 젖산균: 무산소 상태에서 포도당을 젖산으로 분해하는 젖산 발효를 통해 생명 활동에 필요한 ATP를 얻는다.
- 사람의 근육 세포: 운동을 시작하는 초기에 근육에 공급되는 산소의 양이 부족하면 근육 세포에서 젖산 발효가 진행된다. 근육 세포에 축적된 젖산은 혈액을 통해 간으로 운반되어 피루브산으로 전환된 다음 산소 호흡에 이용되거나 포도당으로 전환된다.

3. 산소 호흡과 알코올 발효 및 젖산 발효의 비교

구분	산소 호흡	발효	
		알코올 발효	젖산 발효
최종 전자 수용체	산소	아세트알데하이드	피루브산
장소	세포질, 미토콘드리아	세포질	세포질
탈수소 반응	일어남	일어남	일어남
탈탄산 반응(CO_2 생성)	일어남(생성됨)	일어남(생성됨)	일어나지 않음(생성 안 됨)
전자 전달계	관여함	관여하지 않음	관여하지 않음
산화적 인산화	일어남	일어나지 않음	일어나지 않음
ATP 생성량	다량 생성됨	소량 생성됨	소량 생성됨
해당 과정	일어남	일어남	일어남

알코올 발효와 젖산 발효에서의 ATP 생성은 해당 과정에서 기질 수준 인산화로 생성되는 2ATP뿐이다.

C 실생활에서 발효의 이용

|출·제·단·서| 시험에는 식품이나 다양한 제품에 이용되는 발효의 원리가 무엇인지 묻는 문제가 나와.

1. 발효의 이용

(1) 알코올 발효의 이용 효모의 알코올 발효에서 생성되는 에탄올은 술을 만드는 데 이용되고, 이산화 탄소는 빵을 만드는 데 이용된다. 이산화 탄소가 반죽 사이에 공기층을 형성하여 빵이 부풀게 된다.

(2) 젖산 발효의 이용 •젖산균의 젖산 발효는 김치, 요구르트, 치즈를 만드는 데 이용된다.

2. 실생활 속에서의 발효 이용⑥

(1) 전통 음식 및 식품 산업 김치, 젓갈, 술과 식초를 만들어 전통 음식이 고유한 맛과 향을 내도록 하였다. 또한, 세계적으로 요구르트, 치즈 등 다양한 식품 산업에 발효가 이용되고 있다.

(2) 바이오 에너지 사탕수수, 옥수수, 감자, 보리, 밀 등 곡류를 발효하여 만든 바이오 에탄올은 휘발유와 섞어 연료로 사용한다.

(3) 환경 산업 발효가 일어나는 미생물을 이용하여 거름과 퇴비 생산, 음식물 쓰레기 처리 등에 이용한다.

⑥ 실생활 속에서의 발효 이용

▲ 와인 ▲ 막걸리

▲ 요구르트

▲ 김치

용어 알기

•젖산(젖 乳, 초 酸, lactic acid) 치즈, 요구르트 등 발효유제품에 가장 많은 산성 성분이라는 의미로 붙여진 이름

•젖산균(유산균)(젖 乳, 초 酸, 세균 菌, lactic acid bacteria) 당을 분해하여 젖산을 만드는 세균을 통틀어 이르는 말. 진정세균류에 속하는 원핵생물로 스스로 양분을 합성하지 못하여 기생 생활을 하는 종속 영양 생물

콕콕!
개념 확인하기

정답과 해설 030쪽

✔ 잠깐 확인!

1. □□□ 발효
효모에 의한 발효로 중간 산물이 에탄올인 발효

2. □□ 발효
사람의 근육 세포에서 산소가 없을 때 일어나는 발효

3. 발효는 산소가 없을 때 피루브산이 □□□□□□로 들어가지 않고 □□□에서 에탄올이나 젖산과 같은 물질이 생성되는 반응이다.

4. □□□ □□
효모의 알코올 발효 결과 생성되는 기체

5. □□□□□□□□
알코올 발효에서 최종 전자 수용체

6. 젖산 발효에서 1분자의 피루브산이 젖산으로 될 때 □분자의 NAD^+가 생성된다.

7. 1분자의 포도당이 젖산균에 의해 젖산 발효로 분해될 때 □분자의 ATP가 생성된다.

8. □□□ 에너지
곡류를 발효하여 만든 바이오 에탄올은 휘발유와 섞어 연료로 사용한다.

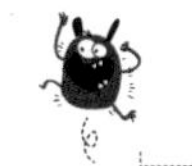

A 산소 호흡과 발효

01 발효에 대한 설명으로 옳은 것은 ○, 옳지 않은 것은 ×로 표시하시오.

(1) 발효를 통해 유기물이 무기물로 완전히 분해된다. ( )

(2) 미토콘드리아에서 일어난다. ( )

(3) 생명 활동에 필요한 에너지가 생성되는 이화 작용이다. ( )

(4) 산소 호흡에 비해 발생하는 에너지양이 적다. ( )

02 다음은 사람의 근육 세포에서 해당 과정이 일어난 후 생성된 피루브산에 대한 설명이다. ㉠, ㉡에 들어갈 알맞은 말을 쓰시오.

> 산소가 있을 때에는 피루브산이 미토콘드리아로 들어가 (㉠)가 된 후 TCA 회로로 들어가고, 산소가 없을 때에는 피루브산이 미토콘드리아로 들어가지 않고 세포질에서 (㉡)이 된다.

B 발효 과정

03 효모가 산소가 있을 때와 없을 때 각각 포도당을 호흡 기질로 하여 세포 호흡을 할 경우 공통적으로 생성되는 기체는 무엇인지 쓰시오.

04 표는 산소 호흡, 알코올 발효, 젖산 발효를 비교한 것이다. ㉠~㉢에 들어갈 알맞은 말을 쓰시오.

구분	산소 호흡	발효	
		알코올 발효	젖산 발효
최종 전자 수용체	산소	아세트알데하이드	㉠
CO_2 생성	생성됨	㉡	생성되지 않음
해당 과정	일어남	일어남	㉢

C 실생활에서 발효의 이용

05 다음의 각 발효의 예와 관련 있는 발효의 종류를 옳게 연결하시오.

(1) 김치, 젓갈 만들기 •
(2) 맥주, 막걸리, 포도주 등 술의 제조 •
(3) 요구르트, 치즈 등 발효 유제품 •

• ㉠ 알코올 발효
• ㉡ 젖산 발효

탄탄! 내신 다지기

A 산소 호흡과 발효

01 발효에 해당하는 특징으로 옳은 것만을 〈보기〉에서 있는 대로 고른 것은?

〈보기〉
ㄱ. 세포질과 미토콘드리아에서 일어난다.
ㄴ. 산소 없이 NADH가 NAD^+로 산화된다.
ㄷ. 에탄올이나 젖산과 같은 물질이 생성된다.
ㄹ. 1분자의 포도당이 분해될 때 총 2분자의 ATP가 생성된다.

① ㄱ, ㄴ ② ㄱ, ㄷ ③ ㄷ, ㄹ
④ ㄱ, ㄴ, ㄷ ⑤ ㄴ, ㄷ, ㄹ

02 그림 (가)와 (나)는 효모에서 일어나는 산소 호흡과 알코올 발효를 순서 없이 나타낸 것이다.

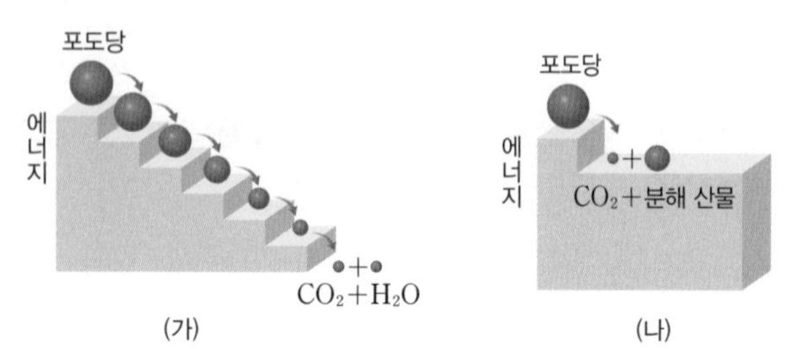

이에 대한 설명으로 옳은 것만을 〈보기〉에서 있는 대로 고른 것은?

〈보기〉
ㄱ. (가)에서 산화적 인산화가 진행된다.
ㄴ. (가)와 (나)에서 해당 과정이 일어난다.
ㄷ. 젖산은 (나)에서의 분해 산물에 해당한다.

① ㄱ ② ㄷ ③ ㄱ, ㄴ
④ ㄴ, ㄷ ⑤ ㄱ, ㄴ, ㄷ

단답형

03 1분자의 포도당이 산소 호흡으로 분해되어 생성될 수 있는 ATP 분자 수의 최댓값은 알코올 발효를 통해 생성될 수 있는 ATP 분자 수의 몇 배인가? (단, 1분자의 NADH로부터 2.5ATP가, 1분자의 $FADH_2$로부터 1.5ATP가 생성된다.)

B 발효 과정

04 표는 물질대사 (가)~(다)의 결과 생성된 최종 산물 ㉠~㉤을 나타낸 것이다. (가)~(다)는 각각 산소 호흡, 젖산 발효, 알코올 발효 중 하나이고, ㉠~㉤은 각각 ATP, CO_2, H_2O, 젖산, 에탄올 중 하나이다. ㉠, ㉢, ㉣은 탄소를 포함한 물질이다.

물질대사 \ 최종 산물	㉠	㉡	㉢	㉣	㉤
(가)	○	○	×	×	×
(나)	×	○	○	○	×
(다)	×	○	○	×	○

(○: 생성됨, ×: 생성되지 않음)

(가)~(다)를 각각 옳게 짝 지은 것은?

	(가)	(나)	(다)
①	산소 호흡	알코올 발효	젖산 발효
②	산소 호흡	젖산 발효	알코올 발효
③	젖산 발효	알코올 발효	산소 호흡
④	젖산 발효	산소 호흡	알코올 발효
⑤	알코올 발효	산소 호흡	젖산 발효

단답형

05 다음은 발효 과정에 대한 설명이다. ㉠, ㉡에 들어갈 알맞은 말을 쓰시오.

> 알코올 발효에서 아세트알데하이드가 에탄올로 환원되거나 젖산 발효에서 피루브산이 젖산으로 환원되는 과정은 (㉠)를 산화하여 (㉡)이 지속적으로 일어날 수 있도록 한다.

단답형

06 그림은 효모의 물질대사 과정에서 피루브산이 산화 또는 환원되었을 때 생성되는 물질을 나타낸 것이다. ㉠~㉢은 각각 CO_2, 에탄올, 아세틸 CoA 중 하나이다. ㉠~㉢은 각각 무엇인지 쓰시오.

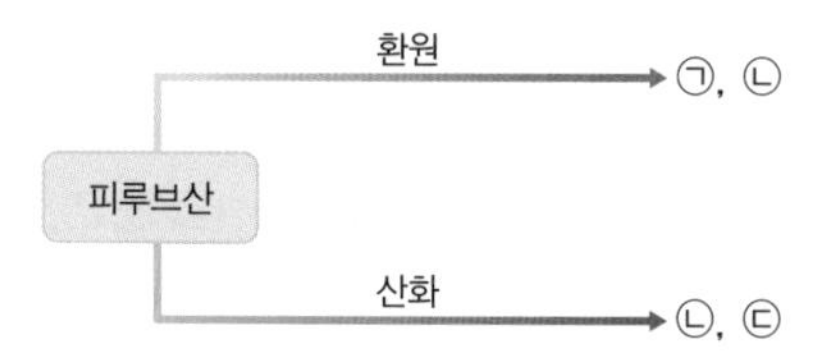

07 그림은 생물체 내에서 포도당이 분해되는 경로의 일부를 나타낸 것이다.

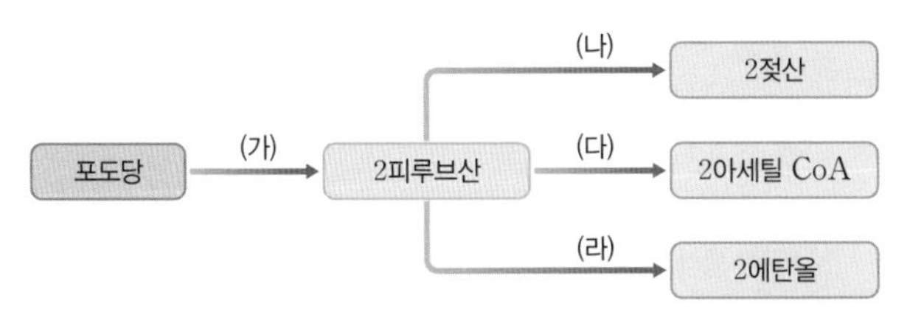

이에 대한 설명으로 옳은 것만을 〈보기〉에서 있는 대로 고른 것은?

보기
ㄱ. (가)~(라)에서 공통적으로 ATP가 생성된다.
ㄴ. (나)와 (라)에서 NAD^+가 생성된다.
ㄷ. (가)와 (나)는 젖산균과 사람의 근육 세포에서 일어난다.

① ㄱ ② ㄷ ③ ㄱ, ㄷ
④ ㄴ, ㄷ ⑤ ㄱ, ㄴ, ㄷ

단답형

08 그림 (가)와 (나)는 젖산 발효와 알코올 발효를 순서 없이 나타낸 것이다. A와 B는 각각 젖산과 에탄올 중 하나이다.

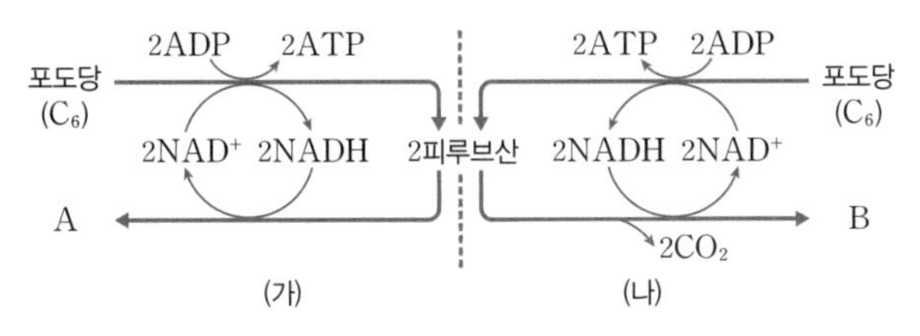

A와 B 1분자당 탄소, 수소, 산소 수를 각각 나타내시오.

09 그림은 효모에서 일어나는 발효 과정의 일부를 나타낸 것이다. ㉠과 ㉡은 각각 아세트알데하이드와 에탄올 중 하나이다.

이에 대한 설명으로 옳은 것은?

① (가)에서 기질 수준 인산화가 일어난다.
② (나)에서 탈탄산 반응이 일어난다.
③ (가)에서 NAD^+가 생성된다.
④ ㉠과 ㉡의 1분자당 탄소 수는 같다.
⑤ ㉠은 에탄올이다.

10 그림은 사람의 근육 세포에서 일어나는 포도당 대사 과정의 일부를 나타낸 것이다. ㉠과 ㉡은 각각 젖산과 피루브산 중 하나이다.

이에 대한 설명으로 옳지 않은 것은?

① (가)에서 NAD^+가 환원된다.
② (나)에서 ATP가 합성된다.
③ (가)와 (나)는 모두 세포질에서 일어난다.
④ 1분자당 수소 수는 ㉠이 ㉡보다 작다.
⑤ 1분자당 탄소 수는 ㉠과 ㉡이 같다.

C 실생활에서 발효의 이용

11 다음은 바이오 에탄올에 대한 내용이다.

> 바이오 에탄올을 얻으려면 먼저 거대한 발효기에 옥수수나 사탕수수를 갈아 넣고 물과 섞은 후 ㉠여러 효소를 첨가하여 녹말을 포도당으로 분해한다. 그 후 효모를 넣고 발효시켜 이산화 탄소와 에탄올을 얻는다. 에탄올이 충분히 생성되면 발효액을 증류시켜 에탄올의 농도를 95 %까지 높인다. 남아 있는 수분을 모두 제거하면 순수한 에탄올이 생성되며, 이것은 휘발유와 섞어 바로 연료로 사용할 수 있다.

이에 대한 설명으로 옳은 것만을 〈보기〉에서 있는 대로 고른 것은?

보기
ㄱ. 바이오 에탄올 생산 과정에 술을 만드는 과정과 동일한 과정이 있다.
ㄴ. 바이오 에탄올을 대량 생산하면 온실 기체의 생성을 억제할 수 있다.
ㄷ. ㉠ 과정이 필요한 까닭은 효모의 발효에서 다당류가 호흡 기질로 이용될 수 없기 때문이다.

① ㄱ ② ㄴ ③ ㄱ, ㄷ
④ ㄴ, ㄷ ⑤ ㄱ, ㄴ, ㄷ

도전! 실력 올리기

출제예감

01 그림은 세포 호흡의 각 과정을 나타낸 것이다.

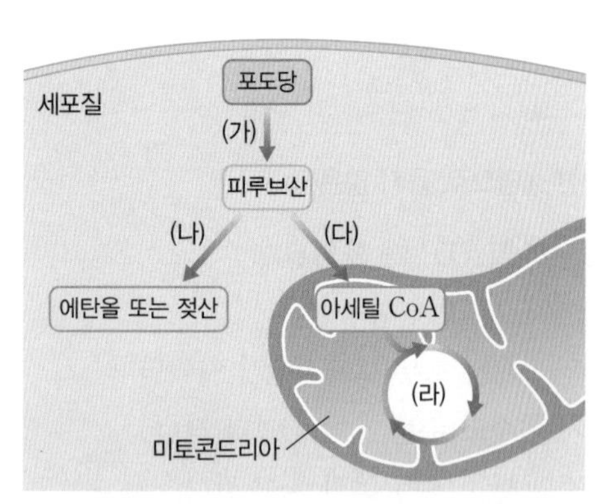

이에 대한 설명으로 옳은 것만을 〈보기〉에서 있는 대로 고른 것은?

보기
ㄱ. (가)에서 효소에 의해 ATP가 생성된다.
ㄴ. (나)에서 피루브산이 환원된다.
ㄷ. (다)와 (라)에서 탈탄산 반응이 일어난다.

① ㄱ ② ㄷ ③ ㄱ, ㄴ
④ ㄴ, ㄷ ⑤ ㄱ, ㄴ, ㄷ

02 그림 (가)는 사람의 근육 세포에서, (나)는 효모에서 일어나는 발효와 산소 호흡 과정의 일부를 나타낸 것이다. ㉠~㉢은 각각 젖산, 에탄올, 아세틸 CoA 중 하나이다.

이에 대한 설명으로 옳은 것만을 〈보기〉에서 있는 대로 고른 것은?

보기
ㄱ. Ⅰ과 Ⅳ는 발효 과정의 일부이다.
ㄴ. Ⅱ와 Ⅲ은 미토콘드리아에서 일어난다.
ㄷ. 1분자당 탄소 수는 ㉠이 ㉢보다 크다.

① ㄱ ② ㄴ ③ ㄱ, ㄷ
④ ㄴ, ㄷ ⑤ ㄱ, ㄴ, ㄷ

03 표는 물질대사 A~C를 비교한 것이다. A~C는 각각 산소 호흡, 젖산 발효, 알코올 발효 중 하나이다.

구분	A	B	C
최종 전자 수용체	아세트 알데하이드	㉠	?
CO_2 생성	?	생성되지 않음	㉡
NAD^+ 생성	생성됨	?	생성됨
해당 과정	일어남	?	일어남
포도당 1분자당 ATP 순생성량	ⓐ	?	ⓑ

이에 대한 설명으로 옳은 것만을 〈보기〉에서 있는 대로 고른 것은?

보기
ㄱ. ㉠은 '피루브산'이다.
ㄴ. ㉡은 '생성되지 않음'이다.
ㄷ. ⓐ와 ⓑ는 같다.

① ㄱ ② ㄷ ③ ㄱ, ㄴ
④ ㄴ, ㄷ ⑤ ㄱ, ㄴ, ㄷ

04 그림은 미생물 C를 포도당 배지에서 배양했을 때 시간에 따른 포도당과 젖산의 농도를 나타낸 것이다.

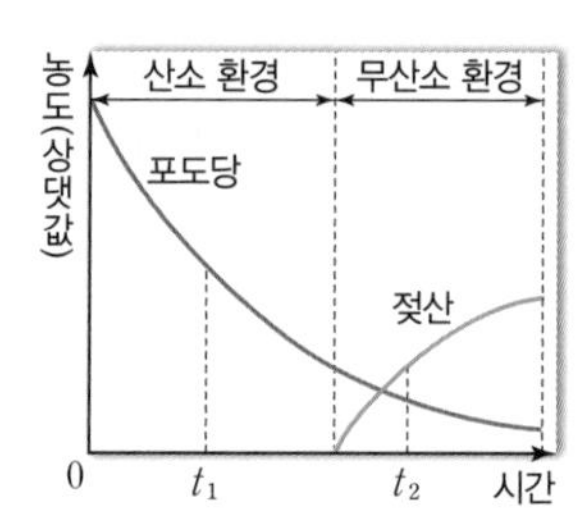

이에 대한 설명으로 옳은 것만을 〈보기〉에서 있는 대로 고른 것은?

보기
ㄱ. t_2에서 일어나는 발효는 요구르트를 만드는 데 이용된다.
ㄴ. C에는 t_1과 t_2에서 모두 피루브산이 존재한다.
ㄷ. C는 산소 환경과 무산소 환경에서 모두 포도당을 호흡 기질로 사용한다.

① ㄱ ② ㄴ ③ ㄱ, ㄷ
④ ㄴ, ㄷ ⑤ ㄱ, ㄴ, ㄷ

05 그림 (가)는 피루브산이 발효 과정을 거쳐 ㉠이나 ㉡으로 전환되는 과정을, (나)는 산소와 포도당이 포함된 배양액에 효모를 넣고 밀폐시킨 후 시간에 따른 포도당과 ㉠의 양을 나타낸 것이다. ㉠과 ㉡은 각각 젖산과 에탄올 중 하나이다.

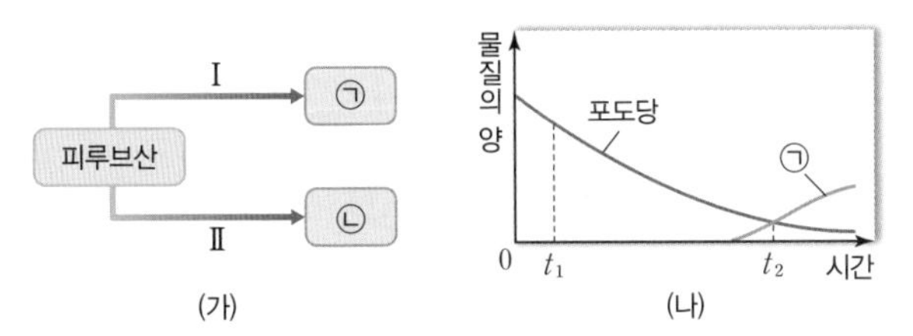

이에 대한 설명으로 옳은 것만을 〈보기〉에서 있는 대로 고른 것은?

보기
ㄱ. I과 II는 모두 세포질에서 일어난다.
ㄴ. 1분자당 $\frac{\text{수소(H) 수}}{\text{탄소(C) 수}}$는 ㉡이 ㉠보다 크다.
ㄷ. (나)에서 t_1과 t_2일 때 모두 탈탄산 반응이 일어난다.

① ㄱ ② ㄴ ③ ㄱ, ㄷ
④ ㄴ, ㄷ ⑤ ㄱ, ㄴ, ㄷ

출제예감

06 그림은 막걸리를 만드는 방법을, 표는 생물체 내에서 일어나는 여러 가지 물질대사(A~C)를 나타낸 것이다.

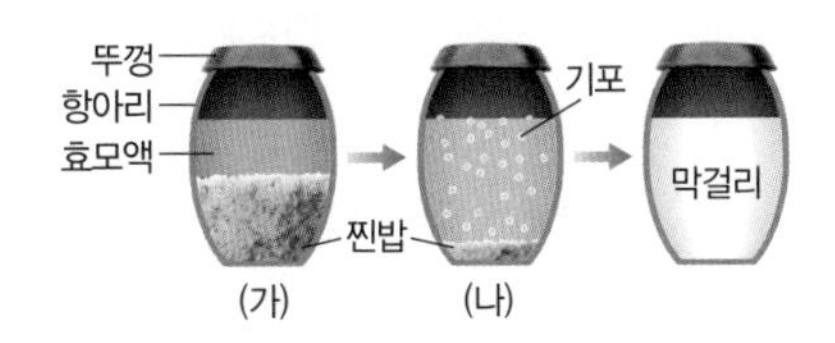

구분	물질대사
A	포도당 → 피루브산
B	피루브산 → 젖산
C	피루브산 → 에탄올
D	피루브산 → 아세틸 CoA

이에 대한 설명으로 옳은 것만을 〈보기〉에서 있는 대로 고른 것은?

보기
ㄱ. (가) → (나) 과정에서 A와 C가 일어난다.
ㄴ. (나)에서 발생하는 기포는 B 과정에서 생성된다.
ㄷ. (가)에서 뚜껑을 열어두면 D가 일어날 수 있다.

① ㄱ ② ㄴ ③ ㄱ, ㄷ
④ ㄴ, ㄷ ⑤ ㄱ, ㄴ, ㄷ

07 그림은 세포 호흡과 발효에서 피루브산이 여러 물질로 전환되는 과정 (가)~(다)를, 표는 (가)~(다)에서 생성되는 물질을 나타낸 것이다. ㉠~㉢은 각각 CO_2, NAD^+, NADH 중 하나이다.

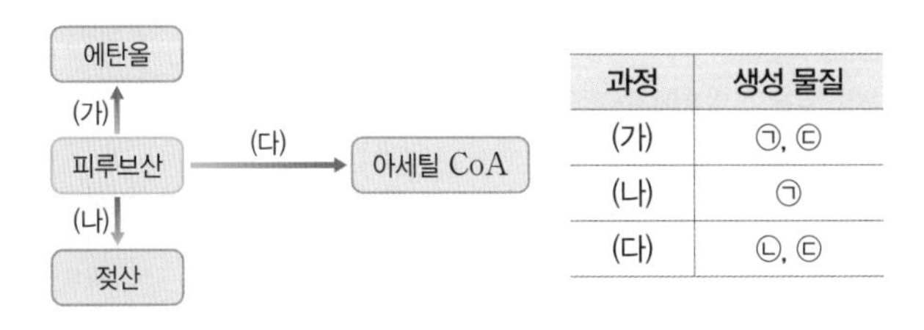

과정	생성 물질
(가)	㉠, ㉢
(나)	㉠
(다)	㉡, ㉢

㉠~㉢은 각각 무엇인지 쓰시오.

서술형

08 그림은 효모의 세포 호흡에 대한 실험을 나타낸 것이다.

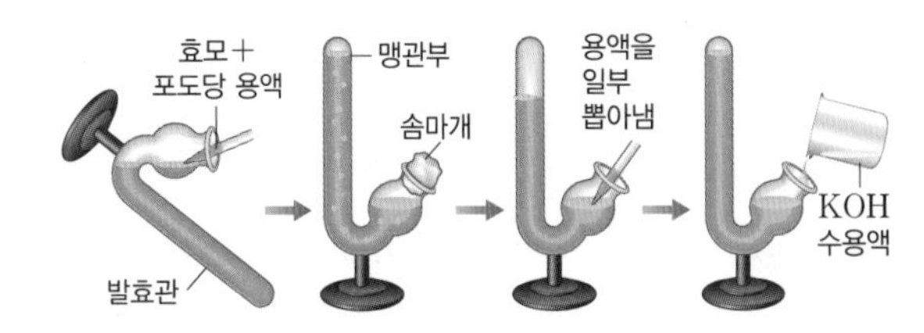

실험 결과 KOH 수용액을 넣었을 때 맹관부에 모인 기체가 사라졌다면 그 까닭을 서술하시오.

서술형

09 사람의 근육 세포에서 해당 과정이 일어난 후 생성된 피루브산이 산소가 있는 경우와 없는 경우 각각 어떤 경로를 거치게 되는지 반응이 일어나는 장소와 생성물을 포함하여 서술하시오.

수능을 알기 쉽게 풀어주는 수능 POOL

생성물로 세포 호흡과 발효 구분하기

대표 유형

출제 의도

세포 호흡과 발효에서 피루브산이 분해되는 과정을 생성물을 통해 구분하는 문제이다.

(→ 피루브산의 산화가 포함된 산소 호흡)

그림은 세포 호흡과 발효에서 피루브산이 물질 A~C로 전환되는 과정 Ⅰ~Ⅲ을, 표는 Ⅰ~Ⅲ에서 물질 ㉠~㉢의 생성 여부를 나타낸 것이다. A~C는 각각 아세트알데하이드, 아세틸 CoA, 젖산 중 하나이고, ㉠~㉢은 CO_2, NAD^+, NADH를 순서 없이 나타낸 것이다. 1분자당 탄소 수는 A와 C가 같다.

- 아세트알데하이드 → 알코올 발효에서 피루브산의 탈탄산 반응으로 생성
- 아세틸 CoA → 산소 호흡에서 피루브산 산화 과정 중 탈탄산 반응으로 생성
- 젖산 → 젖산 발효에서 피루브산의 환원으로 생성
- CO_2 → 피루브산 산화, 알코올 발효에서 생성
- NAD^+ → 젖산 발효 중 피루브산 환원 중 생성
- NADH → 피루브산 산화 과정에서 생성
- 1분자당 탄소 수는 A와 C가 같다. → 아세트알데하이드, 아세틸 CoA는 분자당 탄소 수가 2로 동일하고 젖산은 3이므로 B는 젖산이다.

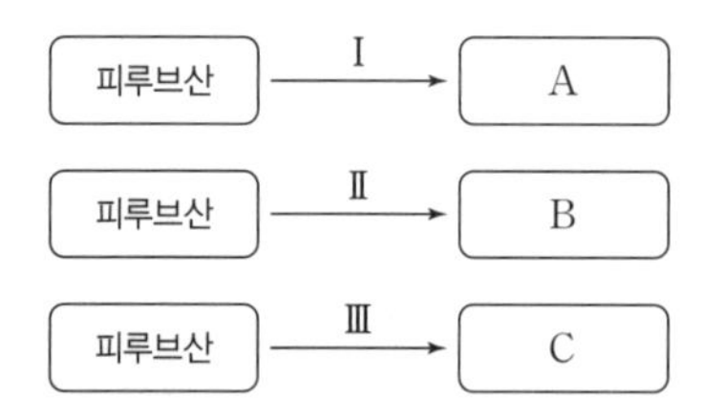

과정 \ 물질	㉠	㉡	㉢
Ⅰ	ⓐ	×	?
Ⅱ	○	×	×
Ⅲ	×	○	?

(○: 생성됨, ×: 생성 안 됨)

㉠ = NAD^+: 젖산(B) 생성 과정에서 생성
㉡ = NADH: Ⅰ과 Ⅲ 중 한쪽(산소 호흡)에서만 생성
㉢ = CO_2: Ⅰ과 Ⅲ에서 공통으로 생성

Ⅰ: 알코올 발효, A=아세트알데하이드
Ⅱ: 젖산 발효, B=젖산
Ⅲ: 피루브산 산화(산소 호흡), C=아세틸 CoA

이에 대한 설명으로 옳은 것만을 〈보기〉에서 있는 대로 고른 것은? (단, CoA의 수소 수와 탄소 수는 고려하지 않는다.)

〈보기〉

ㄱ. ⓐ는 '○'이다. → 알코올 발효 중 피루브산으로부터 아세트알데하이드가 생성되는 과정(Ⅰ)에서 NAD^+(㉠)가 생성되지 않는다.

ㄴ. 미토콘드리아에서 Ⅲ이 일어난다. → 해당 과정 이후 피루브산이 미토콘드리아로 들어가 산화된다.

ㄷ. 1분자당 $\frac{\text{수소 수}}{\text{탄소 수}}$는 B가 A보다 크다.
→ A(아세트알데하이드 C_2H_4O): $\frac{4}{2}=2$, B(젖산 $C_3H_6O_3$): $\frac{6}{3}=2$
→ $\frac{\text{수소 수}}{\text{탄소 수}}$는 A와 B가 같다.

① ㄱ  ② ㄴ ③ ㄱ, ㄷ ④ ㄴ, ㄷ ⑤ ㄱ, ㄴ, ㄷ

이것이 함정

알코올 발효 과정 중 탈탄산 반응이 일어나는 단계와 NAD^+가 재생되는 단계가 구분되어 있다는 것을 기억해야 한다.

발문과 자료에서 단서 찾기

발문 중 A와 C의 탄소 수에 대한 단서로 B가 젖산이라는 것을 찾는다. ⋙ 그림에서 Ⅰ~Ⅲ 모두 반응물이 피루브산이므로 Ⅰ과 Ⅲ이 산소 호흡과 알코올 발효의 특정 단계임을 확인한다. ⋙ 표에서 생성물 세 가지가 Ⅰ~Ⅲ 중 몇 가지 단계에서 생성되는지 찾아 ㉠~㉢을 정한다. ⋙ 표에서 찾은 생성물을 기준으로 A~C를 확정하고 Ⅰ~Ⅲ의 특징을 바탕으로 선택지를 판단한다.

추가 선택지

- Ⅰ에서 기질 수준 인산화가 일어난다. (×)
  ⋯→ 알코올 발효에서 기질 수준 인산화는 피루브산이 생성되는 해당 과정에서 일어난다.
- Ⅱ에서 ㉡이 산화된다. (○)
  ⋯→ 피루브산이 환원되어 젖산이 생성되는 과정에서 NADH가 산화되고 NAD^+가 재생된다.

실전! 수능 도전하기

정답과 해설 033쪽

01 그림은 해당 과정에 대해 알아보기 위해 시험관에 일정량의 ㉠과 해당 과정에 필요한 효소와 조효소, ADP, 무기 인산을 넣은 상태에서 시간에 따른 ㉠과 ㉡의 농도를 나타낸 것이다. 실험 과정에서 t_1 시점에 ATP를 첨가하였고 t_2 시점에서 반응이 끝났다. ㉠과 ㉡은 각각 포도당과 피루브산 중 하나이다.

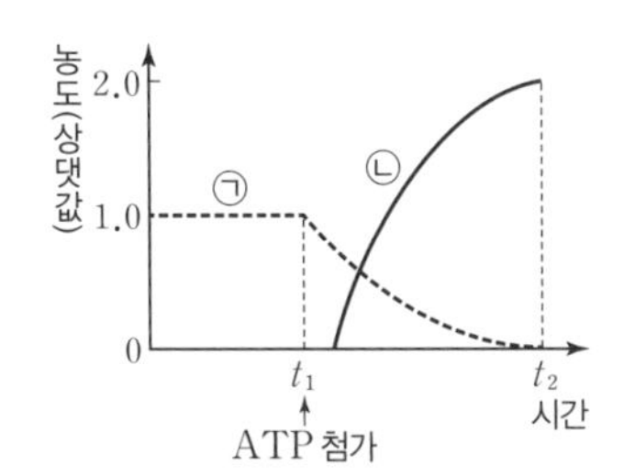

이에 대한 설명으로 옳은 것만을 〈보기〉에서 있는 대로 고른 것은?

〈보기〉
ㄱ. 1분자당 탄소 수는 ㉠이 ㉡의 2배이다.
ㄴ. $\frac{\text{㉡ 2분자의 총에너지}}{\text{㉠ 1분자의 에너지}}=1$이다.
ㄷ. t_1과 t_2 사이에 ATP의 합성과 분해 반응이 모두 일어난다.

① ㄱ ② ㄴ ③ ㄱ, ㄷ
④ ㄴ, ㄷ ⑤ ㄱ, ㄴ, ㄷ

02 그림은 TCA 회로 반응에서 물질 전환 과정의 일부를, 표는 그림의 과정 Ⅰ, Ⅱ, Ⅲ에서 NAD^+와 FAD의 환원 여부를 나타낸 것이다. A~D는 옥살아세트산, 4탄소 화합물, 5탄소 화합물, 시트르산을 순서 없이 나타낸 것이다.

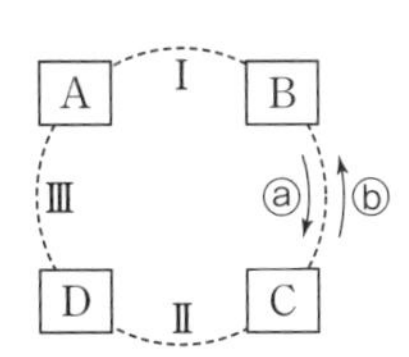

물질 \ 과정	Ⅰ	Ⅱ	Ⅲ
NAD^+	?	○	○
FAD	○	?	×

(○: 환원됨, ×: 환원 안 됨)

이에 대한 설명으로 옳은 것만을 〈보기〉에서 있는 대로 고른 것은?

〈보기〉
ㄱ. 회로 반응의 방향은 ⓐ이다.
ㄴ. 과정 Ⅰ에서 ATP가 합성된다.
ㄷ. 과정 Ⅱ에서 CO_2가 방출된다.

① ㄱ ② ㄴ ③ ㄱ, ㄴ
④ ㄱ, ㄷ ⑤ ㄴ, ㄷ

03 그림은 효소 X의 작용으로 물질 ㉠과 ADP로부터 물질 ㉡과 ATP가 만들어지는 반응을 나타낸 것이다.

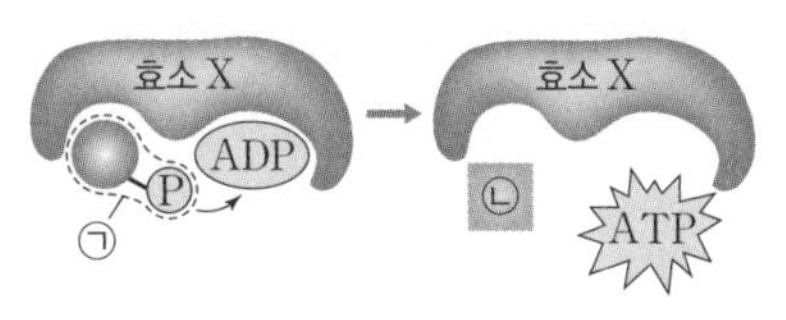

이에 대한 설명으로 옳은 것만을 〈보기〉에서 있는 대로 고른 것은?

〈보기〉
ㄱ. 해당 과정과 TCA 회로에서 위 반응이 일어난다.
ㄴ. ㉠이 가진 에너지의 크기와 ㉡이 가진 에너지의 크기가 같다.
ㄷ. ㉡은 효소 X의 기질이다.

① ㄱ ② ㄴ ③ ㄱ, ㄷ
④ ㄴ, ㄷ ⑤ ㄱ, ㄴ, ㄷ

수능 기출

04 그림은 세포 호흡이 일어나고 있는 어떤 세포의 미토콘드리아에서 아세틸 CoA가 TCA 회로를 거쳐 분해되는 과정을, 표는 과정 (가)~(다)에서 물질 ㉠~㉢의 생성 여부를 나타낸 것이다. 과정 Ⅰ~Ⅲ은 각각 (가)~(다) 중 하나이고, ㉠~㉢은 CO_2, ATP, NADH를 순서 없이 나타낸 것이다.

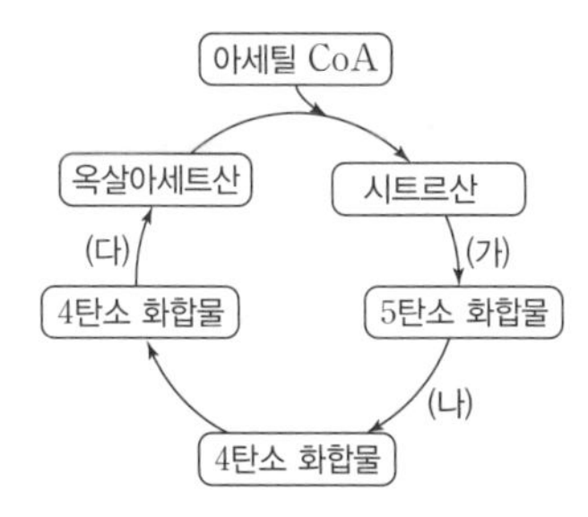

구분	㉠	㉡	㉢
Ⅰ	ⓐ	×	×
Ⅱ	○	?	○
Ⅲ	?	○	×

(○: 생성됨, ×: 생성 안 됨)

이에 대한 설명으로 옳은 것만을 〈보기〉에서 있는 대로 고른 것은?

〈보기〉
ㄱ. ⓐ는 '○'이다.
ㄴ. Ⅲ은 (다)이다.
ㄷ. (나)에서 ㉡이 생성된다.

① ㄱ ② ㄴ ③ ㄱ, ㄷ
④ ㄴ, ㄷ ⑤ ㄱ, ㄴ, ㄷ

실전! 수능 도전하기

05 그림은 포도당의 세포 호흡 과정 중 일부를 나타낸 것이다. ㉠~㉢은 각각 NADH, $FADH_2$, ATP 중 하나이다.

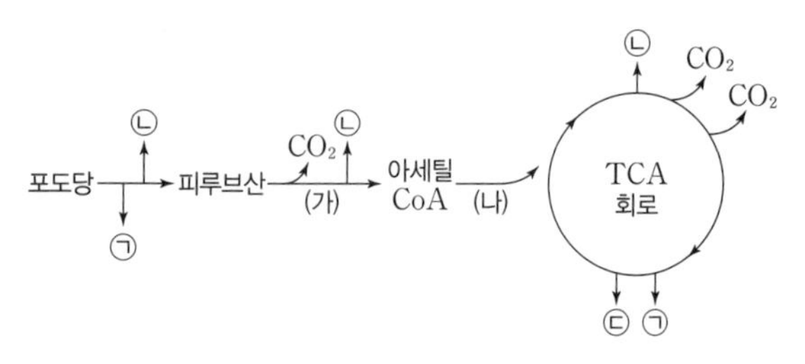

이에 대한 설명으로 옳은 것만을 〈보기〉에서 있는 대로 고른 것은?

> 보기
> ㄱ. (가) 과정은 세포질에서 일어난다.
> ㄴ. (나) 과정에서 탈탄산 효소가 작용한다.
> ㄷ. ㉠은 ATP, ㉡은 NADH, ㉢은 $FADH_2$이다.

① ㄱ ② ㄷ ③ ㄱ, ㄴ ④ ㄴ, ㄷ ⑤ ㄱ, ㄴ, ㄷ

06 그림은 근육 세포에 세포 호흡 저해제 A와 B를 처리하였을 때 시간에 따른 근육 세포의 산소 소비 속도를, 표는 물질 ㉠과 ㉡의 특성을 나타낸 것이다. A와 B는 각각 ㉠과 ㉡ 중 하나이다.

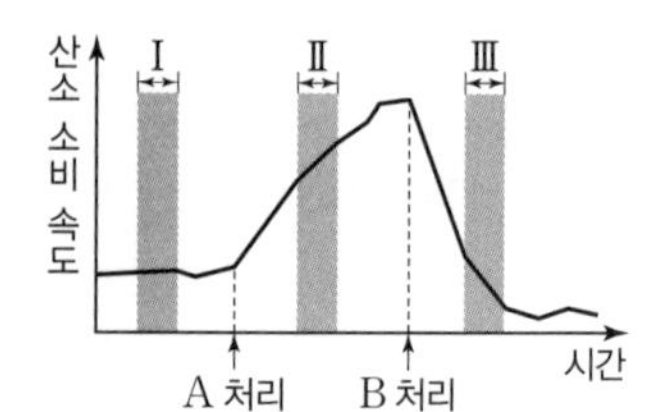

물질	특성
㉠	막 사이 공간과 기질의 pH 차를 줄임
㉡	전자 전달계의 전자 전달을 억제시킴

이에 대한 설명으로 옳은 것만을 〈보기〉에서 있는 대로 고른 것은?

> 보기
> ㄱ. A는 ㉡이다.
> ㄴ. 구간 Ⅲ에서 미토콘드리아 내막을 통해 H^+이 이동한다.
> ㄷ. 단위 시간당 ATP 생성량은 구간 Ⅰ에서보다 구간 Ⅱ에서 많다.

① ㄱ ② ㄴ ③ ㄱ, ㄷ ④ ㄴ, ㄷ ⑤ ㄱ, ㄴ, ㄷ

수능 기출

07 그림은 세포 호흡이 일어나고 있는 어떤 세포의 미토콘드리아에서 일어나는 산화적 인산화 과정의 일부를 나타낸 것이다. Ⅰ과 Ⅱ는 각각 미토콘드리아 기질과 막 사이 공간 중 하나이다.

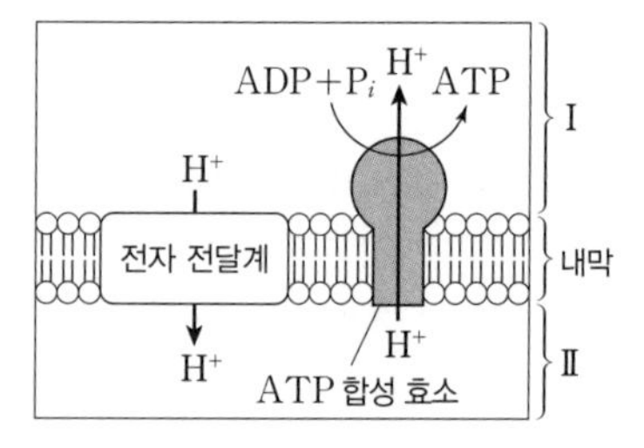

이에 대한 설명으로 옳은 것만을 〈보기〉에서 있는 대로 고른 것은?

> 보기
> ㄱ. Ⅰ은 미토콘드리아 기질이다.
> ㄴ. pH는 Ⅱ에서가 Ⅰ에서보다 높다.
> ㄷ. 이 전자 전달계에서 전자의 최종 수용체는 NAD^+이다.

① ㄱ ② ㄴ ③ ㄱ, ㄷ ④ ㄴ, ㄷ ⑤ ㄱ, ㄴ, ㄷ

08 그림은 물질 X를 미토콘드리아에 처리하였을 때 내막에서 일어나는 현상을 나타낸 것이다. X는 막 사이 공간에서 기질로 H^+의 확산을 촉진한다.

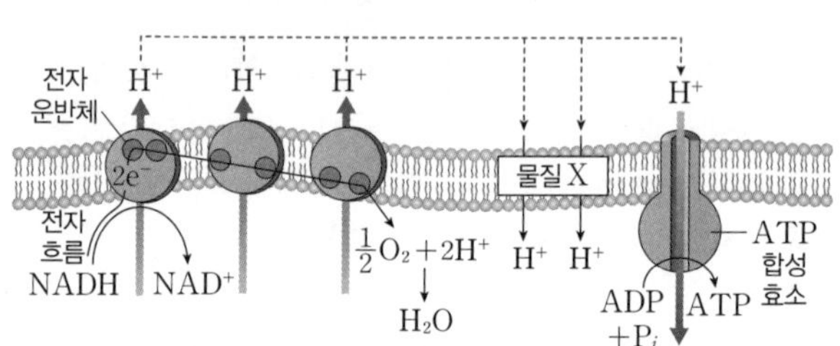

물질 X에 대한 설명으로 옳은 것만을 〈보기〉에서 있는 대로 고른 것은?

> 보기
> ㄱ. NADH에서 방출된 전자가 O_2에 전달되는 과정을 억제한다.
> ㄴ. 미토콘드리아 기질과 막 사이 공간의 pH 차이를 감소시킨다.
> ㄷ. X를 처리하면 처리하기 전보다 ATP 합성 효소에 의한 ATP 합성 속도가 증가한다.

① ㄱ ② ㄴ ③ ㄱ, ㄷ ④ ㄴ, ㄷ ⑤ ㄱ, ㄴ, ㄷ

수능 기출

09 그림 (가)는 어떤 세포에서 피루브산이 TCA 회로와 산화적 인산화를 거쳐 분해되는 반응을, (나)는 이 세포의 미토콘드리아에서 일어나는 산화적 인산화 과정의 일부를 나타낸 것이다. ㉠~㉣은 분자 수이다.

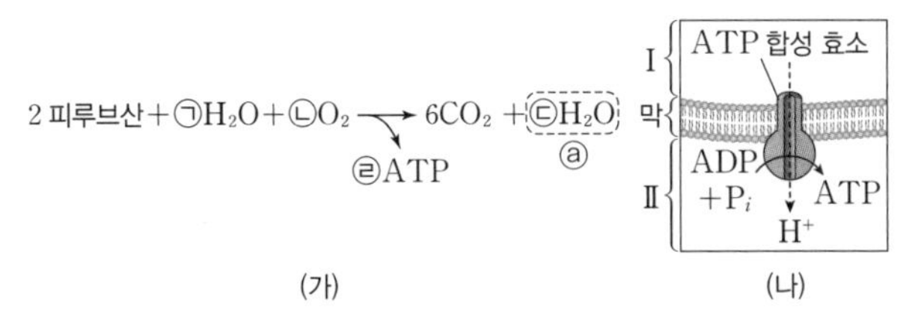

(가) (나)

이에 대한 설명으로 옳은 것만을 〈보기〉에서 있는 대로 고른 것은? (단, (가)에서 ADP와 P_i은 나타내지 않았으며, 산화적 인산화를 통해 1분자의 NADH로부터 2.5ATP가, 1분자의 FADH 로부터 1.5ATP가 생성된다.)

보기
ㄱ. $\frac{㉣}{㉡+㉢}=\frac{5}{3}$이다.
ㄴ. (가)의 ⓐ는 (나)의 Ⅰ에서 생성된다.
ㄷ. (나)의 막은 미토콘드리아 내막이다.

① ㄱ ② ㄴ ③ ㄷ
④ ㄱ, ㄷ ⑤ ㄴ, ㄷ

10 그림 (가)는 미토콘드리아에서 일어나는 ATP 합성 과정의 일부를, (나)는 ⓐ분자의 피루브산이 TCA 회로와 산화적 인산화를 통해 분해될 때 소비되는 O_2와 생성되는 CO_2, H_2O, ATP의 분자 수를 나타낸 것이다.

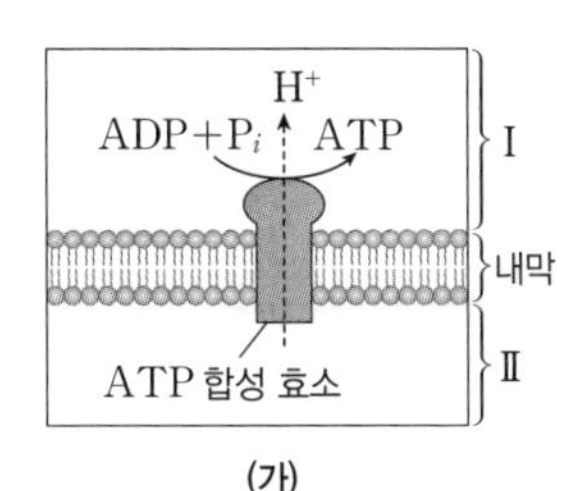

(가)

소비 및 생성 물질	분자 수
O_2 소비	㉠
CO_2 생성	㉡
H_2O 생성	10
ATP 생성	25

(나)

이에 대한 설명으로 옳은 것만을 〈보기〉에서 있는 대로 고른 것은? (단, 산화적 인산화를 통해 1분자의 $FADH_2$로부터 1.5ATP가, 1분자의 NADH로부터 2.5ATP가 생성된다.)

보기
ㄱ. (나)의 25분자의 ATP는 모두 (가)에 의해 생성된다.
ㄴ. ⓐ+㉠+㉡=13이다.
ㄷ. (나)의 ATP 분자는 모두 Ⅰ에서 생성된다.

① ㄱ ② ㄷ ③ ㄱ, ㄴ
④ ㄴ, ㄷ ⑤ ㄱ, ㄴ, ㄷ

11 그림은 동물 세포에서 지방, 탄수화물, 단백질이 세포 호흡에 사용되는 과정을 나타낸 것이다. ㉠~㉢은 지방산, 글리세롤, 아미노산을 순서 없이 나타낸 것이다.

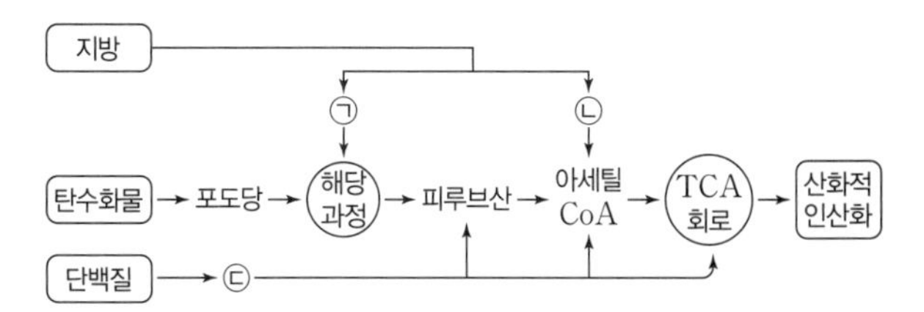

이에 대한 설명으로 옳은 것만을 〈보기〉에서 있는 대로 고른 것은?

보기
ㄱ. ㉠은 글리세롤이다.
ㄴ. ㉡은 산소가 충분할 때 미토콘드리아에서 CO_2와 H_2O로 완전 분해된다.
ㄷ. ㉢은 아미노기가 제거된 후 세포 호흡에 사용된다.

① ㄱ ② ㄷ ③ ㄱ, ㄴ
④ ㄴ, ㄷ ⑤ ㄱ, ㄴ, ㄷ

12 그림 (가)는 싹튼 콩의 호흡률을 구하는 실험 장치를, (나)는 실험 시작 후 10분까지 잉크의 움직인 거리를 나타낸 것이다. A와 B에서 잉크는 왼쪽으로 이동하였고, 대조 실험을 정상적으로 수행하였다.

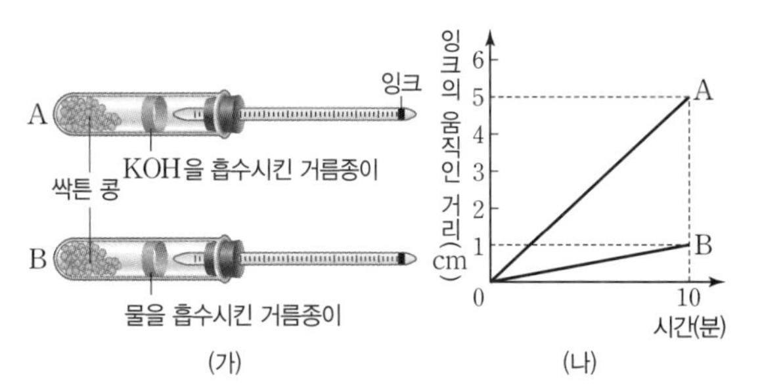

(가) (나)

이에 대한 설명으로 옳은 것만을 〈보기〉에서 있는 대로 고른 것은? (단, 호흡률은 탄수화물 1, 단백질 0.8, 지방 0.7이다.)

보기
ㄱ. 싹튼 콩은 호흡 기질로 주로 단백질을 이용하였다.
ㄴ. KOH은 CO_2를 흡수하기 위한 것이다.
ㄷ. 소모되는 O_2의 양이 방출되는 CO_2의 양보다 많다.

① ㄱ ② ㄴ ③ ㄱ, ㄷ
④ ㄴ, ㄷ ⑤ ㄱ, ㄴ, ㄷ

수능 기출

13 그림은 발효에서 포도당이 물질 A와 B로 전환되는 과정 Ⅰ~Ⅲ을, 표는 Ⅰ~Ⅲ에서 물질 ㉠~㉢의 생성 여부를 나타낸 것이다. A와 B는 각각 젖산과 에탄올 중 하나이고, ㉠~㉢은 ATP, CO_2, NAD^+를 순서 없이 나타낸 것이다.

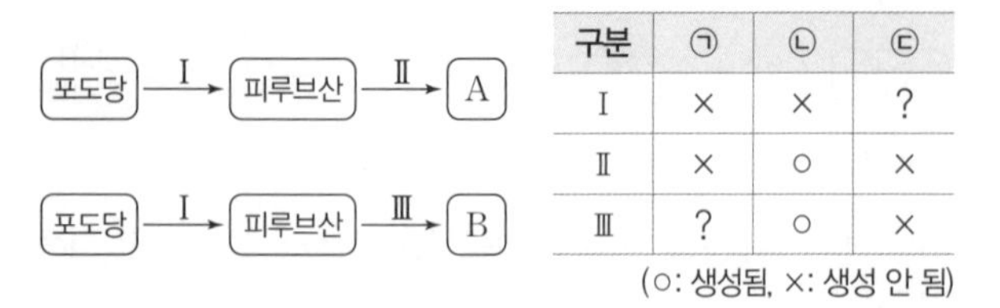

구분	㉠	㉡	㉢
Ⅰ	×	×	?
Ⅱ	×	○	×
Ⅲ	?	○	×

(○: 생성됨, ×: 생성 안 됨)

이에 대한 설명으로 옳은 것만을 <보기>에서 있는 대로 고른 것은?

보기
ㄱ. Ⅰ에서 ATP를 사용하는 단계가 있다.
ㄴ. Ⅲ에서 탈탄산 반응이 일어난다.
ㄷ. 1분자당 $\frac{\text{수소 수}}{\text{탄소 수}}$는 A가 B보다 크다.

① ㄱ ② ㄷ ③ ㄱ, ㄴ ④ ㄴ, ㄷ ⑤ ㄱ, ㄴ, ㄷ

14 표는 운동 시 체내에서 일어나는 물질대사 과정의 일부를, 그림은 힘든 운동을 할 때 산소 요구량과 산소 소모량의 변화를 나타낸 것이다. 산소 요구량은 인체가 세포 호흡을 위해 필요로 하는 산소의 양, 산소 소모량은 실제 인체가 소모하는 산소의 양이다.

과정	물질대사 과정
Ⅰ	포도당 → 젖산
Ⅱ	포도당 → CO_2, H_2O

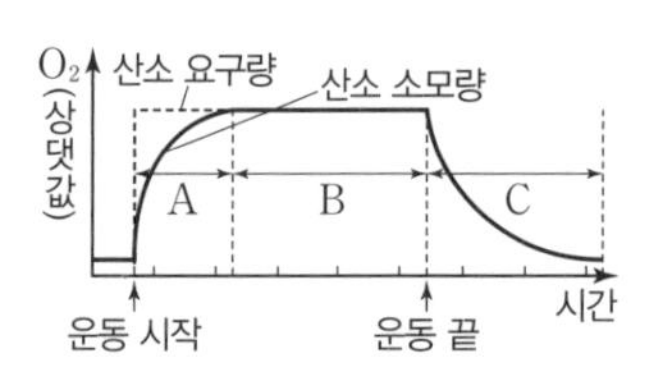

이에 대한 설명으로 옳은 것만을 <보기>에서 있는 대로 고른 것은?

보기
ㄱ. 구간 A에서 과정 Ⅰ과 Ⅱ가 모두 일어난다.
ㄴ. 과정 Ⅱ는 구간 A~C에서 모두 일어난다.
ㄷ. 과정 Ⅰ과 Ⅱ에서 공통적으로 해당 과정이 진행된다.

① ㄱ ② ㄷ ③ ㄱ, ㄴ ④ ㄴ, ㄷ ⑤ ㄱ, ㄴ, ㄷ

15 그림 (가)는 효모를 포도당 용액이 담긴 시험관에 넣은 후 밀폐시켰을 때 효모에서 일어나는 발효 과정을, (나)는 시험관의 물질 농도 변화를 나타낸 것이다. ㉠과 ㉡은 각각 아세트알데하이드와 피루브산 중 하나이며, A와 B는 에탄올과 포도당 중 하나이다.

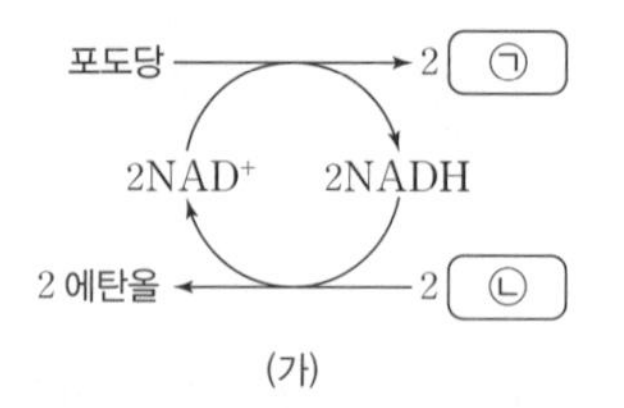

(가)

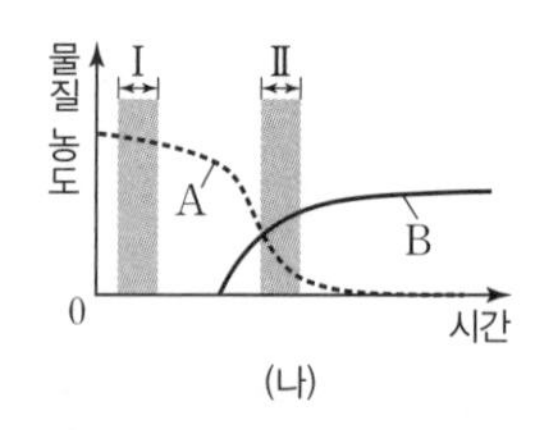

(나)

이에 대한 설명으로 옳은 것만을 <보기>에서 있는 대로 고른 것은?

보기
ㄱ. ㉠이 ㉡으로 전환되는 과정에서 탈탄산 반응이 일어난다.
ㄴ. 1분자당 수소 수는 B가 A의 2배이다.
ㄷ. 효모에서 단위 시간당 소비되는 O_2의 양은 구간 Ⅰ에서가 구간 Ⅱ에서보다 많다.

① ㄱ ② ㄴ ③ ㄱ, ㄷ ④ ㄴ, ㄷ ⑤ ㄱ, ㄴ, ㄷ

16 그림은 어떤 생물에서 일어나는 알코올 발효 과정을 나타낸 것이다. ㉠과 ㉡은 각각 NADH와 NAD^+ 중 하나이다.

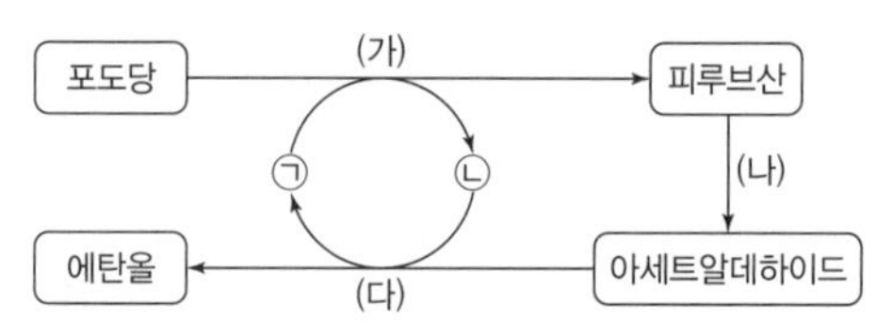

이에 대한 설명으로 옳은 것만을 <보기>에서 있는 대로 고른 것은?

보기
ㄱ. (가)에는 ATP가 소모되는 단계가 있다.
ㄴ. (나)는 미토콘드리아 기질에서 일어난다.
ㄷ. (다)에서 ㉡이 산화된다.

① ㄱ ② ㄴ ③ ㄱ, ㄷ ④ ㄴ, ㄷ ⑤ ㄱ, ㄴ, ㄷ

2 광합성

배울 내용 살펴보기

01 광합성

- A 광합성 색소
- B 엽록체의 구조와 광합성의 단계
- C 명반응
- D 탄소 고정 반응

광합성은 엽록체의 그라나에서 일어나는 명반응과 스트로마에서 일어나는 탄소 고정 반응으로 되어 있는데, 두 과정은 밀접하게 연결되어 있어.

02 광합성과 세포 호흡의 비교

- A 광합성과 세포 호흡의 비교
- B 광합성과 세포 호흡에서 ATP의 합성

광합성과 세포 호흡은 반응 종류, 반응 장소, 물질 변화 면에서 차이점이 있지만, 전자 전달과 ATP 합성 과정에서는 매우 유사해.

01 광합성

핵심 키워드로 흐름잡기

- A 광합성 색소, 엽록소, 카로티노이드계 색소, 흡수 스펙트럼, 작용 스펙트럼
- B 엽록체, 그라나, 스트로마, 명반응, 탄소 고정 반응
- C 광계, 물의 광분해, 광인산화, 비순환적 전자 흐름, 순환적 전자 흐름, 화학 삼투에 의한 ATP 합성
- D 캘빈 회로, 탄소 고정, 3PG의 환원, RuBP의 재생

A 광합성 색소

|출·제·단·서| 시험에는 엽록체의 구조와 광합성 색소의 종류와 기능, 흡수 스펙트럼과 작용 스펙트럼의 의미를 알고 있는지 묻는 문제가 나와.

1. 광합성 색소❶ 광합성에 필요한 빛에너지를 흡수하는 색소이다. 엽록체의 틸라코이드 막에 존재한다.

(1) 종류 엽록소와 카로티노이드계 색소가 있다.

① **엽록소:** 엽록소 a, b, c, d 등이 있으며 엽록소 a는 모든 광합성 식물에서 공통으로 발견되어 중심 색소라고 한다. 엽록소 a는 일부 광합성 세균을 제외한 모든 광합성 생물에 있다.

② **카로티노이드계 색소:** 보조 색소❷로 카로틴, 잔토필 등이 있으며, 엽록소가 잘 흡수하지 못하는 파장의 빛을 흡수하여 엽록소로 전달하고, 강한 빛에너지로부터 엽록소를 보호한다.

(2) 빛의 파장과 광합성 색소 광합성에 이용되는 빛은 주로 •가시광선이다.

① **흡수 스펙트럼:** 빛의 파장에 따른 광합성 색소의 빛 흡수율을 그래프로 나타낸 것이다. 엽록소는 청자색광과 적색광을 잘 흡수하고 녹색광을 거의 흡수하지 않지만, 카로티노이드는 청자색광 이외에 녹색광을 흡수하여 광합성을 돕는다.

② **작용 스펙트럼 :** 빛의 파장에 따른 광합성 속도를 그래프로 나타낸 것이다. 식물은 청자색광과 적색광에서 광합성 속도가 빠르다.

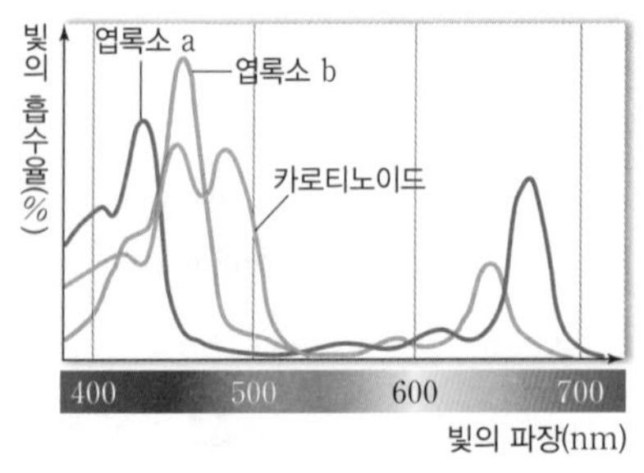

▲ 흡수 스펙트럼

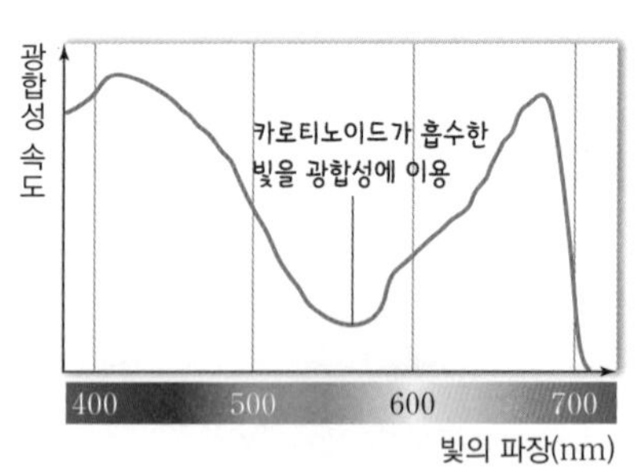

▲ 작용 스펙트럼

빈출 탐구 잎의 색소 분리

광합성에 관여하는 색소를 분리할 수 있다.

과정 TLC는 얇은 판 크로마토그래피법이라는 뜻이며, TLC 판은 녹말이나 구운 석고 같은 결합제와 혼합된 실리카 젤 같은 흡착제를 미세하게 빻은 후에 플라스틱 판 위에 얇게 입힌 것이다.

① 자른 시금치 잎과 광합성 색소 추출액을 막자 사발에 넣고 으깬다.

② 시험관 크기에 맞게 자른 TLC 판 아래 끝 2 cm 위쪽에 원점 표시를 하고, 색소 추출액을 원점에 찍고 말리는 것을 반복해 지름 2~3 mm 정도되도록 한다.

③ 전개액이 든 시험관에 TLC 판을 넣고 마개로 막은 후 광합성 색소가 전개되면서 분리되는 과정을 관찰한다. TLC 판을 넣을 때 원점이 전개액에 닿지 않도록 한다.

결과

시금치 잎에서 옅은 녹색(엽록소 b), 진한 녹색(엽록소 a), 노란색(잔토필), 주황색(카로틴) 순으로 색소가 분리되었다.

정리

❶ 분리된 색소의 전개율을 구하여 색소의 종류를 알 수 있다.

$$\text{전개율} = \frac{\text{원점에서 색소까지의 거리}}{\text{원점에서 용매 전선까지의 거리}}$$

- 전개율은 각 색소의 분자량, 전개액에 용해되는 정도, 전개액과 전개지에 흡착되는 정도의 차이 등으로 색소에 따라 차이가 생긴다.

❷ 전개율에 따른 시금치 잎의 광합성 색소: 카로틴 > 잔토필 > 엽록소 a > 엽록소 b

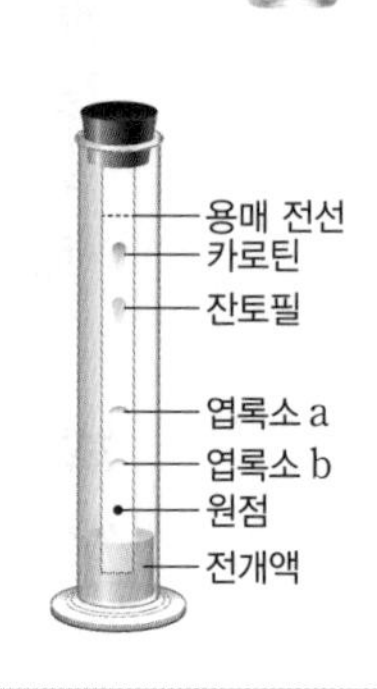

---

❶ 광합성 색소
가시광선 중 특정 파장대의 빛을 흡수하므로 엽록소와 같이 녹색을 반사하고 다른 색을 흡수하는 색소는 녹색으로 보인다.

❷ 보조 색소
반응 중심 색소를 제외한 나머지 색소를 보조 색소라고 하며, 빛을 반응 중심 색소로 전달하는 안테나 역할을 하기 때문에 안테나 색소라고도 한다.

⊕ 엥겔만의 실험
엥겔만은 프리즘을 통과한 서로 다른 파장의 빛을 해캄에 비춘 후 해캄 주위에 호기성 세균이 모여 든 분포를 관찰하여 어떤 파장의 빛에서 해캄의 광합성이 활발하게 일어나는지를 확인하였다. 실험 결과 청자색광과 적색광을 비춘 부위에 호기성 세균이 많이 모여 들었다.

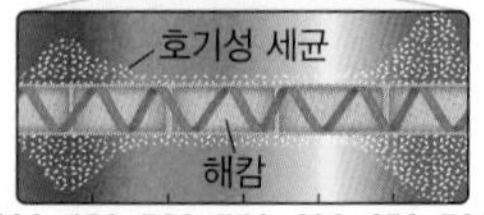

400 450 500 550 600 650 700
파장(nm)

용어 알기

•가시광선(옳을 可, 볼 視, 빛 光, 선 線) 사람의 눈에 보이는 파장 범위의 빛을 가시광선이라고 하며, 프리즘에 통과시키면 파장에 따라 분산되어 빨강에서 보라까지 연속적으로 색깔이 나타남

B 엽록체의 구조와 광합성의 단계

|출·제·단·서| 시험에는 엽록체의 구조 및 명반응과 탄소 고정 반응의 관계를 아는지 묻는 문제가 나와.

1. 엽록체❸ 광합성이 일어나는 장소로, 잎의 •엽육 세포에 가장 많다. 외막과 내막의 2중 막으로 싸여 있으며 그라나와 스트로마로 구분된다. 틸라코이드 막의 엽록소로 인해 그라나는 녹색을 띠지만 기질 부분인 스트로마에는 엽록소가 없어 무색으로 보인다.

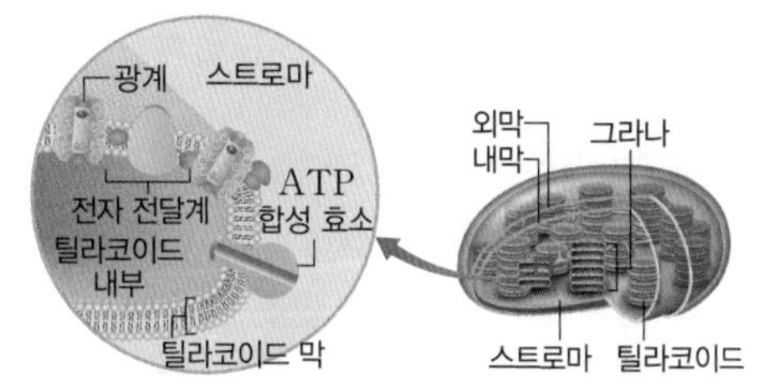

▲ 엽록체의 구조

구분	그라나	스트로마
구조	틸라코이드❹가 겹겹이 쌓인 구조물	엽록체의 기질 부분
포함 물질	광계, 광합성 색소(엽록소 a, b, 카로틴, 잔토필), 전자 전달 효소 복합체, ATP 합성 효소	DNA, RNA, 리보솜, 녹말, 유기물을 합성하는 데 필요한 여러 효소
기능	명반응: 빛에너지를 흡수하여 화학 에너지로 전환	탄소 고정 반응: CO_2를 환원시켜 포도당 합성

2. 광합성의 단계

광합성 반응식: $6CO_2 + 12H_2O \xrightarrow{\text{빛에너지}} C_6H_{12}O_6 + 6O_2 + 6H_2O$

(1) 명반응

① **반응 장소:** 엽록체의 그라나

② **과정:** H_2O이 분해되어 O_2가 발생하고 빛에너지를 흡수하여 $NADP^+$를 NADPH❺로 환원시키며, ATP가 합성된다.

(2) 탄소 고정 반응

① **반응 장소:** 엽록체의 스트로마

② **과정:** 명반응 산물인 NADPH와 ATP를 이용하여 CO_2를 환원시켜 포도당을 합성한다.

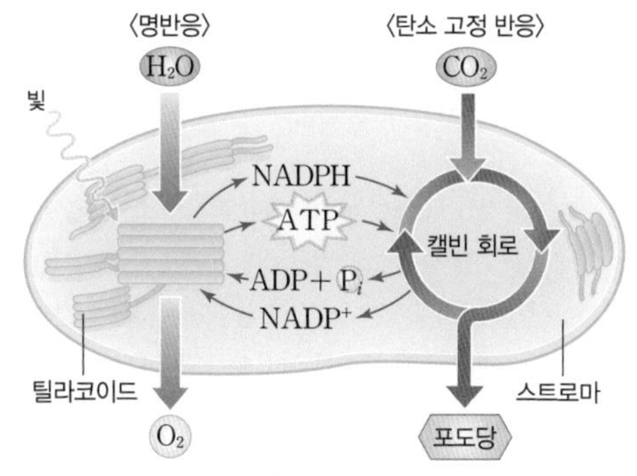

▲ 광합성의 전체 반응

빈출 자료 **벤슨의 실험**

❶ (가)와 (나)의 Ⅰ과 Ⅱ에서 광합성이 일어나지 않음 → 빛이 없으면 CO_2가 있어도 광합성이 일어나지 않으며, 빛이 있어도 CO_2가 없으면 광합성이 일어나지 않는다.

❷ (가)와 (나)의 Ⅲ에서 광합성 속도에 차이가 있음 → (가)의 Ⅲ에서는 Ⅱ의 빛에 의해 공급받은 물질을 소모할 때까지 광합성이 일어났고, (나)의 Ⅲ에서는 빛에 의해 물질을 공급받아 광합성이 지속적으로 일어났다.

➡ 광합성은 빛이 필요한 단계(명반응)와 CO_2가 필요한 단계(탄소 고정 반응)로 구분되며, 광합성이 지속되기 위해서는 빛과 CO_2가 모두 필요하다.

❸ 엽록체

길이가 5~10 μm 정도이고 두께가 2~3 μm 정도이다. 보통 미토콘드리아보다 크다. 잎뿐만 아니라 식물체에서 녹색을 띠는 모든 부분에 있으며, 식물체에 공급되는 빛의 세기가 강해지거나, 강한 빛을 받는 잎 부위의 세포에서는 엽록체가 증식하여 더 많은 수의 엽록체가 포함되어 있다.

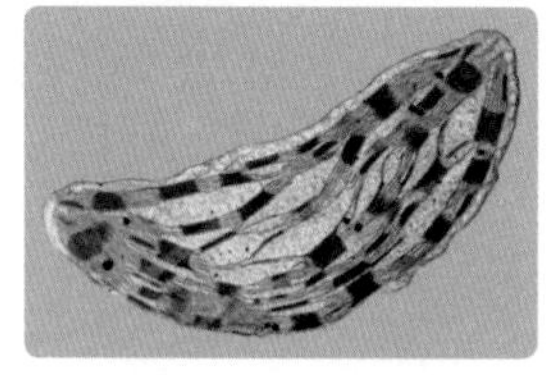

▲ 엽록체의 전자 현미경 사진

❹ 틸라코이드의 구조

틸라코이드 막에는 전자를 전달하고 H^+을 수송하는 전자 전달 효소 복합체와 ATP 합성 효소가 있다. 전자 전달 효소 복합체는 양성자 펌프의 기능을 수행하고, ATP 합성 효소는 H^+의 촉진 확산을 담당하는 운반체로도 작용한다.

❺ $NADP^+$와 NADPH

광합성 과정에서 $NADP^+$는 세포 호흡 과정의 NAD^+처럼 전자 수용체 역할을 하는 조효소이다. 명반응 과정에서는 빛에너지에 의해 $NADP^+$에 1개의 H^+과 2개의 전자가 첨가되어 NADPH로 환원된다.

$$NADP^+ + 2H^+ + 2e^- \rightleftharpoons NADPH + H^+$$

용어 알기

•엽육 세포(잎 葉, 고기 肉, 가늘 細, 태보 胞, mesophyll) 잎의 표피 안쪽에 있는 녹색의 두꺼운 부분인 엽육 조직을 이루고 있는 세포로, 잎에서 표피와 잎맥을 제외한 나머지 부분의 세포

C 명반응

|출·제·단·서| 시험에는 명반응의 과정, 물의 광분해 관련 실험, 광인산화의 의미와 화학 삼투의 원리를 묻는 문제가 나와.

1. 명반응

(1) **광계** 빛에너지를 흡수하여 고에너지 전자를 방출하는 단백질 복합체로, 틸라코이드 막에 존재하며, 엽록소와 카로티노이드 등 여러 광합성 색소와 전자 수용체로 구성된다.

① **광계 Ⅰ**: 700 nm의 빛을 가장 잘 흡수하는 엽록소 a인 P_{700}을 반응 중심 색소로 갖는다.

② **광계 Ⅱ**: 680 nm의 빛을 가장 잘 흡수하는 엽록소 a인 P_{680}을 반응 중심 색소로 갖는다. 광계 Ⅰ과 Ⅱ의 반응 중심 색소는 모두 엽록소 a이다.

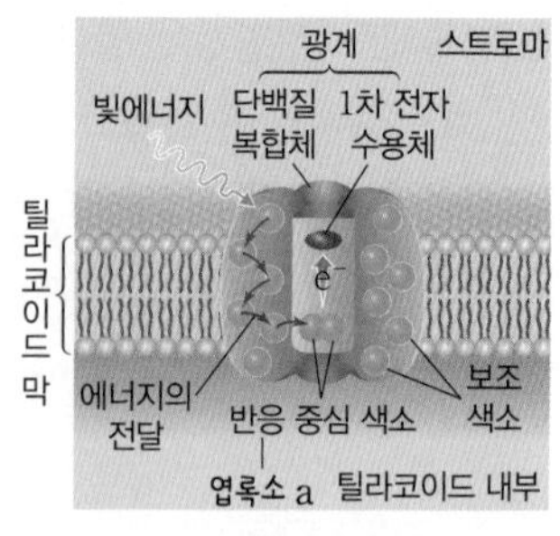

▲ 광계의 구조

(2) **명반응의 개요** 물의 광분해[6]와 광인산화 과정을 통해 O_2가 방출되고, ATP와 NADPH가 생성되어 탄소 고정 반응에 공급한다.

$$12H_2O + 12NADP^+ + 18ADP \xrightarrow{빛에너지} 12NADPH + 18ADP + 6O_2$$

(광인산화: $12NADP^+ + 18ADP$ → $12NADPH + 18ADP$ / 물의 광분해: $12H_2O$ → $6O_2$)

2. 물의 광분해

빛이 있을 때 틸라코이드 내부에서 H_2O이 분해되어 H^+과 전자(e^-), 산소(O_2)가 생성되는 과정이다. $H_2O \longrightarrow 2H^+ + 2e^- + \frac{1}{2}O_2$

(1) **전자 공여체** H_2O에서 방출된 전자(e^-)는 P_{680}을 환원시킨다.

(2) **O_2 발생** H_2O의 분해로 발생한 O_2는 외부로 방출되거나 세포 호흡에 이용된다.

빈출 자료 명반응을 밝힌 실험

1. 힐의 실험[7](1939년)

탐구 과정 및 결과

질경이 잎에서 분리한 엽록체와 옥살산 철(Ⅲ)을 시험관에 넣고 공기를 빼낸 다음 빛을 비추었더니, O_2가 발생하고 옥살산 철(Ⅲ)이 옥살산 철(Ⅱ)로 환원되는 것을 발견하였다.

➡ 시험관에 들어 있는 H_2O이 분해되어 O_2가 발생하였고, H_2O이 분해될 때 방출된 전자가 옥살산 철(Ⅲ)의 Fe^{3+}에 수용되어 옥살산 철(Ⅱ)의 Fe^{2+}이 되었다.

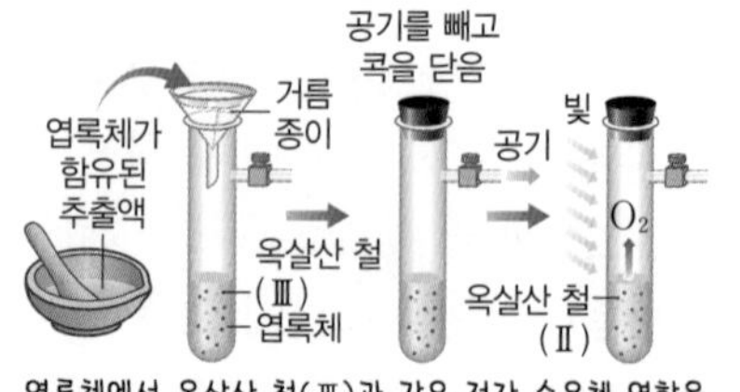

엽록체에서 옥살산 철(Ⅲ)과 같은 전자 수용체 역할을 하는 물질은 $NADP^+$이다.

2. 루벤의 실험(1941년)

탐구 과정

[탐구 1] (가) 클로렐라 배양액에 동위 원소 ^{18}O를 포함한 $H_2{}^{18}O$과 CO_2를 주고 빛을 비추어 발생하는 기체를 분석한다.

(나) 클로렐라 배양액에 H_2O과 ^{18}O를 포함한 $C^{18}O_2$를 주고 빛을 비추어 발생하는 기체를 분석한다. ^{18}O는 방사성이 아닌 안정 동위 원소이다.

[탐구 2] $H_2{}^{18}O$과 $C^{18}O_2$를 각각 다른 비율로 넣은 클로렐라 배양액에서 발생하는 산소 중 $^{18}O_2$의 비율을 조사하여 표와 같은 결과를 얻었다.

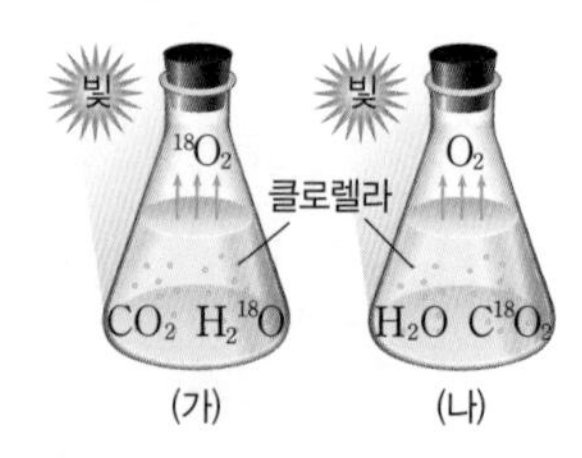

구분	전체 CO_2 중 $C^{18}O_2$의 비율(%)	전체 H_2O 중 $H_2{}^{18}O$의 비율(%)	발생한 O_2 중 $^{18}O_2$의 비율(%)
실험 Ⅰ	0.20	0.85	0.85
실험 Ⅱ	0.68	0.20	0.20

탐구 결과

[탐구 1]의 (가)에서는 $^{18}O_2$가 발생하였고, (나)에서는 O_2가 발생하였다. [탐구 2]에서 광합성 결과 발생하는 O_2에서 $^{18}O_2$가 차지하는 비율이 배양액의 H_2O 중에서 $H_2{}^{18}O$이 차지하는 비율과 거의 같다. ➡ 광합성 결과 발생하는 O_2는 물(H_2O)에서 유래되었다.

---

❻ 물의 광분해

물의 광분해는 광인산화 중 비순환적 전자 흐름에 전자를 제공하는 과정으로, 광인산화와 밀접하게 연관되어 있다. 물의 광분해는 광계 Ⅱ에서 일어나는데, 광계 Ⅱ는 틸라코이드 막에 있다. 물은 광계 Ⅱ의 틸라코이드 내부 쪽에서 분해되고, 이때 발생하는 H^+은 틸라코이드 내부로 방출된다.

❼ 힐의 실험

실제 식물체에 옥살산 철(Ⅲ)이 들어 있는 것이 아니라 $NADP^+$가 전자 수용체 역할을 하며, 힐의 실험으로 실제 광합성에서 전자 수용체가 $NADP^+$라는 것을 확인한 것은 아니다.

? 빛이 물을 수소와 산소로 분해하는 것일까?

물이 광분해될 때 빛은 전자의 이동을 유도하는 것이지 물 분자를 직접 수소와 산소로 분해하는 것은 아니다. 물의 분해에는 효소가 관여한다.

용어 알기

● 광계(빛 光, 잇을 系, photosystem) 엽록체의 틸라코이드 막에 위치한 빛에너지 수집 단위로, 광계 Ⅰ과 Ⅱ의 명칭은 발견 순서에 따라 정해짐. 광계 Ⅰ과 Ⅱ를 구분하는 반응 중심 색소 P_{700}, P_{680}에서 P는 색소(pigment)의 약자

● 클로렐라(Chlorella) 민물에 사는 단세포성 녹조류로, 식물과 같은 방식으로 광합성을 하는 생물

3. •광인산화 틸라코이드 막❽에서 광계를 포함한 전자 전달계를 통해 전자가 이동하면서 H^+ 농도 기울기가 형성되고, 화학 삼투를 통해 ATP가 합성된다.

암기TiP 광인산화＝전자 전달계(광계 포함)(NADPH 생성, H^+ 농도 기울기 형성)＋화학 삼투(ATP 생성)

(1) 비순환적 전자 흐름(비순환적 광인산화)

① **광계 Ⅱ에서 전자 방출❶:** 광계 Ⅱ가 빛을 흡수한 후 P_{680}으로부터 고에너지 전자가 방출❾되어 전자 수용체에 전달 → 산화된 P_{680}은 물의 광분해로 방출된 전자에 의해 다시 환원

② **전자 전달과 H^+ 농도 기울기 형성❷:** 전자가 전자 전달계에서 산화 환원 반응을 거치며 이동해 광계 Ⅰ의 P_{700}으로 전달 → 전자로부터 방출된 에너지를 이용해 ATP 합성에 필요한 H^+의 농도 기울기 형성

③ **광계 Ⅰ에서 전자 방출❸:** 광계 Ⅰ이 빛을 흡수한 후 P_{700}으로부터 고에너지 전자가 방출되어 전자 수용체에 전달 → 산화된 P_{700}은 전자 전달계를 통해 전달된 전자에 의해 다시 환원

④ **전자 전달과 NADPH 생성❹:** 전자가 전자 전달계를 거쳐 $NADP^+$에 전달되어 NADPH가 생성됨

(2) 순환적 전자 흐름(순환적 광인산화)❺ 광계 Ⅰ이 빛을 흡수한 후 P_{700}에서 방출된 고에너지 전자가 $NADP^+$에 전달되지 않고 전자 전달계를 거친 후 다시 P_{700}으로 되돌아옴 → 전자로부터 방출된 에너지를 이용해 ATP 합성에 필요한 H^+의 농도 기울기 형성

순환적 전자 흐름에서는 전자가 원래의 자리인 P_{700}으로 되돌아가므로 NADPH가 생성될 수 없고, 물의 광분해가 일어나지 않으므로 산소도 방출되지 않는다.

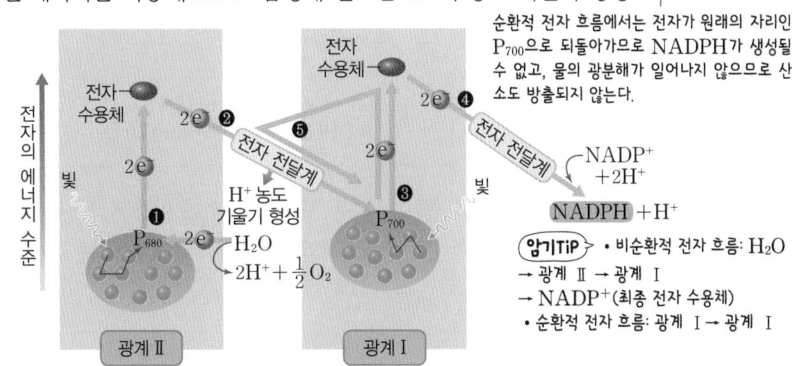

암기TiP • 비순환적 전자 흐름: H_2O → 광계 Ⅱ → 광계 Ⅰ → $NADP^+$(최종 전자 수용체)
• 순환적 전자 흐름: 광계 Ⅰ → 광계 Ⅰ

▲ 비순환적 전자 흐름과 순환적 전자 흐름

(3) 화학 삼투에 의한 ATP 합성 고에너지 전자의 에너지를 이용해 틸라코이드 막을 경계로 H^+의 농도 기울기가 형성되면서 ATP가 합성된다.

빈출 자료 광인산화에서 ATP의 합성

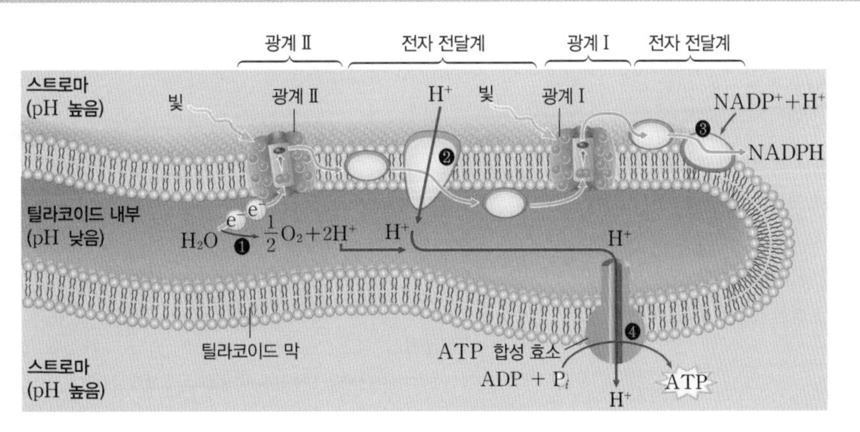

❶ 물의 광분해: 광계 Ⅱ에서 빛을 흡수하고 전자를 방출하며, 물 분해로 O_2가 발생한다.
❷ H^+의 능동 수송: 광계 Ⅱ에서 방출된 전자가 전자 전달계를 통해 이동하며, 그 과정에서 H^+이 틸라코이드 내부로 능동 수송된다.
❸ NADPH 생성: 광계 Ⅰ에서 빛에너지의 흡수로 전자가 방출된다. 전자 전달계를 거친 전자가 $NADP^+$와 결합하여 NADPH를 생성한다.
❹ ATP 합성: 틸라코이드 내부의 H^+이 ATP 합성 효소를 통해 확산되면서 ATP가 생성된다.

❽ 틸라코이드 막
엽록체의 내막과 틸라코이드 막은 막 투과성이 매우 낮아 대부분의 분자들과 이온들이 투과되지 못한다. 틸라코이드 막을 통과하는 물질들은 대부분 막에 있는 운반체 단백질에 의존하여 수송된다. 반면, 엽록체의 외막은 작은 분자와 이온들을 잘 투과시킨다.

❾ 광계에서의 전자 방출
광계의 반응 중심은 반응 중심 색소인 엽록소 a와 전자 수용체로 구성되어 있으며, 이를 보조 색소가 둘러싸고 있다. 보조 색소는 빛에너지를 반응 중심 색소로 전달한다.

⊕ 비순환적 전자 흐름과 순환적 전자 흐름의 비교

구분	비순환적 전자 흐름	순환적 전자 흐름
광계	광계 Ⅰ, Ⅱ	광계 Ⅰ
물의 광분해와 O_2 생성	○	×
NADPH 생성	○	×
ATP 합성	○	○

(○: 일어남, ×: 일어나지 않음)

용어 알기
•광인산화(빛 光, 도깨비불 燐, 초酸, 될 化, photophosphorylation) 광합성의 명반응 동안 엽록체의 틸라코이드 막에 있는 전자 전달계에서 전자가 전달될 때 방출된 에너지에 의해 ADP와 무기 인산으로부터 ATP를 생성하는 과정

D 탄소 고정 반응

|출·제·단·서| 시험에는 캘빈 회로의 과정, 생성물 및 탄소 고정 반응에 필요한 명반응 산물을 파악하는 문제가 나와.

1. 탄소 고정 반응 엽록체의 스트로마에서 일어나며, 스트로마에 있는 여러 효소와 명반응의 산물인 ATP, NADPH를 이용하여 CO_2를 환원, 포도당을 합성하는 과정이다.

- 전체 과정: 탄소 고정 반응을 통해 1분자의 포도당이 합성될 때 캘빈 회로에서 6분자의 CO_2가 고정되고, 18분자의 ATP와 12분자의 NADPH가 사용된다. 캘빈 회로에서 명반응 산물 중 ATP는 에너지원으로, NADPH는 CO_2를 환원시키는 데 사용된다.

2. 캘빈 회로⑩ 개념 POOL

(1) 탄소 고정 기공을 통해 엽록체의 스트로마로 들어온 CO_2가 •RuBP와 결합한 후 •3PG가 형성되는데, 이때 CO_2를 고정하는 효소⑪가 관여한다.

$$3\,RuBP + 3CO_2 \longrightarrow 6\,3PG$$

(2) 3PG의 환원 3PG는 명반응 산물인 ATP로부터 고에너지 인산을 전달받아 DPGA가 형성된다. DPGA는 명반응에서 생성된 NADPH로부터 전자를 전달받아 •PGAL로 환원된다.

$$6\,3PG \xrightarrow{6ATP \;\; 6ADP} 6\,DPGA \xrightarrow{6NADPH \;\; 6NADP^+} 6\,PGAL$$

(3) RuBP의 재생 6분자의 PGAL 중 1분자는 포도당 합성에 이용되고 5분자는 명반응 산물인 ATP를 소모하면서 3분자의 RuBP로 전환된다. 재생된 RuBP는 다시 CO_2와 결합하여 회로를 반복한다.

$$5\,PGAL \xrightarrow{3ATP \;\; 3ADP} 3\,RuBP$$

빈출 자료 캘빈의 실험

탐구 과정

클로렐라 배양액에 방사성 동위 원소 ^{14}C로 표지된 $^{14}CO_2$를 공급하고 빛을 비춘다. 그 후 5초, 30초, 5분, 15분 후에 각각 클로렐라를 일부 채취하여 광합성을 정지시킨 후, 세포 추출물을 준비해 크로마토그래피법으로 1차 전개한 후 90도 회전하여 2차 전개한다. 전개한 용지를 X선 필름에 감광시켜 ^{14}C를 포함한 물질을 알아낸다.

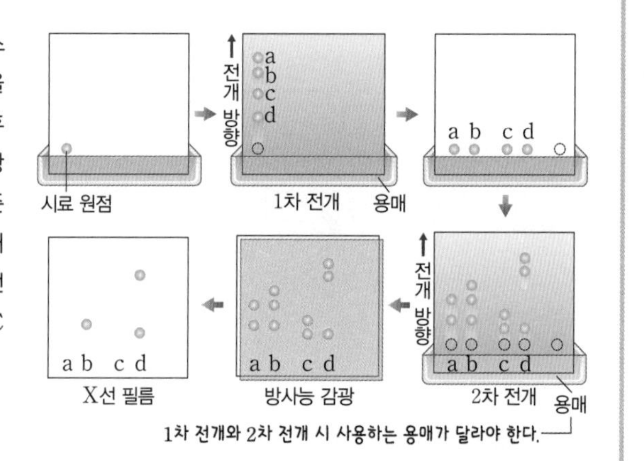

탐구 결과 및 해석

❶ 탄소 고정 반응에서 CO_2가 고정되어 최초로 생성되는 물질은 3PG이다.

❷ 3PG는 다양한 중간 산물을 거쳐 포도당으로 합성된다.

$^{14}CO_2$에 노출된 시간에 따라 과당 2인산, 시트르산 등 다양한 물질이 ^{14}C로 표지되어 나타났다.

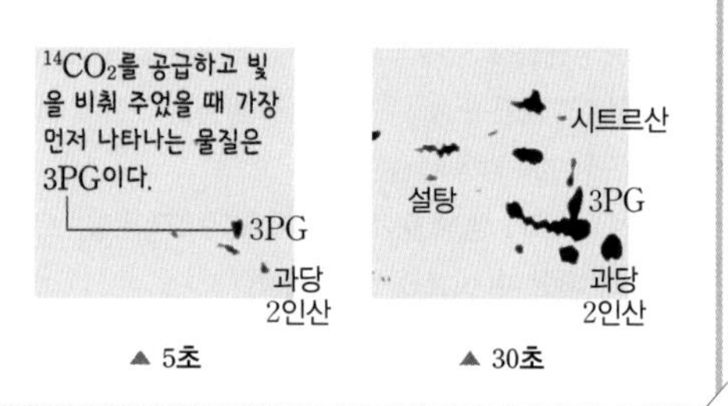

▲ 5초 ▲ 30초

---

⑩ 캘빈 회로
캘빈 회로를 발견한 캘빈(Calvin, M.)은 미국의 생화학자로, 광합성에서 탄수화물이 합성되는 경로를 발견한 공로로 1961년에 노벨 화학상을 받았다.

⑪ CO_2 고정 효소
엽록체의 스트로마에서 기공을 통해 흡수한 CO_2를 RuBP와 결합을 촉매하는 효소는 RuBP 카복실레이스이며 루비스코라고도 한다. 엽록체의 단백질 중 양이 가장 많으며, 지구 상에서 가장 양이 많은 단백질이다.

⊕ 명반응과 탄소 고정 반응의 관계
탄소 고정 반응에서는 ATP와 NADPH를 이용하여 이산화 탄소를 고정시켜 포도당을 합성한다. ATP와 NADPH를 공급하기 위해서는 명반응이 지속해서 일어나야 한다. 탄소 고정 반응에 ATP와 NADPH가 이용되면 ADP와 $NADP^+$가 생성되고, 이 물질은 명반응이 일어나는 그라나로 공급된다. 따라서 명반응이 지속해서 일어나려면 탄소 고정 반응이 계속 일어나야 한다.

용어 알기
- RuBP(**Ribulose-1, 5-bisphosphate**) 리불로스2인산
- 3PG(**3-phosphoglyceric acid**) 3-인산글리세르산
- PGAL(**phosphoglyceraldehyde**) 포스포글리세르알데하이드

이산화 탄소가 포도당이 되기까지

목표 캘빈 회로의 과정을 단계별로 이해할 수 있다.

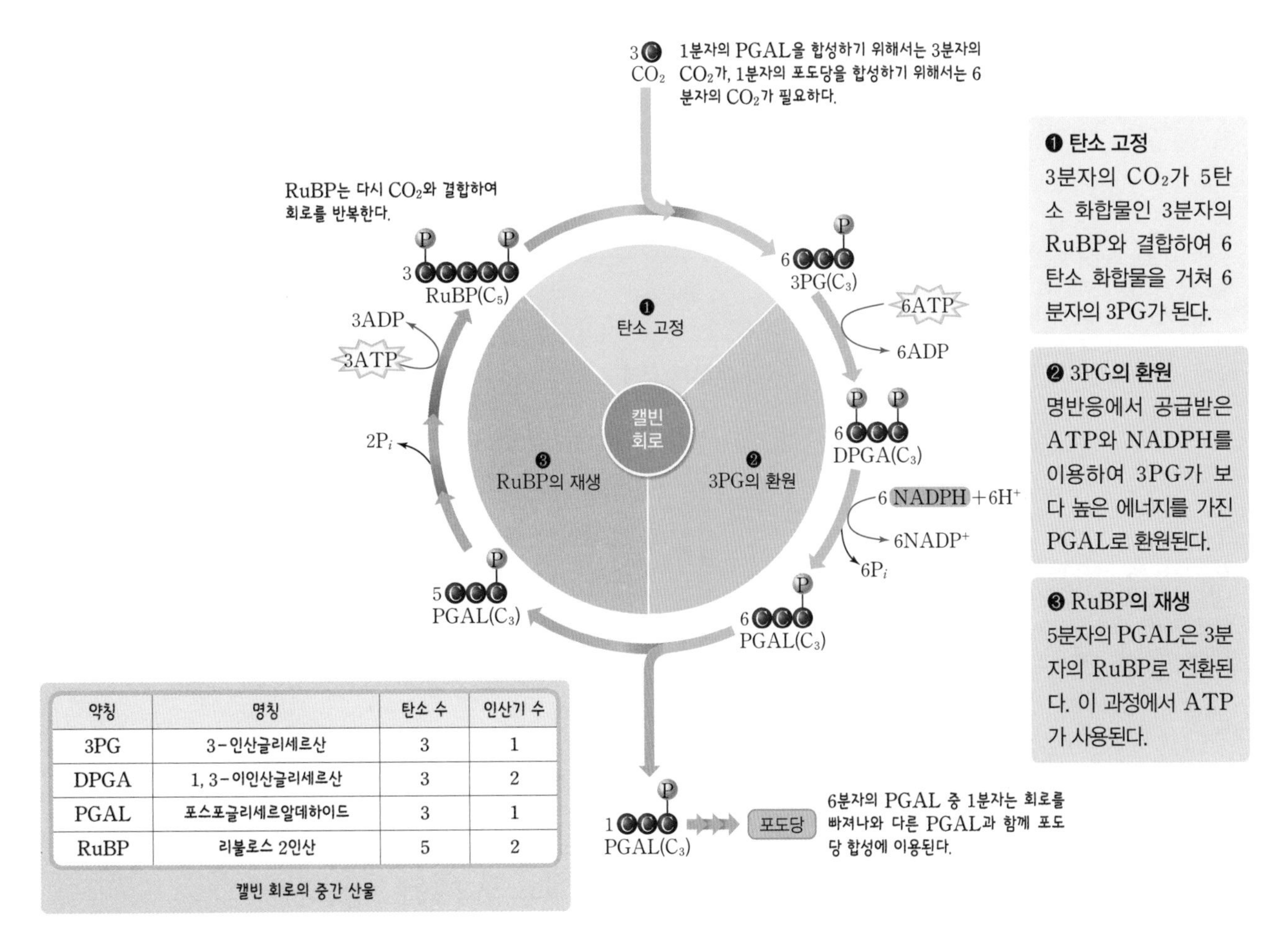

약칭	명칭	탄소 수	인산기 수
3PG	3-인산글리세르산	3	1
DPGA	1, 3-이인산글리세르산	3	2
PGAL	포스포글리세르알데하이드	3	1
RuBP	리불로스 2인산	5	2

캘빈 회로의 중간 산물

한·줄·핵심 캘빈 회로에서 포도당 합성에 사용될 1분자의 PGAL 합성에 $3CO_2$, 9ATP, 6NADPH가 필요하고, 1분자의 포도당 합성에는 $6CO_2$, 18ATP, 12NADPH가 필요하다.

확인 문제

정답과 해설 036쪽

01 그림은 캘빈 회로를 나타낸 것이다. ㉠~㉤에 들어갈 알맞은 분자 수를 쓰시오.

3 CO_2 → ㉠ 3PG → ㉡ DPGA → ㉢ PGAL → ㉣ PGAL → ㉤ RuBP

1PGAL → 포도당

02 캘빈 회로에 대한 설명으로 옳은 것은 ○, 옳지 않은 것은 ×로 표시하시오.

(1) 캘빈 회로의 3단계 중 명반응 산물을 필요로 하지 않는 단계가 있다. ( )

(2) 1분자의 포도당 합성에는 2분자의 PGAL이 필요하다. ( )

(3) 3PG와 DPGA의 1분자당 탄소 수는 다르다. ( )

(4) 캘빈 회로의 RuBP의 재생 단계에서 ATP가 소모된다. ( )

콕콕! 개념 확인하기

정답과 해설 036쪽

✔ 잠깐 확인!!

1. 광합성 색소는 엽록체의 ☐☐☐☐☐ 막에 존재한다.

2. 크로마토그래피법에 의해 광합성 색소를 분리할 때 분리된 색소의 위치를 파악하여 ☐☐☐을 구하면 색소의 종류를 알 수 있다.

3. ☐☐☐
엽록체의 그라나에서 일어나는 광합성의 단계로, 물의 광분해와 광인산화 과정으로 진행되는 반응

4. ☐☐☐☐ 전자 흐름은 광계 Ⅰ과 광계 Ⅱ가 모두 관여하며, O_2, NADPH, ATP가 생성된다.

5. ☐☐☐☐
캘빈 회로가 일어나는 장소로, 엽록체의 기질 부분이며 다양한 광합성 효소가 들어 있다.

6. 캘빈 회로의 탄소 고정 단계에서 3분자의 CO_2는 ☐분자의 RuBP와 결합하여 ☐분자의 3PG가 생성된다.

A 광합성 색소

01 다음은 광합성과 빛의 파장의 관계에 대한 설명이다. ㉠, ㉡에 들어갈 알맞은 말을 쓰시오.

> 빛의 파장에 따른 광합성 색소의 빛 흡수율을 그래프로 나타낸 것을 (㉠)이라 하고, 빛의 파장에 따른 광합성 속도를 그래프로 나타낸 것을 (㉡)이라고 한다.

02 시금치 잎에 있는 광합성 색소를 〈보기〉에서 있는 대로 고르시오.

> 보기
> 엽록소 a, 엽록소 b, 엽록소 c, 카로틴, 잔토필

B 엽록체의 구조와 광합성의 단계

03 엽록체의 구조와 광합성 단계에 대한 설명으로 옳은 것은 ○, 옳지 않은 것은 ×로 표시하시오.

(1) 그라나와 스트로마에 엽록소가 모두 포함되어 있다. ( )

(2) 틸라코이드는 막으로 된 납작한 주머니 모양이다. ( )

(3) 캘빈 회로는 스트로마에서 일어난다. ( )

C 명반응

04 다음은 광인산화에 대한 설명이다. ㉠, ㉡에 들어갈 알맞은 말을 쓰시오.

> 틸라코이드 막에서 (㉠)를 포함한 전자 전달계를 통해 전자가 이동하면서 H^+ 농도 기울기가 형성되고, (㉡)를 통해 ATP가 합성된다.

05 다음은 틸라코이드 막에서 일어나는 비순환적 전자 흐름 과정의 일부를 순서 없이 나타낸 것이다.

> (가) 광계 Ⅰ에서 전자 방출　　(나) 광계 Ⅱ에서 전자 방출
> (다) NADPH의 생성　　(라) H^+ 농도 기울기 형성

비순환적 전자 흐름의 순서대로 (가)~(라)를 나열하시오.

D 탄소 고정 반응

06 캘빈 회로에 대한 설명으로 옳은 것은 ○, 옳지 않은 것은 ×로 표시하시오.

(1) 광합성의 명반응에서 생성된 산소는 캘빈 회로에 이용된다. ( )

(2) 탄소 고정 단계에서는 CO_2가 RuBP에 결합하여 3PG가 생성된다. ( )

(3) RuBP 재생 단계에 ATP가 소모된다. ( )

탄탄! 내신 다지기

정답과 해설 037쪽

A 광합성 색소

01 광합성 색소에 대한 설명으로 옳은 것만을 〈보기〉에서 있는 대로 고른 것은?

보기
ㄱ. 엽록체의 틸라코이드 막에 있다.
ㄴ. 카로틴, 잔토필은 카로티노이드계 색소이다.
ㄷ. 엽록소는 녹색광을 가장 많이 흡수하여 광합성에 이용한다.
ㄹ. 가시광선, 자외선, 적외선 등을 모두 흡수해 광합성에 이용한다.

① ㄱ, ㄴ ② ㄷ, ㄹ ③ ㄱ, ㄴ, ㄷ
④ ㄴ, ㄷ, ㄹ ⑤ ㄱ, ㄴ, ㄷ, ㄹ

단답형

02 그림은 시금치 잎의 색소를 크로마토그래피를 이용하여 분리한 결과를 나타낸 것이다. ㉠~㉢은 엽록소 a, 엽록소 b, 카로틴을 순서 없이 나타낸 것이다. ㉠~㉢에 해당하는 물질을 각각 쓰시오.

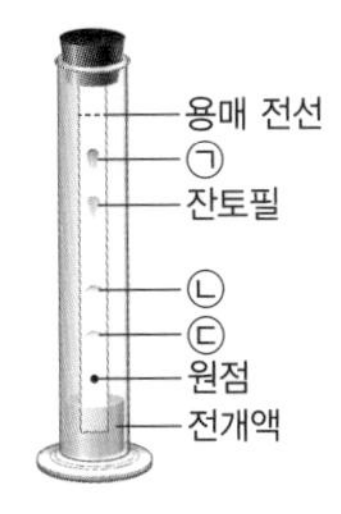

03 그림은 빛의 파장에 따른 식물의 광합성 속도를 나타낸 것이다.

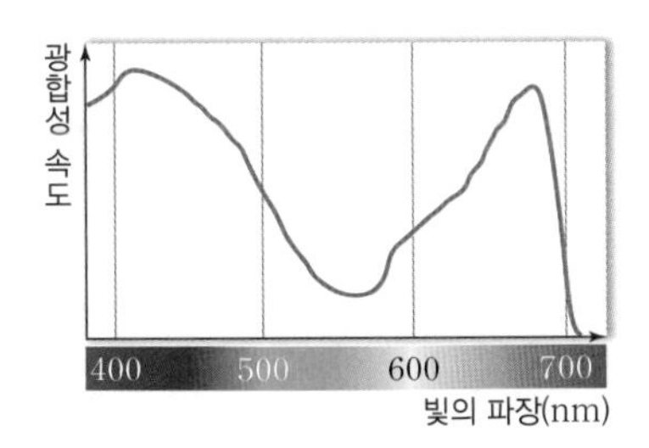

이에 대한 설명으로 옳은 것은?

① 흡수 스펙트럼이다.
② 빛의 파장이 짧을수록 광합성 속도가 빠르다.
③ 광합성 색소 각각의 파장별 빛 흡수율을 알 수 있다.
④ 엽록소가 흡수하지 못하는 파장에서는 광합성이 일어나지 않는다.
⑤ 광합성 색소가 녹색광보다 청자색광을 많이 흡수해 광합성에 이용한다.

B 엽록체의 구조와 광합성의 단계

04 그림은 엽록체의 구조를 나타낸 것이다. 이에 대한 설명으로 옳은 것만을 〈보기〉에서 있는 대로 고른 것은?

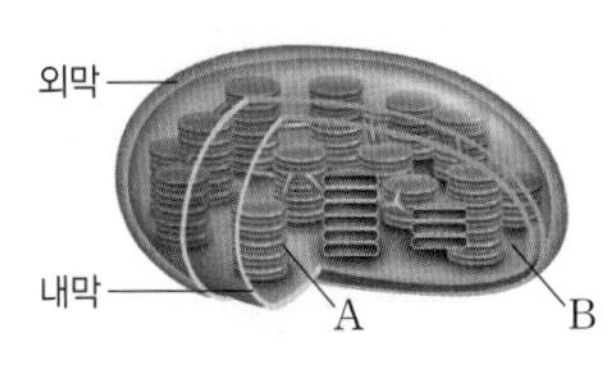

보기
ㄱ. A는 인지질 2중층의 막으로 되어 있다.
ㄴ. B에 전자 전달 효소와 ATP 합성 효소가 있다.
ㄷ. B에서 CO_2를 이용하는 캘빈 회로가 일어난다.

① ㄱ ② ㄴ ③ ㄱ, ㄷ
④ ㄴ, ㄷ ⑤ ㄱ, ㄴ, ㄷ

05 그림은 식물의 광합성을 연구하기 위해 빛과 CO_2 조건을 달리하면서 광합성 속도를 측정한 벤슨의 실험 결과를 나타낸 것이다.

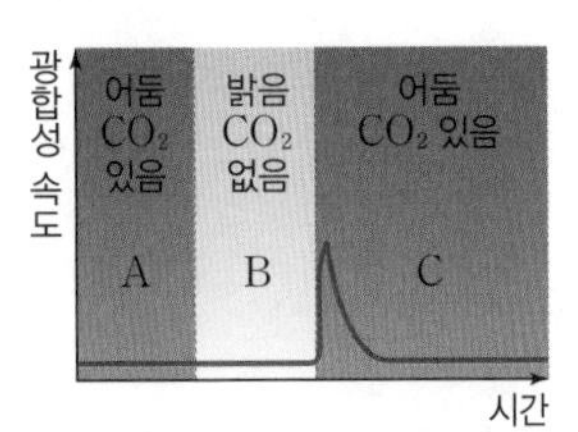

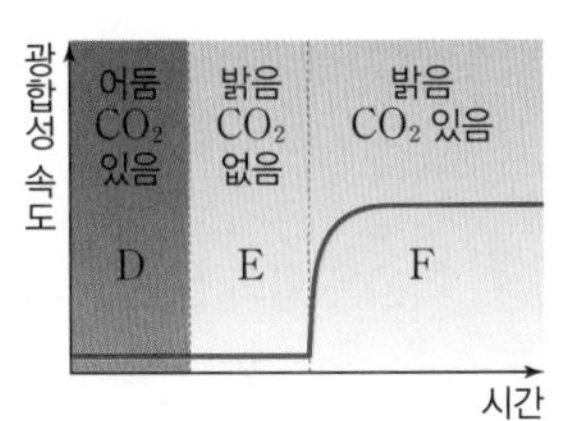

A~F 중 명반응에서 합성한 ATP와 NADPH의 소모가 일어난 시기만을 있는 대로 고른 것은?

① F ② C, F ③ B, E, F
④ A, C, D, F ⑤ B, C, E, F

단답형

06 그림은 엽록체에서 일어나는 광합성 과정을 나타낸 것이다.

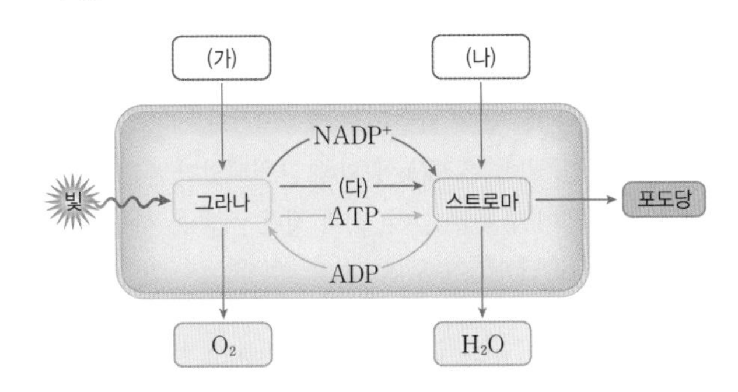

(가)~(다)에 해당하는 물질을 각각 쓰시오.

C 명반응

07 그림은 엽록체에 있는 광계 Ⅱ를 나타낸 것이다.

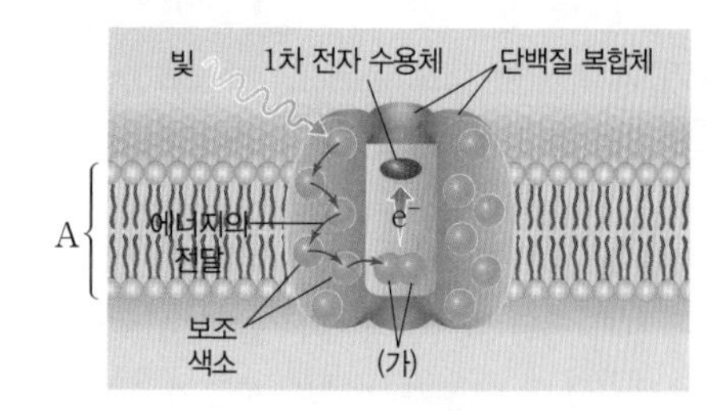

이에 대한 설명으로 옳지 않은 것은?

① (가)는 P_{700}이다.
② A는 틸라코이드 막이다.
③ 비순환적 전자 흐름에 관여한다.
④ 보조 색소는 흡수한 빛을 (가)에 전달한다.
⑤ (가)는 청자색광과 적색광을 녹색광보다 많이 흡수한다.

08 다음은 힐의 실험을 나타낸 것이다.

시험관에 엽록체 추출액과 옥살산 철(Ⅲ)을 넣은 후 공기를 빼고 빛을 비춰 주었더니 산소(O_2)가 발생하고 옥살산 철(Ⅲ)이 옥살산 철(Ⅱ)로 되었다.

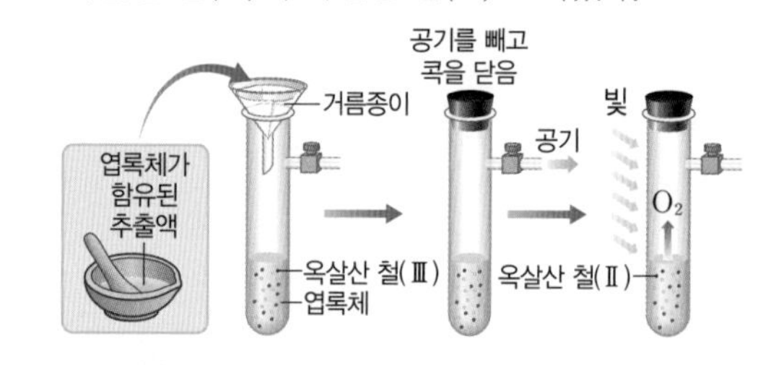

이에 대한 설명으로 옳은 것만을 〈보기〉에서 있는 대로 고른 것은?

보기
ㄱ. 산소(O_2)는 물의 광분해로 생성되었다.
ㄴ. 옥살산 철(Ⅲ)은 CO_2에 의해 환원되었다.
ㄷ. 엽록체에서 옥살산 철(Ⅲ)과 같은 작용을 하는 물질은 $NADP^+$이다.

① ㄱ ② ㄴ ③ ㄱ, ㄷ
④ ㄴ, ㄷ ⑤ ㄱ, ㄴ, ㄷ

D 탄소 고정 반응

09 그림은 캘빈 회로를 (가)~(다)의 3단계로 나타낸 것이다.

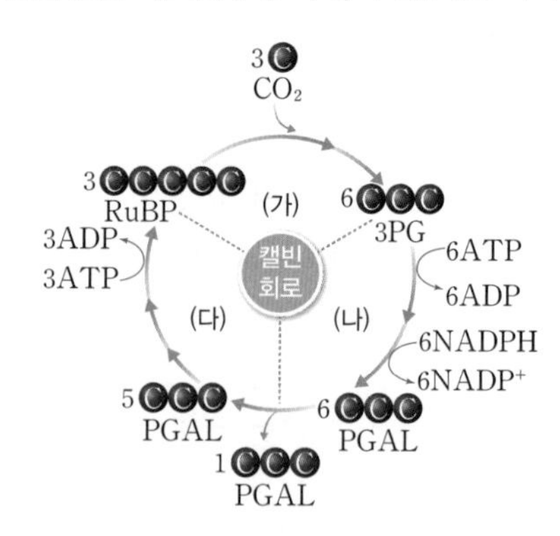

이에 대한 설명으로 옳은 것만을 〈보기〉에서 있는 대로 고른 것은?

보기
ㄱ. (가)에서 CO_2와 RuBP의 결합에 효소가 관여한다.
ㄴ. (나)에서 3PG가 NADPH에 의해 환원된다.
ㄷ. (가)~(다)에서 모두 명반응의 산물이 이용된다.

① ㄱ ② ㄷ ③ ㄱ, ㄴ
④ ㄴ, ㄷ ⑤ ㄱ, ㄴ, ㄷ

10 그림은 암실에서 $^{14}CO_2$를 공급하면서 배양한 클로렐라를 이용한 캘빈의 실험을 나타낸 것이다.

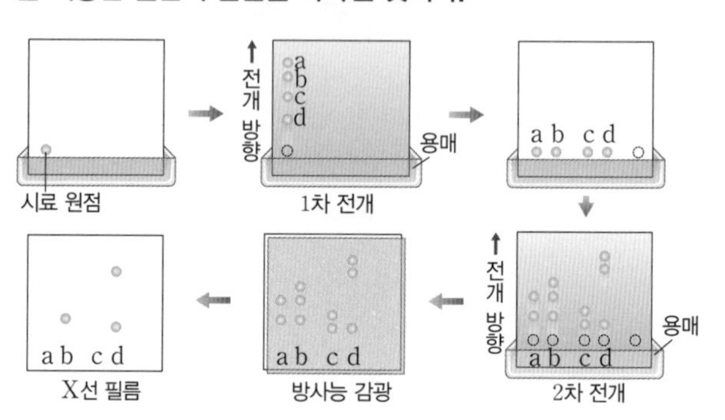

이에 대한 설명으로 옳은 것만을 〈보기〉에서 있는 대로 고른 것은?

보기
ㄱ. 위 실험으로 명반응의 과정이 밝혀졌다.
ㄴ. $^{14}CO_2$에 노출된 시기를 달리하여 위 과정을 반복하였다.
ㄷ. 위 실험으로 엽록체에서 공급된 CO_2에 의해 최초로 생성된 물질이 3PG임이 밝혀졌다.

① ㄱ ② ㄷ ③ ㄱ, ㄴ
④ ㄴ, ㄷ ⑤ ㄱ, ㄴ, ㄷ

도전! 실력 올리기

정답과 해설 038쪽

01 그림 (가)와 (나)는 각각 흡수 스펙트럼과 작용 스페트럼을 순서 없이 나타낸 것이다.

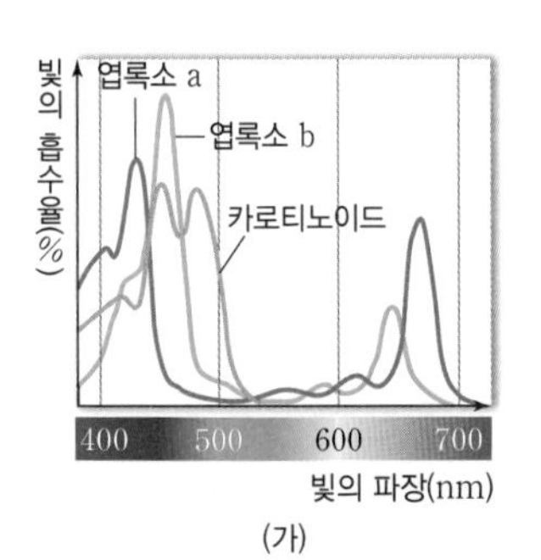

(가)

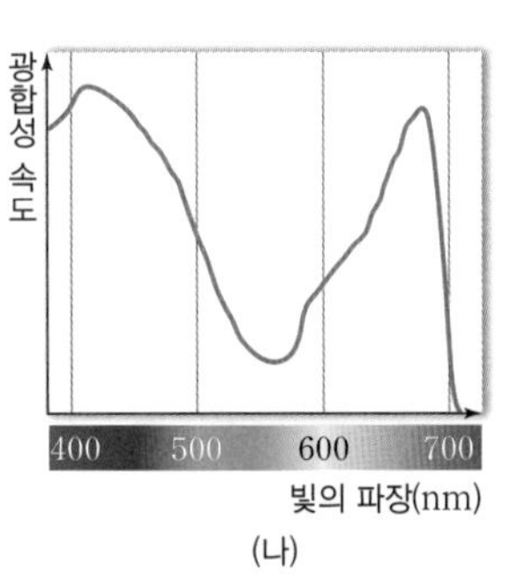

(나)

이에 대한 설명으로 옳은 것만을 〈보기〉에서 있는 대로 고른 것은?

보기
ㄱ. (가)는 광합성 색소의 흡수 스펙트럼이다.
ㄴ. 엽록소가 흡수하지 않는 빛의 파장은 광합성에 이용되지 않는다.
ㄷ. 카로티노이드의 흡수 스펙트럼은 작용 스펙트럼과 일치한다.

① ㄱ ② ㄷ ③ ㄱ, ㄴ
④ ㄴ, ㄷ ⑤ ㄱ, ㄴ, ㄷ

출제예감

02 그림은 광인산화 과정 일부를 나타낸 것이다.

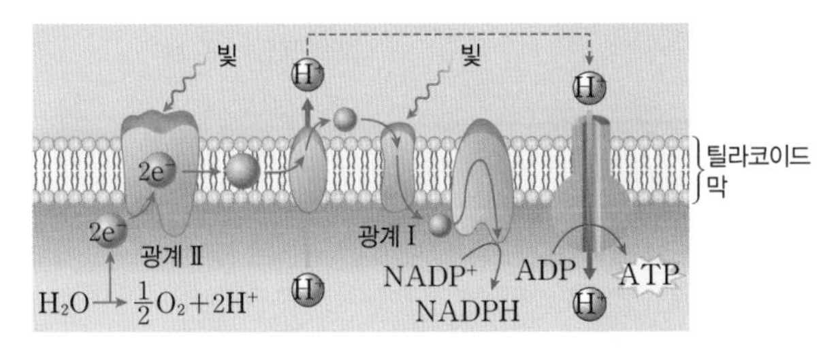

이에 대한 설명으로 옳은 것만을 〈보기〉에서 있는 대로 고른 것은?

보기
ㄱ. 비순환적 전자 흐름으로 NADPH가 생성된다.
ㄴ. 광계 Ⅰ에서 방출된 전자는 최종적으로 O_2에 전달된다.
ㄷ. H^+ 농도 기울기에 의해 ATP가 합성된다.

① ㄱ ② ㄴ ③ ㄱ, ㄷ
④ ㄴ, ㄷ ⑤ ㄱ, ㄴ, ㄷ

서술형

03 그림은 H_2O과 CO_2의 산소(O)를 각각 동위 원소(^{18}O)로 표지한 배양액에서 클로렐라를 배양했을 때 발생하는 O_2를 조사한 루벤의 실험을 나타낸 것이다. 이 실험의 결론을 서술하시오.

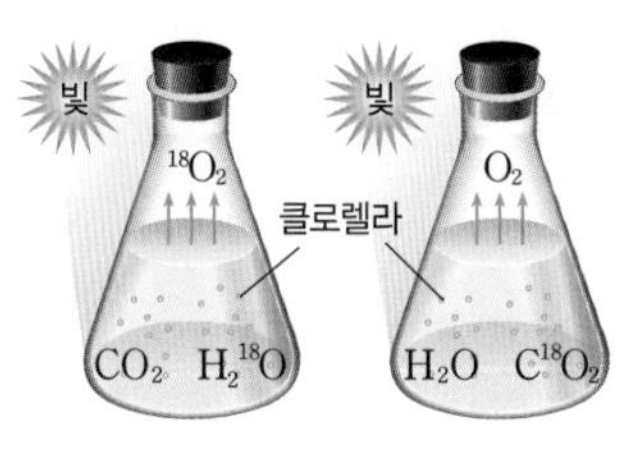

서술형

04 틸라코이드 막의 광계에 있는 P_{680}과 P_{700}에 대해 광계의 종류와 흡수하는 빛의 파장을 중심으로 각각 서술하시오.

05 그림은 캘빈 회로를 나타낸 것이다.

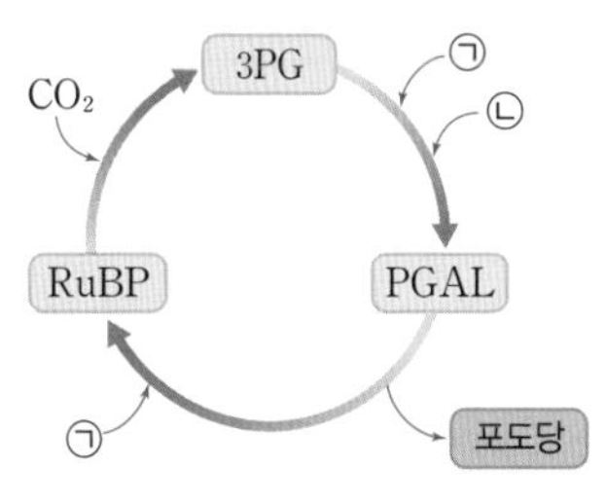

(1) ㉠과 ㉡은 각각 무엇인지 쓰고, 1분자의 포도당이 합성될 때 소모되는 ㉠과 ㉡의 분자 수를 각각 쓰시오.

(2) CO_2 공급이 중단된다면, 3PG와 RuBP의 양이 각각 중단 전에 비해 어떻게 될지 쓰시오.

02 광합성과 세포 호흡의 비교

핵심 키워드로 흐름잡기

A 광합성과 세포 호흡의 공통점, 차이점

B 광합성과 세포 호흡에서 전자 전달과 ATP 합성의 공통점, 차이점

A 광합성과 세포 호흡의 비교

|출·제·단·서| 시험에는 엽록체와 미토콘드리아, 캘빈 회로와 TCA 회로를 비교하는 문제가 나와.

1. 광합성과 세포 호흡의 공통점 생물체 내에서 여러 종류의 효소가 관여하여 단계적으로 일어나는 물질대사이다.

(1) **탄소 수 변화와 효소의 이용** 캘빈 회로와 TCA 회로는 효소로 조절되는 단계적이고 순환하는 형태의 화학 반응으로, 회로가 진행됨에 따라 반응물의 탄소 수가 점차 변화한다.

(2) **ATP 생성** 전자 전달계에 의한 전자의 전달 과정과 화학 삼투에 의한 ATP 합성 효소의 작용으로 ATP가 생성된다.

2. 광합성과 세포 호흡의 차이점 암기TiP 광합성은 CO_2의 환원 반응, 세포 호흡은 포도당의 산화 반응!

(1) **반응 장소** 광합성은 엽록체의 그라나와 스트로마에서 일어나고, 세포 호흡은 세포질과 미토콘드리아에서 일어난다. 광합성은 엽록체에서만 일어나고, 세포 호흡은 미토콘드리아에서 주로 일어나지만 일부 과정(해당 과정)은 세포질에서 일어난다.

(2) **에너지 전환❶** 광합성은 빛에너지를 흡수하여 화학 에너지인 포도당을 생성하는 과정으로 동화 작용에 해당하고, 세포 호흡은 화학 에너지가 포함된 유기물을 분해하여 ATP를 합성하는 과정으로 이화 작용에 해당한다.

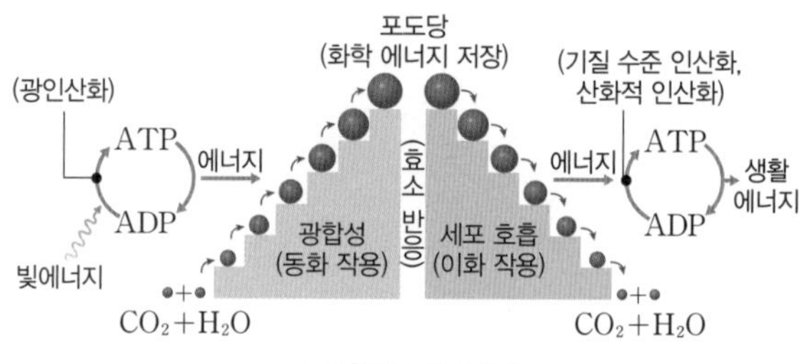

▲ 광합성과 세포 호흡

(3) **과정** 광합성은 명반응과 탄소 고정 반응으로 진행되고, 세포 호흡은 해당 과정, 피루브산의 산화와 TCA 회로, 산화적 인산화로 진행된다.

구분	광합성	세포 호흡
반응 장소	엽록체	세포질, 미토콘드리아
반응 종류	합성 반응(●동화 작용)	분해 반응(●이화 작용)
반응물의 물질 변화	환원(CO_2 → 포도당)	산화(포도당 → CO_2)
에너지 변화	빛에너지 → 화학 에너지(포도당)	화학 에너지(포도당) → 화학 에너지(ATP), 열에너지

빈출 자료 식물 세포에서 일어나는 광합성과 세포 호흡

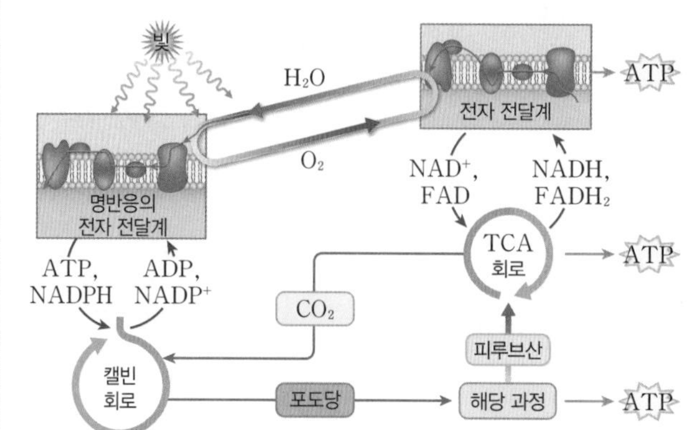

❶ 광합성의 생성물 이용: 광합성에서 생성된 물질 중 O_2와 포도당은 세포 호흡에서 각각 전자 전달계와 해당 과정에 이용된다.

❷ 세포 호흡의 생성물 이용: 세포 호흡에서 생성된 H_2O과 CO_2는 광합성에서 각각 전자 전달계와 캘빈 회로에 쓰인다.

---

❶ 에너지 전환 과정

광합성과 세포 호흡이 모두 일어나는 식물 세포에서의 에너지 전환 과정은 다음과 같다.

태양의 빛에너지 ↓(광합성) 화학 에너지(포도당) ↓(세포 호흡) 화학 에너지(ATP) ↓(분해) 생활 에너지

➕ C, H, O만으로 표시한 광합성과 세포 호흡의 반응식 비교

• 광합성의 명반응

$12H_2O \rightarrow 12H_2 + 6O_2$

• 광합성의 탄소 고정 반응

$6CO_2 + 12H_2 \rightarrow C_6H_{12}O_6 + 6H_2O$

• 세포 호흡의 해당 과정, 피루브산의 산화와 TCA 회로

$C_6H_{12}O_6 + 6H_2O \rightarrow 6CO_2 + 12H_2$

• 세포 호흡의 산화적 인산화

$12H_2 + 6O_2 \rightarrow 12H_2O$

용어 알기

●동화 작용(함께 同, 될 化 작용, anabolism) 에너지를 이용하여 간단한 물질을 복잡한 물질로 합성하는 생물체 내의 화학 변화

●이화 작용(다를 異, 될 化 작용, catabolism) 생물체 내에서 복잡한 물질을 간단한 물질로 분해하면서 에너지를 내는 과정

B 광합성과 세포 호흡에서 ATP의 합성

|출·제·단·서| 시험에는 광합성과 세포 호흡에서 일어나는 전자 전달계와 ATP 합성을 비교하는 문제가 나와.

1. 광합성과 세포 호흡에서 전자 전달과 ATP 합성 엽록체의 틸라코이드 막과 미토콘드리아 내막에서 전자 전달계를 구성하는 단백질과 ATP 합성 효소는 비슷하며, 화학 삼투❷로 ATP가 합성되는 과정도 비슷하다. 전자 전달계의 작용으로 엽록체에서는 틸라코이드 내부가, 미토콘드리아에서는 막 사이 공간의 H^+ 농도가 높아진다.

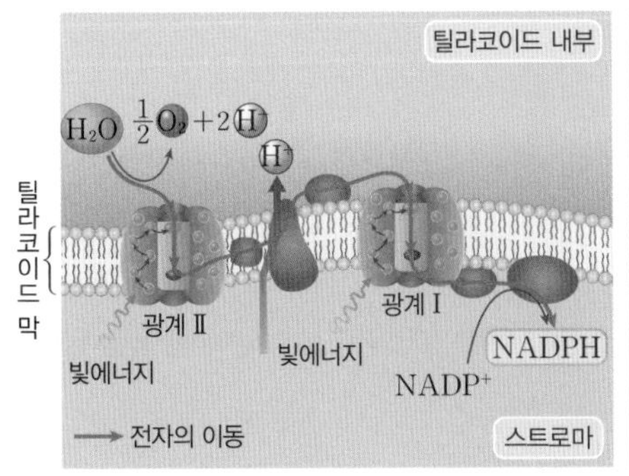

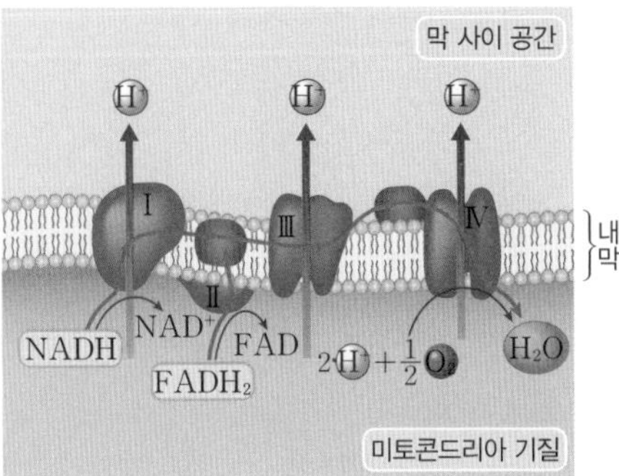

▲ 광합성과 세포 호흡에서 전자의 흐름

2. 광합성과 세포 호흡에서 전자 전달과 ATP 합성 비교

구분	광합성	세포 호흡
ATP의 이용❸	캘빈 회로에서 3PG의 환원 및 RuBP의 재생	생물의 생명 활동
ATP 합성 방식	광인산화	기질 수준 ●인산화, 산화적 인산화
전자의 흐름	순환적, 비순환적으로 흐름	한 방향으로만 흐름
전자의 에너지원	빛에너지	유기물에 포함된 화학 에너지
고에너지 전자 결합 조효소	$NADP^+$	NAD^+, FAD
전자 공여체	H_2O	NADH, $FADH_2$
최종 전자 수용체	$NADP^+$	O_2
관여하는 막	틸라코이드 막	미토콘드리아 내막
전자 전달 과정에서 H^+의 이동	스트로마 → 틸라코이드 내부	미토콘드리아 기질 → 막 사이 공간
ATP 합성 과정에서 H^+의 이동	틸라코이드 내부 → 스트로마	막 사이 공간 → 미토콘드리아 기질

빈출 자료 엽록체에서의 광인산화와 미토콘드리아에서의 산화적 인산화

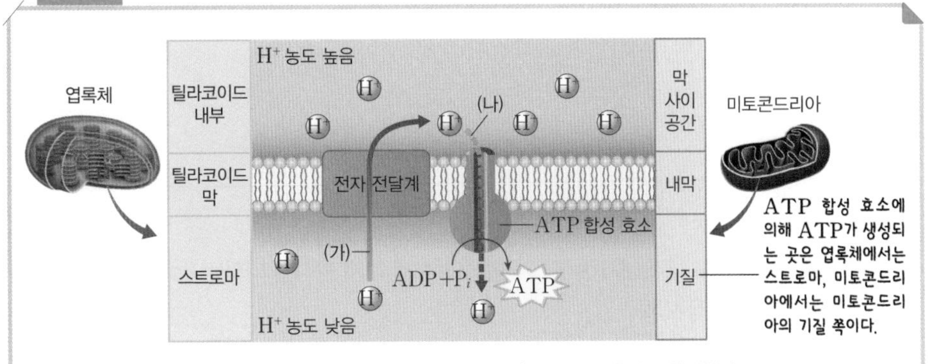

ATP 합성 효소에 의해 ATP가 생성되는 곳은 엽록체에서는 스트로마, 미토콘드리아에서는 미토콘드리아의 기질 쪽이다.

❶ 전자의 이동: 연속적인 산화 환원 반응을 통해 이동하며 H^+의 농도 기울기를 형성한다.
❷ H^+이 (가) 방향으로 이동하는 원리: 전자가 방출하는 에너지에 의한 양성자 펌프의 능동 수송이다.
❸ H^+이 (나) 방향으로 이동하는 원리: H^+ 농도 기울기에 따른 ATP 합성 효소를 통한 촉진 확산이다.

❷ 엽록체와 미토콘드리아에서 일어나는 화학 삼투
엽록체의 틸라코이드 막과 미토콘드리아 내막에서 화학 삼투에 의한 ATP 합성 원리는 다음과 같이 H^+의 농도 기울기를 만들어 주면 전자 이동이 없어도 ATP가 합성될 수 있음을 확인한 실험으로 증명되었다.
- 엽록체를 pH 4인 용액에 담가 두었다가 ADP와 무기 인산이 들어 있는 pH 8인 용액으로 옮기면 틸라코이드 막을 경계로 형성된 H^+의 농도 기울기에 의해 ATP가 합성된다.
- pH 8인 용액에 담가 두었던 미토콘드리아를 ADP와 무기 인산이 들어 있는 pH 4인 용액으로 옮기면, 내막을 경계로 형성된 H^+의 농도 기울기에 의해 ATP가 합성된다.

❸ 광합성에서의 ATP 생성과 이용
광합성에서 ATP는 명반응에서 생성되고 탄소 고정 반응에서는 ATP를 소모한다. 따라서 명반응은 빛에너지를 흡수하여 ATP를 합성하는 과정이므로 흡열 반응이고, 이를 소모하는 탄소 고정 반응은 발열 반응이다. 그러나 명반응에서 흡수한 에너지양이 탄소 고정 반응에서 방출한 에너지양보다 많으므로 광합성은 전체적으로 흡열 반응이다.

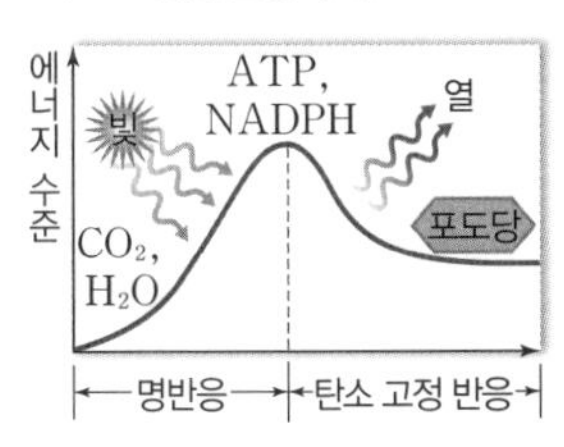

용어 알기
●인산화(phosphorylation) 인산기가 결합하는 반응으로, ADP에 무기 인산(P_i)이 결합하여 ATP가 합성되는 반응

콕콕! 개념 확인하기

정답과 해설 039쪽

✔ 잠깐 확인!

1. ☐☐☐
광합성의 생성물이자 세포 호흡의 에너지원이 되는 물질

2. 식물 세포의 세포 호흡에서 생성된 CO_2는 광합성의 ☐☐ ☐☐에서 이용된다.

3. 광합성에서는 CO_2가 환원되고 세포 호흡에서는 포도당이 ☐☐된다.

4. ☐☐ ☐☐
틸라코이드 막과 미토콘드리아 내막에서 H^+의 농도 기울기에 따라 ATP 합성 효소를 통해 H^+이 확산되는 과정

5. 엽록체에서 빛에너지에 의해 ATP가 합성될 때 전자 공여체는 ☐이다.

6. ☐☐ ☐☐
틸라코이드 막과 미토콘드리아 내막의 전자 전달계에서 전자가 방출하는 에너지가 소모되면서 H^+이 막을 통과하는 수송 원리

7. 엽록체에서 화학 삼투에 의해 ATP가 합성될 때 H^+은 ATP 합성 효소를 통해 ☐☐☐☐☐ ☐☐에서 스트로마로 이동한다.

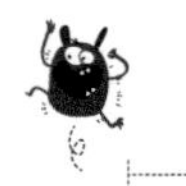

A 광합성과 세포 호흡의 비교

01 다음에 해당하는 작용을 각각 광합성과 세포 호흡에 옳게 연결하시오.

(1) CO_2의 환원 •
(2) TCA 회로 •
(3) 포도당과 O_2 소모 •

• ㉠ 광합성
• ㉡ 세포 호흡

02 다음은 광합성과 세포 호흡에서의 에너지 전환에 대한 설명이다. ㉠, ㉡에 들어갈 알맞은 말을 쓰시오.

> 광합성은 빛에너지를 흡수하여 화학 에너지인 탄수화물을 생성하는 과정으로 (㉠)에 해당하고, 세포 호흡은 (㉡)가 포함된 유기물을 분해하여 ATP를 합성하는 과정으로 이화 작용에 해당한다.

B 광합성과 세포 호흡에서 ATP의 합성

03 광합성과 세포 호흡에서의 ATP 합성에 대한 설명으로 옳은 것은 ○, 옳지 않은 것은 ×로 표시하시오.

(1) 엽록체에서 생성된 ATP는 생명 활동에 이용된다. ( )
(2) 미토콘드리아 내막의 전자 전달계에서 전자의 최종 수용체는 $NADP^+$이다. ( )
(3) 틸라코이드 막의 전자 전달계에서 전자의 이동으로 틸라코이드 내부의 H^+ 농도가 높아진다. ( )
(4) 산화적 인산화 과정에서 ATP 합성 효소에 의해 미토콘드리아 기질 쪽에서 ATP가 생성된다. ( )

04 표는 광합성과 세포 호흡에서 ATP가 합성되는 세 가지 방식을 나타낸 것이다. ㉠~㉢에 들어갈 알맞은 말을 쓰시오.

구분	일어나는 장소	단계
기질 수준 인산화	세포질, 미토콘드리아	해당 과정, ㉠
산화적 인산화	㉡	산화적 인산화
광인산화	㉢	명반응

탄탄! 내신 다지기

정답과 해설 039쪽

A 광합성과 세포 호흡의 비교

01 광합성과 세포 호흡의 공통점으로 옳은 것만을 〈보기〉에서 있는 대로 고른 것은?

보기
ㄱ. 유기물의 산화 과정에서 에너지가 방출된다.
ㄴ. 여러 가지 효소에 의해 조절되는 물질대사이다.
ㄷ. 전자 전달계와 화학 삼투에 의해 ATP가 생성된다.
ㄹ. 반응하는 물질의 탄소 수에 변화가 있는 순환적 회로 반응이 포함되어 있다.

① ㄱ, ㄴ ② ㄱ, ㄹ ③ ㄴ, ㄷ
④ ㄷ, ㄹ ⑤ ㄴ, ㄷ, ㄹ

단답형

02 그림은 광합성과 세포 호흡에서의 에너지 변화를 나타낸 것이다. Ⅰ과 Ⅱ는 각각 광합성과 세포 호흡 중 하나이고, ㉠과 ㉡은 각각 O_2와 CO_2 중 하나이다.

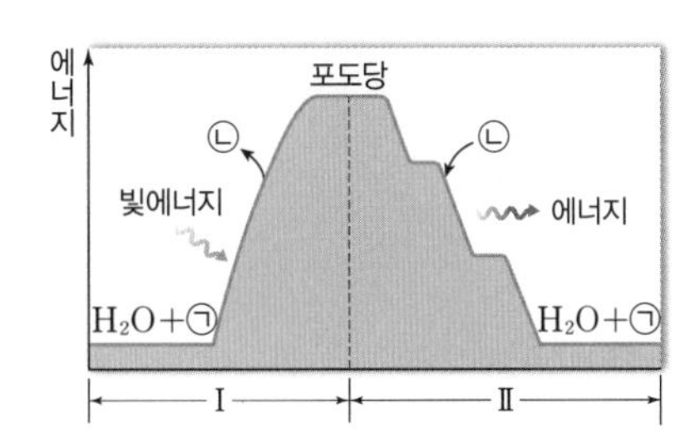

Ⅰ과 Ⅱ, ㉠과 ㉡이 각각 무엇인지 쓰시오.

03 다음은 광합성과 세포 호흡에 대한 세 학생의 대화이다.

제시된 내용이 옳은 학생만을 있는 대로 고른 것은?

① A ② B ③ A, C
④ B, C ⑤ A, B, C

04 그림 (가)는 미토콘드리아, (나)는 엽록체의 구조를 나타낸 것이다. A~D는 각각 틸라코이드 막, 내막, 스트로마, 기질 중 하나이다.

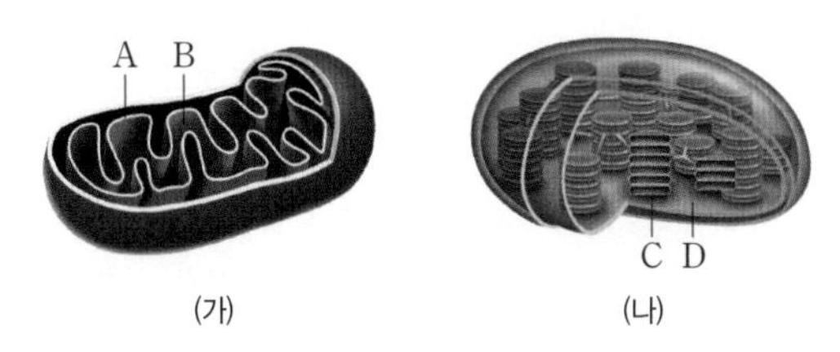

이에 대한 설명으로 옳지 않은 것은?

① (가)와 (나)는 모두 2중막 구조이다.
② A와 C에는 모두 전자 전달계가 존재한다.
③ B와 D에는 모두 ATP 합성 효소가 있다.
④ B와 D에서 효소에 의한 순환적 회로 반응이 일어난다.
⑤ (가)에서 기질 수준 인산화와 산화적 인산화가 일어난다.

05 광합성과 세포 호흡을 비교한 내용으로 옳지 않은 것은?

	구분	광합성	세포 호흡
①	종류	동화 작용	이화 작용
②	반응물	CO_2, H_2O	포도당, O_2
③	생성물	포도당, O_2	CO_2, H_2O
④	반응물의 물질 변화	산화 (포도당 → CO_2)	환원 (CO_2 → 포도당)
⑤	에너지 변화	빛에너지 → 화학 에너지(포도당)	화학 에너지(포도당) → 화학 에너지(ATP), 열에너지

단답형

06 그림은 식물 세포에서 일어나는 물질대사를 나타낸 것이다.

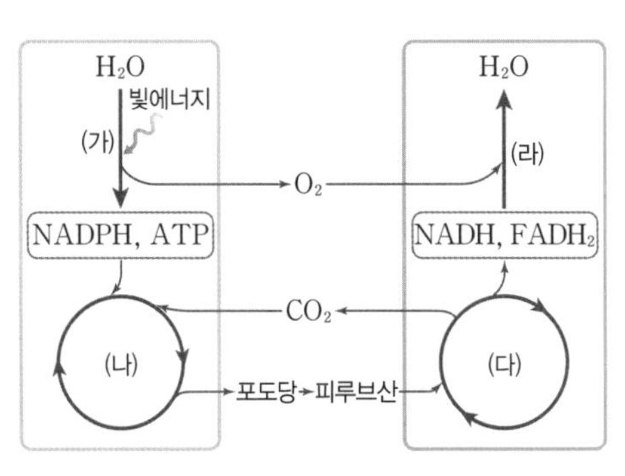

(가)~(라)는 각각 산화적 인산화, 명반응, 캘빈 회로, TCA 회로 중 무엇인지 쓰시오.

정답과 해설 039쪽

B 광합성과 세포 호흡에서 ATP의 합성

07 광합성과 세포 호흡에서 ATP가 합성되는 과정의 공통점으로 옳은 것만을 <보기>에서 있는 대로 고른 것은?

보기
ㄱ. 기질 수준 인산화로 ATP가 합성된다.
ㄴ. 전자의 전달에 의해 H^+ 농도 기울기가 형성된다.
ㄷ. 생성된 ATP가 생물체의 생활 에너지로 이용된다.
ㄹ. ATP 합성 효소를 통해 H^+이 확산될 때 ATP가 합성된다.

① ㄱ, ㄷ ② ㄴ, ㄹ ③ ㄱ, ㄴ, ㄷ
④ ㄴ, ㄷ, ㄹ ⑤ ㄱ, ㄴ, ㄷ, ㄹ

08 광합성과 세포 호흡에서 일어나는 전자 전달과 ATP 합성에 대해 비교한 내용으로 옳지 않은 것은?

	구분	광합성	세포 호흡
①	ATP 합성 방식	광인산화	기질 수준 인산화, 산화적 인산화
②	전자의 흐름	한 방향으로만 흐름	순환적, 비순환적으로 흐름
③	고에너지 전자 결합 조효소	$NADP^+$	NAD^+, FAD
④	전자의 에너지원	빛에너지	유기물에 포함된 화학 에너지
⑤	전자 전달에 의한 H^+ 농도 기울기	틸라코이드 내부>스트로마	막 사이 공간>미토콘드리아 기질

단답형

09 표는 엽록체의 틸라코이드 막과 미토콘드리아의 내막에서 일어나는 H^+의 이동 방향을 나타낸 것이다.

수송 방식	엽록체	미토콘드리아
(가)	스트로마→틸라코이드 내부	미토콘드리아 기질→막 사이 공간
(나)	틸라코이드 내부→스트로마	막 사이 공간→미토콘드리아 기질

(가)와 (나)에 해당하는 물질 수송 방식을 각각 쓰시오.

10 그림은 미토콘드리아와 엽록체에서 ATP가 합성되는 과정을 비교하여 나타낸 것이다.

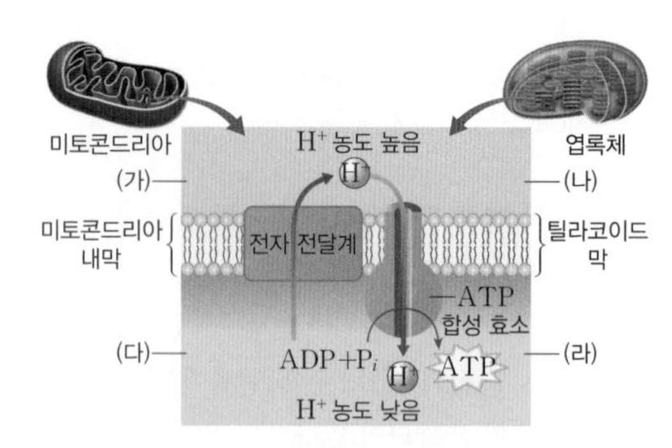

이에 대한 설명으로 옳은 것만을 <보기>에서 있는 대로 고른 것은?

보기
ㄱ. (가)에서 TCA 회로가 일어난다.
ㄴ. (나)는 스트로마이다.
ㄷ. (다)에서 (가)로 H^+이 이동할 때 전자의 에너지가 이용된다.
ㄹ. (라)에서 3PG가 생성된다.

① ㄱ, ㄴ ② ㄷ, ㄹ ③ ㄱ, ㄴ, ㄷ
④ ㄴ, ㄷ, ㄹ ⑤ ㄱ, ㄴ, ㄷ, ㄹ

단답형

11 표는 광합성과 세포 호흡의 전자 전달계를 비교하여 나타낸 것이다.

구분	광합성	세포 호흡
관여하는 막	(가)	미토콘드리아 내막
전자 공여체	(나)	NADH, $FADH_2$
최종 전자 수용체	$NADP^+$	(다)

(가)~(다)에 들어갈 알맞은 말을 쓰시오.

12 광합성과 세포 호흡에서 전자의 이동에 관여하는 조효소에 대한 설명으로 옳은 것은?

① 해당 과정에서 FAD와 전자가 결합한다.
② 순환적 전자 흐름에서 NADPH가 생성된다.
③ $NADP^+$와 전자의 결합이 틸라코이드에서 일어난다.
④ NADH의 고에너지 전자는 TCA 회로에서 방출된다.
⑤ NADPH의 고에너지 전자가 ATP 합성 효소에 전달된다.

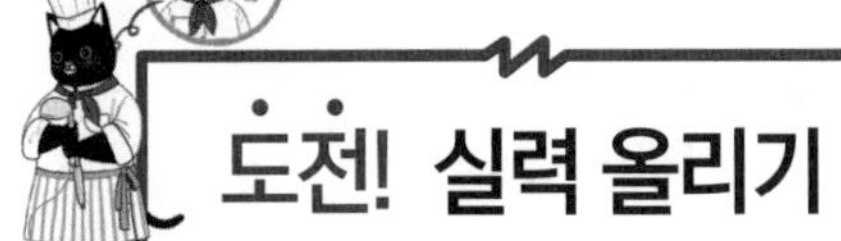

출제예감

01 그림은 엽록체에서 일어나는 광합성과 미토콘드리아에서 일어나는 세포 호흡의 관계를 나타낸 것이다. X와 Y는 각각 NADH와 $FADH_2$ 중 하나이며, ㉠~㉢은 각각 NADPH, O_2, H_2O 중 하나이다.

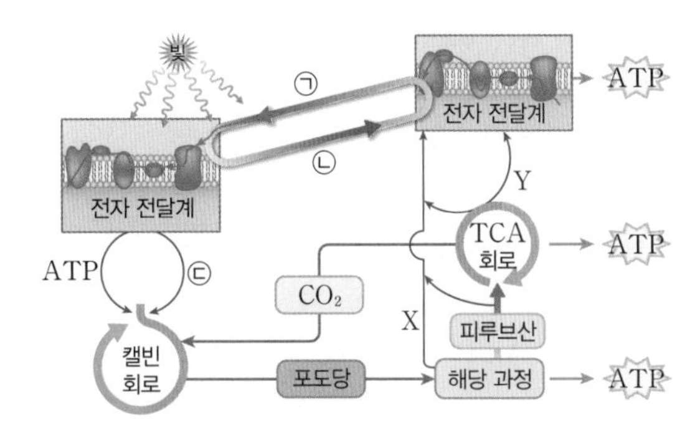

이에 대한 설명으로 옳은 것만을 〈보기〉에서 있는 대로 고른 것은?

보기
ㄱ. X는 NADH이다.
ㄴ. $\frac{\text{2분자의 Y가 산화될 때 생성된 ㉠의 분자 수}}{\text{2분자의 ㉢이 생성될 때 소모된 ㉠의 분자 수}}=2$이다.
ㄷ. ㉡은 광합성에서 최종 전자 수용체의 역할을 한다.

① ㄱ ② ㄷ ③ ㄱ, ㄴ
④ ㄴ, ㄷ ⑤ ㄱ, ㄴ, ㄷ

02 그림은 태양의 빛에너지가 생명 활동에 이용되기까지의 과정을 나타낸 것이다. (가)와 (나)는 각각 세포 호흡과 광합성 중 하나이다.

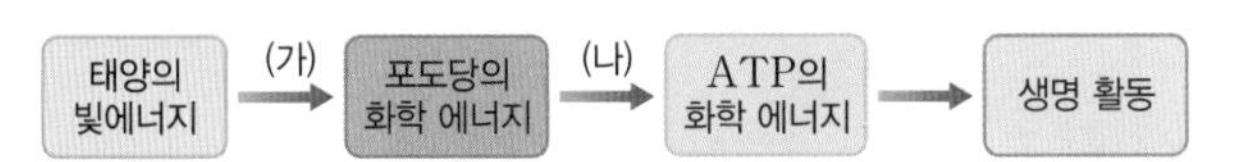

이에 대한 설명으로 옳은 것만을 〈보기〉에서 있는 대로 고른 것은?

보기
ㄱ. (가)는 명반응과 탄소 고정 반응으로 이루어진다.
ㄴ. (나)에서 O_2가 방출된다.
ㄷ. (가)와 (나)에 산화 환원 효소가 관여한다.

① ㄱ ② ㄴ ③ ㄱ, ㄷ
④ ㄴ, ㄷ ⑤ ㄱ, ㄴ, ㄷ

03 그림은 광합성과 세포 호흡에서 에너지 수준의 변화를 나타낸 것이다.

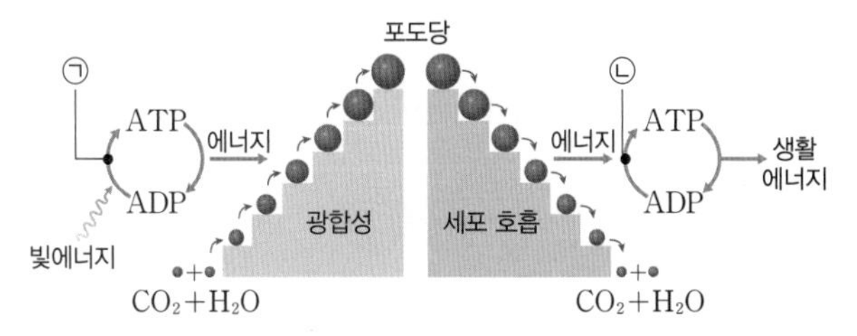

이에 대한 설명으로 옳은 것만을 〈보기〉에서 있는 대로 고른 것은?

보기
ㄱ. ㉠은 기질 수준 인산화 과정이다.
ㄴ. CO_2로부터 포도당이 합성될 때 빛에너지가 직접 이용된다.
ㄷ. 광합성과 세포 호흡은 모두 효소가 관여하는 반응이다.

① ㄱ ② ㄷ ③ ㄱ, ㄴ
④ ㄴ, ㄷ ⑤ ㄱ, ㄴ, ㄷ

출제예감

04 그림은 세포 소기관 (가)와 (나)에서 일어나는 물질대사의 일부를 나타낸 것이다. ㉠과 ㉡은 각각 캘빈 회로와 TCA 회로 중 하나이다.

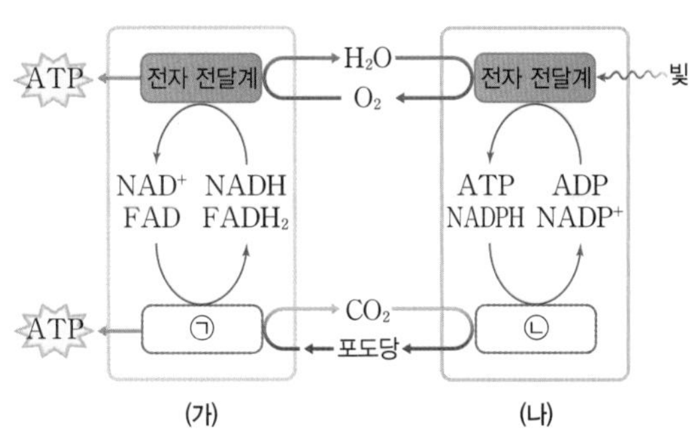

이에 대한 설명으로 옳은 것만을 〈보기〉에서 있는 대로 고른 것은?

보기
ㄱ. ㉠에서 $FADH_2$의 산화가 일어난다.
ㄴ. ㉡은 스트로마에서 일어난다.
ㄷ. NAD^+와 $NADP^+$는 모두 탈수소 효소의 조효소이다.

① ㄱ ② ㄴ ③ ㄱ, ㄷ
④ ㄴ, ㄷ ⑤ ㄱ, ㄴ, ㄷ

정답과 해설 041쪽

05 그림 (가)와 (나)는 각각 엽록체와 미토콘드리아에서 일어나는 전자(e^-) 전달 과정 중 하나를 나타낸 것이다.

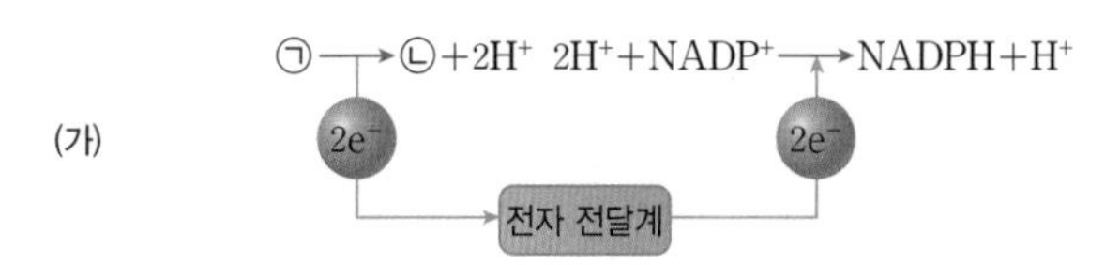

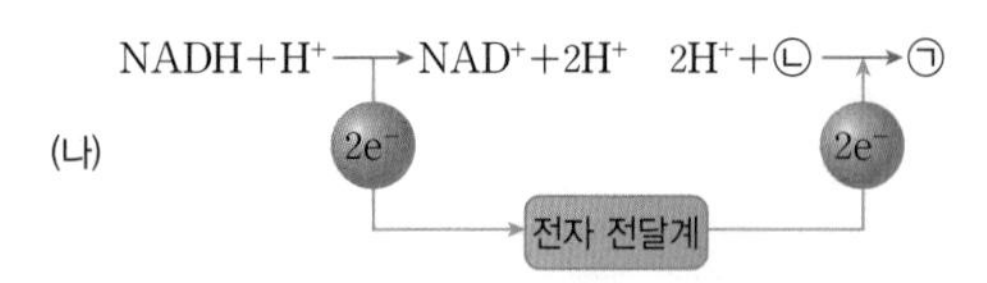

이에 대한 설명으로 옳은 것만을 〈보기〉에서 있는 대로 고른 것은?

보기
ㄱ. (가)는 틸라코이드 막에서 일어난다.
ㄴ. H_2O은 ㉠에 해당한다.
ㄷ. 식물 세포의 경우 (가)에서 생성된 ㉡은 (나)에서 사용될 수 있다.

① ㄱ ② ㄴ ③ ㄱ, ㄷ
④ ㄴ, ㄷ ⑤ ㄱ, ㄴ, ㄷ

06 표는 막을 통한 물질의 이동 과정 (가)~(다)의 특징을 나타낸 것이다. ㉠과 ㉡은 각각 H^+과 O_2 중 하나이다.

구분	물질	이동 장소와 방향(물질의 농도)	막단백질
(가)	H^+	틸라코이드 내부(고농도) → 스트로마(저농도)	ⓐ
(나)	㉠	미토콘드리아 기질(저농도) → 막 사이 공간(고농도)	?
(다)	㉡	틸라코이드 내부(고농도) → 스트로마(저농도)	사용 안 함

이에 대한 설명으로 옳은 것만을 〈보기〉에서 있는 대로 고른 것은?

보기
ㄱ. ⓐ는 '사용함'이다.
ㄴ. ㉠은 O_2이고 ㉡은 H^+이다.
ㄷ. (나)에 미토콘드리아 내막의 전자 전달계가 관여한다.

① ㄱ ② ㄴ ③ ㄱ, ㄷ
④ ㄴ, ㄷ ⑤ ㄱ, ㄴ, ㄷ

07 다음은 엽록체와 미토콘드리아에서 일어나는 화학 삼투 현상을 확인하기 위한 실험이다. ㉠과 ㉡은 각각 pH 4와 pH 8 중 하나이다.

- 엽록체를 (㉠)인 용액에 담가 두었다가 ADP와 무기 인산이 들어 있는 (㉡)인 용액으로 옮기면 틸라코이드 막을 경계로 형성된 H^+의 농도 기울기에 의해 ATP가 합성된다.
- (㉡)인 용액에 담가 두었던 미토콘드리아를 ADP와 무기 인산이 들어 있는 (㉠)인 용액으로 옮기면, 내막을 경계로 형성된 H^+의 농도 기울기에 의해 ATP가 합성된다.

(1) ㉠과 ㉡에 들어갈 알맞은 말을 쓰시오.

(2) 틸라코이드 막과 미토콘드리아 내막에 있는 ATP 합성 효소를 통한 H^+의 이동 방향을 다음 용어를 사용하여 각각 쓰시오.

스트로마, 미토콘드리아 기질,
틸라코이드 내부, 막 사이 공간

서술형

08 그림 (가)와 (나)는 벼 잎에서 일어나는 물질대사 과정의 일부를 나타낸 것이다.

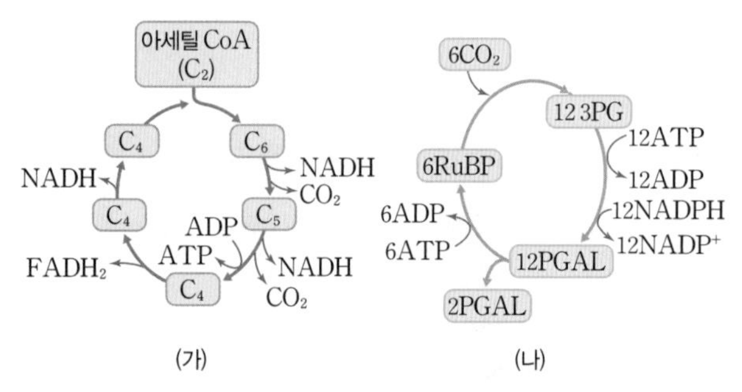

(가)에서 생성되는 ATP와 (나)에서 소모되는 ATP에 대해 각각 합성 과정과 생성 장소를 포함하여 서술하시오.

화학 반응식으로 접근하는 광합성

대표 유형

출제 의도

그림이 아닌 화학 반응식을 통해 광합성의 과정을 구분할 수 있는지 묻는 문제이다.

그림은 어떤 식물의 엽록체 구조를, 표는 이 식물의 광합성 과정에서 일어나는 반응 (가)와 (나)를 나타낸 것이다. ㉠과 ㉡은 각각 틸라코이드 내부와 스트로마 중 하나이다.

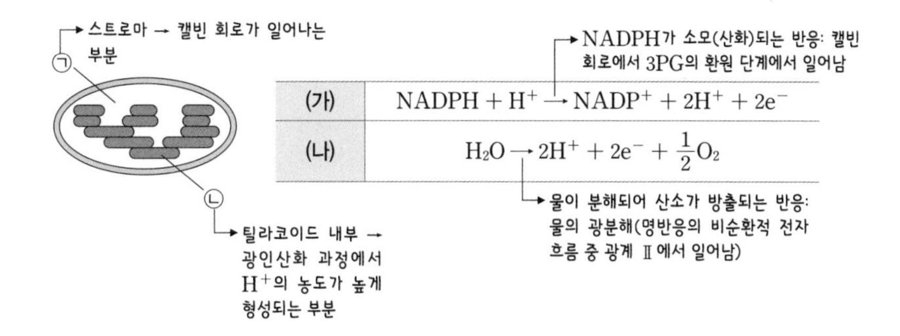

(가)	$NADPH + H^+ \rightarrow NADP^+ + 2H^+ + 2e^-$
(나)	$H_2O \rightarrow 2H^+ + 2e^- + \frac{1}{2}O_2$

이에 대한 설명으로 옳은 것만을 〈보기〉에서 있는 대로 고른 것은?

〈보기〉

ㄱ. (가)는 ㉠에서 일어난다.
   → 캘빈 회로 / → 스트로마

ㄴ. (나)의 O_2는 광계 Ⅰ에서 생성된다.
   → 물의 광분해: 광계 Ⅱ(비순환적 전자 흐름)에서 일어난다.

ㄷ. (나)에서 방출된 전자가 전자 전달계를 거치면 H^+의 농도는 ㉠에서가 ㉡에서보다 높아진다.
   → H^+이 스트로마에서 틸라코이드 내부로 능동 수송되므로 H^+ 농도는 틸라코이드 내부(㉡)에서가 스트로마(㉠)에서보다 높아진다.

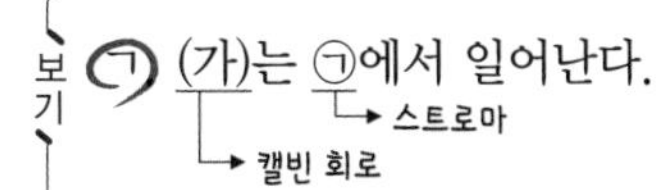

① ㄱ ② ㄴ ③ ㄷ ④ ㄱ, ㄴ ⑤ ㄱ, ㄷ

이것이 함정

명반응의 비순환적 전자 흐름에서 NADPH가 생성되고, 이는 캘빈 회로의 3PG 환원에 이용된다는 것을 연결하여 알아두어야 한다.

그림과 표에서 개념 찾기

그림과 발문을 통해 ㉠과 ㉡이 각각 스트로마와 틸라코이드 내부라는 것을 파악한다.
>>> 표의 화학 반응식을 분석하여 (가)와 (나)가 각각 캘빈 회로의 일부 반응과 물의 광분해 반응이라는 것을 파악한다.
>>> 그림의 장소와 화학 반응식을 연결하여 캘빈 회로의 일부 반응(가)이 스트로마(㉠)에서, 물의 광분해(나)가 광계 Ⅱ에서 일어난다는 개념을 확인한다.
>>> 물의 광분해(나)와 관련되어 명반응의 전자 전달계의 작용으로 틸라코이드 내부의 H^+ 농도가 스트로마보다 높게 유지된다는 개념을 확인한다.

추가 선택지

• (가)는 캘빈 회로의 3PG의 환원 과정에서 일어난다. (○)
→ 명반응 산물 중 NADPH는 캘빈 회로에서 3PG를 환원시킨다.

• (나)는 빛이 있을 때 일어난다. (○)
→ 물이 분해되어 산소가 방출되는 반응은 명반응으로, 빛이 있을 때 일어난다.

실전! 수능 도전하기

01 그림 (가)는 잎의 광합성 색소를 유기 용매로 전개시킨 종이 크로마토그래피 결과를, (나)는 색소 ㉠, ㉡의 흡수 스펙트럼과 잎의 작용 스펙트럼을 각각 나타낸 것이다. ㉠과 ㉡은 각각 엽록소 a와 엽록소 b 중 하나이다.

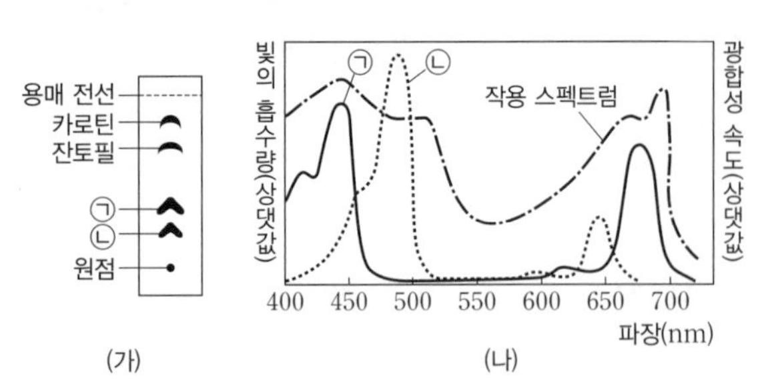

이에 대한 설명으로 옳은 것만을 〈보기〉에서 있는 대로 고른 것은?

> 보기
> ㄱ. ㉠보다 ㉡의 전개율이 크다.
> ㄴ. ㉠은 틸라코이드 막에 있다.
> ㄷ. (나)에서 잎은 파장이 550 nm인 빛보다 680 nm인 빛에 의해 더 많은 산소를 발생시킨다.

① ㄱ ② ㄴ ③ ㄱ, ㄷ ④ ㄴ, ㄷ ⑤ ㄱ, ㄴ, ㄷ

02 그림 (가)는 어떤 식물 잎에 있는 광계를, (나)는 이 식물의 엽록소 a, b의 흡수 스펙트럼을 나타낸 것이다. ㉠과 ㉡은 각각 엽록소 a와 엽록소 b 중 하나이고, X와 Y는 각각 ㉠과 ㉡ 중 하나이다.

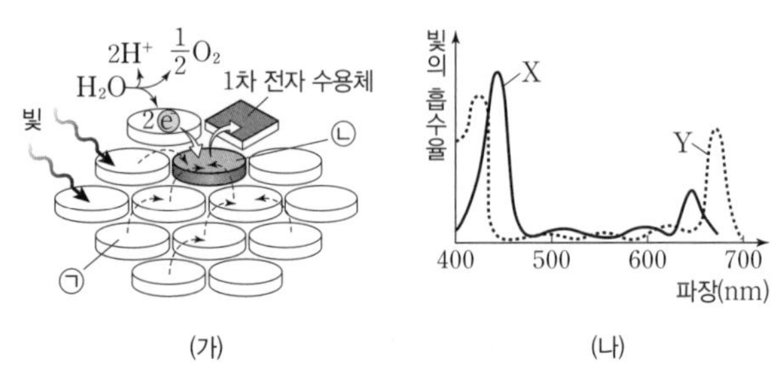

㉡에 대한 설명으로 옳은 것만을 〈보기〉에서 있는 대로 고른 것은?

> 보기
> ㄱ. X이다.
> ㄴ. P_{680}이다.
> ㄷ. ㉠보다 전개율이 작다.

① ㄱ ② ㄴ ③ ㄱ, ㄴ ④ ㄱ, ㄷ ⑤ ㄴ, ㄷ

수능 기출

03 그림 (가)는 광합성이 활발하게 일어나는 어떤 식물의 명반응에서 전자가 이동하는 경로를, (나)는 이 식물에서 엽록소 a와 엽록소 b의 흡수 스펙트럼을 나타낸 것이다. ㉠과 ㉡은 각각 엽록소 a와 엽록소 b 중 하나이다.

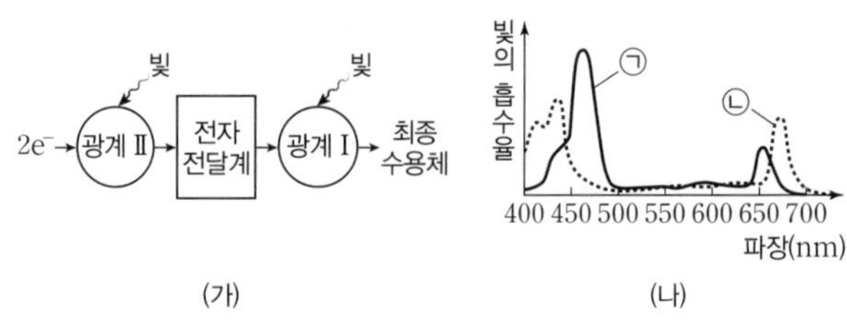

이에 대한 설명으로 옳은 것만을 〈보기〉에서 있는 대로 고른 것은?

> 보기
> ㄱ. 광계 Ⅰ의 반응 중심 색소는 ㉡이다.
> ㄴ. (가)에서 2개의 전자가 최종 수용체에 전달될 때 2분자의 NADPH가 생성된다.
> ㄷ. $\frac{\text{스트로마의 pH}}{\text{틸라코이드 내부의 pH}}$는 파장이 450 nm인 빛에서가 550 nm인 빛에서보다 크다.

① ㄱ ② ㄷ ③ ㄱ, ㄴ ④ ㄱ, ㄷ ⑤ ㄴ, ㄷ

04 그림 (가)는 어떤 식물의 엽록체 구조를, (나)는 이 식물에서 빛과 CO_2 조건을 달리했을 때의 시간에 따른 광합성 속도를 나타낸 것이다. ㉠과 ㉡은 각각 스트로마와 틸라코이드 내부 중 하나이다.

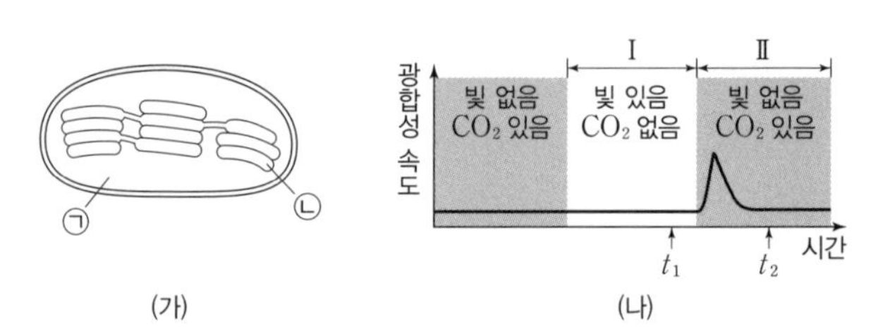

이에 대한 설명으로 옳은 것만을 〈보기〉에서 있는 대로 고른 것은?

> 보기
> ㄱ. NADPH의 산화는 ㉡에서 일어난다.
> ㄴ. ㉠에서 ATP의 농도는 t_2일 때가 t_1일 때보다 낮다.
> ㄷ. O_2 생성량은 구간 Ⅰ에서가 구간 Ⅱ에서보다 많다.

① ㄱ ② ㄴ ③ ㄱ, ㄷ ④ ㄴ, ㄷ ⑤ ㄱ, ㄴ, ㄷ

정답과 해설 043쪽

수능 기출

05 그림은 어떤 식물의 틸라코이드 막에 존재하는 광계에서 일어나는 명반응 과정의 일부를 나타낸 것이다. ㉠과 ㉡은 각각 틸라코이드 내부와 스트로마 중 하나이다.

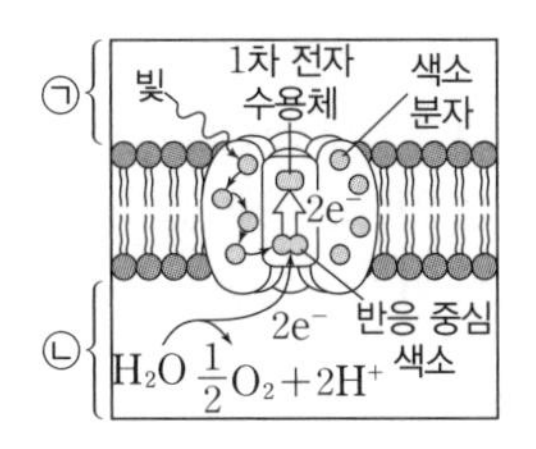

이에 대한 설명으로 옳은 것만을 <보기>에서 있는 대로 고른 것은?

보기
ㄱ. ㉠에 DNA가 있다.
ㄴ. 이 광계의 반응 중심 색소에서 방출된 전자는 전자 전달계를 거쳐 P_{700}으로 전달된다.
ㄷ. 이 광계는 비순환적 전자 흐름에 관여한다.

① ㄱ ② ㄴ ③ ㄱ, ㄷ
④ ㄴ, ㄷ ⑤ ㄱ, ㄴ, ㄷ

06 다음은 엽록체에서 분리한 틸라코이드를 이용하여 ATP를 합성하는 실험이다.

(가) 엽록체에서 분리한 pH 7인 틸라코이드를 pH 4의 완충 용액에 넣었다.
(나) 틸라코이드 안과 밖의 H^+ 농도가 같아질 때까지 틸라코이드를 pH 4인 완충 용액에 두었다.
(다) pH 4인 틸라코이드를 pH 8인 완충 용액에 넣었다.
(라) 이를 즉시 암실로 옮겨 ㉠과 ㉡을 첨가하였더니 ATP가 합성되었다.

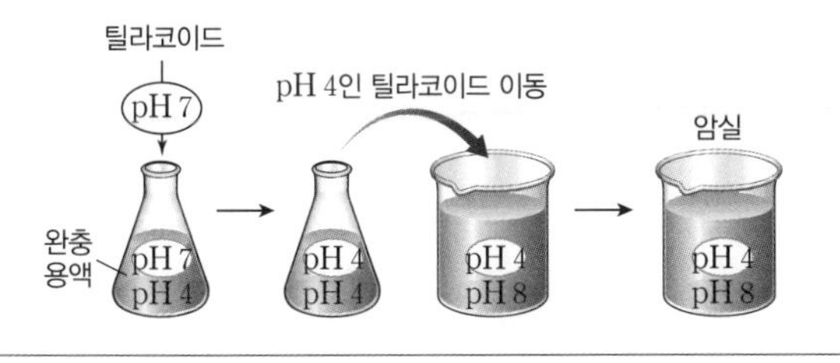

이에 대한 설명으로 옳은 것만을 <보기>에서 있는 대로 고른 것은?

보기
ㄱ. ADP와 무기 인산(P_i)은 ㉠과 ㉡에 해당한다.
ㄴ. (라)에서 ATP는 틸라코이드 내부에서 합성되었다.
ㄷ. (라)에서 틸라코이드 내부의 H^+ 농도는 완충 용액보다 낮다.

① ㄱ ② ㄴ ③ ㄱ, ㄷ
④ ㄴ, ㄷ ⑤ ㄱ, ㄴ, ㄷ

수능 기출

07 표 (가)는 광합성 과정에서 일어나는 반응의 일부를, (나)는 빛이 있을 때의 한 시점 t_1과 빛을 차단한 후의 한 시점 t_2일 때 ㉠과 ㉡의 pH를 나타낸 것이다. ㉠과 ㉡은 각각 엽록체의 틸라코이드 내부와 스트로마 중 하나이다.

구분	반응
Ⅰ	$2H_2O \rightarrow 4H^+ + 4e^- + O_2$
Ⅱ	$2NADP^+ + 4H^+ + 4e^- \rightarrow 2NADPH + 2H^+$

(가)

구분	㉠	㉡
t_1	4	8
t_2	ⓐ	ⓑ

(나)

이에 대한 설명으로 옳은 것만을 <보기>에서 있는 대로 고른 것은? (단, 빛 이외의 조건은 일정하다.)

보기
ㄱ. Ⅰ은 ㉡에서 일어난다.
ㄴ. Ⅱ의 반응물 중 캘빈 회로의 생성물이 있다.
ㄷ. ⓐ−ⓑ의 값은 4보다 작다.

① ㄱ ② ㄷ ③ ㄱ, ㄴ
④ ㄴ, ㄷ ⑤ ㄱ, ㄴ, ㄷ

08 표는 엽록체에서 일어나는 광인산화 반응에서 순환적 전자 흐름과 비순환적 전자 흐름에 대해 특징 ㉠~㉢을 갖는지 여부를 나타낸 것이다.

전자 흐름 \ 특징	㉠	㉡	㉢
순환적 전자 흐름	○	○	×
비순환적 전자 흐름	×	○	○

(○: 있음, ×: 없음)

이에 대한 설명으로 옳은 것만을 <보기>에서 있는 대로 고른 것은?

보기
ㄱ. 'O_2가 발생한다.'는 ㉠에 해당한다.
ㄴ. '광계 Ⅰ이 관여한다.'는 ㉡에 해당한다.
ㄷ. 'NADPH를 합성한다.'는 ㉢에 해당한다.

① ㄱ ② ㄴ ③ ㄱ, ㄷ
④ ㄴ, ㄷ ⑤ ㄱ, ㄴ, ㄷ

수능 기출

09 그림은 캘빈 회로에서 물질 전환 과정의 일부를 나타낸 것이다. ㉠~㉢은 각각 PGAL, 3PG, RuBP 중 하나이다. 과정 Ⅰ에서 NADPH와 ATP가 사용되고, 과정 Ⅱ에서 ATP가 사용된다.

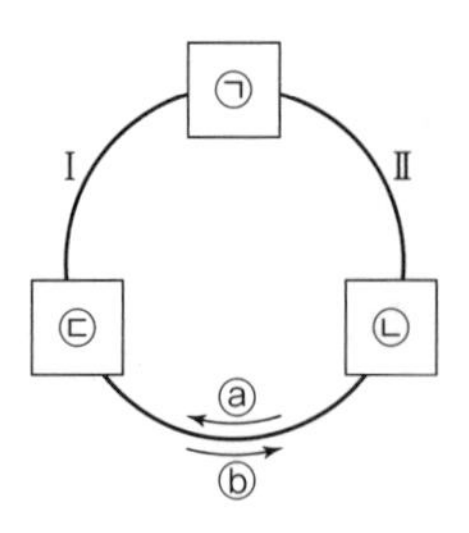

이에 대한 설명으로 옳은 것만을 〈보기〉에서 있는 대로 고른 것은?

보기
ㄱ. 회로 반응의 방향은 ⓐ이다.
ㄴ. Ⅰ에서 사용되는 $\frac{\text{ATP 분자 수}}{\text{NADPH 분자 수}}=1$이다.
ㄷ. 1분자당 $\frac{\text{인산기 수}}{\text{탄소 수}}$는 ㉢이 ㉡보다 크다.

① ㄱ ② ㄷ ③ ㄱ, ㄴ
④ ㄴ, ㄷ ⑤ ㄱ, ㄴ, ㄷ

10 그림은 1분자의 포도당이 합성되는 과정에서 나타나는 캘빈 회로의 일부를 나타낸 것이다. A~D는 각각 CO_2, PGAL, 3PG, RuBP 중 하나이고, ㉠~㉣은 분자 수이다.

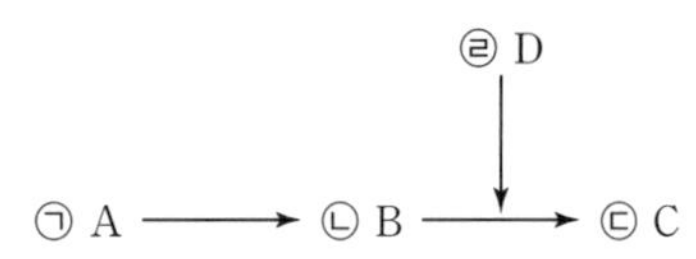

이에 대한 설명으로 옳은 것만을 〈보기〉에서 있는 대로 고른 것은?

보기
ㄱ. $\frac{㉡}{㉠}=\frac{3}{5}$이다.
ㄴ. ㉢은 ㉣의 2배이다.
ㄷ. 명반응에서 합성된 NADPH가 B→C 과정에서 소모된다.

① ㄱ ② ㄷ ③ ㄱ, ㄴ
④ ㄴ, ㄷ ⑤ ㄱ, ㄴ, ㄷ

11 그림은 클로렐라 배양액에 $^{14}CO_2$를 공급하고 빛을 비춘 후, 세 시점에서 얻은 세포 추출물을 각각 크로마토그래피법으로 전개한 결과를 순서 없이 나타낸 것이다. ㉠~㉢은 각각 3PG, PGAL, RuBP 중 하나이다.

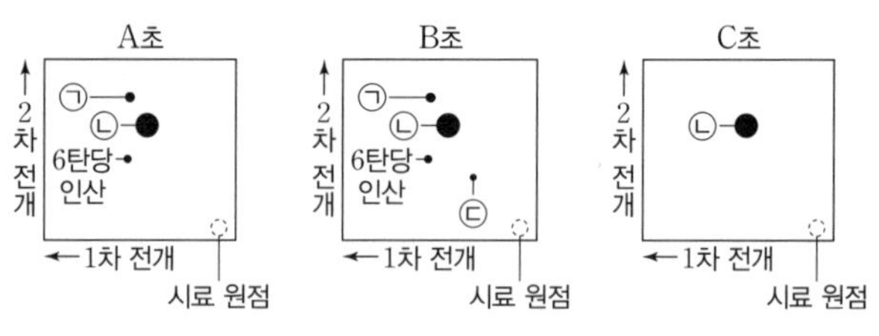

이에 대한 설명으로 옳은 것만을 〈보기〉에서 있는 대로 고른 것은?

보기
ㄱ. $^{14}CO_2$에 노출된 시간이 짧은 것부터 순서대로 나열하면 C, A, B이다.
ㄴ. 1분자당 $\frac{\text{인산기 수}}{\text{탄소 수}}$는 ㉠과 ㉡이 같다.
ㄷ. 캘빈 회로에서 ㉠이 ㉢으로 전환되는 과정에서 NADPH가 소모된다.

① ㄱ ② ㄷ ③ ㄱ, ㄴ
④ ㄴ, ㄷ ⑤ ㄱ, ㄴ, ㄷ

12 그림은 광합성이 일어나고 있는 식물에 빛을 차단한 후 시간에 따른 물질 X와 Y의 농도를 나타낸 것이다. X와 Y는 각각 3PG와 RuBP 중 하나이다.

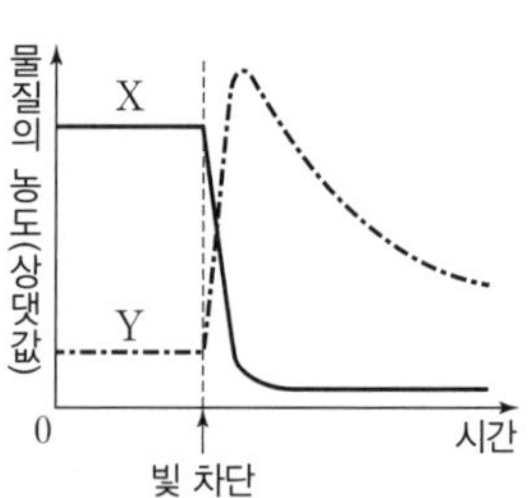

이에 대한 설명으로 옳은 것만을 〈보기〉에서 있는 대로 고른 것은?

보기
ㄱ. X는 캘빈 회로에서 탄소 고정 단계의 생성물이다.
ㄴ. 1분자당 $\frac{\text{탄소 수}}{\text{인산기 수}}$는 X < Y이다.
ㄷ. 빛을 차단하면 차단하기 전보다 스트로마에서 NADPH가 산화되는 속도가 증가한다.

① ㄱ ② ㄴ ③ ㄱ, ㄷ
④ ㄴ, ㄷ ⑤ ㄱ, ㄴ, ㄷ

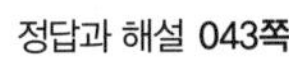

수능 기출

13 표는 광합성이 일어나고 있는 클로렐라 배양액에 (가)의 조건을 주었을 때 시간에 따른 물질 ㉠과 ㉡의 농도를 상댓값으로 나타낸 것이다. (가)는 '빛 차단'과 'CO_2 농도 감소' 중 하나이다. ㉠과 ㉡은 각각 3PG와 RuBP 중 하나이고, 1분자당 $\frac{\text{탄소 수}}{\text{인산기 수}}$는 ㉡이 ㉠보다 크다.

시간(초)	㉠	㉡
0	1.8	0.3
20	0.2	2.2
40	0.2	2.1
60	0.1	2.1

이에 대한 설명으로 옳은 것만을 <보기>에서 있는 대로 고른 것은? (단, 제시된 조건 이외의 다른 조건은 동일하다.)

보기
ㄱ. (가)는 '빛 차단'이다.
ㄴ. 캘빈 회로에서 ㉠이 ㉡으로 전환되는 과정에서 CO_2가 고정된다.
ㄷ. 캘빈 회로에서 ㉡이 PGAL로 전환되는 과정에서 NADPH가 사용된다.

① ㄱ ② ㄷ ③ ㄱ, ㄴ
④ ㄴ, ㄷ ⑤ ㄱ, ㄴ, ㄷ

14 다음은 녹색 식물의 엽록체에서 일어나는 반응 중 일부를 나타낸 것이다.

㉠ 3PG → PGAL
㉡ 5PGAL → 3RuBP
㉢ $H_2O \rightarrow 2H^+ + \frac{1}{2}O_2 + 2e^-$
㉣ $NADPH + H^+ \rightarrow NADP^+ + 2H^+ + 2e^-$
㉤ $NADP^+ + 2H^+ + 2e^- \rightarrow NADPH + H^+$

이에 대한 설명으로 옳은 것만을 <보기>에서 있는 대로 고른 것은?

보기
ㄱ. ㉠과 ㉡은 모두 ATP가 소비되는 반응이다.
ㄴ. H_2O에서 방출된 전자가 비순환적 전자 흐름에 따라서 최종 수용체에 전달될 때 $\frac{\text{분해되는 } H_2O \text{ 분자 수}}{\text{생성되는 NADPH 분자 수}}=1$이다.
ㄷ. ㉢과 ㉣은 모두 스트로마에서 일어난다.

① ㄱ ② ㄷ ③ ㄱ, ㄴ
④ ㄴ, ㄷ ⑤ ㄱ, ㄴ, ㄷ

15 표 (가)는 식물 세포의 틸라코이드 내부, 스트로마, 세포질에서 반응 ㉠~㉣이 일어나는지의 여부를, (나)는 반응 ㉠~㉣을 순서 없이 나타낸 것이다.

장소 \ 반응	㉠	㉡	㉢	㉣
틸라코이드 내부	○	×	×	○
스트로마	×	○	ⓐ	ⓑ
세포질	×	×	○	○

(○: 일어남, ×: 일어나지 않음)

(가)

반응 ㉠~㉣
· ATP 생성 · NADPH 생성 · 산화와 환원 · 물의 광분해

(나)

이에 대한 설명으로 옳은 것만을 <보기>에서 있는 대로 고른 것은? (단, 세포질은 막으로 이루어진 세포 소기관을 제외한 부분이다.)

보기
ㄱ. ㉠은 'ATP 생성'이다.
ㄴ. ㉡은 'NADPH 생성'이다.
ㄷ. ⓐ와 ⓑ는 모두 '○'이다.

① ㄱ ② ㄴ ③ ㄱ, ㄷ
④ ㄴ, ㄷ ⑤ ㄱ, ㄴ, ㄷ

16 그림은 힐의 실험을 나타낸 것이다.

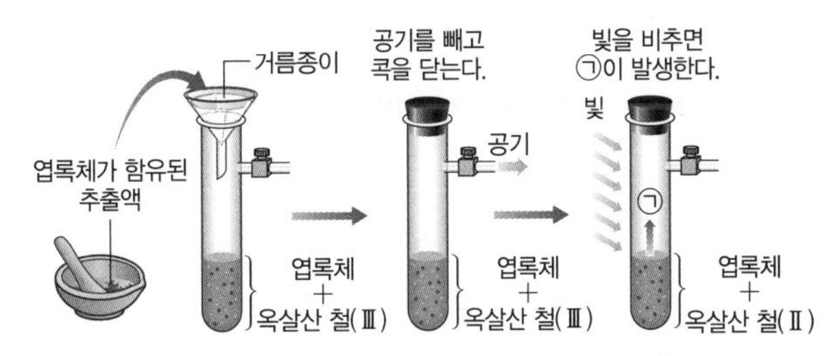

㉠에 대한 설명으로 옳은 것만을 <보기>에서 있는 대로 고른 것은?

보기
ㄱ. CO_2가 없어도 발생한다.
ㄴ. 물의 광분해에 의해 생성된다.
ㄷ. 미토콘드리아 내막의 전자 전달계에서 최종 전자 수용체이다.

① ㄱ ② ㄷ ③ ㄱ, ㄴ
④ ㄴ, ㄷ ⑤ ㄱ, ㄴ, ㄷ

1 세포 호흡과 발효

01 세포 호흡

1. 세포 호흡

의미	세포가 영양분으로부터 생명 활동에 필요한 에너지를 얻는 과정
반응식	$C_6H_{12}O_6 + 6O_2 \rightarrow 6CO_2 + 6H_2O +$ 에너지

2. 해당 과정

의미	세포질에서 포도당이 피루브산으로 분해되는 반응
반응식	$C_6H_{12}O_6$(포도당) → $2C_3H_4O_3$(피루브산) (2ADP → 2ATP, $2NAD^+$ → 2NADH)
특징	2ATP를 먼저 소모한 후 4ATP 생성, 기질 수준 인산화

3. 피루브산의 산화와 TCA 회로

의미	피루브산이 산소가 있을 때 미토콘드리아에 들어가 산화된 후 무기물로 완전 분해
반응식	피루브산(C_3) → $3CO_2$ (ADP → ATP, $4NAD^+$ → 4NADH, FAD → $FADH_2$)
특징	CO_2 생성, 산화적 인산화의 에너지원인 NADH와 $FADH_2$ 생성, 기질 수준 인산화

4. 산화적 인산화

의미	미토콘드리아 내막에서 NADH와 $FADH_2$의 에너지로부터 ATP를 합성하는 과정
반응 경로	산화적 인산화 =전자 전달계(전자의 전달)+화학 삼투(H^+ 확산, ATP 합성) H^+ 농도 차 형성
특징	전자 전달계의 작용으로 H^+ 농도 차 형성➡ 막 사이 공간의 H^+ 농도>기질의 H^+ 농도

5. 호흡 기질과 호흡률

호흡 기질	단백질	아미노산의 탈아미노 작용 후 호흡 기질로 이용
	지방	지방산은 아세틸 CoA로 분해된 후 TCA 회로 → 산화적 인산화, 글리세롤은 해당 과정 → 피루브산의 산화, TCA 회로 → 산화적 인산화
호흡률		호흡률$=\frac{\text{생성된 이산화 탄소의 부피}}{\text{이용된 산소의 부피}}$ 탄수화물 1, 단백질 0.8, 지방 0.7

02 발효

1. 산소 호흡과 발효의 비교

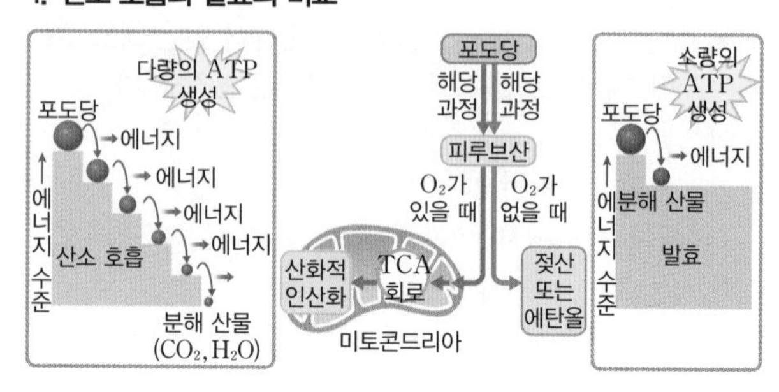

2. 알코올 발효

의미	효모는 산소가 없을 때 포도당을 분해하여 에탄올을 생성
반응식	$C_6H_{12}O_6 \rightarrow 2C_2H_5OH + 2CO_2 + 2ATP$
특징	• 해당 과정 → CO_2 방출 → NAD^+ 재생 • 해당 과정에서 기질 수준 인산화로 2ATP 생성
이용	술, 빵, 바이오 에너지 등

3. 젖산 발효

의미	젖산균, 사람의 근육 세포에서 산소가 없을 때 포도당을 분해하여 젖산을 생성
반응식	$C_6H_{12}O_6 \rightarrow 2C_3H_6O_3 + 2ATP$
특징	• 해당 과정 → NAD^+ 재생 • 해당 과정에서 기질 수준 인산화로 2ATP 생성
이용	발효 유제품(치즈, 요구르트), 김치, 젓갈 등

4. 산소 호흡, 알코올 발효, 젖산 발효의 비교

구분	산소 호흡	발효	
		알코올 발효	젖산 발효
최종 전자 수용체	산소	아세트알데하이드	피루브산
장소	세포질, 미토콘드리아	세포질	세포질
CO_2 생성	생성됨	생성됨	생성 안 됨
전자 전달계	관여함	관여하지 않음	관여하지 않음
산화적 인산화	일어남	일어나지 않음	일어나지 않음
ATP 합성량	다량 합성됨	소량 합성됨	소량 합성됨
해당 과정	일어남	일어남	일어남

2 광합성

01 광합성 색소와 광합성의 단계

1. 광합성 색소

종류	엽록소 a, 엽록소 b, 카로티노이드(카로틴, 잔토필)
빛의 파장과 광합성 색소	엽록소는 청자색광과 적색광을 잘 흡수하고 이 파장에서 광합성 속도가 빠르다.

2. 엽록체의 구조

구분	그라나	스트로마
구조	틸라코이드가 겹겹이 쌓인 구조물	엽록체의 기질 부분
포함 물질	광계, 광합성 색소, 전자 전달 효소 복합체, ATP 합성 효소	DNA, RNA, 리보솜, 녹말, 각종 효소
기능	명반응 일어남	탄소 고정 반응 일어남

3. 광합성의 단계

구분	과정	생성물
명반응	물의 광분해, 광인산화	NADPH, ATP, O_2
탄소 고정 반응	캘빈 회로	PGAL (포도당)

〈명반응〉 〈탄소 고정 반응〉
빛, H_2O, O_2, NADPH, ATP, ADP+P_i, $NADP^+$, CO_2, 캘빈 회로, 포도당

4. 광인산화

의미	광계를 포함한 전자 전달계와 화학 삼투에 의해 ATP 합성
종류	비순환적 전자 흐름, 순환적 전자 흐름
특징	전자 전달계의 작용으로 H^+ 농도 차 형성➡ 틸라코이드 내부 H^+ 농도>스트로마의 H^+ 농도

5. 캘빈 회로

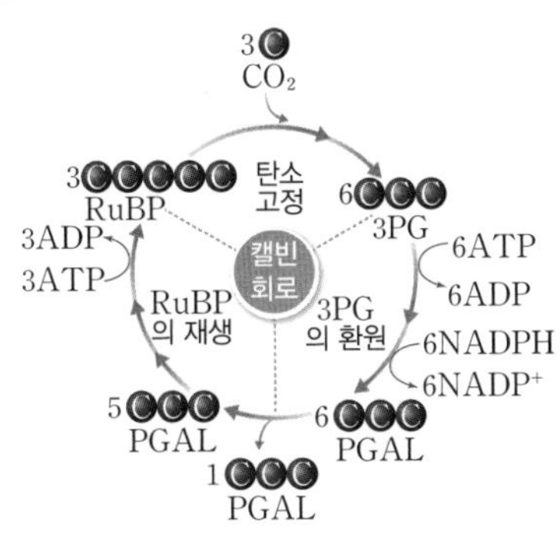

02 광합성과 세포 호흡의 비교

1. 광합성과 세포 호흡의 차이점

구분	광합성	세포 호흡
반응 장소	엽록체	세포질, 미토콘드리아
종류	동화 작용	이화 작용
반응물의 물질 변화	환원(CO_2 → 포도당)	산화(포도당 → CO_2)
에너지 변화	빛에너지 → 화학 에너지	화학 에너지 → 화학 에너지(ATP), 열에너지

2. 식물 세포에서 일어나는 광합성과 세포 호흡

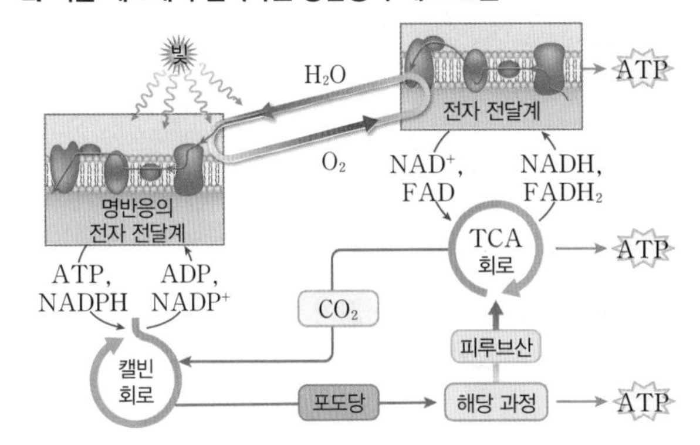

3. 광합성과 세포 호흡에서 전자 전달과 ATP의 합성 비교

구분	광합성	세포 호흡
ATP 합성 방식	광인산화	기질 수준 인산화, 산화적 인산화
전자의 흐름	순환적, 비순환적으로 흐름	한 방향으로만 흐름
전자의 에너지원	빛에너지	화학 에너지(유기물)
고에너지 전자 결합 조효소	$NADP^+$	NAD^+, FAD
전자 공여체	H_2O	NADH, $FADH_2$
최종 전자 수용체	$NADP^+$	O_2
관여하는 막	틸라코이드 막	미토콘드리아 내막
전자 전달 과정에서 H^+의 이동	스트로마 → 틸라코이드 내부	미토콘드리아 기질 → 막 사이 공간
ATP 합성 과정에서 H^+의 이동	틸라코이드 내부 → 스트로마	막 사이 공간 → 미토콘드리아 기질

한번에 끝내는 대단원 문제

정답과 해설 046쪽

01 그림은 세포 호흡의 전 과정을 나타낸 것이다. (가)~(라)는 각각 해당 과정, TCA 회로, 산화적 인산화, 피루브산의 산화 중 하나를 나타낸 것이다.

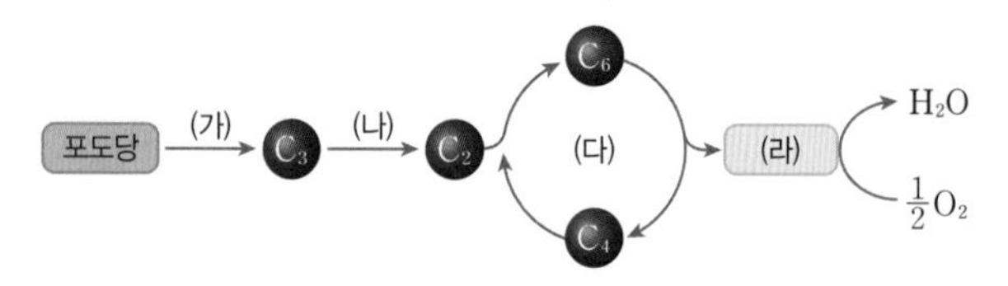

이에 대한 설명으로 옳지 않은 것은?

① (가)는 세포질에서 일어난다.
② (가)와 (다)에서 NADH의 산화가 일어난다.
③ (가)와 (다)에서 기질 수준 인산화가 일어난다.
④ (나)와 (다)에서 CO_2가 방출된다.
⑤ (나), (다), (라)는 미토콘드리아에서 일어난다.

02 그림은 해당 과정을 나타낸 것이다.

이에 대한 설명으로 설명으로 옳은 것은?

① (가)에서 기질 수준 인산화가 일어난다.
② 1분자당 에너지양은 포도당보다 과당 2인산이 많다.
③ (가)에서 NAD^+의 환원이 일어난다.
④ (나)에서 ATP가 소모된다.
⑤ (나)는 미토콘드리아 기질에서 일어난다.

03 그림은 세포 호흡 과정의 일부를 나타낸 것이다.

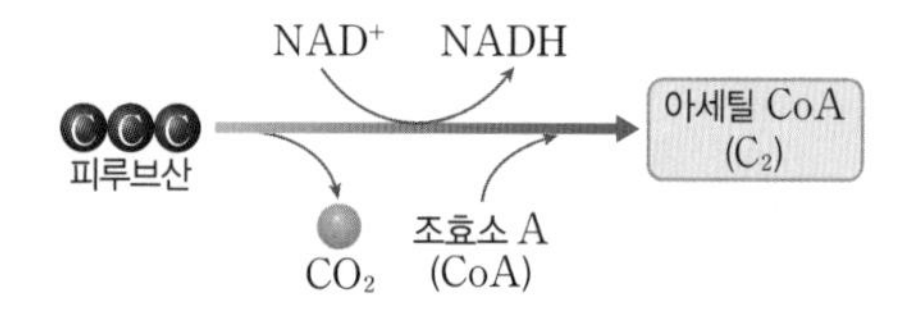

이에 대한 설명으로 옳은 것만을 〈보기〉에서 있는 대로 고른 것은?

보기
ㄱ. 미토콘드리아에서 일어나는 반응이다.
ㄴ. 탈탄산 효소가 관여한다.
ㄷ. 탈수소 효소가 관여한다.

① ㄱ ② ㄴ ③ ㄱ, ㄴ
④ ㄱ, ㄷ ⑤ ㄱ, ㄴ, ㄷ

04 그림은 피루브산의 산화와 TCA 회로를 나타낸 것이다. 이에 대한 설명으로 옳은 것을 〈보기〉에서 있는 대로 고른 것은?

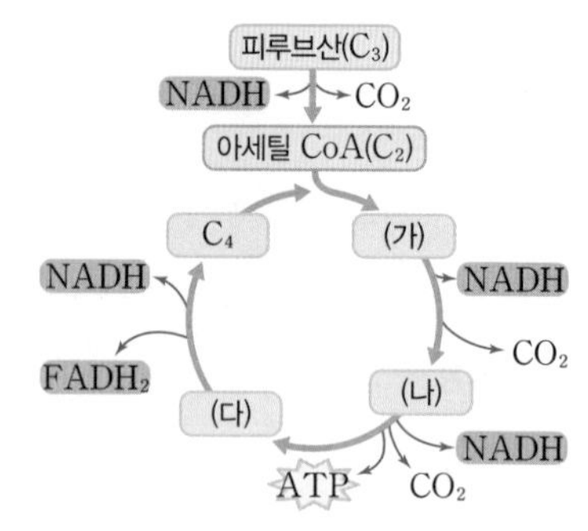

보기
ㄱ. (가)에 조효소 A(CoA)가 포함되어 있다.
ㄴ. $\frac{\text{1분자당 (가)의 탄소 수}}{\text{1분자당 (다)의 탄소 수}}=\frac{3}{2}$이다.
ㄷ. 1분자가 가진 에너지양은 (나)보다 (다)가 많다.

① ㄱ ② ㄴ ③ ㄱ, ㄷ
④ ㄴ, ㄷ ⑤ ㄱ, ㄴ, ㄷ

05 1분자의 아세틸 CoA가 TCA 회로를 거쳐 산화적 인산화가 이루어졌을 때, 생성되는 ATP 분자 수는 얼마인가? (단, 산화적 인산화에 의해 1분자의 NADH로부터 2.5ATP가, 1분자의 $FADH_2$로부터 1.5ATP가 합성된다.)

① 8 ② 9 ③ 10
④ 11.5 ⑤ 12.5

고난도

06 그림은 미토콘드리아의 전자 전달계에서 일어나는 산화적 인산화를 나타낸 것이다.

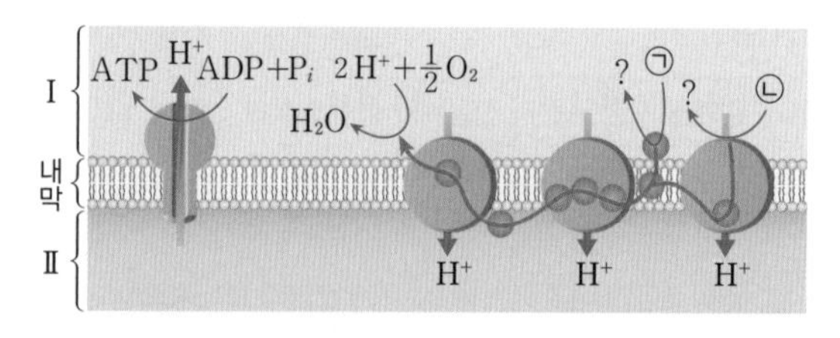

이에 대한 설명으로 옳은 것만을 〈보기〉에서 있는 대로 고른 것은?

보기
ㄱ. 해당 과정에서 ㉠이 생성된다.
ㄴ. Ⅱ에서 TCA 회로가 일어난다.
ㄷ. ATP 합성 효소를 통해 Ⅱ에서 Ⅰ로 H^+이 확산된다.

① ㄱ ② ㄷ ③ ㄱ, ㄴ
④ ㄴ, ㄷ ⑤ ㄱ, ㄴ, ㄷ

07 그림은 영양소 (가)~(다)가 세포 호흡에 이용되는 과정의 일부를 나타낸 것이다. (가)~(다)는 포도당, 아미노산, 지방산을 순서 없이 나타낸 것이다.

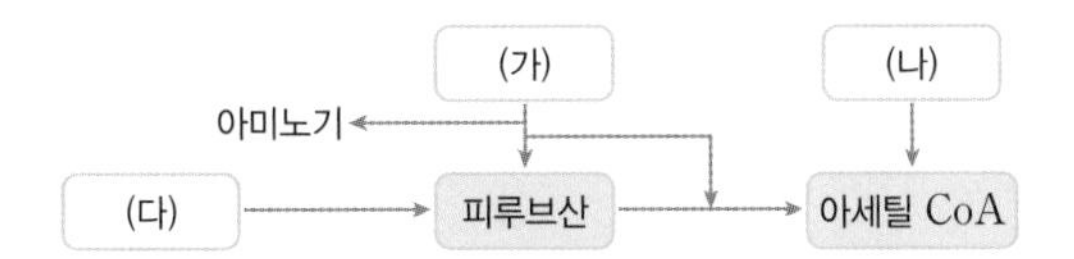

이에 대한 설명으로 옳은 것만을 〈보기〉에서 있는 대로 고른 것은?

보기
ㄱ. (가)는 아미노산이다.
ㄴ. (나)는 해당 과정을 거치지 않는다.
ㄷ. (다)는 탈아미노 반응을 거치지 않는다.

① ㄱ ② ㄷ ③ ㄱ, ㄴ
④ ㄴ, ㄷ ⑤ ㄱ, ㄴ, ㄷ

08 그림은 포도당 대사의 몇 가지 경로를 나타낸 것이다.

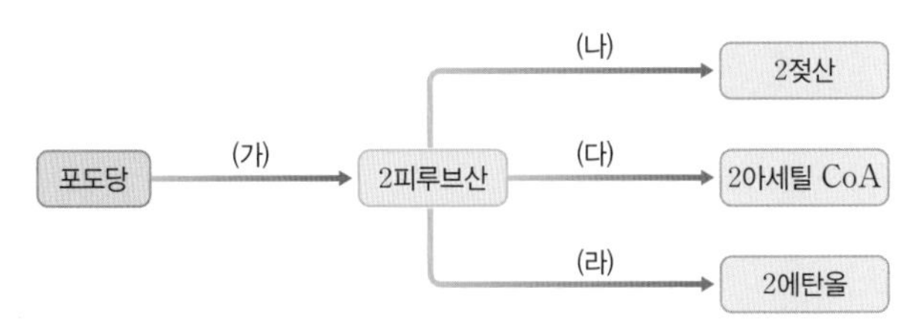

이에 대한 설명으로 옳은 것만을 〈보기〉에서 있는 대로 고른 것은?

보기
ㄱ. (가)에 ATP가 소모되는 단계가 있다.
ㄴ. (나)와 (라)에서 NADH의 산화가 일어난다.
ㄷ. (다)와 (라)에 탈탄산 효소가 작용한다.

① ㄱ ② ㄷ ③ ㄱ, ㄴ
④ ㄴ, ㄷ ⑤ ㄱ, ㄴ, ㄷ

09 그림은 발효에서 포도당이 ㉠~㉢으로 전환되는 과정 Ⅰ~Ⅲ을 나타낸 것이다. ㉠~㉢은 각각 에탄올, 피루브산, 젖산 중 하나이며, ㉠과 ㉡의 1분자당 탄소 수는 같다.

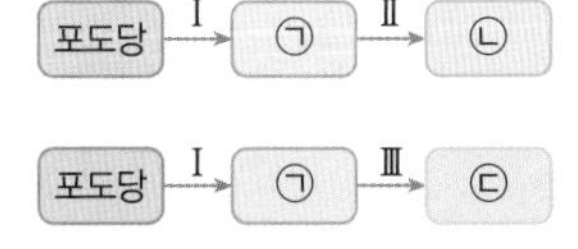

이에 대한 설명으로 옳은 것만을 〈보기〉에서 있는 대로 고른 것은?

보기
ㄱ. Ⅰ~Ⅲ은 모두 세포질에서 일어난다.
ㄴ. 사람의 근육 세포에서 Ⅱ가 일어난다.
ㄷ. Ⅲ에서 아세트알데하이드가 환원된다.

① ㄱ ② ㄷ ③ ㄱ, ㄴ
④ ㄴ, ㄷ ⑤ ㄱ, ㄴ, ㄷ

10 그림은 암실에 하루 동안 보관한 어떤 식물에서 빛과 CO_2 조건을 달리하면서 시간에 따른 광합성 속도를 측정한 벤슨의 실험 결과를 나타낸 것이다.

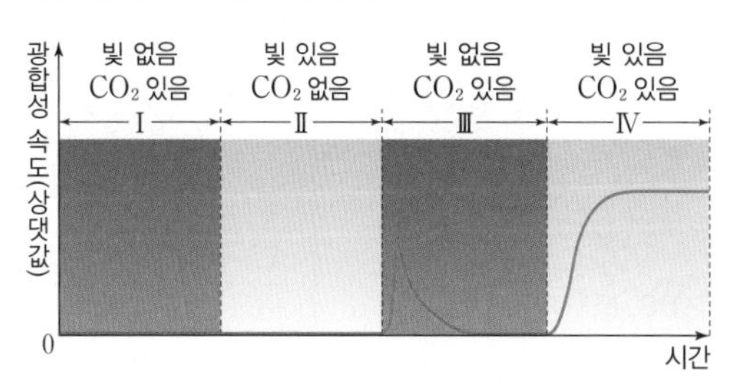

이에 대한 설명으로 옳은 것만을 〈보기〉에서 있는 대로 고른 것은?

보기
ㄱ. 광합성 속도는 O_2 발생량으로 측정한 것이다.
ㄴ. Ⅲ에서 캘빈 회로가 진행되었다.
ㄷ. Ⅳ에서 물의 광분해가 일어났다.

① ㄱ ② ㄷ ③ ㄱ, ㄴ
④ ㄴ, ㄷ ⑤ ㄱ, ㄴ, ㄷ

11 광합성이 일어나고 있는 식물의 명반응에 대한 설명으로 옳은 것만을 〈보기〉에서 있는 대로 고른 것은?

보기
ㄱ. 비순환적 전자 흐름으로 O_2가 생성된다.
ㄴ. 틸라코이드 내부의 pH가 스트로마보다 낮게 유지된다.
ㄷ. 순환적 전자 흐름으로 1개의 전자가 최종 전자 수용체에 전달될 때 1분자의 NADPH가 생성된다.

① ㄱ ② ㄷ ③ ㄱ, ㄴ
④ ㄴ, ㄷ ⑤ ㄱ, ㄴ, ㄷ

12 그림은 3분자의 CO_2가 고정될 때의 캘빈 회로를 나타낸 것이다. X~Z는 각각 3PG, PGAL, RuBP 중 하나이고, ㉠~㉢은 분자 수이다.

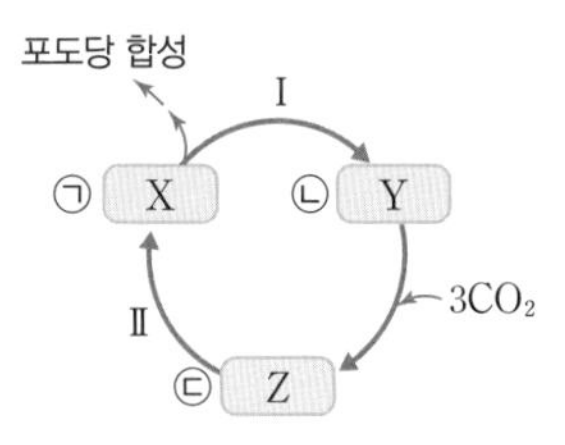

이에 대한 설명으로 옳은 것은?

① X는 3PG이다.
② ㉢은 6이다.
③ Y의 1분자당 인산기 수는 1이다.
④ 과정 Ⅰ에서 6분자의 ATP가 사용된다.
⑤ 과정 Ⅱ에서 3분자의 NADPH가 사용된다.

13 그림은 엽록체에서 일어나는 두 반응에서 물질과 에너지의 변화를 나타낸 것이다. (가)와 (나)는 각각 명반응과 탄소 고정 반응 중 하나이다.

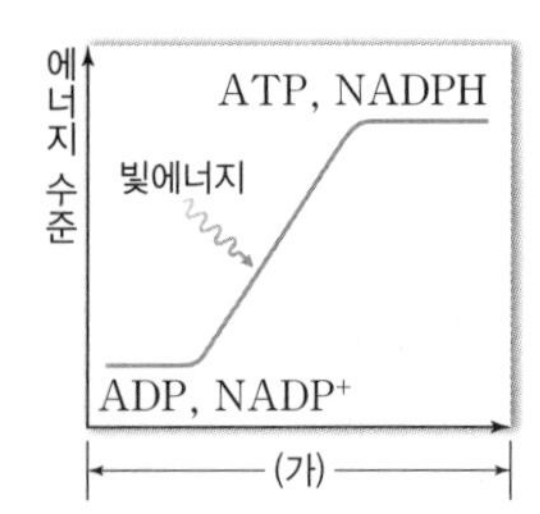

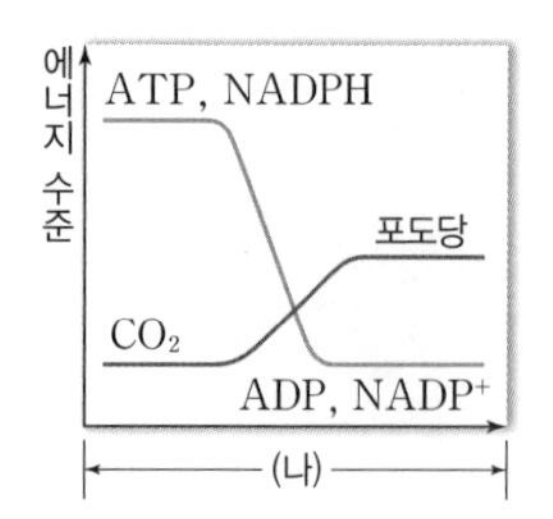

이에 대한 설명으로 옳은 것만을 <보기>에서 있는 대로 고른 것은?

보기
ㄱ. (가)에서 생성된 ATP는 식물의 생장에 이용된다.
ㄴ. (나) 중 캘빈 회로는 탄소 고정, 3PG의 환원, RuBP의 재생의 단계로 이루어진다.
ㄷ. (가)와 (나)를 거쳐 진행되는 광합성은 흡열 반응에 해당한다.

① ㄱ ② ㄷ ③ ㄱ, ㄴ
④ ㄴ, ㄷ ⑤ ㄱ, ㄴ, ㄷ

14 그림 (가)는 엽록체, (나)는 미토콘드리아를 나타낸 것이다. B, C, E, F는 막 부분이다.

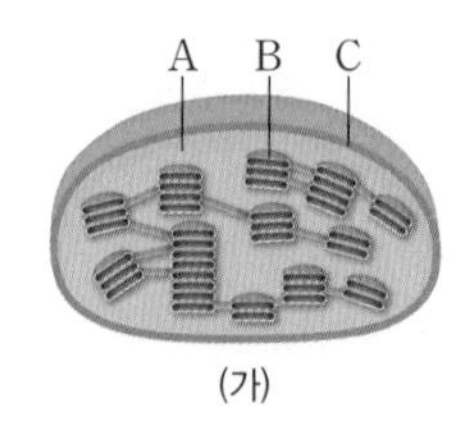

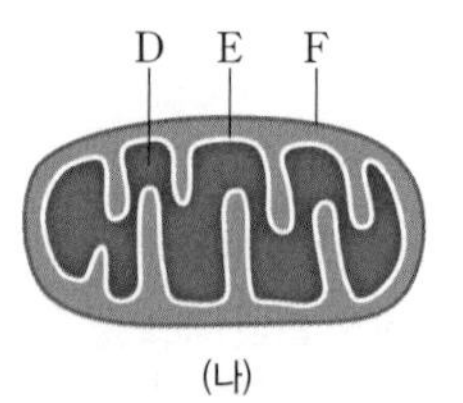

이에 대한 설명으로 옳은 것만을 <보기>에서 있는 대로 고른 것은?

보기
ㄱ. A와 D에 ATP가 있다.
ㄴ. B와 E에 ATP 합성 효소가 있다.
ㄷ. C와 F에 전자 전달계가 있다.

① ㄱ ② ㄷ ③ ㄱ, ㄴ
④ ㄴ, ㄷ ⑤ ㄱ, ㄴ, ㄷ

15 그림 (가)는 힐의 실험을, (나)는 루벤의 실험을 나타낸 것이다. ㉠~㉢은 광합성의 명반응 결과 생성된 기체이다.

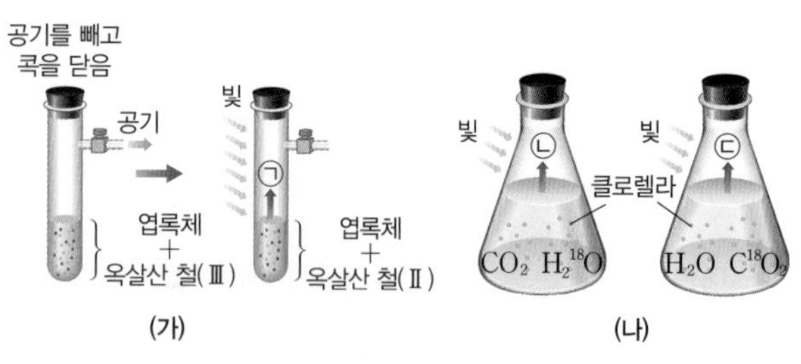

㉠~㉢의 공통점으로 옳은 것만을 <보기>에서 있는 대로 고른 것은?

보기
ㄱ. 물의 광분해로 생성된다.
ㄴ. 틸라코이드에서 생성된다.
ㄷ. 순환적 전자 흐름의 산물이다.

① ㄱ ② ㄷ ③ ㄱ, ㄴ
④ ㄴ, ㄷ ⑤ ㄱ, ㄴ, ㄷ

고난도

16 그림은 어떤 식물에 빛의 조건을 변화시켰을 때, 시간에 따른 틸라코이드 내부의 pH를 나타낸 것이다. ㉠과 ㉡은 각각 '빛 차단'과 '빛 공급' 중 하나이다.

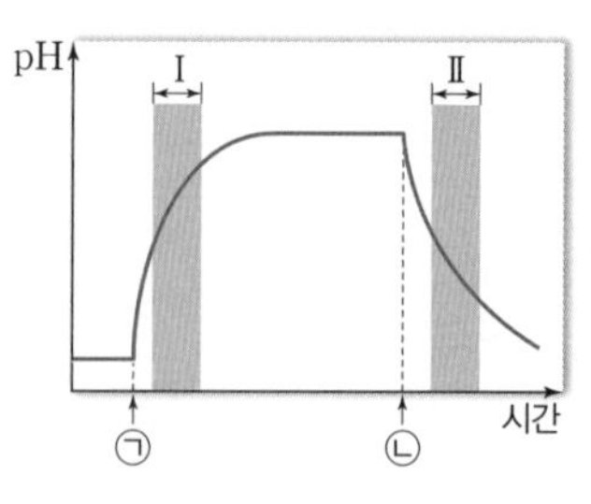

이에 대한 설명으로 옳은 것만을 <보기>에서 있는 대로 고른 것은?

보기
ㄱ. ㉠은 '빛 차단'이다.
ㄴ. 구간 Ⅰ에서 틸라코이드 내부의 pH는 스트로마보다 높다.
ㄷ. 구간 Ⅱ에서 NADPH와 ATP가 생성된다.

① ㄱ ② ㄴ ③ ㄱ, ㄷ
④ ㄴ, ㄷ ⑤ ㄱ, ㄴ, ㄷ

17 **표는 포도당 1분자가 간세포에서 세포 호흡에 이용될 때 ATP가 합성되는 과정을 정리한 내용의 일부이다. 1분자의 NADH로부터 2.5ATP가, 1분자의 $FADH_2$로부터 1.5ATP가 생산된다.**

생성되는 물질의 분자 수 / 과정	기질 수준 인산화에 의한 ATP 분자 수	NADH 분자 수	$FADH_2$ 분자 수	산화적 인산화에 의한 ATP 분자 수
해당 과정	2	㉠	㉡	0
피루브산의 산화와 TCA 회로	㉢	㉣	㉤	㉥
전자 전달계	0	㉦	㉧	㉨
계	㉩	10	2	28

(1) ㉠~㉩에 들어갈 숫자를 각각 쓰시오.

(2) 위 자료와 다음 조건을 참고하여 포도당 1몰이 세포 호흡을 거쳐 완전 분해되는 반응의 에너지 효율(%)을 구하는 식과 값을 구하시오.

- 포도당이 이산화 탄소와 물로 완전히 분해되면 약 686 kcal/몰의 에너지가 방출된다.
- ADP가 ATP로 합성될 때 약 7.3 kcal/몰의 에너지가 필요하다.

서술형

18 **그림은 젖산균을 포도당 배지에서 배양했을 때 시간에 따른 포도당과 젖산의 농도를 나타낸 것이다. 구간 ㉠은 산소 환경이고 ㉡은 무산소 환경이다.**

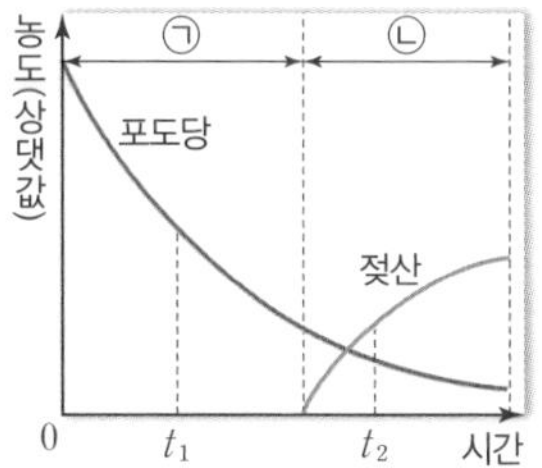

(1) 구간 ㉠과 ㉡에서 젖산균의 에너지원은 무엇인지 쓰시오.

(2) t_1과 t_2에서 배양액의 pH를 비교하고, 그렇게 판단한 까닭을 젖산 발효와 관련지어 서술하시오.

서술형

19 **다음은 엥겔만의 연구 자료이다.**

긴 선형의 조류인 해캄에 프리즘으로 분리한 다양한 파장의 빛을 비추고 해캄 주변에 호기성 세균을 넣어 주었다.

호기성 세균이 청자색광과 적색광을 비춘 영역에 주로 모여드는 것을 보고 ㉠광합성이 청자색광과 적색광에서 효율적으로 일어남을 발견하였다.

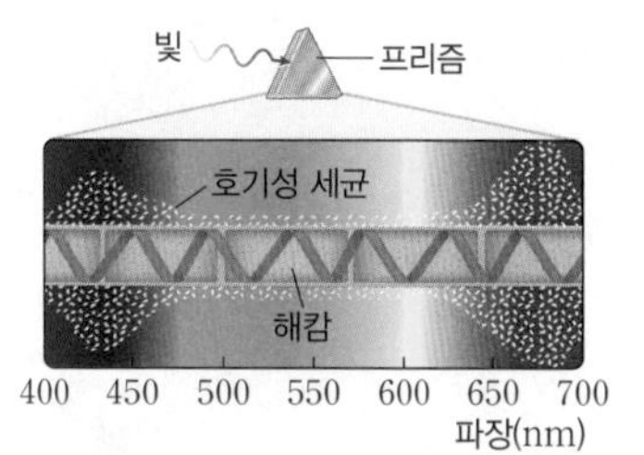

㉠의 결론을 내린 까닭을 해캄의 광합성 색소와 관련지어 서술하시오.

서술형

20 **그림은 미토콘드리아에서 일어나는 산화적 인산화와 엽록체에서 일어나는 명반응 과정의 일부를 나타낸 것이다.**

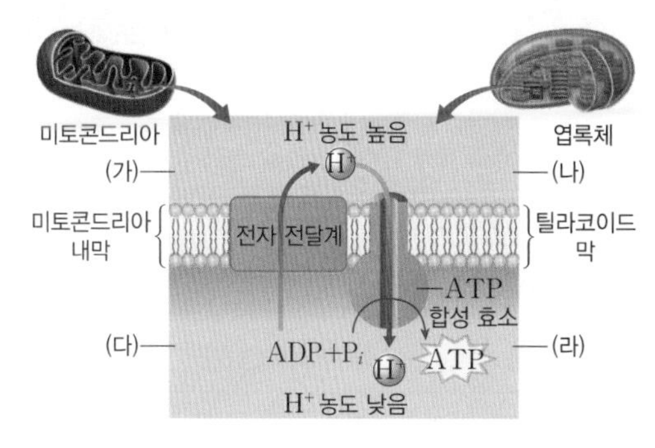

(1) (가)~(라)는 각각 미토콘드리아와 엽록체에서 어느 부분인지 쓰시오.

(2) 산화적 인산화와 명반응의 과정 중 H_2O이 관련된 부분의 반응 경로를 각각 구분하여 서술하시오.

Ⅳ 유전자의 발현과 조절

나의 학습 계획표

중단원	소단원	계획일	실천일	성취도
1 유전 물질	01. 유전 물질의 구조	/	/	○△×
	02. DNA 복제	/	/	○△×
	03. 유전자 발현	/	/	○△×
	수능 POOL + 실전! 수능 도전하기	/	/	○△×
2 유전자 발현 조절	01. 유전자 발현 조절	/	/	○△×
	02. 세포 분화와 발생	/	/	○△×
	수능 POOL + 실전! 수능 도전하기	/	/	○△×
	대단원 정리 + 문제	/	/	○△×

1 유전 물질

배울 내용 살펴보기

01 유전 물질의 구조

- **A** DNA가 유전 물질이라는 증거
- **B** DNA 구조
- **C** 유전체와 유전자

유전 물질은 DNA이며, DNA는 이중 나선 구조, 역평행 구조이고 염기끼리 상보적 결합을 해.

02 DNA 복제

- **A** DNA 복제 모델
- **B** DNA의 반보존적 복제

DNA는 반보존적으로 복제되는데, DNA 합성은 항상 5′→3′ 방향으로 일어나.

03 유전자 발현

- **A** 유전자와 단백질
- **B** 유전 정보의 흐름
- **C** 유전부호
- **D** 전사
- **E** 번역

DNA의 유전 정보는 RNA로 전사되고, RNA의 유전 정보를 이용하여 단백질을 합성하는 번역이 일어나.

01 유전 물질의 구조

핵심 키워드로 흐름잡기

- A S형 균, R형 균, 형질 전환, 박테리오파지, DNA, 단백질
- B 뉴클레오타이드, 샤가프의 법칙, 이중 나선 구조, 상보적 결합, 역평행 구조
- C 유전체, 유전자, 엑손, 인트론

A DNA가 유전 물질이라는 증거

|출·제·단·서| 시험에는 형질 전환 실험의 과정 및 의미와 박테리오파지 증식 실험에 대한 문제가 나와.

1. 유전 물질의 확인 실험 배경 1900년대 초에 유전 인자가 염색체에 존재한다는 염색체설이 제안된 이후 염색체를 구성하는 •DNA와 단백질 중 하나가 유전 물질일 것으로 추정하였고 단백질이 DNA보다 유전 물질일 가능성이 크다고 생각하였다.

2. 유전 물질을 밝히는 실험

(1) 그리피스의 •형질 전환❶ 실험 그리피스는 폐렴 쌍구균 중 폐렴을 일으키는 S형 균과 폐렴을 일으키지 않는 R형 균을 이용하여 형질 전환 현상을 발견하였다.

① **실험 과정 및 결과** 그리피스는 폐렴 쌍구균의 형질 전환 실험을 통해 유전 물질의 정체에 대한 최초의 실험적 증거를 제시하였다.

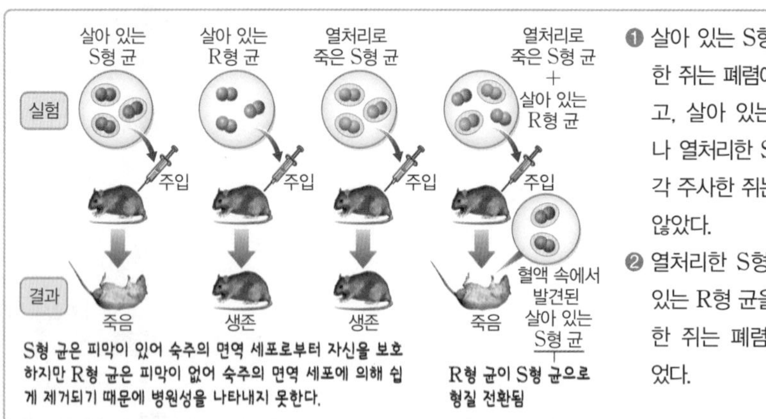

❶ 살아 있는 S형 균을 주사한 쥐는 폐렴에 걸려 죽었고, 살아 있는 R형 균과나 열처리한 S형 균을 각각 주사한 쥐는 모두 죽지 않았다.

❷ 열처리한 S형 균과 살아 있는 R형 균을 함께 주사한 쥐는 폐렴에 걸려 죽었다.

② 그리피스는 이 실험 결과 열처리한 S형 균에 남아 있던 어떤 물질이 R형 균을 S형 균으로 형질 전환시켰을 것이라고 추측하였다.

(2) 에이버리의 형질 전환 실험 에이버리는 유전 물질이 염색체에 있다는 것을 알고 염색체의 구성 성분 중 어떤 것이 폐렴 쌍구균에서 형질 전환을 일으키는지 규명하고자 하였다.

① **실험 과정 및 결과**

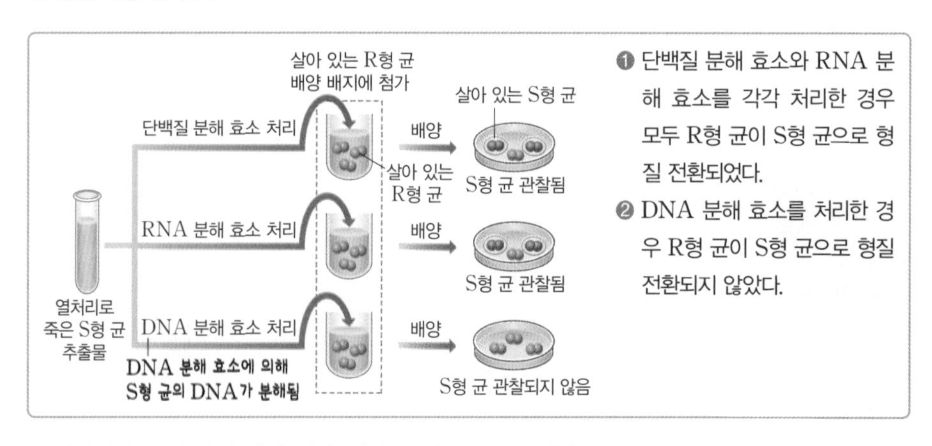

❶ 단백질 분해 효소와 RNA 분해 효소를 각각 처리한 경우 모두 R형 균이 S형 균으로 형질 전환되었다.

❷ DNA 분해 효소를 처리한 경우 R형 균이 S형 균으로 형질 전환되지 않았다.

② 에이버리는 이 실험 결과 형질 전환을 일으키는 물질이 DNA라는 것을 확인하였다.

(3) 허시와 체이스의 박테리오파지❷ 증식 실험 허시와 체이스는 박테리오파지와 방사성 동위 원소를 이용하여 DNA와 단백질 중 어떤 것이 유전 물질인지를 알아보기 위한 실험을 실시하였다.

⊕ 유전 물질이 단백질이라 생각한 이유
DNA는 4종류의 뉴클레오타이드로 이루어져 있지만, 단백질은 20종류의 아미노산으로 이루어져 있으므로 다양한 유전 정보를 저장하기에는 단백질이 더 적절하다고 생각했기 때문이다.

❶ 형질 전환
유전 물질의 도입으로 새로운 형질이 생물체에 나타나는 현상이다.

❷ 박테리오파지
바이러스에 속하며 DNA와 이를 감싸고 있는 단백질 껍질로만 이루어져 있다. 세균을 숙주 세포로 하는 바이러스를 박테리오파지 또는 파지라고 한다. 단순히 세균의 균체를 녹여서 증식하여 '세균을 먹는다.'는 뜻에서 박테리오파지(bacteria+phage)라고 명명되었다.

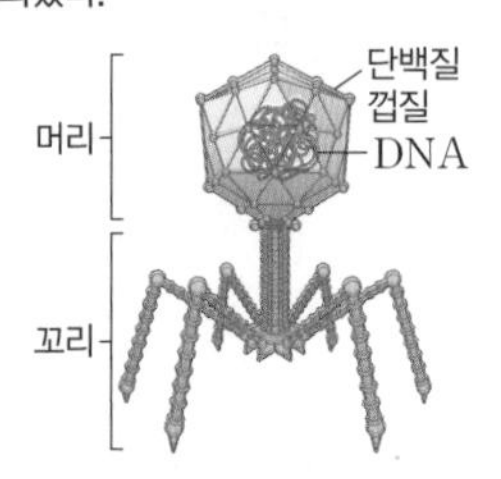

용어 알기
- **DNA(deoxyribonucleic acid)** 디옥시리보 핵산의 줄임말로 유전 물질을 말함
- **형질(모양 形, 바탕 質)** 생물의 모양이나 특성

① **실험 과정 및 결과** 바이러스는 세균을 감염시킬 때 자신의 유전 물질을 세균에 넣고, 세균의 효소를 이용하여 자신의 유전 물질을 복제한다.

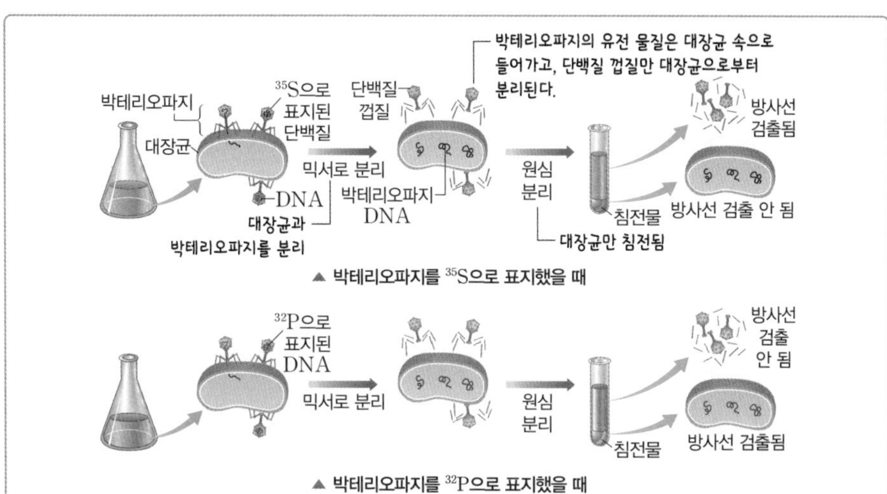

▲ 박테리오파지를 ^{35}S으로 표지했을 때

▲ 박테리오파지를 ^{32}P으로 표지했을 때

❶ ^{35}S으로 단백질을 표지한 박테리오파지와 ^{32}P으로 DNA를 표지한 박테리오파지를 각각 준비한다.
❷ 두 종류의 박테리오파지를 방사성 동위 원소가 없는 곳에서 배양한 대장균에 각각 감염시킨다.
❸ 대장균에 붙어 있는 박테리오파지를 믹서를 이용하여 분리하고, 원심 분리기로 대장균을 침전시킨다.
❹ 원심 분리하여 얻은 침전물(대장균)과 상층액에서 방사선의 검출 여부를 조사한다.
➡ 단백질을 ^{35}S으로 표지한 박테리오파지를 감염시킨 경우 상층액에서만 방사선이 검출되고, DNA를 ^{32}P으로 표지한 박테리오파지를 감염시킨 경우 침전물에서만 방사선이 검출된다.

② **결론:** 박테리오파지가 대장균을 감염시킬 때 DNA만 대장균 안으로 들어가서 새로운 박테리오파지를 생성하므로 다음 세대의 박테리오파지를 생성하는 유전 물질은 DNA이다.

❓ 왜 단백질은 ^{35}S, DNA는 ^{32}P으로 표지해야 할까?
DNA는 인산(H_3PO_4), 디옥시리보스($C_5H_{10}O_4$), 염기(C, H, O, N로 구성)로 이루어져 있고, 단백질은 C, H, O, N, S의 원소로 이루어져 있다. DNA와 단백질을 각각 따로 표지하기 위해서는 서로 공통으로 가지지 않는 원소를 이용해야 하므로 DNA는 ^{32}P, 단백질은 ^{35}S으로 표지해야 한다.

➕ DNA가 유전 물질이라는 간접적인 증거
- 한 개체에서 체세포의 종류가 달라도 DNA양은 일정하지만 단백질의 양은 다르다.
- 생식세포에서 DNA양은 체세포의 절반이지만 단백질의 양은 체세포의 절반으로 줄지 않는다.
- 세균의 DNA에 자외선을 쪼이면 260 nm의 파장을 최대로 흡수하고, 세균에 자외선을 쪼이면 260 nm에서 돌연변이 발생률이 가장 높다.

B DNA 구조

|출·제·단·서| 시험에는 DNA를 구성하는 물질의 종류와 특성, DNA 이중 나선 구조, 샤가프의 법칙과 염기의 상보적 결합을 묻는 문제가 나와.

1. DNA의 구성
DNA를 구성하는 단위는 디옥시리보뉴클레오타이드, RNA를 구성하는 단위는 리보뉴클레오타이드이다.

(1) DNA를 구성하는 기본 단위 인산, 당, 염기가 1 : 1 : 1로 결합한 뉴클레오타이드❸이다.

① **인산(H_3PO_4):** DNA가 수용액에서 음(−)전하를 띠게 한다.

② **당:** 5탄당인 디옥시리보스이다.

③ **염기:** 탄소, 수소, 산소, 질소로 이루어진 고리 모양의 화합물로, 아데닌(A), 구아닌(G), 타이민(T), 사이토신(C)의 4종류가 있다. DNA와 RNA의 차이: RNA의 뉴클레오타이드는 디옥시리보스 대신에 리보스가 있으며, 타이민(T) 염기 대신에 유라실(U) 염기가 있다.

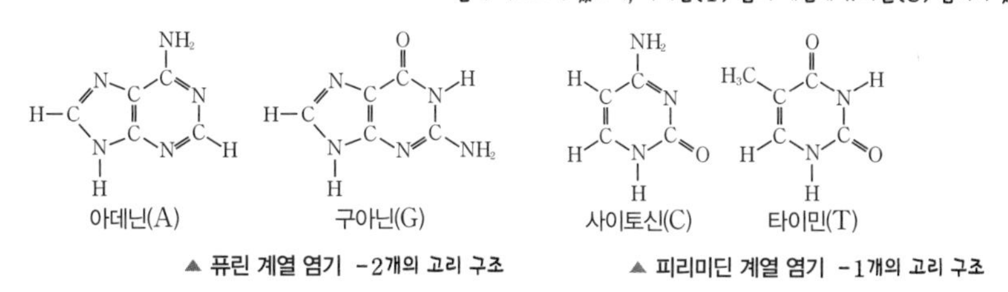

▲ 퓨린 계열 염기 - 2개의 고리 구조 ▲ 피리미딘 계열 염기 - 1개의 고리 구조

❸ DNA의 뉴클레오타이드
디옥시리보스의 1′ 탄소에는 염기, 3′ 탄소에는 −OH, 5′ 탄소에는 인산이 각각 연결되어 있다.

(2) 폴리뉴클레오타이드 형성 RNA는 한 가닥의 폴리뉴클레오타이드, DNA는 두 가닥의 폴리뉴클레오타이드로 이루어진다.

① 뉴클레오타이드를 구성하는 당의 5번 탄소에 연결된 인산과 다른 뉴클레오타이드를 구성하는 당의 3번 탄소 사이에 •공유 결합이 형성된다. ➡ 당-인산 골격 형성

② 폴리뉴클레오타이드에서는 당−인산 골격을 기본으로 당에 결합된 염기가 순차적인 서열을 형성한다.

③ 폴리뉴클레오타이드의 한쪽 끝에 위치한 당의 5번 탄소와 연결된 인산이 있는 부분은 5′ 말단, 반대쪽 끝에 위치한 당의 3번 탄소가 있는 부분은 3′ 말단이라고 한다.

용어 알기
•공유 결합(함께 共, 있을 有, 맺을 結, 합할 合) 2개의 원자가 서로 전자를 방출하여 전자쌍을 형성하고, 이를 공유함으로써 생기는 결합

2. DNA 입체 구조 규명에 활용된 증거

(1) 샤가프의 법칙[4] 1950년에 샤가프는 여러 생물의 DNA를 추출하여 조사한 결과 •종에 따라 염기의 구성은 다르지만 항상 A과 T의 비율이 같고(A=T), G과 C의 비율이 같다(G=C)는 것을 알아냈다.

(2) DNA의 X선 •회절 사진 1952년 프랭클린이 찍은 DNA의 X선 회절 사진은 왓슨과 크릭에게 DNA가 이중 나선 구조로 되어 있다는 결정적인 단서를 제공하였다.

3. DNA의 입체 구조 탐구 POOL

암기TiP 이중 나선 구조, 역평행 구조, 당과 인산은 공유 결합, 염기끼리는 수소 결합

(1) 이중 나선 구조 DNA는 두 가닥의 폴리뉴클레오타이드[5]가 결합해 오른 나사 방향으로 꼬여 있는 이중 나선 구조이며, 당-인산 골격은 바깥쪽, 염기는 안쪽에 위치한다.

(2) 상보적 결합 양쪽 가닥의 폴리뉴클레오타이드에 있는 염기 중 A은 T과 2개의 수소 결합, G은 C과 3개의 수소 결합으로 연결된다. G-C 염기쌍이 많을수록 DNA를 이루는 두 가닥은 잘 분리되지 않는다.

(3) 일정한 지름 퓨린 계열 염기와 피리미딘 계열 염기 사이에 상보적 결합이 형성되므로 이중 나선의 지름이 2 nm로 일정하다. 2개의 고리 구조를 가지는 퓨린 계열 염기와 1개의 고리 구조를 가지는 피리미딘 계열 염기가 결합하므로 이중 나선 가닥은 염기쌍과 관계없이 지름이 일정하다.

(4) 역평행 구조 DNA를 이루는 두 가닥의 폴리뉴클레오타이드는 한쪽 가닥의 끝이 5′ 말단이면 다른 쪽 가닥의 끝은 3′ 말단으로 서로 반대인 역평행 구조를 하고 있다.

(5) DNA는 약 10개의 염기쌍마다 한 바퀴씩 회전하는 나선 구조이며, 한 바퀴 회전할 때 나선의 길이는 3.4 nm이다. 따라서 인접한 두 염기쌍 사이의 거리는 0.34 nm이다.

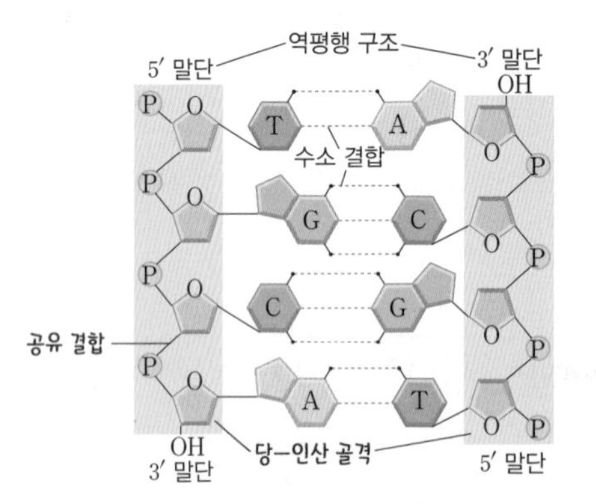

▲ DNA에서 염기 사이의 수소 결합

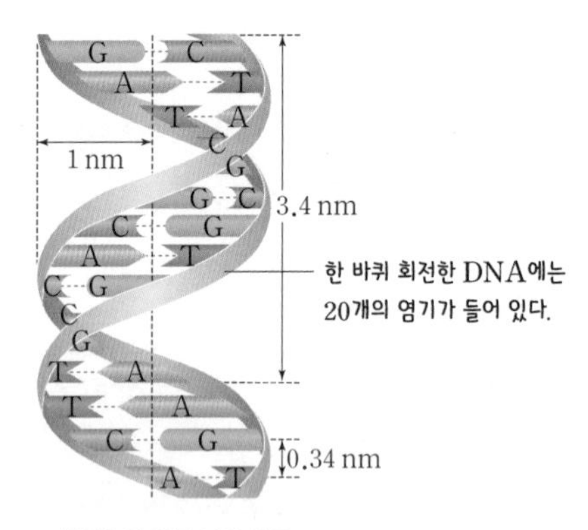

▲ DNA의 이중 나선 구조

빈출 자료 염기의 상보적 결합

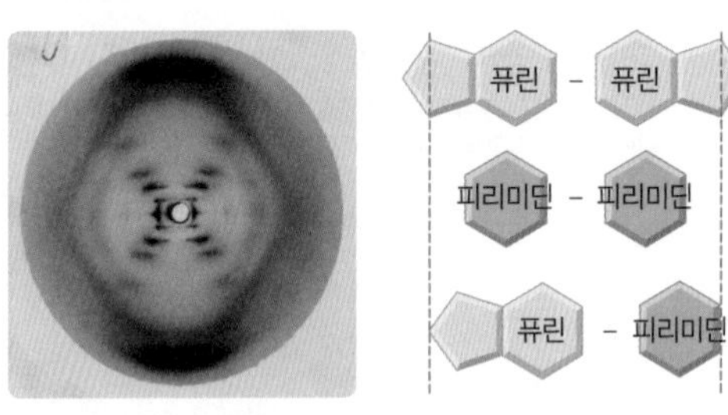

▲ DNA의 X선 회절 사진 ▲ DNA 두 가닥 사이에 가능한 염기쌍

생물종	A	G	C	T
대장균	24.7	26.0	25.7	23.6
밀	28.1	21.8	22.7	27.4
성게	32.8	17.7	17.4	32.1
연어	29.7	20.8	20.4	29.1
사람	30.4	19.6	19.9	30.1

▲ 여러 생물종의 DNA 염기 조성 비율 (단위: %)

1. DNA의 X선 회절 사진 중앙의 X자 형태는 DNA가 나선형이라는 것을 보여 준다.
2. DNA의 X선 회절 사진에 일정한 간격의 지름이 나타난다.
3. 퓨린 계열 염기의 결합은 간격이 너무 넓고, 피리미딘 계열 염기의 결합은 간격이 너무 좁으며, 퓨린 계열 염기와 피리미딘 계열 염기의 결합은 항상 일정한 간격을 유지할 수 있다.
4. 표에서 A과 T의 비율이 비슷하고, G과 C의 비율이 비슷한 것으로 보아 피리미딘 계열 염기 C, T은 퓨린 계열 염기 G, A과 각각 결합한다는 것을 알 수 있다.

---

4 샤가프의 법칙

생물의 DNA에서 퓨린 계열 염기(A+G)의 비율과 피리미딘 계열 염기(T+C)의 비율이 같다.

A=T, G=C,
A+G=T+C=50 %

+ DNA 이중 나선 구조의 발견

왓슨과 크릭은 단백질의 X선 회절 사진의 경우 무수한 점들이 흩어져 보이는 반면 DNA의 X선 회절 사진은 매우 규칙적인 모습을 나타내므로, DNA는 단순한 구조를 가진 단위체가 규칙적이고 반복적인 형태로 결합된 나선 구조일 것이라 판단하였다. 또한 샤가프의 법칙까지 만족하려면 이중 나선의 바깥쪽은 당-인산의 골격으로, 안쪽은 퓨린 계열 염기와 피리미딘 계열 염기의 상보적 결합이 있을 것으로 생각하였다.

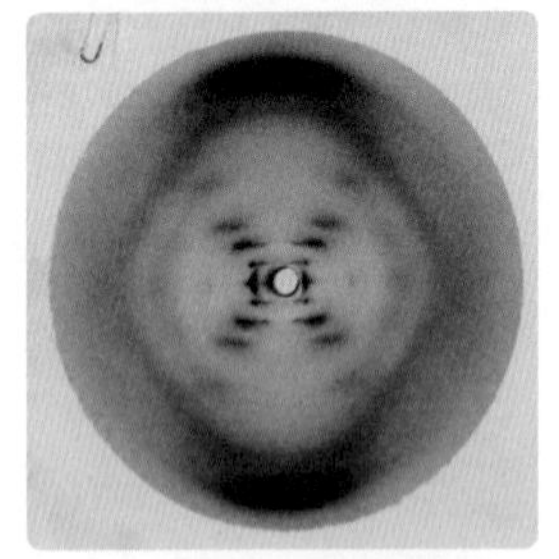

▲ DNA의 X선 회절 사진

5 폴리뉴클레오타이드 가닥의 방향성

수많은 뉴클레오타이드가 인산과 당 사이의 공유 결합으로 연결되면 사슬 형태의 폴리뉴클레오타이드가 형성된다. 이때 뉴클레오타이드는 한 방향으로 배열되므로 폴리뉴클레오타이드의 한쪽 끝은 당의 5번 탄소 방향(5′ 말단)이고 다른 끝은 3번 탄소 방향(3′ 말단)으로 사슬 전체가 방향성이 있다.

용어 알기

•종(씨 種) 생물 분류의 기본 단위로 자연 상태에서 교배가 가능하고, 또한 생식 능력이 있는 자손을 낳을 수 있는 개체들의 집합

•회절(돌 回, 꺾을 折, diffraction) 파동이 좁은 틈의 장애물 뒤쪽으로 돌아 들어가는 현상

C 유전체와 유전자

|출·제·단·서| 시험에는 원핵세포와 진핵세포의 유전체 및 유전자의 차이를 묻는 문제가 나와.

1. 유전체❻ 유전체는 세포에 들어 있는 모든 유전 물질로, 한 생물이 가진 모든 유전자를 포함한다.

(1) 원핵세포와 진핵세포의 유전체 비교

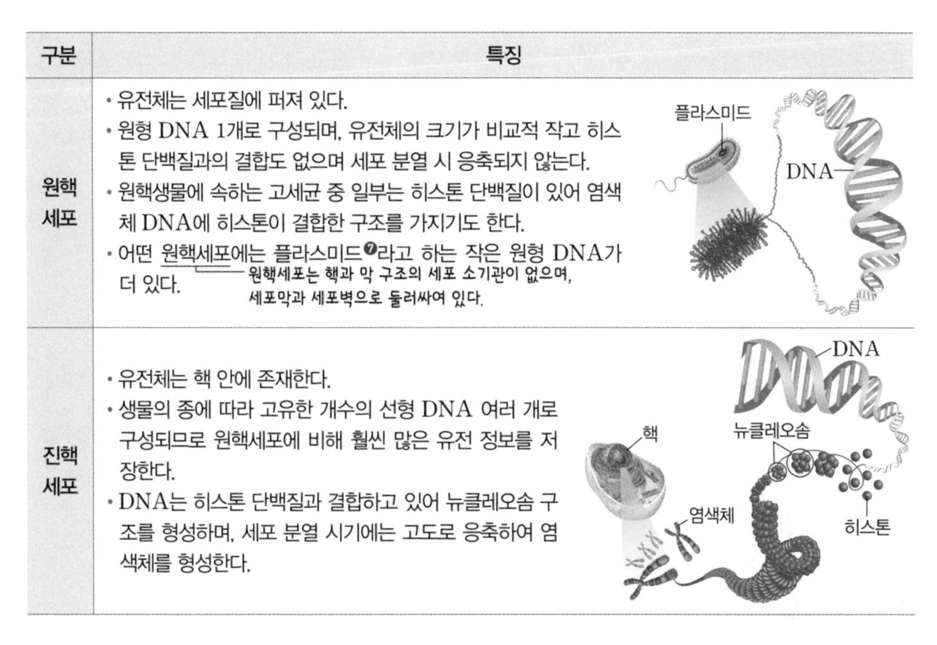

구분	특징
원핵 세포	• 유전체는 세포질에 퍼져 있다. • 원형 DNA 1개로 구성되며, 유전체의 크기가 비교적 작고 히스톤 단백질과의 결합도 없으며 세포 분열 시 응축되지 않는다. • 원핵생물에 속하는 고세균 중 일부는 히스톤 단백질이 있어 염색체 DNA에 히스톤이 결합한 구조를 가지기도 한다. • 어떤 원핵세포에는 플라스미드❼라고 하는 작은 원형 DNA가 더 있다. 원핵세포는 핵과 막 구조의 세포 소기관이 없으며, 세포막과 세포벽으로 둘러싸여 있다.
진핵 세포	• 유전체는 핵 안에 존재한다. • 생물의 종에 따라 고유한 개수의 선형 DNA 여러 개로 구성되므로 원핵세포에 비해 훨씬 많은 유전 정보를 저장한다. • DNA는 히스톤 단백질과 결합하고 있어 뉴클레오솜 구조를 형성하며, 세포 분열 시기에는 고도로 응축하여 염색체를 형성한다.

2. 유전자 유전자는 DNA의 특정 염기 서열로, 대부분 단백질 합성에 필요한 정보를 저장한다. 한 생물의 유전체는 수많은 유전자를 포함하고 있다.

(1) 원핵세포와 진핵세포의 유전자 비교

구분	특징
원핵 세포	• 유전자의 크기가 비교적 작다. • 하나의 유전자 안에 *인트론이 없다. • DNA 안에 유전자가 매우 조밀하게 배열되어 있어 유전자 사이에 유전 정보를 저장하지 않는 빈 부분이 거의 없다. • 유전자 발현 조절 단위인 *오페론이 있어 여러 유전자의 전사가 한꺼번에 조절되는 경우가 많다. 원핵세포는 하나의 조절 부위가 여러 유전자를 동시에 조절하는 구조를 가지고 있다.
진핵 세포	• 유전자의 크기가 대부분 원핵세포보다 크다. • 하나의 유전자 안에 *엑손과 인트론이 있다. • 유전자 사이에 유전 정보를 저장하지 않는 빈 부분이 많다. • 유전자 발현에 필요한 조절 단백질이 많고, 오페론 구조가 없어 모든 유전자의 발현이 각각 독립적으로 조절된다. 진핵세포의 경우 조절 단백질이 많은 이유는 유전체가 복잡하여 더 많은 조절이 필요하기 때문이다.

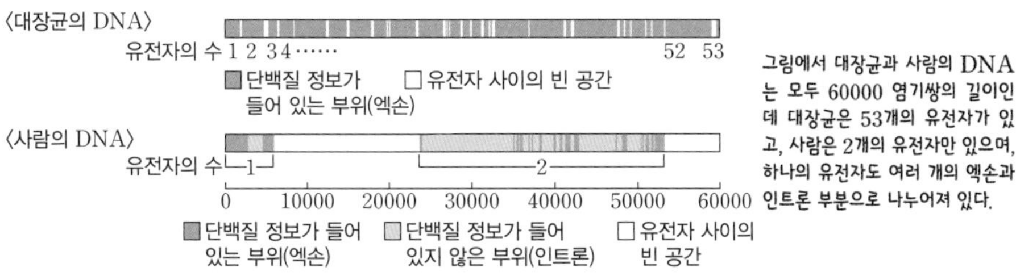

▲ 60000 염기쌍 길이의 대장균 DNA와 사람 DNA 비교

(2) 원핵세포와 진핵세포의 유전자 발현 비교 원핵세포는 핵이 없어 세포질에서 mRNA의 전사와 단백질 합성이 동시에 일어나며, 진핵세포는 mRNA의 전사는 핵에서, 단백질 합성은 세포질에서 일어난다.

❻ 유전체(genome)
유전자(gene)와 염색체(chromosome)의 합성어로, 생물의 한 세포에 들어 있는 모든 유전 정보가 저장되어 있는 DNA 전체이다.

❼ 플라스미드
세균의 세포질에 염색체와는 별도로 존재하는 크기가 작고 독자적으로 증식할 수 있는 원형의 DNA이다. 유전자 재조합에서 유전자를 운반할 때 많이 이용되며, 일반적으로 항생제 저항성 유전자를 포함하고 있다.

⊕ 원핵생물과 진핵생물의 유전체 크기 및 유전자 수 비교

생물	유전체 크기 (100만 염기쌍)	유전자 수(개)
대장균 (원핵)	4.6	4300
효모 (진핵)	12	6600
사람 (진핵)	3200	21000

(출처: CELL BIOLOGY by the numbers, 2015)

용어 알기

• 인트론(intron) 유전 정보를 가지고 있지 않아 단백질을 만들지 못하는 DNA 부분
• 오페론(operon) 원핵생물에서 여러 개의 유전자 발현이 함께 조절되는 단위
• 엑손(exon) 단백질을 합성하는 유전 정보가 있는 DNA 부분

브로콜리에서 DNA 추출하기

목표 브로콜리에서 DNA를 추출하여 관찰할 수 있다.

과정

❶ **소금-세제 용액 만들기:** 증류수 150 mL에 주방용 세제 7 mL와 소금 2 g을 넣고 잘 섞어 소금-세제 용액을 만든다.

❷ **막자로 브로콜리 빻기:** 브로콜리 50 g을 막자사발에 넣고 가위로 잘게 자른 후 막자로 곱게 빻는다. (세포벽을 부수기 위한 과정이다.)

❸ **소금-세제 용액을 ❷의 막자사발에 넣고 빻기**

소금-세제 용액 100 mL를 브로콜리가 들어 있는 막자사발에 넣고 약 5분 정도 더 빻아 준다.

❹ **브로콜리 추출액 얻기**

구멍이 좁은 체나 거즈를 씌운 비커에 과정 ❸의 혼합액을 걸러 브로콜리 추출액을 얻는다.

❺ **에탄올 천천히 흘려 붓기**

브로콜리 추출액이 들어 있는 비커에 유리 막대를 비스듬히 세우고 추출액 부피의 2배가 되는 차가운 에탄올을 천천히 흘려 붓는다.

❻ **침전물 관찰하기**

침전물이 생기는 것을 살펴본 후 나무 막대로 침전물을 감아올려 관찰한다.

유의점

- 브로콜리를 가위로 잘게 자를 때 손을 다치지 않도록 주의한다.
- 세제나 에탄올이 눈이나 입에 들어가지 않도록 주의한다.
- 에탄올은 냉동실에 넣어 차갑게 두었다가 실험 직전에 꺼내어 사용한다.
- 에탄올을 빠른 속도로 부으면 침전물이 잘 생기지 않으므로 천천히 흘려 부어야 한다.

이런 실험도 있어요!

증류수를 입에다 머금고 약 1분간 세차게 헹군 후 시험관에 구강 세포액을 뱉은 다음, 소금-세제 용액을 넣고 부드럽게 섞어 준다. 차가운 에탄올 용액을 흘려 넣으면 흰 실 모양의 DNA를 추출할 수 있다.

추출된 DNA는 히스톤 단백질이 결합된 상태이므로 단백질 분해 효소가 포함된 렌즈 세척액을 이용하여 단백질을 제거할 수 있어.

결과

브로콜리 추출액과 에탄올의 경계 부분에서 브로콜리의 DNA가 가는 실 모양의 흰 침전물로 생성된다.

정리 및 해석

- 주방용 세제를 사용하는 이유는 세제의 계면활성제 성분으로 인해 세포막과 핵막의 인지질이 녹아 DNA를 노출시킬 수 있기 때문이다. (계면활성제는 친수성과 소수성 부분이 있어 세포막이나 핵막의 인지질 부분을 제거하여 마이셀 형태로 만들어 주므로 세포막이나 세포 소기관의 막을 녹이는 역할을 한다.)
- 세제를 이용하여 분리한 DNA를 엉키게 하기 위해서는 소금이 필요하다. ➡ 소금은 물에 녹으면 양이온인 Na^+을 형성하므로 음(−)전하를 띠는 DNA와 만나면 DNA가 전기적으로 중성이 되어 서로 뭉칠 수 있다.
- 에탄올은 소금-세제 용액에 넣으면 밀도가 작아 층을 형성하며 이 층에서 DNA가 추출된다. 에탄올이 차가울수록 DNA의 손상이 최소화되고 DNA 용해도가 낮아 DNA를 쉽게 추출할 수 있다.

한·줄·핵심 유전자의 본체는 DNA이다.

확인 문제

정답과 해설 049쪽

01 다음은 브로콜리에서 DNA를 추출하는 실험에 대한 설명이다. ㉠, ㉡에 들어갈 알맞은 말을 쓰시오.

> 주방용 세제를 사용하는 이유는 세포막과 핵막의 (㉠)을 녹여 (㉡)를 노출시키기 위해서이다.

02 이 탐구의 결과에서 나타난 가는 실 모양의 흰 침전물은 무엇인지 쓰시오.

콕콕!
개념 확인하기

정답과 해설 049쪽

✔ 잠깐 확인!

1. 염색체는 ☐☐☐와 단백질로 이루어져 있다.

2. 염색체설이 제안된 이후 DNA와 단백질 중 하나가 유전 물질일 것으로 추정되었고 ☐☐☐이 가능성이 크다고 생각되었다.

3. ☐☐ ☐☐
유전 물질의 도입으로 새로운 형질이 생물체에 나타나는 현상

4. 박테리오파지가 대장균을 감염시킬 때 ☐☐☐만 대장균 안으로 들어가서 새로운 박테리오파지를 생성한다.

5. ☐☐☐☐☐☐☐
DNA를 구성하는 기본 단위

6. ☐☐☐의 법칙
종에 따라 DNA 염기의 구성은 다르지만 항상 A과 T의 비율이 같고, G과 C의 비율이 같다는 내용의 법칙

7. ☐☐☐
생물의 한 세포에 들어 있는 DNA 전체

A DNA가 유전 물질이라는 증거

01 형질 전환 실험에 대한 설명으로 옳은 것은 ○, 옳지 않은 것은 ×로 표시하시오.

(1) 폐렴 쌍구균의 R형 균은 병원성, S형 균은 비병원성이다. ( )

(2) 살아 있는 R형 균과 열처리한 S형 균을 함께 주사한 쥐는 죽지 않는다. ( )

(3) 열처리로 죽은 S형 균의 세포 추출물을 DNA 분해 효소로 처리한 후 살아 있는 R형 균과 함께 배양하면 살아 있는 S형 균을 관찰할 수 없다. ( )

02 다음은 허시와 체이스의 실험에 대한 설명이다. ㉠~㉡에 들어갈 알맞은 말을 쓰시오.

> 허시와 체이스는 박테리오파지와 방사성 동위 원소를 이용하여 DNA와 단백질 중 어떤 것이 유전 물질인지를 알아보기 위한 실험을 실시하였는데, 이때 방사성 동위 원소 중 (㉠)은 파지의 단백질을 표지하기 위해, (㉡)은 파지의 DNA를 표지하기 위해 사용하였다.

B DNA 구조

03 DNA를 구성하는 염기에 대한 설명과 이에 해당하는 염기의 종류를 옳게 연결하시오.

(1) 퓨린 계열 염기이다.	•	• ㉠ 아데닌(A), 구아닌(G)
(2) 2개의 고리 모양으로 타이민(T)과 상보적 결합을 한다.	•	• ㉡ 사이토신(C), 타이민(T)
(3) 피리미딘 계열 염기이다.	•	• ㉢ 아데닌(A)

04 DNA의 입체 구조에 대한 설명으로 옳은 것은 ○, 옳지 않은 것은 ×로 표시하시오.

(1) DNA 이중 나선이 1회전할 때마다 10개의 염기가 배열되어 있다. ( )

(2) DNA 이중 나선을 이루고 있는 두 가닥은 역평행 구조이다. ( )

(3) 폴리뉴클레오타이드 가닥에서 수산기(−OH)가 노출된 끝을 3′ 말단이라고 한다. ( )

(4) DNA 이중 나선을 구성하는 G-C 염기쌍 사이에는 2개의 수소 결합이 형성된다. ( )

C 유전체와 유전자

05 다음은 유전체의 특징을 설명한 것이다. 원핵세포에 대한 것은 '원핵세포', 진핵세포에 대한 것은 '진핵세포'라고 쓰시오.

(1) 유전체는 세포질에 퍼져 있다.

(2) 생물의 종에 따라 고유한 개수의 선형 DNA 여러 개로 구성되어 있다.

(3) DNA는 히스톤 단백질과 결합하고 있어 뉴클레오솜 구조를 형성한다.

탄탄! 내신 다지기

A DNA가 유전 물질이라는 증거

01 20세기 초 과학자들이 DNA와 단백질 중 단백질이 유전 물질일 가능성이 더 크다고 생각한 이유로 가장 적절한 것은?

① 구조가 DNA보다 단순하기 때문에
② 단위체의 종류가 DNA보다 많기 때문에
③ 돌연변이가 DNA보다 잘 일어나기 때문에
④ 몸을 구성하는 비율이 DNA보다 높기 때문에
⑤ 물질을 구성하는 원소의 종류가 DNA보다 적기 때문에

02 그림은 폐렴 쌍구균 ⓐ와 ⓑ를, 표는 그리피스가 수행한 실험에서 쥐에 주사한 주사액의 조성과 쥐의 생존 여부를 나타낸 것이다. ⓐ와 ⓑ는 각각 S형 균과 R형 균 중 하나이며, ㉠과 ㉡은 각각 ⓐ와 ⓑ 중 하나이다.

피막(협막)
ⓐ ⓑ

실험	주사액 조성	쥐의 생존 여부
(가)	㉠	죽음
(나)	㉡	생존
(다)	가열한 ㉠	생존
(라)	㉡+가열한 ㉠	죽음

이에 대한 설명으로 옳은 것은?

① ⓐ는 ㉠에 해당한다.
② ⓑ는 S형 균으로 비병원성이다.
③ (다)와 (라)에서 모두 형질 전환이 일어났다.
④ ㉠을 가열하면 ㉠이 가진 유전 물질의 기능도 사라진다.
⑤ (라)의 죽은 쥐에서 살아 있는 ⓑ를 발견할 수 있다.

단답형

03 다음은 허시와 체이스의 실험 과정의 일부이다.

> (가)는 박테리오파지를 ^{35}S으로, (나)는 박테리오파지를 ^{32}P으로 표지한 다음 방사성 동위 원소가 없는 곳에서 배양한 대장균에 각각 감염시킨다.
>
> 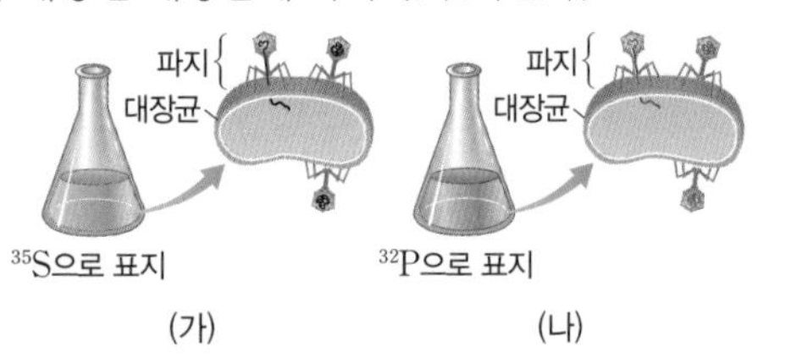
>

(가)와 (나)의 박테리오파지에서 방사성 동위 원소로 표지된 물질의 명칭을 각각 쓰시오.

B DNA 구조

04 DNA에 대한 설명으로 옳지 않은 것은?

① 기본 단위는 뉴클레오타이드이다.
② 5탄당인 디옥시리보스를 포함한다.
③ 아데닌, 구아닌, 타이민, 유라실의 염기를 포함한다.
④ 인산을 포함하고 있어 수용액에서 음(−)전하를 띤다.
⑤ 인산, 당, 염기가 1 : 1 : 1로 결합한 물질로 이루어져 있다.

05 그림은 DNA를 구성하는 4종류의 염기를 (가)와 (나) 두 계열로 구분한 것이다.

(가) (나)

이에 대한 설명으로 옳은 것만을 〈보기〉에서 있는 대로 고른 것은?

> 보기
> ㄱ. (가)는 피리미딘 계열, (나)는 퓨린 계열이다.
> ㄴ. (가)에 해당하는 염기로 사이토신(C), 타이민(T)이 있다.
> ㄷ. DNA 전체에 들어 있는 (가)와 (나)의 비는 1 : 1이다.

① ㄱ ② ㄷ ③ ㄱ, ㄴ
④ ㄱ, ㄷ ⑤ ㄱ, ㄴ, ㄷ

06 그림은 DNA를 구성하는 물질을 간단히 나타낸 것이다. 이에 대한 설명으로 옳은 것은?

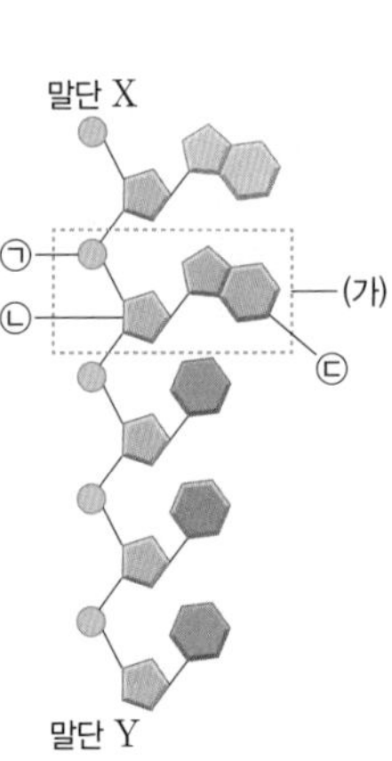

① (가)는 폴리뉴클레오타이드이다.
② ㉠과 ㉡ 사이에 수소 결합이 형성된다.
③ ㉢은 사이토신(C)과 타이민(T) 중 하나이다.
④ X는 5′ 말단이고, Y는 3′ 말단이다.
⑤ 염기 - 인산 골격을 기본으로 당에 결합된 인이 서열을 형성한다.

07 표는 100개의 염기를 가지는 이중 가닥 DNA Ⅰ과 Ⅱ의 염기 조성을 나타낸 것이다.

구분	염기 조성(%)				계
	A	C	G	T	
DNA Ⅰ	㉠	?	20	?	100
DNA Ⅱ	10	?	㉡	?	100

이에 대한 설명으로 옳은 것만을 〈보기〉에서 있는 대로 고른 것은?

보기
ㄱ. ㉠과 ㉡의 합은 50보다 작다.
ㄴ. Ⅰ은 Ⅱ보다 더 낮은 온도에서 단일 가닥으로 분리된다.
ㄷ. Ⅱ에 존재하는 수소 결합의 수는 120개이다.

① ㄱ ② ㄴ ③ ㄷ
④ ㄱ, ㄷ ⑤ ㄴ, ㄷ

08 그림은 단일 가닥 Ⅰ과 Ⅱ로 이루어진 DNA X의 구조를 나타낸 것이다.

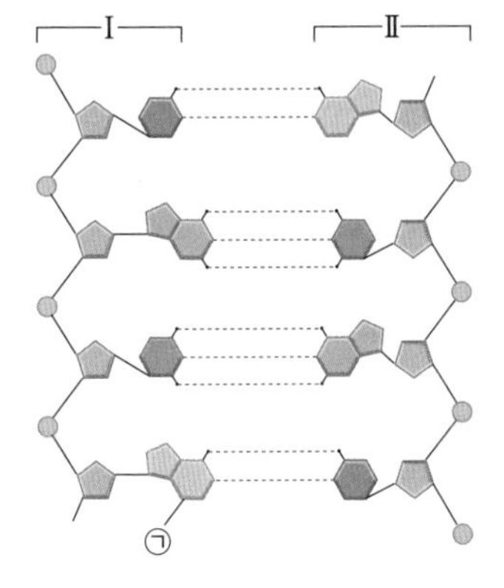

이에 대한 설명으로 옳은 것은?

① X는 약 20개의 염기쌍마다 한 바퀴씩 회전한다.
② Ⅰ과 Ⅱ는 모두 위쪽은 3′ 말단, 아래쪽은 5′ 말단인 평행한 구조를 하고 있다.
③ 퓨린 계열 염기는 퓨린 계열 염기끼리, 피리미딘 계열 염기는 피리미딘 계열 염기끼리 상보적 결합을 한다.
④ X는 이중 나선으로 지름이 항상 일정하며, 당-인산 골격은 안쪽, 염기는 바깥쪽에 위치한다.
⑤ ㉠은 아데닌(A)에 해당하며, 디옥시리보스의 1번 탄소에 공유 결합으로 연결되어 있다.

단답형

09 다음은 DNA 구조에 대한 설명이다. ㉠, ㉡에 들어갈 알맞은 수를 쓰시오.

DNA 이중 나선을 구성하는 염기쌍 중 A-T 염기쌍은 (㉠)개의 수소 결합이, G-C 염기쌍은 (㉡)개의 수소 결합이 형성된다.

C 유전체와 유전자

10 원핵세포의 유전체와 유전자에 대한 설명으로 옳은 것만을 〈보기〉에서 있는 대로 고른 것은?

보기
ㄱ. 유전체 DNA가 히스톤 단백질과 결합되어 있지 않다.
ㄴ. 유전자에 단백질 비암호화 부위인 인트론이 있다.
ㄷ. 오페론이 있으며 여러 유전자의 전사가 한꺼번에 조절된다.

① ㄱ ② ㄴ ③ ㄱ, ㄴ
④ ㄱ, ㄷ ⑤ ㄴ, ㄷ

11 그림 (가)와 (나)는 각각 원핵세포와 진핵세포 중 하나를 나타낸 것이다.

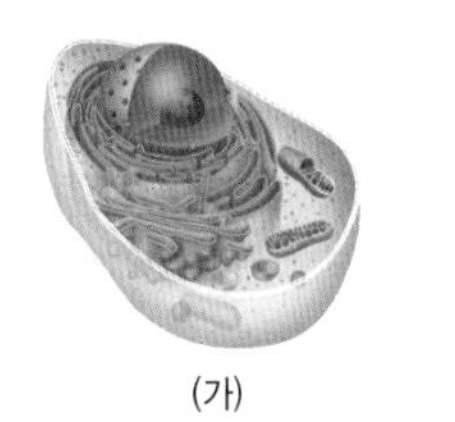
(가)

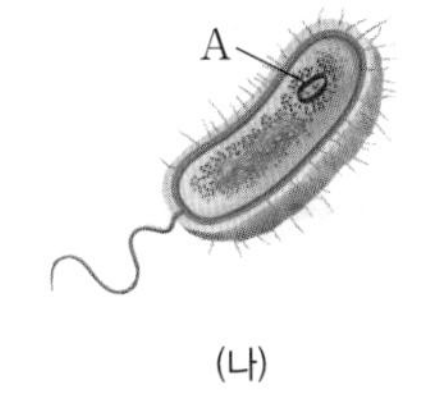

(나)

이에 대한 설명으로 옳은 것만을 〈보기〉에서 있는 대로 고른 것은?

보기
ㄱ. (가)의 유전체는 핵 안에, (나)의 유전체는 세포질에 퍼져 있다.
ㄴ. (나)의 유전체는 선형 DNA 여러 개로 구성되며, DNA가 뉴클레오솜 구조를 형성한다.
ㄷ. A는 플라스미드로 크기가 작고 독자적으로 증식할 수 있는 DNA이다.

① ㄱ ② ㄴ ③ ㄱ, ㄷ
④ ㄴ, ㄷ ⑤ ㄱ, ㄴ, ㄷ

도전! 실력 올리기

01 그림은 폐렴 쌍구균을 이용한 실험을 나타낸 것이다. 효소 ㉠과 ㉡은 각각 DNA 분해 효소와 단백질 분해 효소 중 하나이다.

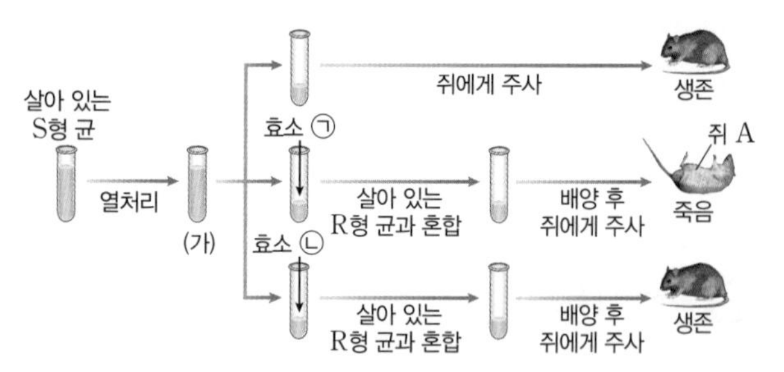

이에 대한 설명으로 옳은 것만을 〈보기〉에서 있는 대로 고른 것은?

보기
ㄱ. 쥐 A에는 피막을 가진 폐렴 쌍구균이 있다.
ㄴ. ㉠에 의해 형질 전환을 일으키는 유전 물질이 분해된다.
ㄷ. 시험관 (가)에 들어 있는 유전체는 원형 DNA 1개로 구성된다.

① ㄱ ② ㄷ ③ ㄱ, ㄴ
④ ㄱ, ㄷ ⑤ ㄱ, ㄴ, ㄷ

출제예감

02 그림은 DNA의 뉴클레오타이드 중 1가지를, 표는 100쌍의 염기로 구성된 이중 가닥 DNA X의 특징을 나타낸 것이다.

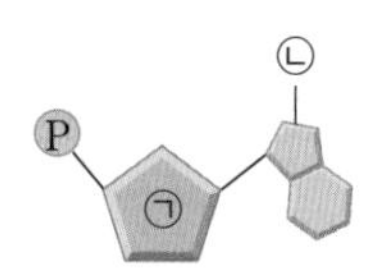

전체 염기 중 ㉡의 비율	수소 결합 총 개수
20 %	260개

이에 대한 설명으로 옳은 것만을 〈보기〉에서 있는 대로 고른 것은?

보기
ㄱ. ㉠은 5탄당인 리보스이다.
ㄴ. ㉡은 타이민(T)과 상보적 결합을 한다.
ㄷ. DNA X에서 $\frac{A+T}{G+C}=\frac{2}{3}$이다.

① ㄱ ② ㄴ ③ ㄷ
④ ㄴ, ㄷ ⑤ ㄱ, ㄴ, ㄷ

출제예감

03 다음은 박테리오파지를 이용한 실험이다. ㉠과 ㉡은 각각 ^{32}P과 ^{35}S 중 하나이다.

[실험 과정]
(가) 실험 Ⅰ의 박테리오파지는 (㉠)으로, 실험 Ⅱ의 박테리오파지는 (㉡)으로 표지하여 각각 방사성 물질이 없는 곳에서 배양한 대장균에 감염시킨다.
(나) 믹서기와 원심 분리기를 이용하여 박테리오파지와 대장균의 층을 분리한다.
(다) 시험관의 각 층(A~D)에서 방사선 검출 여부를 조사한다.

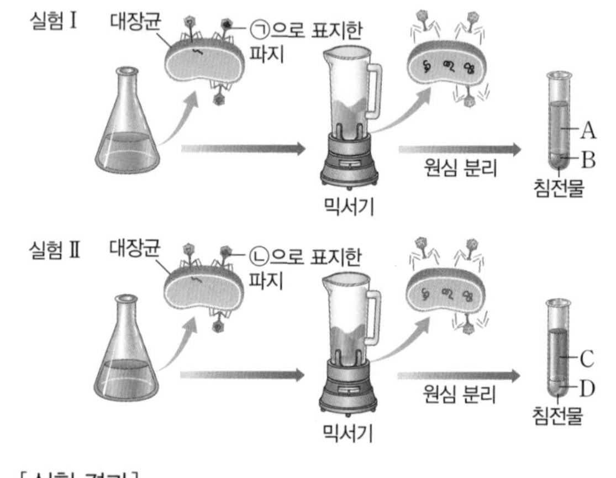

[실험 결과]

구분	A	B	C	D
방사선 검출 여부	검출됨	검출 안 됨	?	?

이에 대한 설명으로 옳은 것만을 〈보기〉에서 있는 대로 고른 것은?

보기
ㄱ. ㉠은 박테리오파지의 DNA를 표지한다.
ㄴ. 자기 방사법이 사용되었다.
ㄷ. D에 들어 있는 모든 유전체가 ^{32}P으로 표지되었다.

① ㄱ ② ㄴ ③ ㄷ
④ ㄱ, ㄷ ⑤ ㄴ, ㄷ

04 그림은 (가)와 (나) 2개의 폴리뉴클레오타이드로 이루어진 DNA 구조를 나타낸 것이다.

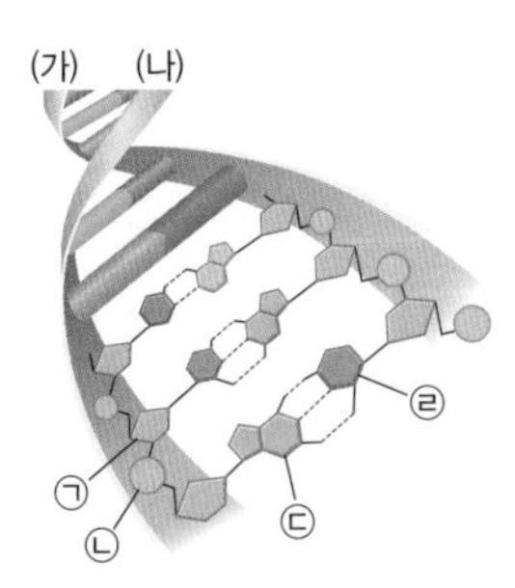

이에 대한 설명으로 옳은 것만을 〈보기〉에서 있는 대로 고른 것은?

보기
ㄱ. ㉠과 ㉡은 수소 결합으로 연결된다.
ㄴ. ㉢은 구아닌(G), ㉣은 사이토신(C)이다.
ㄷ. (가)에서 인산기가 있는 끝은 3′ 말단, 수산기(—OH)가 있는 끝은 5′ 말단이다.

① ㄱ ② ㄴ ③ ㄷ
④ ㄱ, ㄴ ⑤ ㄴ, ㄷ

출제예감

05 그림 (가)와 (나)는 각각 사람의 DNA와 대장균의 DNA 중 하나를 나타낸 것이다.

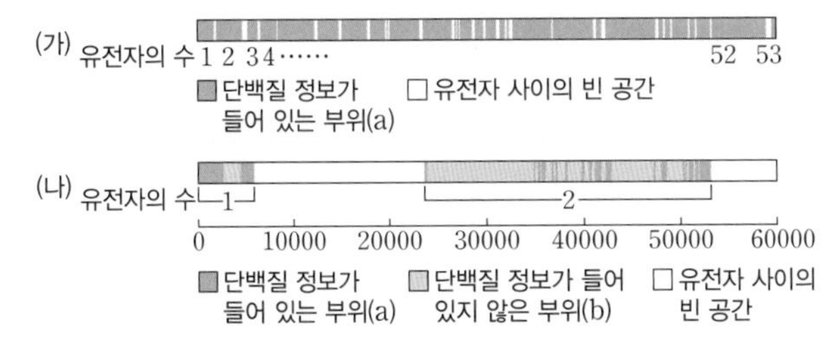

이에 대한 설명으로 옳은 것만을 〈보기〉에서 있는 대로 고른 것은?

보기
ㄱ. 오페론은 (가)에만 있고 (나)에는 없다.
ㄴ. a는 인트론, b는 엑손이다.
ㄷ. (나)의 유전자의 발현을 위한 mRNA 전사와 단백질 합성은 동일한 장소에서 진행된다.

① ㄱ ② ㄴ ③ ㄷ
④ ㄱ, ㄴ ⑤ ㄱ, ㄴ, ㄷ

06 다음은 폐렴 쌍구균을 이용한 형질 전환 실험이다.

[실험 과정]
(가) 열처리하여 죽은 S형 균으로부터 물질 A와 B를 추출한다. A와 B는 DNA와 단백질을 순서 없이 나타낸 것이다.
(나) 시험관 Ⅰ~Ⅳ에 A와 B, 효소 a와 b를 표와 같이 첨가한 후 충분한 시간 동안 그대로 둔다. a와 b는 DNA 분해 효소와 단백질 분해 효소를 순서 없이 나타낸 것이다.
(다) (나)의 시험관 Ⅰ~Ⅳ에 살아 있는 R형 균을 첨가하여 배양한 후, 관찰된 폐렴 쌍구균의 종류를 조사하였다.

[실험 결과]

시험관	Ⅰ	Ⅱ	Ⅲ	Ⅳ
첨가한 추출물	A	A	B	B
첨가한 효소	a	b	a	b
관찰된 폐렴 쌍구균의 종류	R형 균	R형 균, S형 균	(가)	(나)

(1) 물질 A와 B, 효소 a와 b의 명칭을 각각 쓰시오.
(2) (가)와 (나)에서 관찰되는 폐렴 쌍구균의 종류를 각각 모두 쓰시오.

서술형

07 DNA 이중 나선 구조는 효소의 작용이나 높은 온도 등 다양한 조건에서 이중 나선이 풀어져 단일 가닥으로 될 수 있다. 그림은 서로 다른 DNA A와 B를 가열하였을 때 온도에 따른 이중 나선의 분리 정도를 나타낸 것이다.

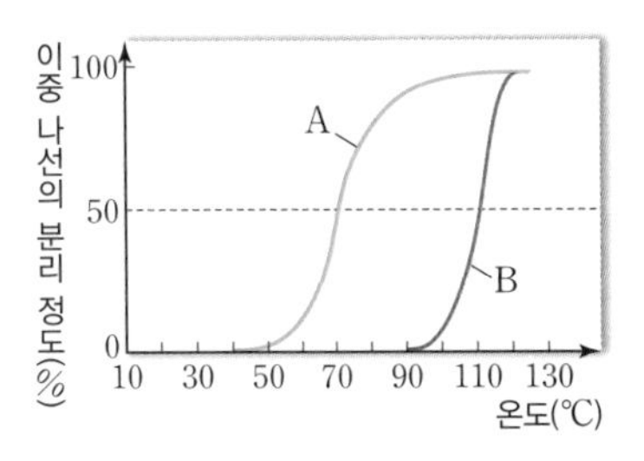

A보다 B가 더 높은 온도에서 이중 나선이 분리되는 까닭을 A와 B의 구성 물질과 결합의 종류를 포함하여 서술하시오. (단, A와 B의 DNA 길이는 동일하다.)

02 DNA 복제

핵심 키워드로 흐름잡기

A 보존적 복제, 반보존적 복제, 분산적 복제

B 프라이머, DNA 중합 효소, 5′ → 3′, 선도 가닥, 지연 가닥

A DNA 복제 모델

|출·제·단·서| 시험에는 세 가지 DNA 복제 모델의 내용과 특징 및 메셀슨과 스탈의 실험에 대해 묻는 문제가 나와.

1. DNA 복제 모델 DNA 이중 나선 구조가 규명된 후 DNA 복제❶에 대한 세 가지 가설인 보존적 복제 모델, 반보존적 복제 모델, •분산적 복제 모델이 제시되었다.

복제 모델	특징	
보존적 복제 모델	DNA 이중 나선 전체를 주형으로 하여 새로운 DNA를 합성한다. 새로 합성된 DNA에는 원래의 DNA 가닥이 포함되지 않는다.	모세포 DNA → 첫 번째 복제 → 두 번째 복제
반보존적 복제 모델	DNA 이중 나선이 풀린 후 각 가닥을 주형으로 하여 새로운 DNA를 합성한다.	모세포 DNA → 첫 번째 복제 → 두 번째 복제
분산적 복제 모델	DNA가 작은 조각으로 나누어져 합성된 후 다시 연결되어 새로운 DNA를 합성한다. 새로 합성된 DNA는 원래의 DNA 조각들과 새로 합성된 조각들로 구성된다.	모세포 DNA → 첫 번째 복제 → 두 번째 복제

❶ DNA 복제
단세포 생물의 생식 과정이나 다세포 생물이 생장하거나 손상된 조직을 재생하는 과정에서 체세포 분열이 일어난다. 이때 세포에 저장된 유전 정보를 정확히 전달하려면 세포 분열이 일어나기 전에 DNA 복제가 먼저 진행되어야 한다.

빈출 탐구 메셀슨과 스탈의 DNA 복제 실험❷

메셀슨과 스탈의 DNA 복제 실험을 통해 DNA 복제 과정을 이해할 수 있다.

과정

① 대장균을 ^{14}N의 •동위 원소인 ^{15}N가 포함된 배양액에서 여러 세대 배양하여 ^{15}N로 표지된 DNA를 가진 대장균(G_0)을 얻는다.

② G_0의 일부를 ^{14}N가 포함된 배양액으로 옮겨 한 세대 배양하여 1세대 대장균(G_1)을 얻는다.

③ G_1의 일부를 ^{14}N가 포함된 배양액에서 한 세대 더 배양하여 2세대 대장균(G_2)을 얻고, G_2의 일부를 ^{14}N가 포함된 배양액에서 한 세대 더 배양하여 3세대 대장균(G_3)을 얻는다.

④ G_0, G_1, G_2, G_3의 DNA를 각각 추출해서 원심 분리하여 세대별 DNA의 상대적인 무게를 조사한다.

결과

^{14}N는 동위 원소이지만 방사성 동위 원소가 아니므로 방사선을 검출하는 과정은 없다. ^{15}N는 ^{14}N보다 상대적으로 무거워 DNA가 이들로 표지되면 초원심 분리 기술을 이용하여 무게의 차이로 구별할 수 있다.

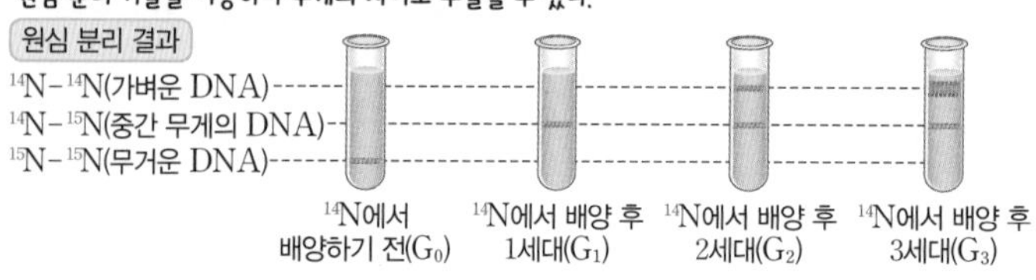

정리

❶ 1회 복제 후 중간 무게의 DNA 띠가 형성되었다. 이 결과로 보존적 복제 가설이 옳지 않음을 알 수 있다.
→ 보존적 복제라면 기존의 DNA와는 독립적으로 새로운 DNA가 만들어지므로 $^{15}N-^{15}N$의 무거운 DNA와 $^{14}N-^{14}N$의 가벼운 DNA 두 가지 띠가 나타날 것이다.

❷ 2회 복제 후에 가벼운 DNA 띠와 중간 무게의 DNA 띠가 1 : 1의 비율로 형성되었다. 이 결과로 분산적 복제 가설이 옳지 않음을 알 수 있다. → 분산적 복제라면 1회 복제 후 $^{14}N-^{15}N$의 띠만 나타나며, 2회 복제 후 ^{14}N의 비율이 약간 높아진 $^{14}N-^{15}N$의 한 가지 띠만 나타날 것이다.

❸ 결국 DNA는 반보존적으로 복제됨을 알 수 있다.

❷ DNA 복제 실험
DNA의 이중 나선 구조가 밝혀진 후, 왓슨과 크릭은 이중 나선이 풀어지면서 반보존적 복제가 일어날 것이라고 유추하였지만 복제되는 방법을 실험으로 증명하지는 못하였다. 1958년에 메셀슨(Meselson, M. S.)과 스탈(Stahl, F. W.)의 실험으로 DNA가 반보존적으로 복제된다는 것이 입증되었다.

용어 알기

•분산(나눌 分, 흩어질 散) 하나의 물질 속에 다른 물질이 퍼져 있는 것

•동위 원소(같을 同, 자리 位, 으뜸 元, 흴 素) 원자 번호는 같지만 질량수가 다른 원소

B DNA의 반보존적 복제

|출·제·단·서| 시험에는 DNA 복제 과정과 선도 가닥 및 지연 가닥의 특징을 묻는 문제가 나와.

1. DNA의 반보존적 복제 과정 탐구 POOL

암기TIP 프라이머가 3′ 말단을 제공하여 5′ → 3′ 방향으로 DNA 합성

(1) 이중 나선 풀림 복제 원점❸에 헬리케이스❹가 부착하여 상보적으로 결합하고 있던 염기 사이의 수소 결합을 끊으면 DNA 이중 나선이 풀리기 시작한다.

(2) 프라이머 합성 프라이메이스라는 효소에 의해 RNA 프라이머❺가 합성되면, RNA 프라이머는 새로 첨가되는 뉴클레오타이드가 DNA 중합 효소의 작용으로 당-인산 결합을 형성할 수 있도록 3′ 말단의 수산기(−OH)를 제공함으로써 새로운 가닥이 합성될 수 있게 한다.

(3) 새로운 DNA 가닥의 합성

① 주형 가닥에 RNA 프라이머가 합성되면 DNA 중합 효소가 주형 가닥의 염기와 상보적인 염기를 갖는 디옥시리보뉴클레오타이드를 프라이머의 3′ 말단에 연결한다.

② DNA 중합 효소는 주형 가닥을 따라 3′ → 5′ 방향으로 이동하며, 합성 중인 가닥의 3′ 말단의 수산기(−OH)에 새로 첨가된 디옥시리보뉴클레오타이드의 5′ 말단의 인산기를 결합시킨다.

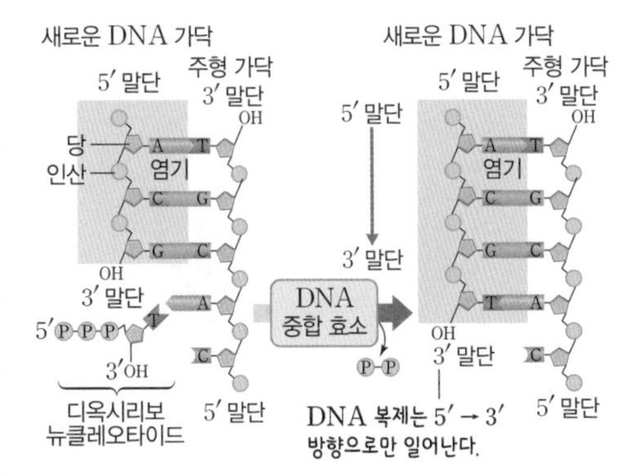

▲ DNA 중합 효소의 작용

2. •선도 가닥과 •지연 가닥

새로 합성되는 두 가닥은 방향이 서로 반대인데, 복제는 두 가닥에서 동시에 진행된다.

복제 원점
지연 가닥
선도 가닥
지연 가닥
선도 가닥

▲ 선도 가닥과 지연 가닥

(1) 선도 가닥의 합성

① **선도 가닥:** 복제 진행 방향과 같은 방향으로 끊김 없이 연속적으로 합성되는 가닥이다.

② 복제 진행 방향이 주형 가닥의 3′ → 5′ 방향일 때 선도 가닥은 5′ → 3′ 방향으로 합성된다.

(2) 지연 가닥의 합성

① **지연 가닥:** 복제 진행 방향과 반대 방향으로 짧은 가닥이 불연속적으로 합성되어 연결된 가닥이다.

② 불연속적으로 합성된 각각의 짧은 가닥은 DNA 연결 효소❻에 의해 연결된다.

③ 복제 진행 방향이 주형 가닥의 5′ → 3′ 방향일 때 지연 가닥이 합성되며, 불연속적으로 합성되는 각각의 짧은 DNA 가닥은 5′ → 3′ 방향으로 합성된다.

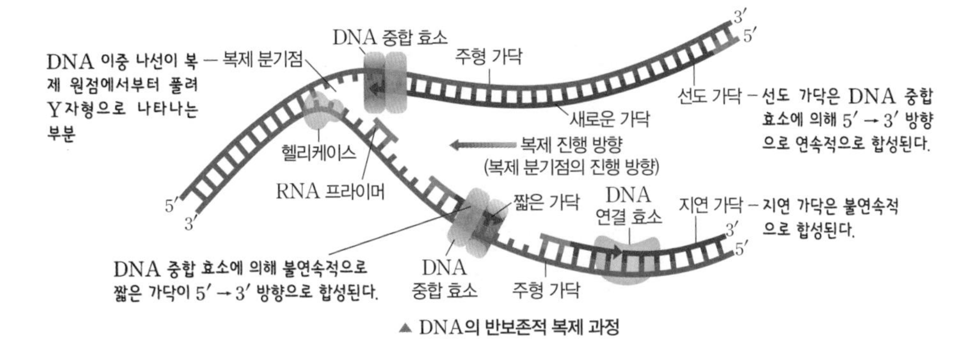

▲ DNA의 반보존적 복제 과정

❸ 복제 원점

DNA 복제가 시작되는 위치이다. 원핵세포의 염색체는 하나의 복제 원점을 가지며, 진핵세포의 염색체는 수백, 수천 개의 복제 원점을 가지고 있다. 진핵세포는 수많은 지점에서 동시에 복제를 시작하며 동시에 양방향으로 진행되기 때문에 빠르게 복제를 진행할 수 있다.

❹ 헬리케이스(Helicase)

ATP 에너지를 사용하여 DNA 이중 나선을 풀리게 하는 효소이다.

❺ 프라이머(Primer)

DNA가 복제될 때 새로운 뉴클레오타이드가 처음 결합할 3′ 말단을 제공하는 짧은 RNA 조각이다. DNA 복제 과정 중 필요한 RNA 프라이머는 DNA 합성을 개시하는 역할을 한다. 한편 DNA 프라이머는 인체 내에서는 발견되지 않고 주로 DNA 중합 효소를 이용한 실험을 위해 합성된 것이다.

? 왜 DNA 복제에 RNA를 프라이머로 사용할까?

DNA 중합 효소는 이미 존재하는 DNA 가닥의 3′ 말단의 수산기(−OH)에만 새로운 뉴클레오타이드를 결합시킬 수 있고, RNA 중합 효소는 3′ 말단의 수산기(−OH)가 없어도 새로운 뉴클레오타이드를 결합시킬 수 있다. 따라서 프라이메이스가 갖는 RNA 중합 효소 기능으로 짧은 RNA를 만든 다음, DNA 중합 효소가 이어서 새로운 뉴클레오타이드를 연결할 수 있다.

❻ DNA 연결 효소

DNA 연결 효소는 DNA 가닥 2개를 공유 결합으로 연결하는 효소로, DNA 3′ 말단의 수산기(−OH)와 5′ 말단의 인산기를 결합한다. 결합된 DNA는 하나의 가닥이 된다.

용어 알기

• 선도(먼저 先, 이끌 導) 앞장서서 이끎

• 지연(늦을 遲, 끌 延) 일을 더디게 끌어 시간을 늦춤

DNA의 반보존적 복제

목표 DNA의 반보존적 복제 과정을 이해하고, 모형을 이용하여 복제 과정을 설명할 수 있다.

과정

❶ 이중 나선 DNA 모형과 디옥시리보뉴클레오타이드 모형을 실선을 따라 가위로 잘라내어 준비한다.

❷ 이중 나선 DNA 모형이 오른쪽에서 왼쪽으로 풀리면서 DNA 복제가 일어난다고 가정하고, 가위로 DNA 모형을 이중 나선 DNA가 풀리는 방향으로 반 정도 잘라 두 가닥으로 분리한다.

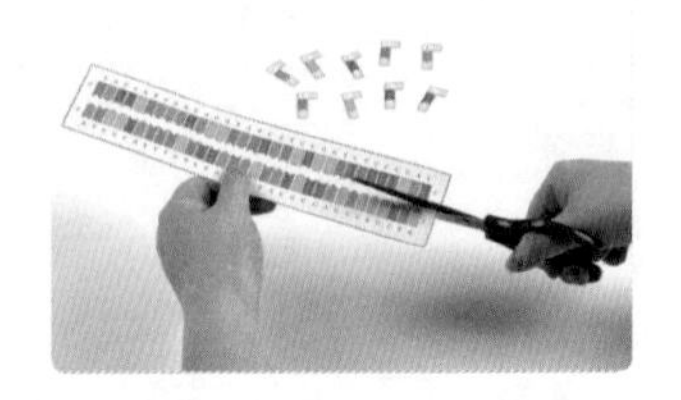

❸ 주형이 되는 DNA가닥에 잘라낸 디옥시리보뉴클레오타이드 모형을 순서대로 붙여 상보적인 DNA 가닥을 합성하고, 새로 합성된 각각의 DNA 가닥에 합성한 방향을 화살표로 표시한다.

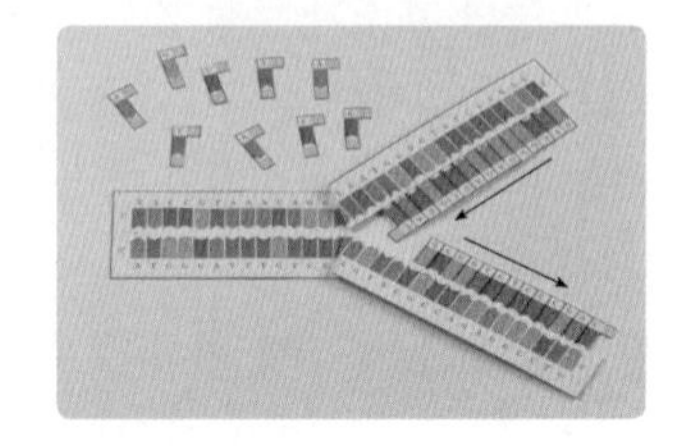

❹ DNA 모형의 복제되지 않은 나머지 부분도 가위로 잘라 두 가닥으로 분리한 후, 과정 ❸과 같이 상보적인 가닥을 합성하여 2개의 이중 나선 DNA 모형을 완성한다.

유의점
• 가위로 모형을 자를 때 손을 다치지 않도록 주의한다.

DNA에서 A은 T과, G은 C과 1 : 1의 비율로 결합되어 이중 나선 구조를 형성하므로 A+G : T+C의 비율도 1 : 1이 돼.

결과

원래의 DNA와 동일한 염기 배열을 가진 DNA가 만들어진다.

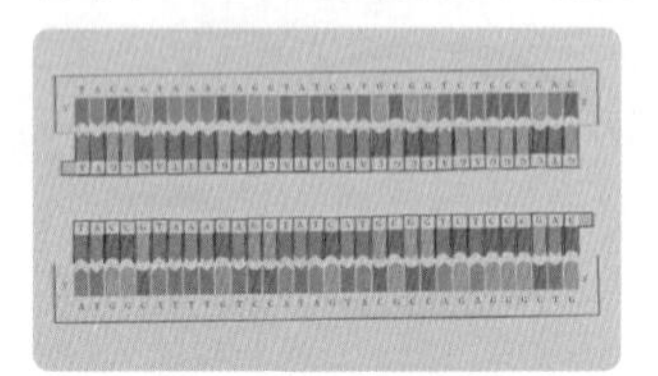

정리 및 해석

• 새로 합성된 DNA 중 한 가닥은 원래의 것이고, 다른 한 가닥은 새로 합성된 것이다.
• DNA 이중 가닥이 단일 가닥으로 풀리기 위해서는 염기 사이의 수소 결합이 끊어져야 한다. 헬리케이스의 작용
• DNA의 합성은 항상 5′→3′ 방향으로만 진행된다.
• 새로운 DNA 가닥 중 한 가닥은 연속적으로 합성된다. 선도 가닥
• 새로운 DNA 가닥 중 다른 가닥은 새로운 짧은 가닥이 비연속적으로 합성된 후 연결되어 형성된다. 지연 가닥

한·줄·핵심 DNA는 반보존적으로 복제되며, 5′→3′ 방향으로만 합성된다.

확인 문제 정답과 해설 052쪽

01 이 탐구 활동 결과 알 수 있는 DNA의 복제 방식을 쓰시오.

02 이 탐구 활동에 대한 설명으로 옳은 것은 ○, 옳지 않은 것은 ×로 표시하시오.

(1) DNA 합성은 항상 5′→3′ 방향으로만 진행된다. ( )

(2) 새로운 DNA 가닥 중 연속적으로 합성되는 가닥은 지연 가닥이다. ( )

콕콕! 개념 확인하기

정답과 해설 052쪽

✔ 잠깐 확인!

1. □□□ □□ 모델
DNA 이중 나선 전체를 주형으로 하여 새로운 DNA를 합성한다는 모델

2. □□□□ □□ 모델
DNA 이중 나선이 풀린 후 각 가닥이 주형이 되어 새로운 DNA를 합성한다는 모델

3. □□□ □□ 모델
DNA가 작은 조각으로 나누어져 복제된 후 다시 연결되어 새로운 DNA를 합성한다는 모델

4. □□□
DNA 복제가 시작되는 위치

5. □□□□□
상보적으로 결합하고 있던 염기 사이의 수소 결합을 끊어 DNA 이중 나선을 풀리게 하는 효소

6. □□□□ □□ □□
폴리뉴클레오타이드의 3′ 말단에 다음 디옥시리보뉴클레오타이드를 결합시켜 DNA를 합성하는 효소

7. DNA 복제 시 새로운 폴리뉴클레오타이드의 신장은 항상 □→□ 방향으로만 일어난다.

8. □□ □□
DNA 복제 진행 방향과 같은 방향으로 끊김 없이 연속적으로 합성되는 가닥

A DNA 복제 모델

01 DNA 복제에 대한 설명으로 옳은 것은 ○, 옳지 않은 것은 ×로 표시하시오.

(1) 세포 분열이 일어나기 전 DNA 복제가 먼저 진행된다. ( )

(2) DNA 이중 나선 전체를 주형으로 하여 새로운 DNA를 합성한다는 것은 분산적 복제 모델에 해당한다. ( )

(3) 반보존적 복제 모델에 의하면 새로 합성된 DNA 중 한 가닥은 원래의 것이고 다른 한 가닥은 새로 합성된 것이다. ( )

02 DNA 복제 모델 그림과 이에 해당하는 복제 모델을 옳은 것끼리 연결하시오.

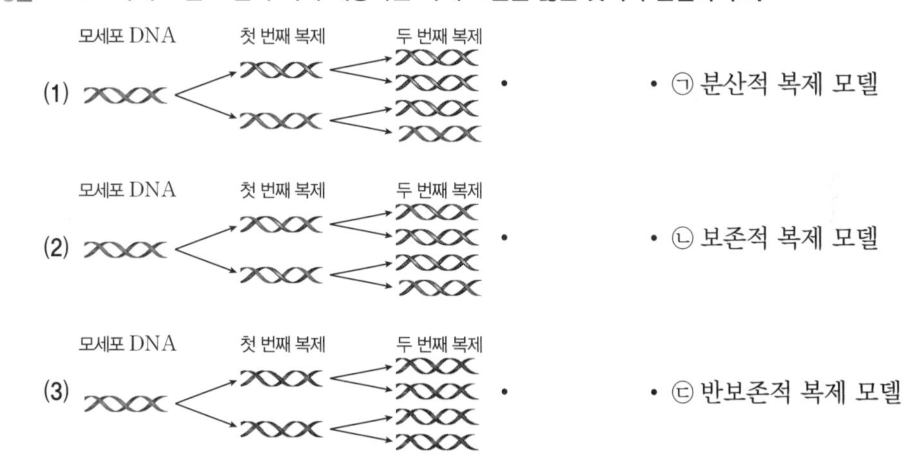

B DNA의 반보존적 복제

03 다음은 DNA 복제를 설명한 것이다. ㉠, ㉡에 들어갈 알맞은 말을 쓰시오.

> DNA 이중 나선이 두 가닥으로 분리된 후 주형 가닥을 구성하는 염기에 상보적인 염기를 포함한 (㉠)가 결합하는 (㉡) 복제를 통해 DNA가 복제된다.

04 다음은 DNA 복제 과정을 순서 없이 나타낸 것이다. (가)~(라)를 DNA 복제 과정 순서대로 나열하여 쓰시오.

> (가) RNA 프라이머가 합성된다.
> (나) DNA 이중 나선이 풀어진다.
> (다) 폴리뉴클레오타이드의 3′ 말단에 다음 디옥시리보뉴클레오타이드가 연결된다.
> (라) 동일한 염기 배열을 가진 2개의 DNA가 만들어진다.

탄탄! 내신 다지기

A DNA 복제 모델

01 **그림 (가)~(다)는 DNA 복제에 대한 세 가지 모델을 나타낸 것이다.**

원래 가닥 / 합성 가닥

(가) (나) (다)

이에 대한 설명으로 옳은 것은?

① (가)는 보존적 복제 모델이다.
② 새로 합성된 DNA에 원래의 DNA 가닥이 포함되지 않는 것은 (나)이다.
③ (다)에서는 DNA 이중 나선 전체를 주형으로 하여 새로운 DNA를 합성한다.
④ (가)와 (나) 모두 새로 합성된 DNA에서 한 가닥은 원래의 것이고, 다른 하나는 새로 합성된 것이다.
⑤ (가)와 (다) 모두 DNA 이중 나선이 풀린 후 각각의 가닥이 주형이 되어 새로운 DNA를 합성한다.

02 **그림 (가)는 DNA 복제 방법을 검증하기 위한 실험을 나타낸 것이고, (나)는 ^{15}N 배지에서 배양한 대장균을 ^{14}N 배지로 옮겨 1세대 배양한 후 모든 대장균의 DNA를 추출하여 함께 원심 분리한 결과를 예상한 것이다.**

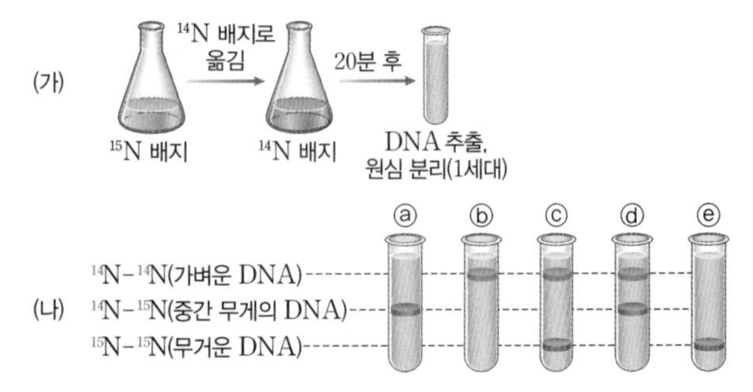

이에 대한 설명으로 옳은 것만을 〈보기〉에서 있는 대로 고른 것은?

보기
ㄱ. 분산적 복제 모델이 옳다면 결과는 ⓐ만 나타날 것이다.
ㄴ. 결과가 ⓑ 또는 ⓔ 중 하나라면 보존적 복제 모델이 옳다고 할 수 있다.
ㄷ. 반보존적 복제 모델이 옳다면 결과는 ⓐ와 ⓓ 모두 나타날 것이다.

① ㄱ ② ㄴ ③ ㄷ
④ ㄱ, ㄷ ⑤ ㄴ, ㄷ

03 **보존적 복제 모델에 대한 설명으로 옳은 것만을 〈보기〉에서 있는 대로 고른 것은?**

보기
ㄱ. DNA 이중 나선 전체가 주형이다.
ㄴ. 복제 전에 DNA가 작은 조각으로 나뉜다.
ㄷ. 새로 합성된 DNA 중 한 가닥은 원래의 DNA 가닥이다.
ㄹ. 새로 합성된 DNA에는 원래의 DNA 조각들과 새로 합성된 조각들이 섞여 있다.

① ㄱ ② ㄷ ③ ㄴ, ㄹ
④ ㄱ, ㄴ, ㄷ ⑤ ㄴ, ㄷ, ㄹ

04 **다음은 DNA 복제 원리를 알아보기 위한 메셀슨과 스탈의 실험이다.**

[실험 과정]
(가) 대장균을 ^{15}N가 들어 있는 배지에서 배양하여 모든 대장균의 DNA가 ^{15}N로 표지되게 하였다.
(나) (가)에서 배양한 대장균(G_0)을 ^{14}N가 들어 있는 배지로 옮겼다.
(다) (나)의 배지에서 대장균을 배양하면서 1세대(G_1), 2세대(G_2), 3세대(G_3) 대장균의 DNA를 추출한 후 각각 원심 분리하였다.
[실험 결과]
그림은 G_0~G_3 대장균의 DNA를 원심 분리한 결과를 순서 없이 나타낸 것이다.

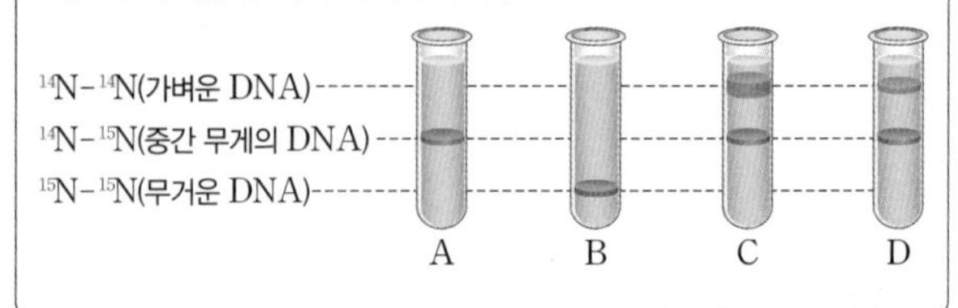

G_0~G_3 대장균의 DNA를 원심 분리한 결과를 옳게 짝 지은 것은?

	G_0	G_1	G_2	G_3
①	A	B	C	D
②	A	B	D	C
③	B	A	C	D
④	B	A	D	C
⑤	B	D	A	C

B DNA의 반보존적 복제

05 그림은 세포 내에서 DNA 복제가 일어나는 과정의 일부를 나타낸 것이다. ⓐ와 ⓑ는 각각 3′ 말단과 5′ 말단 중 하나이다.

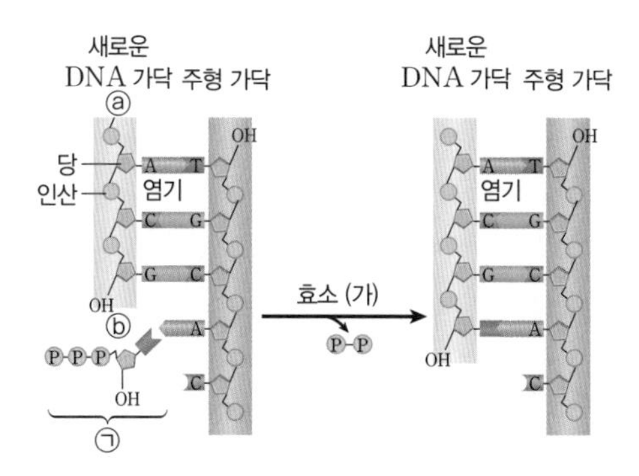

이에 대한 설명으로 옳은 것만을 〈보기〉에서 있는 대로 고른 것은?

> 보기
> ㄱ. ㉠에는 타이민(T)과 리보스가 들어 있다.
> ㄴ. 효소 (가)는 ⓑ에 ㉠을 공유 결합으로 연결한다.
> ㄷ. ⓐ는 3′ 말단, ⓑ는 5′ 말단이다.

① ㄱ　② ㄴ　③ ㄱ, ㄷ　④ ㄴ, ㄷ　⑤ ㄱ, ㄴ, ㄷ

06 그림은 가닥 Ⅰ과 Ⅱ로 이루어진 DNA X의 복제 과정 중 일부를 나타낸 것이다. 이때 X에서 헬리케이스의 이동 방향은 (가)이다.

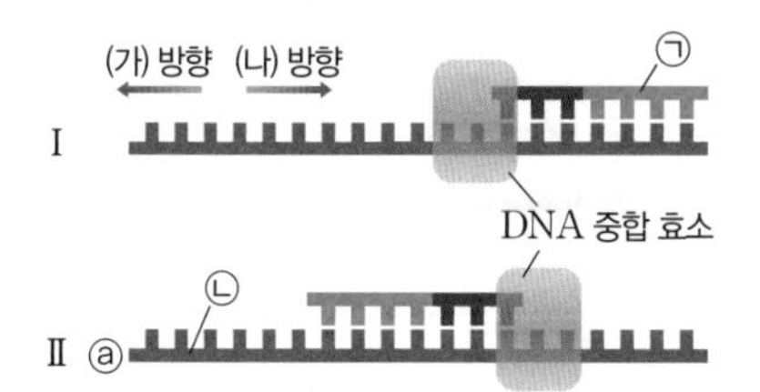

이에 대한 설명으로 옳은 것만을 〈보기〉에서 있는 대로 고른 것은?

> 보기
> ㄱ. Ⅰ은 선도 가닥, Ⅱ는 지연 가닥이다.
> ㄴ. ㉠을 구성하는 기본 단위는 리보뉴클레오타이드이다.
> ㄷ. ㉡에서 DNA 중합 효소의 이동 방향은 (나)이다.
> ㄹ. ⓐ는 3′ 말단이다.

① ㄱ, ㄴ　② ㄴ, ㄷ　③ ㄷ, ㄹ　④ ㄴ, ㄷ, ㄹ　⑤ ㄱ, ㄴ, ㄷ, ㄹ

07 그림은 세포 내에서 DNA 복제가 일어나는 과정을 나타낸 것이다. ⓐ~ⓓ는 각각 3′ 말단과 5′ 말단 중 하나이다.

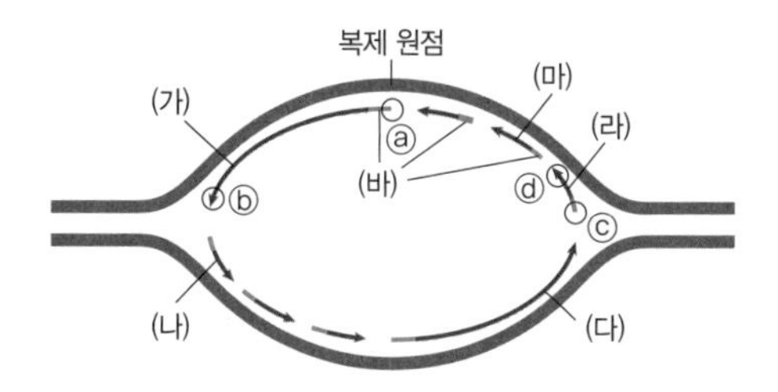

이에 대한 설명으로 옳은 것은?

① (가)는 연속적으로 합성된다.
② (다)는 지연 가닥이다.
③ (나), (라), (마)는 3′ → 5′ 방향으로 합성된다.
④ (바)는 DNA 중합 효소가 합성한 것이다.
⑤ ⓐ와 ⓓ는 5′ 말단이고, ⓑ와 ⓒ는 3′ 말단이다.

단답형

08 다음은 DNA 복제에 대한 설명이다. ㉠, ㉡에 들어갈 알맞은 말을 쓰시오.

> RNA (㉠)는 새로 첨가되는 뉴클레오타이드가 DNA 중합 효소의 작용으로 당-인산 결합을 형성할 수 있도록 (㉡) 말단의 수산기(−OH)를 제공한다.

09 그림은 세포 내에서 DNA 복제가 일어나는 과정을 나타낸 것이다. ⓐ~ⓓ는 각각 3′ 말단과 5′ 말단 중 하나이다.

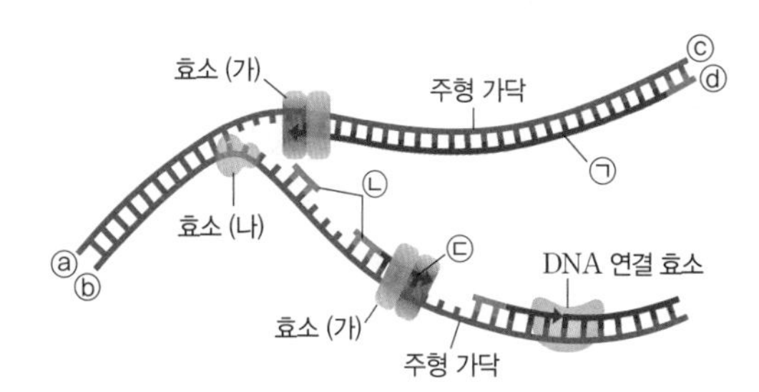

이에 대한 설명으로 옳은 것은?

① (가)는 헬리케이스이다.
② (나)는 불연속적으로 합성된 짧은 가닥을 연결한다.
③ ㉠은 지연 가닥, ㉢은 선도 가닥이다.
④ ㉡은 A, T, G, C의 염기로 구성된다.
⑤ ⓐ와 ⓓ는 5′ 말단이고 ⓑ와 ⓒ는 3′ 말단이다.

도전! 실력 올리기

출제예감

01 다음은 DNA 복제에 대한 실험이다.

> [실험 과정]
> (가) 대장균을 ^{14}N가 포함된 배지에서 배양하였다.
> (나) (가)의 대장균을 분리하여 ^{15}N가 포함된 배지로 옮긴 후 3세대(G_3)까지 배양하였다.
> (다) (가)와 (나) 과정에서 얻은 각 세대의 대장균에서 DNA를 추출하여 원심 분리한 후, 무게에 따라 나타나는 DNA양을 분석하였다.

(다)에서 3세대(G_3) 대장균의 DNA 분석 결과로 가장 타당한 것은?

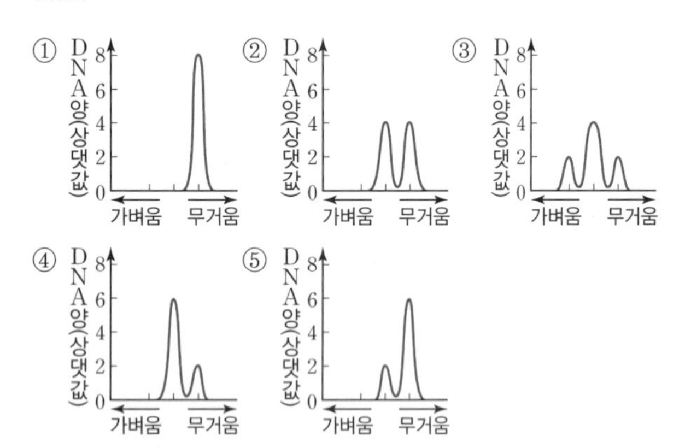

02 그림은 세포에서 이중 나선 구조인 DNA X의 복제 과정을 나타낸 것이다. X는 90개의 디옥시리보뉴클레오타이드로 구성되어 있으며, 아데닌(A)을 갖는 디옥시리보뉴클레오타이드는 30개이다. ㉠과 ㉡은 새로 합성된 DNA 가닥이다.

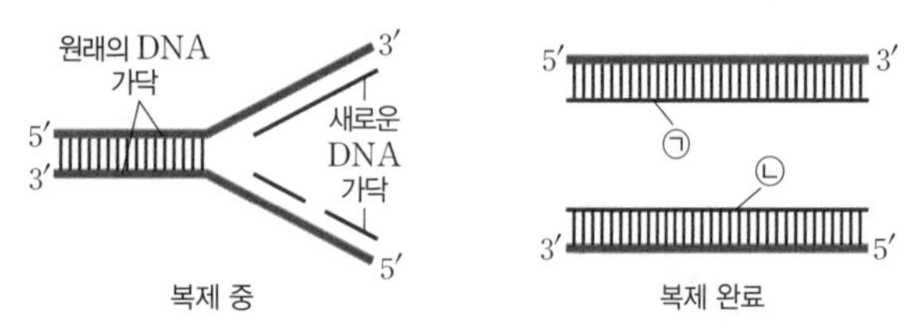

이에 대한 설명으로 옳은 것만을 〈보기〉에서 있는 대로 고른 것은?

> 보기
> ㄱ. ㉠은 지연 가닥, ㉡은 선도 가닥이다.
> ㄴ. 이 과정은 간기의 S기에 일어난다.
> ㄷ. ㉠과 ㉡에 들어 있는 사이토신(C)의 수를 모두 합한 값은 20이다.

① ㄱ ② ㄴ ③ ㄷ
④ ㄴ, ㄷ ⑤ ㄱ, ㄴ, ㄷ

03 그림은 세포 내에서 진행 중인 DNA X의 복제 과정 일부를, 표는 그림의 DNA X를 구성하는 가닥 Ⅰ의 염기 조성 비율을 나타낸 것이다.

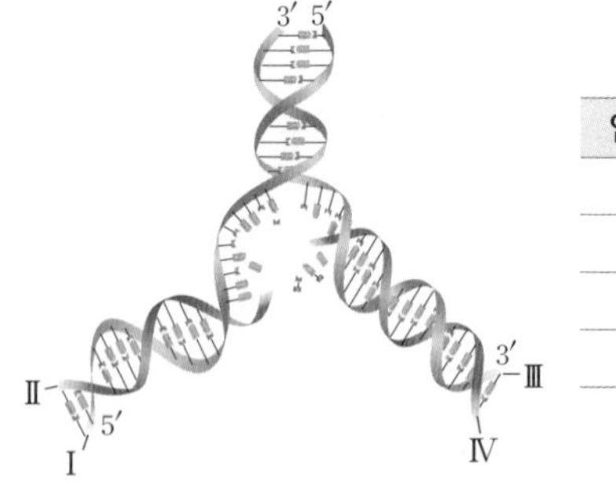

염기 종류	조성 비율(%)
A	20
T	20
G	24
C	?

가닥 Ⅰ~Ⅳ에 대한 설명으로 옳은 것만을 〈보기〉에서 있는 대로 고른 것은? (단, 돌연변이는 고려하지 않는다.)

> 보기
> ㄱ. Ⅱ는 비연속적으로 합성된다.
> ㄴ. 복제가 완료된 후 Ⅰ과 Ⅳ는 서로 상보적인 염기 서열을 갖는다.
> ㄷ. Ⅲ에서 피리미딘 계열 염기의 비율은 56 %이다.

① ㄱ ② ㄴ ③ ㄷ
④ ㄱ, ㄴ ⑤ ㄱ, ㄷ

출제예감

04 그림은 세포에서 일어나는 DNA 복제 과정의 일부를 나타낸 것이다.

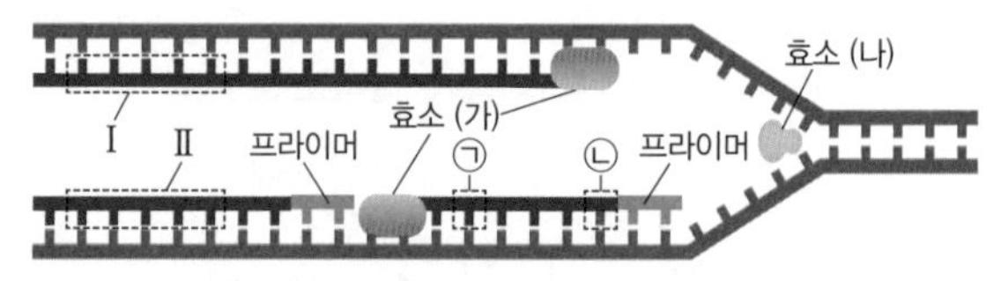

이에 대한 설명으로 옳은 것만을 〈보기〉에서 있는 대로 고른 것은?

> 보기
> ㄱ. (가)에 의해 ㉠보다 ㉡이 합성되는 가닥에 먼저 결합된다.
> ㄴ. (나)는 염기 사이의 수소 결합을 끊는 역할을 한다.
> ㄷ. Ⅰ과 Ⅱ에 포함된 전체 염기 중 아데닌(A)의 비율이 30 %라면 Ⅰ과 Ⅱ에 들어 있는 구아닌(G)과 타이민(T)의 수를 모두 합한 값은 4이다.

① ㄱ ② ㄴ ③ ㄱ, ㄴ
④ ㄱ, ㄷ ⑤ ㄴ, ㄷ

05 다음은 어떤 세포에서 일어나는 DNA X의 복제에 대한 자료이다.

• 그림 (가)는 X의 복제 과정을, (나)는 (가)의 Ⅰ과 Ⅱ 중 한 곳에서 일어나는 과정을 나타낸 것이다. Ⅰ과 Ⅱ에서 복제 주형 가닥의 염기 수는 각각 ⓐ에서와 같다.

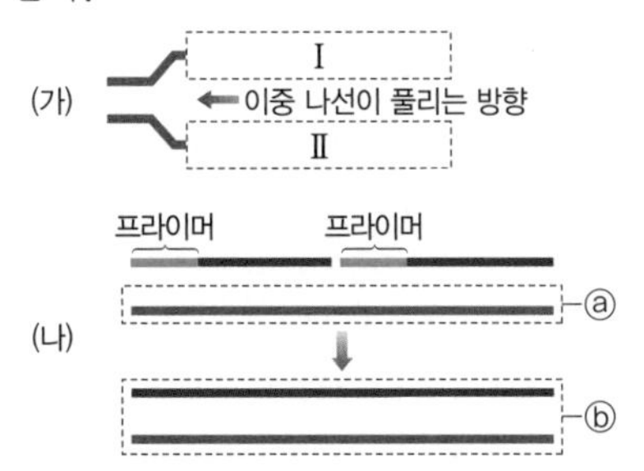

• 복제 주형 가닥 ⓐ에서 $\frac{\text{퓨린 계열 염기의 수}}{\text{피리미딘 계열 염기의 수}}=\frac{2}{3}$, $\frac{\text{G의 수}}{\text{A의 수}}=4$이다.

• 이중 가닥 ⓑ에서 염기 수의 비는 $\frac{A+T}{G+C}=\frac{3}{7}$이고, 염기 간 수소 결합의 개수는 총 270개이다.

• $\frac{\text{Ⅰ에서 복제 주형 가닥에 있는 A의 수}}{\text{Ⅱ에서 복제 주형 가닥에 있는 C의 수}}=\frac{1}{4}$이다.

이에 대한 설명으로 옳은 것만을 〈보기〉에서 있는 대로 고른 것은? (단, 돌연변이는 고려하지 않는다.)

〈보기〉
ㄱ. Ⅰ에서는 선도 가닥, Ⅱ에서는 지연 가닥이 각각 합성된다.
ㄴ. (나)는 Ⅰ에서 일어나는 과정이다.
ㄷ. Ⅱ에서 복제 주형 가닥에 있는 C과 T을 합한 염기의 수는 40개이다.

① ㄱ ② ㄷ ③ ㄱ, ㄴ
④ ㄴ, ㄷ ⑤ ㄱ, ㄴ, ㄷ

06 다음은 DNA 복제에 대한 실험이다.

[실험 과정 및 결과]
(가) 모든 DNA가 ^{14}N로 표지된 대장균(G_0)을 ^{15}N가 들어 있는 배지로 옮겨 배양하여 1세대(G_1), 2세대(G_2), 3세대(G_3) 대장균을 얻는다.
(나) (가)의 G_3을 다시 ^{14}N가 들어 있는 배지로 옮겨 배양하여 4세대 대장균(G_4)을 얻는다.
(다) G_0~G_4의 DNA를 추출하고 각각 원심 분리하여 상층($^{14}N-^{14}N$), 중층($^{14}N-^{15}N$), 하층($^{15}N-^{15}N$)에 존재하는 DNA의 상대량을 확인한다.
(라) 표는 각 세대별로 전체 DNA 중 특정 DNA가 차지하는 비율을 나타낸 것이다. A~C는 각각 상층($^{14}N-^{14}N$), 중층($^{14}N-^{15}N$), 하층($^{15}N-^{15}N$) 중 하나이다.

구분 \ 세대	G_0	G_1	G_2	G_3	G_4
A	0	1	0.5	㉡	?
B	0	0	㉠	0.75	?
C	1	0	?	?	㉢

A~C가 각각 어느 층에 해당하는지와 ㉠, ㉡, ㉢의 값을 각각 쓰시오.

서술형

07 다음은 어떤 DNA 이중 가닥 중 한 가닥의 염기 서열 일부이다.

3′-ATGTTAGAAGCATCGTCCCGTACCG-5′

이 DNA가 오른쪽 방향(→)으로 풀려 복제가 된다면 새롭게 합성되는 DNA 가닥이 선도 가닥인지 지연 가닥인지 쓰고, 그렇게 생각한 까닭을 서술하시오.

03 유전자 발현

핵심 키워드로 흐름잡기

- A 1유전자 1효소설, 1유전자 1단백질설, 1유전자 1폴리펩타이드설
- B 중심 원리, 원핵세포의 유전 정보 전달, 진핵세포의 유전 정보 전달
- C 유전부호, 3염기 조합, 코돈
- D 전사, mRNA, 프로모터, RNA 중합 효소
- E 번역, 개시 코돈, 종결 코돈, 리보솜, tRNA, 폴리펩타이드

A 유전자와 단백질

|출·제·단·서| 시험에는 붉은빵곰팡이 실험을 통해 1유전자 1효소설을 묻는 문제가 나와.

1. 유전자와 유전자 발현

(1) **유전자** 유전 정보가 있는 DNA의 특정 부분을 유전자라고 하며, 유전자의 정보에 따라 단백질이 합성된다. 유전자는 단백질 합성에 필요한 유전 정보를 저장하고 있다.

(2) **유전자 발현** 부모에서 자녀에게 전달되는 유전 •형질은 유전자에 저장된 유전 정보에 의해 나타나며, 유전자로부터 유전 형질이 나타나기까지의 과정을 유전자 발현이라고 한다.

유전자의 정보에 따라 합성된 단백질이 특정한 형질을 나타나게 하므로 유전자의 정보에 따라 단백질이 만들어지는 과정을 형질 발현이라고도 한다.

2. 1유전자 1효소설

(1) **비들과 테이텀의 실험** 비들과 테이텀은 붉은빵곰팡이의 아미노산 합성에 관한 실험을 통해 특정 유전자에 이상이 생기면 그 유전자로 인해 합성되는 효소에 영향을 미친다는 사실을 확인하고, 1유전자 1효소설을 제안하였다.

(2) **1유전자 1효소설** 하나의 유전자는 하나의 효소를 합성하게 함으로써 유전 형질이 나타나게 한다.

⊕ 유전자와 효소의 연관성을 처음으로 제안한 사람
1900년대 초 개로드(Garrod, A.)는 오줌이 검게 변하는 증상의 알캅톤뇨증은 유전병이며, 알캅톤을 분해하는 효소를 만들지 못하기 때문에 발생한다고 생각하였다. 이를 토대로 개로드는 유전자가 효소를 만들어 냄으로써 유전 형질을 나타낼 것이라는 가설을 처음으로 제안하였다.

빈출 탐구 비들과 테이텀의 붉은빵곰팡이 실험

유전자의 발현으로 효소가 합성됨을 이해할 수 있다.

과정

① •최소 배지에서 자라는 야생형 붉은빵곰팡이의 포자에 X선을 쪼여 돌연변이를 일으켜 아르지닌이 없는 최소 배지에서 자라지 못하는 세 종류의 영양 요구주❶ Ⅰ~Ⅲ을 얻었다.

② 최소 배지에 오르니틴, 시트룰린, 아르지닌 중 한 가지를 첨가한 후 각 배지에 야생형❷과 세 종류의 영양 요구주 Ⅰ~Ⅲ을 배양하였다.

결과

구분		최소 배지	최소 배지 + 오르니틴	최소 배지 + 시트룰린	최소 배지 + 아르지닌
야생형 균주		생장함	생장함	생장함	생장함
영양 요구주	Ⅰ형	생장하지 못함	생장함	생장함	생장함
	Ⅱ형	생장하지 못함	생장하지 못함	생장함	생장함
	Ⅲ형	생장하지 못함	생장하지 못함	생장하지 못함	생장함

붉은빵곰팡이의 야생형 균주는 최소 배지만 있으면 생장에 필요한 모든 아미노산을 합성할 수 있지만 영양 요구주는 특정 아미노산을 합성하지 못해 최소 배지에 그 아미노산을 첨가해야 생장할 수 있다.

정리

❶ 붉은빵곰팡이에서 전구 물질로부터 중간 단계 물질을 거쳐 아르지닌이 합성되는 과정
- 전구 물질 → 오르니틴 → 시트룰린 → 아르지닌

❷ 영양 요구주 Ⅰ형, Ⅱ형, Ⅲ형에서 결함의 과정
- Ⅰ형 영양 요구주: 전구 물질 → 오르니틴
- Ⅱ형 영양 요구주: 오르니틴 → 시트룰린
- Ⅲ형 영양 요구주: 시트룰린 → 아르지닌

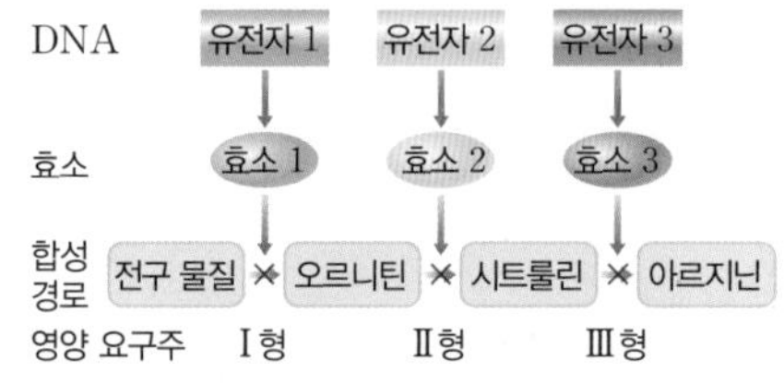

❸ 각 영양 요구주가 특정 단계에서의 효소에 결함이 발생한 이유는 그 효소를 합성하는 데 관여하는 특정 유전자에 이상이 생겼기 때문이다.

❶ 영양 요구주
유전적으로 특정 물질을 합성하지 못하는 돌연변이로, 최소 배지에서는 자라지 못하고 최소 배지에 합성하지 못하는 물질을 넣어 주어야 자랄 수 있다.

❷ 야생형
생물의 자연 집단 중 가장 높은 빈도로 볼 수 있는 유전자나 생물이다.

용어 알기

- •형질(모양 形, 바탕 質) 생물의 모양이나 특성
- •최소 배지(가장 最, 적을 少, 북돋을 培, 땅 地) 생물이 살아가는 데 필요한 최소한의 영양 물질만 포함된 배지

3. 1유전자 1단백질설 효소뿐만 아니라 인슐린과 같은 호르몬이나 머리카락을 구성하는 케라틴 등의 단백질도 유전자에 의해 합성된다는 사실이 밝혀지면서 1유전자 1효소설은 1유전자 1단백질설로 바뀌었다.

4. 1유전자 1폴리펩타이드설❸ 헤모글로빈과 같이 하나의 단백질이 두 종류 이상의 폴리펩타이드로 이루어진 경우, 서로 다른 유전자가 각 폴리펩타이드를 합성하게 한다는 것이 밝혀져 1유전자 1폴리펩타이드설로 수정되었다. 현재는 1유전자 1폴리펩타이드설에도 맞지 않는 현상들이 발견되어 이 가설이 항상 옳은 것은 아니다.

α 사슬 유전자 / β 사슬 유전자 / α 사슬 / β 사슬

헤모글로빈은 2개의 α 사슬과 2개의 β 사슬로 구성되고, 각 사슬은 서로 다른 유전자로부터 만들어진다.

▲ 헤모글로빈

❸ 1유전자 1폴리펩타이드설에 맞지 않는 사례
- 유전자의 최종 산물이 rRNA나 tRNA인 경우
- 진핵생물의 경우 하나의 유전자에서 합성된 RNA가 다르게 가공되어 여러 종류의 폴리펩타이드가 만들어지는 경우

B 유전 정보의 흐름

|출·제·단·서| 시험에는 유전 정보의 흐름에서 중심 원리의 내용 및 원핵세포와 진핵세포의 유전 정보 전달 과정의 차이점을 묻는 문제가 나와.

1. 중심 원리(central dogma)

암기TIP DNA → RNA → 단백질

(1) 중심 원리 유전자 발현 과정에서 DNA에 저장된 염기 서열 정보는 RNA로 전달되고 RNA의 염기 서열 정보가 단백질 합성 과정에 관여한다는 유전 정보의 흐름에 대한 이론이다.

(2) ●전사

① DNA의 유전 정보를 사용하여 RNA를 합성하는 과정이다.

② DNA 복제와 다른 점은 RNA는 단일 가닥이며 타이민(T) 대신 유라실(U)이 존재한다는 점, 그리고 합성 후 변형 과정을 거치며, 세포질로 이동한다는 점이다.

(3) ●번역 RNA를 사용해서 단백질을 합성하는 과정이다.

DNA / 복제 / 전사 / RNA / 번역 / 아미노산 / 단백질

▲ 중심 원리

❓ DNA의 모든 염기는 전사될까?

원핵세포에서는 DNA의 거의 모든 염기가 전사되지만 진핵세포에서는 DNA의 많은 부분이 RNA로 전사되지 않는데, 이러한 부분을 비전사 부위라고 한다. 비전사 부위의 정확한 기능은 알려져 있지 않으나, 전사 조절 등 다양한 기능을 하는 것으로 추측된다.

➕ '전사'와 '번역'이라고 이름 붙여진 이유

전사 과정에서는 DNA의 뉴클레오타이드 서열이 RNA의 뉴클레오타이드 서열로 바뀌는 것이지만, 번역 과정에서는 RNA의 뉴클레오타이드 서열이 폴리펩타이드의 아미노산 서열이라는 다른 단위체로 바뀌는 것이기 때문이다.

2. 원핵세포와 진핵세포에서의 유전 정보 전달 과정 비교

구분	전사 장소	번역 장소	유전 정보 전달 과정
원핵세포	세포질	세포질	• RNA가 만들어지고 난 후 가공 과정을 거치지 않는다. • RNA가 만들어지는 중에 단백질이 합성된다.
진핵세포	핵	세포질	• 전사된 최초의 RNA는 여러 가지 가공을 거쳐 mRNA로 된 후 세포질로 이동한다. • 전사와 번역이 동시에 일어날 수 없다.

전사와 번역이 동시에 일어난다.

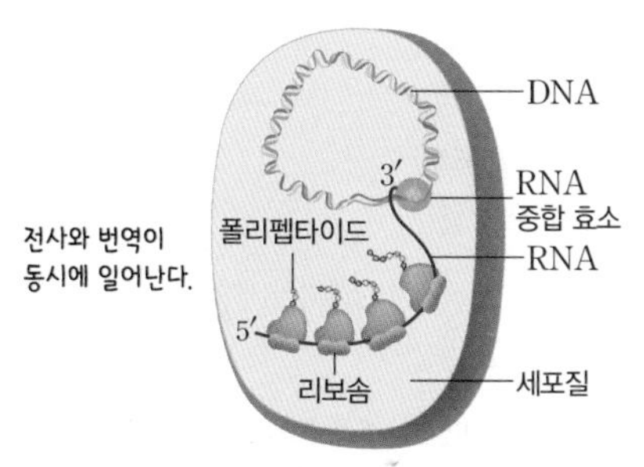

▲ 원핵세포에서의 전사와 번역

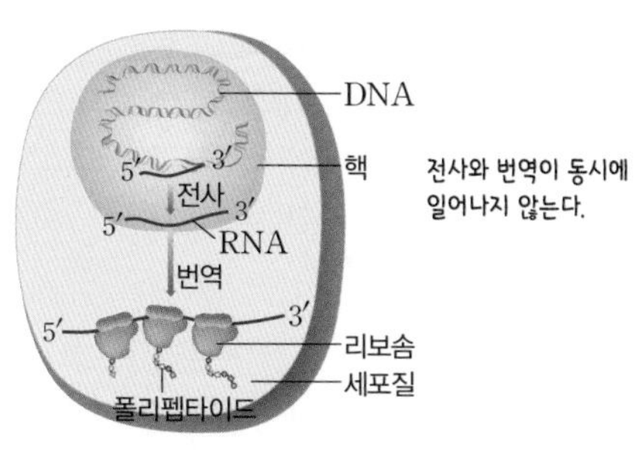

전사와 번역이 동시에 일어나지 않는다.

▲ 진핵세포에서의 전사와 번역

용어 알기

●전사(구를 轉, 베낄 寫) 글이나 그림 따위를 옮겨 베끼는 것

●번역(번역할 飜, 통변할 譯) 한 언어를 다른 언어로 바꾸어 쓰는 것

C 유전부호

|출·제·단·서| 시험에는 유전부호와 해독 과정 및 특정한 유전부호에 해당하는 아미노산을 유추하는 문제가 나와.

1. DNA의 유전 정보 저장

(1) 염기 4종류를 3개씩 조합하면 64(=4^3)종류의 염기 조합이 생성되므로 20종류의 아미노산을 충분히 지정할 수 있다.

(2) 니런버그❹를 비롯한 여러 과학자의 연구로 3개의 염기가 한 조가 되어 하나의 아미노산을 암호화한다는 것뿐만 아니라 20종류의 아미노산에 대한 유전 정보가 모두 밝혀졌다.

2. 유전부호 (암기TiP) 연속된 3개의 염기가 하나의 아미노산을 지정

(1) •**3염기 조합** DNA에서 하나의 아미노산을 지정하는 연속된 3개의 염기로 이루어진 유전부호이다.

(2) **코돈** DNA의 3염기 조합에서 전사된 mRNA의 연속된 3개의 염기로 이루어진 유전부호이다. 64종류의 코돈 중에서 61종류는 아미노산을 지정하고, 3종류는 아미노산을 지정하지 않는다.

① 하나의 코돈은 하나의 아미노산만을 지정하지만, 한 종류의 아미노산을 지정하는 코돈의 종류는 하나 이상이다.

② **개시 코돈:** AUG는 메싸이오닌을 지정하는 동시에 단백질 합성을 시작하게 한다.

③ **종결 코돈:** UAA, UAG, UGA의 세 코돈은 해당하는 아미노산이 없으며 단백질 합성을 멈추게 한다.

(3) 유전부호는 거의 모든 생명체에서 동일하게 사용된다. ➡ 생물이 공통 조상으로부터 진화해 왔다는 증거가 되기도 한다. 생물의 종은 달라도 코돈이 같으면 같은 아미노산을 지정한다.

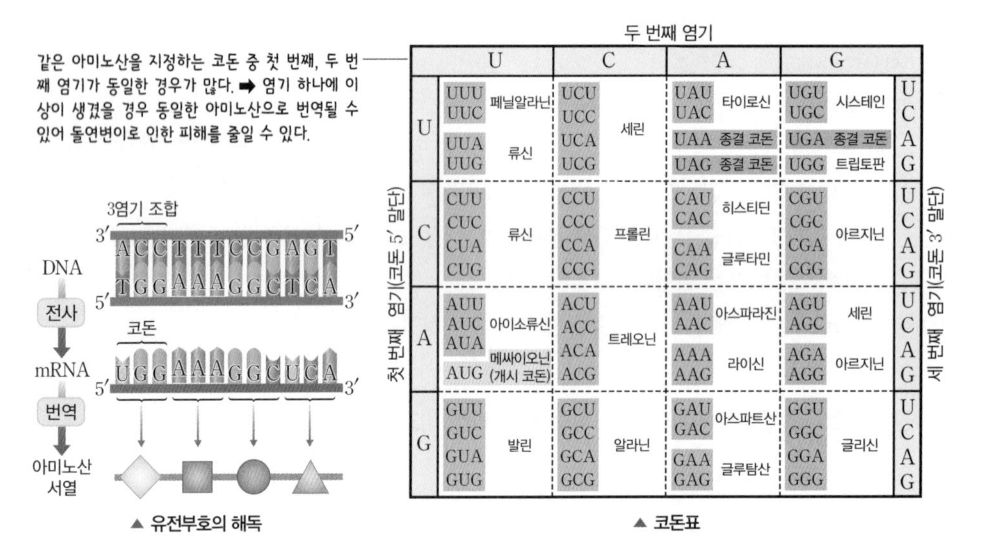

▲ 유전부호의 해독

두 번째 염기

첫 번째 염기(코돈 5′ 말단)	U	C	A	G	세 번째 염기(코돈 3′ 말단)
U	UUU, UUC 페닐알라닌	UCU, UCC 세린	UAU, UAC 타이로신	UGU, UGC 시스테인	U, C
	UUA, UUG 류신	UCA, UCG 세린	UAA 종결 코돈	UGA 종결 코돈	A
			UAG 종결 코돈	UGG 트립토판	G
C	CUU, CUC 류신	CCU, CCC 프롤린	CAU, CAC 히스티딘	CGU, CGC 아르지닌	U, C
	CUA, CUG 류신	CCA, CCG 프롤린	CAA, CAG 글루타민	CGA, CGG 아르지닌	A, G
A	AUU, AUC 아이소류신	ACU, ACC 트레오닌	AAU, AAC 아스파라진	AGU, AGC 세린	U, C
	AUA 아이소류신	ACA 트레오닌	AAA 라이신	AGA 아르지닌	A
	AUG 메싸이오닌(개시 코돈)	ACG 트레오닌	AAG 라이신	AGG 아르지닌	G
G	GUU, GUC 발린	GCU, GCC 알라닌	GAU, GAC 아스파트산	GGU, GGC 글리신	U, C
	GUA, GUG 발린	GCA, GCG 알라닌	GAA, GAG 글루탐산	GGA, GGG 글리신	A, G

▲ 코돈표

빈출 자료 유전부호의 해독

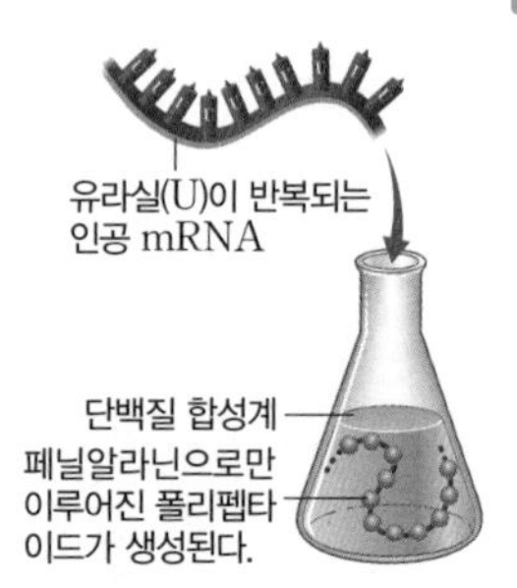

❶ 대장균으로부터 mRNA 이외에 단백질 합성에 필요한 모든 물질(단백질 합성계❺)을 추출하여 유라실로만 이루어진 폴리 U, 아데닌으로만 이루어진 폴리 A, 구아닌으로만 이루어진 폴리 G, 사이토신으로만 이루어진 폴리 C를 따로 따로 넣어 폴리펩타이드 합성을 유도한다.

❷ 생성된 폴리펩타이드를 구성하는 아미노산 분석 결과: UUU는 페닐알라닌(Phe), AAA는 라이신(Lys), GGG는 글리신(Gly), CCC는 프롤린(Pro)을 각각 지정한다.

❸ 생성된 폴리펩타이드의 아미노산의 수는 항상 mRNA 염기 수의 $\frac{1}{3}$이다. ➡ mRNA 3개 염기가 하나의 아미노산을 지정한다는 것을 의미한다. 종결 코돈을 고려하지 않는 조건이다.

＋ 하나의 아미노산을 지정하는 염기의 수

아미노산을 지정하는 염기는 4종류가 있으므로 만약 1개의 염기가 아미노산을 결정하면 4종류의 아미노산을, 2개의 염기가 조합을 이루어 아미노산을 결정하면 4^2인 16종의 아미노산을 각각 결정하게 된다. 한편, 4개의 염기가 1조가 된다면 4^4인 256종류의 조합이 되어 아미노산의 종류에 비해서 지나치게 정보가 많아진다.

❹ 니런버그(Nirenberg, M. W.)

미국의 생화학자. 단순한 염기 서열로 된 mRNA를 합성하고, 이 mRNA로부터 인공적으로 단백질을 합성하는 실험을 하여 유전부호를 해독하였다. 이 공로로 1968년에 노벨 생리·의학상을 수상하였다.

❺ 단백질 합성계

살아 있는 세포는 함유하지 않지만 단백질 합성에 필요한 세포 소기관이나 세포의 구성 성분과 효소 등이 있어 단백질 합성이 일어날 수 있는 시스템이다. 이와 비슷한 방식으로 DNA 복제, 전사, RNA 가공, 번역 등 비교적 단시간에 일어나는 생명 현상을 세포가 아닌 시험관에서 재현할 수 있다.

용어 알기

•3염기 조합(triplet code) DNA의 유전 정보를 나타내는 단위

D 전사

|출·제·단·서| 시험에는 전사 과정에서 DNA 염기 서열에 상보적으로 합성되는 RNA 염기 서열이나 전사 방향을 묻는 문제가 나와.

1. 유전 정보의 전사

(1) 유전 형질이 발현되기 위해서는 먼저 DNA에 저장되어 있는 유전 정보가 RNA로 전달되는 전사가 일어나야 한다. RNA는 단일 가닥의 폴리뉴클레오타이드로 되어 있으며 RNA의 뉴클레오타이드를 구성하는 당은 리보스, 염기는 A, G, C, U(유라실)의 4종류이다.

(2) 전사는 DNA 전체가 아니라 유전자 부위에서만 일어난다.

(3) DNA 복제와 달리 전사에서는 프라이머가 사용되지 않으며, 주형 가닥의 염기 아데닌(A)에 대한 상보적인 염기로 유라실(U)이 사용된다.

2. 전사 과정 암기TiP RNA 중합 효소에 의해 5′ → 3′ 방향으로 합성

(1) **개시** RNA 중합 효소❻가 프로모터❼에 결합하여 DNA 이중 나선을 풀고 그중 한 가닥을 주형으로 하여 RNA 합성을 시작한다. 전사에는 DNA 주형 가닥뿐만 아니라, RNA 중합 효소와 리보뉴클레오타이드가 필요하다.

(2) **신장** RNA 중합 효소는 DNA의 염기 서열에 상보적인 염기를 가진 •리보뉴클레오타이드를 차례로 결합시켜 5′ → 3′ 방향으로 RNA를 합성한다. 전사된 후 DNA 가닥은 다시 이중 나선을 형성한다.

(3) **종결** RNA 중합 효소가 주형 가닥의 종결 자리에 도달하면 합성된 RNA와 RNA 중합 효소는 DNA에서 분리된다.

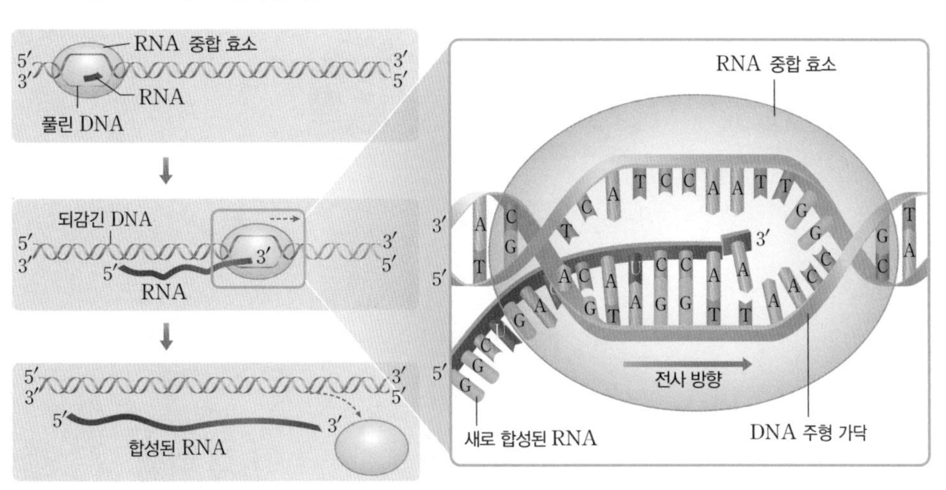

▲ 전사 과정

E 번역

|출·제·단·서| 시험에는 tRNA의 구조와 리보솜의 구조 및 번역 과정에서의 개시, 신장, 종결 단계에 대해 묻는 문제가 나와.

1. 단백질 합성 기구 암기TiP 단백질 합성에 필요한 물질 : mRNA, tRNA, 리보솜, 아미노산

tRNA	• 단일 가닥의 폴리뉴클레오타이드로 입체 구조를 형성하며, 아미노산을 운반하는 역할을 한다. tRNA의 단일 가닥 내에 상보적 염기쌍이 존재하므로 이들 사이에 수소 결합이 일어나 다양한 입체 구조를 형성할 수 있다. • 코돈과 상보적인 안티코돈이 있으며, 안티코돈에 따른 특정 아미노산이 3′ 말단에 결합한다. tRNA의 안티코돈과 mRNA의 코돈은 수소 결합으로 연결된다.	아미노산 결합 부위, 3′, 5′, GAA, 안티코돈
리보솜	• rRNA와 단백질로 이루어져 있으며, 두 개의 아미노산을 펩타이드 결합으로 연결하여 단백질을 합성한다. • 대단위체와 소단위체❽로 구성되며, 이 두 단위체는 분리되어 있다가 번역을 시작할 때 mRNA와 함께 서로 결합한다.	•E 자리, P 자리, A 자리, E P A, 대단위체, mRNA 결합 자리, 소단위체

❻ **RNA 중합 효소**
전사 과정에서 DNA를 주형으로 RNA를 합성하는 효소이다.

❼ **프로모터**
유전자 앞부분에 존재하는 특수한 염기 서열로, RNA 중합 효소가 결합하여 전사가 시작되게 하는 DNA의 특정 부위이다.

? RNA로부터 DNA를 합성할 수 있을까?
RNA로부터 DNA를 합성하는 것을 역전사라고 한다. 대부분은 DNA를 유전 정보로 가지는데, HIV와 같은 일부 바이러스는 RNA를 유전 정보로 가진다. 이 경우 숙주 세포 내에서 자신의 역전사 효소를 이용하여 RNA로부터 DNA를 합성한 후, 전사와 번역을 거쳐 유전 형질을 발현시킨다.

❽ **리보솜의 대단위체와 소단위체**
리보솜의 소단위체에는 mRNA 결합 자리가 있고, 대단위체에는 아미노산을 운반해 온 tRNA 결합 자리(A 자리), 신장되는 폴리펩타이드가 붙어 있는 tRNA 결합 자리(P 자리), tRNA가 빠져나가기 전에 잠시 머무는 자리(E 자리)가 있다.

용어 알기

• 리보뉴클레오타이드(**ribonucleotide**) RNA를 구성하는 단위체
• E 자리(**exit site**) 출구 자리
• P 자리(**peptidyl site**) 신장되는 폴리펩타이드가 붙어 있는 tRNA 결합 자리
• A 자리(**aminoacyl site**) 아미노산을 운반해 온 tRNA 결합 자리

2. 번역 과정 개념 POOL 탐구 POOL

암기TiP 리보솜은 mRNA의 5′ → 3′ 방향으로 이동하며, 아미노산을 펩타이드 결합으로 연결한다.

(1) 개시

① mRNA[9]가 리보솜 소단위체에 결합한 뒤, 메싸이오닌을 운반하는 개시 tRNA가 개시 코돈(AUG)과 결합한다.

② 리보솜 대단위체가 결합하여 완전한 리보솜이 형성되는데, 개시 tRNA는 P 자리에 위치한다.

(2) 신장

① A 자리에 다음 아미노산을 운반하는 tRNA가 들어온 뒤, P 자리에 있는 메싸이오닌이 A 자리의 아미노산과 펩타이드 결합[10]으로 연결된다.

② 리보솜이 코돈 하나만큼 5′ → 3′ 방향으로 이동하여 P 자리의 tRNA는 E 자리로 옮겨진 후 분리되고, A 자리의 tRNA는 P 자리에 오며, A 자리에는 새로운 tRNA가 들어온다.

③ 이러한 과정이 반복되면서 폴리펩타이드가 길어진다.

(3) 종결

① 리보솜이 종결 코돈(UAG, UGA, UAA)에 도달하면 종결 코돈과 결합할 수 있는 tRNA가 없기 때문에 단백질 합성이 종결된다.

② 번역 과정이 종결되면 리보솜은 각 단위체로 나누어지고, mRNA와 tRNA도 분리되면서 완성된 폴리펩타이드[11]는 방출된다.

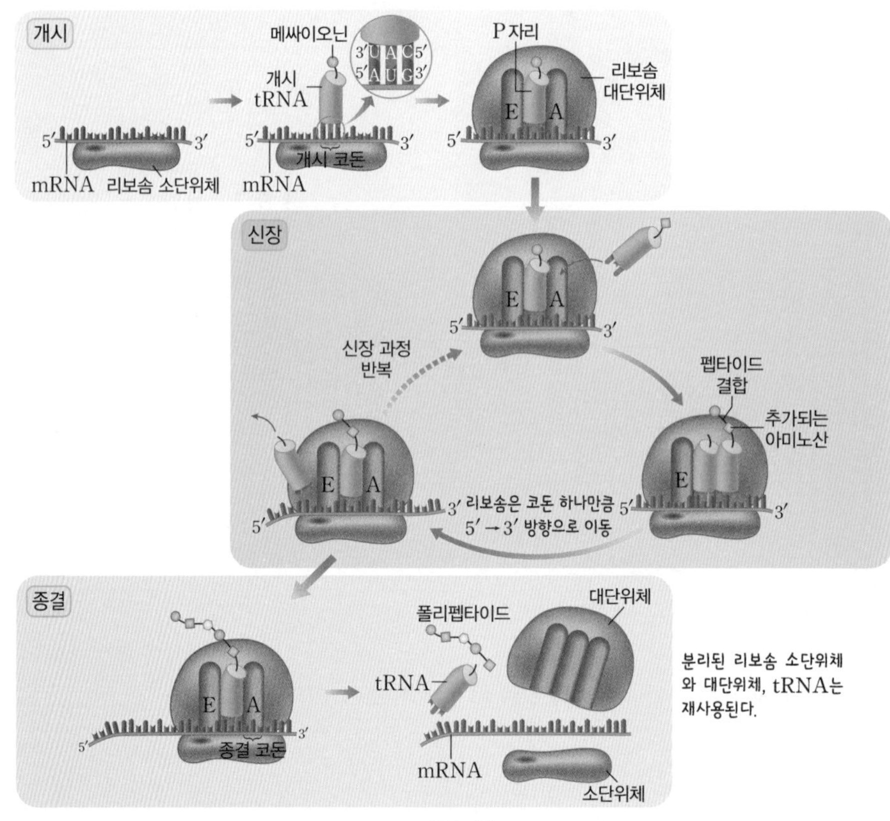

▲ 번역 과정

폴리솜

- mRNA에 리보솜이 여러 개 붙어 있는 것으로, mRNA에 붙은 하나의 리보솜이 단백질 합성을 완성하기 전에 다른 리보솜들이 연속적으로 붙은 것이다.
- 폴리솜이 형성되면 하나의 mRNA로부터 많은 양의 폴리펩타이드가 빠르게 합성된다.

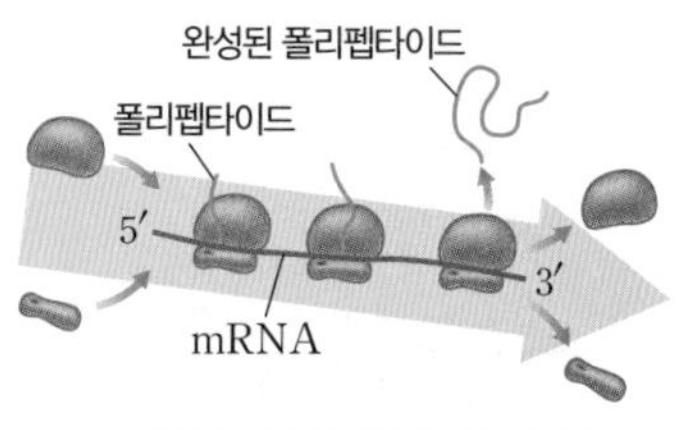

▲ 세포질에서의 단백질 합성 과정

---

9 RNA의 종류
- mRNA(messenger RNA): 단백질 합성에 필요한 유전 정보를 전달한다.
- tRNA(transfer RNA): 번역 과정에서 아미노산을 리보솜으로 운반한다.
- rRNA(ribosomal RNA): 단백질과 함께 리보솜을 구성한다.

10 펩타이드 결합

아미노산끼리의 결합으로, 한 아미노산의 카복실기와 또 다른 아미노산의 아미노기 사이에서 H_2O이 한 분자 빠져나옴으로써 이루어지는 공유 결합이다.

11 폴리펩타이드

합성된 폴리펩타이드는 접혀서 고유한 입체 구조를 나타내며, 세포 내 기능에 따라 여러 세포 소기관으로 이동하여 효소, 운반체 단백질 등 고유한 기능을 수행한다.

용어 알기

- 개시(열 開, 비로소 始) 행동이나 일 따위를 시작함
- 종결(마칠 終, 맺을 結) 일을 끝냄

진핵생물의 유전자 발현 과정

목표 진핵생물에서 유전자가 발현되는 과정을 설명할 수 있다.

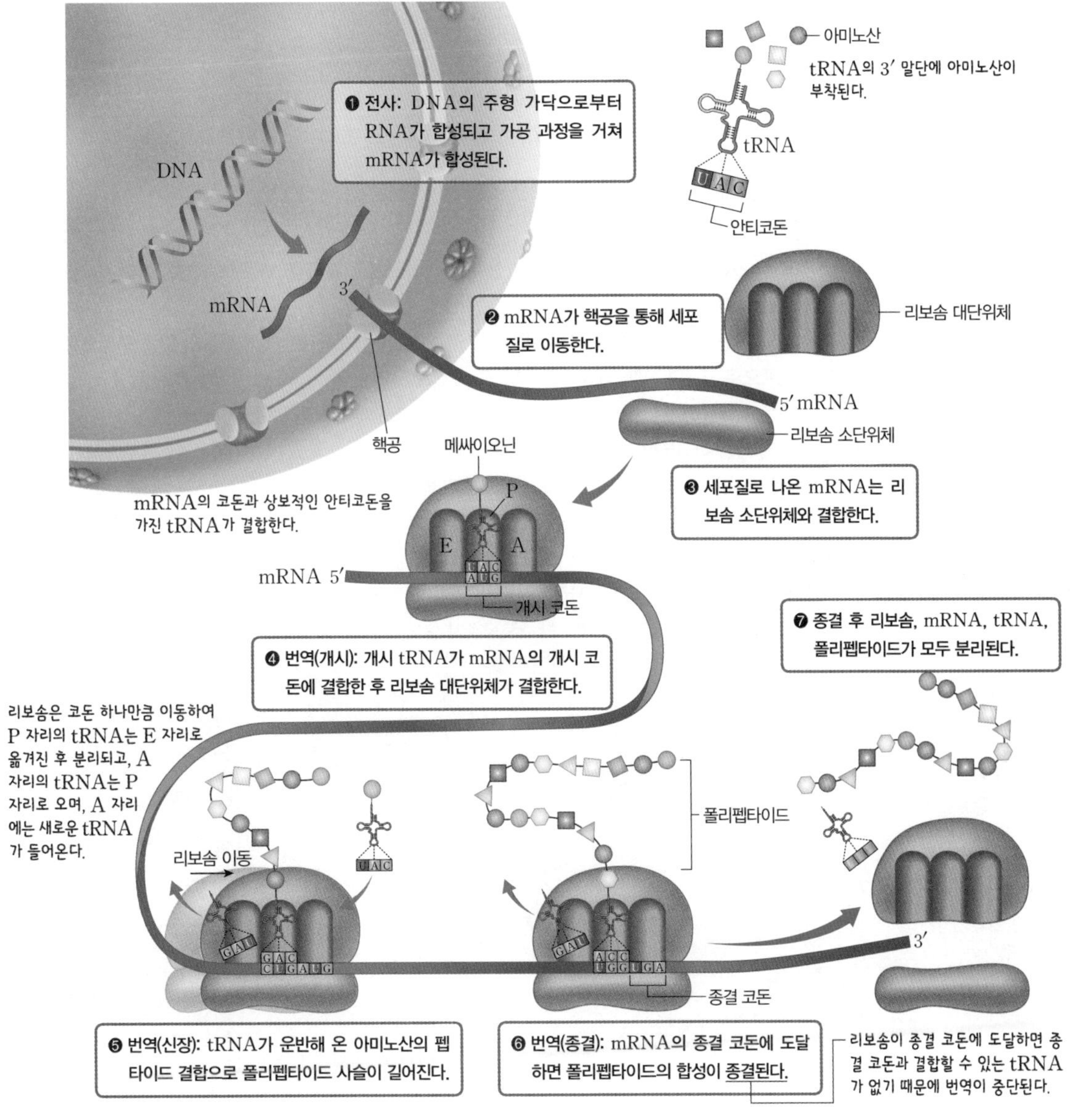

한·줄·핵심 DNA에 저장된 유전 정보로부터 단백질이 합성되는 과정을 유전자 발현이라고 한다.

확인 문제

정답과 해설 054쪽

01 유전자 발현 과정에 대한 설명으로 옳은 것은 ○, 옳지 않은 것은 ×로 표시하시오.

(1) 원핵세포에서 처음 만들어진 RNA는 인트론을 제거하고 엑손을 연결하는 과정이 진행된 후 mRNA로 된다. ( )

(2) 리보솜은 rRNA와 단백질로 구성되며 단백질 합성에 관여한다. ( )

(3) 아미노산을 암호화하는 데 사용되는 유전 암호의 종류는 단백질 합성에 이용되는 아미노산의 종류보다 적다. ( )

모의실험을 통한 유전자 발현 과정의 이해

목표 모형을 이용하여 유전 정보의 흐름과 유전자 발현 과정을 설명할 수 있다.

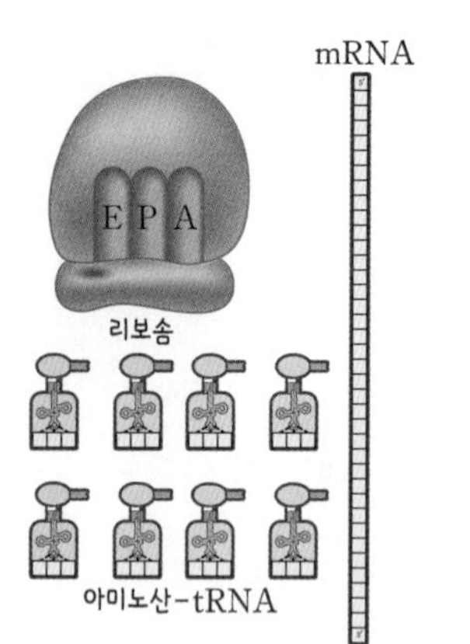

과정

❶ mRNA, tRNA, 리보솜 모형을 가위로 오린다.

❷ 다음 DNA 이중 나선 중 아래쪽 가닥을 주형으로 하여 전사된 mRNA의 염기 서열을 모형에 쓴다.

5′-ATAATGGCACTTTGCGGCACCTAG-3′
3′-TATTACCGTGAAACGCCGTGGATC-5′

❸ 코돈에 상보적인 안티코돈과 코돈이 지정하는 아미노산의 종류를 코돈표를 참조하여 아미노산-tRNA 모형의 빈 칸에 각각 쓴다.

❹ mRNA를 리보솜의 오른쪽 구멍의 뒤쪽에서 앞쪽으로 나오도록 한 후, 리보솜의 왼쪽 구멍으로 넣어 다시 뒤쪽으로 빼낸다. 이때 개시 코돈이 P 자리에 오도록 한다.

❺ 개시 코돈에 해당하는 아미노산-tRNA를 P 자리의 코돈과 상보적으로 놓이도록 한다.

❻ A 자리에 다음 아미노산-tRNA가 오도록 한다.

❼ P 자리의 아미노산과 A 자리의 아미노산을 서로 풀로 붙인다.

❽ 가위로 점선을 잘라 아미노산과 tRNA를 분리한다.

❾ mRNA를 따라 리보솜을 5′ → 3′으로 한 코돈만큼 이동시킨다. 이때 아미노산이 떨어져 나간 tRNA는 E 자리로 옮기고, P 자리에는 폴리펩타이드가 결합한 tRNA가 위치하도록 한다.

❿ 비어 있는 A 자리에 새로운 아미노산-tRNA가 오도록 한 후 ❼~❾ 과정을 반복한다.
종결 코돈이 A 자리에 오면 합성된 폴리펩타이드, mRNA, tRNA, 리보솜을 모두 분리시킨다.

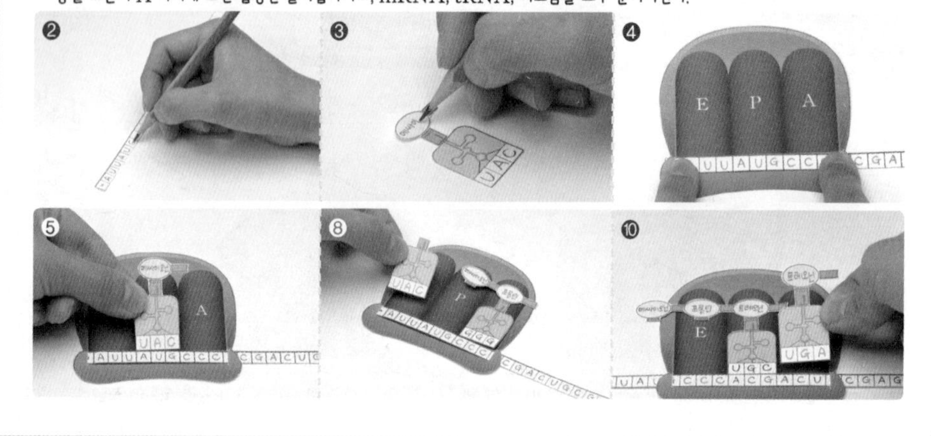

유의점

- 단백질 합성 기구 모형을 가위로 오리거나 칼로 자를 때 손을 다치지 않도록 주의한다.
- 작은 RNA 종이 조각을 다루므로 날리거나 잃어버리지 않도록 유의한다.
- 실제 번역 과정에서는 먼저 소단위체에 mRNA와 개시 tRNA가 결합한 후 대단위체가 결합하지만, 이 탐구에서는 탐구 과정을 수행하기 쉽도록 소단위체와 대단위체가 결합한 모형을 사용한다.

결과

메싸이오닌-알라닌-류신-시스테인-글리신-트레오닌으로 이루어진 폴리펩타이드가 완성된다.

정리 및 해석

- 과정 ❷에서 전사된 mRNA의 염기 서열은 5′-AUAAUGGCACUUUGCGGCACCUAG-3′이다.
- 과정 ❼에서 아미노산을 풀로 붙이는 것은 펩타이드 결합을 의미한다.

한·줄·핵·심 DNA에서 mRNA를 합성하는 과정은 전사, mRNA에서 단백질을 합성하는 과정은 번역이다.

확인 문제 정답과 해설 055쪽

01 이 탐구에서 전사된 mRNA의 종결 코돈을 쓰시오.

02 이 탐구에서 합성된 폴리펩타이드에는 몇 개의 펩타이드 결합이 있는지 쓰시오.

콕콕! 개념 확인하기

정답과 해설 055쪽

✔ 잠깐 확인!

1. □□□□ □□□□
하나의 유전자는 하나의 효소를 합성하게 함으로써 유전 형질이 나타나게 한다는 가설

2. □□ □□
DNA에 저장된 염기 서열 정보가 RNA로 전달되고 RNA의 염기 서열 정보로 단백질이 합성되는 유전 정보의 흐름

3. □□
DNA에서 RNA가 만들어지는 과정

4. □□
RNA에서 단백질이 만들어지는 과정

5. □□
DNA의 3염기 조합에서 전사된 mRNA의 연속된 3개의 염기로 이루어진 유전부호

6. □□□□
단백질 합성에 필요한 유전 정보를 전달하는 RNA의 한 종류

7. □□□□
단일 가닥의 폴리뉴클레오타이드로 입체 구조를 형성하며, 아미노산을 운반하는 역할을 하는 RNA의 한 종류

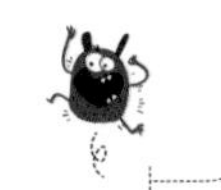

A 유전자와 단백질

01 다음은 유전자의 형질 발현에 대한 설명이다. ㉠, ㉡에 들어갈 알맞은 말을 쓰시오.

> 부모에서 자녀에게 전달되는 유전 형질은 (㉠)에 저장된 유전 정보에 의해 나타나며, (㉠)로부터 유전 형질이 나타나기까지의 과정을 (㉡)이라고 한다.

B 유전 정보의 흐름

02 다음과 같은 과정이 일어나는 장소를 옳게 연결하시오.

(1) 원핵세포의 전사 •
(2) 진핵세포의 전사 •
(3) 원핵세포의 번역 •

• ㉠ 핵
• ㉡ 세포질

C 유전부호

03 유전부호에 대한 설명으로 옳은 것은 ○, 옳지 않은 것은 ×로 표시하시오.

(1) DNA의 염기 서열로 단백질의 아미노산 배열 순서가 결정된다. ( )
(2) DNA를 구성하는 염기 4종류를 2개씩 조합하면 20종류의 아미노산을 충분히 지정할 수 있다. ( )
(3) 3염기 조합은 DNA에서 하나의 아미노산을 지정하는 연속된 3개의 염기로 이루어진 유전부호이다. ( )
(4) 유전부호는 생물마다 다르므로 생물이 공통 조상으로부터 진화해 왔다는 증거가 될 수 없다. ( )

D 전사

04 다음은 유전 정보의 전사 과정에 대한 설명이다. ㉠~㉣에 들어갈 알맞은 말을 쓰시오.

> RNA 중합 효소가 (㉠)에 결합하여 DNA 이중 나선을 풀고 그중 한 가닥을 주형으로 하여 RNA 합성을 시작한다. RNA 중합 효소는 DNA의 염기 서열에 상보적인 염기를 가진 (㉡)를 차례로 결합시켜 (㉢) → (㉣) 방향으로 RNA를 합성한다.

E 번역

05 번역 단계에 필요한 물질들을 〈보기〉에서 있는 대로 고르시오.

> 보기
> ㄱ. DNA ㄴ. mRNA ㄷ. 리보솜 ㄹ. 아미노산 ㅁ. 프라이머

탄탄! 내신 다지기

A 유전자와 단백질

01 유전자와 유전자 발현에 대한 설명으로 옳지 않은 것은?

① 유전자는 유전 정보가 있는 DNA 특정 부분이다.
② 유전자가 발현되면 반드시 하나의 효소가 합성된다.
③ 단백질 합성에 필요한 정보는 유전자에 저장되어 있다.
④ 유전자의 정보에 따라 합성된 단백질이 특정 형질을 나타나게 한다.
⑤ 유전자로부터 유전 형질이 나타나기까지의 과정을 유전자 발현이라고 한다.

02 그림은 어떤 세균 A의 유전자가 발현되어 효소가 합성되고 이 효소들에 의해 물질 (가)~(다)가 합성되는 경로를 나타낸 것이다.

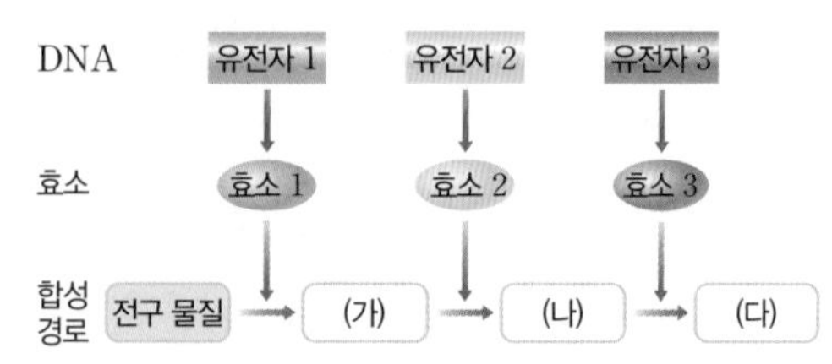

이에 대한 설명으로 옳은 것만을 〈보기〉에서 있는 대로 고른 것은? (단, A는 물질 (다)가 합성되지 못하면 생존할 수 없다.)

보기
ㄱ. 유전자 1에만 돌연변이가 발생한 경우 최소 배지에 (가)를 첨가하여도 (나)와 (다) 모두 합성되지 않는다.
ㄴ. 유전자 2에만 돌연변이가 발생한 경우 최소 배지에 (다)를 첨가하면 생존할 수 있다.
ㄷ. 유전자 1과 유전자 3에 모두 돌연변이가 발생한 경우 (가)를 첨가하여도 (나)를 합성되지 않는다.

① ㄱ ② ㄴ ③ ㄱ, ㄴ
④ ㄱ, ㄷ ⑤ ㄱ, ㄴ, ㄷ

03 다음은 붉은빵곰팡이의 유전자 발현에 대한 실험이다.

[실험 과정]
(가) 야생형 붉은빵곰팡이의 포자에 X선을 쪼여 하나의 유전자에만 돌연변이를 일으켜 최소 배지에서 자라지 못하는 세 종류의 영양 요구주 A~C를 얻었다.
(나) A~C를 물질 ㉠~㉢중 하나를 첨가한 최소 배지에서 배양하였다.

[실험 결과]

구분	최소 배지	최소 배지+㉠	최소 배지+㉡	최소 배지+㉢
야생형	+	+	+	+
A	−	+	−	+
B	−	+	+	+
C	−	+	−	−

(+: 생장함, −: 생장 못함)

이에 대한 설명으로 옳은 것만을 〈보기〉에서 있는 대로 고른 것은?

보기
ㄱ. 물질이 합성되는 과정은 ㉠→㉢→㉡이다.
ㄴ. A는 ㉡을 ㉢으로 합성하는 효소에 이상이 있다.
ㄷ. ㉡을 합성하는 데 관여하는 효소의 유전자에 돌연변이가 발생한 것은 B이다.

① ㄱ ② ㄴ ③ ㄷ
④ ㄱ, ㄷ ⑤ ㄴ, ㄷ

B 유전 정보의 흐름

04 그림은 생물체 내에서 유전 정보의 흐름을 나타낸 것이다.

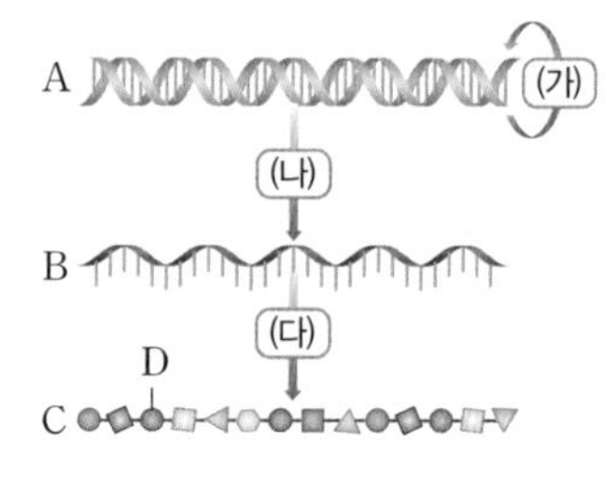

이에 대한 설명으로 옳은 것은? (단, (가)~(다)는 과정을, A~D는 물질을 나타낸 것이다.)

① 유전 정보의 중심 원리를 나타낸 것이다.
② A와 B의 단위체는 구성하는 염기의 종류만 다르고 나머지 구성 물질은 모두 동일하다.
③ C는 단위체 D의 수소 결합을 통해 만들어진다.
④ (가)는 전사, (나)는 번역 과정이다.
⑤ 진핵세포에서는 (나)와 (다) 과정이 동시에 일어난다.

단답형

05 원핵세포의 유전자 발현 과정에 대한 설명으로 옳은 것만을 〈보기〉에서 있는 대로 고르시오.

보기
ㄱ. 전사는 핵에서, 번역은 세포질에서 일어난다.
ㄴ. RNA가 만들어진 후 가공 과정을 거치지 않는다.
ㄷ. 전사와 번역이 동시에 진행된다.

C 유전부호

06 유전부호에 대한 설명으로 옳지 않은 것은?

① 유전부호는 아미노산의 종류와 배열 순서를 결정한다.
② 유전부호는 거의 모든 생명체에서 동일하게 사용된다.
③ RNA에서 하나의 아미노산을 지정하는 연속된 3개의 염기를 코돈이라고 한다.
④ DNA에서 한 종류의 아미노산을 지정하는 유전부호의 종류는 하나이다.
⑤ 유전부호는 생물이 공통 조상으로부터 진화해 왔다는 증거가 되기도 한다.

D 전사

07 그림은 원핵세포에서 가닥 Ⅰ과 Ⅱ로 이루어진 DNA로부터 RNA가 합성되는 과정을 나타낸 것이다.

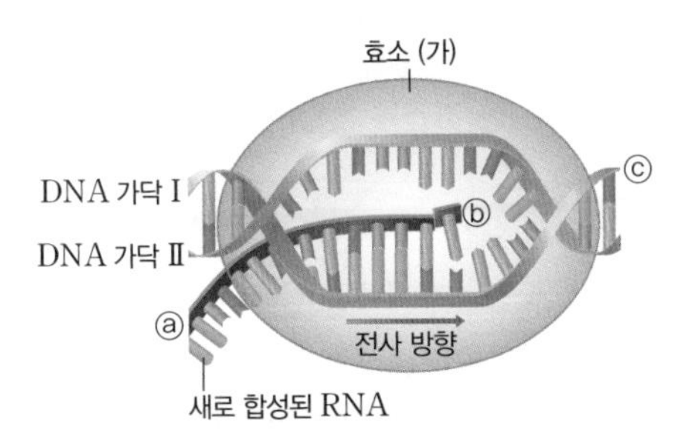

이에 대한 설명으로 옳은 것만을 〈보기〉에서 있는 대로 고른 것은? (단, ⓐ, ⓑ, ⓒ는 각각 3′ 말단과 5′ 말단 중 하나이다.)

보기
ㄱ. (가)는 RNA 중합 효소이다.
ㄴ. ⓐ와 ⓒ는 5′ 말단, ⓑ는 3′ 말단이다.
ㄷ. 이 과정을 통해 DNA 가닥 Ⅰ에 있는 유전 정보 전체를 전사한 RNA가 합성된다.

① ㄱ ② ㄷ ③ ㄱ, ㄴ
④ ㄴ, ㄷ ⑤ ㄱ, ㄴ, ㄷ

E 번역

08 그림은 단백질 합성에 필요한 물질 (가)의 구조를 나타낸 것이다.
이에 대한 설명으로 옳은 것만을 〈보기〉에서 있는 대로 고른 것은?

보기
ㄱ. ㉠은 3′ 말단으로 아미노산이 결합된다.
ㄴ. ㉡과 결합하는 코돈은 3′-CUU-5′이다.
ㄷ. (가)는 단일 가닥의 폴리뉴클레오타이드로 입체 구조를 형성한다.

① ㄱ ② ㄴ ③ ㄱ, ㄷ
④ ㄴ, ㄷ ⑤ ㄱ, ㄴ, ㄷ

단답형

09 그림은 단백질 합성에 필요한 세포 소기관 (가)를 나타낸 것이다.
이에 대한 설명으로 옳은 것만을 〈보기〉에서 있는 대로 고르시오.

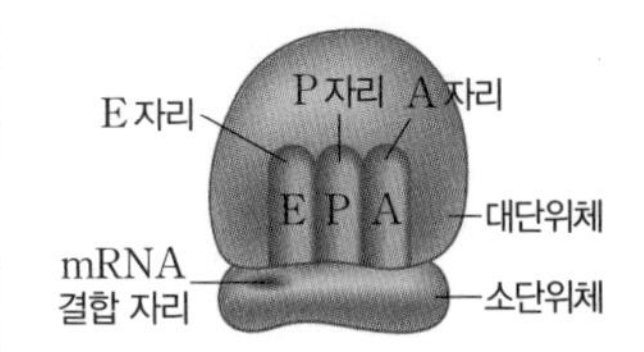

보기
ㄱ. (가)는 단백질과 rRNA로 이루어져 있다.
ㄴ. (가)는 아미노산을 수소 결합으로 연결한다.
ㄷ. 개시 tRNA는 리보솜의 P 자리에 결합한다.

10 그림은 단백질 합성 기구에 의한 번역 과정의 일부를 나타낸 것이다.
이에 대한 설명으로 옳은 것만을 〈보기〉에서 있는 대로 고른 것은? (단, ⓐ와 ⓑ는 3′ 말단과 5′ 말단 중 하나이다.)

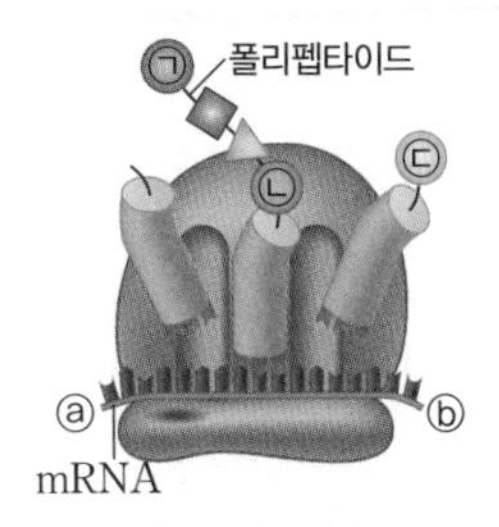

보기
ㄱ. ⓐ는 5′ 말단, ⓑ는 3′ 말단이다.
ㄴ. ㉠~㉢은 아미노산으로 ㉢은 ㉠과 결합한다.
ㄷ. 리보솜은 mRNA의 염기 하나만큼 5′ → 3′ 방향으로 이동한다.

① ㄱ ② ㄴ ③ ㄷ
④ ㄴ, ㄷ ⑤ ㄱ, ㄴ, ㄷ

도전! 실력 올리기

출제예감

01 그림은 붉은빵곰팡이에서 아르지닌이 합성되는 과정을, 표는 최소 배지에 물질 ㉠~㉢의 첨가에 따른 붉은빵곰팡이 야생형과 돌연변이주 Ⅰ~Ⅳ의 생장 여부를 나타낸 것이다. 돌연변이주 Ⅰ~Ⅲ은 유전자 a~c 중 하나에만, Ⅳ는 a~c 중 두 개의 유전자에 돌연변이가 일어난 것이다. ㉠~㉢은 각각 아르지닌, 시트룰린, 오르니틴 중 하나이다.

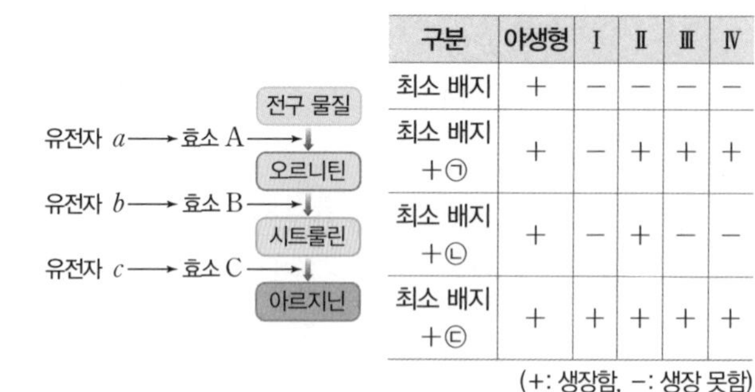

구분	야생형	Ⅰ	Ⅱ	Ⅲ	Ⅳ
최소 배지	+	−	−	−	−
최소 배지 +㉠	+	−	+	+	+
최소 배지 +㉡	+	−	+	−	−
최소 배지 +㉢	+	+	+	+	+

(+: 생장함, −: 생장 못함)

이에 대한 설명으로 옳은 것만을 〈보기〉에서 있는 대로 고른 것은?

보기
ㄱ. 물질의 합성 과정은 ㉢ → ㉠ → ㉡이다.
ㄴ. Ⅲ은 오르니틴을 기질로 이용하지 못한다.
ㄷ. Ⅳ는 a와 c 모두에 돌연변이가 일어난 것이다.

① ㄱ ② ㄴ ③ ㄷ
④ ㄱ, ㄴ ⑤ ㄴ, ㄷ

02 표는 100개의 염기쌍으로 이루어진 이중 나선 DNA의 각 가닥 Ⅰ과 Ⅱ에 대한 염기 조성과, 이 두 가닥 중 한 가닥으로부터 전사된 mRNA의 염기 조성을 나타낸 것이다. 이 이중 나선 DNA에서 염기 비율은 $\frac{A+T}{G+C}=\frac{2}{3}$이다.

구분		염기 조성(개)				
		A	G	T	C	U
DNA	Ⅰ	㉠	?	17	?	?
	Ⅱ	?	27	?	㉢	?
mRNA		?	㉡	?	?	17

이에 대한 설명으로 옳은 것만을 〈보기〉에서 있는 대로 고른 것은?

보기
ㄱ. 전사될 때 주형 가닥은 Ⅰ이다.
ㄴ. ㉠, ㉡, ㉢을 모두 합한 값은 89이다.
ㄷ. Ⅱ에는 퓨린 계열 염기<피리미딘 계열 염기이다.

① ㄱ ② ㄴ ③ ㄷ
④ ㄴ, ㄷ ⑤ ㄱ, ㄴ, ㄷ

03 다음은 폴리펩타이드 합성에 대한 실험이다.

[실험 과정 및 결과]

(가) mRNA와 개시 tRNA를 모두 제외하고, 그 밖의 번역에 필요한 모든 물질이 포함된 용액 X를 준비한다.

(나) 시험관 Ⅰ~Ⅴ에 각각 용액 X와 ⓐ방사성 동위원소로 표지된 아미노산을 넣는다.

(다) (나)의 각 시험관에 mRNA와 물질 ㉠~㉢을 표와 같이 시점 t_0과 t_1에서 첨가한 후 시간에 따라 생성된 폴리펩타이드에 삽입된 ⓐ의 총수를 측정한다. ㉠~㉢은 각각 개시 tRNA, 리보솜 A 자리에 tRNA가 결합하는 것을 차단하는 물질, mRNA와 리보솜 소단위체의 결합을 차단하는 물질 중 하나이다.

물질 \ 시험관	Ⅰ	Ⅱ	Ⅲ	Ⅳ	Ⅴ
t_0에 첨가한 물질	mRNA	mRNA, ㉠	mRNA, ㉠	mRNA, ㉡	mRNA, ㉢
t_1에 첨가한 물질	㉠	㉡	㉢	㉠	㉠

(라) 그림은 Ⅰ~Ⅳ에서 얻은 결과를 나타낸 것이다.

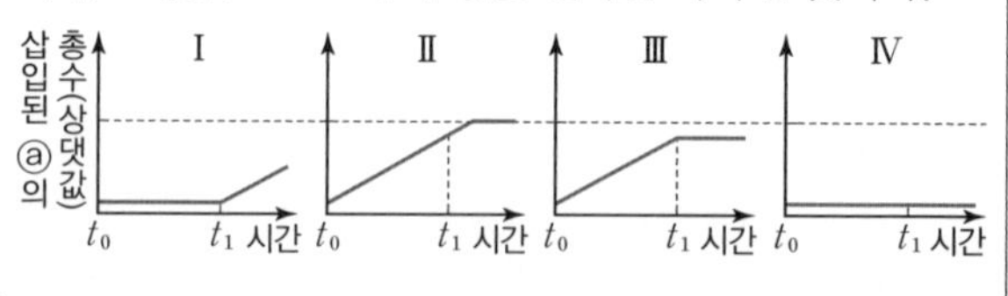

이에 대한 설명으로 옳은 것만을 〈보기〉에서 있는 대로 고른 것은? (단, Ⅰ~Ⅴ에서 동일한 mRNA를 사용하였으며, 제시된 조건 이외의 다른 조건은 동일하다.)

보기
ㄱ. ㉠의 안티코돈은 5′-AUG-3′이다.
ㄴ. ㉡은 리보솜 A 자리에 tRNA가 결합하는 것을 차단하는 물질이다.
ㄷ. Ⅴ에서는 펩타이드 결합이 형성되지 않는다.

① ㄱ ② ㄴ ③ ㄷ
④ ㄱ, ㄷ ⑤ ㄴ, ㄷ

정답과 해설 056쪽

출제예감

04 다음은 이중 나선 DNA (가)의 발현에 대한 자료이다.

• 그림은 30개의 염기쌍으로 구성된 (가)의 염기 서열을 나타낸 것이다.

(가)

가닥 Ⅰ …… 5′ − TTGG [㉠] AACC − 3′

가닥 Ⅱ …… 3′ − AACC [㉡] TTGG − 5′

• 가닥 Ⅰ만을 분리한 후 발현시켜 얻은 폴리펩타이드 X의 아미노산 서열은 다음과 같다.

메싸이오닌 — 아르지닌 — 류신 — 발린

• 가닥 Ⅱ만을 분리한 후 발현시켜 얻은 폴리펩타이드 Y의 아미노산 서열은 다음과 같다.

• 표는 코돈표의 일부를 나타낸 것이다. UAA, UAG, UGA는 종결 코돈이다.

아미노산	코돈	아미노산	코돈
메싸이오닌	AUG(개시 코돈)	타이로신	UAU, UAC
류신	UUA, UUG, CUU, CUC, CUA, CUG	아르지닌	CGU, CGC, CGA, CGG, AGA, AGG
발린	GUU, GUC, GUA, GUG	프롤린	CCU, CCC, CCA, CCG
알라닌	GCU, GCC, GCA, GCG	트레오닌	ACU, ACC, ACA, ACG

이에 대한 설명으로 옳은 것만을 〈보기〉에서 있는 대로 고른 것은? (단, X와 Y의 합성은 개시 코돈으로부터 시작되어 종결 코돈에서 종결되었으며, 돌연변이는 고려하지 않는다.)

보기

ㄱ. X와 Y가 합성될 때의 종결 코돈은 각각 UAG, UAA이다.

ㄴ. X는 가닥 Ⅰ의 (가)에서 3′ 말단의 7번째 염기부터 아미노산을 지정한다.

ㄷ. Y에 포함된 2개의 알라닌을 지정하는 코돈은 모두 GCU이다.

① ㄱ ② ㄴ ③ ㄷ
④ ㄱ, ㄴ ⑤ ㄱ, ㄷ

05 그림은 어떤 곰팡이에서 물질 ㉢이 생성되는 과정을, 표는 최소 배지에 물질 X 또는 Y의 첨가에 따른 이 곰팡이 야생형과 돌연변이주 Ⅰ과 Ⅱ의 색과 물질 Z의 생성 여부를 나타낸 것이다. Ⅰ과 Ⅱ는 유전자 a~c 중 서로 다른 하나에 돌연변이가 일어난 것이다. 물질 ㉠~㉢은 검은색 색소, 갈색 색소, 황색 색소를 순서 없이, X~Z는 ㉠~㉢을 순서 없이 나타낸 것이다. (단, 제시된 돌연변이 이외의 돌연변이는 고려하지 않는다.)

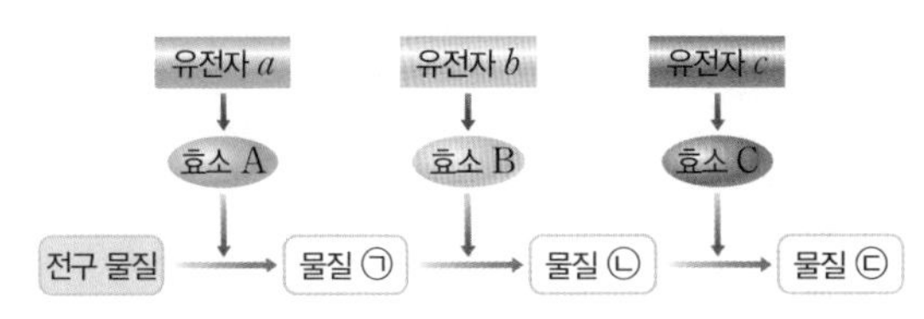

구분		야생형	Ⅰ	Ⅱ
최소 배지	곰팡이 색	검은색	갈색	황색
	물질 Z	○	○	×
최소 배지 +X	곰팡이 색	검은색	검은색	검은색
	물질 Z	○	○	×
최소 배지 +Y	곰팡이 색	검은색	갈색	황색
	물질 Z	○	○	×

(○: 생성함, ×: 생성 못함)

Ⅰ과 Ⅱ에서 돌연변이가 일어난 유전자를 각각 쓰시오.

서술형

06 그림은 어떤 세포 (가)의 유전자 발현을 간단히 나타낸 것이다.

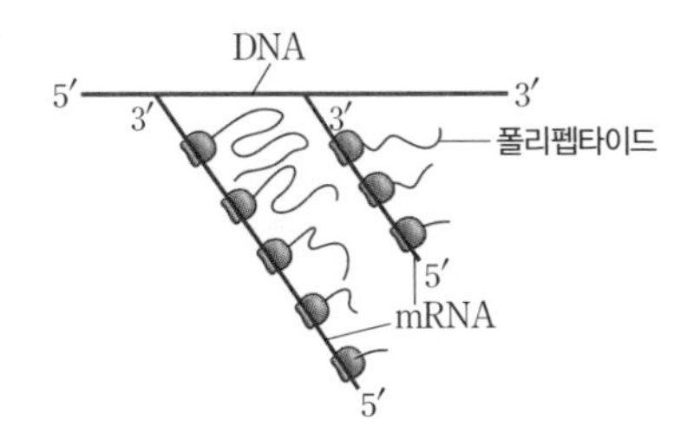

(가)는 원핵세포와 진핵세포 중 어느 것에 해당하는지 쓰고, 그렇게 생각한 까닭을 서술하시오.

형질 전환 실험을 통한 유전 물질 확인

대표 유형

출제 의도

DNA를 통해 형질 전환이 일어난다는 것을 확인하는 문제이다.

그림 (가)와 (나)는 에이버리가 수행한 형질 전환 실험의 일부를 나타낸 것이다. ㉠과 ㉡은 각각 단백질 분해 효소와 DNA 분해 효소 중 하나이며, Ⅰ과 Ⅱ는 각각 R형 균과 S형 균 중 하나이다.

→ 형질 전환: 한 생물의 유전 형질이 외부로부터 도입된 유전 물질에 의해 바뀌는 현상

→ R형 균은 피막이 없어 숙주의 면역 세포에 의해 쉽게 제거되므로 비병원성이지만 S형 균은 피막이 있어 숙주의 면역 세포로부터 자신을 보호하여 병원성이다.

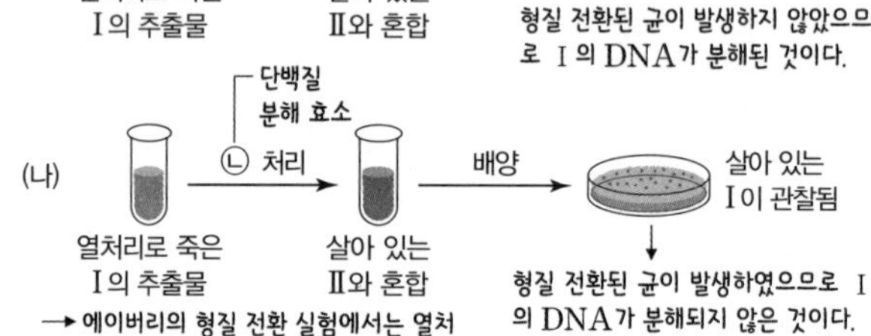

→ 에이버리의 형질 전환 실험에서는 열처리한 S형 균 추출물을 살아 있는 R형 균과 혼합하였다.

이것이 함정

DNA 분해 효소를 처리하면 형질 전환이 일어나지 않는다는 것을 기억해야 한다.

이에 대한 설명으로 옳은 것만을 <보기>에서 있는 대로 고른 것은?

보기

ㄱ. Ⅱ는 피막(협막)을 가진다. → Ⅰ은 S형 균, Ⅱ는 R형 균이다.

ㄴ. ㉠은 DNA 분해 효소이다. → ㉠을 처리한 후 형질 전환이 이루어지지 않았으므로 DNA가 분해되었음을 의미한다.

ㄷ. (나)에서 살아 있는 S형 균이 R형 균으로 형질 전환되었다. → R형 균이 S형 균으로 형질 전환된 것이다.

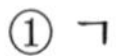  

① ㄱ ② ㄴ ③ ㄱ, ㄴ ④ ㄱ, ㄷ ⑤ ㄴ, ㄷ

그림에서 경향성 찾기

열처리로 죽은 균은 병원성인 S형 균으로 피막이 있다. >>> 형질 전환이 되는 균은 R형 균으로 비병원성이며 피막이 없다. >>> DNA 분해 효소를 처리하면 형질 전환이 일어나지 않는다. >>> 단백질 분해 효소를 처리하면 형질 전환이 일어난다.

추가 선택지

• 살아 있는 Ⅱ에 열처리한 Ⅰ을 혼합하여 배양하면 형질 전환이 일어난다. (○)

→ Ⅰ의 유전 물질이 Ⅱ에게로 전해지므로 형질 전환이 일어난다.

• 열처리로 죽은 Ⅰ의 추출물을 쥐에게 주사하면 쥐는 죽는다. (×)

→ Ⅰ을 열처리하면 쥐에게 주사하여도 병을 일으키지 않으므로 쥐는 살 수 있다.

실전! 수능 도전하기

정답과 해설 057쪽

01 다음은 폐렴 쌍구균을 이용한 형질 전환 실험이다.

(가) 열처리하여 죽은 S형 균의 세포 추출물을 시험관 Ⅰ~Ⅳ에 나누어 담은 후, 각 시험관에 효소 ㉠, ㉡, ㉢을 표와 같이 첨가하여 충분한 시간 동안 둔다. ㉠, ㉡, ㉢은 다당류 분해 효소, RNA 분해 효소, DNA 분해 효소를 순서 없이 나타낸 것이다.

(나) (가)의 Ⅰ~Ⅳ에 살아 있는 R형 균을 첨가하여 배양한 후, 폐렴 쌍구균의 종류를 조사한 결과는 표와 같다.

시험관	Ⅰ	Ⅱ	Ⅲ	Ⅳ
첨가한 효소	㉠, ㉡, ㉢	㉠, ㉡	㉠, ㉢	㉡, ㉢
폐렴 쌍구균의 종류	R형 균	R형 균, S형 균	ⓐ	ⓑ

이에 대한 설명으로 옳은 것만을 〈보기〉에서 있는 대로 고른 것은?

보기
ㄱ. ⓐ는 R형 균, ⓑ는 S형 균이다.
ㄴ. 형질 전환을 일으키는 물질은 ㉡에 의해 분해되었다.
ㄷ. Ⅳ에는 피막이 있는 폐렴 쌍구균이 없다.

① ㄱ ② ㄷ ③ ㄱ, ㄴ ④ ㄱ, ㄷ ⑤ ㄴ, ㄷ

02 그림 (가)와 (나)는 허시와 체이스의 실험을 나타낸 것이다. ㉠과 ㉡은 각각 ^{32}P과 ^{35}S 중 하나이다.

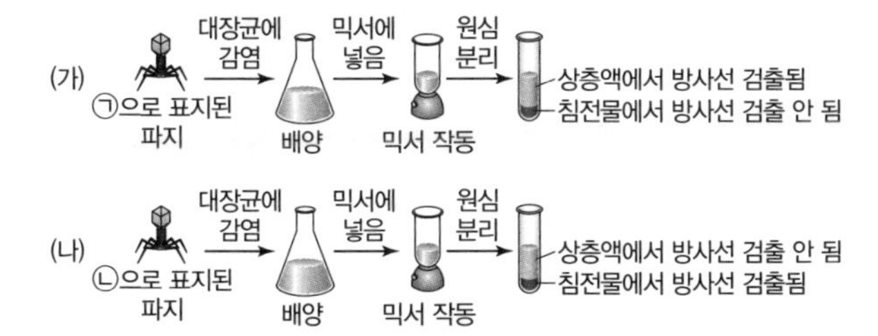

이에 대한 설명으로 옳은 것만을 〈보기〉에서 있는 대로 고른 것은?

보기
ㄱ. ㉡은 단백질을 표지한다.
ㄴ. 믹서 작동은 대장균에 붙어 있는 파지를 분리하기 위한 과정이다.
ㄷ. (가)의 방사능이 검출된 층에는 ^{35}S이 있다.

① ㄱ ② ㄴ ③ ㄱ, ㄴ ④ ㄱ, ㄷ ⑤ ㄴ, ㄷ

수능 기출

03 다음은 붉은빵곰팡이의 유전자 발현에 대한 자료이다.

• 야생형에서 아르지닌이 합성되는 과정은 그림과 같다.

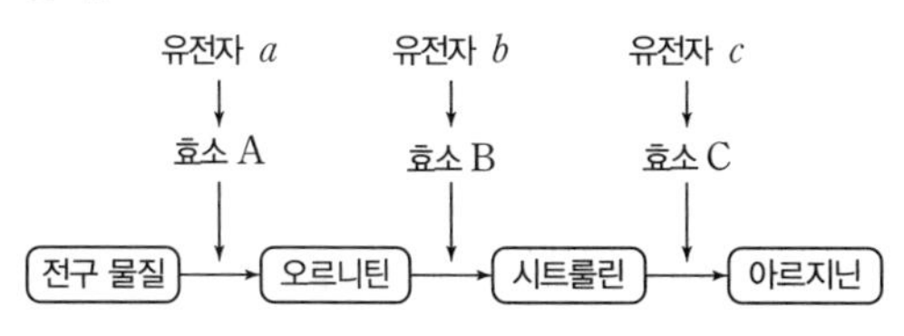

• 돌연변이주 Ⅰ과 Ⅱ는 각각 유전자 a와 b 중 하나에만 돌연변이가 일어난 것이다.
• 야생형, Ⅰ, Ⅱ를 각각 최소 배지, 최소 배지에 물질 ㉠이 첨가된 배지, 최소 배지에 물질 ㉡이 첨가된 배지에서 배양하였을 때, 생장 여부와 물질 ㉢의 합성 여부는 표와 같다. ㉠~㉢은 오르니틴, 시트룰린, 아르지닌을 순서 없이 나타낸 것이다.

구분	최소 배지		최소 배지, ㉠		최소 배지, ㉡	
	생장	㉢ 합성	생장	㉢ 합성	생장	㉢ 합성
야생형	+	○	+	○	+	○
Ⅰ	−	×	+	○	−	×
Ⅱ	−	×	+	○	+	○

(+: 생장함, −: 생장 못함, ○: 합성됨, ×: 합성 안 됨)

이에 대한 설명으로 옳은 것만을 〈보기〉에서 있는 대로 고른 것은? (단, 제시된 돌연변이 이외의 돌연변이는 고려하지 않는다.)

보기
ㄱ. ㉡은 시트룰린이다.
ㄴ. 효소 B의 기질은 ㉢이다.
ㄷ. Ⅱ는 a에 돌연변이가 일어난 것이다.

① ㄱ ② ㄷ ③ ㄱ, ㄴ ④ ㄱ, ㄷ ⑤ ㄴ, ㄷ

실전! 수능 도전하기

04 다음은 DNA 복제 실험에 사용한 대장균 집단(G_0~G_4)에 대한 자료이다.

- G_0는 ^{15}N가 있는 배지에서 배양하였다.
- G_1~G_4를 얻을 때 사용된 배지에는 각각 ^{14}N 또는 ^{15}N 중 한 종류의 질소만 포함되어 있다.
- 표는 대장균 집단 ㉠~㉣에서 ⓐ~ⓒ의 유무를 나타낸 것이다. ㉠~㉣은 각각 G_0~G_3 중 하나이며, ⓐ~ⓒ는 각각 $^{14}N-^{14}N$ DNA, $^{14}N-^{15}N$ DNA, $^{15}N-^{15}N$ DNA 중 하나이다.

구분	㉠	㉡	㉢	㉣
ⓐ	○	○	○	×
ⓑ	×	×	×	×
ⓒ	○	×	○	○

(○: 있음, ×: 없음)

- G_4에 ⓒ가 있으며, G_4를 얻을 때 ^{14}N가 포함된 배지가 사용되었다.

이에 대한 설명으로 옳은 것만을 〈보기〉에서 있는 대로 고른 것은?

보기
ㄱ. ⓐ는 $^{15}N-^{15}N$ DNA이다.
ㄴ. ㉢은 G_1이다.
ㄷ. G_4에서 ⓒ의 비율은 G_4 전체 DNA의 $\frac{7}{8}$이다.

① ㄱ ② ㄴ ③ ㄷ
④ ㄱ, ㄷ ⑤ ㄴ, ㄷ

05 그림은 폴리펩타이드 합성 과정 중 형성되는 복합체를 나타낸 것이다.
이에 대한 설명으로 옳은 것만을 〈보기〉에서 있는 대로 고른 것은?

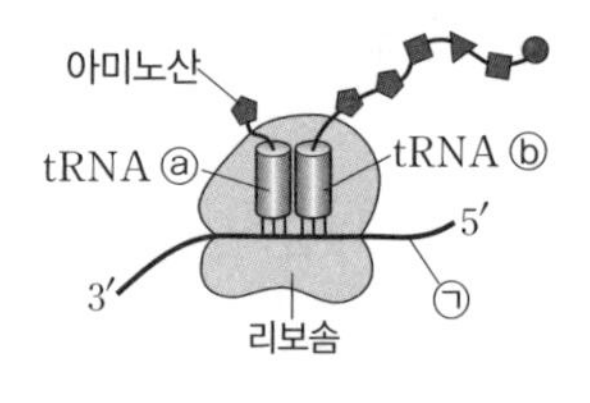

보기
ㄱ. 리보솜은 단백질과 rRNA로 이루어진다.
ㄴ. ㉠은 디옥시리보뉴클레오타이드를 단위체로 한다.
ㄷ. 리보솜에서 tRNA ⓑ가 tRNA ⓐ보다 먼저 방출된다.

① ㄱ ② ㄴ ③ ㄱ, ㄷ
④ ㄴ, ㄷ ⑤ ㄱ, ㄴ, ㄷ

06 다음은 DNA X와 Y, mRNA Z에 대한 자료이다.

- X와 Y는 각각 300개의 염기쌍으로 이루어져 있다.
- X와 Y 중 하나로부터 Z가 전사되었고, Z는 300개의 염기로 이루어져 있다.
- X는 단일 가닥 X_1과 X_2로, Y는 단일 가닥 Y_1과 Y_2로 이루어져 있다.
- X에서 $\frac{A+T}{G+C}=\frac{3}{2}$이고, Y에서 $\frac{A+T}{G+C}=\frac{3}{7}$이다.
- X_1에서 구아닌(G)의 비율은 16 %이고, 피리미딘 계열 염기의 비율은 52 %이다.
- Y_1에서 사이토신(C)의 비율은 30 %이다.
- Y_2에서 아데닌(A)의 비율은 12 %이다.
- Z에서 구아닌(G)의 비율은 16 %이다.

이에 대한 설명으로 옳은 것만을 〈보기〉에서 있는 대로 고른 것은?

보기
ㄱ. Z의 주형 가닥은 X_1이다.
ㄴ. Y_1에서 퓨린 계열 염기의 비율은 58 %이다.
ㄷ. 염기 간 수소 결합의 총 개수는 X가 Y보다 적다.

① ㄱ ② ㄷ ③ ㄱ, ㄴ ④ ㄱ, ㄷ ⑤ ㄴ, ㄷ

07 다음은 이중 나선 DNA (가)에 대한 자료이다.

- (가)를 구성하는 가닥 Ⅰ과 Ⅱ 중 한 가닥을 주형으로 하여 mRNA 가닥 Ⅲ이 전사되었다.
- Ⅰ~Ⅲ은 각각 100개의 뉴클레오타이드로 구성되어 있다.
- (가)에서 염기의 비율은 $\frac{A+㉠}{㉡+㉢}=\frac{1}{4}$이고, ㉠~㉢은 각각 G, C, T 중 하나이다.
- Ⅰ에서 A의 수는 13, Ⅲ에서 G의 수는 28이고, Ⅱ에서 C의 수가 G의 수보다 많다.

이에 대한 설명으로 옳은 것만을 〈보기〉에서 있는 대로 고른 것은? (단, 돌연변이는 고려하지 않는다.)

보기
ㄱ. Ⅲ의 주형 가닥은 Ⅰ이다.
ㄴ. Ⅰ에서 피리미딘 계열 염기는 31개이다.
ㄷ. ㉠은 퓨린 계열 염기이다.

① ㄱ ② ㄴ ③ ㄱ, ㄷ
④ ㄴ, ㄷ ⑤ ㄱ, ㄴ, ㄷ

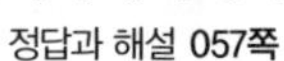

수능 기출

08 다음은 어떤 세포에서 복제 중인 이중 가닥 DNA의 일부에 대한 자료이다.

- (가)와 (나)는 복제 주형 가닥이고, 서로 상보적이며, ㉠, ㉡, ㉢은 새로 합성된 가닥이다.
- (가), (나), ㉠은 각각 44개의 염기로 구성되고, ㉡과 ㉢은 각각 22개의 염기로 구성된다.
- 프라이머 X, Y, Z는 각각 4개의 염기로 구성된다. X는 피리미딘 계열에 속하는 2종류의 염기로 구성되고, X와 Y는 서로 상보적이다.
- Ⅰ에서 $\frac{A+T}{G+C}=\frac{2}{3}$이고, Ⅱ에서 $\frac{A+T}{G+C}=\frac{1}{2}$이다.
- (가)와 ㉠ 사이의 염기 간 수소 결합의 총 개수는 115개이다. Ⅱ와 (나) 사이의 염기 간 수소 결합의 총 개수와 Ⅲ과 (나) 사이의 염기 간 수소 결합의 총 개수는 같다.
- ㉢에서 $\frac{A}{G}=\frac{2}{3}$이고, $\frac{T}{C}=1$이다.

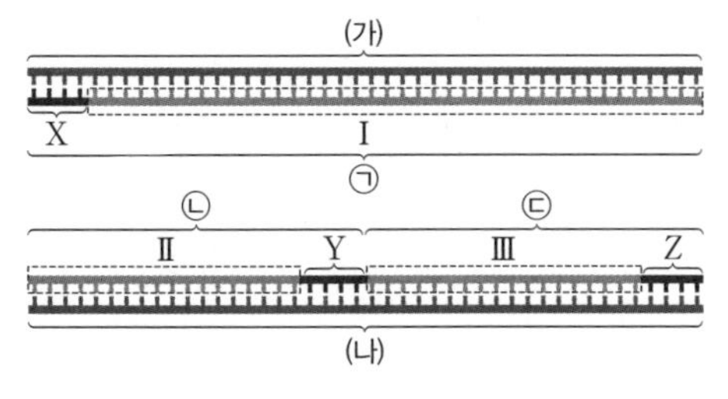

이에 대한 설명으로 옳은 것만을 〈보기〉에서 있는 대로 고른 것은? (단, 돌연변이는 고려하지 않는다.)

보기
ㄱ. X에서 사이토신(C)의 개수는 1개이다.
ㄴ. $\frac{A+T}{G+C}$는 Ⅰ에서가 ㉢에서보다 작다.
ㄷ. 염기 간 수소 결합의 총 개수는 (나)와 ㉡ 사이가 (나)와 ㉢ 사이보다 많다.

① ㄱ ② ㄴ ③ ㄷ
④ ㄱ, ㄴ ⑤ ㄴ, ㄷ

09 다음은 어떤 세포에서 복제 중인 이중 가닥 DNA의 일부에 대한 자료이다.

- ㉮와 ㉯는 복제 주형 가닥이고, ㉠, ㉡, ㉢은 새로 합성된 가닥이며, ㉮와 ㉯는 서로 상보적이다.
- ㉮, ㉯, ㉢은 각각 48개의 염기로 구성되고, ㉠과 ㉡은 각각 20개의 염기로 구성된다.
- 프라이머 X는 피리미딘 계열에 속하는 1종류의 염기 4개로 구성되고, 프라이머 Y는 퓨린 계열에 속하는 1종류의 염기 4개로 구성되며, 프라이머 Z의 염기 서열은 X와 Y 중 하나와 같다.
- Ⅰ에서 $\frac{A+T}{G+C}<\frac{1}{2}$이고, Ⅱ와 Ⅲ 각각에서 $\frac{A+T}{G+C}=3$이다.
- ㉮와 ㉠ 사이의 염기 간 수소 결합의 총 개수는 53개이다.
- ㉯에서 $\frac{A}{G}=\frac{4}{3}$이고, $\frac{T}{C}=1$이다.

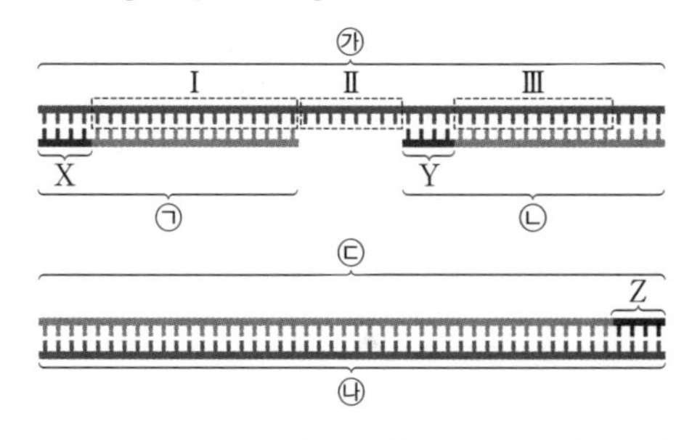

이에 대한 설명으로 옳은 것만을 〈보기〉에서 있는 대로 고른 것은? (단, 돌연변이는 고려하지 않는다.)

보기
ㄱ. ㉡이 ㉠보다 먼저 합성되었다.
ㄴ. Y는 아데닌(A)으로 구성된다.
ㄷ. Z의 염기 서열은 Y와 같다.

① ㄱ ② ㄴ ③ ㄱ, ㄴ
④ ㄱ, ㄷ ⑤ ㄴ, ㄷ

정답과 해설 057쪽

수능 기출

10 다음은 어떤 진핵생물의 유전자 w와 돌연변이 유전자 x, y, z의 발현에 대한 자료이다.

- w, x, y, z로부터 각각 폴리펩타이드 W, X, Y, Z가 합성되고, W, X, Y, Z의 합성은 모두 개시 코돈(AUG)에서 시작하여 종결 코돈에서 끝난다.
- w의 DNA 이중 가닥 중 전사 주형 가닥의 염기 서열은 다음과 같다.
  5′-TTAGTTACGAGTGGTGGCTGCCCATTGTA-3′
- x는 w의 전사 주형 가닥에 연속된 2개의 구아닌(G)이 1회 삽입된 돌연변이 유전자이다. X는 서로 다른 8개의 아미노산으로 구성된다.
- y는 x에서 돌연변이가 일어난 유전자이고, w로부터 x가 될 때 삽입된 GG이 ㉠피리미딘 계열 염기에 속하는 동일한 2개의 염기로 치환된 것이다. Y는 7종류의 아미노산으로 구성된다.
- z는 y의 전사 주형 가닥에서 ㉡연속된 2개의 동일한 염기가 하나는 퓨린 계열 염기로, 다른 하나는 피리미딘 계열 염기로 치환된 돌연변이 유전자이다. Z는 Y와 동일한 아미노산 서열을 가진다.
- 표는 유전 암호를 나타낸 것이다.

코돈	아미노산	코돈	아미노산	코돈	아미노산	코돈	아미노산
UUU UUC	페닐알라닌	UCU UCC UCA UCG	세린	UAU UAC	타이로신	UGU UGC	시스테인
UUA UUG	류신			UAA	종결 코돈	UGA	종결 코돈
				UAG	종결 코돈	UGG	트립토판
CUU CUC CUA CUG	류신	CCU CCC CCA CCG	프롤린	CAU CAC	히스티딘	CGU CGC CGA CGG	아르지닌
				CAA CAG	글루타민		
AUU AUC AUA	아이소류신	ACU ACC ACA ACG	트레오닌	AAU AAC	아스파라진	AGU AGC	세린
AUG	메싸이오닌			AAA AAG	라이신	AGA AGG	아르지닌
GUU GUC GUA GUG	발린	GCU GCC GCA GCG	알라닌	GAU GAC	아스파트산	GGU GGC GGA GGG	글리신
				GAA GAG	글루탐산		

이에 대한 설명으로 옳은 것만을 ⟨보기⟩에서 있는 대로 고른 것은? (단, 제시된 돌연변이 이외의 핵산 염기 서열 변화는 고려하지 않는다.)

보기
ㄱ. ㉠은 TT이다.
ㄴ. Y에 아르지닌은 2개 있다.
ㄷ. ㉡은 5′-AT-3′으로 치환되었다.

① ㄱ ② ㄴ ③ ㄱ, ㄷ ④ ㄴ, ㄷ ⑤ ㄱ, ㄴ, ㄷ

11 다음은 유전자 x와 이 유전자에 돌연변이가 일어난 유전자 y와 z의 발현에 대한 자료이다.

- x의 DNA 염기 서열과 x로부터 합성된 폴리펩타이드 X의 아미노산 서열은 다음과 같다.
  5′-ATGTTAAAGAGCAGTCACAGACTTTAGCATTG-3′
  3′-TACAATTTCTCGTCAGTGTCTGAAATCGTAAC-5′
  메싸이오닌-류신-라이신-세린-발린-트레오닌-알라닌-류신
- y는 x의 전사 주형 가닥에서 ㉠연속된 2개의 퓨린 계열 염기가 2개의 피리미딘 계열 염기로 치환된 것이며, 이로부터 합성되는 폴리펩타이드의 아미노산 서열은 X와 동일하다.
- z는 x의 염기쌍 중 ㉡하나의 염기쌍이 결실된 것이며, 이로부터 합성되는 폴리펩타이드 Z의 아미노산 서열은 다음과 같다.
  메싸이오닌-류신-세린-류신
- 표는 유전 암호의 일부를 나타낸 것이다.

코돈	아미노산	코돈	아미노산	코돈	아미노산
UCU UCC UCA UCG AGU AGC	세린	UUA UUG CUU CUC CUA CUG	류신	AAA AAG	라이신
				CGU CGC CGA CGG AGA AGG	아르지닌
UGG	트립토판	CAU CAC	히스티딘		
UGU UGC	시스테인	ACU ACC ACA ACG	트레오닌	GUU GUC GUA GUG	발린
UAA UAG UGA	종결 코돈	AUG	메싸이오닌 (개시 코돈)	GCU GCC GCA GCG	알라닌

이에 대한 설명으로 옳은 것만을 ⟨보기⟩에서 있는 대로 고른 것은? (단, 제시된 돌연변이 이외의 핵산 염기 서열 변화는 고려하지 않는다.)

보기
ㄱ. ㉠은 3′-GA-5′이다.
ㄴ. ㉡은 2개의 수소 결합을 한다.
ㄷ. Z가 합성될 때 사용된 종결 코돈은 5′-UAA-3′이다.

① ㄱ ② ㄴ ③ ㄱ, ㄴ ④ ㄱ, ㄷ ⑤ ㄴ, ㄷ

2 유전자 발현 조절

배울 내용 살펴보기

01 유전자 발현 조절

- A 원핵생물의 유전자 발현 조절
- B 진핵생물의 유전자 발현 조절

원핵생물은 주로 전사 단계에서 유전자 발현이 조절되고, 진핵생물은 다양한 단계에서 유전자 발현이 조절돼.

02 세포 분화와 발생

- A 세포 분화와 유전자 발현 조절
- B 발생과 유전자 발현 조절

핵심 조절 유전자가 여러 유전자의 발현을 촉진함으로써 분화된 세포 특유의 단백질이 선택적으로 만들어져.

01 유전자 발현 조절

핵심 키워드로 흐름잡기

A 젖당 오페론, 조절 유전자, 작동 부위, 프로모터, 구조 유전자

B 전사 개시 복합체, 조절 부위, 전사 전 조절, 전사 조절, 전사 후 조절, 번역 조절, 번역 후 조절

A 원핵생물의 유전자 발현 조절

|출·제·단·서| 시험에는 오페론의 구조와 젖당 오페론의 전사 조절 원리를 확인하는 문제가 나와.

1. 유전자 발현의 •조절

원핵생물은 주로 전사 과정에서 유전자 발현이 조절되며, 진핵생물은 다양한 단계에서 유전자 발현이 조절된다.

(1) 대부분의 생물은 하나의 세포에 보통 수천에서 수만 개의 유전자를 가지는데, 한 개체의 모든 세포에 똑같은 유전자가 들어 있다.

(2) 생물은 각 세포의 역할, 특정 시기 등에 따라 유전자의 발현을 조절하여 필요한 단백질을 적절하게 만들어 내는데, 이를 위해 생물체 내에는 유전자 발현을 조절하는 시스템이 있다.

2. 원핵생물❶의 유전자 발현 조절

암기TiP 오페론의 구조: 프로모터, 작동 부위, 구조 유전자

(1) **오페론** 유전자 발현의 조절 단위로, 원핵생물에서 나타나며 하나의 프로모터에 의해 여러 개의 유전자 발현이 함께 조절되는 것이다.

(2) **대장균의 •젖당 오페론❷**

① 대장균은 배지에 포도당이 있으면 에너지원으로 포도당을 이용하지만, 포도당이 없고 젖당만 있으면 젖당을 에너지원으로 이용하기 시작하므로, 이때 젖당 분해 효소를 합성한다.

② **젖당 오페론:** 대장균에서 젖당 이용에 필요한 세 가지 효소 유전자와 이들의 발현에 관여하는 프로모터 및 작동 부위로 구성된 오페론이다.

③ **젖당 오페론의 구조**

구분		특징
오페론	프로모터	RNA 중합 효소가 결합하여 전사가 시작되는 부위
	작동 부위	• 억제 단백질이 결합하는 부위 • 전사를 조절하는 스위치 역할
	구조 유전자	• 젖당 이용에 관련된 효소의 정보가 저장되어 있는 유전자 • 한꺼번에 전사되고 번역되는 하나의 단위
조절 유전자		• 억제 단백질의 정보가 저장되어 있는 유전자 • 지속적으로 발현되어 항상 억제 단백질을 합성

조절 유전자가 발현되어 생성된 억제 단백질은 작동 부위에 결합하여 전사를 억제하는 기능을 한다.

구조 유전자는 염색체 상에 순차적으로 배열되어 있고 하나의 조절 유전자를 가지고 있기 때문에 동시에 발현 조절이 가능하다.

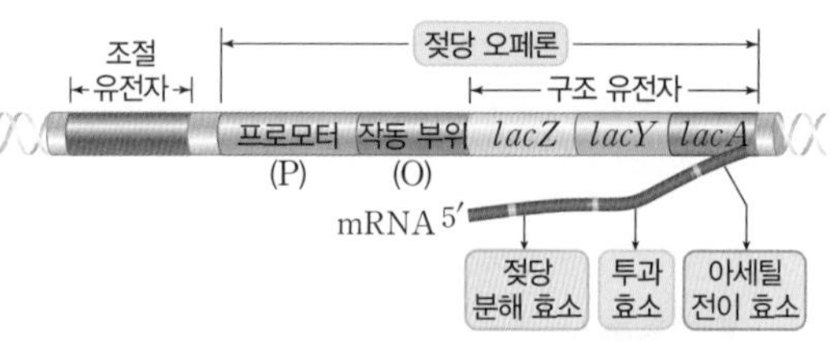

▲ 젖당 오페론의 구조

대장균이 젖당을 이용하기 위해서는 젖당을 세포막 안으로 들여오는 투과 효소, 젖당을 포도당과 갈락토스로 분해하는 젖당 분해 효소, 아세틸기 전이 효소 세 가지 효소가 필요하다. 아세틸기 전이 효소는 기능이 아직 명확하게 밝혀지지 않았다.

빈출 자료 대장균의 증식

그림은 포도당과 젖당이 모두 포함된 배지에서 대장균을 배양했을 때 시간에 따른 대장균의 수를 나타낸 것이다.

• 구간 Ⅰ: 대장균이 포도당을 에너지원으로 사용한다.
• 구간 Ⅱ: 포도당이 고갈되어 대장균의 증식이 멈춘다.
• 구간 Ⅲ: 대장균이 젖당을 에너지원으로 사용한다.

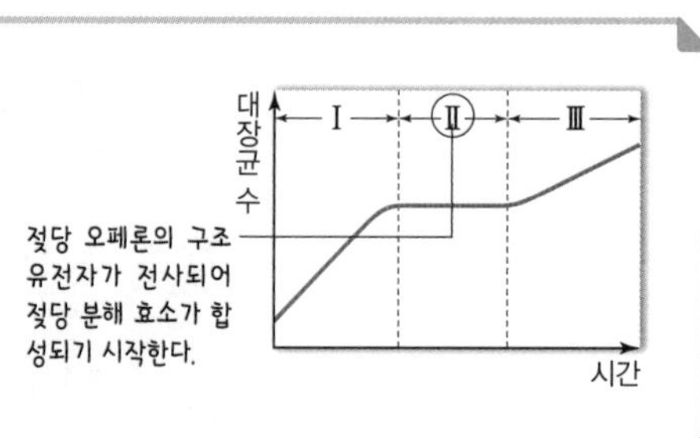

⊕ 유전자 발현 조절의 예 – 말라리아병원충

말라리아는 말라리아모기를 매개로 한 말라리아병원충에 감염되어 발생하는 질병으로 한 해에 약 50만 명 이상이 말라리아에 걸려 목숨을 잃는다. 말라리아병원충은 적혈구에 기생하며, 유전자 발현을 선택적으로 변화시키는 정교한 조절 능력이 있어 숙주에 따라 다른 단백질을 만들어 숙주 면역계의 감시망을 피한다.

❶ 원핵생물

핵과 막 구조의 세포 소기관이 없는 단세포 생물로 세균 등이 있다. 원핵생물은 단세포 생물이므로 환경의 변화에 빨리 적응해야 에너지와 자원을 절약할 수 있고 생존에 유리하다. 따라서 물질대사에 필요한 효소들이 동시에 합성될 수 있도록 전사가 조절된다.

❷ 젖당 오페론

자코브(Jacob, F.)와 모노(Monod, J.)는 대장균을 이용하여 젖당 오페론의 작용에 의한 유전자 발현 조절을 최초로 규명하였다.

용어 알기

•조절(고를 調, 마디 節) 어떤 대상의 상태를 조작하거나 제어하여 적절한 수준으로 맞춤

•젖당(lactose) 포도당과 갈락토스로 이루어진 이당류

(3) 젖당 오페론의 작동 원리

① **젖당이 없을 때:** 억제 단백질이 작동 부위에 결합하여 RNA 중합 효소가 프로모터에 결합하지 못하므로, 구조 유전자의 전사가 일어나지 않아 젖당 분해 효소가 합성되지 않는다.

② **젖당이 있을 때:** 젖당 •유도체❸가 억제 단백질과 결합하여 억제 단백질이 변형되므로 억제 단백질은 작동 부위에 결합하지 못한다. 이후 RNA 중합 효소가 프로모터에 결합하여 전사가 일어나 젖당 분해 효소가 합성되어 젖당이 분해된다.

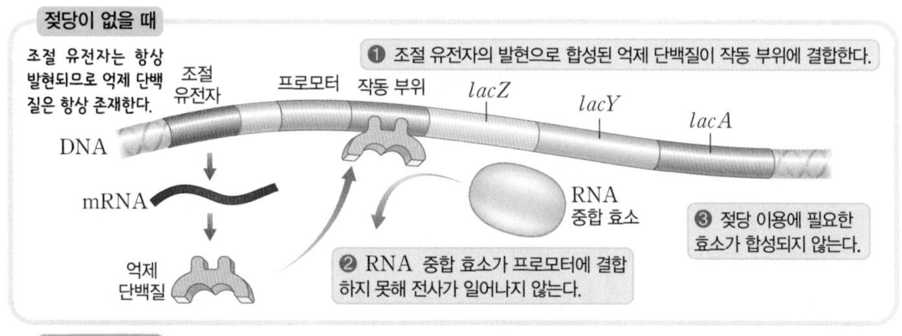

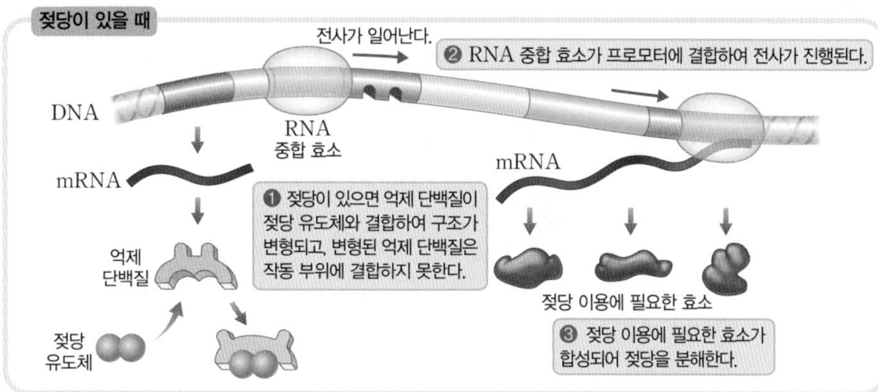

❸ 젖당 유도체
젖당이 세포 내부로 들어갈 때 만들어지는 젖당의 변형 물질이다.

➕ 젖당의 세포 내 유입과 분해

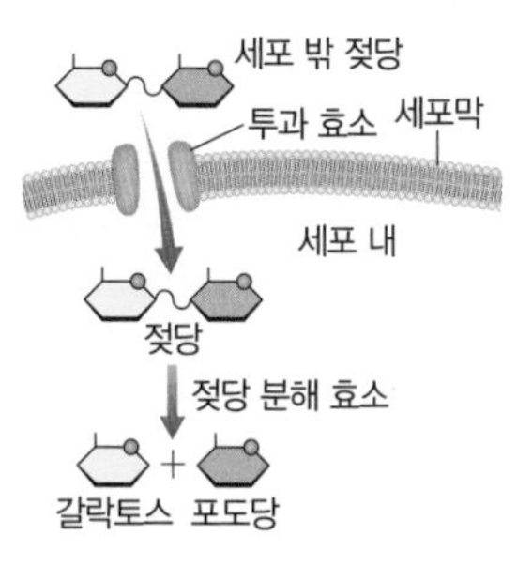

❓ 왜 대장균은 포도당과 젖당이 함께 있을 때 포도당을 먼저 에너지원으로 사용할까?
포도당은 단당류인 반면 젖당은 이당류이다. 따라서 젖당을 섭취하면 세포는 젖당을 분해시키기 위해 추가적인 과정이 필요한 상황이 되므로 젖당과 포도당이 함께 있을 때 포도당을 먼저 에너지원으로 사용하는 것이 에너지 획득에 효율적이기 때문이다.

❓ 오페론은 모두 억제 단백질의 결합 여부로 조절되는 것일까?
원핵생물의 오페론에서 유전자 발현은 대부분 젖당 오페론과 같이 억제 단백질의 결합 여부로 발현이 조절되지만 일부 오페론은 전사 촉진 인자로도 발현이 조절된다.

빈출 자료 젖당 오페론의 돌연변이

자료

표는 여러 가지 돌연변이에서 젖당이 없을 때와 있을 때 젖당 분해 효소의 합성 여부를 나타낸 것이다.

돌연변이체 종류	돌연변이 부위	특징	젖당 분해 효소 합성 여부	
			젖당이 없을 때	젖당이 있을 때
1	조절 유전자	억제 단백질 합성 안 됨	○	○
2	프로모터	RNA 중합 효소 결합 못함	×	×
3	작동 부위	억제 단백질이 작동 부위에 결합 못함	○	○
4	조절 유전자	억제 단백질이 작동 부위에 결합하지만, 젖당 유도체와는 결합하지 못함	×	×

(○: 합성됨, ×: 합성 안 됨)

정리

❶ 젖당이 있을 때 젖당 분해 효소를 합성하지 못하는 경우: 2, 4
- 돌연변이 2는 RNA 중합 효소가 프로모터에 결합하지 못해 전사가 일어날 수 없다.
- 돌연변이 4는 억제 단백질이 젖당 유무에 관계없이 작동 부위에 결합하므로 RNA 중합 효소가 프로모터에 결합하지 못해 전사가 일어날 수 없다.

❷ 젖당이 없어도 젖당 분해 효소가 만들어지는 경우: 1, 3
- 돌연변이 1은 억제 단백질을 합성하지 못하므로 전사가 일어난다.
- 돌연변이 3은 억제 단백질이 작동 부위에 결합할 수 없으므로 전사가 일어난다.

용어 알기
•유도체(꾈 誘, 이끌 導, 몸 體) 어떤 화합물의 일부를 화학적으로 변화시켜서 얻어지는 유사한 화합물

B 진핵생물의 유전자 발현 조절

|출·제·단·서| 시험에는 진핵생물의 유전자 발현 조절 단계에 대해 묻고, 진핵생물의 전사 개시가 어떻게 이루어지는지 묻는 문제가 나와.

1. 진핵생물의 유전자 발현 조절의 특징 진핵생물은 원핵생물보다 °유전체의 크기가 크고, 유전자 수가 많으며, 발현되는 유전자의 종류와 발현되는 정도가 세포의 종류나 발현 시기 등에 따라 매우 다양하다. 따라서 진핵생물에서의 유전자 발현은 원핵생물보다 훨씬 더 다양하게 조절된다.

2. 진핵생물의 유전자 발현 조절 암기TiP 전사 단계의 유전자 발현 조절: 전사 인자 이용, 전사 후 단계의 유전자 발현 조절: 인트론을 제거하는 RNA 가공 등

(1) 진핵생물의 전사 개시

① **전사 개시 복합체(RNA 중합 효소+전사 인자❹) 형성:** 진핵생물의 RNA 중합 효소는 단독으로 프로모터에 결합하지 못하고 여러 전사 인자들과 함께 전사 개시 복합체를 형성함으로써 프로모터에 결합할 수 있다. 원핵생물의 RNA 중합 효소는 직접 프로모터에 붙는다.

② **조절 부위❺:** 전사 인자가 결합하는 DNA의 특정 부위이며, 조절 부위에는 프로모터에 가까이 위치하는 근거리 조절 부위와 멀리 떨어져 있는 원거리 조절 부위가 있다.

③ 전사 인자가 원거리 조절 부위에 결합하면 DNA가 휘어져 전사 인자가 프로모터 근처에 자리하게 되고, 다른 전사 인자 및 RNA 중합 효소 등과 전사 개시 복합체를 형성하여 프로모터에 결합하면 전사가 시작된다.

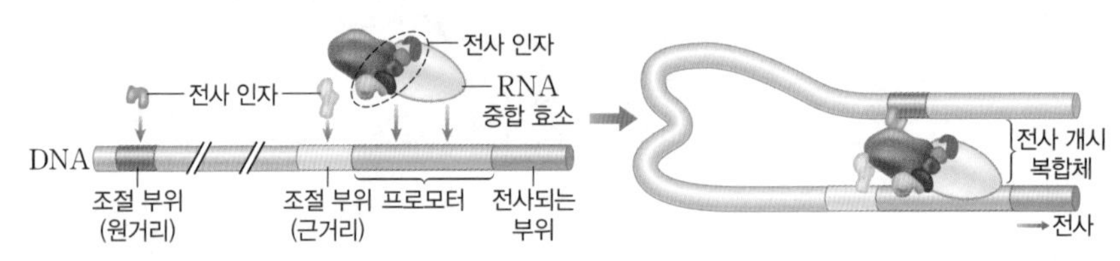

▲ 전사 개시 복합체의 형성

(2) 진핵생물의 전사 조절 진핵생물의 유전자는 여러 개의 조절 부위를 가지며 이와 상호 작용하는 다양한 전사 조절 인자를 발생 단계나 환경 조건에 따라 다르게 사용함으로써 세포의 종류와 시기에 따라 유전자를 선택적으로 발현시킬 수 있다.

❹ 전사 인자
유전자의 전사 조절 부위에 결합하여 그 유전자의 전사를 조절하는 단백질이다. 전사 인자에는 전사 촉진 인자와 전사 억제 인자가 있다. 전사 촉진 인자는 RNA 중합 효소의 결합이나 활성을 자극하여 전사 개시를 촉진하지만 전사 억제 인자는 전사 촉진 인자 또는 RNA 중합 효소의 결합이나 활성을 방해하여 전사를 억제한다.

❺ 조절 부위
전사 인자와 결합하여 전사를 조절하는 염기 서열로, 프로모터에서 수천 염기쌍까지 떨어진 부위에도 존재한다.

빈출 자료 진핵생물의 유전자 발현 조절 예

자료

그림은 사람의 °알부민 유전자와 °인슐린 유전자의 원거리 조절 부위와 간세포, 이자 세포에 있는 전사 인자의 조합에 따른 유전자 발현을 나타낸 것이다.

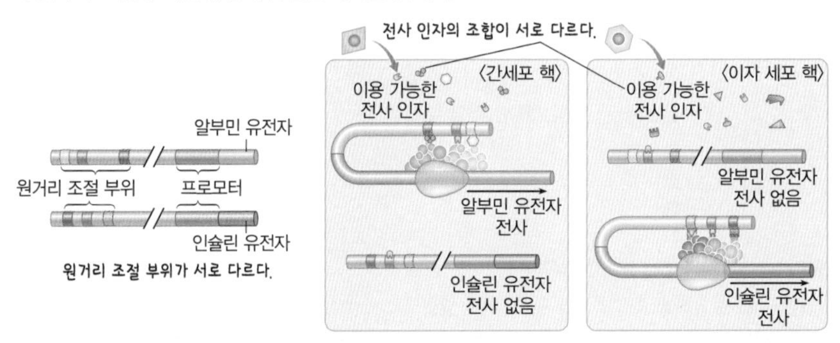

정리

❶ 각 유전자의 프로모터 상단에 존재하는 조절 부위는 변하지 않지만, 여러 조절 부위에 결합하는 전사 인자의 조합이 달라지고, 그 결과 유전자의 전사 여부와 전사량이 달라진다.

❷ 세포에 따른 전사 인자의 차이와 유전자에 따른 조절 부위의 차이로 유전자 발현이 조절된다.

용어 알기

• 유전체(**genome**) 유전자(gene)와 염색체(chromosome)의 합성어, 생물의 세포에 들어 있는 DNA 전체

• 알부민(**albumin**) 혈장 단백질로 주로 간에서 합성됨

• 인슐린(**insulin**) 이자에서 분비되는 호르몬으로 혈당량을 감소시키는 작용을 함

(3) 진핵생물의 유전자 발현 조절 단계

전사 전 조절	• 염색질의 •응축❻ 정도를 변화시켜 유전자 발현을 조절한다. • 염색질이 많이 응축되어 있으면 전사에 필요한 RNA 중합 효소 등이 DNA에 결합할 수 없어 전사가 일어나지 않는다.
전사 조절	• 다양한 조절 단백질(전사 인자)로 유전자 발현을 조절한다. • 조절 단백질을 DNA의 특정 염기 서열에 결합하여 RNA 중합 효소의 전사를 촉진·억제한다.
전사 후 조절	• 처음 만들어진 RNA의 인트론을 제거하여 엑손만을 남기는 RNA 가공을 통해 유전자 발현을 조절한다. • RNA 가공❼: 엑손과 인트론은 함께 전사되므로 처음 만들어진 RNA에는 엑손과 인트론이 있지만 핵에서 RNA 가공을 거치면서 인트론은 제거되고 엑손만 남아 mRNA가 완성된다.
번역 조절	mRNA의 분해 속도를 조절하거나 번역의 개시 단계를 조절하여 번역을 촉진하거나 억제함으로써 유전자 발현을 조절한다.
번역 후 조절	합성된 폴리펩타이드가 입체 구조를 형성하는 단백질 가공❽ 과정을 조절하거나 활성화된 단백질을 분해하여 유전자 발현을 조절한다.

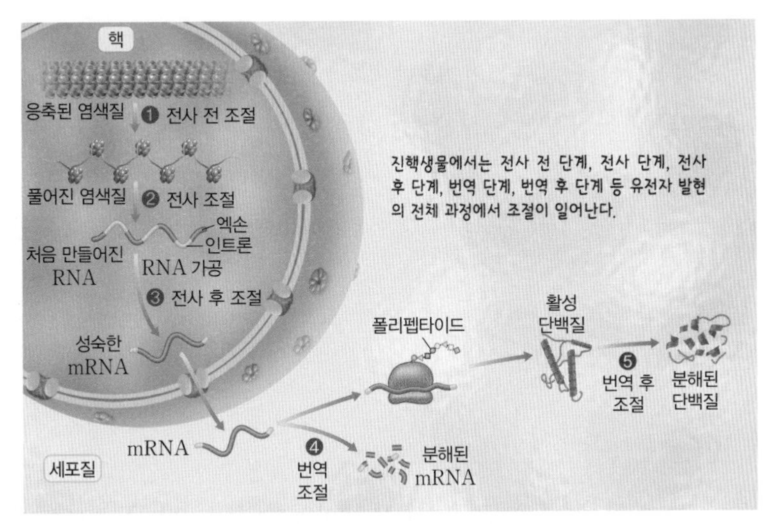

▲ 진핵생물의 유전자 발현 조절 단계

3. 원핵생물과 진핵생물의 유전자 발현 조절 비교

구분	원핵생물	진핵생물
유전자의 구조	오페론처럼 여러 유전자가 하나의 프로모터에 연결되어 있다.	각각의 유전자마다 별도의 프로모터가 존재한다.
조절 단백질	진핵생물과 비교하여 전사 조절에 관여하는 조절 단백질의 수가 적다.	다양한 조절 단백질(전사 인자)이 전사 조절에 관여한다.
조절 단백질의 결합 위치	조절 단백질이 프로모터에 인접한 작동 부위에 결합한다.	근거리 조절 부위뿐만 아니라 원거리 조절 부위와 같이 멀리 떨어진 부위에도 결합한다.

원핵생물에서는 통합적으로 조절되어야 하는 유전자들이 오페론을 이루어 함께 발현된다.
진핵생물에서는 수많은 유전자들 각각이 세포의 종류와 시기에 따라 선택적으로 발현되며, 전사 전 단계, 전사 단계, 전사 후 단계, 번역 단계 등 모든 단계에서 유전자 발현이 조절될 수 있다.

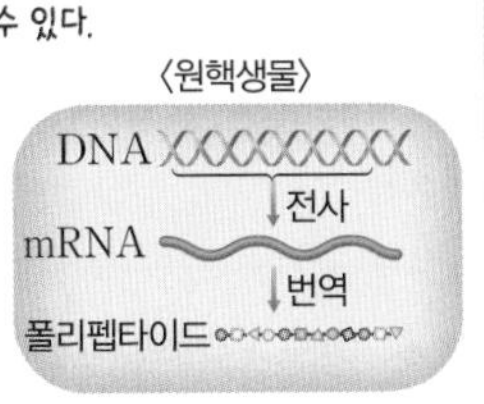

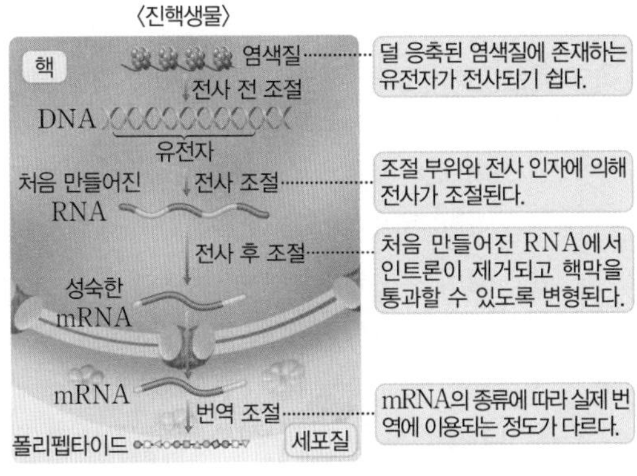

▲ 원핵생물과 진핵생물의 유전자 발현 조절 과정

❻ 염색질의 응축
진핵생물의 염색체를 구성하는 DNA와 히스톤 단백질 등의 복합체를 염색질이라 하며, 기본 단위는 뉴클레오솜이다. 뉴클레오솜은 핵 안에서 다양한 정도로 응축될 수 있으며, 이러한 염색질 구조의 조절은 전사 전 조절에서 매우 중요한 역할을 담당한다.

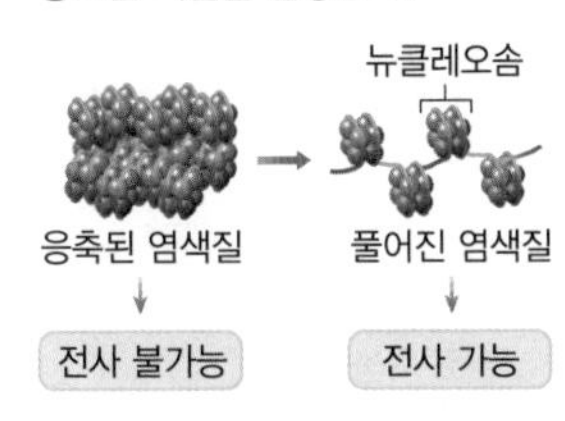

❼ RNA 가공
전사 후 RNA 가공을 통해 인트론은 제거되고 엑손만 남게 된다.

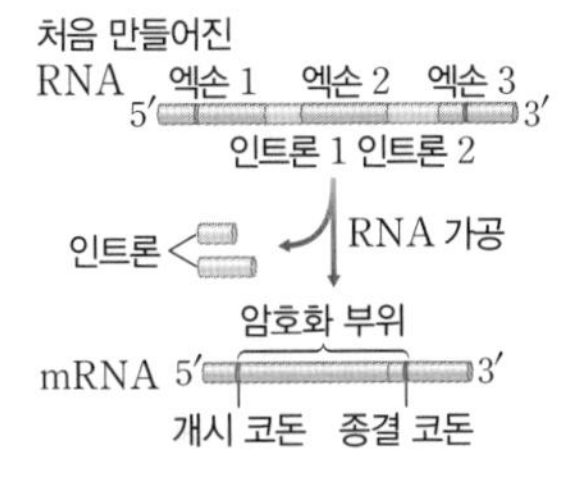

❽ 단백질 가공
합성된 폴리펩타이드가 기능을 가진 단백질이 되기 위해 일부 부위의 절단이나 탄수화물 첨가 등의 화학적 변형이 일어나는 과정이다.

용어 알기
•응축(엉길 凝, 줄일 縮) 보다 조밀하게 되는 과정 또는 그렇게 하는 작용

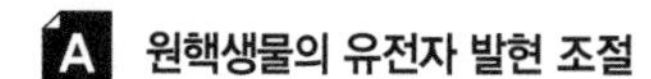

콕콕! 개념 확인하기

정답과 해설 061쪽

✔ 잠깐 확인!

1. □□□
유전자 발현의 조절 단위로, 하나의 프로모터에 의해 여러 유전자의 발현이 함께 조절되는 것

2. 젖당 오페론은 프로모터, 작동 부위, □□ □□□로 구성

3. □□ □□□
억제 단백질의 정보가 저장되어 있는 유전자

4. 억제 단백질이 작동 부위에 결합하면 □□□□□ □□는 프로모터에 결합할 수 없다.

5. □□ □□
전사에 관여하는 조절 단백질로 DNA의 프로모터와 조절 부위 등에 결합하여 전사를 조절

6. □□ □□ □□□
프로모터와 조절 부위에 RNA 중합 효소와 전사 인자 등이 결합하여 형성된 것

7. 유전자에 따라 □□ □□가 다르고, 세포에 따라 전사 인자의 조합이 다르기 때문에 유전자 발현이 조절될 수 있다.

8. □□ □□
mRNA의 분해 속도를 조절하여 번역을 촉진하거나 억제

A 원핵생물의 유전자 발현 조절

01 원핵생물의 유전자 발현 조절에 대한 설명으로 옳은 것은 ○, 옳지 않은 것은 ×로 표시하시오.

(1) 각각의 유전자마다 별도의 프로모터가 존재한다. ( )

(2) 하나의 프로모터에 의해 여러 유전자의 발현이 함께 조절된다. ( )

(3) 젖당 오페론은 조절 유전자, 프로모터, 작동 부위, 구조 유전자로 구성되어 있다. ( )

(4) 포도당이 없는 배지에서 젖당이 에너지원으로 공급되면 젖당 오페론의 작동이 유도된다. ( )

02 젖당 오페론을 구성하는 부분들의 명칭과 역할을 옳게 연결하시오.

(1) 작동 부위 •   • ㉠ RNA 중합 효소가 결합하여 전사가 시작되는 부위

(2) 구조 유전자 •   • ㉡ 억제 단백질이 결합하는 부위

(3) 프로모터 •   • ㉢ 젖당 이용에 필요한 세 가지 효소에 대한 암호화 부위

B 진핵생물의 유전자 발현 조절

03 다음은 진핵생물의 전사 과정에서의 유전자 발현 조절에 대한 설명이다. ㉠~㉢에 들어갈 알맞은 말을 쓰시오.

> 진핵생물의 RNA 중합 효소는 단독으로 (㉠)에 결합하지 못하고 여러 (㉡)들과 함께 전사 개시 복합체를 형성함으로써 (㉠)에 결합할 수 있는데, 이때 (㉡)가 결합하는 DNA의 특정 부위를 (㉢)라고 한다. 이러한 (㉡)는 전사를 촉진하거나 억제함으로써 유전자 발현을 조절한다.

04 다음은 진핵생물의 유전자 발현 조절에 대한 설명이다.

> (가) 핵에서 처음 만들어진 RNA의 인트론을 제거하고 엑손만 남기는 과정을 통해 유전자 발현을 조절한다.
> (나) 염색질의 응축을 푸는 과정을 통해 유전자 발현을 조절한다.
> (다) 다양한 전사 인자로 유전자 발현을 조절한다.

(가)~(다)가 전사 전 단계, 전사 단계, 전사 후 단계 중 어느 단계의 조절에 해당하는지 각각 쓰시오.

탄탄! 내신 다지기

정답과 해설 061쪽

A 원핵생물의 유전자 발현 조절

01 그림은 대장균의 DNA에 젖당 분해 효소 합성에 기능적으로 연관된 여러 유전자들을 나타낸 것이다. C가 발현이 되면 젖당 분해 효소가 생성된다.

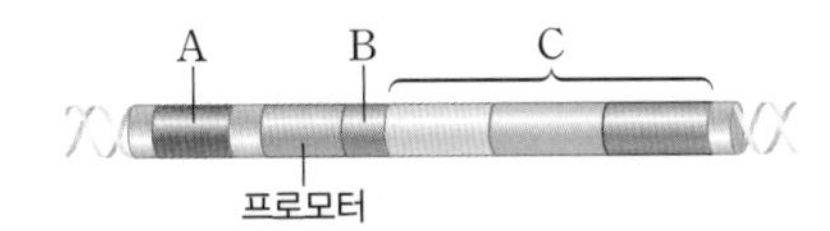

이에 대한 설명으로 옳은 것만을 〈보기〉에서 있는 대로 고른 것은?

보기
ㄱ. A, B, C를 합한 것을 젖당 오페론이라 한다.
ㄴ. 프로모터에는 RNA 중합 효소가 결합한다.
ㄷ. B는 작동 부위로 억제 단백질의 정보가 저장되어 있다.

① ㄱ ② ㄴ ③ ㄷ
④ ㄴ, ㄷ ⑤ ㄱ, ㄴ, ㄷ

02 그림은 젖당이 없을 때 젖당 오페론과 이에 대한 조절 유전자를 나타낸 것이다.

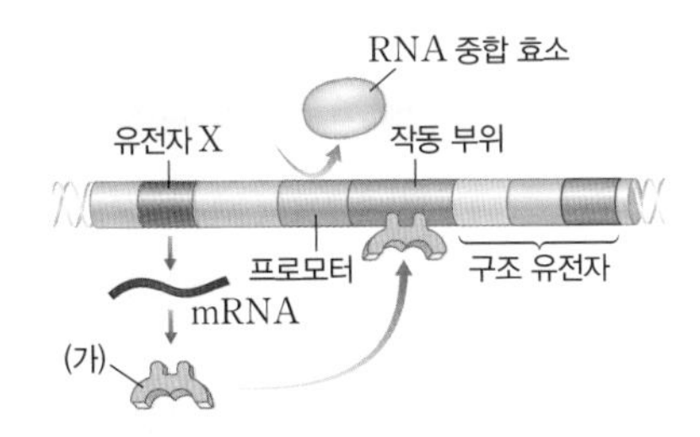

이에 대한 설명으로 옳은 것은?

① X는 항상 발현된다.
② (가)는 전사를 촉진하는 전사 인자이다.
③ 위 조절 과정 결과 젖당 분해 효소가 합성된다.
④ RNA 중합 효소는 전사 인자의 도움을 받아 프로모터에 결합한다.
⑤ RNA 중합 효소는 프로모터에 결합하여 작동 부위와 구조 유전자를 모두 전사한다.

단답형

03 표는 젖당 분해 효소의 발현에 관여하는 유전자에 돌연변이가 일어난 대장균 Ⅰ~Ⅲ에 대한 자료이다.

돌연변이 대장균	돌연변이 발생 부위	결과
Ⅰ	조절 유전자	억제 단백질 생성 못함
Ⅱ	조절 유전자	억제 단백질이 작동 부위에 결합하지만, 젖당 유도체와는 결합 못함
Ⅲ	작동 부위	억제 단백질이 작동 부위에 결합 못함

Ⅰ~Ⅲ 중 젖당 여부에 관계없이 항상 젖당 분해 효소를 합성할 수 있는 대장균을 모두 쓰시오. (단, 제시된 돌연변이 이외의 다른 돌연변이는 고려하지 않는다.)

04 그림 (가)는 대장균의 젖당 오페론 구조와 조절 유전자를, (나)는 대장균 A와 B가 각각 배양되는 배지에 젖당을 첨가하기 전부터 제거한 후까지 대장균에 존재하는 구조 유전자에서 전사된 mRNA 양을 시간에 따라 나타낸 것이다. A는 야생형 대장균이고, B는 조절 유전자에만 돌연변이가 일어난 대장균이다.

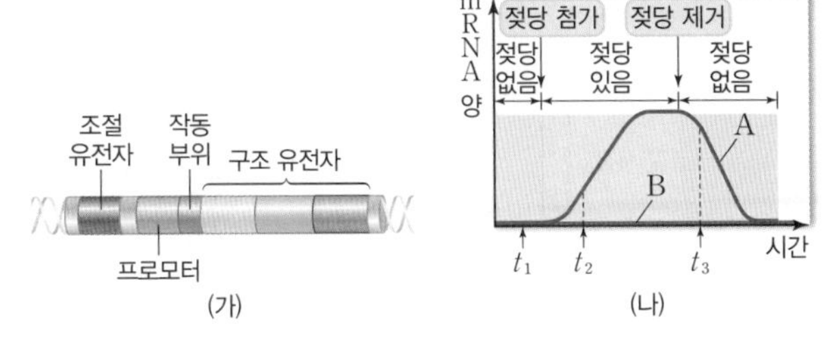

(가) (나)

이에 대한 설명으로 옳은 것만을 〈보기〉에서 있는 대로 고른 것은? (단, A와 B의 배양 조건은 동일하다.)

보기
ㄱ. A의 조절 유전자는 t_1일 때는 발현되지 못하나 t_2일 때는 발현된다.
ㄴ. B는 조절 유전자의 발현 산물이 젖당 유도체에 결합하지 못하는 돌연변이가 일어난 것이다.
ㄷ. A에서 생성되고 있는 젖당 분해 효소의 양은 t_2일 때가 t_3일 때보다 적다.

① ㄱ ② ㄴ ③ ㄷ
④ ㄱ, ㄴ ⑤ ㄴ, ㄷ

05 그림 (가)는 젖당 오페론의 구조와 조절 유전자를, (나)는 포도당이 포함된 배지에서 키운 야생형 대장균을 포도당은 없고 젖당이 포함된 배지로 옮겨 키웠을 때 시간에 따른 대장균 수를 나타낸 것이다.

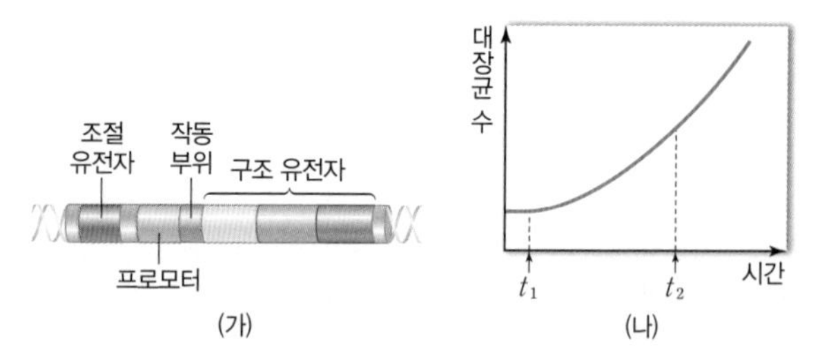

(가) (나)

이에 대한 설명으로 옳은 것만을 <보기>에서 있는 대로 고른 것은?

보기
ㄱ. t_1일 때 조절 유전자는 발현되지 않는다.
ㄴ. t_2일 때 억제 단백질은 작동 부위에 결합하지 않는다.
ㄷ. t_1일 때보다 t_2일 때 구조 유전자의 전사가 더 활발하다.

① ㄱ ② ㄴ ③ ㄷ
④ ㄱ, ㄴ ⑤ ㄴ, ㄷ

06 그림 (가)는 포도당과 젖당이 함께 들어 있는 배지에 대장균을 넣고, 시간에 따른 대장균의 수와 대장균 내의 젖당 분해 효소량을, (나)는 (가)의 어떤 시점에서 대장균의 젖당 오페론과 조절 유전자의 발현 상태를 나타낸 것이다.

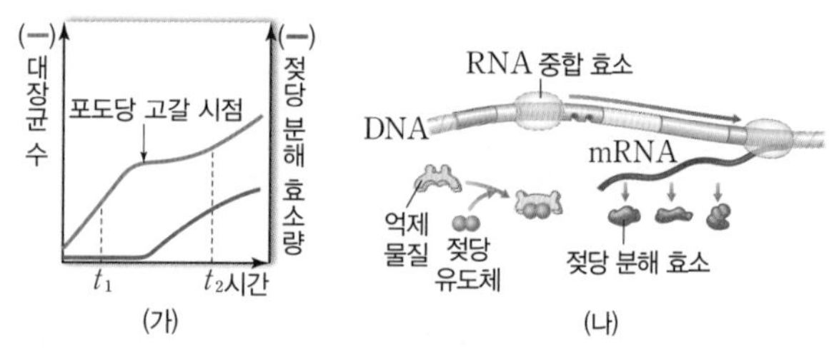

(가) (나)

이에 대한 설명으로 옳은 것만을 <보기>에서 있는 대로 고른 것은?

보기
ㄱ. t_1일 때 대장균은 포도당을 주된 에너지원으로 이용한다.
ㄴ. t_2일 때 대장균의 조절 유전자는 발현되지 않는다.
ㄷ. t_2일 때보다 t_1일 때 (나)와 같은 상태의 대장균이 더 많이 존재한다.

① ㄱ ② ㄴ ③ ㄱ, ㄴ
④ ㄱ, ㄷ ⑤ ㄱ, ㄴ, ㄷ

B 진핵생물의 유전자 발현 조절

07 그림은 어떤 세포에서 유전자가 발현되는 단계를 나타낸 것이다.

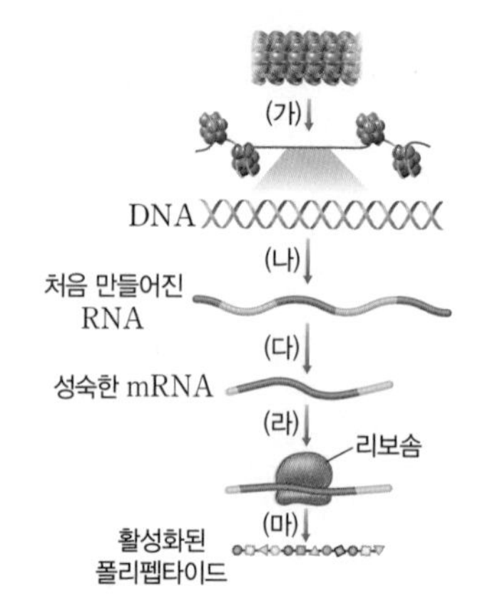

(가)~(마) 단계의 유전자 조절에 대한 예로 옳은 것은?

① (가): mRNA의 분해 속도를 조절한다.
② (나): 염색질의 응축된 구조를 조절한다.
③ (다): RNA 가공을 통해 조절한다.
④ (라): 폴리펩타이드의 변형을 통해 조절한다.
⑤ (마): 전사 인자를 이용하여 조절한다.

08 그림 (가)와 (나)는 서로 다른 두 종류의 세포에서 유전자 발현이 조절되는 과정을 나타낸 것이다. (가)에서는 구조 유전자가 발현되면 3종류의 단백질이 합성되며, ㉠과 ㉡은 조절 부위이고, (가)와 (나)는 진핵세포와 원핵세포 중 하나에서 일어난다.

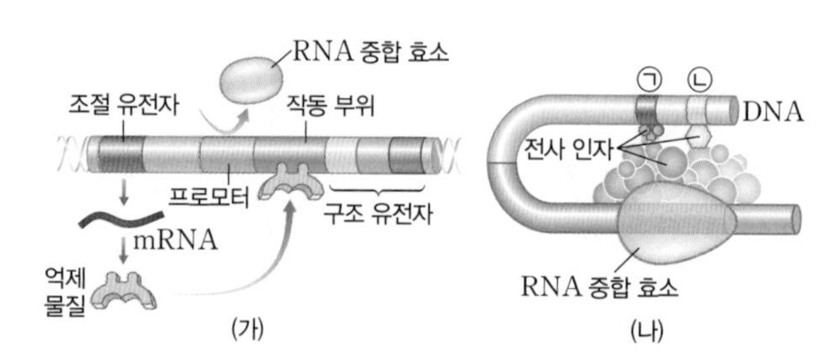

(가) (나)

이에 대한 설명으로 옳은 것만을 <보기>에서 있는 대로 고른 것은?

보기
ㄱ. (가)와 (나)는 모두 핵 안에서 일어난다.
ㄴ. (가) 과정이 일어나는 세포에는 오페론이 있다.
ㄷ. (나)의 전사 인자는 ㉠과 ㉡이 발현되어 합성된 것이다.

① ㄱ ② ㄴ ③ ㄷ
④ ㄱ, ㄴ ⑤ ㄴ, ㄷ

09 그림은 어떤 세포 A의 전사 개시 과정을 나타낸 것이다.

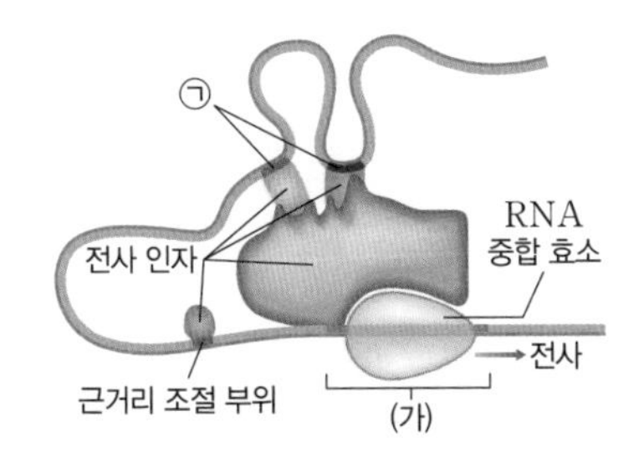

이에 대한 설명으로 옳은 것만을 〈보기〉에서 있는 대로 고른 것은?

보기
ㄱ. (가)는 원거리 조절 부위이다.
ㄴ. ㉠은 전사 조절에 관여하는 DNA 부분이다.
ㄷ. A에서는 전사와 번역이 동시에 일어난다.

① ㄱ ② ㄴ ③ ㄷ
④ ㄱ, ㄷ ⑤ ㄴ, ㄷ

10 다음은 진핵생물의 유전자 발현 조절에 대한 자료이다.

- 진핵생물의 전사 과정에는 많은 ㉠전사 인자가 관여한다.
- 진핵생물에는 두 종류의 조절 부위가 있다. 프로모터의 상단에 근거리 조절 부위, 프로모터에서 멀리 떨어진 곳에 ㉡원거리 조절 부위가 있다.
- 원핵생물에서 RNA 중합 효소는 직접 프로모터에 결합하지만, 진핵생물에서는 RNA 중합 효소가 전사 인자의 도움이 있어야 프로모터에 결합한다.

이에 대한 설명으로 옳은 것만을 〈보기〉에서 있는 대로 고른 것은?

보기
ㄱ. ㉠은 번역 단계에서 유전자 발현을 조절한다.
ㄴ. ㉡은 프로모터에서 멀리 떨어져 있지만 ㉠이 붙으면 DNA가 구부러져 프로모터에 접근하게 된다.
ㄷ. ㉠과 ㉡은 모두 유전자 발현으로 만들어진 단백질이다.

① ㄱ ② ㄴ ③ ㄷ
④ ㄱ, ㄷ ⑤ ㄴ, ㄷ

단답형

11 그림 (가)는 세포에서 유전자가 발현되는 과정을, (나)는 RNA 중합 효소와 전사 인자가 프로모터와 조절 부위에 결합한 것을 나타낸 것이다.

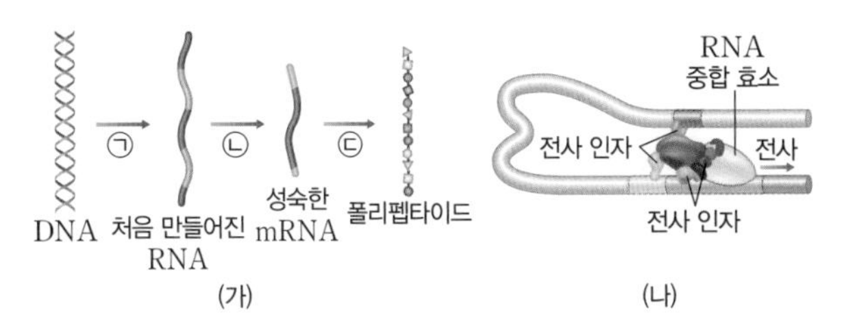

(나)는 (가)의 ㉠~㉢ 중 어느 단계에서 진행되는지 쓰시오.

12 다음은 어떤 세포 X에서 유전자 x, y, z의 전사 조절에 대한 자료이다.

- 그림은 x~z의 프로모터와 조절 부위 A, B, C를 나타낸 것이다.

A	C	프로모터	유전자 x
A	B	프로모터	유전자 y
B	C	프로모터	유전자 z

- x~z의 전사에 관여하는 전사 인자는 ㉮, ㉯, ㉰이며, ㉮~㉰는 각각 A~C 중 하나에만 결합한다.
- x는 조절 부위 모두에 전사 인자가 결합해야 전사되고, y와 z는 각각 조절 부위 중 하나에만 전사 인자가 결합해도 전사된다.
- ㉮~㉰ 중 ㉯와 ㉰만 있는 세포에서는 x~z가 모두 전사되고, ㉰만 있는 세포에서는 z만 전사된다.
- 표는 X의 돌연변이 세포 Ⅰ, Ⅱ, Ⅲ에 ㉮~㉰ 중 ㉯와 ㉰만 있을 때 x~z의 전사 여부를 나타낸 것이다. Ⅰ~Ⅲ은 각각 A~C 중 하나가 없다.

구분	x	y	z
Ⅰ	㉠	○	○
Ⅱ	×	×	○
Ⅲ	×	○	㉡

(○: 전사됨, ×: 전사 안 됨)

이에 대한 설명으로 옳은 것만을 〈보기〉에서 있는 대로 고른 것은?

보기
ㄱ. ㉮의 결합 부위는 C이다.
ㄴ. ㉠은 '×', ㉡은 '○'이다.
ㄷ. Ⅰ은 B, Ⅲ은 C가 각각 결실된 것이다.

① ㄱ ② ㄴ ③ ㄷ
④ ㄱ, ㄷ ⑤ ㄴ, ㄷ

도전! 실력 올리기

01 그림은 대장균의 젖당 오페론과 이를 조절하는 조절 유전자를 나타낸 것이다. B와 C는 각각 구조 유전자와 프로모터 중 하나이다.

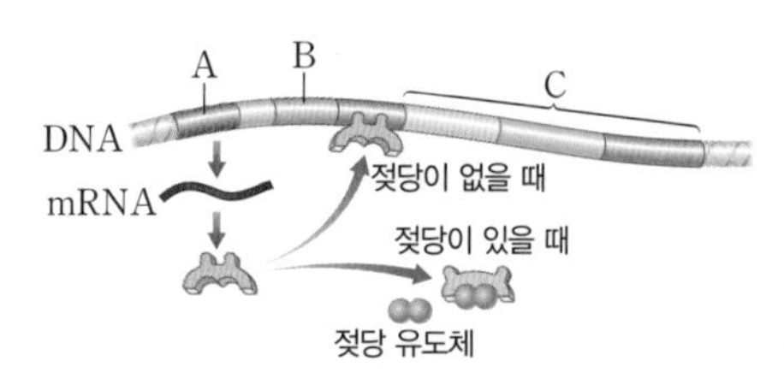

이에 대한 설명으로 옳은 것만을 〈보기〉에서 있는 대로 고른 것은?

보기
ㄱ. A는 젖당이 있을 때만 발현된다.
ㄴ. 젖당이 없을 때 RNA 중합 효소는 B에 결합할 수 없다.
ㄷ. C가 발현되어 단백질이 합성되는 경우는 젖당이 없을 때이다.

① ㄱ ② ㄴ ③ ㄷ
④ ㄱ, ㄴ ⑤ ㄴ, ㄷ

출제예감

02 그림 (가)는 야생형 대장균의 젖당 오페론과 조절 유전자를, (나)는 야생형 대장균과 돌연변이 대장균 A와 B를 포도당이 없는 젖당 배지에 동일한 양으로 넣고 배양한 결과를 나타낸 것이다. ㉠과 ㉡은 각각 조절 유전자와 프로모터 중 하나이며, A와 B는 각각 ㉠과 ㉡ 중 하나만 결실된 대장균이다.

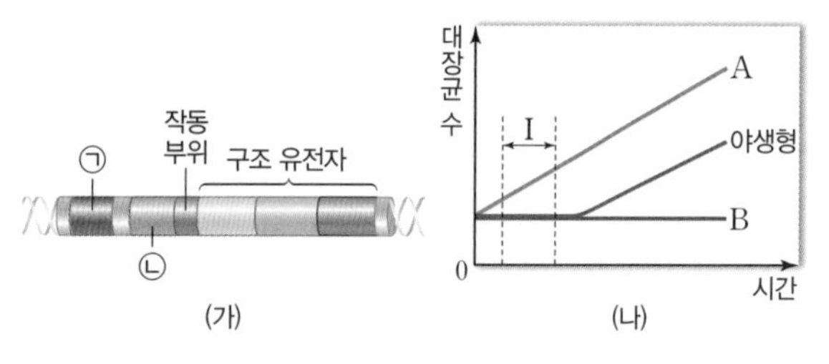

이에 대한 설명으로 옳은 것만을 〈보기〉에서 있는 대로 고른 것은?

보기
ㄱ. A는 ㉡, B는 ㉠이 결실된 대장균이다.
ㄴ. 구간 I에서 A는 구조 유전자가 발현된다.
ㄷ. B는 ㉠이 발현되어 합성된 단백질이 작동 부위에 결합한다.

① ㄱ ② ㄴ ③ ㄷ
④ ㄴ, ㄷ ⑤ ㄱ, ㄴ, ㄷ

03 다음은 결실이 일어난 돌연변이 대장균 Ⅰ~Ⅲ에 대한 자료이다.

- Ⅰ~Ⅲ에서 결실된 DNA 부위는 각각 젖당 오페론의 구조 유전자, 작동 부위, 젖당 오페론을 조절하는 조절 유전자 중 하나이다.
- 표는 야생형 대장균과 Ⅰ~Ⅲ을 서로 다른 배지에서 배양할 때, 조절 유전자로부터 발현되는 억제 단백질에 대한 자료이다.

구분		야생형	Ⅰ	Ⅱ	Ⅲ
억제 단백질과 젖당 유도체의 결합	포도당은 없고 젖당이 있는 배지	○	×	○	ⓐ
	포도당과 젖당이 모두 없는 배지	×	×	×	×
억제 단백질과 작동 부위의 결합	포도당은 없고 젖당이 있는 배지	×	×	ⓑ	?
	포도당과 젖당이 모두 없는 배지	○	?	×	○

(○: 결합함, ×: 결합 못함)

이에 대한 설명으로 옳은 것만을 〈보기〉에서 있는 대로 고른 것은?

보기
ㄱ. Ⅰ은 항상 억제 단백질을 합성하지 못한다.
ㄴ. Ⅱ는 젖당이 있어도 젖당 분해 효소를 합성하지 못한다.
ㄷ. ⓐ와 ⓑ는 모두 '×'이다.

① ㄱ ② ㄴ ③ ㄷ
④ ㄱ, ㄷ ⑤ ㄴ, ㄷ

04 그림은 사람의 간세포에서 일어나는 알부민 유전자 발현 과정의 일부를 나타낸 것이다. 이에 대한 설명으로 옳은 것만을 〈보기〉에서 있는 대로 고른 것은? (단, 돌연변이는 고려하지 않는다.)

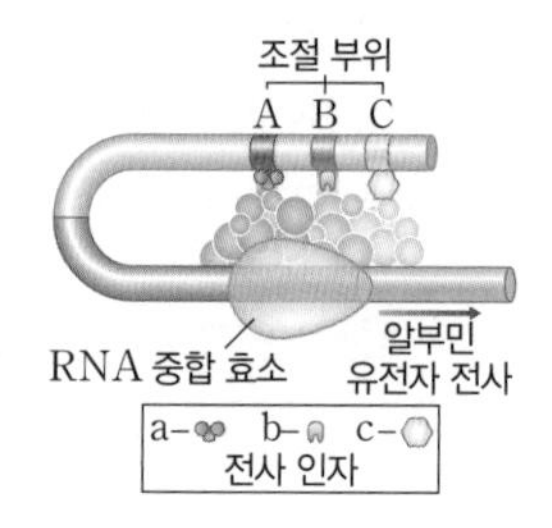

보기
ㄱ. a, b, c는 A, B, C가 발현되어 합성된 것이다.
ㄴ. 사람의 근육 세포에도 A, B, C가 존재한다.
ㄷ. a, b, c는 RNA 중합 효소가 조절 부위에 결합하는 것을 돕는다.

① ㄱ ② ㄴ ③ ㄷ
④ ㄴ, ㄷ ⑤ ㄱ, ㄴ, ㄷ

정답과 해설 062쪽

출제예감

05 다음은 어떤 동물의 세포 Ⅰ~Ⅲ에서 유전자 w, x, y, z의 전사 조절에 대한 자료이다.

- 그림은 w, x, y, z의 프로모터와 조절 부위 A, B, C를 나타낸 것이다.

A B 프로모터 유전자 w
A C 프로모터 유전자 x
A C 프로모터 유전자 y
B C 프로모터 유전자 z

- w, x, y, z의 전사에 관여하는 전사 인자는 ㉠, ㉡, ㉢이다. ㉠은 A에만 결합하며, ㉡은 B와 C 중 어느 하나에만 결합하고 ㉢은 그 나머지 하나에 결합한다.
- w, x 각각의 전사는 각 유전자의 조절 부위 모두에 전사 인자가 결합했을 때 촉진된다. y, z 각각의 전사는 각 유전자의 조절 부위 중 하나에만 전사 인자가 결합해도 촉진된다.
- Ⅰ에서 x의 전사가 촉진된다.
- Ⅱ에서 y의 전사가 촉진되며, ㉠~㉢ 중 ㉡만 발현된다.
- Ⅰ~Ⅲ 중 w의 전사는 Ⅲ에서만 촉진된다.

w, x, y, z의 전사에 대한 설명으로 옳은 것만을 〈보기〉에서 있는 대로 고른 것은? (단, 돌연변이는 고려하지 않는다.)

〈보기〉
ㄱ. Ⅰ에서 w, x, y, z 모두 전사가 촉진된다.
ㄴ. Ⅱ와 Ⅲ에서 전사가 촉진되는 유전자 수는 같다.
ㄷ. Ⅰ~Ⅲ 모두에서 전사가 촉진되는 유전자는 2개이다.

① ㄱ ② ㄴ ③ ㄷ
④ ㄱ, ㄷ ⑤ ㄴ, ㄷ

06 다음은 대장균 Ⅰ~Ⅲ의 젖당 오페론 조절에 대한 자료이다.

- Ⅰ~Ⅲ은 야생형 대장균, 젖당 오페론을 조절하는 조절 유전자가 결실된 돌연변이 대장균, 젖당 오페론의 프로모터가 결실된 돌연변이 대장균을 순서 없이 나타낸 것이다.
- 배지 ㉠과 ㉡은 포도당과 젖당이 모두 없는 배지와, 포도당은 없고 젖당이 있는 배지를 순서 없이 나타낸 것이다.
- Ⅰ은 ㉠에서 젖당 오페론의 구조 유전자를 발현하지 않는다.
- Ⅱ는 ㉠에서 젖당 오페론의 구조 유전자를 발현한다.
- Ⅲ은 ㉡에서 억제 단백질을 생성하지 않는다.

Ⅰ~Ⅲ의 대장균 종류와 ㉠, ㉡의 배지 종류를 각각 쓰시오. (단, 제시된 돌연변이 이외의 돌연변이는 고려하지 않는다.)

서술형

07 그림은 사람의 간세포와 이자 세포에서 알부민 유전자와 인슐린 유전자의 발현 조절 과정을 나타낸 것이다.

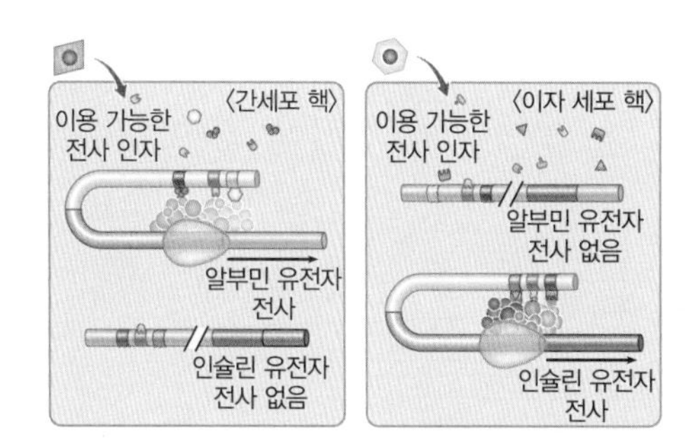

간세포와 이자 세포는 모두 알부민 유전자와 인슐린 유전자를 모두 가지고 있지만 간세포에서는 알부민 유전자만, 이자 세포에서는 인슐린 유전자만 발현되는 까닭을 서술하시오.

02 세포 분화와 발생

핵심 키워드로 흐름잡기

A 세포 분화, 조절 유전자, 핵심 조절 유전자, 마이오디 유전자

B 발생, 혹스 유전자, 체절, 기관, 초파리의 혹스 유전자

A 세포 분화와 유전자 발현 조절

|출·제·단·서| 시험에는 세포 분화가 일어나는 과정에서 핵심 조절 유전자의 역할을 묻는 문제가 나와.

1. 세포 •분화

(1) 세포 분화 다세포 진핵생물은 하나의 수정란에서 유래된 다양한 세포들로 구성되어 있는데, 근육 세포, 혈구, 피부 세포 등과 같이 구조와 기능이 특수화된 세포가 만들어지는 과정이다.

(2) 분화된 세포의 유전체❶ 분화된 세포는 수정란의 세포 분열을 통해 형성되며, 그 유전체는 수정란의 유전체와 동일하다.

2. 유전자의 선택적 발현에 의한 세포 분화

암기TIP 핵심 조절 유전자가 발현되면 세포의 운명이 결정됨

(1) 유전자의 선택적 발현 세포가 갖는 전체 유전자 중 세포의 특성에 따라 특정 유전자만 발현시킴으로써 세포 고유의 구조와 기능을 갖는다.

① **조절 유전자:** 유전자를 발현시키기 위해 필요한 전사 인자를 암호화하는 유전자이다. (세포 분화는 어떤 전사 인자가 합성되어 전사를 조절하는가에 따라 달라진다.)

② **핵심 조절 유전자:** 세포의 발생 운명을 결정❷하는 상위 단계의 조절 유전자이다. 핵심 조절 유전자가 발현되어 전사 인자가 합성되면, 이 전사 인자에 의해 다른 조절 유전자가 발현되는 과정이 연속적으로 일어난다.

③ 한 종류의 세포 분화는 한 종류의 전사 인자가 아니라 여러 종류의 전사 인자의 작용으로 일어나기 때문에 진핵생물에서는 제한된 종류의 전사 인자를 여러 조합으로 사용하여 다양한 세포를 만들어 낼 수 있다.

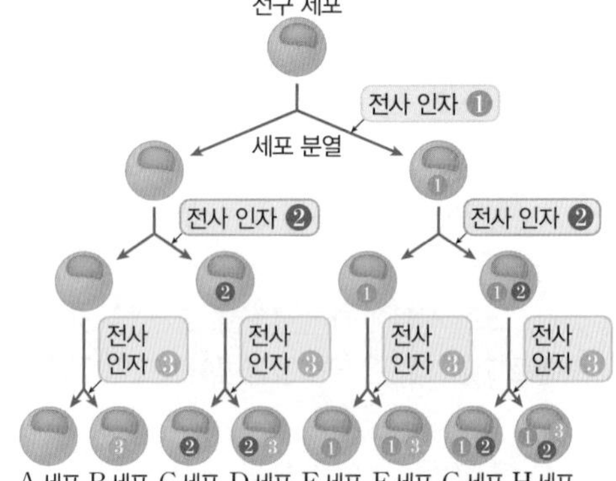

▲ 전사 인자의 조합에 따른 세포 분화

(2) 근육 세포의 분화

① 근육 세포는 핵심 조절 유전자인 마이오디(*MyoD*) 유전자❸가 발현되면서 발생 운명이 결정된다.

② •근원세포(근육 모세포)에서 마이오디 유전자가 발현되면 전사 인자인 마이오디 단백질이 생성되어 다른 조절 유전자의 발현을 촉진하면서 전사 조절 과정이 연속적으로 진행되어 마이오신과 액틴 등 근육 세포 형성에 필요한 다양한 단백질이 만들어진다.

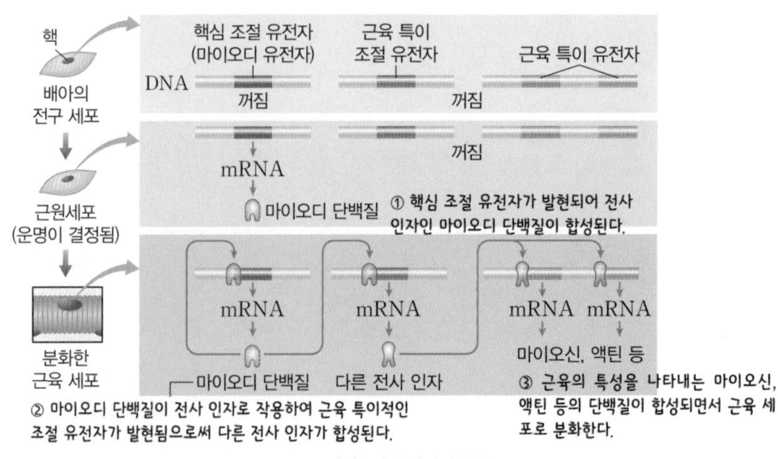

▲ 마이오디 유전자의 작용

❶ **분화된 세포의 유전체**
- 올챙이의 핵 이식 실험: 올챙이의 소장 세포에서 추출한 핵을 무핵 난자에 이식한 결과 올챙이로 발생하였다.
- 당근 뿌리 세포의 조직 배양 실험: 당근의 뿌리 세포를 떼어 내 배양하여 완전한 하나의 당근을 얻었다.

➡ 분화된 세포에도 수정란과 마찬가지로 완전한 개체를 만드는 데 필요한 유전자가 모두 있으며, 분화 과정에서 유전자는 변하지 않는다는 것을 알 수 있다.

❷ **결정**
유전자의 작용으로 세포가 특정한 세포로 분화하도록 운명이 정해진 상태이다.

❸ **마이오디(*MyoD*) 유전자**
근육 세포에서 마이오신, 액틴과 같은 근육 세포 특유의 단백질 합성을 총괄적으로 조절하는 핵심 조절 유전자이다.

용어 알기

•분화(나눌 分, 될 化) 세포의 구조나 기능이 특수화되는 현상

•근원세포(힘줄 筋, 근원 原, 가늘 細, 세포 胞) 근육 세포로 분화할 수 있는 배아의 세포, 여러 개의 근원세포가 서로 융합하여 한 개의 근섬유가 됨

B 발생과 유전자 발현 조절

|출·제·단·서| 시험에는 발생 과정에서 혹스 유전자가 미치는 영향과 혹스 유전자의 진화론적 의미를 묻는 문제가 나와.

1. 발생

(1) 발생 다세포 생물이 하나의 세포인 수정란에서 시작하여 세포 분열과 일련의 분화 과정을 거쳐 완전한 •개체로 되는 과정이다.

(2) 세포의 분열과 분화를 거친 여러 세포가 조직과 기관으로 조직화되어 개체를 형성한다.

2. 혹스 유전자

암기TiP 혹스 유전자: 기관 형성의 핵심 조절 유전자

(1) 혹스 유전자 동물의 배아 발생 과정에서 특정 유전자의 발현을 조절하여 각 체절의 정확한 위치에 적합한 기관이 형성되도록 유도하는 핵심 조절 유전자이다. 혹스 유전자는 모두 호미오 박스❹라는 공통적인 염기 서열을 가진다.

① 초기 배아에서 발현되는 혹스 유전자가 체절에 따라 다르므로 체절마다 유전자 발현 양상이 다르며, 그 결과 각 체절에서는 서로 다른 구조가 형성된다.

② 혹스 유전자는 대부분의 동물에 존재하며, 종과 상관없이 유사한 방식으로 기관 형성에 영향을 미친다. ➡ 동물이 공통 조상으로부터 진화해 왔다는 증거 (여러 생물종의 혹스 유전자는 염기 서열이 유사하다.)

(2) 동물은 발생 초기에 방향성(앞과 뒤, 좌우, 등과 배)을 나타내는 축이 나타나고 앞뒤축을 따라 체절❺이 형성된 다음 각 체절마다 적절한 기관이 형성된다.

(3) 초파리의 혹스 유전자

① 초파리의 3번 염색체에는 혹스 유전자가 배열되어 있는데, 혹스 유전자들은 각각의 유전자가 기능을 결정할 체절들과 같은 순서로 배열되어 있다.

② 초파리는 발생 초기에 머리와 꼬리의 방향이 정해지고 몸의 체절이 형성되면서 혹스 유전자가 전사 인자를 합성한다.

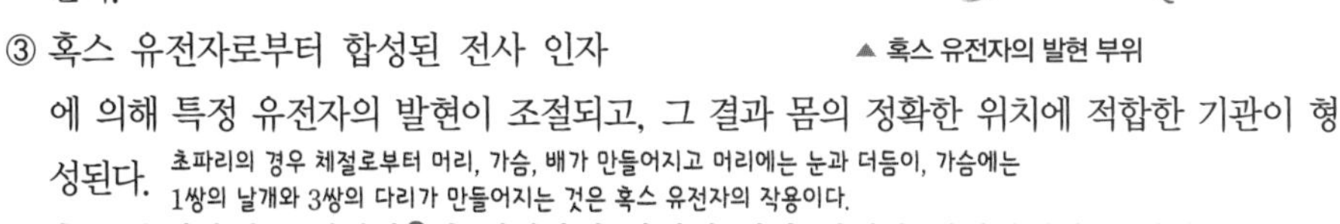

▲ 혹스 유전자의 발현 부위

③ 혹스 유전자로부터 합성된 전사 인자에 의해 특정 유전자의 발현이 조절되고, 그 결과 몸의 정확한 위치에 적합한 기관이 형성된다. (초파리의 경우 체절로부터 머리, 가슴, 배가 만들어지고 머리에는 눈과 더듬이, 가슴에는 1쌍의 날개와 3쌍의 다리가 만들어지는 것은 혹스 유전자의 작용이다.)

④ 혹스 유전자에 돌연변이❻가 일어나면 관련된 기관 전체가 비정상적인 돌연변이 개체가 발생한다.

빈출 자료 초파리와 생쥐의 혹스 유전자

그림은 초파리와 생쥐의 혹스 유전자와 유전자가 발현되는 부위를 같은 색으로 표시한 것이다. 같은 색의 유전자는 공통으로 존재하는 유전자이고 검은색은 차이가 나는 유전자이다.

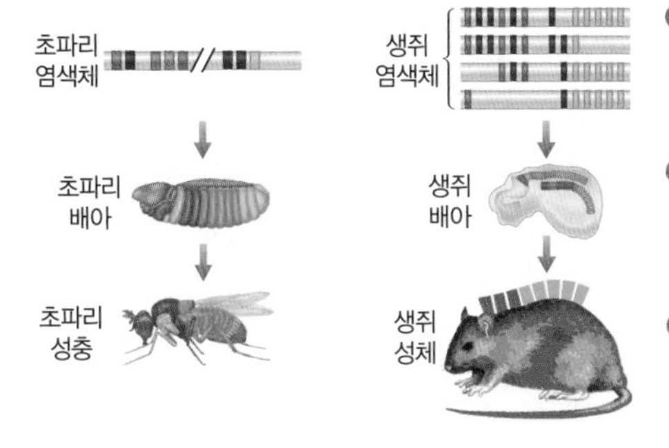

❶ 서로 다른 종에 속하는 초파리와 생쥐에 존재하는 혹스 유전자의 종류와 염색체에 배열된 순서가 비슷하다.

❷ 혹스 유전자는 초파리뿐만 아니라 포유류를 비롯한 여러 동물의 발생 단계에서 기관 형성에 핵심적인 역할을 담당한다.

❸ 혹스 유전자는 다양한 동물이 공통 조상에서 진화하였음을 의미한다.

❹ 호미오 박스(homeo box)
60여 개 아미노산으로 이루어진 호미오 도메인 단백질을 발현하는 유전자 조각이다. 초파리에서 더듬이가 형성되어야 하는 초파리의 머리 부분에 더듬이 대신 다리가 발생하는 것을 확인하고, 기관의 발생에 관여하는 호미오 박스의 존재를 처음 발견하였다.

❺ 체절
동물의 몸에서 머리-꼬리 방향성을 따라 반복해서 형성되는 구조이다. 초파리의 경우 눈은 머리 체절에서, 날개는 가슴 체절에서 만들어진다.

❻ 혹스 유전자의 돌연변이

▲더듬이 대신 다리가 생긴 초파리

▲2쌍의 날개를 가진 초파리

용어 알기
•개체(낱 個, 몸 體) 독립된 하나의 생물체

콕콕! 개념 확인하기

정답과 해설 063쪽

✔ 잠깐 확인!

1. ☐☐ ☐☐
하나의 수정란에서 유래된 세포들이 근육 세포, 혈구, 피부 세포 등과 같이 구조와 기능이 특수화된 세포로 만들어지는 과정

2. ☐☐
유전자의 작용으로 세포가 특정한 세포로 분화하도록 운명이 정해진 상태

3. ☐☐ ☐☐ ☐☐☐
세포의 발생 운명을 결정하는 상위 단계의 조절 유전자

4. ☐☐☐☐ 유전자
근육 세포 분화에서의 핵심 조절 유전자

5. ☐☐☐☐ ☐☐☐
마이오디 유전자가 암호화하는 전사 인자

6. ☐☐ ☐☐☐
동물 발생 초기 단계에서 몸의 각 기관이 정확한 위치에 형성되는 데 관여하는 핵심 조절 유전자

7. ☐☐
동물의 몸에서 머리－꼬리 방향성을 따라 반복해서 형성되는 구조

A 세포 분화와 유전자 발현 조절

01 세포 분화에 대한 설명으로 옳은 것은 ○, 옳지 않은 것은 ×로 표시하시오.

(1) 다세포 진핵생물은 모두 하나의 수정란에서 유래된 동일한 종류의 세포들로 구성되어 있다. (　　)

(2) 분화된 세포들은 세포 특성에 맞는 단백질을 생성함으로써 고유의 구조와 기능을 가지게 된다. (　　)

(3) 분화된 세포들마다 서로 다른 단백질을 생성하는 이유는 세포마다 다른 종류의 유전자를 가지고 있기 때문이다. (　　)

(4) 분화가 진행되거나 이미 분화된 세포의 유전체 구성은 변하지 않는다. (　　)

02 근육 세포 분화와 관련된 용어와 관계 깊은 것끼리 옳게 연결하시오.

(1) 마이오디 유전자 •　　　　• ㉠ 핵심 조절 유전자

(2) 마이오디 단백질 •　　　　• ㉡ 근육 단백질

(3) 액틴과 마이오신 •　　　　• ㉢ 전사 인자

B 발생과 유전자 발현 조절

03 다음은 동물의 발생에 대한 설명이다. ㉠, ㉡에 들어갈 알맞은 말을 쓰시오.

> 동물은 발생 초기에 방향성(앞과 뒤, 좌우, 등과 배)을 나타내는 축이 나타나고 앞뒤축을 따라 (㉠)이 형성된 다음 혹스 유전자의 발현으로 각 (㉠)마다 적절한 (㉡)이 형성된다.

04 다음은 동물의 발생 과정에 큰 영향을 미치는 핵심 조절 유전자 A에 대한 설명이다.

> • 유전자 A의 산물은 특정한 유전자의 프로모터 또는 조절 부위에 결합함으로써 특정 유전자의 전사를 조절하는 전사 인자이다.
> • 초기 배아에서 발현되는 유전자 A가 체절에 따라 다르므로 체절마다 유전자 발현 양상이 다르고, 그 결과 각 체절에서는 서로 다른 구조가 형성된다.
> • 유전자 A는 대부분의 동물에 존재하며, 종과 상관없이 유사한 방식으로 기관 형성에 영향을 미친다.

유전자 A의 명칭을 쓰시오.

탄탄! 내신 다지기

정답과 해설 064쪽

A 세포 분화와 유전자 발현 조절

01 세포 분화에 대한 설명으로 옳지 않은 것은?

① 분화된 세포들은 서로 다른 단백질을 생성한다.
② 세포 분화는 구조와 기능이 특수화된 세포가 만들어지는 과정이다.
③ 분화된 세포들은 서로 다른 종류의 유전자를 선택적으로 발현시킨다.
④ 핵심 조절 유전자는 세포의 발생 운명을 결정하는 상위 단계의 조절 유전자이다.
⑤ 분화가 진행되면서 세포의 유전자는 변화가 없으나 유전체 구성은 변한다.

02 그림은 전구 세포로부터 다양한 세포로의 분화를 나타낸 것이다.

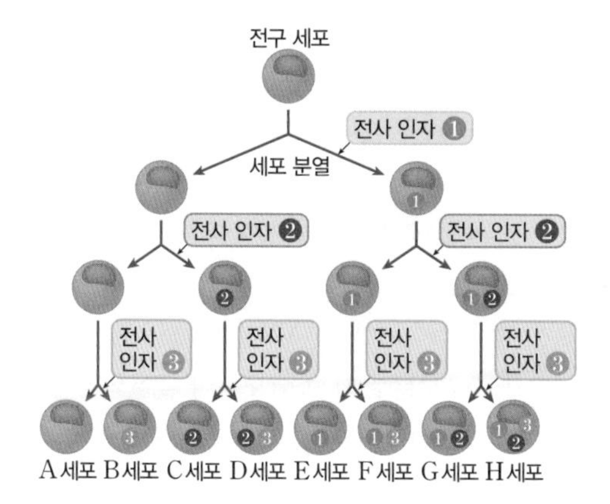

이에 대한 설명으로 옳은 것만을 <보기>에서 있는 대로 고른 것은?

보기
ㄱ. 전구 세포는 발생 운명이 결정된 세포이다.
ㄴ. H 세포의 핵심 조절 유전자는 전사 인자 ③을 합성한다.
ㄷ. 다양한 전사 인자의 조합으로 세포의 분화가 진행된다.

① ㄱ ② ㄴ ③ ㄷ
④ ㄴ, ㄷ ⑤ ㄱ, ㄴ, ㄷ

03 그림은 올챙이의 핵 이식 실험을 나타낸 것이다.

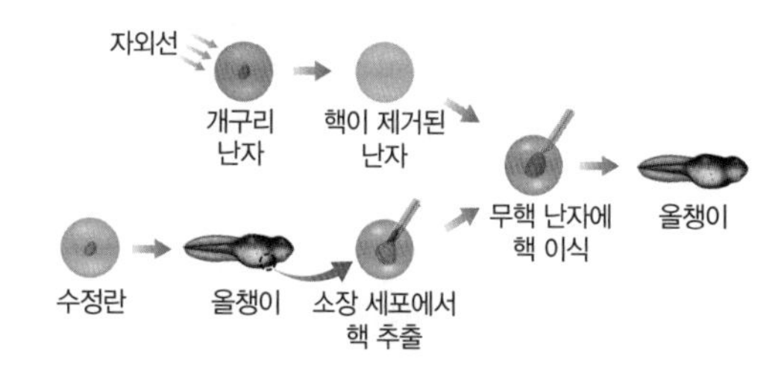

이 실험의 결론으로 가장 타당한 것은?

① 유전자의 발현은 수정란에서만 가능하다.
② 세포의 운명은 수정란에서 모두 결정된다.
③ 세포마다 발현되는 유전자는 모두 동일하다.
④ 세포가 분화되어도 유전체 구성은 변화가 없다.
⑤ 전사 인자의 조합으로 세포의 운명이 결정된다.

04 그림은 근육 세포의 분화 과정을 2단계로 나타낸 것이다.

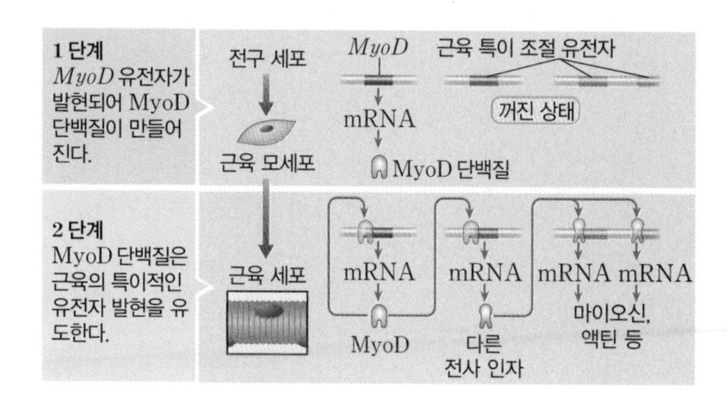

이에 대한 설명으로 옳은 것만을 <보기>에서 있는 대로 고른 것은?

보기
ㄱ. 마이오디(*MyoD*) 유전자의 발현으로 만들어진 마이오디(MyoD) 단백질은 전사 인자이다.
ㄴ. 1단계의 마이오디(*MyoD*) 유전자만 발현된 세포의 경우 다른 세포로도 분화가 가능하다.
ㄷ. 피부 세포로 분화가 진행 중인 세포에서 액틴과 마이오신 유전자를 인위적으로 발현하도록 조절하면 근육 세포로 분화시킬 수 있다.

① ㄱ ② ㄴ ③ ㄷ
④ ㄱ, ㄷ ⑤ ㄴ, ㄷ

탄탄! 내신 다지기

단답형

05 다음은 섬유 아세포에서 마이오신 유전자와 마이오디($MyoD$) 유전자를 인위적으로 발현시켰을 때의 실험이다.

(가) 분화된 근육 세포에서 작용하는 근육 특이 유전자인 마이오신 유전자를 인위적으로 발현시켰다.
(나) 근육 모세포에서 발현되는 마이오디($MyoD$) 유전자를 인위적으로 발현시켰다.
(다) (가)에서는 섬유 아세포가 근육 세포로 분화되지 않았지만 (나)에서는 근육 세포로 분화되었다.

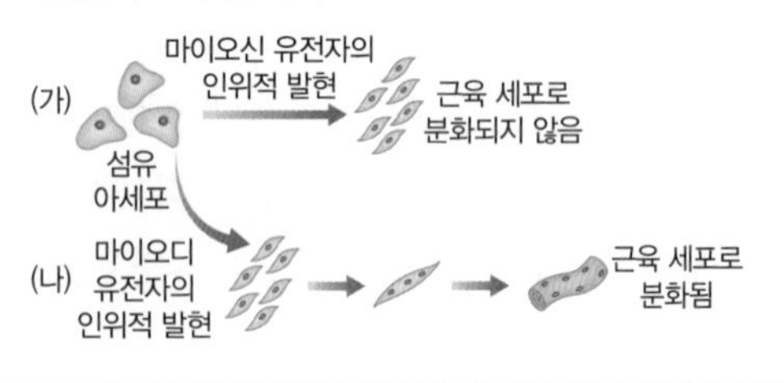

마이오디($MyoD$) 유전자처럼 세포 분화 초기에 발현되어 세포의 발생 운명 결정에 관여하는 유전자의 명칭을 쓰시오.

06 다음은 사람 근육 세포의 분화에 대한 자료이다.

- 마이오신과 액틴은 근육 세포의 주요 구성 성분이고, 근육 세포는 근육 모세포로부터 분화한다.
- 유전자 x가 발현되어 전사 인자 X가 생성된다.
- X는 유전자 y의 발현을 촉진한다.
- 유전자 y가 발현되어 전사 인자 Y가 생성된다.
- Y는 마이오신과 액틴 유전자의 발현을 촉진한다.

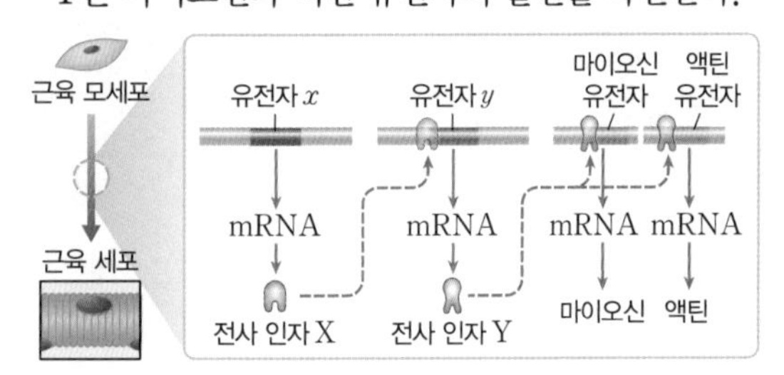

이에 대한 설명으로 옳은 것만을 〈보기〉에서 있는 대로 고른 것은?

보기
ㄱ. x를 갖는 세포는 모두 근육 세포가 된다.
ㄴ. 핵심 조절 유전자는 x이다.
ㄷ. 마이오신과 액틴은 근육 세포의 분화를 유도하는 또 다른 전사 인자이다.

① ㄱ ② ㄴ ③ ㄷ ④ ㄱ, ㄴ ⑤ ㄴ, ㄷ

07 그림은 수정란으로부터 면역 세포, 이자 세포, 모근 세포가 분화되는 과정과 각 세포에서 발현되는 특정 유전자를 나타낸 것이다.

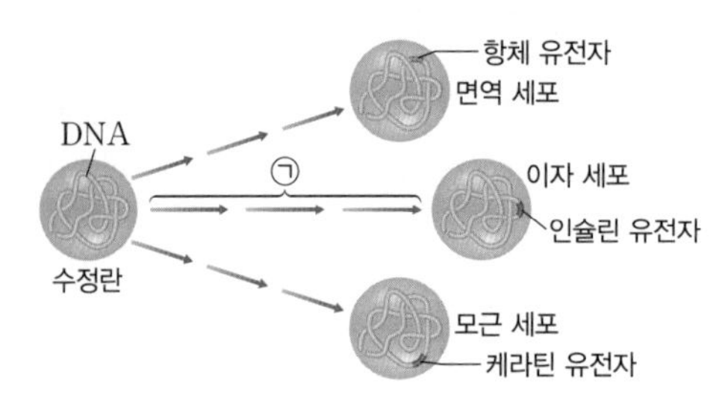

이에 대한 설명으로 옳은 것만을 〈보기〉에서 있는 대로 고른 것은?

보기
ㄱ. 세포가 분화되면 유전체는 변한다.
ㄴ. ㉠에서 이자 세포로의 분화를 유도하는 핵심 조절 유전자가 발현되었다.
ㄷ. 항체 유전자, 인슐린 유전자, 케라틴 유전자의 전사 인자는 모두 동일하다.

① ㄱ ② ㄴ ③ ㄷ ④ ㄱ, ㄴ ⑤ ㄴ, ㄷ

08 다음은 생쥐의 세포 분화에 대한 자료이다.

- 마이오신은 근육 세포의 주요 구성 성분이고 근육 세포는 근육 모세포로부터 분화한다.
- 유전자 x는 DNA에 결합하는 전사 인자 X를, 유전자 y는 DNA에 결합하는 전사 인자 Y를 암호화하며 X는 Y의 발현을 촉진한다.
- 근육 모세포가 ㉠근육 세포로 분화하는 과정에서 Y가 마이오신의 발현을 촉진한다.
- ㉡간세포에서는 X와 마이오신이 발현되지 않는다.
- ㉢X를 인위적으로 발현시킨 간세포에서는 마이오신이 발현된다.

이에 대한 설명으로 옳은 것만을 〈보기〉에서 있는 대로 고른 것은?

보기
ㄱ. Y는 x의 전사를 촉진하는 전사 인자이다.
ㄴ. ㉢에는 y와 마이오신을 암호화하는 유전자는 존재하지 않는다.
ㄷ. X와 Y는 DNA의 조절 부위에 결합한다.

① ㄱ ② ㄴ ③ ㄷ ④ ㄴ, ㄷ ⑤ ㄱ, ㄴ, ㄷ

B 발생과 유전자 발현 조절

09 다음은 눈 형성에 관여하는 초파리의 *ey* 유전자와 생쥐의 *pax6* 유전자에 대한 자료이다.

- 초파리의 눈은 낱눈이 모여서 된 겹눈이며, 생쥐의 눈은 한 개의 수정체로 된 카메라눈이다.
- *ey* 유전자는 전사 인자 Ey를, *pax6* 유전자는 전사 인자 pax6을 암호화한다.
- 초파리 배아의 눈 형성 부위에서는 Ey가, 생쥐 배아의 눈 형성 부위에서는 pax6이 발현된다.
- *ey*가 결실된 초파리와 *pax6*이 결실된 생쥐에는 눈이 형성되지 않는다.
- 초파리 배아의 다리 형성 부위에 *ey*를 발현시키면 성체 초파리의 다리에 겹눈 구조가 형성된다.
- 초파리 배아의 다리 형성 부위에 생쥐의 *pax6*을 발현시키면 성체 초파리의 다리에 겹눈 구조가 형성된다.

이 자료에 대한 설명으로 옳은 것만을 <보기>에서 있는 대로 고른 것은?

보기
ㄱ. 초파리의 *ey* 유전자의 발현 산물은 다른 유전자의 발현을 촉진한다.
ㄴ. 초파리의 다리에는 겹눈 형성에 필요한 유전자가 없다.
ㄷ. pax6은 생쥐뿐만 아니라 초파리에서도 전사 인자로 작용한다.

① ㄱ ② ㄴ ③ ㄱ, ㄷ
④ ㄴ, ㄷ ⑤ ㄱ, ㄴ, ㄷ

10 혹스 유전자에 대한 설명으로 옳지 않은 것은?

① 혹스 유전자의 발현 산물은 전사 인자이다.
② 특정 유전자의 발현을 조절하는 핵심 조절 유전자이다.
③ 초기 배아에서 발현되는 혹스 유전자는 체절에 따라 다르다.
④ 혹스 유전자는 모두 호미오 박스라는 염기 서열을 가진다.
⑤ 동물의 경우 종이 다르면 각각에 존재하는 혹스 유전자의 염기 서열이 모두 다르다.

단답형

11 다음은 혹스 유전자의 이상을 설명한 것이다.

초파리의 머리 체절에서 다리 형성에 관여하는 혹스 유전자에 돌연변이가 일어나면 더듬이가 생겨야 할 부위에 다리가 생기고, 가슴 체절에서 날개 형성에 관여하는 혹스 유전자에 돌연변이가 일어나면 2쌍의 날개가 생긴다. 이처럼 혹스 유전자는 동물의 (　　) 형성에 중요한 역할을 한다.

(　　)에 들어갈 알맞은 말을 쓰시오.

12 다음은 초파리의 혹스 유전자와 기관 형성에 관한 자료이다.

그림은 초파리에서 발견된 여러 종류의 혹스 유전자와 각 혹스 유전자가 분화를 조절하는 기관을 나타낸 것이다. 혹스 유전자가 염색체에 배열되어 있는 순서는 각각의 혹스 유전자가 영향을 미치는 기관이 초파리의 몸에 배열되어 있는 순서와 일치한다.

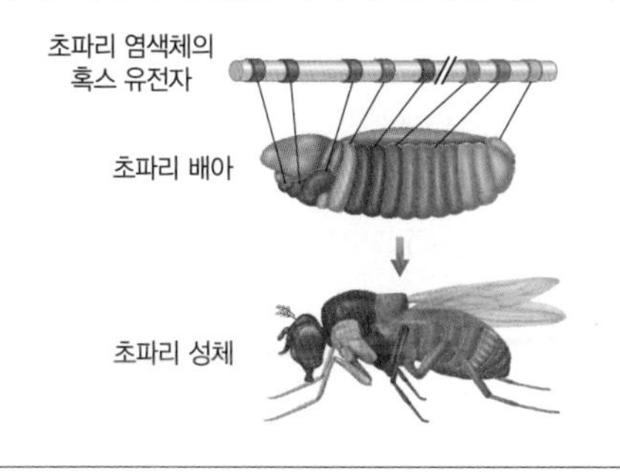

이에 대한 설명으로 옳은 것만을 <보기>에서 있는 대로 고른 것은?

보기
ㄱ. 초파리 배아의 부위에 따라 서로 다른 혹스 유전자가 발현된다.
ㄴ. 혹스 유전자의 발현에 따라 각 위치에 알맞은 기관의 형성이 조절된다.
ㄷ. 초파리 세포에 존재하는 혹스 유전자의 종류는 기관을 형성하는 세포에 따라 다르다.

① ㄱ ② ㄴ ③ ㄷ
④ ㄱ, ㄴ ⑤ ㄴ, ㄷ

도전! 실력 올리기

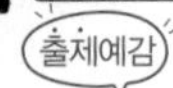

01 그림은 어떤 사람의 줄기세포 X가 분화되는 과정을 나타낸 것이다. DNA와 결합하는 전사 인자 A~C는 각각 연골 세포, 근육 모세포, 지방 세포의 분화에만 관여한다.

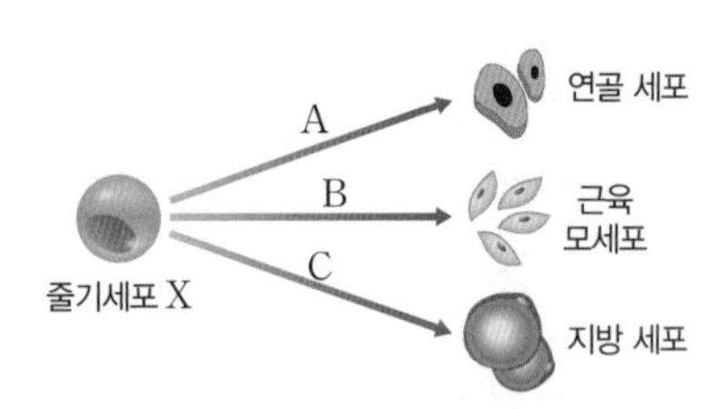

이에 대한 설명으로 옳은 것만을 〈보기〉에서 있는 대로 고른 것은?

보기
ㄱ. 연골 세포, 근육 모세포, 지방 세포에 분포하는 유전자는 모두 다르다.
ㄴ. A~C의 주성분은 모두 아미노산의 펩타이드 결합으로 이루어진 물질이다.
ㄷ. A~C에 의한 유전자 발현 조절은 모두 전사 후 단계에서 일어난다.

① ㄱ ② ㄴ ③ ㄱ, ㄴ
④ ㄱ, ㄷ ⑤ ㄴ, ㄷ

출제예감

02 그림은 세포의 분화 과정 중 세포 (가)~(다)에서 발현되는 유전자를 나타낸 것이다.

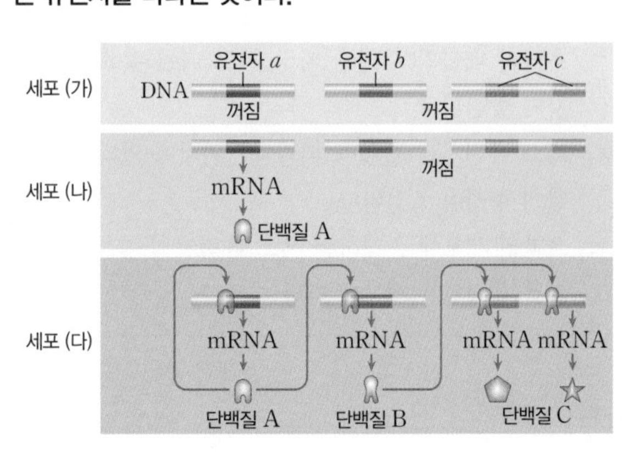

이에 대한 설명으로 옳은 것만을 〈보기〉에서 있는 대로 고른 것은? (단, (다)는 분화가 완성된 세포이다.)

보기
ㄱ. A와 B는 전사 인자이다.
ㄴ. 핵심 조절 유전자는 a이다.
ㄷ. (가)와 (나)는 발생 운명이 결정된 상태이다.

① ㄱ ② ㄴ ③ ㄷ
④ ㄱ, ㄴ ⑤ ㄱ, ㄷ

03 다음은 진핵세포 P의 분화와 관련된 유전자 ㉠~㉢의 전사 조절에 대한 자료이다.

- 조절 부위 A~D에 각각 전사 인자 a~d가 결합한다.
- A에 a가 결합할 때 ㉠의 전사가 일어나고, D에 d가 결합할 때 ㉢의 전사가 일어난다.
- B에 b, C에 c가 모두 결합할 때 ㉡의 전사가 일어난다.

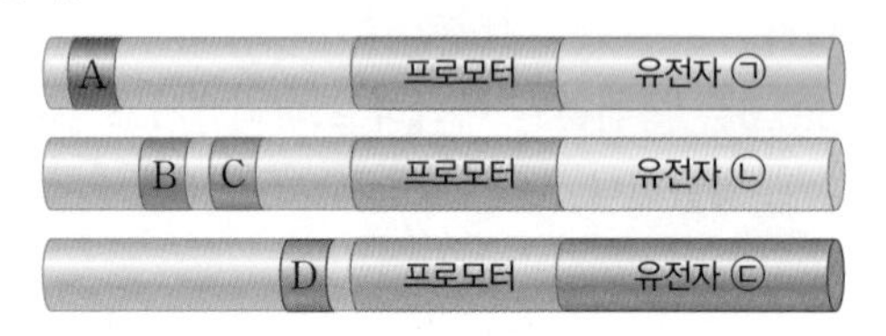

- ㉠은 전사 인자 b를 암호화하는 유일한 유전자이다.
- P는 ㉡과 ㉢ 중 ㉡만 발현되면 세포 X로, ㉡과 ㉢ 중 ㉢만 발현되면 세포 Y로 분화된다. P는 ㉡과 ㉢이 모두 발현되면 세포 Z로 분화된다.

이에 대한 설명으로 옳은 것만을 〈보기〉에서 있는 대로 고른 것은? (단, 돌연변이는 고려하지 않으며, X, Y, Z는 체세포이다.)

보기
ㄱ. X에는 b와 c가 존재한다.
ㄴ. Y에는 d를 암호화하는 유전자만 존재한다.
ㄷ. P가 Z로 분화되기 위해 a가 필요하다.

① ㄱ ② ㄴ ③ ㄷ
④ ㄱ, ㄷ ⑤ ㄴ, ㄷ

정답과 해설 065쪽

출제예감

04 **다음은 어떤 식물 (가)의 꽃 형성 조절에 관한 자료이다.**

- 유전자 a~c는 각각 전사 인자 A~C를 암호화한다.
- A~C는 (가)의 미분화 조직에서 꽃받침, 꽃잎, 수술, 암술의 형성에 필요한 유전자의 조절 부위에 결합하여 전사를 조절한다. 암술 형성에 필요한 유전자는 x이다.
- 표는 야생형과 a~c에 돌연변이가 일어난 (가)의 꽃에서 형성되는 부위를 나타낸 것이다.

구분		형성되는 부위
야생형		꽃잎, 꽃받침, 암술, 수술
돌연변이 발생 유전자	a	암술, 수술
	b	꽃받침, 암술
	c	꽃잎, 꽃받침

이에 대한 설명으로 옳은 것만을 〈보기〉에서 있는 대로 고른 것은?

보기

ㄱ. A와 B는 전사 촉진 인자, C는 전사 억제 인자이다.

ㄴ. a와 b는 모두 발현되지 않고 c만 발현되면 (가)에서는 x가 발현된다.

ㄷ. 꽃받침이 형성되려면 b를 발현시키면 된다.

① ㄱ ② ㄴ ③ ㄷ
④ ㄱ, ㄷ ⑤ ㄴ, ㄷ

05 **그림은 초파리의 3번 염색체에 위치한 혹스 유전자 A~H가 발현된 부위를 표시한 것이다.**
이에 대한 설명으로 옳은 것만을 〈보기〉에서 있는 대로 고른 것은?

T_1: 첫 번째 가슴 체절
T_2: 두 번째 가슴 체절–한 쌍의 날개
T_3: 세 번째 가슴 체절–한 쌍의 평균곤

보기

ㄱ. 머리와 다리를 구성하는 세포에 존재하는 혹스 유전자가 다르다.

ㄴ. A~H는 모두 호미오 박스를 가진다.

ㄷ. A~H는 기관 형성에 중요한 역할을 한다.

① ㄱ ② ㄴ ③ ㄷ
④ ㄱ, ㄴ ⑤ ㄴ, ㄷ

06 **다음은 근육 세포의 분화 과정에 대한 자료이다.**

(가) 근육 세포는 배아 전구 세포로부터 만들어진다. 배아 전구 세포가 근육 모세포로 결정되면 이 세포는 융합하여 다핵 세포가 되고, 이 다핵 세포로부터 근육 세포가 만들어진다.

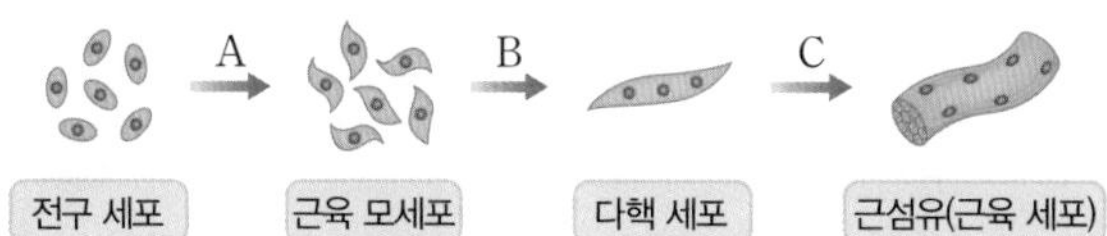

(나) 그림은 배아 전구 세포로부터 근육 세포가 분화하는 데 관여하는 유전자를 나타낸 것이다.

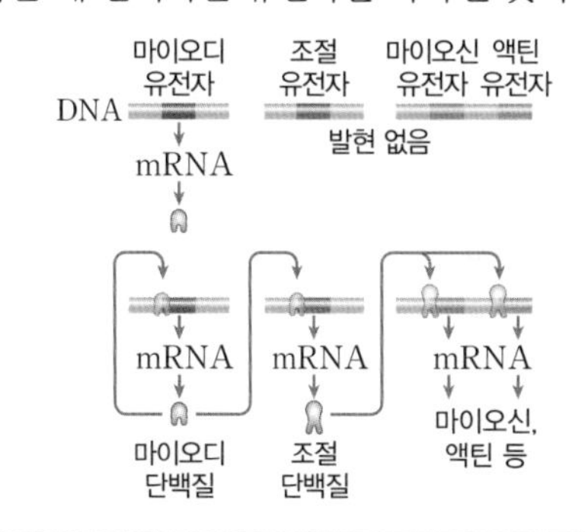

(가)의 A~C 중에서 핵심 조절 유전자가 발현되는 단계의 기호와 이때 발현되는 핵심 조절 유전자의 명칭을 (나)에서 찾아 쓰시오.

서술형

07 **다음은 호미오 유전자에 대한 설명이다.**

호미오 유전자는 다양한 전사 인자를 생성하고 다른 유전자의 발현을 조절함으로써 해부학적 구조의 발달을 결정하고 조절한다. 호미오 유전자는 무척추동물부터 척추동물인 포유류는 물론 식물에서도 찾아볼 수 있다. 호미오 유전자의 종류로는 혹스 유전자, 파라 혹스 유전자, 매드 박스 보유 유전자 등이 있다.

호미오 유전자가 다양한 생물의 염색체에서 공통적으로 발견된다는 사실의 진화론적 의미를 서술하시오.

수능을 알기 쉽게 풀어주는 수능 POOL

젖당 오페론을 통한 유전자 발현 조절의 원리

출제 의도

젖당 오페론의 구조와 각 부위의 기능을 확인하는 문제이다.

이것이 함정

RNA 중합 효소는 프로모터에 결합하고, 억제 단백질은 작동 부위에 결합하여 구조 유전자의 전사를 방해한다는 것을 기억해야 한다.

대표 유형

그림은 젖당이 없을 때 조절 유전자와 젖당 오페론의 작용을 나타낸 것이다. ⓐ와 ⓑ는 각각 작동 부위와 구조 유전자 중 하나이다.

→ 조절 유전자: 억제 단백질의 정보가 저장되어 있는 유전자
→ 오페론: 원핵생물의 DNA에 기능적으로 연관된 유전자가 모인 집단
→ 구조 유전자: 단백질의 정보가 저장되어 있는 유전자로 한꺼번에 전사되고 번역된다.
→ 작동 부위: 억제 단백질이 결합하는 부위

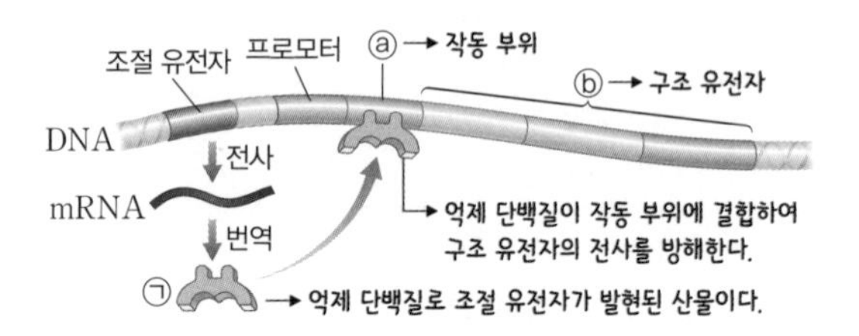

이에 대한 설명으로 옳은 것만을 〈보기〉에서 있는 대로 고른 것은?

〈보기〉

ㄱ. 젖당 분해 효소의 아미노산 서열은 ⓐ에 암호화되어 있다.
→ 구조 유전자에 암호화되어 있다. / 작동 부위이다.

ㄴ. ⓐ에 결합한 ㉠에 의해 ⓑ의 전사가 촉진된다.
→ 억제 단백질은 구조 유전자의 전사를 억제한다.

ㄷ. ⓑ는 젖당 오페론의 구성 요소이다.
→ 오페론은 프로모터, 작동 부위, 구조 유전자로 구성된다.

① ㄱ ② ㄷ ③ ㄱ, ㄴ ④ ㄴ, ㄷ ⑤ ㄱ, ㄴ, ㄷ

그림에서 경향성 찾기

오페론을 구성하는 DNA 각 부위의 명칭과 역할을 파악한다. >>> 조절 유전자와 억제 단백질의 기능을 파악한다. >>> RNA 중합 효소가 DNA에 결합하는 부위를 확인한다. >>> 억제 단백질의 결합과 구조 유전자의 전사 여부를 확인한다.

추가 선택지

• ⓐ에는 단백질 합성에 관한 유전 정보가 존재한다. (×)
→ 단백질 합성에 관한 유전 정보는 구조 유전자에 있으며, ⓐ는 억제 단백질이 결합하는 부위이다.

• 조절 유전자는 젖당이 있을 때에만 발현된다. (×)
→ 조절 유전자는 젖당의 유무에 관계없이 항상 발현되고 있다.

실전! 수능 도전하기

정답과 해설 066쪽

01 표는 야생형 대장균과 결실이 일어난 돌연변이 대장균 A~C를 포도당이 없고 젖당이 있는 배지 ㉠, 포도당과 젖당이 없는 배지 ㉡에서 각각 배양할 때, 젖당 오페론을 조절하는 조절 유전자로부터 발현되는 억제 단백질과 젖당 유도체의 결합 여부, 젖당 오페론의 구조 유전자의 발현 여부를 나타낸 것이다. A~C에서 결실이 일어난 부위는 각각 프로모터, 작동 부위, 젖당 오페론을 조절하는 조절 유전자 중 하나이다.

구분	억제 단백질과 젖당 유도체의 결합		구조 유전자의 발현	
	배지 ㉠	배지 ㉡	배지 ㉠	배지 ㉡
야생형	○	×	+	−
A	?	×	?	+
B	?	×	?	−
C	○	?	+	?

(○: 결합함, ×: 결합 못함, +: 발현됨, −: 발현 안 됨)

이에 대한 설명으로 옳은 것만을 〈보기〉에서 있는 대로 고른 것은? (단, 제시된 돌연변이 이외의 돌연변이는 고려하지 않는다.)

보기
ㄱ. A는 ㉠에서 구조 유전자를 발현한다.
ㄴ. B와 C는 모두 젖당 오페론에 돌연변이가 일어났다.
ㄷ. ㉠에서 B는 RNA 중합 효소가 전사를 개시한다.

① ㄱ ② ㄴ ③ ㄷ
④ ㄱ, ㄴ ⑤ ㄱ, ㄷ

02 그림은 야생형 대장균과 돌연변이 대장균 A를 포도당이 없는 젖당 배지에서 각각 배양한 결과를 나타낸 것이다. A는 프로모터가 결실된 돌연변이와 작동 부위가 결실된 돌연변이 중 하나이다. t_2는 야생형 대장균을 배양한 배지에서 젖당이 고갈된 시점이다.

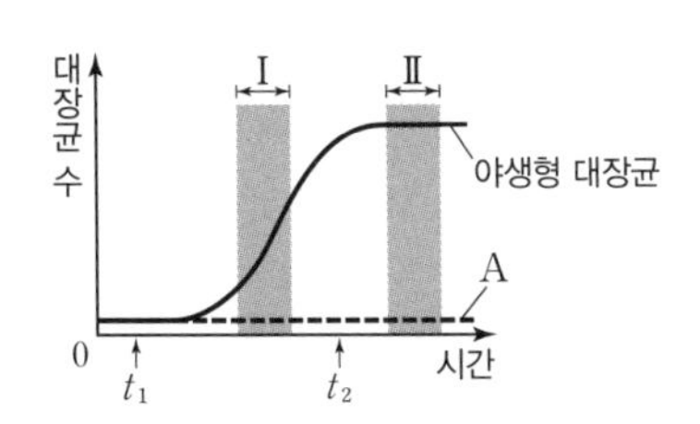

이에 대한 설명으로 옳은 것만을 〈보기〉에서 있는 대로 고른 것은? (단, 제시된 돌연변이 이외의 돌연변이는 고려하지 않으며, 야생형 대장균과 A의 배양 조건은 동일하다.)

보기
ㄱ. A는 작동 부위가 결실된 돌연변이이다.
ㄴ. t_1일 때 A에서 억제 단백질은 작동 부위에 결합하고 있지 않다.
ㄷ. 야생형 대장균에서 구조 유전자로부터 전사되는 mRNA 양은 구간 Ⅱ에서가 구간 Ⅰ에서보다 많다.

① ㄱ ② ㄴ ③ ㄱ, ㄴ
④ ㄱ, ㄷ ⑤ ㄴ, ㄷ

수능 기출

03 다음은 야생형 대장균과 돌연변이 대장균에 대한 자료이다.

- 대장균 Ⅰ~Ⅲ은 젖당 오페론을 조절하는 조절 유전자가 결실된 돌연변이, 프로모터가 결실된 돌연변이, 작동 부위가 결실된 돌연변이를 순서 없이 나타낸 것이다.
- 표는 야생형 대장균과 Ⅰ~Ⅲ을 포도당은 없고 젖당이 있는 배지에서 각각 배양할 때의 결과이다. ㉠~㉢은 억제 단백질과 젖당(젖당 유도체)의 결합, 프로모터와 RNA 중합 효소의 결합, 억제 단백질과 작동 부위의 결합을 순서 없이 나타낸 것이다.

구분	㉠	㉡	㉢	젖당 분해 효소의 생성
야생형	○	×	○	생성됨
Ⅰ	○	×	○	생성됨
Ⅱ	×	ⓐ	○	생성됨
Ⅲ	?	?	ⓑ	생성 안 됨

(○: 결합함, ×: 결합 못함)

이 자료에 대한 설명으로 옳은 것만을 〈보기〉에서 있는 대로 고른 것은? (단, 제시된 돌연변이 이외의 돌연변이는 고려하지 않는다.)

보기
ㄱ. Ⅰ은 젖당 오페론을 조절하는 조절 유전자가 결실된 돌연변이이다.
ㄴ. ㉠은 '억제 단백질과 젖당(젖당 유도체)의 결합'이다.
ㄷ. ⓐ와 ⓑ는 모두 '×'이다.

① ㄱ ② ㄴ ③ ㄷ
④ ㄱ, ㄴ ⑤ ㄴ, ㄷ

04 그림 (가)는 젖당 오페론의 작용을, (나)는 대장균을 배양할 때 시간에 따른 대장균 수와 젖당 분해 효소의 양을 나타낸 것이다. a~c는 각각 작동 부위, 프로모터, 조절 유전자 중 하나이며, 젖당은 Ⅰ과 Ⅱ 중 한 구간에만 있다.

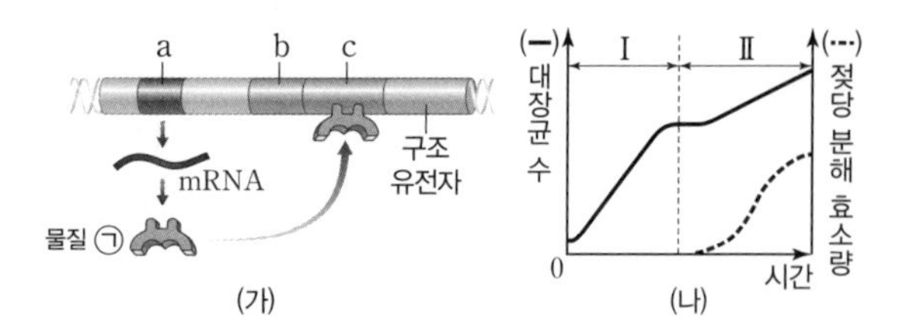

(가) (나)

이에 대한 설명으로 옳은 것만을 〈보기〉에서 있는 대로 고른 것은?

보기
ㄱ. Ⅰ에서 ㉠은 c에 결합한다.
ㄴ. 젖당 오페론에 a, b, c가 모두 포함된다.
ㄷ. Ⅱ에서 RNA 중합 효소가 b에 결합한다.

① ㄱ ② ㄴ ③ ㄱ, ㄷ
④ ㄴ, ㄷ ⑤ ㄱ, ㄴ, ㄷ

05 다음은 어떤 동물 세포의 유전자 x, y의 전사 조절에 대한 자료이다.

- 유전자 a, b, c는 각각 전사 인자 A, B, C를 암호화하며, A, B, C는 x와 y의 전사 촉진에 관여한다.
- A~C는 각각 조절 부위 Ⅰ~Ⅲ 중 한 종류에만 결합하며, x와 y는 각각 단백질 X와 Y를 암호화한다.

Ⅰ Ⅱ 프로모터 유전자 x
Ⅱ Ⅲ 프로모터 유전자 y

- x와 y의 전사 조절 기작을 알아보기 위해 x와 y가 모두 발현되는 정상 세포에서 Ⅰ~Ⅲ 중 하나를 각각 결실시켜 돌연변이 세포를 얻었다.
- 표는 Ⅰ~Ⅲ 중 하나가 결실된 돌연변이 세포에서 a, b, c 각각의 발현을 인위적으로 억제했을 때 X와 Y 중 합성된 단백질의 종류를 나타낸 것이다.

돌연변이 세포 / 억제한 유전자	결실 부위		
	Ⅰ	Ⅱ	Ⅲ
없음	㉠	−	X
a	−	?	−
c	Y	−	−
a, b	?	−	−

(−: 합성 안 됨)

이에 대한 설명으로 옳은 것만을 〈보기〉에서 있는 대로 고른 것은? (단, 제시된 유전자와 돌연변이 이외의 요인은 고려하지 않는다.)

보기
ㄱ. ㉠은 Y이다.
ㄴ. Ⅰ에 결합하는 전사 인자는 B이다.
ㄷ. 정상 세포에서 a의 발현을 억제할 경우 Y는 합성된다.

① ㄱ ② ㄷ ③ ㄱ, ㄴ
④ ㄴ, ㄷ ⑤ ㄱ, ㄴ, ㄷ

수능 기출

06 다음은 어떤 동물의 세포 Ⅰ~Ⅲ에서 유전자 x, y, z의 전사 조절에 대한 자료이다.

- x, y, z는 각각 전사 인자 X, Y, Z를 암호화하며, x, y, z의 프로모터와 전사 인자 결합 부위 A, B, C, D는 그림과 같다.

A B 프로모터 유전자 x
A C D 프로모터 유전자 y
B C 프로모터 유전자 z

- x, y, z의 전사에 관여하는 전사 인자는 ㉠, ㉡, ㉢, ㉣이다. ㉠은 A에만, ㉡은 B에만 결합하며, ㉢은 C와 D 중 어느 하나에만 결합하고, ㉣은 그 나머지 하나에 결합한다.
- x의 전사는 전사 인자가 A와 B 중 하나에만 결합해도 촉진되고, z의 전사는 전사 인자가 B와 C 중 하나에만 결합해도 촉진된다. y의 전사는 A에 전사 인자가 결합하고 동시에 다른 전사 인자가 C와 D 중 하나에만 결합해도 촉진된다.
- Ⅰ과 Ⅲ에서는 각각 X~Z 중 2가지만 발현되고, Ⅱ에서는 X~Z 중 적어도 하나가 발현된다.
- Ⅱ에서는 ㉠~㉣ 중 ㉢만 발현된다.
- ㉡은 Ⅰ에서 발현되지 않고, ㉠은 Ⅲ에서 발현되지 않는다.

이에 대한 설명으로 옳은 것만을 〈보기〉에서 있는 대로 고른 것은?

보기
ㄱ. Ⅰ에서는 ㉢이 발현되지 않는다.
ㄴ. Ⅲ에서는 ㉡이 발현된다.
ㄷ. ㉣의 결합 부위는 D이다.

① ㄱ ② ㄴ ③ ㄱ, ㄷ
④ ㄴ, ㄷ ⑤ ㄱ, ㄴ, ㄷ

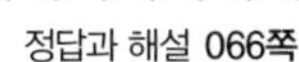

07 그림은 진핵세포에서 유전자 x가 발현되는 과정을 나타낸 것이다. ⓐ는 전사 주형 가닥의 $5'$ 말단과 $3'$ 말단 중 하나이다.

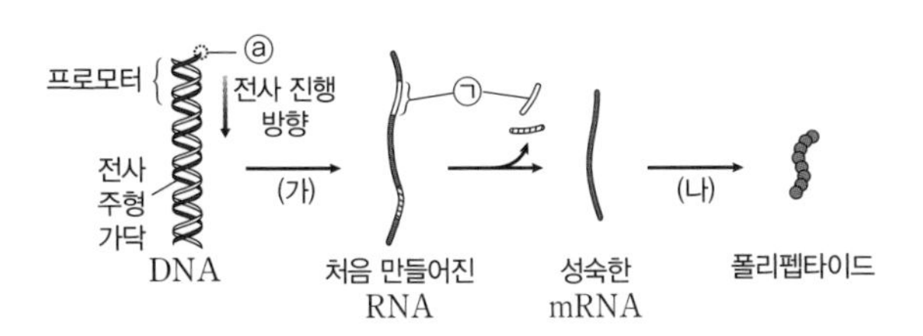

이에 대한 설명으로 옳은 것만을 〈보기〉에서 있는 대로 고른 것은?

보기
ㄱ. ⓐ는 전사 주형 가닥의 $3'$ 말단이다.
ㄴ. ㉠은 엑손이다.
ㄷ. (가) 과정에는 전사 인자가, (나) 과정에는 tRNA가 관여한다.

① ㄱ ② ㄴ ③ ㄷ
④ ㄱ, ㄷ ⑤ ㄴ, ㄷ

08 다음은 어떤 식물의 꽃 분화에 대한 자료이다.

- 유전자 a~c는 미분화 조직 Ⅰ~Ⅳ로부터 꽃받침, 꽃잎, 수술, 암술로의 분화를 결정하는 유전자이며, a, b, c가 각각 발현되어 전사 인자 A, B, C가 생성된다.
- Ⅰ~Ⅳ로부터 꽃받침, 꽃잎, 수술, 암술로 분화될 때 발현되는 유전자는 다음과 같다.

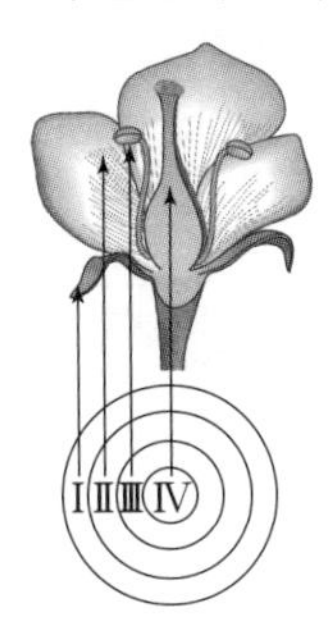

미분화 조직	Ⅰ	Ⅱ	Ⅲ	Ⅳ
발현되는 유전자	a	a, b	b, c	c
분화 결과	꽃받침	꽃잎	수술	암술

- ㉠<u>a가 결실된 돌연변이 개체</u>는 a가 발현되어야 할 미분화 조직에서 c가 발현된다.

이에 대한 설명으로 옳은 것만을 〈보기〉에서 있는 대로 고른 것은? (단, 제시된 유전자와 돌연변이 이외의 다른 요인은 고려하지 않는다.)

보기
ㄱ. ㉠에서는 조직 Ⅱ로부터 수술이 분화된다.
ㄴ. 정상 개체의 경우 조직 Ⅲ에는 A, B, C가 모두 존재한다.
ㄷ. 조직 Ⅰ과 Ⅳ의 세포에 b가 있다.

① ㄱ ② ㄴ ③ ㄷ
④ ㄱ, ㄴ ⑤ ㄱ, ㄷ

09 다음은 어떤 식물 종의 꽃 형성에 대한 자료이다.

- 유전자 a, b, c는 미분화 조직에서 꽃 형성에 필요한 전사 인자를 암호화하는 유전자이다.
- 미분화 조직에서 a~c 중 a만 발현되는 부위는 꽃받침이 되고, a와 b만 발현되는 부위는 꽃잎이 되며, b와 c만 발현되는 부위는 수술이 되고, c만 발현되는 부위는 암술이 된다.
- 표는 야생형과 돌연변이 식물체 (가)~(라)의 꽃에서 형성된 구조를 나타낸 것이다. (가)~(라)는 각각 a~c 중 1개 이상 결실이 일어난 식물체이다.

구분	꽃에서 형성된 구조			
	꽃받침	꽃잎	수술	암술
야생형	○	○	○	○
(가)	○	○	×	×
(나)	○	×	×	○
(다)	×	×	○	○
(라)	○	×	㉠	×

(○: 있음, ×: 없음)

이에 대한 설명으로 옳은 것만을 〈보기〉에서 있는 대로 고른 것은? (단, 제시된 돌연변이 이외의 돌연변이는 고려하지 않는다.)

보기
ㄱ. ㉠은 '○'이다.
ㄴ. (나)에서는 a가 결실되었다.
ㄷ. 야생형의 꽃받침 세포에는 b와 c가 모두 있다.

① ㄱ ② ㄷ ③ ㄱ, ㄴ
④ ㄴ, ㄷ ⑤ ㄱ, ㄴ, ㄷ

1 유전 물질

01 유전 물질의 구조

1. DNA가 유전 물질이라는 증거

① **그리피스의 폐렴 쌍구균 형질 전환 실험:** S형 균과 R형 균을 이용하여 형질 전환 현상을 발견 ➡ 열처리한 S형 균에 남아 있던 물질이 R형 균을 S형 균으로 형질 전환

② **에이버리의 형질 전환 실험:** 그리피스의 실험을 발전시켜 형질 전환 유발 물질이 DNA임을 확인 ➡ 열처리한 S형 균에 DNA 분해 효소를 처리한 경우에만 R형 균이 S형 균으로 형질 전환되지 않음

③ **허시와 체이스의 박테리오파지 증식 실험:** 파지의 DNA만 대장균 안으로 들어가 다음 세대를 생성하므로 유전 물질은 DNA임을 증명

- 박테리오파지를 ^{35}S으로 단백질을 표지했을 때

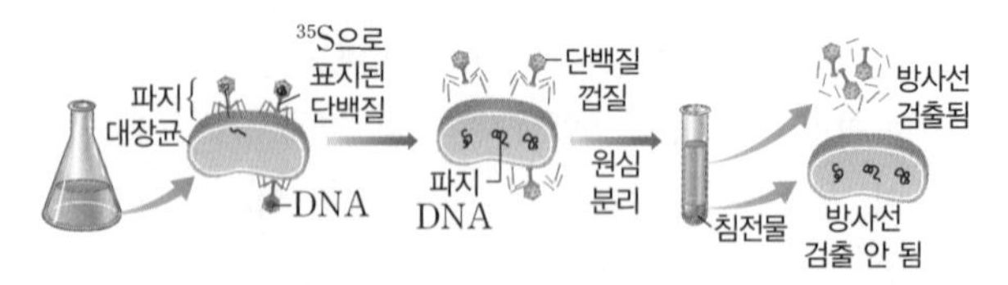

- 박테리오파지를 ^{32}P으로 핵을 표지했을 때

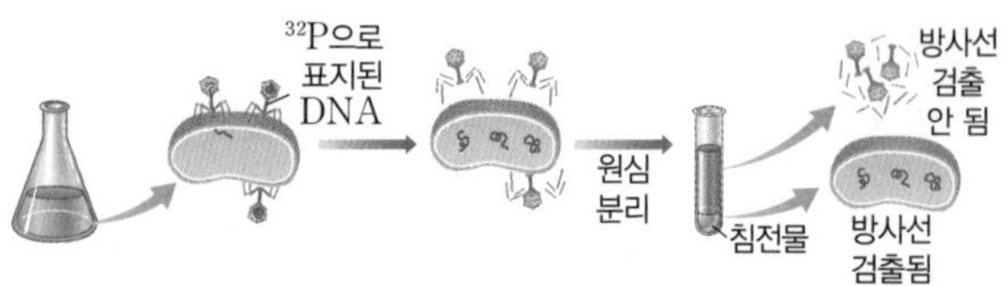

2. DNA 구조

① **단위체:** 뉴클레오타이드 ➡ 인산 : 당 : 염기=1 : 1 : 1

② **샤가프의 법칙:** A+G=T+C=50 %

③ **이중 나선 구조:** 당-인산 골격은 바깥쪽, 염기는 안쪽

④ **역평행 구조:** 한쪽 가닥 끝은 5′ 말단, 다른 쪽 가닥 끝은 3′ 말단

⑤ **상보적 결합:** 퓨린 계열 염기와 피리미딘 계열 염기의 수소 결합 ➡ A은 T과 2개의 수소 결합, G은 C과 3개의 수소 결합

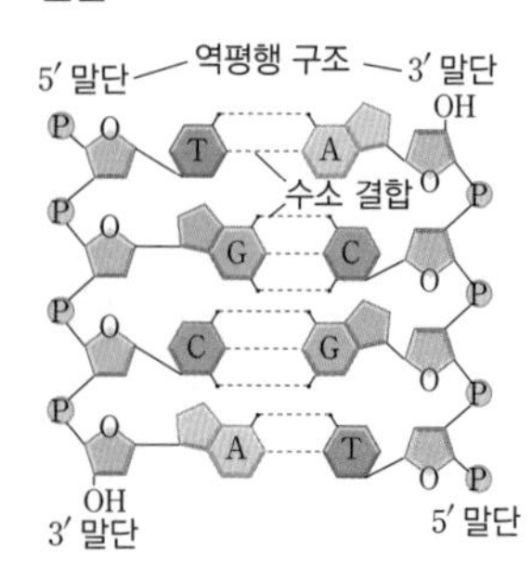

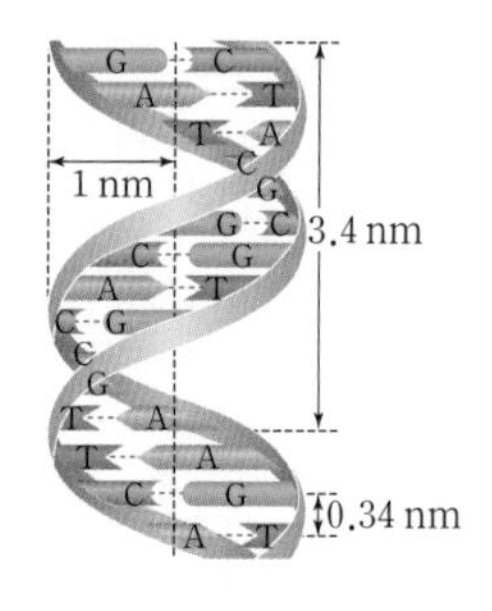

3. 원핵세포와 진핵세포의 유전체 비교

구분	내용
원핵 세포	• 유전체는 세포질에 존재 • 원형의 DNA로 히스톤 단백질과의 결합이 없음 • 하나의 유전자 안에 인트론이 없음 • 유전자 사이에 유전 정보를 저장하지 않는 부분이 없음
진핵 세포	• 유전체는 핵 안에 존재 • 선형의 DNA로 히스톤 단백질과 결합, 뉴클레오솜 형성 • 하나의 유전자 안에 엑손과 인트론이 있음 • 유전자 사이에 유전 정보를 저장하지 않는 부분이 많음

02 DNA 복제

1. DNA 복제 모델

모델	설명	모세포 DNA → 첫 번째 복제
보존적 복제	DNA 이중 나선 전체가 주형으로 하여 새로운 DNA 합성	
반보존적 복제	DNA 이중 나선 각 가닥이 주형으로 하여 새로운 DNA 합성	
분산적 복제	DNA가 작은 조각으로 나누어져 합성 후 연결되어 새로운 DNA 합성	

2. DNA의 반보존적 복제

① **복제 과정:** 이중 나선 풀림 ➡ 프라이머 합성 ➡ 5′ → 3′ 방향으로 DNA 합성

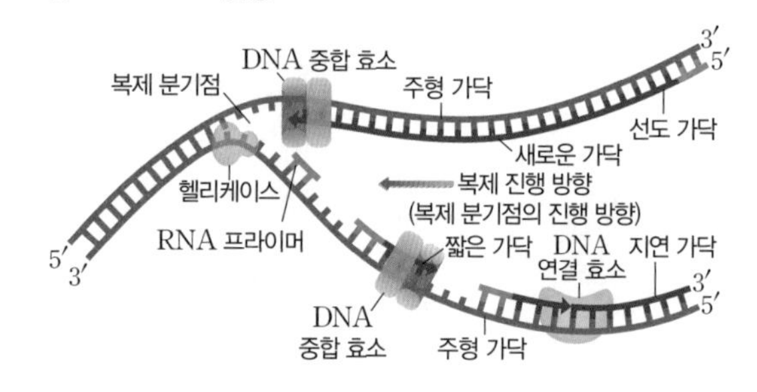

② **선도 가닥과 지연 가닥**

구분	내용
선도 가닥	복제 진행 방향과 같은 방향으로 연속적으로 합성되는 가닥
지연 가닥	복제 진행 방향과 반대 방향으로 짧은 가닥이 불연속적으로 합성되는 가닥

2 유전자 발현 조절

03 유전자 발현

1. 1유전자 1효소설: 하나의 유전자는 하나의 효소를 합성함으로써 유전 형질이 나타나게 한다는 설

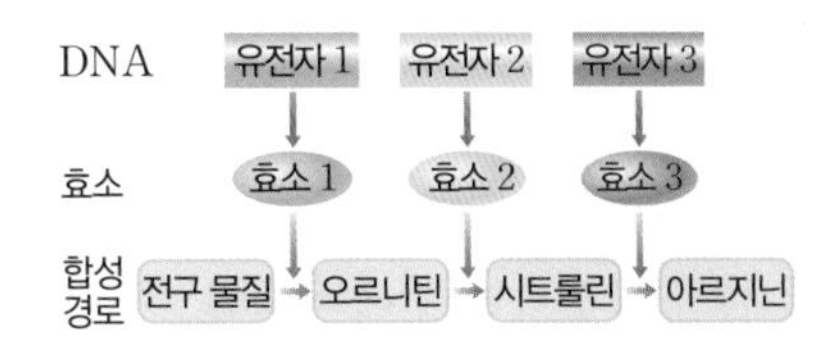

2. 유전 정보의 중심 원리: DNA → RNA → 단백질

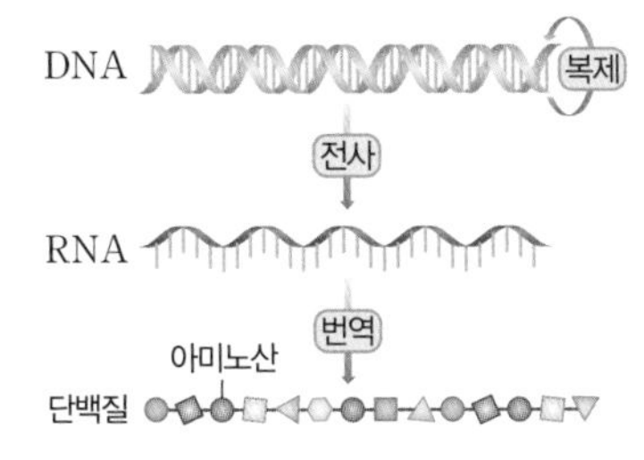

구분	전사 장소	번역 장소
원핵 세포	세포질	세포질
진핵 세포	핵	세포질

3. 유전부호

3염기 조합	DNA에서 하나의 아미노산을 지정하는 3개의 염기
코돈	DNA의 3염기 조합에서 전사된 mRNA의 3개의 염기

4. 전사

개시	RNA 중합 효소가 프로모터에 결합하여 DNA 이중 나선을 풀고 그중 한 가닥을 주형으로 하여 RNA 합성 시작
신장	RNA 중합 효소는 DNA의 염기 서열에 상보적인 염기를 가진 리보뉴클레오타이드를 차례로 결합시켜 5′ → 3′ 방향으로 RNA 합성
종결	RNA 중합 효소가 주형 가닥의 종결 자리에 도달하면 합성된 RNA와 RNA 중합 효소는 DNA에서 분리

5. 번역

개시	mRNA와 리보솜 소단위체 결합 → 개시 tRNA가 mRNA의 개시 코돈에 결합 → 리보솜 대단위체 결합
신장	새로운 tRNA 들어옴(A 자리) → 아미노산의 펩타이드 결합 형성(P 자리) → 리보솜 이동(5′ → 3′ 방향)하고 E 자리의 tRNA 분리 ➡ 이 과정이 반복 진행됨
종결	리보솜이 종결 코돈에 도달하면 리보솜, mRNA, tRNA, 폴리펩타이드 분리

01 유전자 발현 조절

1. 원핵생물의 유전자 발현 조절

① **젖당이 없을 때:** 억제 단백질이 젖당 오페론의 작동 부위에 결합하므로 RNA 중합 효소는 프로모터와 결합하지 못해 구조 유전자의 전사가 일어나지 않음

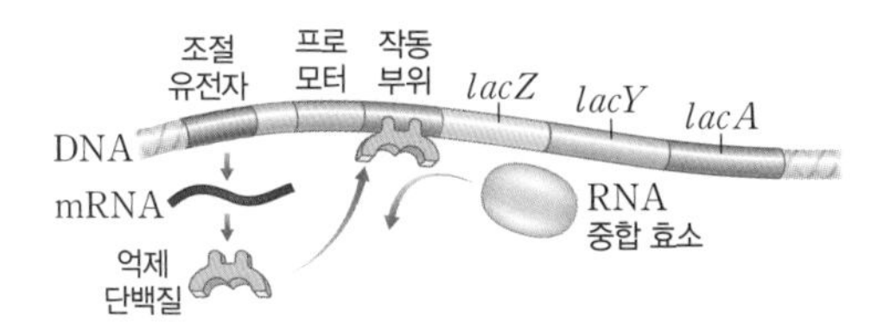

② **젖당이 있을 때:** 젖당 유도체가 억제 단백질과 결합하여 작동 부위에 결합하지 못하므로 RNA 중합 효소가 프로모터에 결합해 구조 유전자를 전사하여 젖당 분해 효소 합성

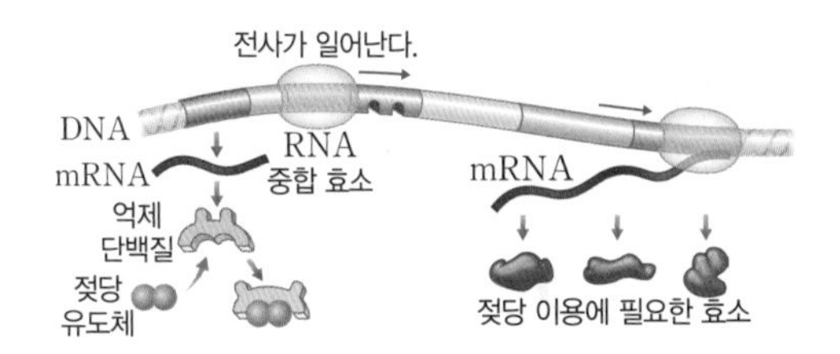

2. 진핵생물의 유전자 발현 조절

전사 전	염색질 응축 정도를 통해 유전자 발현 조절
전사	• 다양한 전사 인자의 조합으로 유전자의 선택적 발현 • 전사 인자: 전사에 관여하는 조절 단백질 • 조절 부위: 전사 인자가 결합하는 DNA 부위
전사 후	처음 만들어진 RNA에서 엑손만 남아 mRNA 완성
번역 및 번역 후	• mRNA의 분해 속도 및 번역 개시 조절 • 단백질 가공 과정 및 활성화된 단백질 분해 조절

02 세포 분화와 발생

1. 세포 분화와 유전자 발현 조절

① **세포 분화 과정:** 핵심 조절 유전자 발현으로 다른 조절 유전자의 발현이 연속적으로 일어나 세포가 분화됨

② **근육 세포의 분화:** 마이오디 유전자의 발현으로 근육 세포 분화가 시작됨

2. 발생과 유전자 발현 조절

• 발생과 혹스 유전자: 동물 발생 초기에 방향성을 나타내는 축이 나타나고, 혹스 유전자의 발현으로 체절마다 적절한 기관이 형성됨

한번에 끝내는 대단원 문제

정답과 해설 068쪽

01 그림 (가)는 그리피스가, (나)는 에이버리가 수행한 실험을 나타낸 것이다. ㉠과 ㉡은 각각 R형 균과 S형 균 중 하나이다.

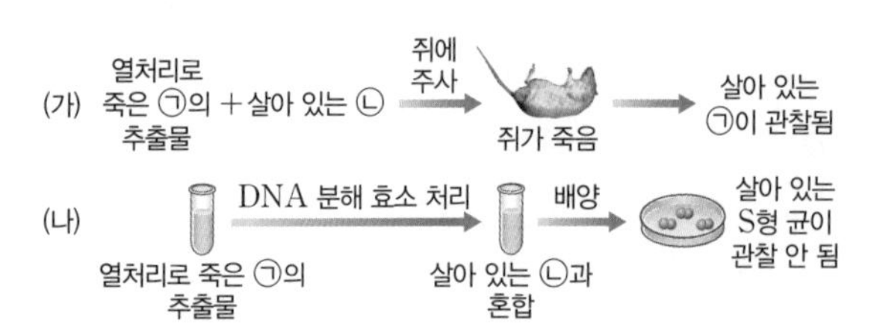

이에 대한 설명으로 옳은 것만을 〈보기〉에서 있는 대로 고른 것은?

〈보기〉
ㄱ. 살아 있는 ㉠은 피막을 갖는다.
ㄴ. (가)에서 ㉠이 ㉡으로 형질 전환되었다.
ㄷ. (나)에서 DNA 분해 효소 대신 단백질 분해 효소를 처리하면 형질 전환이 일어날 것이다.

① ㄱ ② ㄴ ③ ㄷ
④ ㄱ, ㄴ ⑤ ㄱ, ㄷ

02 다음은 박테리오파지를 이용한 허시와 체이스의 실험이다. ㉠과 ㉡은 ^{32}P과 ^{35}S을 순서 없이 나타낸 것이다.

(가) ㉠으로 표지된 파지를 대장균에 감염시킨 후 믹서를 이용하여 대장균으로부터 파지를 떼어 내었다.
(나) ㉡으로 표지된 파지를 대장균에 감염시킨 후 믹서를 이용하여 대장균으로부터 파지를 떼어 내었다.
(다) (가)의 결과물을 시험관 Ⅰ에, (나)의 결과물을 시험관 Ⅱ에 넣고 각각 원심 분리하여 상층액과 침전물에서 방사선을 측정하였다.
(라) Ⅰ의 ⓐ와 ⓑ 중 ⓑ에서만 방사선이 검출되었고, Ⅱ의 ⓒ와 ⓓ 중 하나에서만 방사선이 검출되었다.

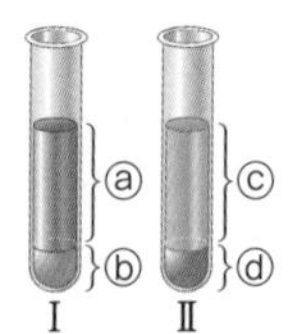

이에 대한 설명으로 옳은 것만을 〈보기〉에서 있는 대로 고른 것은?

〈보기〉
ㄱ. ㉠은 ^{35}S이다.
ㄴ. Ⅱ의 ⓓ에는 ^{32}P이 있다.
ㄷ. 파지의 DNA는 ⓑ와 ⓓ 모두에 있다.

① ㄱ ② ㄷ ③ ㄱ, ㄴ
④ ㄴ, ㄷ ⑤ ㄱ, ㄴ, ㄷ

고난도

03 그림은 100개의 뉴클레오타이드로 구성된 DNA의 일부를 나타낸 것이다. 이 DNA에서 염기 수의 비는 $\frac{A+T}{G+C}=1.5$이다.

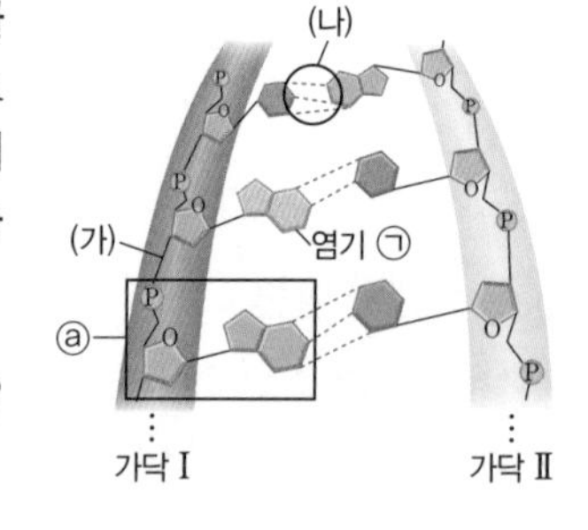

이에 대한 설명으로 옳은 것은?

① ㉠은 T이다.
② ⓐ는 리보스를 포함한 뉴클레오타이드이다.
③ (가)와 (나)는 수소 결합이다.
④ Ⅰ에 G이 17개가 있다면 Ⅱ에는 G이 3개 있다.
⑤ 이 DNA에는 A과 T이 모두 40개 있다.

고난도

04 다음은 어떤 세포에서 복제 중인 이중 가닥 DNA의 일부에 대한 자료이다.

- (가)와 (나)는 복제 주형 가닥이고, 서로 상보적이다.
- (나)는 29개의 염기로 구성되고, 염기 서열은 다음과 같다. ㉠과 ㉡은 각각 5′ 말단과 3′ 말단 중 하나이다.
  ㉠-CTGACGAACAGACTTGAGGTCGCGACTGA-㉡
- Ⅰ~Ⅲ은 새로 합성된 가닥이고, Ⅱ가 Ⅲ보다 먼저 합성되었다.
- Ⅱ와 (나) 사이의 염기쌍의 수와 Ⅲ과 (나) 사이의 염기쌍의 수의 합은 29이다.
- Ⅱ는 프라이머 X를, Ⅲ은 프라이머 Y를 가진다.
- X와 Y는 각각 4개의 염기로 구성되고, X와 Y 중 하나의 염기 서열은 5′-UCAG-3′이다.
- Ⅱ와 Ⅲ 각각에서 디옥시리보스를 포함하는 뉴클레오타이드의 피리미딘 계열 염기의 개수는 7개이다.

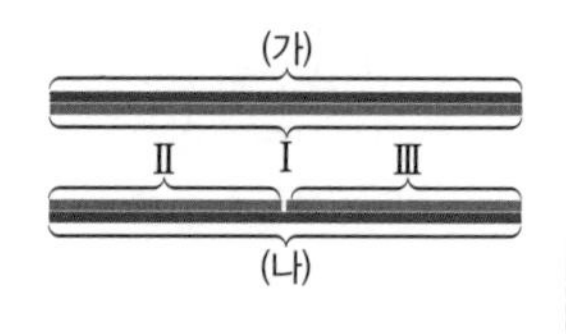

이에 대한 설명으로 옳은 것만을 〈보기〉에서 있는 대로 고른 것은?

〈보기〉
ㄱ. ㉠은 5′ 말단이다.
ㄴ. X의 염기 서열은 5′-UGAA-3′이다.
ㄷ. X에 들어 있는 퓨린 계열 염기는 1개이다.

① ㄱ ② ㄷ ③ ㄱ, ㄴ
④ ㄱ, ㄷ ⑤ ㄴ, ㄷ

05 그림은 붉은빵곰팡이에서 아르지닌이 합성되는 과정을, 표는 최소 배지에 물질 ㉠의 첨가에 따른 붉은빵곰팡이 야생형과 돌연변이주 Ⅰ~Ⅲ의 생장 여부와 물질 ㉡과 ㉢의 합성 여부를 나타낸 것이다. Ⅰ은 유전자 a~c 중 어느 하나에, Ⅱ는 나머지 두 유전자 중 어느 하나에만, Ⅲ은 그 나머지 하나에 돌연변이가 일어난 것이다. ㉠~㉢은 오르니틴, 시트룰린, 아르지닌을 순서 없이 나타낸 것이다.

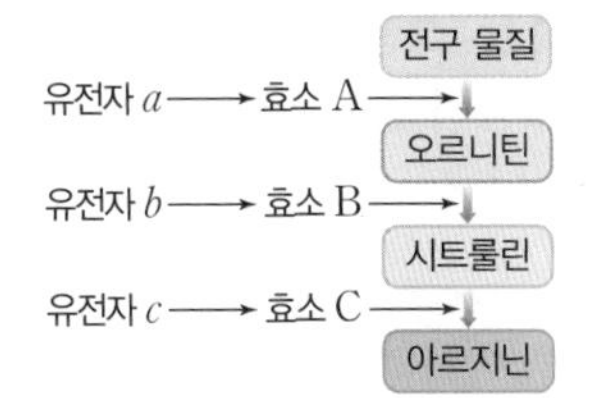

구분	최소 배지			최소 배지, ㉠		
	생장	㉡ 합성	㉢ 합성	생장	㉡ 합성	㉢ 합성
야생형	+	○	○	+	○	○
Ⅰ	−	×	○	−	×	○
Ⅱ	−	×	(가)	+	○	○
Ⅲ	−	×	×	+	○	×

(+: 생장함, −: 생장 못함, ○: 합성됨, ×: 합성 안 됨)

이에 대한 설명으로 옳은 것만을 <보기>에서 있는 대로 고른 것은? (단, 제시된 돌연변이 이외의 돌연변이는 고려하지 않는다.)

보기
ㄱ. (가)는 '○'이다.
ㄴ. Ⅲ은 C를 합성하지 못한다.
ㄷ. ㉠은 시트룰린이다.

① ㄱ ② ㄴ ③ ㄷ
④ ㄱ, ㄷ ⑤ ㄴ, ㄷ

06 그림은 진핵생물의 단백질 합성 과정을 나타낸 것이고, 표는 코돈표의 일부이다. ㉠과 ㉡은 아미노산이다.

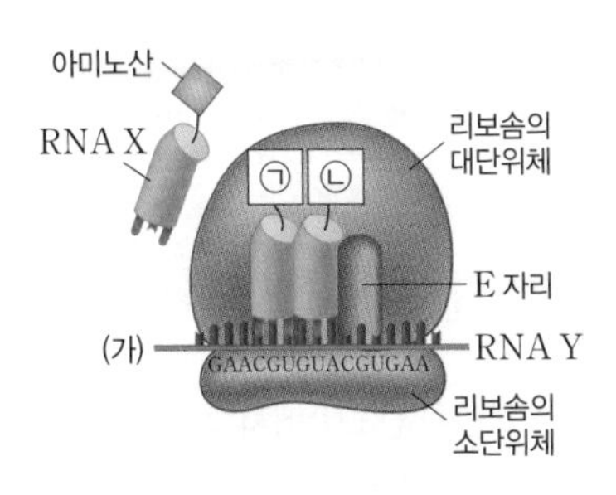

코돈	아미노산
AAG	라이신
AUG	메싸이오닌
CGU	아르지닌
GAA	글루탐산
GUA	발린
UGC	시스테인

이에 대한 설명으로 옳은 것은?

① ㉠은 시스테인이다.
② (가)는 5′ 방향이다.
③ X의 5′ 말단에 아미노산이 연결된다.
④ ㉠과 ㉡ 사이에 수소 결합이 형성된다.
⑤ X는 세포질에서, Y는 핵에서 합성된다.

고난도

07 다음은 어떤 진핵생물의 유전자 x와, x에서 돌연변이가 일어난 유전자 y, z의 발현에 대한 자료이다.

- x, y, z로부터 각각 폴리펩타이드 X, Y, Z가 합성되고, X, Y, Z의 합성은 모두 개시 코돈에서 시작하여 종결 코돈에서 끝난다.
- ㉠x의 DNA 이중 가닥 중 전사 주형 가닥으로부터 합성된 X의 아미노산 서열은 다음과 같다. (가)와 (나)는 각각 세린과 아르지닌 중 하나이다.

메싸이오닌 − 발린 − 라이신 − (가) − 트레오닌 − (나) − 아이소류신 − 류신 − 글리신

- y는 x에서 1개의 염기쌍이 결실되고, 다른 위치에 1개의 염기쌍이 삽입된 것이다. Y의 아미노산 서열은 다음과 같다.

메싸이오닌 − 발린 − 세린 − 발린 − 히스티딘 − 글루타민 − ⓐ타이로신 − 발린 − 글리신

- z는 x에서 동일한 염기가 연속된 2개의 염기쌍이 결실되고, 다른 위치에 동일한 염기가 연속된 2개의 염기쌍이 삽입된 것이다. 결실된 염기와 삽입된 염기는 같다. Z를 구성하는 아미노산의 개수는 7개이고 아미노산 종류는 모두 다르며, Z의 네 번째 아미노산은 ⓑ타이로신이다.
- 표는 유전 암호의 일부를 나타낸 것이다.

코돈	아미노산	코돈	아미노산	코돈	아미노산	코돈	아미노산
UUA UUG CUU CUC CUA CUG	류신	UCU UCC UCA UCG AGU AGC	세린	CGU CGC CGA CGG AGA AGG	아르지닌	UAA UAG UGA	종결 코돈
						AUG	메싸이오닌 (개시 코돈)
GUU GUC GUA GUG	발린	GCU GCC GCA GCG	알라닌	ACU ACC ACA ACG	트레오닌	GGU GGC GGA GGG	글리신
CAU CAC	히스티딘	AAU AAC	아스파라진	AUU AUC AUA	아이소류신	UAU UAC	타이로신
CAA CAG	글루타민	AAA AAG	라이신				

이에 대한 설명으로 옳은 것만을 <보기>에서 있는 대로 고른 것은? (단, 제시된 돌연변이 이외의 핵산 염기 서열 변화는 고려하지 않는다.)

보기
ㄱ. (가)는 세린, (나)는 아르지닌이다.
ㄴ. ⓐ와 ⓑ를 암호화하는 코돈의 염기 서열은 다르다.
ㄷ. z의 종결 코돈은 UAA이다.

① ㄱ ② ㄷ ③ ㄱ, ㄴ
④ ㄴ, ㄷ ⑤ ㄱ, ㄴ, ㄷ

08 그림 (가)와 (나)는 진핵세포에서 일어나는 DNA 복제 과정의 일부와 전사 과정의 일부를 순서 없이 모식도로 나타낸 것이다. ㉠과 ㉡은 각각 DNA 중합 효소와 RNA 중합 효소 중 하나이다.

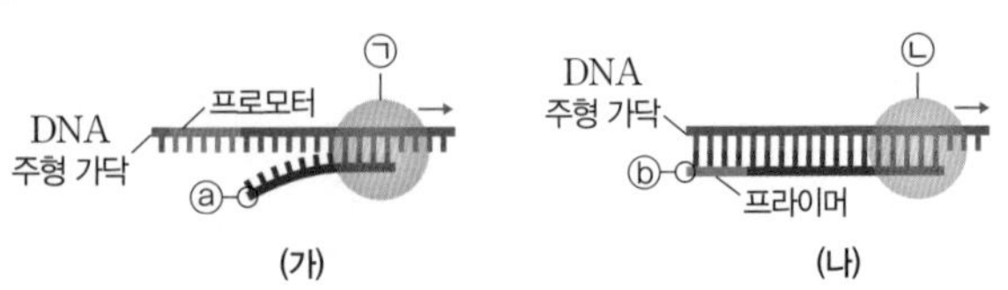

이에 대한 설명으로 옳은 것만을 〈보기〉에서 있는 대로 고른 것은?

보기
ㄱ. ㉠이 작용하는 데 전사 인자가 필요하다.
ㄴ. 말단 ⓐ와 ⓑ는 모두 3′ 방향이다.
ㄷ. (가)와 (나)는 모두 핵 속에서 일어난다.

① ㄱ ② ㄴ ③ ㄱ, ㄷ
④ ㄴ, ㄷ ⑤ ㄱ, ㄴ, ㄷ

09 다음은 야생형 대장균과 돌연변이 X, Y에 대한 자료이다.

- X는 젖당 오페론을 조절하는 조절 유전자에, Y는 젖당 오페론의 프로모터에 돌연변이가 일어났다.
- 그림은 야생형 대장균과 X, Y를 포도당이 없는 젖당 배지에서 각각 배양한 결과를, 표는 t_1일 때 야생형 대장균과 X, Y에 대한 자료를 나타낸 것이다. t_2는 젖당이 고갈된 시점이다. 표에서 ㉠과 ㉡은 '프로모터와 RNA 중합 효소의 결합'과 '억제 단백질과 작동 부위의 결합'을 순서 없이 나타낸 것이다.

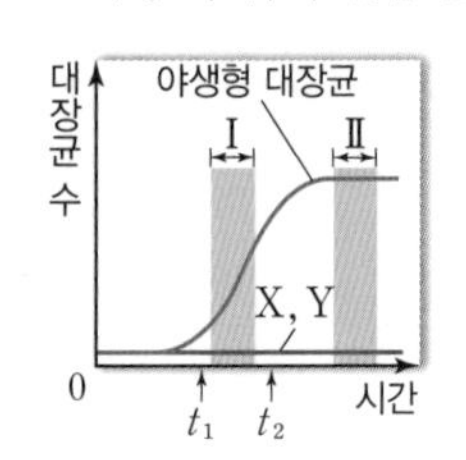

구분	㉠	㉡	구조 유전자 발현
야생형	×	○	발현됨
X	○	×	발현 안 됨
Y	(가)	×	발현 안 됨

(○: 결합함, ×: 결합 못함)

이에 대한 설명으로 옳은 것만을 〈보기〉에서 있는 대로 고른 것은? (단, 제시된 돌연변이 이외의 돌연변이는 고려하지 않으며, 야생형 대장균과 X, Y의 배양 조건은 동일하다.)

보기
ㄱ. X에서 억제 단백질은 작동 부위에 결합하지 않는다.
ㄴ. (가)는 '○'이다.
ㄷ. 야생형 대장균에서 생성되는 젖당 분해 효소의 양은 Ⅰ에서가 Ⅱ에서보다 많다.

① ㄱ ② ㄷ ③ ㄱ, ㄴ
④ ㄴ, ㄷ ⑤ ㄱ, ㄴ, ㄷ

10 그림 (가)는 젖당 오페론의 조절 과정을, (나)는 포도당과 젖당이 있는 배지에 대장균 X를 배양한 결과를 나타낸 것이다.

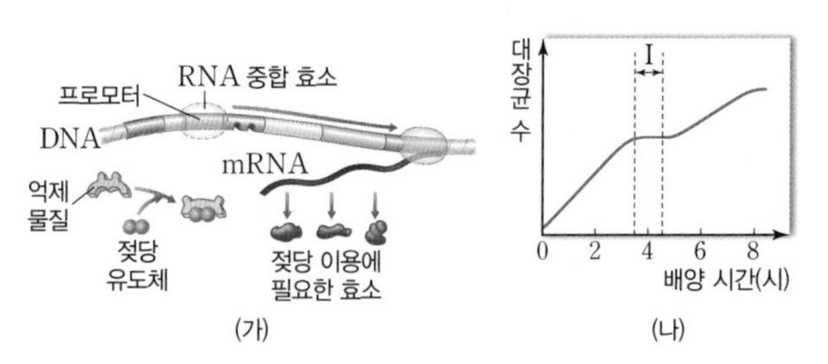

이에 대한 설명으로 옳은 것만을 〈보기〉에서 있는 대로 고른 것은?

보기
ㄱ. (가)에서 구조 유전자 전사 과정은 핵에서 일어난다.
ㄴ. X는 Ⅰ에서 조절 유전자를 발현시키지 않는다.
ㄷ. 젖당 오페론에는 프로모터, 작동 부위, 구조 유전자만 포함된다.

① ㄱ ② ㄴ ③ ㄷ
④ ㄴ, ㄷ ⑤ ㄱ, ㄴ, ㄷ

11 다음은 진핵세포 P의 분화와 관련된 유전자 ㉠~㉢의 전사 조절에 대한 자료이다.

- 조절 부위 A~D에 각각 전사 인자 a~d가 결합한다.
- A에 a가 결합할 때 ㉠의 전사가 일어나고, D에 d가 결합할 때 ㉢의 전사가 일어난다.
- B에 b, C에 c가 모두 결합할 때 ㉡의 전사가 일어난다.
- ㉠은 전사 인자 b를 암호화하는 유일한 유전자이다.
- P는 ㉡과 ㉢ 중 ㉡만 발현되면 세포 X로, ㉡과 ㉢ 중 ㉢만 발현되면 세포 Y로 분화된다. P는 ㉡과 ㉢이 모두 발현되면 세포 Z로 분화된다.

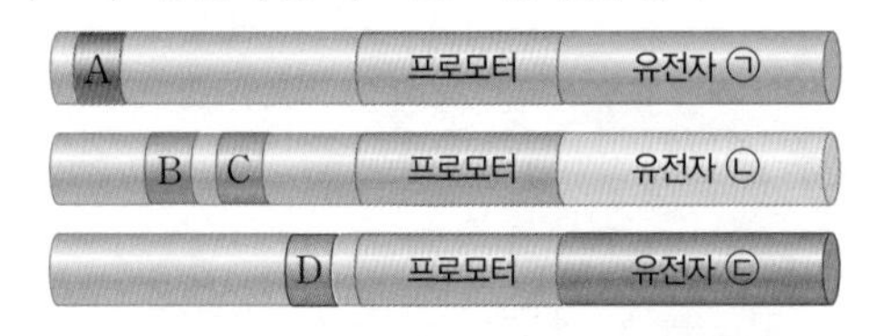

이 자료에 대한 설명으로 옳은 것만을 〈보기〉에서 있는 대로 고른 것은? (단, 돌연변이는 고려하지 않는다.)

보기
ㄱ. ㉠~㉢ 중 X에 존재하는 유전자는 1개이다.
ㄴ. a가 합성되지 않으면 P가 Z로 분화될 수 없다.
ㄷ. ㉠이 발현되려면 ㉡이 먼저 발현되어야 한다.

① ㄱ ② ㄴ ③ ㄱ, ㄴ
④ ㄴ, ㄷ ⑤ ㄱ, ㄴ, ㄷ

서술형

12 그림은 DNA가 복제되는 과정을 나타낸 것이다.
(가)와 (나)는 선도 가닥과 지연 가닥 중 어느 것에 해당하는지 쓰고, 그렇게 생각한 까닭을 복제 방향을 언급하여 서술하시오.

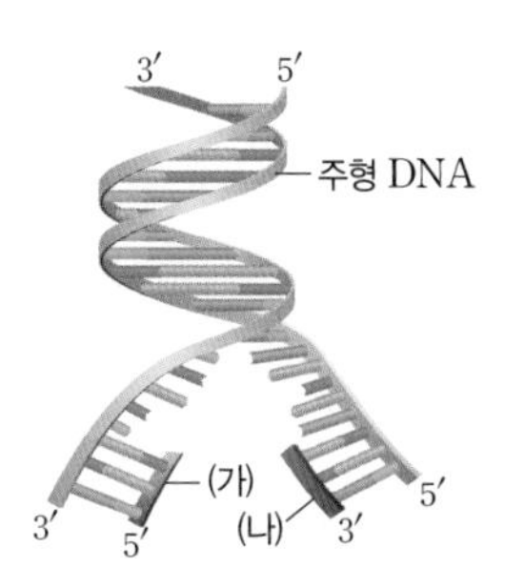

서술형

13 다음은 DNA 복제 방식을 알아보기 위한 실험이다. ㉠과 ㉡은 각각 ^{14}N와 ^{15}N 중 하나이다.

(가) ㉠을 포함한 배지에서 대장균을 배양한다.
(나) (가)의 대장균 일부를 ㉡을 포함한 배지로 옮긴 후 1세대(G_1), 2세대(G_2), 3세대(G_3) 대장균을 배양하면서 각 세대의 DNA를 추출한다.
(다) 각 세대의 DNA를 원심 분리하여 그림과 같은 결과를 얻었다.

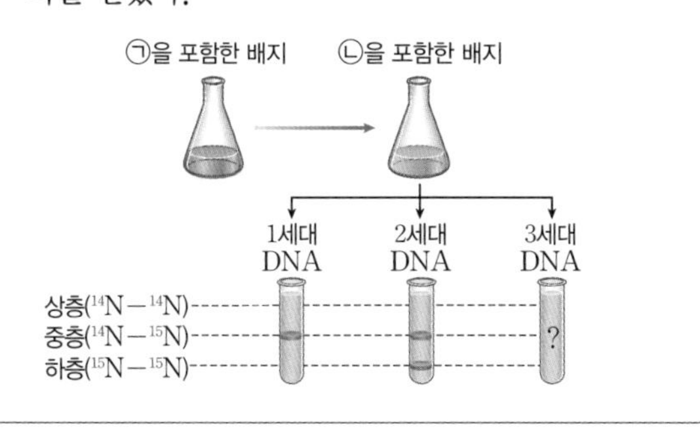

(1) ㉠과 ㉡은 각각 무엇인지 쓰고 그렇게 생각하는 까닭을 DNA 복제 방식을 포함하여 서술하시오.

(2) G_3의 DNA를 추출하여 원심 분리하였을 때 예상되는 상층 : 중층 : 하층의 비를 쓰시오.

서술형

14 그림은 대장균에서 젖당의 유무에 따른 젖당 오페론의 전사 조절 과정을 나타낸 것이다.

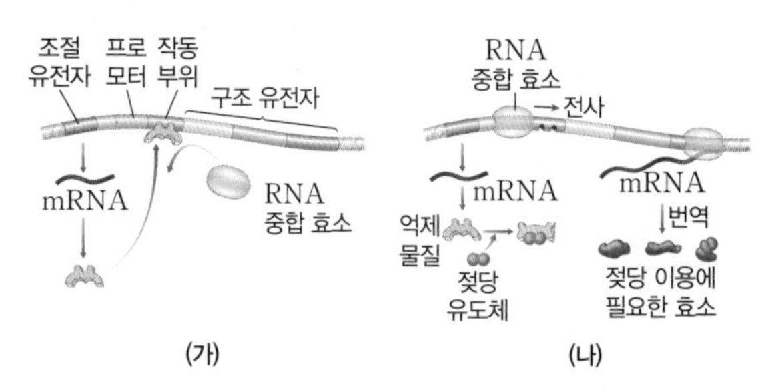

(가)에서는 구조 유전자가 전사되지 않고, (나)에서는 구조 유전자가 전사되는 과정을 서술하시오.

서술형

15 그림은 진핵세포의 전사 개시 과정을 나타낸 것이다.
㉠과 ㉡의 명칭과 역할을 간단히 서술하시오.

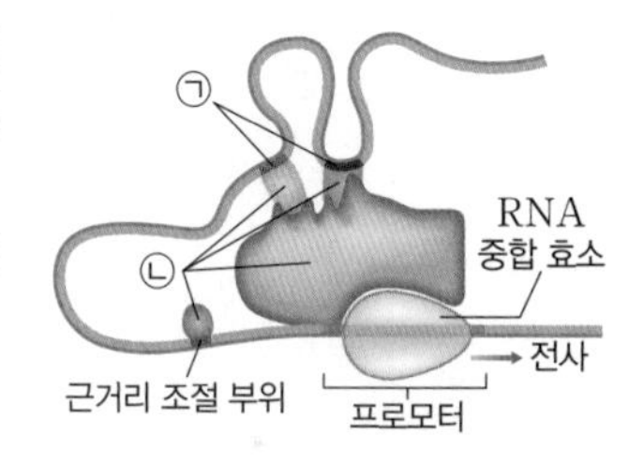

서술형

16 그림은 초파리의 염색체에 존재하는 8개의 유전자 (가)와 이 유전자들의 발현으로 영향을 받는 배아와 성체의 체절을 나타낸 것이다.

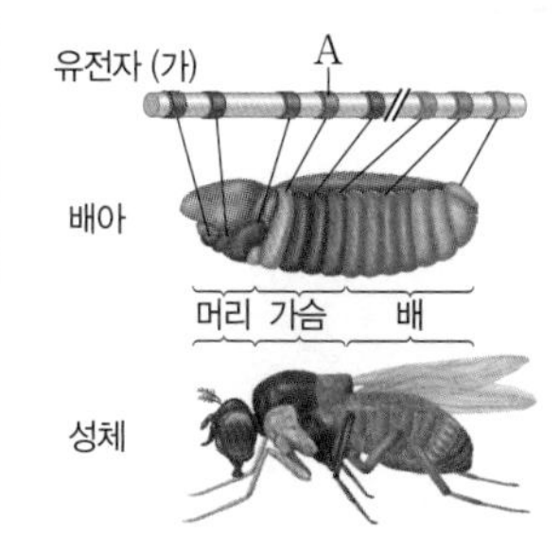

(1) (가)의 명칭을 쓰시오.

(2) 초파리의 배아 시기에 유전자 A가 머리 체절에 분포한 세포에서 과다 발현되었을 때 나타나는 돌연변이 개체의 특징을 예상하여 서술하시오.

V
생물의 진화와 다양성

나의 학습 계획표

중단원	소단원	계획일	실천일	성취도
1 생명의 기원과 다양성	01. 원시 생명체의 탄생과 진화	/	/	○△×
	02. 생물의 분류 체계	/	/	○△×
	03. 생물의 다양성	/	/	○△×
	수능 POOL + 실전! 수능 도전하기	/	/	○△×
2 생물의 진화	01. 진화의 증거	/	/	○△×
	02. 진화의 원리와 종분화	/	/	○△×
	수능 POOL + 실전! 수능 도전하기	/	/	○△×
	대단원 정리 + 문제	/	/	○△×

1 생명의 기원과 다양성

배울 내용 살펴보기

01 원시 생명체의 탄생과 진화

- A 최초 생명체 탄생에 대한 가설들
- B 원시 생명체의 진화

원시 생명체의 탄생은 화학적 진화설과 심해 열수구설로 설명할 수 있으며, 단세포 진핵생물의 출현은 막 진화설과 세포내 공생설로 설명할 수 있어.

02 생물의 분류 체계

- A 생물의 분류
- B 계통수와 분류 체계

생물 분류의 기본 단위는 종이고, 한 생물종의 학명은 이명법을 사용하여 나타내.

03 생물의 다양성

- A 3역 6계 분류 체계
- B 식물계의 분류
- C 동물계의 분류

생물은 3역 6계의 분류 체계로 분류할 수 있어.

01 원시 생명체의 탄생과 진화

핵심 키워드로 흐름잡기

- A 원시 대기, 화학적 진화설, 심해 열수구설, 밀러와 유리의 실험, 복잡한 유기물, 유기물 복합체, RNA 우선 가설
- B 원핵생물(무산소 호흡 종속 영양 생물, 독립 영양 생물, 산소 호흡 종속 영양 생물), 단세포 진핵생물, 다세포 진핵생물, 육상 생물

A 최초 생명체 탄생에 대한 가설들

| 출·제·단·서 | 시험에는 화학적 진화설의 순서를 묻는 문제가 나와.

1. 원시 지구의 환경

(1) 원시 대기 다량의 수증기(H_2O)와 이산화 탄소(CO_2), 메테인(CH_4), 암모니아(NH_3), 수소(H_2) 등과 같은 *환원성 기체로 구성되어 있었다. 이때 산소(O_2)는 없었을 것이다.

산소는 유기물과 빠르게 반응하여 분자들의 화학 에너지를 빼앗아가는 성질을 가지고 있다. 따라서 원시 지구에서 생명체의 탄생을 가능하게 한 중요한 요인으로 무산소 대기를 들 수 있다.

(2) 원시 바다 지구가 서서히 냉각되면서 대기 중의 수증기는 응결되어 비로 쏟아져 바다를 이루었다.

(3) 에너지원

① 운석의 빈번한 충돌과 대규모의 화산 활동으로 생성된 열에너지가 풍부하였다.

② 대기에 오존층이 형성되지 않아 태양의 강한 자외선과 우주 방사선이 그대로 지구 표면에 도달하여 복사 에너지가 풍부하였다.

③ 대기가 불안정하여 번개와 같은 방전 현상이 자주 일어나 전기 에너지가 풍부하였다.

2. 원시 생명체의 탄생 가설

(1) 화학적 진화설 오파린[1]은 메테인, 암모니아, 수소, 수증기 등이 풍부한 원시 지구의 대기에 자외선과 번개 등으로 에너지가 공급되어 간단한 유기물이 생성되었고, 이로부터 복잡한 유기물이 형성되었으며, 복잡한 유기물을 포함한 유기물 복합체가 생기고, 더욱 복잡한 화학 반응이 시작되어 원시 세포가 탄생하였다고 주장하였다.

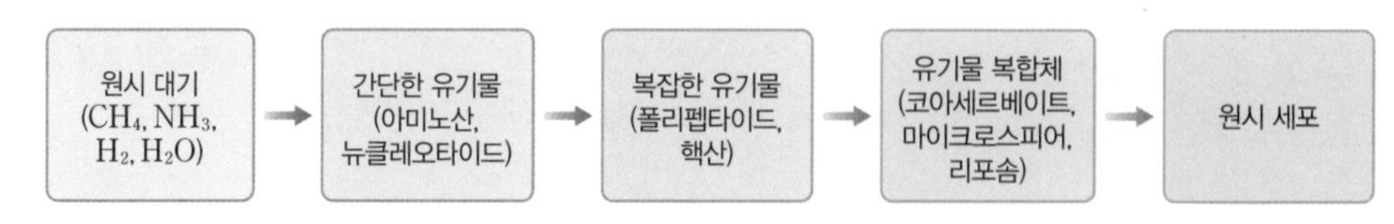

(2) 심해 열수구설 심해 열수구는 최근에 최초의 생명체 탄생 장소로 주목받고 있다.

① 화학적 진화설은 원시 지구 환경을 충분히 고려하지 못한다는 한계[2]를 가지고 있어 최근에는 심해 열수구에서 생명체가 탄생하였다는 가설이 힘을 얻고 있다.

② 심해 열수구는 화산 활동으로 뜨겁게 가열된 바닷물이 해저에서 분출되는 곳이다. 이 분출물에는 높은 화학 에너지를 가지는 황화 수소와 황화 철이 다량 포함되어 있다. 또, 열수구 주변에는 메테인, 암모니아, 수소 등 환원성 물질의 농도가 높고 온도와 압력이 매우 높아 유기물 생성에 필요한 재료와 에너지를 충분히 공급하는 환경이다.

▲ 심해 열수구

3. 화학적 진화설에 따른 원시 세포의 탄생 과정

암기TiP 간단한 유기물 → 복잡한 유기물 → 유기물 복합체

(1) 간단한 유기물의 생성 원시 대기를 구성하는 무기물이 아미노산, 뉴클레오타이드와 같은 간단한 유기물로 합성되어 원시 바다에 축적되었다.

- 밀러[3]와 유리[4]의 실험: 밀러와 유리는 원시 지구 환경과 비슷한 실험 장치를 만들어 무기물에서 간단한 유기물이 합성될 수 있다는 오파린의 가설을 실험으로 입증하였다.

---

[1] **오파린(Oparin, A. I., 1894~1980)**
러시아의 생화학자로, 『생명의 기원』이라는 저서에서 화학적 진화의 개념을 설명하였다.

[2] **화학적 진화설의 한계**
- 원시 지구에서는 화산에서 방출된 이산화 탄소 등의 많은 산화물에 의해 산화 작용이 일어났기 때문에 유기물이 존재하기 어려웠을 것이다.
- 원시 대기에는 환원성 기체인 암모니아와 메테인이 풍부하지 않았을 것이다.

[3] **밀러(Miller, S. L., 1930~2007)**
미국의 화학자로, 대학원생일 때 전기 방전 실험을 통해 원시 대기의 조건에서 무기물로부터 유기물이 합성될 수 있다는 것을 증명하였다.

[4] **유리(Urey, H. C., 1893~1981)**
미국의 화학자로, 밀러와 함께 화학적 진화설을 뒷받침하는 증거를 실험으로 증명하였다.

용어 알기

*환원(돌아올 還, 근원 元)성 기체 수소(H) 또는 수소와 결합한 기체

빈출 자료 밀러와 유리의 실험

과정과 결과

밀러와 유리는 그림 (가)와 같이 메테인, 암모니아, 수소, 수증기의 혼합 기체에 강한 방전을 일으켜 화학 반응이 일어나게 하고 수증기가 냉각되어 떨어진 액체가 다시 증발하여 순환하도록 장치를 한 후, 1주일 동안 U자관 내 물질의 농도 변화를 측정하였다. 그림 (나)는 U자관 내 물질의 농도 변화를 측정한 것이다.

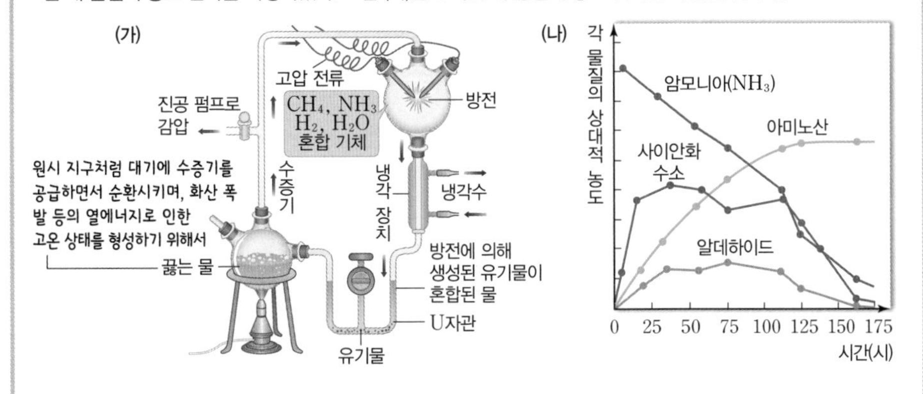

정리

❶ 실험 장치와 원시 지구의 관계

실험 장치	플라스크 속 혼합 기체	강한 방전	냉각 장치를 통과한 액체	U자관에 고인 액체
원시 지구	원시 지구의 환원성 대기	번개와 같은 원시 지구의 에너지	원시 지구에 내린 비	원시 바다

❷ 시간이 경과하면서 암모니아의 농도가 감소하는 까닭: 방전 등에 의해 암모니아가 화학 반응을 일으켜 아미노산 등의 간단한 유기물로 합성되었기 때문이다. ➡ 원시 대기의 혼합 기체로부터 간단한 유기물이 합성될 수 있음을 증명하였다.

(2) 복잡한 유기물의 생성 원시 바다에 축적된 간단한 유기물(아미노산, 뉴클레오타이드 등)이 오랫동안 화학 반응을 거쳐 복잡한 유기물(폴리펩타이드, 핵산 등)로 합성되었다.

- 폭스의 실험: 폭스는 20여 종류의 아미노산을 혼합하여 고압 상태에서 몇 시간 동안 170 ℃로 가열한 결과 여러 가지 폴리펩타이드를 합성하였다. 이로 인해 간단한 유기물인 아미노산으로부터 복잡한 유기물이 합성된다는 사실을 증명하였다.

(3) 막 구조❺를 가진 유기물 복합체의 형성 원시 바다에 축적된 복잡한 유기물이 모여 막으로 둘러싸인 유기물 복합체가 형성되었다.

구분	내용
코아세르베이트❻	• 오파린은 원시 바다에 축적된 유기물(단백질, 핵산 등)이 농축되어 액상의 막으로 둘러싸인 유기물 복합체가 되었다고 생각하였고, 이를 코아세르베이트라고 하였다. • 코아세르베이트는 주변 환경으로부터 물질을 선택적으로 흡수하면서 크기가 커지고, 일정 크기 이상이 되면 분열하며 간단한 대사 작용도 할 수 있다.
마이크로스피어❼	• 폭스는 아미노산을 가열하여 만든 폴리펩타이드를 뜨거운 물에 넣었다가 서서히 식혀 작은 액체 방울 모양의 유기물 복합체를 만들었고, 이를 마이크로스피어라고 하였다. • 마이크로스피어는 단백질로 된 2중층의 막을 가지고 있으며, 주변 환경으로부터 물질을 선택적으로 흡수하면서 크기가 커지고, 일정 크기 이상이 되면 스스로 분열할 수 있다. • 마이크로스피어는 코아세르베이트보다 구조가 안정적이기 때문에 원시 세포 출현에 중요한 역할을 했을 것으로 생각되었다.
리포솜❽	• ●인지질을 물에 넣으면 리포솜이 만들어진다. • 리포솜은 오늘날의 세포막처럼 인지질 2중층의 막 구조를 가지고 있으며, 물속에서 막에 단백질을 붙일 수 있고, 선택적 투과성이 있다. 또, 크기가 커지면 작은 리포솜을 형성하여 분리할 수 있고, 효소와 기질을 첨가하면 물질대사를 하기도 하며 생성물을 방출할 수도 있다. • 리포솜은 막 구조가 오늘날의 세포막과 유사하므로, 원시 세포의 막 구조는 단백질보다는 인지질을 기반으로 형성되었을 것으로 추정된다.

❺ **막 구조의 중요성**

- 생명 현상을 일으키는 고분자 유기물 간에 화학 반응이 지속되려면 분자들이 한 저장 공간에 모여 있어야 한다.
- 막은 분자를 선택적으로 통과시켜 물질대사에 필요한 재료와 그 최종 산물이 지속적으로 외부와 교환될 수 있도록 한다.

❻ **코아세르베이트**

액상의 막

코아세르베이트 막의 구성 성분은 물이다.

❼ **마이크로스피어**

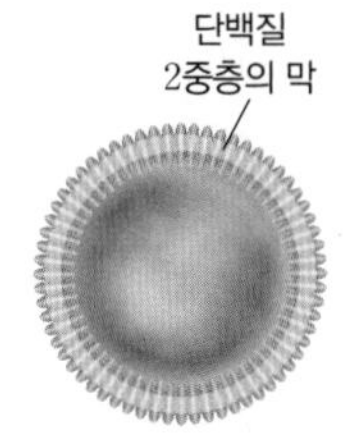

마이크로스피어 막의 구성 성분은 단백질이다.

❽ **리포솜**

인지질 2중층의 막

리포솜 막의 구성 성분은 인지질이다.

용어 알기

●인지질(도깨비불 燐, 기름 脂, 바탕 質) 분자 안에 인산이 들어 있는 복합 지질의 하나

(4) 원시 세포(원시 생명체)의 탄생 막 구조를 가진 유기물 복합체에 자기 복제와 물질대사에 필요한 유전 물질과 •효소가 추가되어 원시 세포가 출현하였다.

① **원시 세포의 필수 조건:** 원시 세포가 되기 위해서는 막 구조, 유전 물질, 효소가 있어야 한다.

세포막	막으로 둘러싸인 안정된 내부 환경을 가지고 있어야 하고, 막을 경계로 물질 출입을 조절할 수 있어야 한다.
유전 물질(핵산)	유전 물질이 있어 자기 복제를 할 수 있어야 한다.
효소(단백질)	물질대사에 필요한 효소를 스스로 합성할 수 있어야 한다.

② **최초의 유전 물질❾:** RNA는 유전 정보의 저장과 전달 기능이 있으며, 효소 기능을 하는 것도 있음이 •리보자임의 발견으로 밝혀졌다. 리보자임은 다양한 입체 구조를 만들 수 있고, 뉴클레오타이드를 이용하여 짧은 RNA를 상보적으로 복제하는 작용을 촉매할 수 있다. 따라서 RNA는 최초의 유전 물질로 추정된다.

③ **RNA 우선 가설:** 특정 RNA가 유전 정보의 저장과 효소의 기능을 동시에 가져 자기 복제를 하였다는 가설이다.

④ **유전 정보 체계의 변화:** 유전 정보의 저장 기능은 RNA보다 안정된 구조를 가진 DNA가 담당하고, 효소의 기능은 더 정확하고 다양한 기능을 수행할 수 있는 단백질로 대체되어 현재의 DNA → RNA → 단백질로 이루어진 유전 정보 흐름의 체계로 진화했을 것이다.

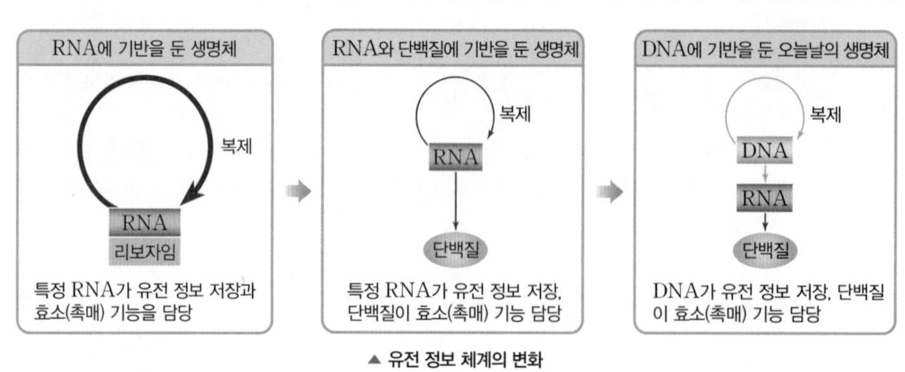

▲ 유전 정보 체계의 변화

❾ **DNA와 단백질이 최초의 유전 물질이 아닌 까닭**
- DNA는 유전 정보를 저장하는 기능이 있지만, 효소 기능이 없다.
- 단백질은 효소 기능이 있지만, 유전 정보를 저장하고 전달하는 기능이 없다.

용어 알기

•효소(삭힐 酵, 본디 素) 생물의 세포 안에서 합성되어 살아 있는 생물의 몸 속에서 행하여지는 거의 모든 화학 반응의 촉매 구실을 하는 고분자 화합물

•리보자임(Ribozyme) 효소 기능을 하는 RNA로, RNA (Ribonucleic acid)와 효소(Enzyme)를 합쳐 붙여진 이름

빈출 자료 DNA, 리보자임, 단백질의 특성 비교

표는 DNA, 리보자임, 단백질의 특징을, 그림은 리보자임의 구조를 나타낸 것이다.

구분	DNA	리보자임	단백질
유전 정보 저장 능력	있음	있음	없음
입체 구조	일정함	다양함	다양함
효소(촉매) 기능	없음	있음	있음
자기 복제 기능	있음	있음	없음

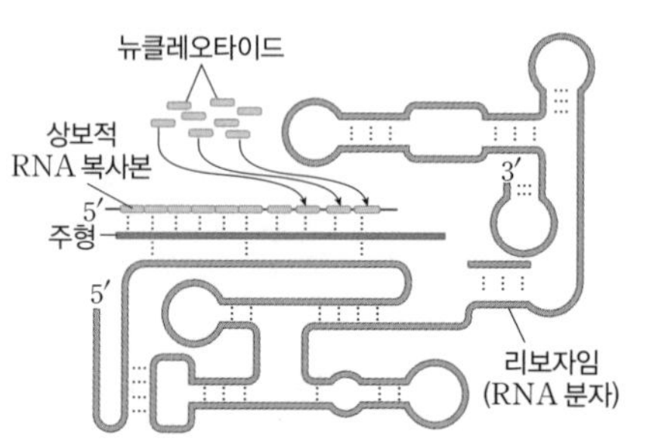

❶ 최초의 유전 물질은 유전 정보를 저장할 수 있으면서 효소(촉매) 기능을 하고 스스로 복제하여 유전 정보를 전달할 수 있어야 한다. DNA, 리보자임, 단백질 중 리보자임은 유전 정보를 저장할 수 있고, 다양한 입체 구조를 형성하여 효소(촉매)로 작용할 수 있으며 자기 복제 기능이 있으므로, 최초의 유전 물질이었을 가능성이 높다.

❷ 리보자임에서는 RNA 단일 가닥을 구성하는 염기들끼리 상보적으로 수소 결합이 형성되어 복잡한 모양으로 접히면서 입체 구조가 다양하게 나타난다.

❸ 리보자임에 뉴클레오타이드를 공급하면 단백질로 구성된 효소 없이도 스스로 효소로 작용하여 주형이 되는 RNA에 상보적인 염기 서열을 가지는 RNA를 합성하기도 한다.

B 원시 생명체의 진화

|출·제·단·서| 시험에는 원시 생명체의 진화 과정을 묻는 문제가 나와.

1. 원핵생물의 출현 원핵생물은 약 39억 년 전에 출현하였다.

(1) 무산소 호흡을 하는 종속 영양 생물의 출현

① 원시 지구의 대기에는 산소가 없었고 원시 바다에는 유기물이 풍부하였으므로, 최초의 생명체는 무산소 호흡으로 유기물을 분해하여 에너지를 얻는 종속 영양 생물이었을 것이다.

② 종속 영양 생물의 무산소 호흡 결과 이산화 탄소가 생성되어 대기 중에 이산화 탄소 농도가 증가하였고, 바닷물 속의 유기물이 점차 감소하게 되었다.

(2) 광합성을 하는 독립 영양 생물의 출현

① 대기 중 이산화 탄소의 농도 증가와 바닷속 유기물의 감소로 태양의 빛에너지와 대기의 이산화 탄소를 이용하여 스스로 유기물을 합성하는 독립 영양 생물이 출현하였다.

② 초기 독립 영양 생물은 황화 수소(H_2S)로부터 수소를 공급받아 광합성을 하였다. 이후 물로부터 수소를 공급받는 남세균[10]이 출현하여 광합성 결과 산소를 부산물로 내놓기 시작하였다.

③ 남세균에서 방출된 산소는 바닷속에 용해된 철 이온과 반응하여 산화 철[11]로 침전되었다. 이후 바닷속에 용해된 철 이온이 대부분 산소와 반응하여 산화 철로 침전된 후에 바닷물이 산소로 포화되었고, 남은 산소는 바닷물에서 빠져 나와 대기 중의 산소 농도가 증가하기 시작하였다.

(3) 산소 호흡을 하는 종속 영양 생물의 출현

① 대기 중 산소의 농도와 바닷속 유기물의 양 증가로 산소 호흡으로 유기물을 분해하여 에너지를 얻는 종속 영양 생물이 출현하였다.

② 산소 호흡은 무산소 호흡보다 에너지 효율이 높아 산소 호흡을 하는 생물이 번성하였다.

2. 단세포 진핵생물의 출현

원핵생물의 구조가 복잡해지면서(원핵생물 → 단세포 진핵생물) 단세포 진핵생물로 진화하였다(단세포 진핵생물은 약 21억 년 전에 출현하였다). 원핵생물이 진핵생물로 진화하는 과정은 막 진화설과 세포내 공생설로 설명한다.

(1) 막 진화설[12] 조상 원핵세포의 세포막이 세포 안으로 접혀 들어가고, 접혀 들어간 막은 세포막과 분리되어 핵, 소포체, 골지체 등의 막성 세포 소기관을 형성하였다는 설이다.

(2) 세포내 공생설 독립된 원핵생물이 다른 생물의 내부에 공생하면서 미토콘드리아와 엽록체로 분화하였다는 설이다.

① 독립적으로 생활하던 호기성 세균이 진핵생물의 조상 세포에 들어가 •공생하다가 미토콘드리아로 분화되었다. 암기TiP 호기성 세균 → 미토콘드리아

② 그 후 독립적으로 생활하던 광합성 세균(남세균)이 진핵생물의 조상 세포에 들어가 공생하다가 엽록체로 분화되었다. 암기TiP 광합성 세균 → 엽록체

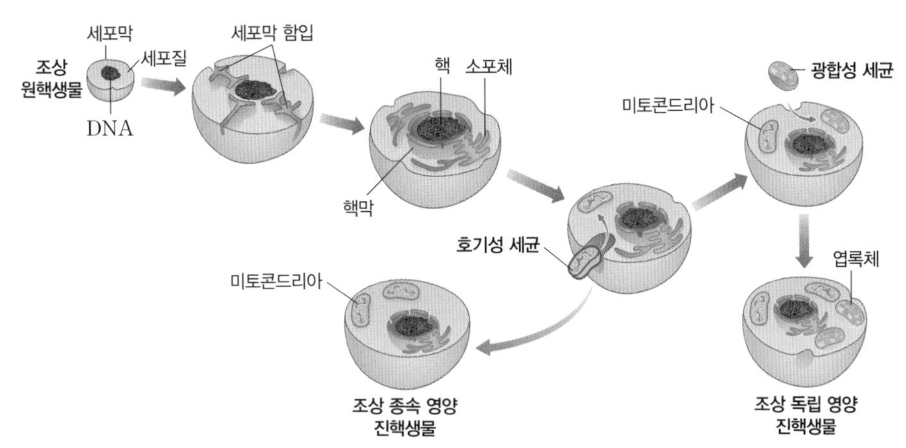

▲ 막 진화설과 세포내 공생설에 의한 단세포 진핵생물의 출현

⑩ 스트로마톨라이트

남세균의 흔적은 스트로마톨라이트라고 불리는 암석 구조에서 발견된다. 스트로마톨라이트는 암석 표면에 미생물이 달라붙어 형성된 막 위에 퇴적물이 부착되고 다시 그 위에 미생물이 달라붙는 과정이 반복되어 만들어진 퇴적 구조이다. 가장 오래된 스트로마톨라이트의 연대는 약 35억 년 전이므로 최소한 35억 년 전보다 오래 전에 지구에 조상 원핵생물이 존재했음을 알 수 있다.

⑪ 산화 철 띠를 포함하는 퇴적암 지층

산소의 증가는 붉은색을 띠는 산화 철이 풍부하게 존재하는 퇴적암 지층을 통해 확인할 수 있다.

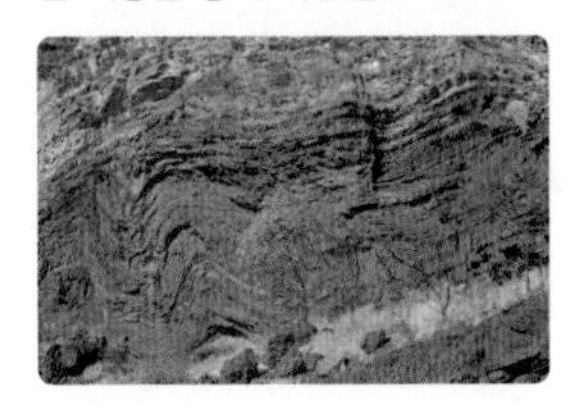

⑫ 막 진화설의 근거

진핵세포에서 세포막을 비롯하여 소포체, 골지체, 핵막 등이 같은 구조의 인지질 막으로 이루어져 있다.

용어 알기

•공생(함께 共, 살 生) 서로 다른 두 생물이 특별한 해를 주고받지 않고 함께 생활하는 것

세포내 공생설의 근거

- 미토콘드리아와 엽록체는 2중막 구조이고, 내막은 원핵생물의 세포막과 비슷한 조성의 지질로 이루어져 있다. 식세포 작용에 의해 원핵생물이 숙주 세포로 삼켜진 흔적으로 추정된다. 내막은 삼켜진 원핵생물의 세포막에서 유래한 것이고, 외막은 숙주 세포의 세포막이 안으로 접혀서 형성된 것이다. 원핵생물의 세포막에서 발견되는 효소와 전자 전달계가 미토콘드리아와 엽록체의 내막에서 발견된다.
- 미토콘드리아와 엽록체는 자체적으로 유전 물질(DNA, RNA)과 단백질 합성을 위한 리보솜을 가진다. 미토콘드리아와 엽록체는 스스로 복제가 가능하고, 단백질을 합성할 수 있다.
- 미토콘드리아와 엽록체의 DNA⑬와 리보솜은 진핵세포보다 원핵세포의 것과 유사하며, 원핵세포와 유사한 방식으로 분열한다. 미토콘드리아와 엽록체는 진핵세포와 발생 기원이 다르다는 것을 의미한다.

⑬ 미토콘드리아와 엽록체의 DNA
진핵세포의 핵 속에 들어 있는 DNA는 선형이지만, 원핵세포인 세균의 DNA는 원형이다. 미토콘드리아와 엽록체에 있는 DNA는 세균의 DNA와 같이 원형이다.

3. 다세포 진핵생물의 출현 다세포 진핵생물은 약 15억 년 전에 출현하였다.

(1) 같은 종의 단세포 진핵생물이 모여 •군체를 이룬 후, 환경에 적응하는 과정에서 세포의 형태와 기능이 분화되어 다세포 진핵생물로 진화하였다.

(2) 다세포 진핵생물은 각각 독립적으로 서로 다른 다세포 생물로 진화하여 원생생물, 식물, 균류, 동물의 조상이 되었다.

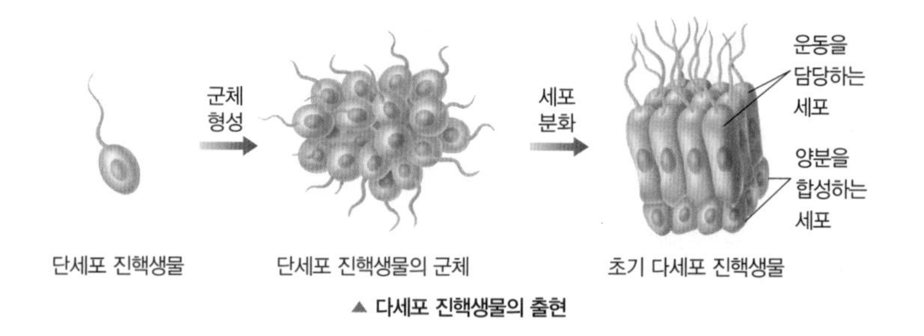

▲ 다세포 진핵생물의 출현

4. 육상 생물의 출현 육상 생물은 약 5억 년 전에 출현하였다.

(1) 광합성을 하는 생물의 출현 이후 대기 중 산소 농도의 급격한 증가로 오존층이 형성되어 자외선을 상당 부분 차단함으로써 바닷속에서만 생활하던 생물이 육상으로 진출할 수 있게 되었다.

(2) 식물, 동물 등 다세포 진핵생물이 육상으로 진출하였고 건조로부터 몸을 보호할 수 있는 형질을 발달시켰다. ➡ 생물 다양성이 빠르게 증가하였다.

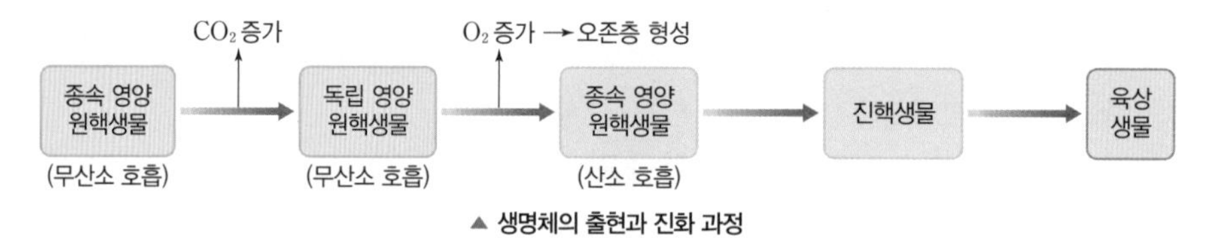

▲ 생명체의 출현과 진화 과정

빈출 자료 지구 역사에 따른 대기 중 산소 농도의 변화

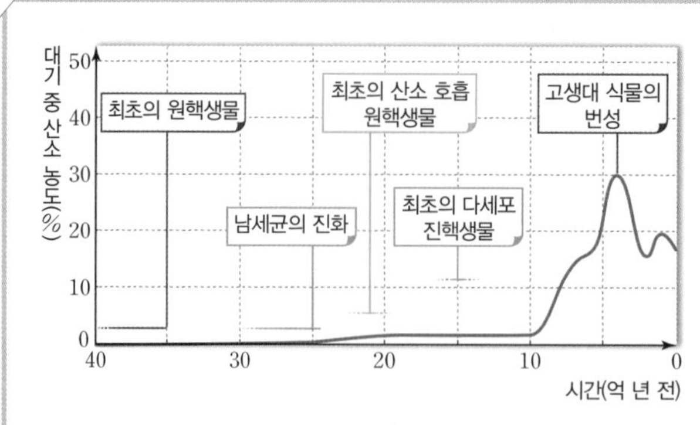

❶ 산소 농도가 증가하기 시작한 시기는 약 24억 년 전이다.
❷ 약 8억 년 전부터 조류, 식물 등의 진핵생물에 의해 산소 농도가 급격하게 증가하였다.
❸ 현재는 산소가 대기 중의 약 20 %를 차지한다.

용어 알기
•군체(무리 群, 몸 體) 같은 종의 단세포 생물이 무리지어 있는 것

콕콕! 개념 확인하기

정답과 해설 071쪽

✔ 잠깐 확인!

1. 원시 대기는 수증기, 이산화 탄소, 메테인, 암모니아, 수소 등과 같은 ☐☐☐ 기체로 구성되어 있었을 것으로 추정된다.

2. 오파린은 무기물로부터 간단한 유기물이 합성되었다는 ☐☐☐ 진화설을 주장하였다.

3. ☐☐ ☐☐☐☐ 심해 열수구에서 생명체가 탄생하였다는 가설

4. ☐☐☐☐☐☐☐ 아미노산 용액에 높은 열을 가해 아미노산 중합체를 만든 후 이것을 뜨거운 물에 넣었다가 서서히 식혀 만든 작은 액체 방울 모양의 유기물 복합체

5. DNA, RNA, 단백질 중 최초의 유전 물질로 추정되는 것은 ☐☐☐이다.

6. 세포내 공생설에 의하면 호기성 세균은 ☐☐☐☐☐☐로 분화되었고, 광합성 세균은 ☐☐☐로 분화되었다.

7. 독립된 단세포 진핵생물이 모여 ☐☐를 이룬 후, 환경에 적응하는 과정에서 세포의 형태와 기능이 분화되어 다세포 진핵생물로 진화하였다.

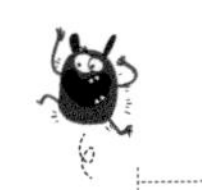

A 최초 생명체 탄생에 대한 가설들

01 그림은 오파린의 화학적 진화설에 따른 원시 세포의 탄생 과정을 나타낸 것이다.

원시 대기 → A → B → C → 원시 세포

A~C에 들어갈 알맞은 말을 각각 쓰시오.

02 그림은 원시 지구에서의 유기물 합성을 알아본 밀러와 유리의 실험 장치를 나타낸 것이다. 원시 지구의 대기를 재현한 혼합 기체의 성분 4가지를 쓰시오.

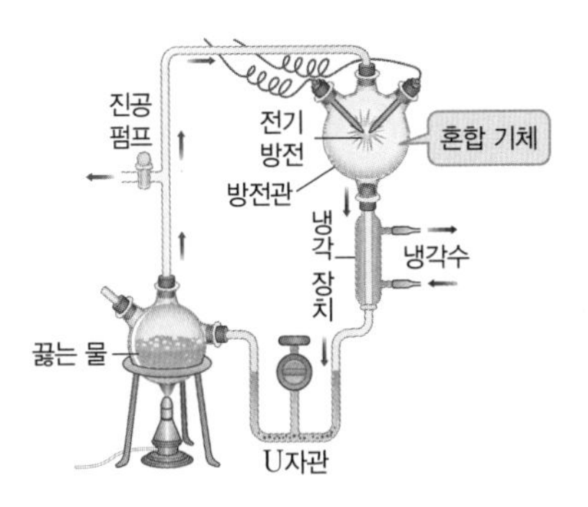

03 다음은 어떤 RNA에 대한 설명이다.

> (　　)은 유전 정보의 저장과 전달 기능이 있으며, 효소 기능을 하는 RNA이다. (　　)은 뉴클레오타이드를 이용하여 짧은 RNA를 상보적으로 복제하는 작용을 촉매할 수 있다. 따라서 RNA는 최초의 유전 물질로 추정된다.

( ) 안에 공통으로 들어갈 알맞은 말을 쓰시오.

B 원시 생명체의 진화

04 그림은 원시 지구에서 생명체가 출현하는 과정을 나타낸 것이다. (가)~(다)는 각각 광합성을 하는 독립 영양 원핵생물, 무산소 호흡을 하는 종속 영양 원핵생물, 산소 호흡을 하는 종속 영양 원핵생물 중 하나이다.

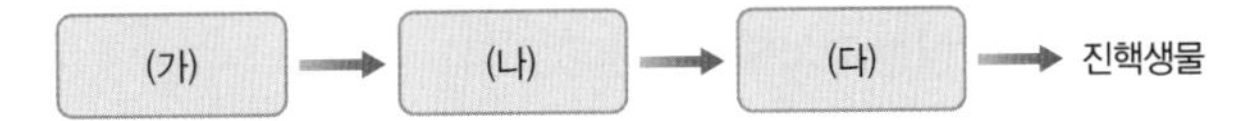

이에 대한 설명으로 옳은 것은 ○, 옳지 않은 것은 ×로 표시하시오.

(1) (가)는 무산소 호흡을 하는 종속 영양 원핵생물이다. (　　)
(2) 남세균은 (나)에 해당한다. (　　)
(3) (다)는 산소 호흡을 하는 종속 영양 원핵생물이다. (　　)
(4) (가)에 의해 대기의 산소(O_2) 농도가 증가하였다. (　　)
(5) (다)의 출현에 의해 (나)가 멸종되었다. (　　)

05 다음은 단세포 진핵생물의 출현에 대한 가설 (가)와 (나)를 나타낸 것이다.

> (가) 조상 원핵세포의 세포막이 세포 안으로 접혀 들어가고, 접혀 들어간 막은 세포막과 분리되어 핵, 소포체, 골지체 등의 막성 세포 소기관을 형성하였다.
> (나) 독립적으로 생활하던 호기성 세균과 광합성 세균이 진핵생물의 조상 세포에 들어가 공생하다가 각각 미토콘드리아와 엽록체로 분화되었다.

(가)와 (나)에 해당하는 가설의 명칭을 쓰시오.

탄탄! 내신 다지기

A 최초 생명체 탄생에 대한 가설들

[01~02] 그림은 화학적 진화설을 나타낸 것이다.

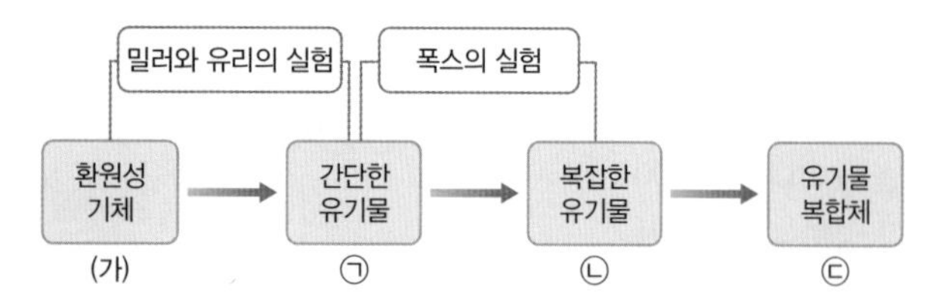

단답형

01 (가)에 해당하는 기체를 3가지만 쓰시오.

02 ㉠~㉢에 해당하는 예로 가장 적절한 것을 옳게 짝 지은 것은?

	㉠	㉡	㉢
①	핵산	폴리펩타이드	코아세르베이트
②	아미노산	폴리펩타이드	핵산
③	아미노산	폴리펩타이드	코아세르베이트
④	뉴클레오타이드	핵산	단백질
⑤	뉴클레오타이드	아미노산	코아세르베이트

03 그림은 밀러와 유리의 실험 장치를 나타낸 것이다.

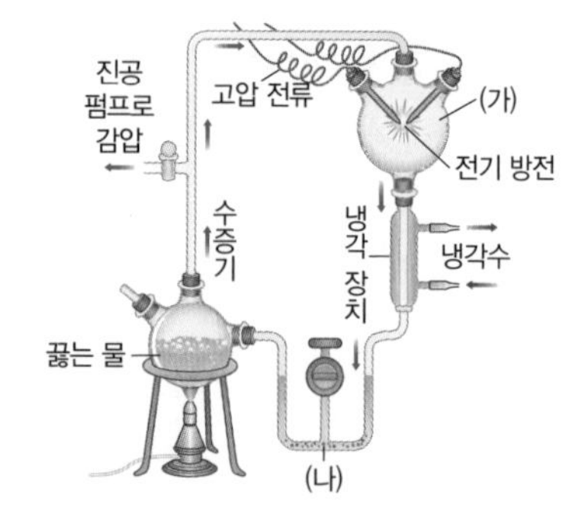

이에 대한 설명으로 옳지 않은 것은?

① 실험 결과 (나)에서 아미노산이 검출되었다.
② (가) 속의 혼합 기체는 원시 대기를 가정한 것이다.
③ 전기 방전은 물질 합성에 필요한 에너지를 공급한다.
④ (가)에는 메테인(CH_4), 암모니아(NH_3) 등이 들어 있다.
⑤ 이 실험으로 원시 지구에서의 단백질 합성이 증명되었다.

단답형

04 다음은 최근 연구에서 최초 생명체의 출현 장소로 주목받고 있는 곳에 대한 설명이다.

> 원시 지구의 대부분은 유기물이 존재하기 어려웠을 것이다. 반면, 이곳에서는 화산 활동으로 뜨겁게 가열된 바닷물이 해저에서 분출된다. 이 분출물에는 높은 화학 에너지를 가지는 황화 수소, 황화 철이 다량 포함되어 있고, 메테인, 암모니아, 수소 등의 농도가 높아 유기물 생성에 필요한 재료와 에너지를 충분히 공급하는 환경이다.

이곳은 어디인지 쓰시오.

단답형

05 다음은 원시 생명체의 기원으로 제안된 유기물 복합체 X의 모습과 설명이다.

> 자발적 화학 반응으로 형성된 유기물이 결합하여 단백질, 핵산 등의 복잡한 유기물이 만들어지고, 이들이 모여 유기물 복합체가 형성되면 이를 물 분자가 둘러싸는 상태가 된다. 오파린은 X를 원시 생명체의 기원이라고 생각하였다.
>
> 액상의 막

유기물 복합체 X는 무엇인지 쓰시오.

06 그림은 리보자임의 구조와 기능을 나타낸 것이다.

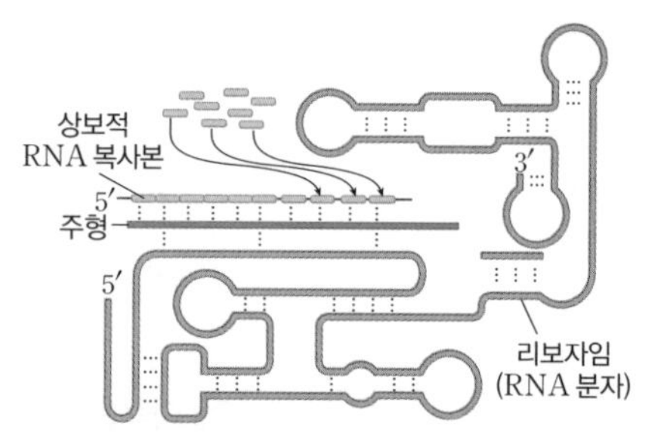

이에 대한 설명으로 옳지 않은 것은?

① 2중 나선 구조이다.
② 리보뉴클레오타이드로 구성된다.
③ 화학 반응을 촉매하는 기능이 있다.
④ 유전 정보의 저장 기능을 가지고 있다.
⑤ 염기의 상보적 결합을 거쳐 스스로 복제될 수 있다.

B 원시 생명체의 진화

07 그림은 원시 지구에서 일어난 원시 생명체의 진화 과정을 나타낸 것이다. (가)와 (나)는 각각 호기성 세균과 광합성 세균 중 하나이고, ㉠과 ㉡은 각각 O_2와 CO_2 중 하나이다.

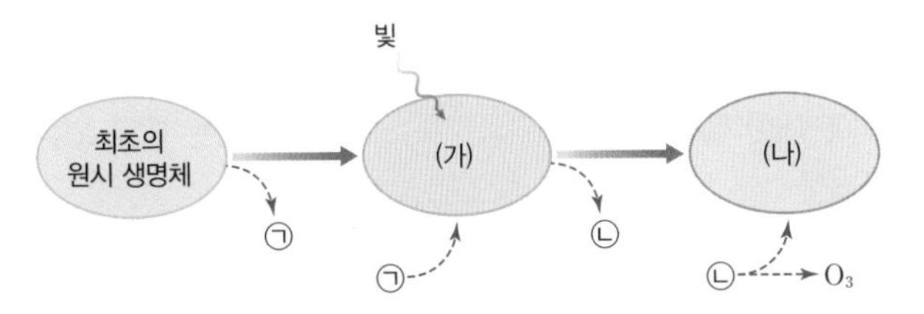

이에 대한 설명으로 옳지 않은 것은?

① ㉠은 CO_2, ㉡은 O_2이다.
② (가)는 광합성 세균이다.
③ (나)는 종속 영양 생물에 속한다.
④ 최초의 원시 생명체는 무산소 호흡을 하였다.
⑤ 대기의 O_3 농도 증가로 인해 (나)가 모두 사라졌다.

08 그림은 세포내 공생설을 나타낸 것이다. 미토콘드리아의 기원은 ⓐ이고, 엽록체의 기원은 ⓑ이며, ⓐ와 ⓑ는 각각 광합성 세균과 호기성 세균 중 하나이다.

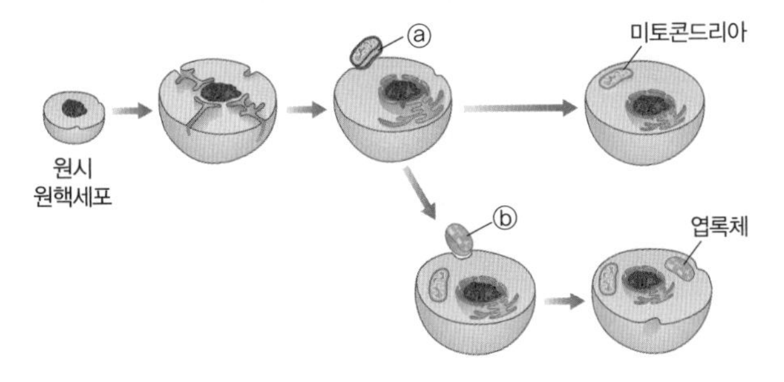

이에 대한 설명으로 옳지 않은 것은?

① ⓐ에는 유전 물질이 있다.
② ⓑ는 원핵생물이다.
③ ⓑ는 독립 영양 생물이다.
④ 미토콘드리아 내막은 ⓐ의 세포막에서 유래하였다.
⑤ ⓐ와 ⓑ는 모두 막으로 둘러싸인 세포 소기관을 가진다.

09 그림은 단세포 진핵생물로부터 다세포 진핵생물이 출현하는 과정을 나타낸 것이다. ㉠과 ㉡은 각각 양분을 합성하는 세포와 운동을 담당하는 세포 중 하나이다.

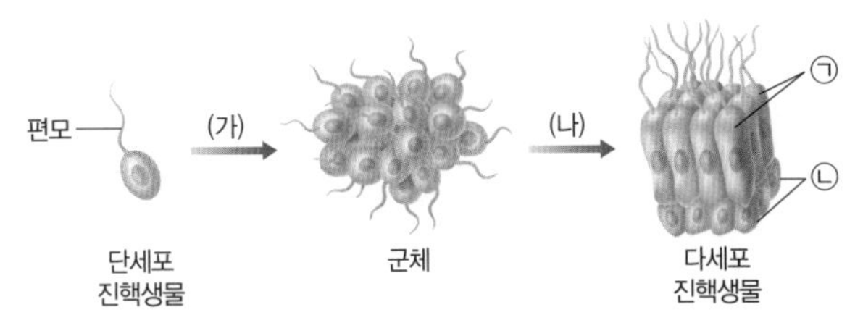

이에 대한 설명으로 옳은 것은?

① 단세포 진핵생물은 핵이 없다.
② ㉠은 양분을 합성하는 세포이다.
③ (나) 과정에서 세포의 분화가 일어났다.
④ 세포내 공생은 (나) 과정 이후에 일어났다.
⑤ 핵을 가진 생물은 (가) 과정 이후에 출현하였다.

10 그림은 지구 탄생 이후 육상 생물 출현 이전까지의 생물 출현과 그에 따른 대기 구성 성분의 변화량을 나타낸 것이다. A~C는 각각 남세균, 무산소 호흡 종속 영양 생물, 호기성 세균 중 하나이다.

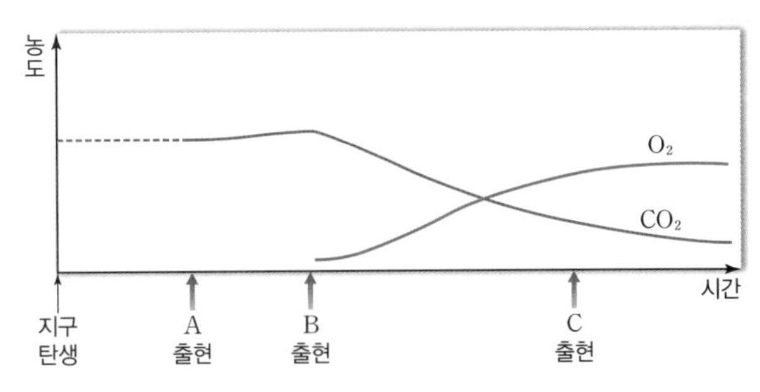

이에 대한 설명으로 옳지 않은 것은?

① A는 종속 영양을 한다.
② B의 출현에 의해 A가 멸종되었다.
③ C는 산소 호흡을 하여 CO_2를 방출한다.
④ B는 빛에너지를 이용하여 유기물을 합성한다.
⑤ A에 의해 원시 바다의 유기물 양이 감소하였다.

도전! 실력 올리기

01 그림은 원시 지구에서 생명체의 탄생과 출현을 나타낸 것이다. (가)와 (나)는 각각 산소 호흡 종속 영양 생물과 무산소 호흡 종속 영양 생물 중 하나이다.

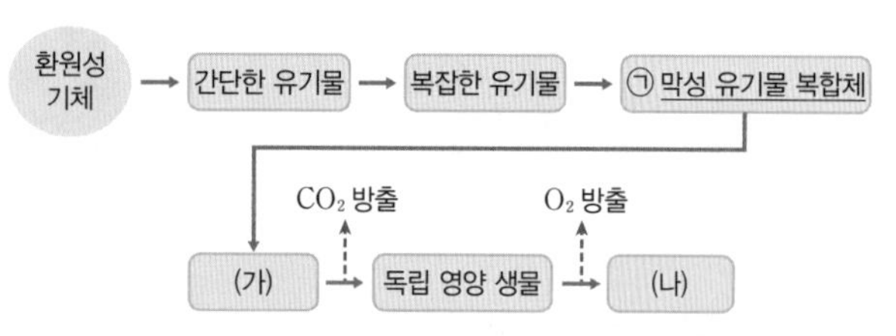

이에 대한 설명으로 옳은 것만을 〈보기〉에서 있는 대로 고른 것은?

보기
ㄱ. 코아세르베이트는 ㉠에 해당한다.
ㄴ. (가)에 의해 원시 바다의 유기물 양이 증가하였다.
ㄷ. (나)는 최초의 육상 생물이다.

① ㄱ ② ㄴ ③ ㄱ, ㄴ
④ ㄱ, ㄷ ⑤ ㄴ, ㄷ

출제예감

02 다음은 원시 지구에서의 유기물 합성을 알아보기 위해 밀러와 유리가 수행한 실험이다.

(가) 플라스크에 ㉠혼합 기체를 채운다.
(나) 1주일 동안 물을 끓여 순환시키고, 플라스크 내부에 고압의 전기 방전을 일으키면서 플라스크 내부의 물질이 냉각 장치를 거쳐 U자관으로 내려오도록 하였다.
(다) 일정 시간이 지난 후 ㉡U자관에 고인 액체에 존재하는 물질을 분석하였다.

이에 대한 설명으로 옳은 것만을 〈보기〉에서 있는 대로 고른 것은?

보기
ㄱ. ㉠에는 산소(O_2)가 있다.
ㄴ. ㉡은 원시 바다를 가정한 것이다.
ㄷ. ㉡에서 아미노산이 검출된다.

① ㄱ ② ㄷ ③ ㄱ, ㄴ
④ ㄴ, ㄷ ⑤ ㄱ, ㄴ, ㄷ

03 그림은 생명체가 탄생하는 과정에서 유전 물질의 변화 과정을 추정하여 나타낸 것이다.

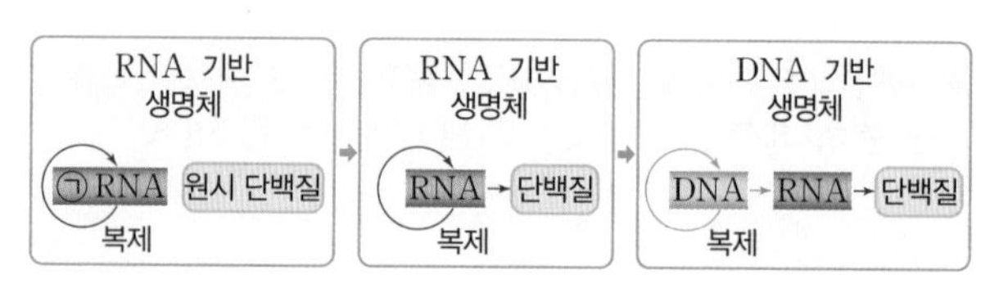

이에 대한 설명으로 옳은 것만을 〈보기〉에서 있는 대로 고른 것은?

보기
ㄱ. 리보자임은 ㉠에 해당한다.
ㄴ. DNA가 RNA보다 유전 물질로 먼저 사용되었다.
ㄷ. DNA는 RNA보다 유전 정보를 더 안정적으로 저장할 수 있다.

① ㄱ ② ㄴ ③ ㄷ
④ ㄱ, ㄷ ⑤ ㄴ, ㄷ

04 그림은 원시 생명체의 탄생 과정을 나타낸 것이다. (가)와 (나)는 각각 생물학적 진화와 화학적 진화 중 하나이다.

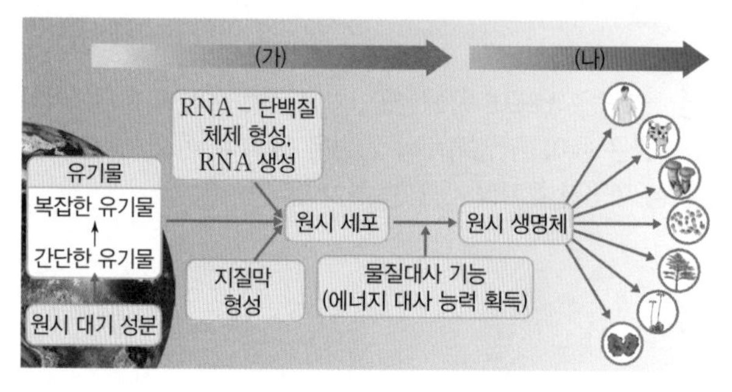

이에 대한 설명으로 옳은 것만을 〈보기〉에서 있는 대로 고른 것은?

보기
ㄱ. (가)는 화학적 진화이다.
ㄴ. 바다에서 원시 세포에서 원시 생명체로의 진화가 일어났다.
ㄷ. 최초의 유전 물질이었을 가능성이 가장 높은 것은 DNA이다.

① ㄱ ② ㄷ ③ ㄱ, ㄴ
④ ㄱ, ㄷ ⑤ ㄴ, ㄷ

정답과 해설 072쪽

출제예감

05 그림은 지구의 탄생부터 현재까지 생물의 존재 기간을 나타낸 것이다.

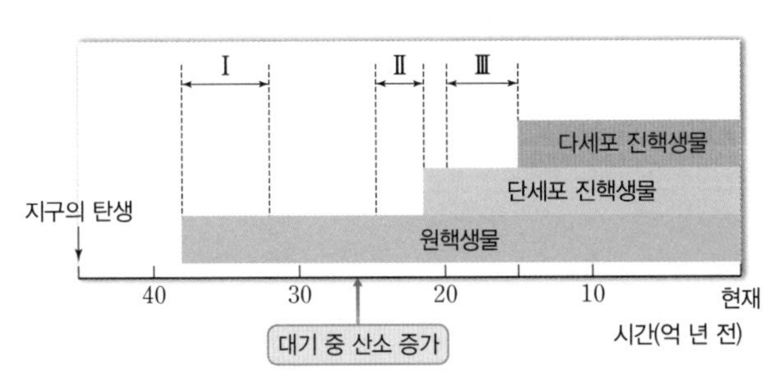

이에 대한 설명으로 옳은 것만을 〈보기〉에서 있는 대로 고른 것은?

보기
ㄱ. Ⅰ시기에 산소 호흡을 하는 종속 영양 생물이 최초로 출현하였다.
ㄴ. Ⅱ시기에 독립 영양 생물이 최초로 출현하였다.
ㄷ. Ⅲ시기에 핵을 가지는 생물이 존재하였다.

① ㄱ ② ㄷ ③ ㄱ, ㄴ
④ ㄱ, ㄷ ⑤ ㄴ, ㄷ

06 그림은 지구의 탄생 이후 생물의 출현 과정과 그에 따른 대기 중 산소의 농도 변화를 나타낸 것이다. A~C는 각각 산소 호흡 원핵생물, 단세포 진핵생물, 남세균 중 하나이다.

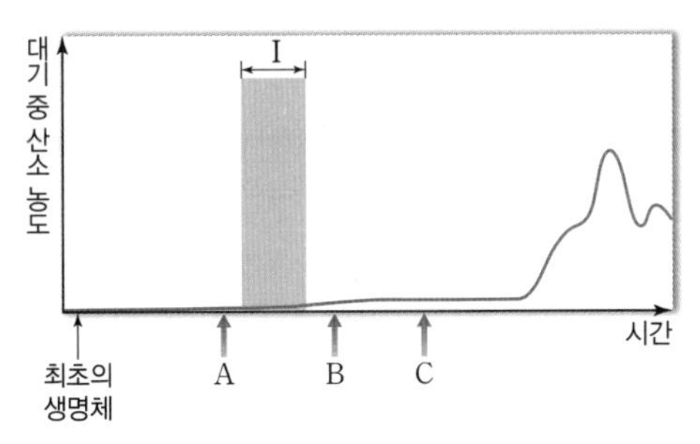

이에 대한 설명으로 옳은 것만을 〈보기〉에서 있는 대로 고른 것은?

보기
ㄱ. A는 남세균이다.
ㄴ. B는 산소를 이용하여 유기물을 분해한다.
ㄷ. 구간 Ⅰ에서 세포내 공생이 일어났다.

① ㄱ ② ㄴ ③ ㄱ, ㄴ
④ ㄱ, ㄷ ⑤ ㄱ, ㄴ, ㄷ

서술형

07 그림은 밀러와 유리가 수행한 실험 장치를 나타낸 것이다.

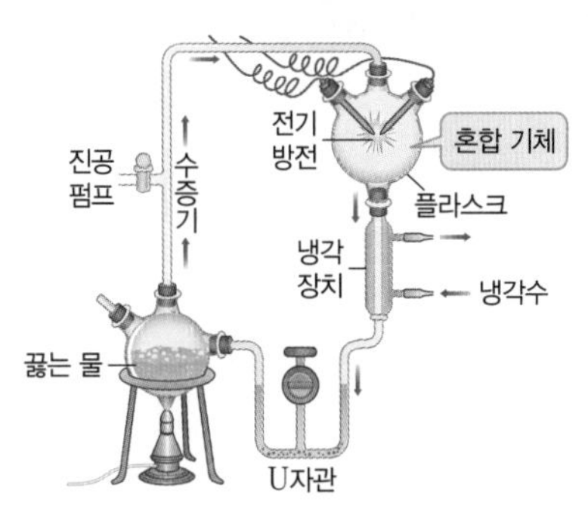

이 실험 장치에서 플라스크 속의 혼합 기체, U자관에 고인 액체는 각각 원시 지구의 무엇을 가정한 것인지 서술하시오.

[08~09] 그림 (가)와 (나)는 진핵생물의 출현 과정에 대한 2가지 가설을 나타낸 것이다.

(가)

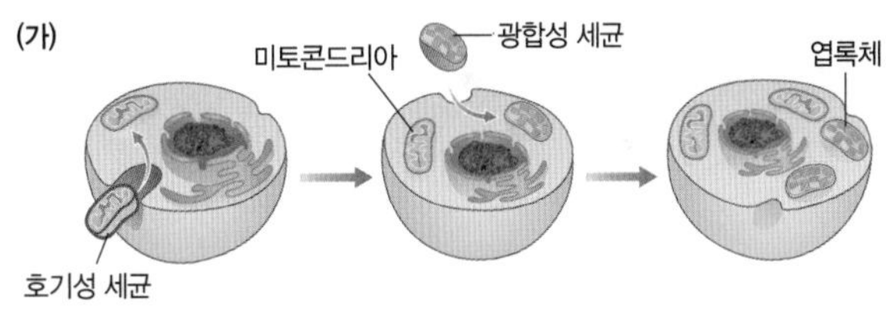

(나)

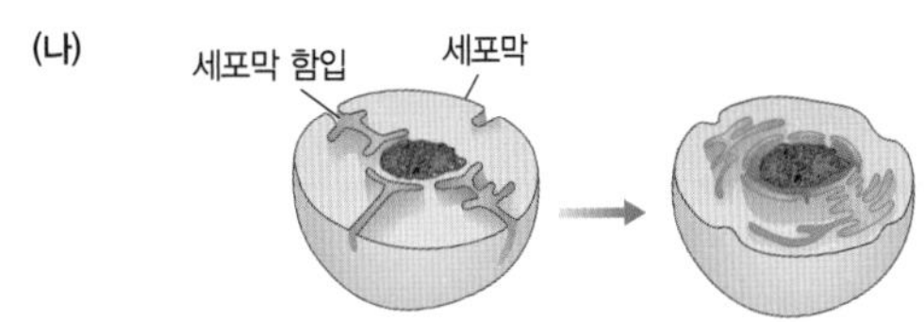

08 (가)와 (나)에 해당하는 가설을 각각 쓰시오.

서술형

09 (가)와 (나)를 지지하는 근거를 각각 1가지씩 서술하시오.

02 생물의 분류 체계

핵심 키워드로 흐름잡기

A 종, 분류 단계, 학명

B 계통, 계통수, 분류 체계

A 생물의 분류

|출·제·단·서| 시험에는 학명을 통해 생물의 유연관계를 파악하는 문제가 나와.

1. 생물의 분류

(1) **생물 분류** 다양한 생물을 일정한 특징을 기준으로 유사한 것끼리 무리 지어 나누고, 생물 사이의 유연관계와 진화의 계통을 밝히는 것

(2) **종** 생물을 분류하는 기본 단위

형태학적 종❶	• 린네에 의해 체계화된 종의 개념으로, 생물의 외부 형태를 중요시하여 종의 기준이 되는 개체를 정하고 그 개체와 외부 형태가 유사한 개체를 같은 종으로 분류하였다. • 형태학적 종에서는 외부 형태가 비슷한 특징을 갖는 개체를 같은 종으로 분류한다. 그러나 같은 종 내에서도 대립유전자, 환경 조건, 발생 단계, 성호르몬의 차이 등에 따라 개체의 형태가 크게 달라질 수 있으므로 형태를 기준으로 종을 정의하기 어렵다.
생물학적 종	다른 종과 구별되는 공통적인 특징과 생활형을 가지며, 자연 상태에서 자유롭게 교배하여 생식 능력이 있는 자손을 낳을 수 있는 무리를 뜻한다. ➡ 생식적 격리를 중요시한다. 오늘날에는 유전학이 발달하고 진화론이 일반화됨에 따라 생물학적 종의 개념이 사용되고 있다.

2. 분류 단계와 학명

(1) **분류의 기준** 외부 형태나 내부 구조 등의 형태적 특징, 발생 과정, 생리적 특징, 생활사, 생태적 특징, DNA 염기 서열이나 아미노산 조성 등의 분자 생물학적 특징 등을 이용하여 생물을 분류한다.

(2) **분류 단계** 생물을 공통 특징을 기준으로 단계적으로 묶어 작은 범주에서 큰 범주로 계층 구조를 나타낸 것이다.

① 가까운 공통 조상을 공유하는 생물은 좁은 범위에서 •분류군❷을 형성하며, 더 먼 공통 조상을 공유하는 생물은 좀 더 넓은 범위에서 분류군을 형성한다. (좁은 범위의 분류군에 같이 속하는 종일수록 공통된 특징이 많아 유연관계가 가깝다.)

② 분류군을 좀 더 세분화할 필요가 있을 경우에는 각 단계 사이에 아문, 아강, 아목, 아종 등과 같이 '아'를 붙인 중간 단계를 둔다.

좁은 범위 ↔ 넓은 범위

종 < 속 < 과 < 목 < 강 < 문 < 계 < 역 → 계층적인 생물 분류는 생물의 유연관계에 기초하여 이루어진다.

예 호랑이 < 표범속 < 고양잇과 < 식육목 < 포유강 < 척삭동물문 < 동물계 < 진핵생물역

(3) **학명** 언어와 상관없이 국제적으로 통용되는 종의 이름 국제명명규약에 따라 정해져야 인정을 받는다.

① 린네가 제시한 이명법을 사용하며, 라틴어 또는 라틴어화하여 이탤릭체로 기록한다.

② **이명법:** 속명과 종소명❸으로 구성되며, 종소명 뒤에 명명자의 이름을 쓰기도 한다. 속명의 첫 글자는 대문자로, 종소명의 첫 글자는 소문자로 표기하며, 명명자는 생략할 수 있다.

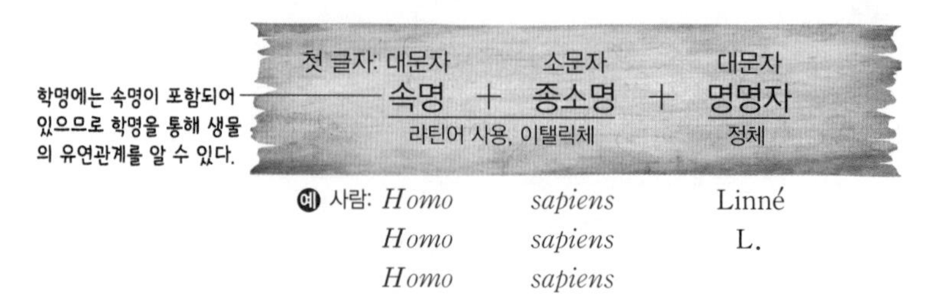

예 사람: *Homo* *sapiens* Linné

Homo *sapiens* L.

Homo *sapiens*

❶ **형태학적 종의 한계**

• 수원청개구리와 청개구리는 겉모습이 거의 똑같지만 서로 교배하여 생식 능력이 있는 자손을 낳을 수 없어 다른 종으로 분류한다.

• 사람은 피부색 등의 형질에 차이가 있어도 결혼을 하여 생식 능력이 있는 자손을 낳을 수 있으므로 같은 종에 속한다.

❷ **사람이 속한 분류군**

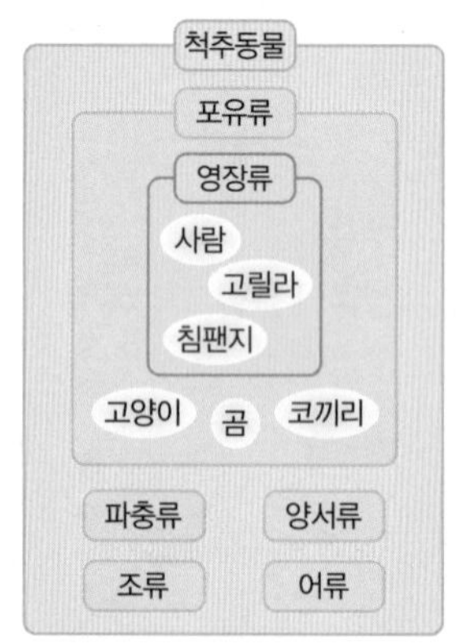

사람은 영장목, 포유강, 척삭동물문에 속한다.

❸ **종명과 종소명의 차이**

종명과 학명은 같은 의미이며, 종소명은 학명에서 속명 뒤에 표기하는 것으로 종이 갖는 특징을 표현하는 학명의 구성 요소이다.

? 암말과 수탕나귀는 같은 종일까?

인위적인 환경에서 암말과 수탕나귀의 교배로 노새가 태어나는데, 노새는 자연 상태에서 생식 능력이 있는 자손을 낳을 수 없는 종간 잡종이다. 따라서 말과 당나귀는 서로 다른 종으로 분류한다.

용어 알기

•분류군(나눌 分, 무리 類, 무리 群) 생물을 묶어서 분류한 무리

B 계통수와 분류 체계

|출·제·단·서| 시험에는 계통수를 해석하는 문제가 나와.

1. 계통수

(1) 계통 생물이 진화해 온 경로를 바탕으로 세운 생물 사이의 •유연관계

(2) 계통수❹ 생물의 계통을 알 수 있도록 생물 사이의 유연관계를 나뭇가지 모양으로 나타낸 것으로, 생물 무리의 진화적 유연관계를 알 수 있다.

(3) 계통수 분석 개념 POOL

① 계통수의 가장 아래쪽에는 공통 조상이 위치하고, 분류 형질의 차이를 비교하여 분화된 종을 가지로 나누어 표시한다.

② 계통수에서 분기점❺이 아래에 있을수록 먼저 갈라져 나온 것이며, 갈라진 가지의 위치가 위쪽일수록 비교적 최근에 공통 조상으로부터 갈라져 나온 것이다.

③ 분기점은 갈라져 나온 두 생물 집단의 최근 공통 조상을 나타내며, 하나의 분기점을 기준으로 같은 가지에 속하는 생물 집단은 다른 가지의 생물 집단과 구별되는 특징을 공유한다.

④ 같은 가지에서 갈라진 생물은 공통 조상에서 갈라져 나와 분류 형질에 공통점이 많다. 따라서 계통수의 가까운 위치에 놓이면 다른 가지의 생물보다 유연관계가 가깝다.

빈출 자료 **계통수 분석**

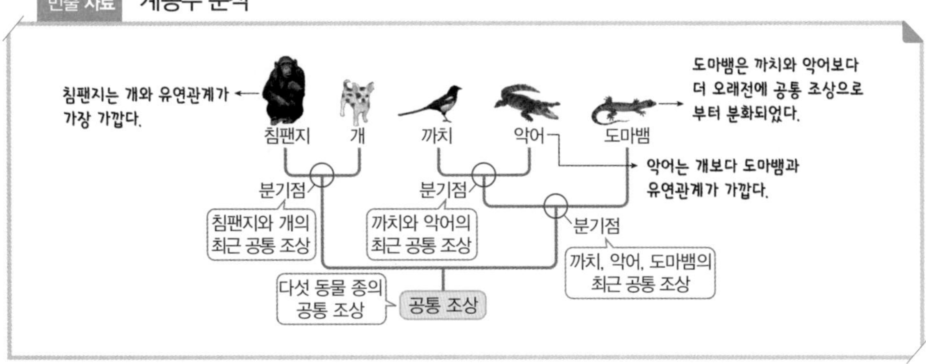

2. 분류 체계

(1) 분류 체계 다양한 종을 비교하여 계통적으로 관련 있는 종끼리 묶어 체계적으로 정리한 것으로, 생물의 진화적 유연관계를 반영한다.

(2) 분류 체계의 변화❻

2계 분류 체계	생물을 운동성이 없는 식물계와 운동성이 있는 동물계로 분류하였다.
3계 분류 체계	현미경의 발달로 미생물이 발견되면서 식물계, 동물계 중 어디에도 속하지 않는 생물을 묶어 원생생물계로 분류하였다.
5계 분류 체계	전자 현미경의 발달로 핵막이 없는 원핵생물계가 원생생물계에서 분리되었고, 생물의 영양 방식을 고려하여 식물계에서 균계를 분리하였다.
3역 6계 분류 체계	특정 rRNA의 염기 서열을 이용하여 작성한 계통수를 근거로 생물을 세균역, 고세균역, 진핵생물역의 3역과 진정세균계, 고세균계, 원생생물계, 식물계, 균계, 동물계의 6계로 분류하였다. **오늘날에는 3역 6계 분류 체계가 널리 받아들여지고 있다.**

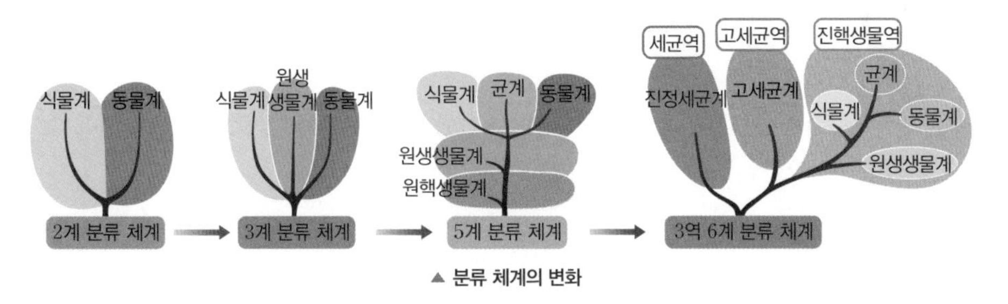

▲ 분류 체계의 변화

---

❹ 계통수

하나의 계통수는 그림과 같이 다양한 형태로 나타낼 수 있다.

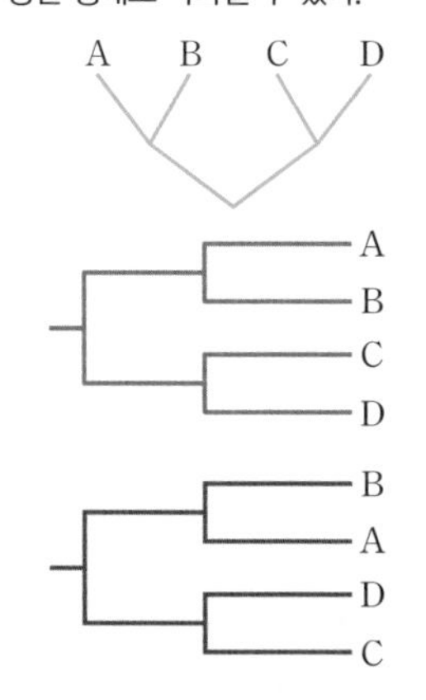

❺ 분기점

계통수에서 가지가 갈라지는 곳으로, 서로 다른 특징을 가져 공통 조상으로부터 종이 분화되는 지점이다.

❻ 분류 체계의 변화

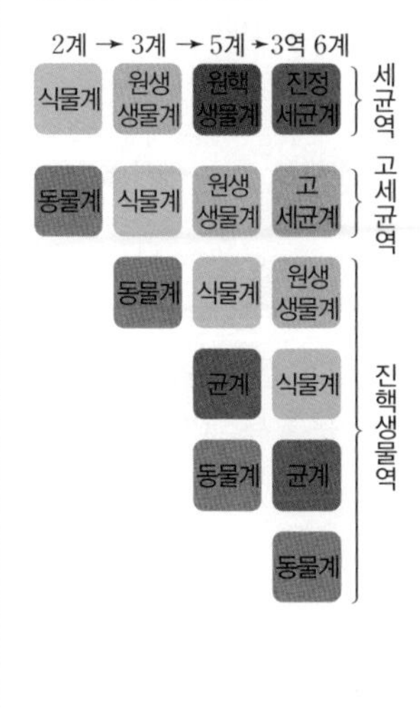

용어 알기

•유연관계(무리 類, 인연 緣, 관계할 關, 맬 係) 생물종 사이의 멀고 가까운 정도

계통수 분석

목표 계통수를 작성하고 분석할 수 있다.

표는 생물종 A~E의 특징 ㉠~㉣을 나타낸 것이다.

(○: 있음, ×: 없음)

특징＼종	A	B	C	D	E
㉠	○	○	○	○	○
㉡	×	×	○	○	○
㉢	○	○	×	×	×
㉣	×	×	×	○	○

1 위의 표를 바탕으로 공통적인 특징을 가진 종끼리 묶어 나타내면 그림과 같다.

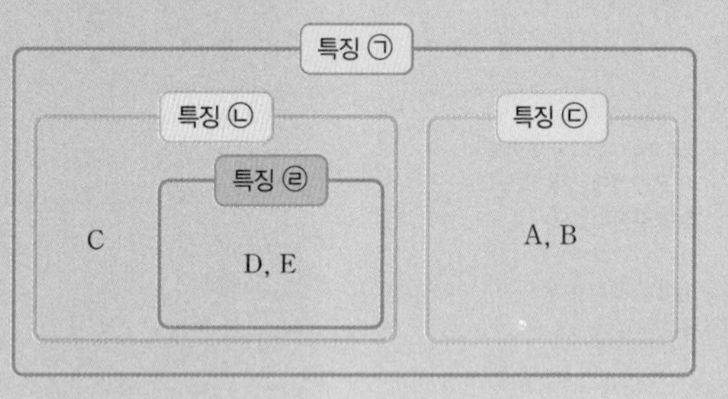

2 **1**의 그림을 토대로 계통수를 작성하면 다음과 같다.

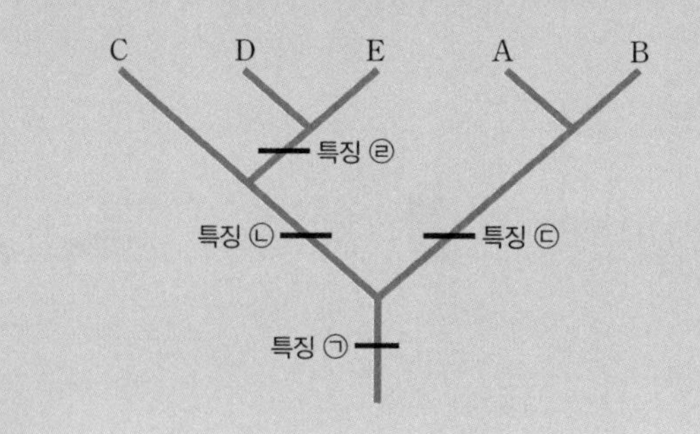

| 계통수 분석 |

- A~E의 공통된 특징은 ㉠이고, 특징 ㉡과 ㉢으로 인해 A, B와 C, D, E는 다른 경로로 진화하였다.
- 특징 ㉣로 인해 C와 D, E는 다른 경로로 진화하였다.
- A는 B와 유연관계가 가장 가깝고, D는 E와 유연관계가 가장 가깝다.
- D와 E의 유연관계는 D와 C의 유연관계보다 가깝다.
- A와 B의 공통 조상은 특징 ㉠, ㉢을 모두 가진다.
- D와 E의 공통 조상은 특징 ㉠, ㉡, ㉣을 모두 가진다.

한·줄·핵심 계통수에서 공통된 특징을 많이 가질수록 유연관계가 가깝다.

확인 문제

정답과 해설 074쪽

01 **그림은 생물종 A~F의 계통수를 나타낸 것이다. ㉠~㉥은 분류 특징이다.**

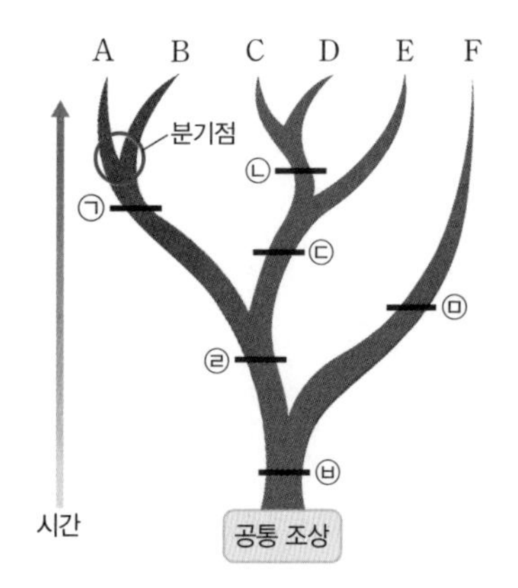

이에 대한 설명으로 옳은 것은 ○, 옳지 않은 것은 ×로 표시하시오.

(1) ㉥은 A~F의 공통된 특징이다. ( )

(2) A~F 중 A는 B와 유연관계가 가장 가깝다. ( )

(3) D와 E의 유연관계는 D와 C의 유연관계보다 가깝다. ( )

(4) ㉠~㉥ 중 C와 D의 공통된 특징의 수는 2이다. ( )

(5) A와 B의 분기는 C와 D의 분기보다 먼저 일어났다. ( )

콕콕! 개념 확인하기

정답과 해설 074쪽

✔ 잠깐 확인!

1. ☐
생물을 분류하는 기본 단위

2. 생물 ☐☐는 다양한 생물을 일정한 특징을 기준으로 유사한 것끼리 무리 지어 나누는 것이다.

3. 생물학적 종에서는 ☐☐☐ 격리를 중요시한다.

4. ☐☐
언어와 상관없이 국제적으로 통용되는 종의 이름

5. 이명법은 ☐☐+☐☐☐으로 표기한다.

6. ☐☐☐
생물의 계통을 알 수 있도록 생물 사이의 유연관계를 나뭇가지 모양으로 나타낸 것

7. ☐☐☐
계통수에서 가지가 갈라지는 곳으로, 서로 다른 특징을 가져 종이 분화되는 지점

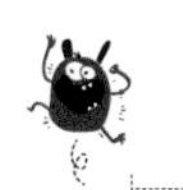

A 생물의 분류

01 다음은 종의 개념에 대한 설명이다.

> • (㉠) 종은 생물의 외부 형태를 중요시하여 종의 기준이 되는 개체를 정하고 그 개체와 외부 형태가 유사한 개체를 같은 종으로 분류하였다.
> • (㉡) 종은 자연 상태에서 자유롭게 교배하여 생식 능력이 있는 자손을 낳을 수 있는 무리를 뜻하며, 생식적 격리를 중요시한다.

㉠, ㉡에 들어갈 알맞은 말을 쓰시오.

02 다음은 생물의 분류 단계를 나타낸 것이다.

> 종 < ㉠ < ㉡ < ㉢ < ㉣ < ㉤ < ㉥ < 역

㉠~㉥에 해당하는 분류 단계를 각각 쓰시오.

03 학명에 대한 설명으로 옳은 것은 ○, 옳지 않은 것은 ×로 표시하시오.

(1) 린네가 제안한 이명법을 사용한다. ( )
(2) 라틴어 또는 라틴어화하여 이탤릭체로 표기한다. ( )
(3) 이명법에서 종소명 앞에 명명자를 쓴다. ( )
(4) 이명법에서 속명의 첫 글자는 소문자, 종소명의 첫 글자는 대문자로 표기한다. ( )

B 계통수와 분류 체계

04 그림은 생물종 (가)~(마)의 계통수를 나타낸 것이다. ⓐ~ⓖ는 분류 특징이다. 이에 대한 설명으로 옳은 것은 ○, 옳지 않은 것은 ×로 표시하시오.

(가) (나) (다) (라) (마)
ⓐ ⓑ ⓒ ⓓ ⓔ ⓕ ⓖ

(1) (나)가 가지는 특징은 ⓐ, ⓑ, ⓔ이다. ( )
(2) (라)와 (마)의 유연관계는 (라)와 (다)의 유연관계보다 가깝다. ( )
(3) (다)와 (라)가 가지는 공통적인 특징의 수는 5이다. ( )
(4) (나)와 (마)의 분화는 (나)와 (다)의 분화보다 먼저 일어났다. ( )

05 그림은 분류 체계의 변화에 따른 계통수 (가)~(라)를 나타낸 것이다.

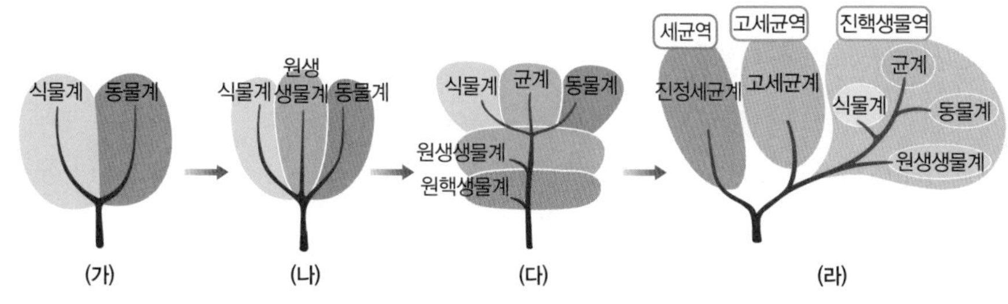

(가)~(라)에 해당하는 분류 체계를 각각 쓰시오.

탄탄! 내신 다지기

A 생물의 분류

01 다음은 몇 가지 생물종에 대한 자료이다.

- 수호랑이와 암사자 사이에서 태어난 타이곤은 생식 능력이 없다.
- 진돗개와 불독을 교배하면 그 사이에서 생식 능력이 있는 자손이 태어난다.
- 진돗개, 불독, 여우의 외부 형태를 비교해 보면 진돗개와 불독보다 진돗개와 여우가 더 유사하다.

이에 대한 설명으로 옳지 않은 것은?

① 수호랑이와 암사자는 서로 다른 종이다.
② 진돗개와 불독은 같은 속에 속한다.
③ 호랑이와 타이곤은 생식적으로 격리되어 있다.
④ 진돗개와 여우는 학명이 다르다.
⑤ 생물학적 종의 개념에서 진돗개와 여우의 유연관계는 진돗개와 불독의 유연관계보다 가깝다.

02 다음은 여러 동물의 학명을 나타낸 것이다.

(가) 호랑이: *Panthera tigris* Linné
(나) 한국호랑이: *Panthera tigris coreensis* Brass
(다) 고양이: *Felis catus* Linné
(라) 사자: *Panthera leo* Linné

이에 대한 설명으로 옳지 않은 것은?

① (가)에서 호랑이의 학명은 이명법을 사용하였다.
② (나)의 학명에서 명명자는 Brass이다.
③ (다)에서 고양이의 속명은 *Felis*이다.
④ (라)에서 사자의 종소명은 *leo*이다.
⑤ (가)~(라) 중 같은 속에 속하는 동물의 수는 2이다.

03 학명에 대한 설명으로 옳지 않은 것은?

① 라틴어 또는 라틴어화된 로마자로 부여된 종의 이름이다.
② 이명법은 속명+종소명+명명자의 순서로 표기한다.
③ 이명법에서 명명자는 생략할 수 있다.
④ 속명과 종소명은 이탤릭체로 표기한다.
⑤ 속명의 첫 글자는 소문자로 표기한다.

B 계통수와 분류 체계

04 계통수에 대한 설명으로 옳은 것만을 〈보기〉에서 있는 대로 고른 것은?

〈보기〉
ㄱ. 원시적이고 조상형일수록 계통수의 위쪽에 위치한다.
ㄴ. 계통수의 같은 가지에 놓인 생물은 공통 조상에서 분화하였다.
ㄷ. 유연관계가 가까운 무리는 계통수의 가까운 위치에 놓인다.

① ㄱ ② ㄷ ③ ㄱ, ㄴ
④ ㄴ, ㄷ ⑤ ㄱ, ㄴ, ㄷ

05 그림은 생물종 A~F의 계통수를 나타낸 것이다. ㉠~㉣은 분류 특징이다.

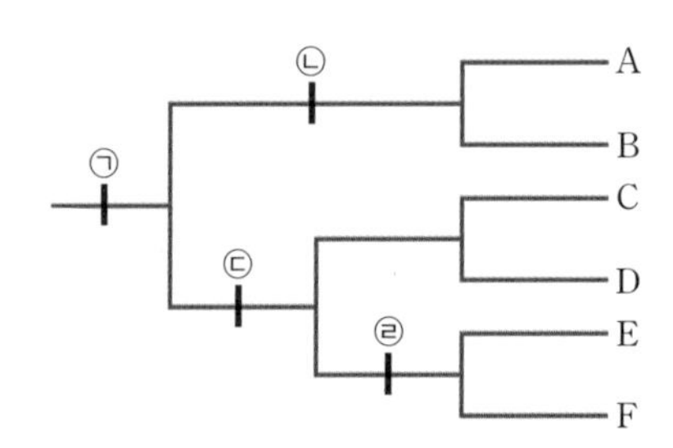

이에 대한 설명으로 옳지 않은 것은?

① A와 B는 모두 ㉡을 갖는다.
② A와 F는 모두 ㉠을 갖는다.
③ C와 E는 모두 ㉢을 갖는다.
④ E와 F는 모두 ㉣을 갖는다.
⑤ B와 C의 유연관계는 B와 A의 유연관계보다 가깝다.

06 그림은 종 X가 여러 종으로 분화되는 과정을 계통수로 나타낸 것이다. ㉠은 분류 특징이다.

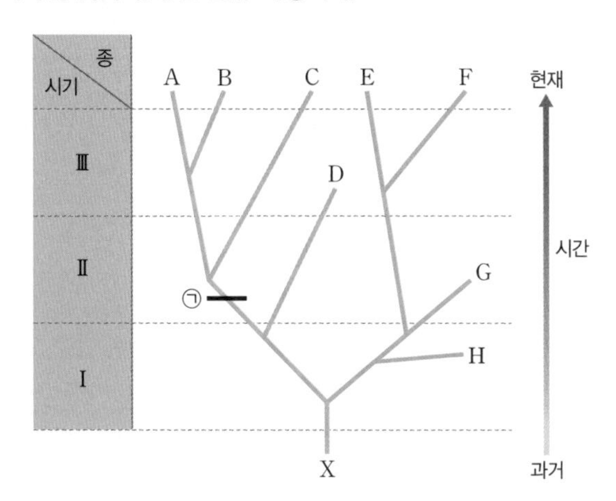

이에 대한 설명으로 옳지 않은 것은?

① A, B, C는 모두 ㉠을 갖는다.
② D, G, H는 모두 멸종된 종이다.
③ 시기 Ⅰ~Ⅲ에서 모두 새로운 종이 출현하였다.
④ E와 F의 유연관계는 E와 C의 유연관계보다 가깝다.
⑤ 종의 분화가 많이 일어난 시기는 Ⅰ > Ⅱ > Ⅲ 순이다.

07 그림 (가)는 생물 A~G를 특징 ㉠~㉥에 따라 구분한 것이고, (나)는 (가)를 바탕으로 작성한 계통수를 나타낸 것이다. ⓐ~ⓕ는 각각 ㉠~㉥ 중 하나이다.

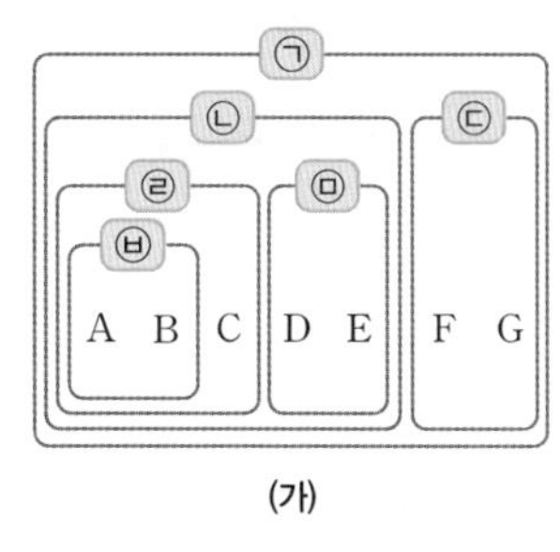

(가)

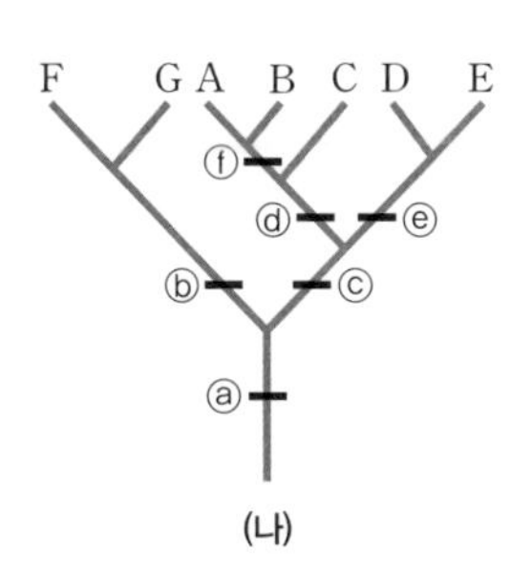

(나)

ⓐ~ⓕ와 ㉠~㉥을 옳게 짝 지은 것은?

	ⓐ	ⓑ	ⓒ	ⓓ	ⓔ	ⓕ
①	㉠	㉡	㉢	㉣	㉤	㉥
②	㉠	㉢	㉡	㉣	㉤	㉥
③	㉣	㉠	㉡	㉢	㉥	㉤
④	㉤	㉢	㉠	㉡	㉣	㉥
⑤	㉥	㉢	㉡	㉠	㉣	㉤

단답형

08 표는 생물종 (가)~(라)의 특징 A~D를, 그림은 표를 바탕으로 작성한 계통수를 나타낸 것이다. ㉠~㉢은 각각 (나)~(라) 중 하나이다.

특징 \ 종	(가)	(나)	(다)	(라)
A	○	○	○	○
B	×	×	○	×
C	○	○	×	×
D	○	○	×	○

(○: 있음, ×: 없음)

㉠ ㉡ (가) ㉢
특징 C

㉠~㉢은 각각 어떤 종에 해당하는지 쓰시오.

단답형

09 그림은 3역 6계 분류 체계를 나타낸 것이다. (가)~(다)는 각각 3역 중 하나이다.

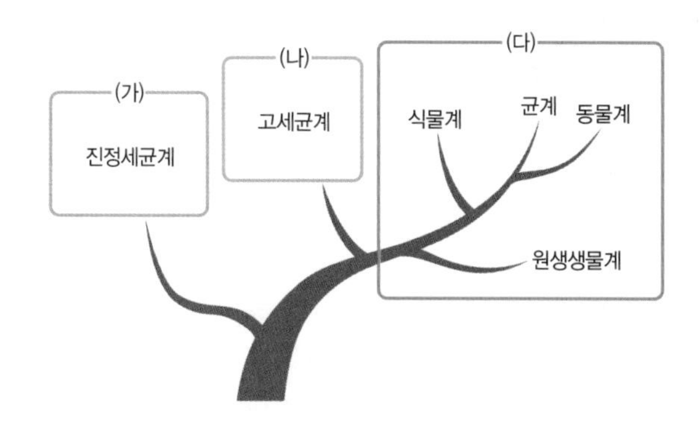

(가)~(다)에 해당하는 역을 각각 쓰시오.

10 그림 (가)는 5계 분류 체계를, (나)는 3역 6계 분류 체계를 나타낸 것이다.

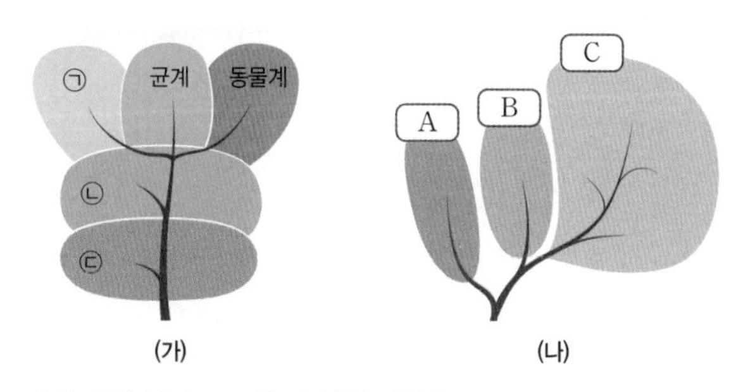

이에 대한 설명으로 옳지 않은 것은?

① ㉠은 식물계이다.
② ㉡에 속하는 생물은 모두 C에 속한다.
③ 균계에 속하는 생물은 모두 C에 속한다.
④ ㉢에 속하는 생물은 모두 A에 속한다.
⑤ ㉢에 속하는 생물은 모두 핵이 존재하지 않는다.

도전! 실력 올리기

01 표는 3개의 과에 속하는 5종의 식물 A~E의 학명을, 그림은 표를 바탕으로 작성한 계통수를 나타낸 것이다.

종	학명
A	*Morus alba*
B	*Rosa carolina*
C	*Morus bombycis*
D	*Zea mays* L.
E	*Rosa setigera*

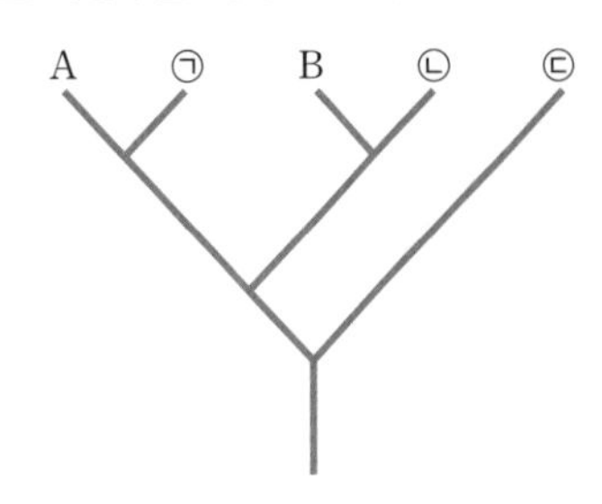

이에 대한 설명으로 옳은 것만을 〈보기〉에서 있는 대로 고른 것은?

보기
ㄱ. ㉢은 D이다.
ㄴ. A와 E는 같은 과에 속한다.
ㄷ. B와 ㉡의 유연관계는 B와 ㉢의 유연관계보다 가깝다.

① ㄱ ② ㄷ ③ ㄱ, ㄴ ④ ㄱ, ㄷ ⑤ ㄴ, ㄷ

02 표는 2개의 과와 3개의 속에 속하는 식물 종 A~D의 학명과 과명을, 그림은 표를 바탕으로 작성한 계통수를 나타낸 것이다. (가)~(다)는 각각 A~C 중 하나이다.

종	학명	과명
A	*Magnolia stellate*	목련과
B	*Anemone stolonifera*	?
C	*Anemone raddeana*	미나리아재비과
D	?	미나리아재비과

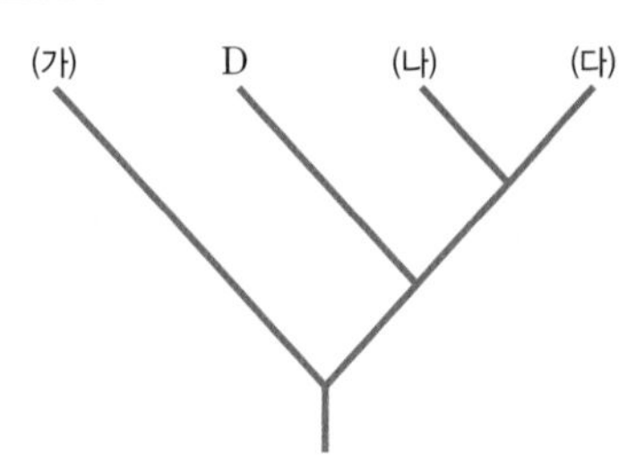

이에 대한 설명으로 옳은 것만을 〈보기〉에서 있는 대로 고른 것은?

보기
ㄱ. (가)는 A이다.
ㄴ. B는 미나리아재비과이다.
ㄷ. D의 속명은 *Anemone*이다.

① ㄴ ② ㄷ ③ ㄱ, ㄴ ④ ㄱ, ㄷ ⑤ ㄴ, ㄷ

03 그림 (가)는 동물 종 A~E를, (나)는 (가)를 바탕으로 작성한 계통수를 나타낸 것이다. ㉠~㉢은 각각 B, C, D 중 하나이고, ⓐ는 분류 특징이다.

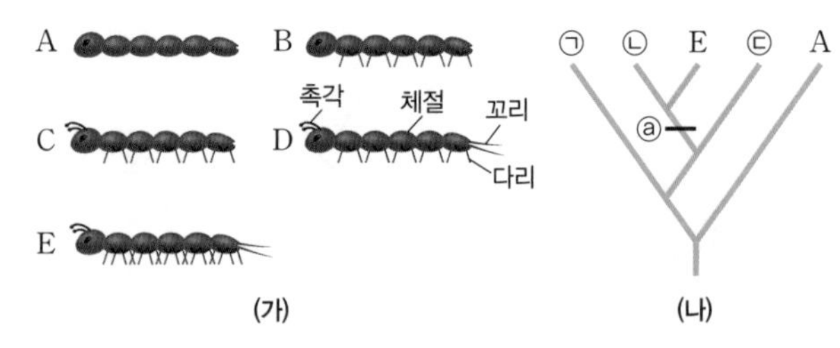

이에 대한 설명으로 옳은 것만을 〈보기〉에서 있는 대로 고른 것은?

보기
ㄱ. ⓐ는 '촉각 있음'이다.
ㄴ. ㉡은 D이다.
ㄷ. D와 E의 유연관계는 D와 C의 유연관계보다 가깝다.

① ㄱ ② ㄴ ③ ㄱ, ㄴ
④ ㄱ, ㄷ ⑤ ㄴ, ㄷ

출제예감

04 표는 생물종 A~E의 특징 ㉠~㉣을, 그림은 표를 바탕으로 작성한 계통수를 나타낸 것이다. (가)~(다)는 각각 B, C, D 중 하나이고, ⓐ~ⓓ는 ㉠~㉣을 순서 없이 나타낸 것이다.

특징 \ 종	A	B	C	D	E
㉠	×	○	×	×	○
㉡	○	×	○	×	×
㉢	×	○	×	○	○
㉣	○	○	○	○	○

(○: 있음, ×: 없음)

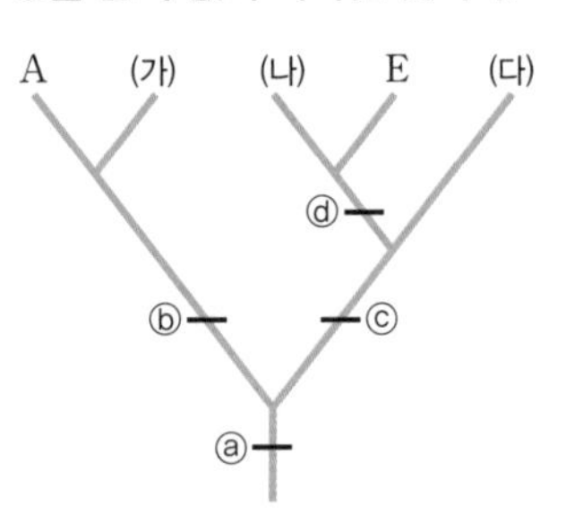

이에 대한 설명으로 옳은 것만을 〈보기〉에서 있는 대로 고른 것은?

보기
ㄱ. (가)는 C이고, (나)는 B이다.
ㄴ. ⓑ는 ㉡이고, ⓓ는 ㉠이다.
ㄷ. (가)와 (다)의 공통 조상은 특징 ㉢을 가진다.

① ㄱ ② ㄷ ③ ㄱ, ㄴ
④ ㄴ, ㄷ ⑤ ㄱ, ㄴ, ㄷ

05 그림은 형질 1~4의 변화 과정을 통해 종 A가 종 B~F로 진화하는 과정을 나타낸 것이다.

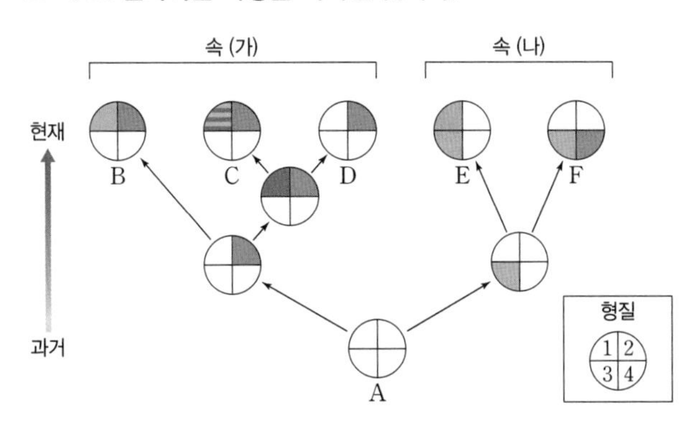

이에 대한 설명으로 옳은 것만을 <보기>에서 있는 대로 고른 것은?

보기
ㄱ. 종 C와 D를 분류하는 데 기준이 되는 형질은 1이다.
ㄴ. 종 E와 F를 분류하는 데 기준이 되는 형질은 3이다.
ㄷ. 종 B~F를 속 (가)와 (나)로 분류하는 데 기준이 되는 형질은 2와 3이다.

① ㄱ ② ㄷ ③ ㄱ, ㄴ
④ ㄱ, ㄷ ⑤ ㄴ, ㄷ

출제예감

06 그림은 5종의 생물 A~E를 특징 1~4에 따라 분류한 것이다.

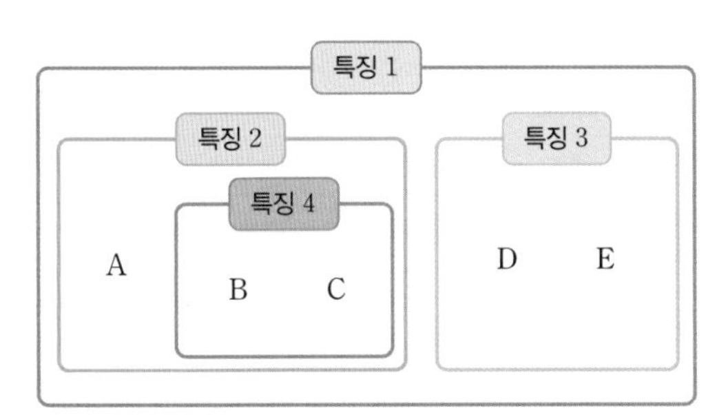

이 자료를 바탕으로 작성한 계통수로 가장 옳은 것은?

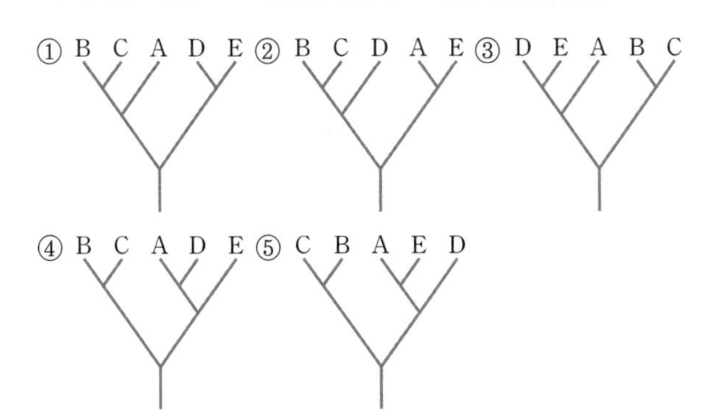

서술형

07 그림은 말과 당나귀를 나타낸 것이다.

▲ 말

▲ 당나귀

말과 당나귀는 생김새가 비슷하지만 서로 다른 종으로 분류한다. 생물학적 종의 개념을 서술하고, 말과 당나귀가 같은 종이 아닌 까닭을 서술하시오.

08 3역 6계 분류 체계에서 6계를 모두 쓰시오.

서술형

09 분류 단계에서 '과'에 속하는 생물종과 '목'에 속하는 생물종 중 수가 더 많은 것을 쓰고, 그 까닭을 서술하시오.

10 표는 동물 6종(A~F)의 학명, 과명, 목명을 나타낸 것이다. A~F는 2개의 목(식육목, 쥐목)으로 분류된다.

구분	학명	과명	목명
A	*Canis lupus*	㉠	?
B	*Panthera pardus*	고양잇과	㉢
C	*Canis latrans*	갯과	식육목
D	*Panthera onca*	㉡	식육목
E	*Vulpes vulpes*	고양잇과	?
F	*Castor fiber*	?	㉣

㉠~㉣에 들어갈 알맞은 말을 각각 쓰시오.

03 생물의 다양성

핵심 키워드로 흐름잡기

- A 세균역, 고세균역, 진핵생물역, 진정세균계, 고세균계, 원생생물계, 식물계, 균계, 동물계
- B 비관다발 식물, 비종자 관다발 식물, 종자식물
- C 해면동물, 자포동물, 편형동물, 연체동물, 환형동물, 선형동물, 절지동물, 극피동물, 척삭동물

A 3역 6계 분류 체계

|출·제·단·서| 시험에는 3역 6계 분류 체계의 분류 기준을 묻는 문제가 나와.

1. 3역 6계 분류 체계 개념 POOL

(1) 생물을 세균역(진정세균계), 고세균역(고세균계), 진핵생물역(원생생물계, 식물계, 균계, 동물계)으로 분류한다.

(2) 고세균역은 원핵세포로 구성되어 있지만, 유전 정보의 발현이 세균역보다 진핵생물역과 더 유사하다. ➡ 고세균역은 세균역보다 진핵생물역과 유연관계가 더 가깝다.

2. 3역의 특징

구분	세균역	고세균역	진핵생물역
핵막과 막성 세포 소기관	없음 원핵세포	없음 원핵세포	있음 진핵세포
•펩티도글리칸 성분의 세포벽	있음	없음	없음
히스톤과 결합한 DNA	없음	일부 있음	있음
염색체 모양	원형	원형	선형

3. 6계의 특징

세균역	진정세균계	• 단세포 원핵생물이다. 지구의 거의 모든 곳에 서식한다. • 펩티도글리칸 성분의 세포벽이 있다. • 생물의 사체를 분해하거나 더 큰 생물에 기생하는 종속 영양 세균과 광합성을 하거나 무기물을 산화시켜 얻은 에너지로 유기물을 합성하는 독립 영양 세균으로 분류한다. 예 대장균, 젖산균, 남세균(아나베나)
고세균역	고세균계	• 단세포 원핵생물이다. • 펩티도글리칸 성분이 없는 세포벽이 있다. • 주로 무기물이나 유기물을 산화시켜 에너지를 얻는다. 종속 영양 생물이다. • 일반 생물이 생존하기 어려운 극한 환경(화산 온천, 사해 등)에서 서식한다. 예 극호열균, 극호염균, 메테인 생성균
진핵생물역	원생생물계	• 진핵생물역에 속한 생물 중 식물계, 균계, 동물계에 속한 생물을 제외한 모든 분류군을 원생생물❶이라고 한다. • 대부분 단세포 진핵생물이며, 독립 영양 생물과 종속 영양 생물이 모두 있다. 예 아메바, 짚신벌레, 유글레나, 다시마, 미역
	식물계	• 다세포 진핵생물이다. • 셀룰로스 성분의 세포벽이 있다. • 주로 육상에서 광합성을 하는 독립 영양 생물이다. 예 우산이끼, 석송, 고사리, 소나무, 장미
	균계❷	• 대부분 다세포 진핵생물이다. • 주로 키틴으로 이루어진 세포벽이 있다. • 주변의 유기물을 분해하여 에너지를 얻는 종속 영양 생물이며, 생태계에서 분해자로서 중요한 역할을 한다. • 몸은 •균사로 이루어져 있고, 포자로 번식한다. 예 버섯, 곰팡이, 효모 단세포 생물
	동물계	• 다세포 진핵생물이다. 세포벽이 없다. • 여러 운동 기관을 이용하여 이동할 수 있다. • 먹이를 몸 안에서 소화하여 영양분을 얻는 종속 영양 생물이다. 예 해파리, 달팽이, 지렁이, 잠자리, 상어, 침팬지

❶ 다양한 원생생물

원생생물은 원핵생물로부터 가장 먼저 생겨난 진핵생물로 여겨진다. 원생생물의 다양한 종류는 단세포 원핵생물이 다른 세포를 삼키고, 그 세포가 숙주 세포 내에서 세포 소기관으로 발달하는 세포 내 공생을 통해 나타난 것으로 추정된다.

❷ 균류와 동물의 유연관계

균류는 운동성이 없고 형태적으로 식물과 유연관계가 가깝게 느껴지지만, 최근 분자생물학적 증거에 의해 진화적으로 식물보다 동물과 유연관계가 더 가깝다는 것이 밝혀졌다.

? 고세균이 진정세균보다 진핵생물과 유연관계가 가까운 까닭은?

고세균은 핵막이 없고 세포벽을 가지는 점은 진정세균과 같지만, 세포벽에 펩티도글리칸 성분이 없고 히스톤과 결합한 DNA를 가진 것도 일부 있으며, 유전 정보의 발현과 관련된 많은 부분이 진핵생물과 유사하기 때문이다.

용어 알기

•펩티도글리칸(peptidoglycan) 당과 펩타이드가 공유 결합한 다당류

•균사(균 菌, 실 絲) 균류의 몸을 이루고 있는 가는 실 모양의 다세포 섬유

B 식물계의 분류

|출·제·단·서| 시험에는 식물계를 분류하는 분류 기준을 묻는 문제가 나와.

1. 식물계의 특징

(1) 세포와 조직이 분화되어 있는 다세포 진핵생물이다.

(2) 엽록체에 엽록소 a, 엽록소 b, 카로티노이드 등의 광합성 색소가 있으며, 광합성을 하여 스스로 유기물을 합성하는 독립 영양 생물이다.
 └ 카로틴, 잔토필 등의 보조 색소이다.

(3) 셀룰로스로 이루어진 세포벽이 있다.

(4) 운동성이 없고, 주로 육상 생활을 한다.

(5) 대부분 뿌리, 줄기, 잎 등의 기관이 분화되어 있고, 물과 양분을 운반하는 관다발❸이 발달하였다.

빈출 자료 녹조류와 식물의 비교

식물은 녹조류와 같은 원생생물 조상이 육상으로 진출하면서 등장하였고, 물을 벗어나 육상에서 생존하고 생식하기 위해 다양한 특징을 갖게 되었다.

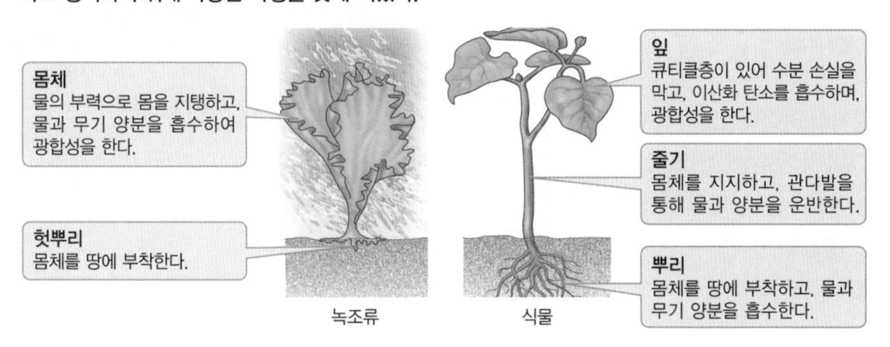

❶ 녹조류와 식물의 공통점: 엽록소 a, 엽록소 b, 카로티노이드를 가지고, 광합성 산물이 녹말이며, 셀룰로스 성분의 세포벽이 있다.

❷ 식물이 녹조류와 다른점 식물은 건조한 육상 환경에 적응하는 과정에서 뿌리, 줄기, 잎 등의 기관이 분화되었다.

- 건조한 육상 환경에 적응하면서 수분 손실을 막는 큐티클층과 기공을 갖게 되었다.
- 몸체를 지지하고 토양에서 필요한 양분을 얻기 위해 뿌리를 갖게 되었다.
- 물과 양분을 온몸으로 운반하도록 줄기에 관다발이 발달하였다.
- 풍부한 빛을 이용하여 광합성을 하고 기공을 통해 기체를 교환하도록 잎이 발달하였다.
- 물 없이 생식세포를 이동하여 수정하고 배아를 발생시키기 위한 생식 기구를 갖게 되었다.

2. 식물계의 분류
관다발의 유무, •종자 형성의 유무, 씨방의 유무에 따라 분류할 수 있다.

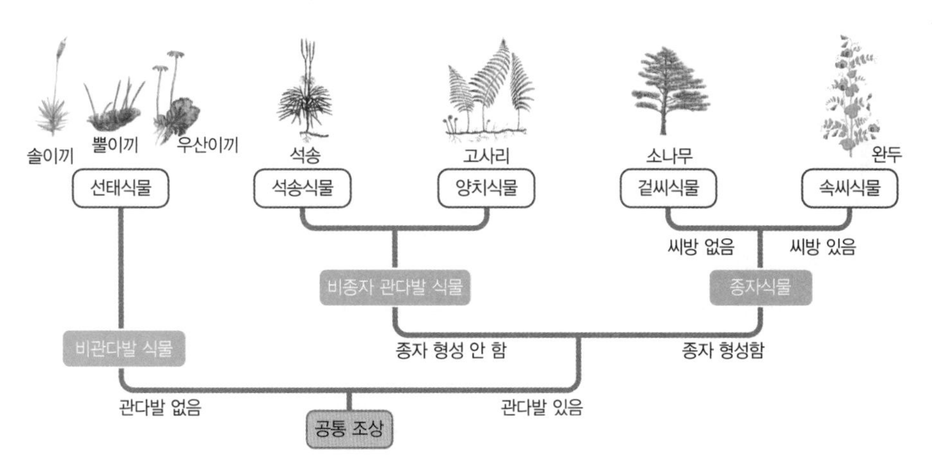

❓ 기관의 분화가 육상 생활에 적응한 결과인 까닭은?
식물이 육지에서 생장하기 위해서는 건조한 환경으로부터 몸을 보호하고, 토양으로부터 물과 무기염류를 흡수하여 몸 전체에 공급하며, 중력에 대해 몸을 지탱할 수 있어야 한다. 이것은 뿌리, 줄기, 잎과 같은 기관이 분화됨으로써 가능해진 것으로 여겨진다.

❸ 관다발
식물의 뿌리, 줄기, 잎에 분포되어 있는 물관과 체관을 통틀어 관다발이라고 한다. 물속에 사는 조류는 몸 전체에서 물과 무기 양분을 흡수하여 광합성을 하기 때문에 관다발이 발달되어 있지 않다.

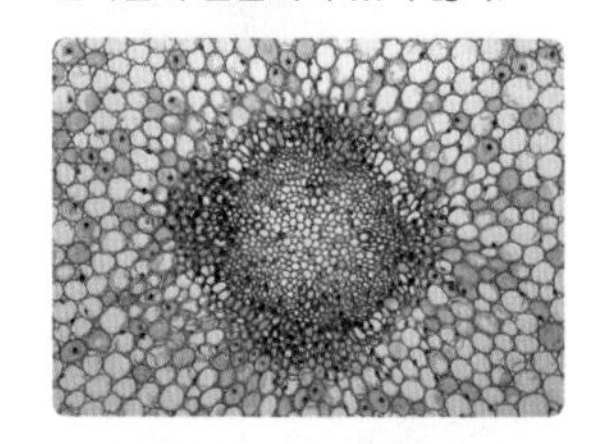

용어 알기
•종자(씨 種, 씨 子) 배와 양분을 포함하고 있으며, 성숙한 식물에서 나온 씨

(1) 비관다발 식물(선태식물)

① 최초의 육상 식물로, 수중 생활에서 육상 생활로 옮겨 가는 중간 단계의 특성을 나타낸다.

② 관다발이 없고 뿌리, 줄기, 잎이 제대로 분화되지 않았지만, 헛뿌리가 있다. (관다발을 통한 물과 양분의 수송이 이루어지지 못하므로, 물기가 마르지 않는 습한 곳에서 서식한다.)

③ •포자로 번식한다.

④ 태류(예 우산이끼), 선류(예 솔이끼), 각태류(예 뿔이끼)로 분류한다.

▲ 우산이끼

(2) 비종자 관다발 식물(석송식물, 양치식물❹)

① 헛물관과 체관으로 이루어진 관다발이 있다. 관다발에 의해 줄기가 위로 높이 생장하는 것이 가능해졌다.

② 뿌리, 줄기, 잎이 분화되어 있다.

③ 주로 그늘지고 습한 곳에 서식한다.

④ 포자로 번식한다.

⑤ 석송식물과 양치식물로 분류한다.

석송식물	하나의 잎맥이 있는 바늘 모양의 소엽을 가진다. 예 석송, 물부추
양치식물	다양한 잎맥이 있는 대엽과 복잡하게 난 뿌리를 가진다. 예 고사리, 고비, 쇠뜨기

▲ 고사리

(3) 종자식물(겉씨식물❺, 속씨식물❻) 비종자 관다발 식물과는 달리 물에 의존하지 않고 바람이나 동물의 도움으로 수정이 일어나므로 건조한 육상에도 진출할 수 있었다.

① 육상 생활에 가장 잘 적응한 식물 무리로, 식물 중 가장 많은 종을 포함한다.

② 뿌리, 줄기, 잎의 구분이 뚜렷하고, 관다발이 잘 발달해 있다.

③ 종자로 번식하며, 종자는 단단한 껍질에 둘러싸여 있다.

④ 씨방의 유무에 따라 겉씨식물과 속씨식물로 분류한다.

겉씨식물	• 씨방이 없어서 밑씨가 겉으로 드러나 있다. • 꽃잎과 꽃받침이 발달하지 않고, 암수 생식 기관이 따로 형성된다. • 관다발은 헛물관과 체관으로 이루어져 있다. • 소철문, 은행나무문, 마황문, 구과식물문으로 분류한다. 예 소철(소철문), 은행나무(은행나무문), 웰위치아(마황문), 소나무, 전나무(구과식물문) 가장 대표적인 겉씨식물이다.
속씨식물	• 밑씨가 씨방에 들어 있으며, 밑씨는 수정 후 종자로 발달한다. • 오늘날 지구에서 가장 번성한 식물 무리이며, 꽃잎과 꽃받침이 발달하였다. • 관다발은 물관, 헛물관, 체관으로 이루어져 있다. • 떡잎의 수에 따라 외떡잎식물과 쌍떡잎식물❼로 분류한다. 예 벼, 보리, 강아지풀, 붓꽃(외떡잎식물), 콩, 무궁화, 호박, 민들레, 장미(쌍떡잎식물)

▲ 소나무

▲ 강아지풀

C 동물계의 분류

|출·제·단·서| 시험에는 동물계를 분류하는 분류 기준을 묻는 문제가 나와.

1. 동물계의 특징

(1) 다세포 진핵생물로, 먹이를 섭취하여 살아가는 종속 영양 생물이다.

(2) 세포벽이 없고, 엽록체가 없어 광합성을 하지 않는다.

(3) 다양한 운동 기관을 이용하여 장소를 이동할 수 있다.

(4) 대부분 감각 기관과 신경이 발달하여 주위의 환경 변화에 빠르고 적극적으로 반응한다.

❹ 양치식물과 석탄

양치식물은 고생대에 기원하여 약 3억 년 전 고생대 말 석탄기에 번성하였다. 당시에 번성했던 양치식물의 사체는 화석 연료인 석탄의 기원이 되었다.

❺ 겉씨식물의 밑씨 구조

겉씨식물은 씨방이 없어서 밑씨가 겉으로 드러나 있다.

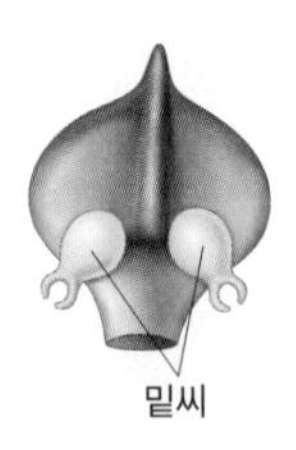

❻ 속씨식물의 밑씨와 꽃 구조

속씨식물은 씨방이 있어서 밑씨가 씨방 속에 들어 있다.

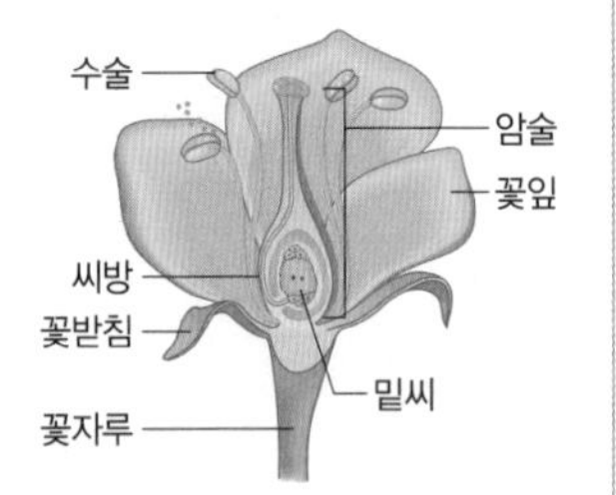

❼ 외떡잎식물과 쌍떡잎식물의 비교

외떡잎식물	쌍떡잎식물
외떡잎(1장)	쌍떡잎(2장)
나란히맥	그물맥
불규칙적인 관다발 배열	규칙적인 관다발 배열

용어 알기

•포자(세포 胞, 씨 子) 균류나 식물이 무성 생식을 하기 위해 형성하는 생식세포

2. 동물계[8]의 분류 기준

(1) 몸의 대칭성[9]에 따른 분류 동물은 몸의 구조에 대칭성이 없는 동물과 대칭성이 있는 동물로 분류하고, 대칭성이 있는 동물은 몸의 대칭 형태에 따라 방사 대칭 동물과 좌우 대칭 동물로 분류한다.

무대칭 동물	대부분 몸의 구조에 대칭성이 없다. 예 해면동물
방사 대칭 동물	• 2개 이상의 평면에 의해 몸이 동일한 절반으로 나누어진다. 몸이 위아래의 구분만 있다. • 감각 기관이 온몸에 고르게 분포해 있어서 모든 방향에서 오는 자극에 반응한다. 예 자포동물
좌우 대칭 동물	• 오직 1개의 평면에 의해서만 몸이 동일한 절반으로 나누어진다. 머리와 꼬리, 앞과 뒤, 등과 배의 방향성이 나타난다. • 몸의 앞쪽에 감각 기관이 집중되어 있어 머리가 형성되어 있다. 예 편형동물, 연체동물, 환형동물, 선형동물, 절지동물, 극피동물, 척삭동물

(2) 배엽[10]의 수에 따른 분류 동물은 초기 발생 과정에서 배엽을 형성하지 않는 동물과 배엽을 형성하는 동물로 분류하고, 배엽을 형성하는 동물은 2배엽성 동물과 3배엽성 동물로 분류한다.

무배엽성 동물	포배 단계에서 발생이 끝나므로 배엽을 형성하지 않는다. 예 해면동물
2배엽성 동물	낭배 단계에서 발생이 끝나므로 외배엽과 내배엽만을 형성하며, 체제 수준이 조직 단계에서 그친다. 예 자포동물
3배엽성 동물	낭배 단계에서 발생이 더 진행되어 외배엽, 내배엽, 중배엽을 형성하며, 각 배엽으로부터 기관이 분화되어 세포, 조직, 기관, 기관계 등의 체제로 구성된다. 예 편형동물, 연체동물, 환형동물, 선형동물, 절지동물, 극피동물, 척삭동물

└ 원구와 입의 관계에 따라 선구동물과 후구동물로 분류한다.

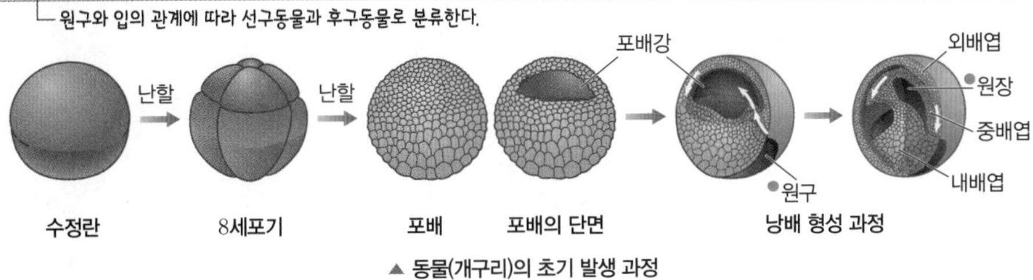

▲ 동물(개구리)의 초기 발생 과정

(3) 원구의 발생 차이에 따른 분류 3배엽성 동물은 초기 발생 과정에서 원구의 발생 차이에 따라 선구동물과 후구동물로 분류한다.

선구동물 DNA의 염기 서열을 이용한 분류에 따라 촉수담륜동물과 탈피동물로 분류한다.	원구는 입이 되고 원구의 반대쪽에 항문이 생긴다. 예 편형동물, 연체동물, 환형동물, 선형동물, 절지동물	외배엽, 내배엽, 중배엽, 원구 → 입, 항문
후구동물	원구는 항문이 되고 원구의 반대쪽에 입이 생긴다. 예 극피동물, 척삭동물	외배엽, 중배엽, 내배엽, 원구 → 항문, 입

(4) DNA의 염기 서열에 따른 분류 DNA의 염기 서열을 이용하여 작성된 계통수에 따라 선구동물은 촉수담륜동물과 탈피동물로 분류한다.

촉수담륜동물	먹이 포획에 이용되는 촉수관을 가지거나 담륜자[11] 유생 시기를 거친다. 예 편형동물, 연체동물, 환형동물
탈피동물	성장을 위해 탈피를 한다. 예 선형동물, 절지동물

❽ 동물의 출현
대다수 동물 분류군은 약 5억 4천만 년 전 캄브리아기 화석에서 발견되므로, 동물의 출현은 이보다 훨씬 이전에 일어난 것으로 추정된다.

❾ 몸의 대칭성

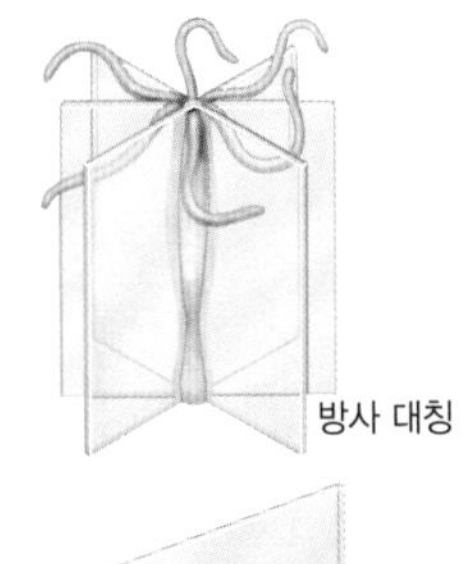

❿ 배엽
동물의 초기 발생 과정에서 나타나는 세포층으로, 발생이 진행되면서 몸의 다양한 조직과 기관을 형성한다.
- 외배엽: 피부, 감각 기관, 신경계 등을 형성한다.
- 중배엽: 순환계, 생식계, 근육, 뼈 등을 형성한다.
- 내배엽: 소화계, 호흡계, 내분비계 등을 형성한다.

⓫ 담륜자(트로코포라)
일부 연체동물과 환형동물의 알에서 발생하는 유생의 하나이다.

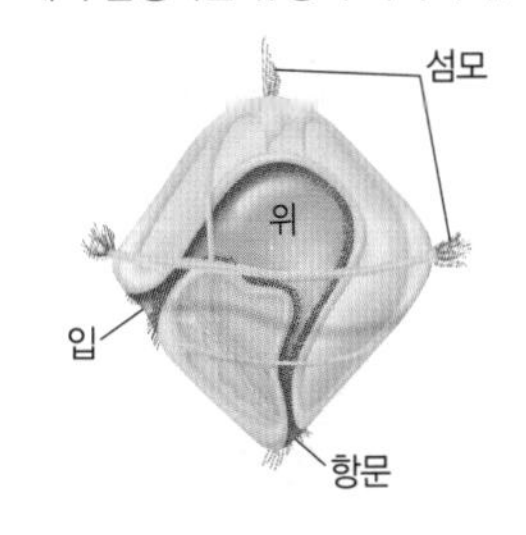

용어 알기
- 원구(근원 原, 입 口) 다세포 동물의 발생 과정 중 낭배 형성 과정에서 세포 함입이 일어나는 부위
- 원장(근원 原, 창자 腸) 낭배 내 내배엽으로 둘러싸인 빈 공간

❓ 선형동물의 탈피와 절지동물의 탈피는 같은 방식으로 이루어질까?

선형동물은 기존의 큐티클층을 벗고 새로운 큐티클층을 만드는 탈피를 하고, 절지동물은 성장을 위해 새로운 키틴질의 외골격을 생성하는 탈피를 한다.

⑫ 연체동물의 구분

- 두(머리 頭)족류: 머리에 발이 달려 있다. 예 오징어, 낙지
- 부(도끼 斧)족류: 도끼 모양의 발을 가진 조개류이다. 예 바지락, 홍합
- 복(배 腹)족류: 배가 발의 역할을 한다. 예 소라, 달팽이

⑬ 척추동물의 특징

구분	호흡 기관	양막	수정	체온	번식
어류	아가미	없음	체외 수정	변온	난생
양서류	아가미 ↓ 폐, 피부	없음	체외 수정	변온	난생
파충류	폐	있음	체내 수정	변온	난생
조류	폐	있음	체내 수정	정온	난생
포유류	폐	있음	체내 수정	정온	태생

용어 알기

- 외골격(바깥 外, 뼈 骨, 바로잡을 格) 몸의 바깥쪽을 둘러싸며 몸을 지지하거나 보호하는 것
- 관족(대롱 管, 발 足) 극피동물이 몸 표면에서 뻗어 낼 수 있는 가는 관
- 척삭(등마루 脊, 동아줄 索) 발생 과정 중 중배엽에서 유래되어 등 쪽의 소화관과 척수 신경 다발 사이에 형성되는 긴 막대 모양의 구조

3. 동물계의 분류 몸의 대칭성, 배엽의 수, 원구의 발생 차이 등에 따라 분류할 수 있다.

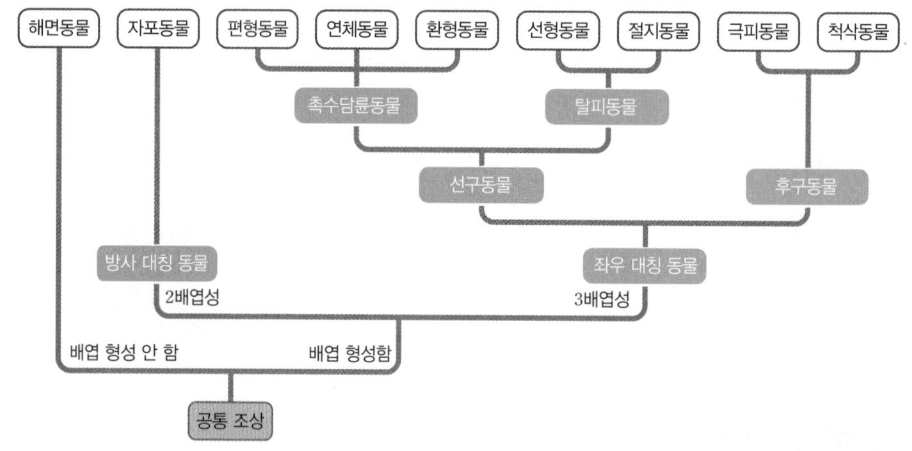

구분	특징	사진
해면동물	• 포배 단계에서 발생이 멈춘 동물로, 조직이나 기관이 분화되어 있지 않다. • 몸은 무대칭이고, 배엽을 형성하지 않는다. • 몸은 주머니 모양을 하고 있으며, 많은 수의 입수공을 통해 물을 안쪽으로 받아들이고 출수공을 통해 배출하면서 물속 작은 먹이를 포획해 먹는다. 예 주황해변해면, 해로동굴해면	해면
자포동물	• 몸은 방사 대칭이고, 내배엽과 외배엽으로 이루어진 2배엽성 동물이다. • 강장이라고 불리는 공간에서 먹이의 소화와 흡수가 일어난다. • 자세포가 있는 촉수를 이용하여 먹이를 잡거나 몸을 보호한다. (자세포: 자포동물의 표피에 있는 특수한 세포로, 안에 독침 기구가 있다.) 예 말미잘, 히드라, 산호, 해파리	해파리
편형동물	• 몸은 납작하고 좌우 대칭이며, 3배엽성 동물이고 선구동물이다. • 물에서 생활하고, 몸의 표면을 통해 기체 교환을 한다. 예 플라나리아, 납작벌레, 촌충, 간디스토마(간흡충)	납작벌레
연체동물⑫	• 몸은 좌우 대칭이고 3배엽성 동물이며, 선구동물이다. • 소화계와 순환계가 발달하였고, 담륜자 유생 시기를 거친다. • 몸은 부드러운 외투막으로 둘러싸여 있고, 대부분 석회질 껍데기(패각)를 가진다. 예 달팽이, 소라, 대합, 오징어, 문어, 군부	달팽이
환형동물	• 몸은 좌우 대칭이고 3배엽성 동물이며, 선구동물이다. • 몸은 긴 원통형이고 수많은 체절로 이루어져 있다. • 얇고 투과성이 큰 피부로 호흡하므로 주로 습기가 많은 흙 속에 서식한다. • 소화관이 길게 발달하였고, 담륜자 유생 시기를 거친다. 예 지렁이, 갯지렁이, 거머리	지렁이
선형동물	• 몸은 좌우 대칭이고 3배엽성 동물이며, 선구동물이다. • 몸은 가늘고 긴 원통형으로 체절이 없으며, 거의 모든 환경에 서식한다. • 몸이 큐티클층으로 덮여 있어 주기적으로 탈피를 한다. 예 예쁜꼬마선충, 회충, 요충	예쁜꼬마선충
절지동물	• 몸은 좌우 대칭이고 3배엽성 동물이며, 선구동물이다. 전체 동물 종의 약 85 %를 차지한다. • 몸은 체절로 이루어져 있으며, 마디로 된 다리가 있다. • 키틴질의 단단한 외골격으로 덮여 있어 주기적으로 탈피하며 생장한다. 예 협각류(거미류)(거미, 진드기), 다지류(지네), 곤충류(메뚜기, 나비), 갑각류(게, 새우)	거미
극피동물	• 3배엽성 동물로 후구동물이며, 대부분 유생 시기에는 몸이 좌우 대칭이지만 성체 시기에는 방사 대칭의 몸 구조를 갖는다. • 호흡, 순환, 운동의 복합적인 역할을 담당하는 수관계를 가지고 있으며, 수관계와 연결된 관족을 움직여 운동한다. 예 불가사리, 해삼, 성게, 바다나리	불가사리
척삭동물	• 몸은 좌우 대칭이고 3배엽성 동물이며, 후구동물이다. • 발생 과정의 한 시기 또는 일생 동안 척삭이 나타난다. • 발생 초기에 등 쪽의 속이 빈 신경 다발, 아가미 틈, 항문 뒤의 근육성 꼬리 등이 공통으로 나타난다. 예 두삭동물(창고기)(일생 동안 뚜렷한 척삭이 나타난다.), 미삭동물(우렁쉥이)(유생 시기에만 척삭이 나타났다가 없어진다.), 척추동물⑬(어류, 양서류, 파충류, 조류, 포유류)(발생 초기에는 척삭이 나타나지만 성장하면서 척추로 대치된다.)	우렁쉥이

3역 6계 분류 체계

목표 3역 6계에 속하는 생물의 특징을 알 수 있다.

표는 3역 6계에 속하는 생물의 특징을 비교하여 나타낸 것이다.

역	세균역	고세균역	진핵생물역			
계	진정세균계	고세균계	원생생물계	식물계	균계	동물계
세포의 종류	원핵세포	원핵세포	진핵세포	진핵세포	진핵세포	진핵세포
세포 수	단세포	단세포	단세포 또는 다세포	다세포	대부분 다세포	다세포
세포벽	있음 (펩티도글리칸 성분)	있음	있음 또는 없음	있음 (셀룰로스 성분)	있음 (키틴 성분)	없음
영양 획득 방식	종속 영양 또는 독립 영양	대부분 종속 영양	종속 영양 또는 독립 영양	독립 영양	종속 영양	종속 영양
기타	지구의 거의 모든 곳에 서식	화산 온천, 사해 등 생물이 살기 어려운 극한 환경에 서식	진핵생물역에 속한 생물 중 식물계, 균계, 동물계에 속하지 않는 모든 생물	주로 육상 생활을 하고, 대부분 물과 양분을 운반하는 관다발이 발달	생태계에서 분해자 역할을 하며, 몸이 균사로 구성	먹이를 몸 안에서 소화하고, 기관과 기관계가 발달
예	대장균, 젖산균, 남세균	극호열균, 극호염균, 메테인 생성균	아메바, 짚신벌레, 다시마	우산이끼, 고사리, 소나무	버섯, 곰팡이, 효모	해파리, 잠자리, 상어, 침팬지

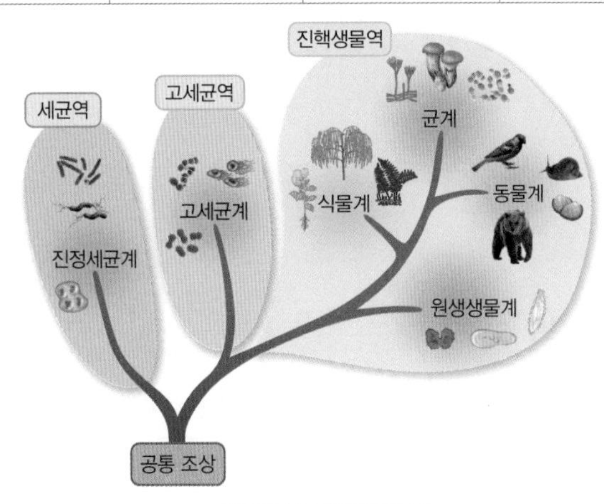

▲ 3역 6계 분류 체계의 계통수

고세균역은 세균역보다 진핵생물역과 유연관계가 더 가까워.

한·줄·핵심 생물은 3역 6계 분류 체계에 따라 세균역(진정세균계), 고세균역(고세균계), 진핵생물역(원생생물계, 식물계, 균계, 동물계)으로 분류한다.

확인 문제

정답과 해설 077쪽

01 그림은 3역 6계 분류 체계에 따른 계통수를 나타낸 것이다.

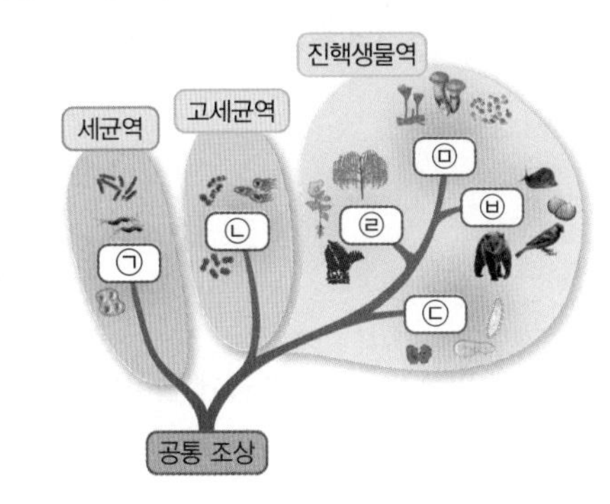

㉠~㉥에 해당하는 계를 각각 쓰시오.

02 3역 6계의 분류 체계에 대한 설명으로 옳은 것은 ○, 옳지 않은 것은 ×로 표시하시오.

(1) 진정세균계에는 펩티도글리칸 성분의 세포벽이 있다. ( )
(2) 고세균역은 진정세균역보다 진핵생물역과 유연관계가 더 가깝다. ( )
(3) 원생생물은 원핵생물역에 속한다. ( )
(4) 버섯, 곰팡이는 모두 식물계에 속한다. ( )
(5) 동물과 식물은 모두 종속 영양 생물이다. ( )

콕콕! 개념 확인하기

정답과 해설 077쪽

✔ 잠깐 확인!

1. 3역 6계 분류 체계에서 진핵생물역에 속하는 계에는 ☐☐☐☐☐, 식물계, ☐☐, ☐☐☐가 있다.

2. ☐☐☐☐계
단세포 원핵생물이며, 세포벽에 펩티도글리칸 성분이 있다.

3. ☐☐☐☐계
진핵생물역에 속한 생물 중 식물계, 균계, 동물계를 제외한 나머지 분류군

4. 식물은 광합성을 하는 ☐☐ 영양 생물로, 세포벽에 ☐☐☐☐ 성분이 있다.

5. 선태식물은 물과 양분의 수송이 이루어지는 ☐☐☐이 없다.

6. 비종자 관다발 식물은 물부추가 속하는 ☐☐식물과 고사리가 속하는 ☐☐식물로 분류된다.

7. 겉씨식물과 속씨식물은 모두 ☐☐로 번식한다.

8. 대칭성이 있는 동물은 몸의 대칭 형태에 따라 자포동물이 속하는 ☐☐ 대칭 동물과 편형동물이 속하는 ☐☐ 대칭 동물로 분류된다.

9. 척삭동물 중 유생 시기에만 척삭이 나타났다가 없어지는 동물을 ☐☐동물이라고 하며, 예로는 우렁쉥이가 있다.

A 3역 6계 분류 체계

01 세균역과 고세균역을 구분할 수 있는 기준을 1가지만 쓰시오.

02 균계에 대한 설명으로 옳은 것은 ○, 옳지 않은 것은 ×로 표시하시오.

(1) 대부분 단세포 생물이다. ( )
(2) 세포에 핵막이 있다. ( )
(3) 세포벽에 셀룰로스 성분이 있다. ( )
(4) 종속 영양 생물이다. ( )
(5) 버섯, 곰팡이가 속해 있다. ( )

B 식물계의 분류

03 그림은 식물계의 계통수를 나타낸 것이다. ㉠~㉢은 분류 특징이다. ㉠~㉢에 해당하는 분류 특징을 각각 쓰시오.

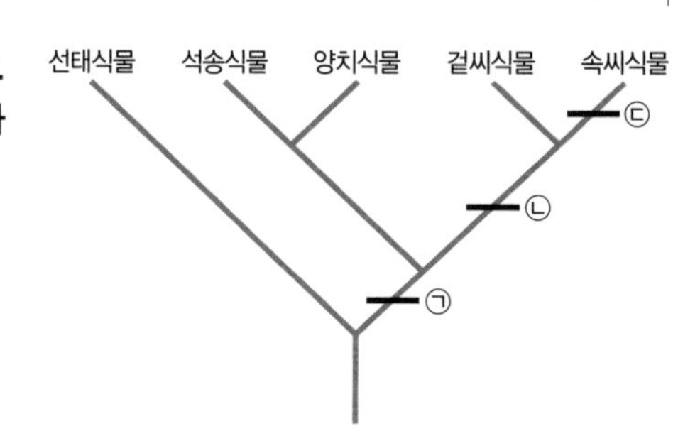

C 동물계의 분류

04 동물을 배엽의 수에 따라 분류할 때 관계있는 것끼리 옳게 연결하시오.

(1) 무배엽성 동물 • • ㉠ 자포동물
(2) 2배엽성 동물 • • ㉡ 해면동물
(3) 3배엽성 동물 • • ㉢ 편형동물

05 동물을 원구의 발생 차이에 따라 분류할 때 관계있는 것끼리 옳게 연결하시오.

(1) 선구동물 • • ㉠ 척삭동물
(2) 후구동물 • • ㉡ 환형동물

06 동물을 DNA의 염기 서열을 이용하여 분류할 때 관계있는 것끼리 옳게 연결하시오.

(1) 촉수담륜동물 • • ㉠ 연체동물
(2) 탈피동물 • • ㉡ 절지동물

탄탄! 내신 다지기

A 3역 6계 분류 체계

01 표는 3역의 특징을 나타낸 것이다. (가)~(다)는 각각 세균역, 고세균역, 진핵생물역 중 하나이다.

특징	(가)	(나)	(다)
핵막	없음	있음	없음
펩티도글리칸 성분의 세포벽	㉠	없음	있음
히스톤과 결합한 DNA	일부 있음	㉡	없음
염색체 모양	원형	선형	㉢

이에 대한 설명으로 옳은 것은?

① (가)는 세균역이다.
② ㉠은 '있음'이다.
③ ㉡은 '없음'이다.
④ ㉢은 '선형'이다.
⑤ (나)에는 4개의 계가 속한다.

02 진정세균계, 고세균계, 원생생물계, 식물계, 균계, 동물계에 속하는 생물을 옳게 짝 지은 것은?

	진정세균계	고세균계	원생생물계	식물계	균계	동물계
①	남세균	극호열균	짚신벌레	소나무	솔이끼	토끼
②	남세균	극호열균	지렁이	은행나무	곰팡이	플라나리아
③	대장균	메테인 생성균	아메바	곰팡이	소나무	우렁쉥이
④	대장균	메테인 생성균	아메바	우산이끼	광대버섯	지렁이
⑤	메테인 생성균	대장균	미역	광대버섯	우산이끼	호랑이

03 고세균계에 대한 설명으로 옳지 않은 것은?

① 세포벽에 펩티도글리칸 성분이 있다.
② 메테인 생성균, 극호열균이 속한다.
③ 진정세균보다 진핵생물과 유연관계가 더 가깝다.
④ 주로 무기물이나 유기물을 산화시켜 에너지를 얻는다.
⑤ 염분 농도가 높거나 온도가 높은 극한 환경에서 서식하는 것이 있다.

B 식물계의 분류

[04~05] 그림은 식물계의 계통수를 나타낸 것이다. A~E는 석송식물, 속씨식물, 겉씨식물, 선태식물, 양치식물을 순서 없이 나타낸 것이다.

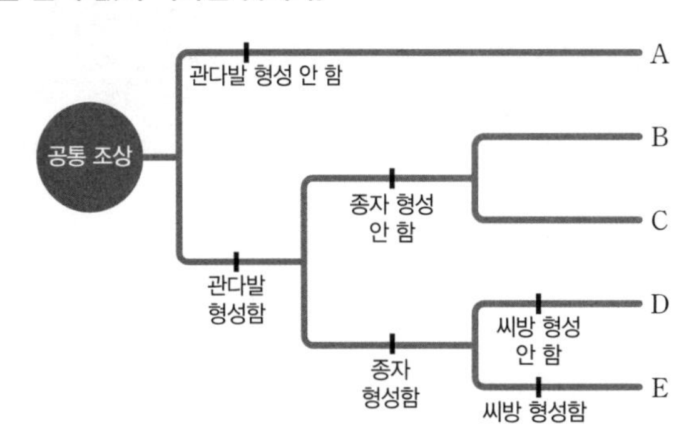

04 A~E에 해당하는 식물을 옳게 짝 지은 것은?

	A	B	C	D	E
①	석송식물	선태식물	양치식물	겉씨식물	속씨식물
②	속씨식물	선태식물	양치식물	겉씨식물	석송식물
③	선태식물	석송식물	양치식물	겉씨식물	속씨식물
④	선태식물	양치식물	석송식물	속씨식물	겉씨식물
⑤	양치식물	석송식물	선태식물	속씨식물	겉씨식물

단답형

05 A~E에 속하는 식물을 각각 1가지씩 쓰시오.

06 비종자 관다발 식물에 대한 설명으로 옳은 것만을 〈보기〉에서 있는 대로 고른 것은?

보기
ㄱ. 석송식물과 양치식물이 해당한다.
ㄴ. 잎, 줄기, 뿌리가 분화되어 있지 않다.
ㄷ. 헛물관이 있다.

① ㄴ
② ㄷ
③ ㄱ, ㄴ
④ ㄱ, ㄷ
⑤ ㄱ, ㄴ, ㄷ

정답과 해설 077쪽

07 그림 (가)~(다)는 각각 소나무, 은행나무, 소철을 나타낸 것이다.

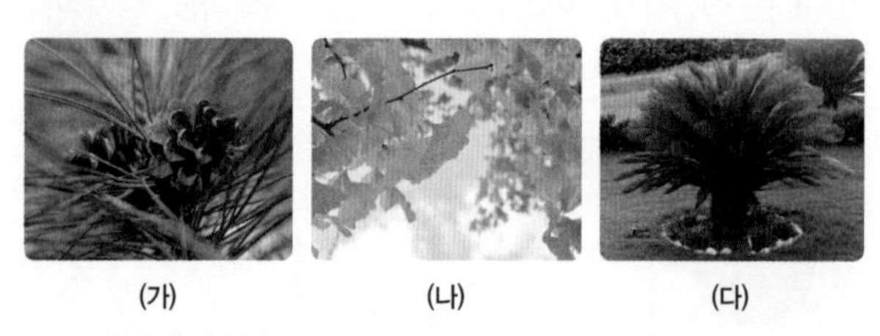

(가) (나) (다)

(가)~(다)의 공통된 특징만을 〈보기〉에서 있는 대로 고른 것은?

보기
ㄱ. 씨방이 있다.
ㄴ. 포자로 번식한다.
ㄷ. 관다발이 있다.

① ㄱ ② ㄷ ③ ㄱ, ㄴ
④ ㄱ, ㄷ ⑤ ㄴ, ㄷ

C 동물계의 분류

08 그림은 동물계의 계통수를 나타낸 것이다. (가)~(라)는 각각 탈피동물, 선구동물, 좌우 대칭 동물, 촉수담륜동물 중 하나이다.

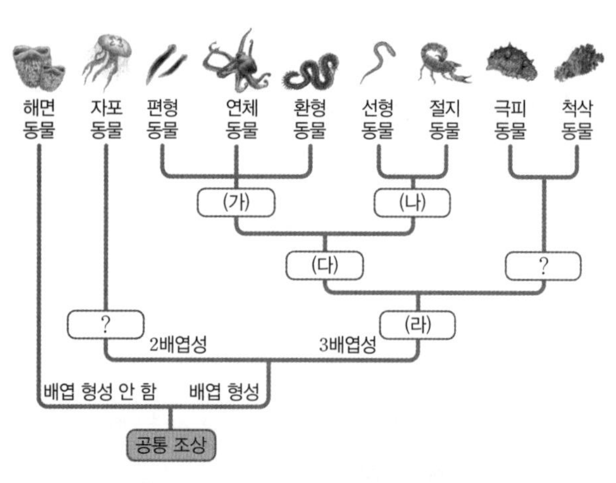

(가)~(라)에 해당하는 분류 기준을 옳게 짝 지은 것은?

	(가)	(나)	(다)	(라)
①	탈피동물	촉수담륜동물	탈피동물	좌우 대칭 동물
②	선구동물	촉수담륜동물	좌우 대칭 동물	탈피동물
③	탈피동물	좌우 대칭 동물	촉수담륜동물	선구동물
④	촉수담륜동물	선구동물	탈피동물	좌우 대칭 동물
⑤	촉수담륜동물	탈피동물	선구동물	좌우 대칭 동물

09 그림 (가)와 (나)는 각각 선구동물과 후구동물 중 하나의 발생 과정을 나타낸 것이다.

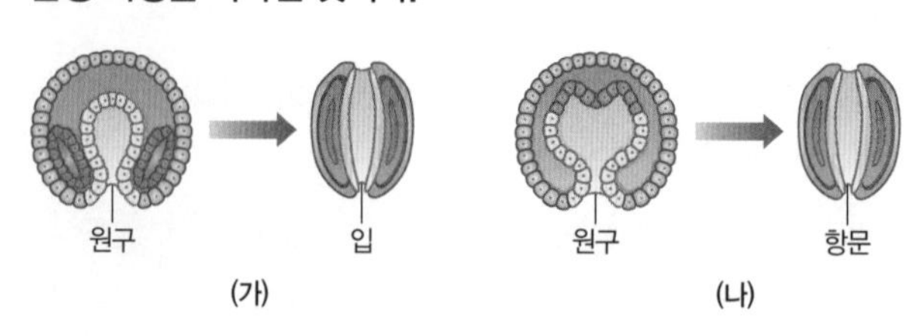

(가) (나)

이에 대한 설명으로 옳지 않은 것은?

① (가)는 선구동물의 발생 과정이다.
② (가)는 발생 과정에서 원구가 입이 된다.
③ 2배엽성 동물은 (나)와 같은 발생 과정을 거친다.
④ 절지동물문에 속하는 동물은 (가)와 같은 발생 과정을 거친다.
⑤ 극피동물문에 속하는 동물은 (나)와 같은 발생 과정을 거친다.

10 다음은 동물 분류군 (가)의 특징을 나타낸 것이다.

- 발생 과정에서 원구가 입이 된다.
- 담륜자 유생 시기를 거친다.

(가)에 속하는 동물만을 〈보기〉에서 있는 대로 고르시오.

보기
ㄱ. 조개 ㄴ. 거미
ㄷ. 갯지렁이 ㄹ. 예쁜꼬마선충

11 그림은 동물 (가)~(다)를 나타낸 것이다. (가)~(다)는 각각 불가사리, 히드라, 플라나리아 중 하나이다.

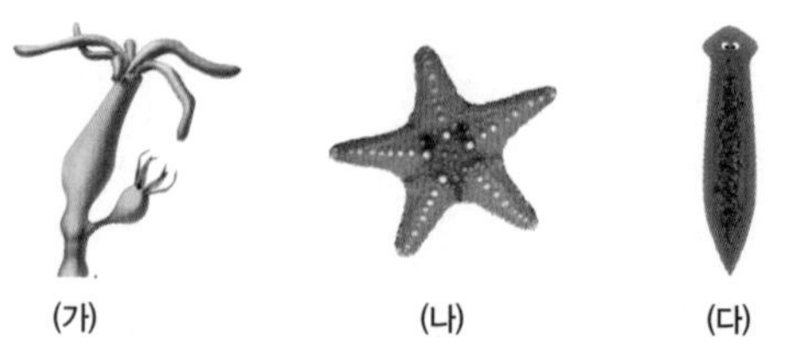

(가) (나) (다)

이에 대한 설명으로 옳은 것은?

① (가)는 3배엽성 동물이다.
② (가)는 탈피를 한다.
③ (나)는 발생 과정에서 원구가 입이 된다.
④ (다)는 방사 대칭 동물이다.
⑤ (다)는 촉수관을 가진다.

도전! 실력 올리기

정답과 해설 079쪽

출제예감

01 그림은 생물 A~C의 공통점과 차이점을, 표는 특징 ㉠~㉢을 순서 없이 나타낸 것이다. A~C는 각각 남세균, 대장균, 메테인 생성균 중 하나이다.

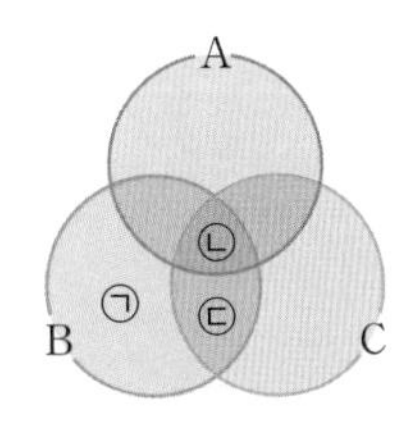

특징(㉠~㉢)
• 독립 영양을 한다.
• 유전 물질을 가진다.
• 세포벽에 펩티도글리칸 성분이 있다.

이에 대한 설명으로 옳은 것만을 〈보기〉에서 있는 대로 고른 것은?

보기
ㄱ. C는 대장균이다.
ㄴ. ㉢은 '세포벽에 펩티도글리칸 성분이 있다.'이다.
ㄷ. 3역 6계 분류 체계에서 A와 B는 같은 계에 속한다.

① ㄱ ② ㄴ ③ ㄱ, ㄴ
④ ㄴ, ㄷ ⑤ ㄱ, ㄴ, ㄷ

02 그림은 식물 5종의 계통수를 나타낸 것이다. A~C는 각각 벼, 석송, 소나무 중 하나이다.

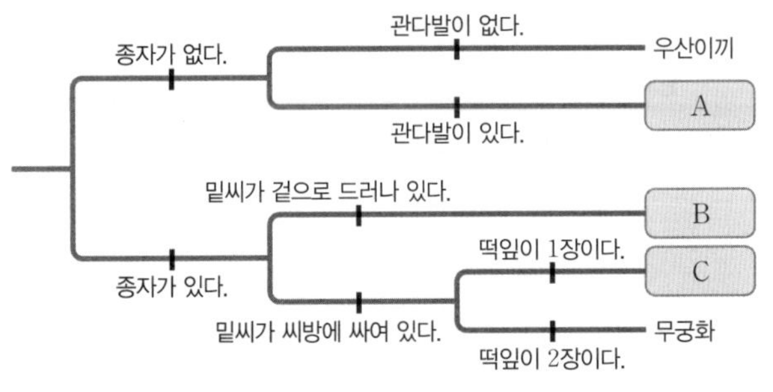

이에 대한 설명으로 옳은 것만을 〈보기〉에서 있는 대로 고른 것은?

보기
ㄱ. A는 선태식물에 속한다.
ㄴ. B는 소나무이다.
ㄷ. C는 잎맥이 그물맥이다.

① ㄱ ② ㄴ ③ ㄷ
④ ㄱ, ㄴ ⑤ ㄴ, ㄷ

03 그림은 솔이끼, 고사리, 은행나무, 장미의 계통수를 나타낸 것이다.

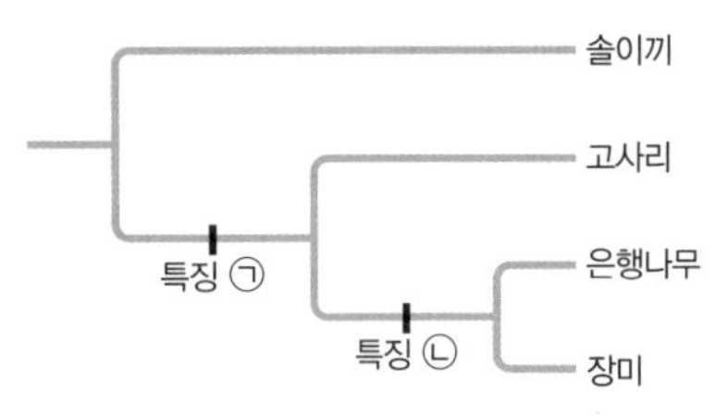

이에 대한 설명으로 옳은 것만을 〈보기〉에서 있는 대로 고른 것은?

보기
ㄱ. '관다발 있음'은 특징 ㉠에 해당한다.
ㄴ. '종자 있음'은 특징 ㉡에 해당한다.
ㄷ. 은행나무와 장미는 모두 씨방이 있다.

① ㄱ ② ㄷ ③ ㄱ, ㄴ
④ ㄴ, ㄷ ⑤ ㄱ, ㄴ, ㄷ

04 그림 (가)는 3역 6계 분류 체계에 따른 4종의 생물 A~D의 계통수를, (나)는 (가)의 특징 ㉠을 나타낸 것이다. A~D는 각각 솔이끼, 지렁이, 광대버섯, 불가사리 중 하나이다.

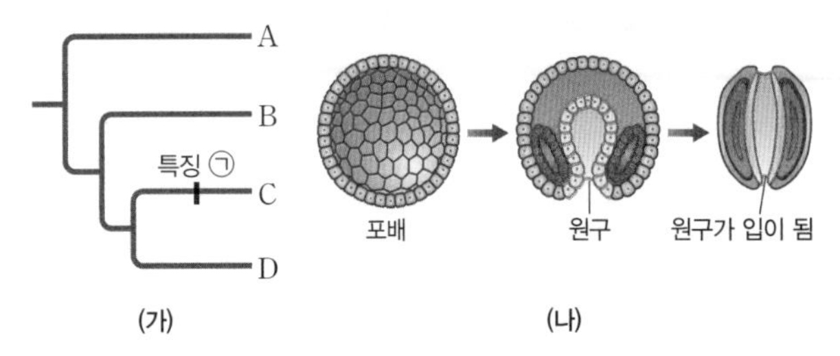

이에 대한 설명으로 옳은 것만을 〈보기〉에서 있는 대로 고른 것은?

보기
ㄱ. A는 솔이끼이다.
ㄴ. B와 C는 모두 종속 영양을 한다.
ㄷ. D는 척삭동물문에 속한다.

① ㄱ ② ㄷ ③ ㄱ, ㄴ
④ ㄴ, ㄷ ⑤ ㄱ, ㄴ, ㄷ

도전! 실력 올리기

05 표 (가)는 동물 A~C에서 특징 ㉠~㉢의 유무를, (나)는 ㉠~㉢을 순서 없이 나타낸 것이다. A~C는 각각 뱀, 해파리, 성게 중 하나이다.

특징＼동물	A	B	C
㉠	×	×	○
㉡	○	×	×
㉢	○	○	ⓐ

(○: 있음, ×: 없음)

(가)

특징(㉠~㉢)
• 척추를 가진다. • 2배엽성 동물이다. • 원구가 항문이 된다.

(나)

이에 대한 설명으로 옳은 것만을 〈보기〉에서 있는 대로 고른 것은?

보기
ㄱ. C는 자포동물문에 속한다.
ㄴ. ㉠은 '2배엽성 동물이다.'이다.
ㄷ. ⓐ는 '○'이다.

① ㄱ ② ㄴ ③ ㄷ
④ ㄱ, ㄴ ⑤ ㄴ, ㄷ

출제예감

06 그림은 동물 A~C의 계통수를 나타낸 것이다. 특징 ㉠과 ㉡은 각각 '척삭이 형성됨'과 '3배엽이 형성됨' 중 하나이고, A~C는 지렁이, 해파리, 창고기를 순서 없이 나타낸 것이다.

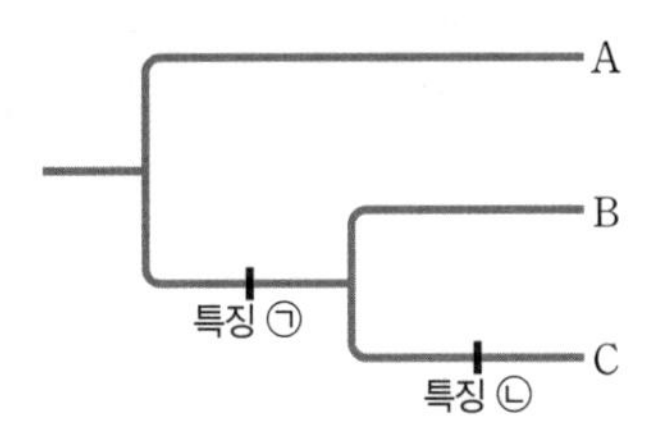

이에 대한 설명으로 옳은 것만을 〈보기〉에서 있는 대로 고른 것은?

보기
ㄱ. ㉠은 '3배엽이 형성됨'이다.
ㄴ. B는 촉수담륜동물에 해당한다.
ㄷ. C는 선구동물에 해당한다.

① ㄱ ② ㄷ ③ ㄱ, ㄴ
④ ㄴ, ㄷ ⑤ ㄱ, ㄴ, ㄷ

서답형 문제

정답과 해설 079쪽

서술형

07 그림은 솔이끼, 고사리, 소나무, 백합의 계통수를 나타낸 것이다. ㉠~㉢은 분류 기준이다.

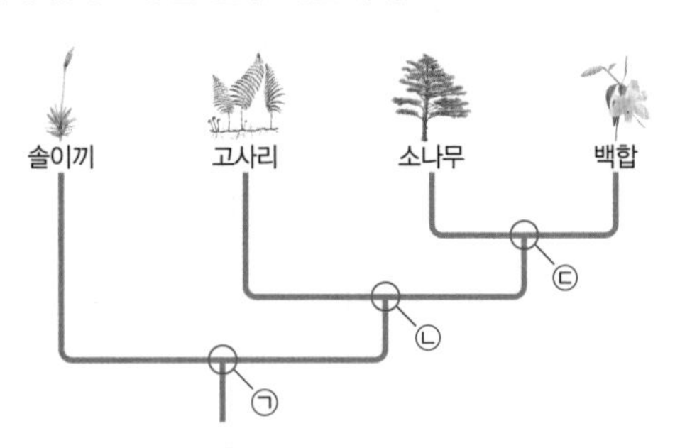

㉠~㉢에 해당하는 것을 각각 서술하시오.

08 그림은 어떤 동물의 발생 과정을 나타낸 것이다.

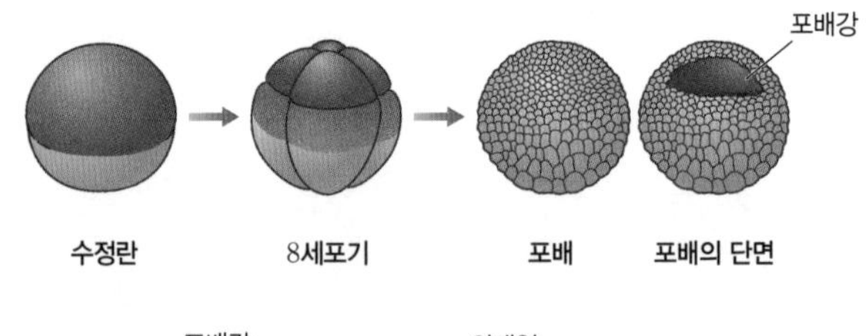

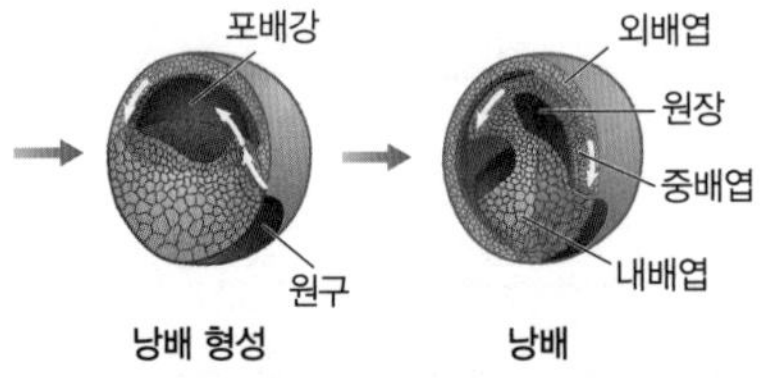

이와 같은 발생 과정을 거치는 동물의 문을 모두 쓰시오.

09 표 (가)는 4가지 생물을 분류 기준 X에 따라 ㉠과 ㉡으로, (나)는 4가지 생물을 분류 기준 Y에 따라 ㉢과 ㉣로 분류한 것을 나타낸 것이다.

구분	㉠	㉡
생물	젖산균, 대장균	극호염균, 극호열균

(가)

구분	㉢	㉣
생물	말미잘, 산호	플라나리아, 회충

(나)

X와 Y에 해당하는 분류 기준을 각각 쓰시오.

생물의 분류 체계

대표 유형

출제 의도

학명과 과명을 통해 종 사이의 유연관계를 계통수로 나타내는 문제이다.

표는 물고기 5종의 학명과 과명을, 그림은 이 5종을 포함하는 물고기 7종의 유연관계를 계통수로 나타낸 것이다. 계통수의 물고기 7종은 3개 과로 분류된다.

물고기	학명	과명
몰개	*Squalidus japonicus*	잉어과
수수미꾸리	*Niwaella multifasciate*	미꾸리과
쉬리	*Coreoleuciscus splendidus*	잉어과
기름종개	*Cobitis sinensis*	미꾸리과
긴몰개	*Squalidus gracilis*	잉어과

속명 종소명

몰개와 긴몰개는 같은 속에 속한다.

수수미꾸리와 기름종개는 같은 과에 속하므로 유연관계가 가깝다.

몰개, 긴몰개, 쉬리는 같은 과에 속하므로 유연관계가 가깝다.

(계통수) 교환 가능: 수수미꾸리, 기름종개 / 교환 가능: 몰개, 긴몰개 — 수수미꾸리, 기름종개, 누치, ㉠, 쉬리, ㉡ — 미꾸리과, 잉어과, 또 다른 과

✎ 이것이 함정

계통수에서 분기된 시점이 가까울수록 유연관계가 가깝고, 속명이 같으면 같은 속에 속하므로 유연관계가 가깝다는 것을 기억해야 한다.

이 자료에 대한 설명으로 옳은 것만을 〈보기〉에서 있는 대로 고른 것은?

보기

~~ㄱ~~. ㉠은 ~~수수미꾸리~~이다.
몰개 또는 긴몰개

~~ㄴ~~. ㉡은 ~~잉어과~~에 속한다.
미꾸리과와 잉어과가 아닌 또 다른 과

ㄷ. 몰개와 누치의 유연관계는 몰개와 쉬리의 유연관계보다 가깝다.
계통수에서 몰개와 쉬리가 분기된 시점이 누치와 몰개가 분기된 시점보다 오래되었다.

① ㄱ ② ㄴ ③ ㄷ ④ ㄱ, ㄴ ⑤ ㄴ, ㄷ

표나 그림에서 경향성 찾기

표에서 수수미꾸리와 기름종개는 과명이 같으므로 유연관계가 가깝다. >>> 표에서 몰개, 쉬리, 긴몰개는 과명이 같으므로 유연관계가 가깝다. >>> 몰개와 긴몰개는 속명이 같으므로 유연관계가 가장 가깝다. 따라서 계통수에서 ㉠은 긴몰개 또는 몰개이다. >>> 계통수의 물고기 7종은 3개 과로 분류되므로, ㉡은 잉어과와 미꾸리과가 아닌 또 다른 과에 속한다.

추가 선택지

• 몰개의 속명은 *japonicus*이다. (×)
⋯→ 이명법은 속명+종소명으로 나타낸다. 따라서 몰개의 속명은 *Squalidus*이다.

• 수수미꾸리와 기름종개의 유연관계는 수수미꾸리와 긴몰개의 유연관계보다 가깝다. (○)
⋯→ 수수미꾸리와 기름종개는 같은 과에 속하고, 수수미꾸리와 긴몰개는 서로 다른 과에 속하므로 수수미꾸리와 기름종개의 유연관계는 수수미꾸리와 긴몰개의 유연관계보다 가깝다.

실전! 수능 도전하기

수능 기출

01 그림은 지구의 탄생부터 현재까지 생물의 존재 기간을 나타낸 것이다. ㉠~㉢은 다세포 진핵생물, 단세포 진핵생물, 원핵생물을 순서 없이 나타낸 것이다.

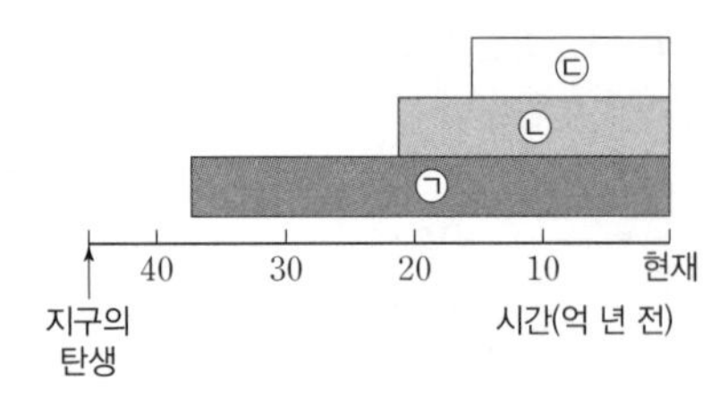

이에 대한 설명으로 옳은 것만을 〈보기〉에서 있는 대로 고른 것은?

보기
ㄱ. 효모는 ㉠에 속한다.
ㄴ. ㉡에는 RNA가 있다.
ㄷ. ㉢은 다세포 진핵생물이다.

① ㄱ ② ㄴ ③ ㄱ, ㄷ
④ ㄴ, ㄷ ⑤ ㄱ, ㄴ, ㄷ

02 그림은 세포내 공생설을 나타낸 것이다. 미토콘드리아의 기원은 ⓐ이고, 엽록체의 기원은 ⓑ이다. ⓐ와 ⓑ는 각각 광합성 세균과 호기성 세균 중 하나이다.

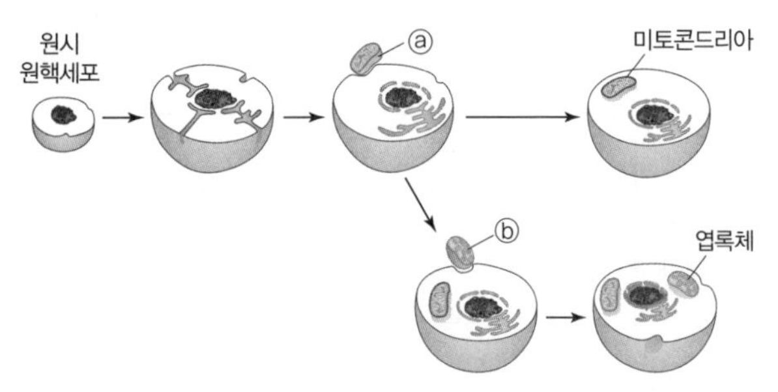

이에 대한 설명으로 옳은 것만을 〈보기〉에서 있는 대로 고른 것은?

보기
ㄱ. ⓐ는 호기성 세균이다.
ㄴ. ⓑ에는 핵이 있다.
ㄷ. ⓐ와 ⓑ에는 모두 DNA가 있다.

① ㄱ ② ㄴ ③ ㄱ, ㄷ
④ ㄴ, ㄷ ⑤ ㄱ, ㄴ, ㄷ

03 그림 (가)는 원시 지구에서 유기물의 합성 가능성을 알아본 밀러와 유리의 실험을, (나)는 (가)의 U자관 내 물질 A와 B의 농도 변화를 나타낸 것이다. A와 B는 각각 아미노산과 암모니아 중 하나이다.

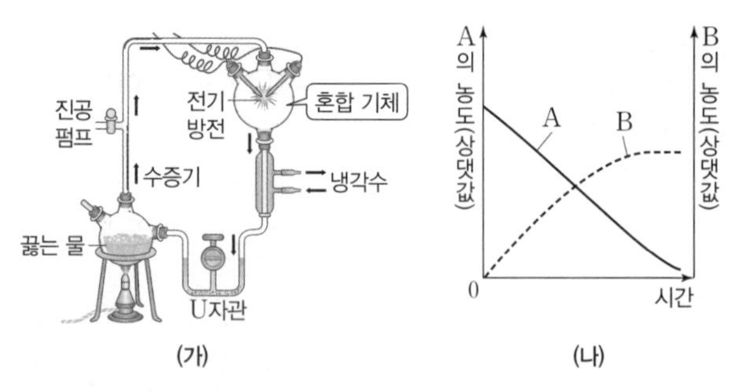

이에 대한 설명으로 옳은 것만을 〈보기〉에서 있는 대로 고른 것은?

보기
ㄱ. (가)의 혼합 기체에 산소(O_2)가 포함되어 있다.
ㄴ. 실험 결과 U자관 내에서 원핵생물이 관찰된다.
ㄷ. B는 아미노산이다.

① ㄱ ② ㄴ ③ ㄷ
④ ㄱ, ㄷ ⑤ ㄴ, ㄷ

04 그림은 지구의 대기 변화와 생물의 출현 과정을 나타낸 것이다. ㉠~㉢은 각각 광합성 세균, 호기성 세균, 무산소 호흡 종속 영양 생물 중 하나이다.

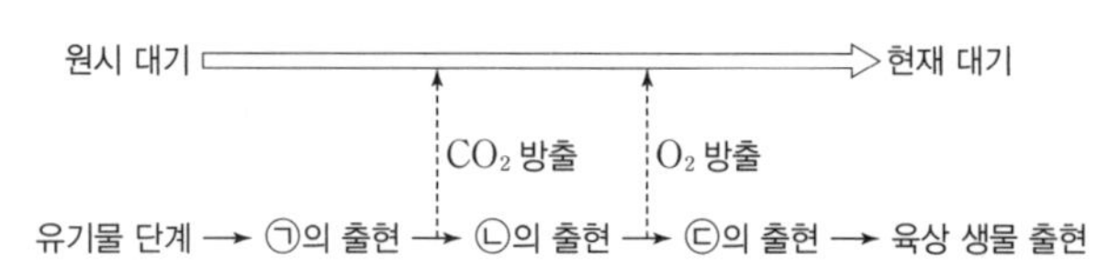

이에 대한 설명으로 옳은 것만을 〈보기〉에서 있는 대로 고른 것은?

보기
ㄱ. ㉠은 호기성 세균이다.
ㄴ. ㉡에는 엽록소가 있다.
ㄷ. ㉢은 막으로 둘러싸인 세포 소기관을 가진다.

① ㄱ ② ㄴ ③ ㄱ, ㄴ
④ ㄱ, ㄷ ⑤ ㄴ, ㄷ

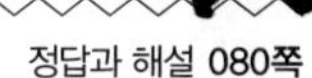

정답과 해설 080쪽

05 표는 식육목(Carnivora)에 속하는 동물 6종(A~F)의 학명과 과명을 나타낸 것이다. A~F는 3개의 과(갯과, 고양잇과, 족제비과)로 분류된다.

종	학명	과명
A	*Panthera onca*	?
B	*Canis lupus*	갯과
C	*Meles meles*	?
D	*Canis latrans*	?
E	*Panthera pardus*	고양잇과
F	*Felis catus*	고양잇과

이에 대한 설명으로 옳은 것만을 <보기>에서 있는 대로 고른 것은?

보기
ㄱ. A와 C의 유연관계는 A와 F의 유연관계보다 가깝다.
ㄴ. B와 E는 같은 강에 속한다.
ㄷ. D의 학명에서 종소명은 '*Canis*'이다.

① ㄱ ② ㄴ ③ ㄷ
④ ㄱ, ㄴ ⑤ ㄴ, ㄷ

06 그림은 대장균, 사람의 간세포, 시금치의 공변세포를 분류 기준에 따라 구분하는 과정을 나타낸 것이다.

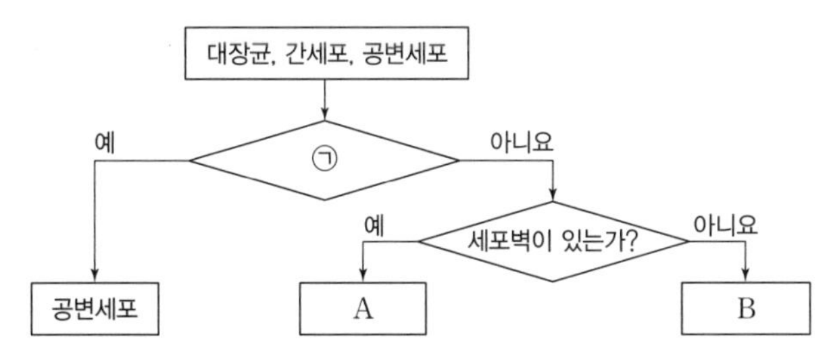

이에 대한 설명으로 옳은 것만을 <보기>에서 있는 대로 고른 것은?

보기
ㄱ. '광합성이 일어나는가?'는 ㉠에 해당한다.
ㄴ. A의 세포벽에는 펩티도글리칸 성분이 있다.
ㄷ. B에는 핵이 있다.

① ㄱ ② ㄷ ③ ㄱ, ㄴ
④ ㄴ, ㄷ ⑤ ㄱ, ㄴ, ㄷ

07 표는 6종의 외떡잎식물 A~F의 학명과 분류 단계를, 그림은 이를 토대로 작성한 A~F의 계통수를 나타낸 것이다.

종	학명	목	과
A	*Roscoea purpurea*	생강목	생강과
B	*Roscoea alpina* Royle	생강목	생강과
C	*Zingiber mioga*	생강목	생강과
D	*Zingiber officinale*	생강목	생강과
E	*Musa acuminata*	생강목	파초과
F	*Zea mays* Linné	벼목	벼과

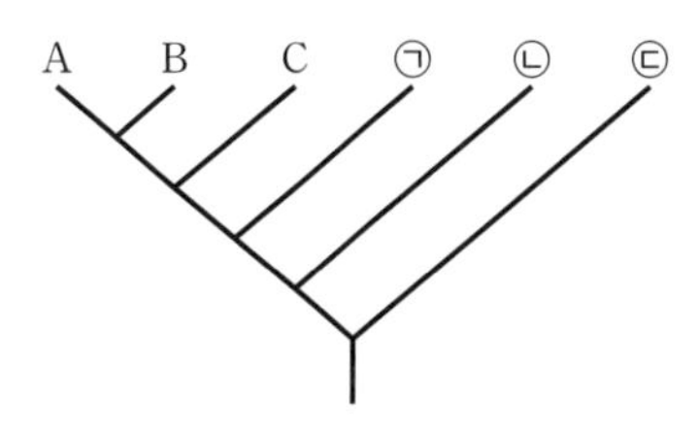

이에 대한 설명으로 옳은 것만을 <보기>에서 있는 대로 고른 것은?

보기
ㄱ. ㉠은 F이다.
ㄴ. C와 D의 유연관계는 C와 E의 유연관계보다 가깝다.
ㄷ. F의 학명은 이명법을 사용하였다.

① ㄱ ② ㄷ ③ ㄱ, ㄴ
④ ㄴ, ㄷ ⑤ ㄱ, ㄴ, ㄷ

08 그림은 3역 6계 분류 체계에 따라 생물 4종(A~C, 지렁이)의 계통수를 나타낸 것이다. A~C는 각각 뿔이끼, 남세균, 푸른곰팡이 중 하나이다.

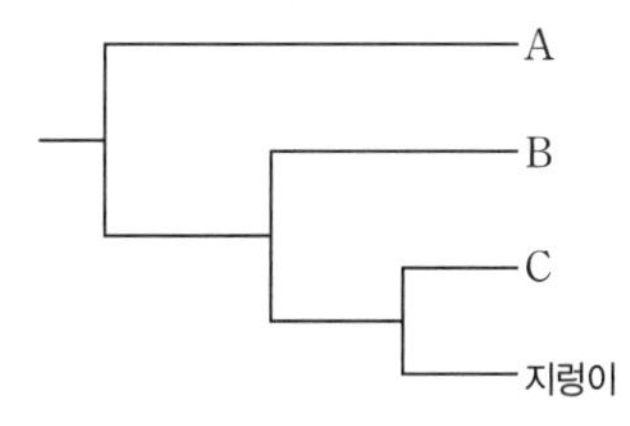

이에 대한 설명으로 옳은 것만을 <보기>에서 있는 대로 고른 것은?

보기
ㄱ. A는 원핵생물에 해당한다.
ㄴ. B는 관다발이 있다.
ㄷ. C는 균계에 속한다.

① ㄱ ② ㄴ ③ ㄱ, ㄷ
④ ㄴ, ㄷ ⑤ ㄱ, ㄴ, ㄷ

정답과 해설 080쪽

수능 기출

09 다음은 4가지 생물 ㉠~㉣에 대한 자료이다. ㉠~㉣은 김, 솔이끼, 아메바, 검은빵곰팡이를 순서 없이 나타낸 것이다.

- ㉠과 ㉡은 원생생물계에 속한다.
- ㉠과 ㉣은 종속 영양 생활을 한다.
- ㉢과 ㉣은 포자로 번식한다.

이에 대한 설명으로 옳은 것만을 〈보기〉에서 있는 대로 고른 것은?

보기
ㄱ. ㉠은 위족을 형성한다.
ㄴ. ㉢은 엽록소 b를 갖는다.
ㄷ. ㉣은 균사를 갖는다.

① ㄴ ② ㄷ ③ ㄱ, ㄴ ④ ㄱ, ㄷ ⑤ ㄱ, ㄴ, ㄷ

10 표 (가)는 생물 A~D에서 특징 ㉠~㉣의 유무를, (나)는 ㉠~㉣을 순서 없이 나타낸 것이다. A~D는 다시마, 대장균, 쇠뜨기, 푸른곰팡이를 순서 없이 나타낸 것이다.

생물 \ 특징	㉠	㉡	㉢	㉣
A	ⓐ	×	○	×
B	×	○	×	○
C	×	○	×	×
D	○	○	ⓑ	○

(○: 있음, ×: 없음)

(가)

특징(㉠~㉣)
• 핵막을 가진다. • 관다발을 가진다. • 단세포 생물이다. • 독립 영양 생물이다.

(나)

이에 대한 설명으로 옳은 것만을 〈보기〉에서 있는 대로 고른 것은?

보기
ㄱ. ⓐ와 ⓑ는 모두 '×'이다.
ㄴ. B는 푸른곰팡이이다.
ㄷ. D는 양치식물문에 속한다.

① ㄱ ② ㄴ ③ ㄷ ④ ㄱ, ㄷ ⑤ ㄴ, ㄷ

11 그림은 동물 A~D의 형태적 형질을 기준으로 작성한 계통수를 나타낸 것이다. A~D는 각각 회충, 도마뱀, 창고기, 불가사리 중 하나이다.

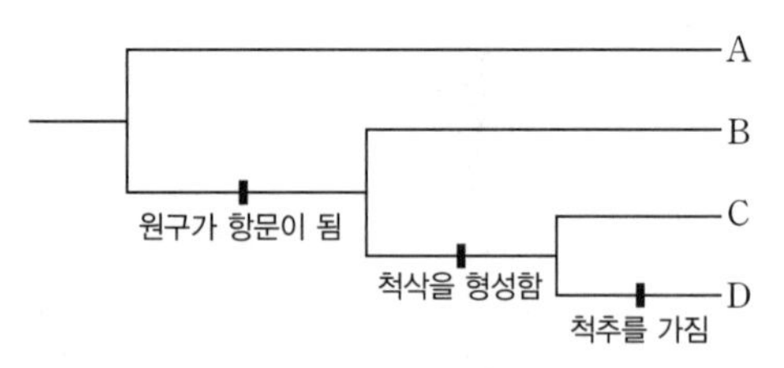

이에 대한 설명으로 옳은 것만을 〈보기〉에서 있는 대로 고른 것은?

보기
ㄱ. A는 회충이다.
ㄴ. B는 좌우 대칭 동물이다.
ㄷ. C는 미삭동물에 속한다.

① ㄱ ② ㄷ ③ ㄱ, ㄴ ④ ㄴ, ㄷ ⑤ ㄱ, ㄴ, ㄷ

12 그림은 동물문 A~C의 형태적 형질을 기준으로 작성한 계통수를 나타낸 것이다. A~C는 각각 연체동물문, 절지동물문, 환형동물문 중 하나이다.

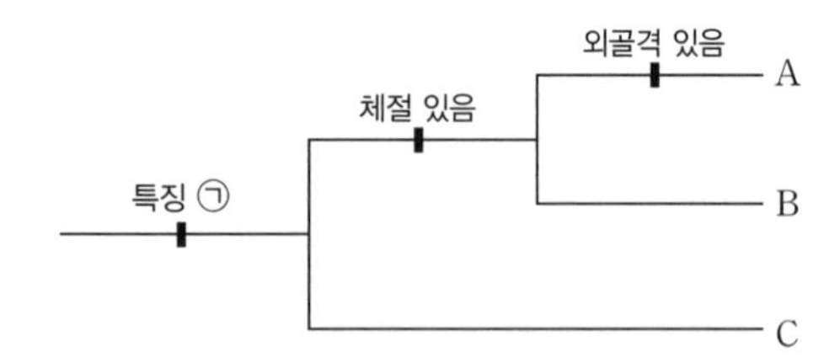

이에 대한 설명으로 옳은 것만을 〈보기〉에서 있는 대로 고른 것은?

보기
ㄱ. '발생 과정에서 원구가 입이 됨'은 ㉠에 해당한다.
ㄴ. A는 절지동물문이다.
ㄷ. 갯지렁이는 B에 속한다.

① ㄱ ② ㄷ ③ ㄱ, ㄴ ④ ㄴ, ㄷ ⑤ ㄱ, ㄴ, ㄷ

2 생물의 진화

배울 내용 살펴보기

01 진화의 증거

A 진화의 증거

생물의 진화는 화석상의 증거, 비교해부학적 증거, 생물지리학적 증거, 진화발생학적 증거, 분자진화학적 증거를 토대로 설명할 수 있어.

02 진화의 원리와 종분화

A 하디 · 바인베르크 법칙

B 유전자풀의 변화 요인

C 종분화

멘델 집단에서는 하디 · 바인베르크 법칙이 적용되고, 집단의 유전자풀의 변화 요인에는 돌연변이, 유전적 부동, 자연 선택, 유전자 흐름 등이 있어.

01 진화의 증거

핵심 키워드로 흐름잡기

A 화석상의 증거, 비교해부학적 증거, 생물지리학적 증거, 진화발생학적 증거, 분자진화학적 증거

A 진화의 증거

|출·제·단·서| 시험에는 각 진화의 증거에 해당하는 예를 묻는 문제가 나와.

1. 화석상의 증거

(1) 화석❶을 연구하면 지층이 형성될 당시의 생물 다양성과 환경의 특성을 알 수 있으므로, 화석은 환경 변화와 생물의 진화를 보여 주는 가장 직접적인 증거이다.

(2) 화석 자체나 화석이 속한 퇴적암의 동위 원소를 분석하면 지층의 연대를 측정❷할 수 있으므로, 각 지층에서 화석 생물이 살았던 시기를 추정할 수 있다.

➡ 이들 화석을 시간 순서로 배열하면 생물의 점진적 진화 과정을 알 수 있다.

(3) 화석상의 증거의 예❸

고래의 화석	오늘날의 고래는 뒷다리가 흔적으로만 남아 있지만, 고래 조상종의 화석에서는 온전한 뒷다리가 발견된다. ➡ 육상 생활을 하던 포유류의 일부가 고래로 진화하였음을 보여 준다. 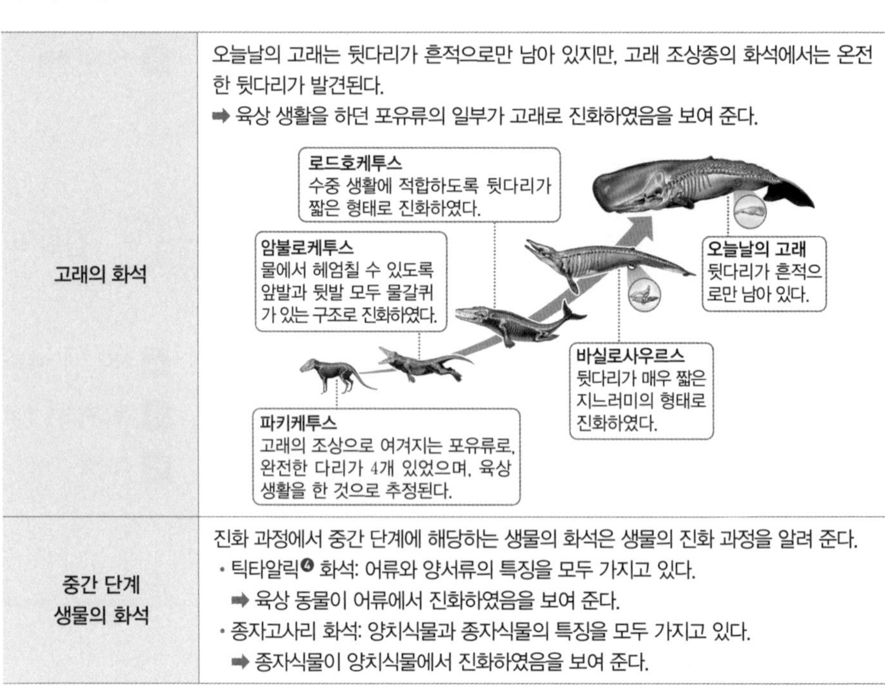
중간 단계 생물의 화석	진화 과정에서 중간 단계에 해당하는 생물의 화석은 생물의 진화 과정을 알려 준다. • 틱타알릭❹ 화석: 어류와 양서류의 특징을 모두 가지고 있다. ➡ 육상 동물이 어류에서 진화하였음을 보여 준다. • 종자고사리 화석: 양치식물과 종자식물의 특징을 모두 가지고 있다. ➡ 종자식물이 양치식물에서 진화하였음을 보여 준다.

2. 비교해부학적 증거

현존하는 여러 생물의 형태적 특징을 비교해 보면 이들이 *공통 조상을 갖는지, 서로 다른 조상으로부터 진화했는지를 알 수 있다.

상동 기관 (상동 형질)	발생 기원과 해부학적 구조는 같지만, 모양과 기능이 다른 기관 ➡ 공통 조상으로부터 기원하였지만 각기 다른 환경에 적응하면서 다른 기능을 수행하도록 진화하였음을 알 수 있다. 예 척추동물의 앞다리 골격 구조, 사람의 폐와 어류의 부레 (소화 기관의 일부에서 발생)
상사 기관 (상사 형질)	발생 기원과 해부학적 구조는 다르지만, 모양과 기능이 유사한 기관 ➡ 발생 기원이 다른 생물이 비슷한 환경에 적응하면서 유사한 형질을 갖도록 진화하였음을 알 수 있다. 예 새와 곤충의 날개, 선인장과 장미의 가시, 완두와 포도의 덩굴손❺
흔적 기관 (흔적 형질)	과거에는 유용하게 사용되었지만, 현재에는 흔적만 남아 있거나 쓰임새가 최초의 목적과 많이 달라진 기관 예 사람의 배아에서 관찰되는 아가미 틈, 사람의 꼬리뼈와 막창자꼬리

❶ 화석
화석은 죽은 생물의 부패 과정이 불완전하게 진행되어 뼈나 껍데기 등 단단한 부분이 암석화 작용을 거쳐 생성된 것이다.

❷ 동위 원소를 이용한 물질의 연대 측정
화학적 성질은 거의 같으나 질량이 차이 나는 원소를 동위 원소라고 한다. 불안정한 동위 원소는 물질이 형성된 후 점차 방사선을 방출하면서 더 안정된 원소로 변하기 때문에 물질에 남아 있는 동위 원소의 양을 측정하면 물질이 생성된 연대를 알 수 있다.

❸ 말의 화석
말의 화석을 연대 순으로 배열하면 말은 발가락 수가 줄어들고 몸집이 커지며, 어금니가 커지고 주름이 많아지는 방향으로 진화하였다.
➡ 말이 숲에서 초원으로 바뀐 서식지 환경에 적응하여 몸의 형태가 달라졌음을 보여 준다.

❹ 틱타알릭
데본기 후기인 3억 7500만 년 전 아열대성 기후의 얕은 늪지 물에서 살던 동물이다. 물고기 몸체를 가지고 턱·갈비뼈와 초기 포유류의 다리같은 지느러미를 가졌다고 알려졌다.

용어 알기

*공통 조상(함께 共, 통할 通, 조상 祖, 위 上) 2개 이상의 생물군이 하나의 조상 생물 집단으로부터 분화되었을 때, 분화 이전의 조상 생물 집단을 가리키는 진화 생물학 용어

빈출 자료 상동 기관과 상사 기관의 비교

상동 기관 – 척추동물의 앞다리 골격 구조	상사 기관 – 독수리의 날개와 잠자리의 날개
1 2 3 4 5 사람 고양이 고래 박쥐	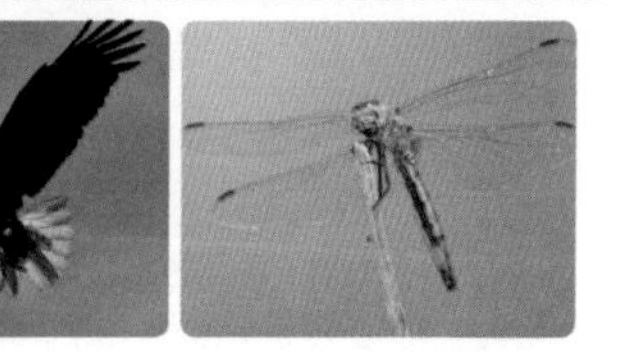 ▲ 독수리 ▲ 잠자리
사람의 팔, 고양이의 앞다리, 고래의 가슴지느러미, 박쥐의 날개는 모양과 기능이 다르지만 해부학적 기본 구조가 매우 유사하다. 이는 이들이 모두 육상 척추동물의 공통 조상이 가졌던 앞다리에서 유래하였기 때문이다.	독수리의 날개와 잠자리의 날개는 모양과 기능이 유사하지만 독수리의 날개는 앞다리가 변한 것이고, 잠자리의 날개는 표피가 변한 것이다.

3. 생물지리학적 증거

(1) 생물의 분포 양상은 대륙의 이동, 산맥, 해협, 강과 같은 물리적 장벽에 따라 달라져 생물의 분포는 각 지역마다 독특하게 나타난다.

➡ 같은 종의 생물이 지리적으로 격리된 후 오랜 세월 동안 독자적인 진화 과정을 거쳤기 때문이다.

(2) **생물지리학적 증거의 예**

갈라파고스 제도❻의 핀치 부리 모양	갈라파고스 제도에는 각 섬마다 먹이의 종류가 달라 각 섬의 먹이를 얻는 데 적합한 모양의 부리를 가진 여러 종의 핀치가 서식하는데, 가까운 남아메리카 대륙에 서식하는 핀치는 단순히 두 종으로 분류된다. ➡ 화산 활동으로 갈라파고스 제도가 새로 생긴 이후 남아메리카 대륙에서 우연히 이주해 온 핀치가 포식자와 경쟁자가 없는 환경에 성공적으로 정착하면서 여러 갈래로 빠르게 진화했음을 보여 준다. 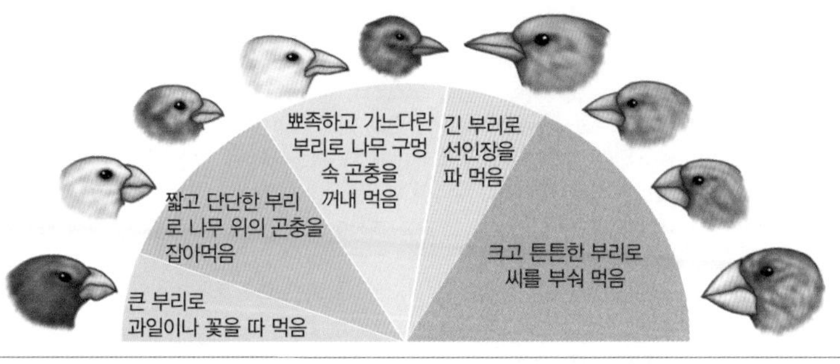
월리스선❼	월리스선을 경계로 오스트레일리아구에는 캥거루, 코알라와 같은 •유대류가 서식하지만, 동남아시아구에는 서식하지 않는다. ➡ 오스트레일리아구가 곤드와나 대륙으로부터 분리되면서 생물이 독자적으로 진화되었다고 추정할 수 있다. 

❺ 식물의 상사 기관

- 선인장의 가시는 잎이 변한 것이고, 장미의 가시는 줄기가 변한 것이다.
- 완두의 덩굴손은 잎이 변한 것이고, 포도의 덩굴손은 줄기가 변한 것이다.

❻ 갈라파고스 제도

남아메리카 대륙의 서쪽에서 화산 폭발로 생겨난 섬의 무리로, 19개의 주요 섬과 작은 섬, 암초로 구성되어 있다.

❼ 월리스선

1858년 월리스는 아시아 남부의 섬에 사는 생물을 관찰하고, 이 섬들이 어느 대륙에서 유래했는지에 따라 서로 다른 종류의 생물이 서식한다는 것에 착안하여 섬들 사이에 지리적인 경계를 나누었는데, 이 경계선을 월리스선이라고 한다. 월리스선을 기준으로 서쪽은 로라시아 대륙에서 유래한 동남아시아구로, 동쪽은 곤드와나 대륙에서 유래한 오스트레일리아구로 나뉜다.

용어 알기

•유대류(있을 有, 자루 袋, 무리 類) 태반이 매우 불완전하여 발육이 불완전한 새끼를 낳아 기르는 육아 주머니가 있는 원시적인 포유류

4. 진화발생학적 증거

(1) 여러 분류군에 속하는 동물은 성체의 모습이 매우 다양하지만, 이들의 배아가 발생하는 과정을 살펴보면 공통 조상에게서 물려받은 매우 유사한 특징이 나타난다.

(2) 진화발생학적 증거의 예

척추동물 초기 배아의 유사성	동일한 유생 단계	핵심 조절 유전자의 공통성
닭, 사람 등의 척추동물은 발생 초기의 배아 단계에서 항문 뒤쪽의 근육성 꼬리, 아가미 틈, 척삭 등이 공통적으로 나타난다. ➡ 척추동물이 공통 조상으로부터 갈라져 나와 각기 다른 방향으로 진화하였음을 알 수 있다.	조개(연체동물)와 갯지렁이(환형동물)는 발생 과정에서 모두 담륜자(트로코포라) 유생 시기를 거친다. ➡ 연체동물과 환형동물은 공통 조상으로부터 진화하였음을 알 수 있다.	동물의 발생 과정에서 기관 형성을 조절하는 핵심 조절 유전자가 거의 모든 진핵생물에서 공통적으로 발견되며, 그 발현 부위와 기능이 비슷하다.
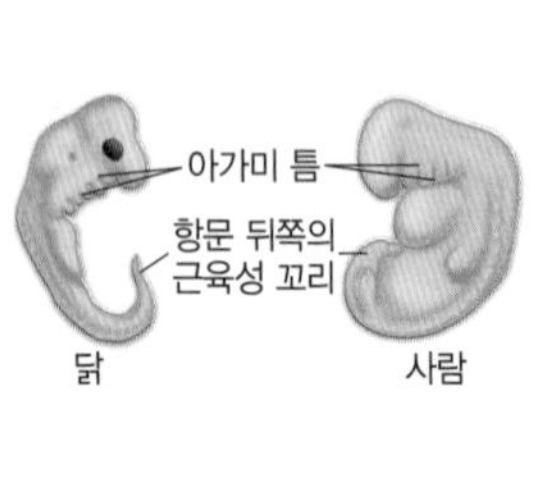 아가미 틈 항문 뒤쪽의 근육성 꼬리 닭 사람	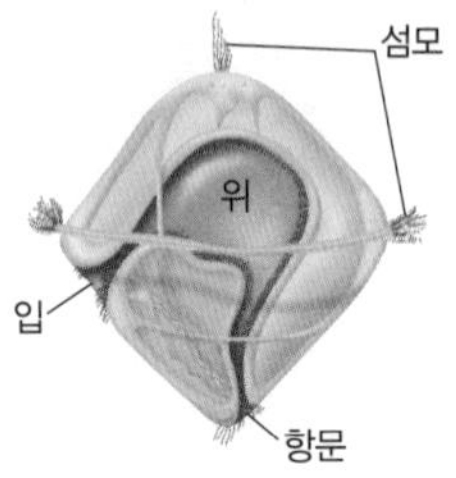 섬모 위 입 항문	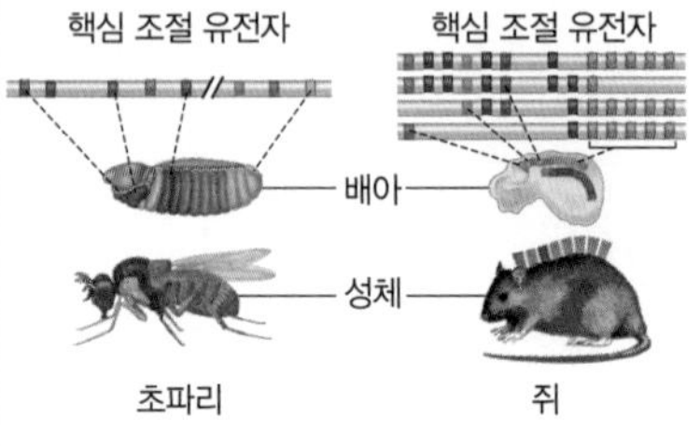 핵심 조절 유전자 핵심 조절 유전자 배아 성체 초파리 쥐

⑧ 사이토크롬 c
진핵생물에서 미토콘드리아의 전자 전달계를 구성하는 효소 중 하나이다.

⑨ 글로빈
척추동물에 공통으로 있는 단백질로, 헤모글로빈 형성에 관여한다.

➕ 분류학적 증거
서로 다른 두 분류군의 특징이 섞여 있는 생물이 관찰되면 두 분류군이 공통 조상에서 기원하였음을 추론할 수 있다. 예를 들어 어류인 실러캔스와 폐어는 뼈와 근육으로 이루어진 지느러미를 가지고 있는데, 이는 육상 척추동물의 다리와 같은 구조이다. 이는 육상 동물의 조상이 실러캔스, 폐어와 같은 단계를 거쳐 진화하였음을 유추할 수 있다. 또한, 오리너구리는 파충류와 포유류의 특징을 모두 갖고 있다.

5. 분자진화학적 증거

(1) DNA 염기 서열이나 단백질의 아미노산 서열과 같은 분자생물학적 특징을 비교해 보면 생물 간의 진화적 유연관계를 알 수 있다.

(2) 생물종 간에 DNA 염기 서열이나 단백질의 아미노산 서열의 차이가 클수록 상대적으로 오래전에 분화한 것이며, 차이가 작을수록 비교적 최근에 공통 조상에서 분화하였다고 볼 수 있다. DNA 염기 서열의 차이로 파악한 생물의 계통과 화석의 연대 측정으로 밝힌 진화의 순서가 일치하는 것이 진화의 증거가 된다.

(3) 분자진화학적 증거의 예

구분	내용
DNA 염기 서열 비교	과거 조상은 가지고 있었지만 현재 필요 없어진 유전자의 염기 서열이 흔적으로 남기도 한다. 예 사람은 알을 낳지 않기 때문에 •난황 단백질을 합성하지 않는다. 그러나 난황 단백질을 암호화하는 유전자의 염기 서열이 사람을 비롯한 모든 포유류의 유전체에 뚜렷한 흔적으로 남아 있다. ➡ 포유류, 파충류, 조류의 공통 조상이 알을 낳는 척추동물이었다는 사실을 뒷받침한다.
단백질의 아미노산 서열 비교	• 사이토크롬 c⑧: 사람과 침팬지의 사이토크롬 c의 아미노산 서열은 모두 일치하고, 효모는 사람과 가장 큰 차이를 나타낸다. ➡ 침팬지의 단백질이 사람의 단백질과 가장 유사하며, 사람은 침팬지와 비교적 최근에 공통 조상으로부터 분화하였음을 뜻한다. 또, 사람은 효모와 가장 오래전에 공통 조상으로부터 분화하였음을 뜻한다. [그래프] 침팬지 0, 붉은털원숭이 1, 개 13, 닭 18, 뱀 20, 거북 31, 효모 56 — 사람의 사이토크롬 c와 차이 나는 아미노산의 수(개) • 글로빈⑨: 글로빈의 아미노산 서열이 사람과 가장 유사한 종은 붉은털원숭이이고, 가장 크게 차이 나는 종은 칠성장어이다. ➡ 사람은 붉은털원숭이와 비교적 최근에 공통 조상으로부터 분화하였고, 칠성장어와는 가장 오래전에 공통 조상으로부터 분화하였음을 뜻한다. [그래프] 사람 100, 붉은털원숭이 95, 생쥐 87, 닭 69, 개구리 54, 칠성장어 14 — 사람을 기준으로 한 글로빈의 아미노산 서열 유사도(%)

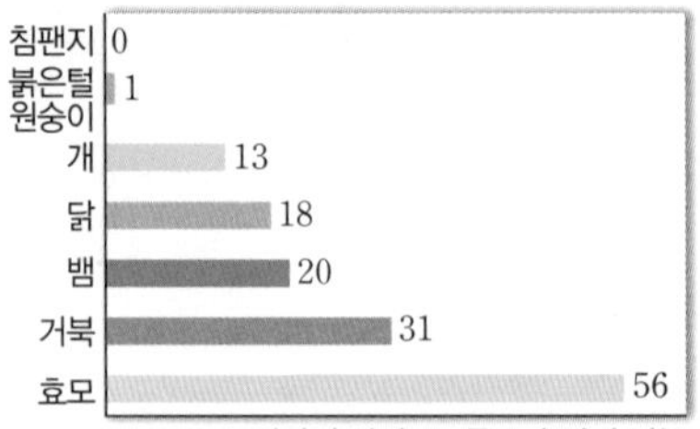

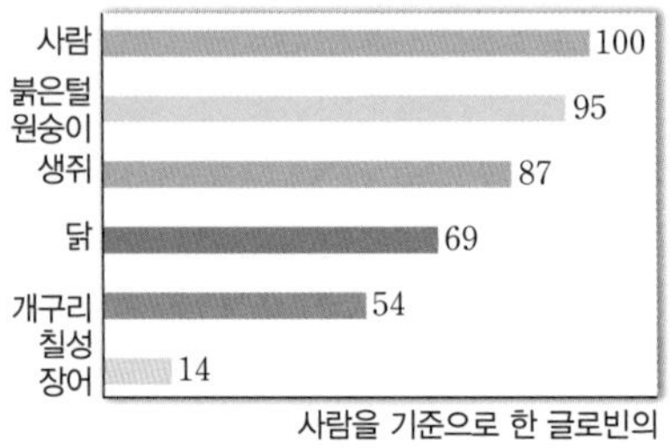

용어 알기
•난황 단백질(알 卵, 누를 黃, 알 蛋, 흰 白, 바탕 質) 달걀의 노른자에 해당하는 부분으로, 파충류나 조류의 알에서 배의 발생에 필요한 영양분으로 쓰이는 단백질

콕콕! 개념 확인하기

정답과 해설 082쪽

✔ 잠깐 확인!

1. ☐☐
죽은 생물의 부패 과정이 불완전하게 진행되어 뼈나 껍데기 등 단단한 부분이 암석화 작용을 거쳐 생성된 것

2. 상동 기관의 예로는 사람의 ☐과 고양이의 ☐☐☐가 있다.

3. 상사 기관의 예로는 독수리의 ☐☐와 잠자리의 ☐☐가 있다.

4. ☐☐☐선을 경계로 오스트레일리아구에는 동남아시아구에 서식하지 않는 유대류가 서식한다.

5. ☐☐☐☐☐☐☐ 증거
여러 분류군에 속하는 동물은 매우 다양한 성체의 모습을 갖지만, 이들의 배아가 발생하는 과정을 살펴보면 공통 조상에게서 물려받은 매우 유사한 특징이 나타난다.

6. 생물의 ☐☐☐☐가 가까울수록 DNA 염기 서열이나 단백질의 아미노산 서열이 비슷하다.

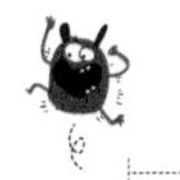

A 진화의 증거

01 다음은 생물 진화의 증거로 사용되는 예이다.

> • 오늘날의 고래는 뒷다리가 흔적으로만 남아 있지만, 고래 조상종의 화석에서는 온전한 뒷다리가 발견된다. 이는 육상 생활을 하던 포유류의 일부가 고래로 진화하였음을 보여 준다.
> • 틱타알릭 화석은 어류와 양서류의 특징을 모두 가지고 있는 동물의 화석으로, 우연히 발견된 것이 아니라 어류에서 양서류로 진화가 일어나는 것으로 추정되는 연대의 지층을 집중적으로 탐색한 결과 발견된 것이다.

이는 생물 진화의 증거 중 어느 것에 해당하는지 쓰시오.

02 다음은 비교해부학적 증거에 대한 설명이다.

> 발생 기원은 같지만 각기 다른 환경에 적응하여 모양과 기능이 다르게 진화한 기관을 (㉠)이라고 하며, 발생 기원은 다르지만 비슷한 환경에 적응하여 모양과 기능이 유사하게 진화한 기관을 (㉡)이라고 한다. 그리고 과거에는 유용하게 사용되었지만, 현재에는 흔적만 남아 있거나 쓰임새가 최초의 목적과 많이 달라진 기관을 (㉢)이라고 한다.

(1) ㉠~㉢에 들어갈 알맞은 말을 각각 쓰시오.
(2) ㉢에 해당하는 예를 1가지만 쓰시오.

03 분자진화학적 증거에 대한 설명으로 옳은 것은 ○, 옳지 않은 것은 ×로 표시하시오.

(1) DNA 염기 서열을 비교해 보면 생물 간의 진화적 유연관계를 알 수 있다. ( )
(2) 생물종 간에 단백질의 아미노산 서열의 차이가 클수록 비교적 최근에 공통 조상에서 분화한 것이다. ( )
(3) 과거 조상은 가지고 있었지만 현재 필요 없어진 유전자의 염기 서열이 흔적으로 남기도 한다. ( )

04 다음의 예에 해당하는 생물 진화의 증거를 〈보기〉에서 옳게 고르시오.

> 보기
> ㄱ. 화석상의 증거　ㄴ. 비교해부학적 증거　ㄷ. 생물지리학적 증거
> ㄹ. 진화발생학적 증거　ㅁ. 분자진화학적 증거

(1) 사람의 팔과 박쥐의 날개는 뼈 구조가 비슷하다. ( )
(2) 갈라파고스 제도의 핀치는 섬마다 매우 다양한 부리를 가진다. ( )
(3) 최근의 지층에서 발견된 화석일수록 생물 구조가 복잡하다. ( )
(4) 조개(연체동물)와 갯지렁이(환형동물)는 공통적으로 담륜자 유생 시기를 거친다. ( )

탄탄! 내신 다지기

A 진화의 증거

01 그림은 화석으로 알 수 있는 고래의 진화 과정을 나타낸 것이다.

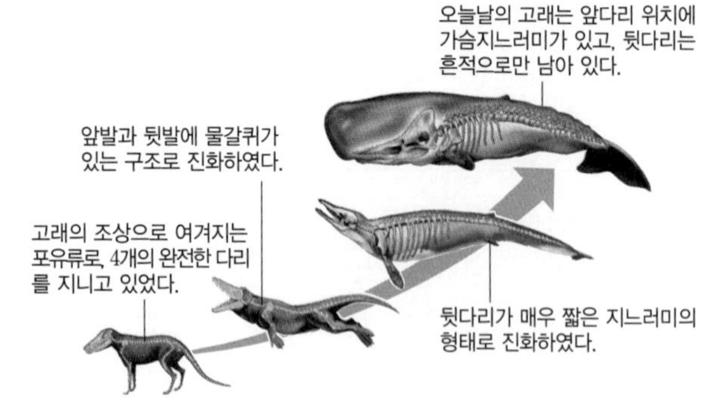

이를 통해 알 수 있는 진화의 증거는?

① 화석상의 증거　② 비교해부학적 증거
③ 생물지리학적 증거　④ 진화발생학적 증거
⑤ 분자진화학적 증거

02 그림 (가)는 박쥐와 잠자리의 날개를, (나)는 사람의 팔, 고양이의 앞다리, 고래의 가슴지느러미의 골격 구조를 나타낸 것이다.

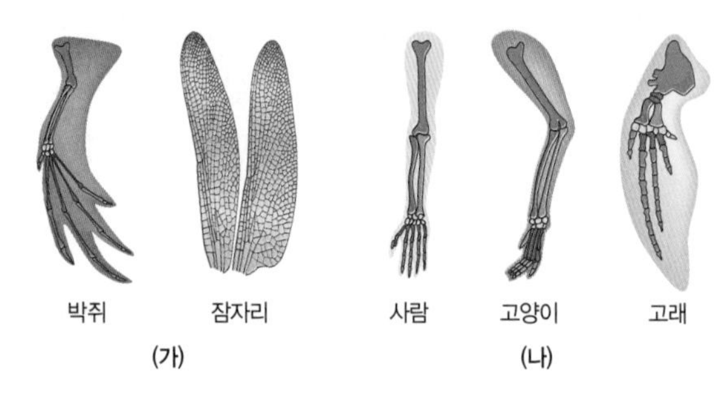

이에 대한 설명으로 옳은 것은?

① (가)에서 박쥐의 날개와 잠자리의 날개는 상동 기관이다.
② (가)에서 박쥐의 날개와 잠자리의 날개는 발생 기원이 같다.
③ (나)에서 고양이의 앞다리와 고래의 가슴지느러미는 상사 기관이다.
④ (나)에서 사람의 팔과 고양이의 앞다리는 발생 기원이 다르다.
⑤ (가)와 (나)는 모두 진화의 증거 중 비교해부학적 증거에 해당한다.

03 다음은 생물 진화의 증거로 이용되는 예이다.

> (가) 공룡 화석에서 공룡에 대한 정보를 얻을 수 있다.
> (나) 완두의 덩굴손은 잎이 변형된 것이며, 포도의 덩굴손은 줄기가 변형된 것이다.
> (다) 사람의 막창자꼬리는 현재에는 과거의 기능을 하지 않는 기관이다.

이에 대한 설명으로 옳지 않은 것은?

① (가)는 진화의 증거 중 화석상의 증거이다.
② (나)는 진화의 증거 중 비교해부학적 증거이다.
③ (나)에서 완두의 덩굴손과 포도의 덩굴손은 상사 기관이다.
④ (다)는 진화의 증거 중 분자진화학적 증거이다.
⑤ (다)에서 사람의 막창자꼬리는 흔적 기관이다.

04 그림은 갈라파고스 제도의 서로 다른 섬에 서식하는 여러 핀치의 먹이에 따른 부리 모양을 나타낸 것이다.

▲ 열매를 먹는 핀치

▲ 곤충을 먹는 핀치

▲ 씨를 먹는 핀치

이를 통해 알 수 있는 진화의 증거는?

① 화석상의 증거　② 비교해부학적 증거
③ 생물지리학적 증거　④ 진화발생학적 증거
⑤ 분자진화학적 증거

05 그림은 척추동물에 해당하는 여러 동물의 발생 초기 배아의 모습을 나타낸 것이다.

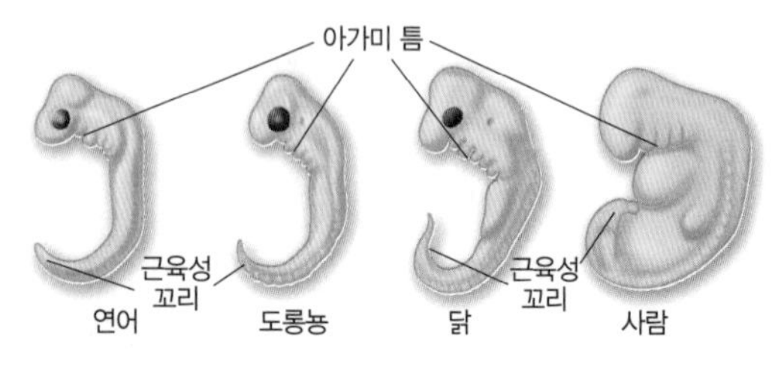

이를 통해 알 수 있는 진화의 증거는?

① 화석상의 증거　② 비교해부학적 증거
③ 생물지리학적 증거　④ 진화발생학적 증거
⑤ 분자진화학적 증거

06 그림은 초파리와 쥐에서 공통적으로 발현되는 핵심 조절 유전자 집단과 각 유전자 집단이 관여하는 몸의 부위를 나타낸 것이다.

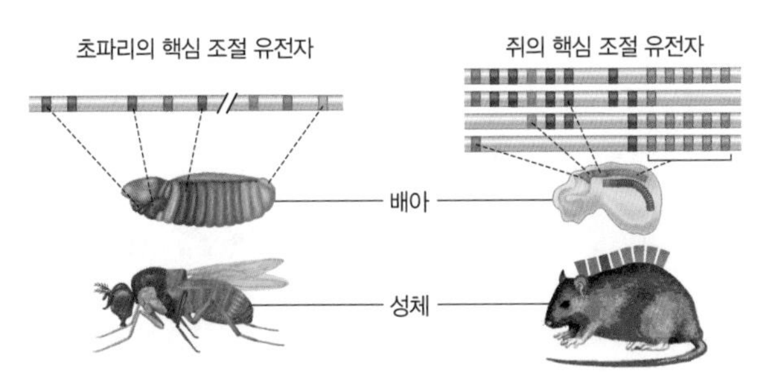

이와 같은 진화의 증거에 해당하는 예로 가장 적절한 것은?

① 고래의 조상은 육지에서 생활하였다.
② 환형동물과 연체동물은 담륜자 유생 시기를 거친다.
③ 선인장의 가시와 장미의 가시는 발생 기원이 다르다.
④ 실러캔스와 폐어는 어류이지만, 뼈와 근육으로 이루어진 지느러미를 갖는다.
⑤ 난황 단백질을 암호화하는 유전자의 염기 서열이 여러 포유류의 염색체에서 공통적으로 발견되었다.

07 그림은 여러 척추동물의 헤모글로빈을 구성하는 아미노산 서열을 비교하여 사람과 차이 나는 아미노산의 수를 나타낸 것이다.

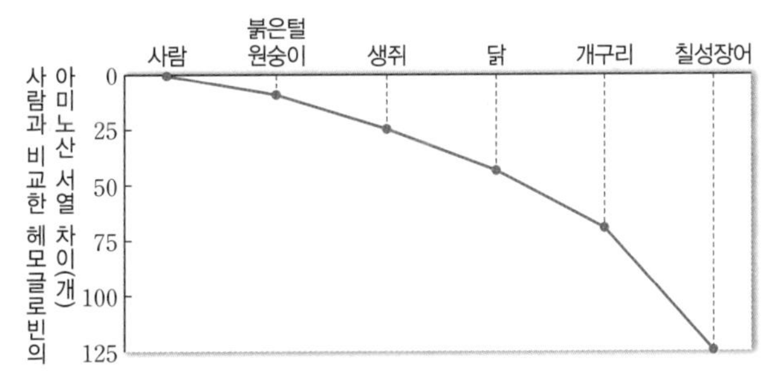

이에 대한 설명으로 옳은 것은?

① 진화의 증거 중 분류학적 증거이다.
② 닭은 사람과 동일한 헤모글로빈의 아미노산이 없다.
③ 사람과 유연관계가 가장 가까운 동물은 붉은털원숭이이다.
④ 생쥐와 닭 사이에서 차이가 나는 헤모글로빈의 아미노산은 25개이다.
⑤ 생쥐는 칠성장어보다 사람과 헤모글로빈의 아미노산 서열 차이가 많이 난다.

08 그림은 사람과 여러 척추동물 사이에서 차이가 나는 사이토크롬 c의 아미노산 수를 나타낸 것이다. 사이토크롬 c는 미토콘드리아의 전자 전달계를 구성하는 효소 중 하나이다.

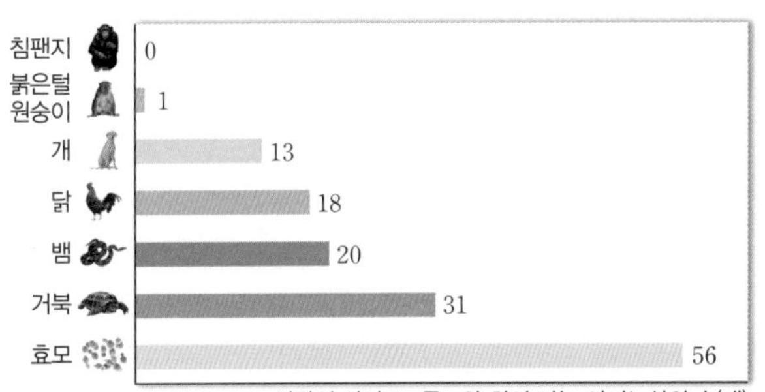

이와 같은 진화의 증거에 해당하는 예로 가장 적절한 것은?

① 사람의 막창자꼬리는 흔적 기관으로 남아 있다.
② 갈라파고스 제도의 핀치는 섬마다 부리 모양이 다르다.
③ 척추동물은 발생 초기에 근육성 꼬리가 공통적으로 나타난다.
④ 사람과 유연관계가 가까운 동물은 헤모글로빈의 아미노산 서열 차이가 적다.
⑤ 오스트레일리아구에는 태반이 발달하지 않은 포유류가 서식하지만, 동남아시아구에는 서식하지 않는다.

단답형

09 다음은 생물 진화의 증거로 이용되는 예이다.

(가) 사람의 피부에 닭살이 돋는 것은 다른 포유류가 털을 곤추세우는 것과 같은 형질이다.
(나) 난황 단백질을 암호화하는 유전자의 염기 서열이 여러 포유류의 염색체에서 공통적으로 발견되었다.
(다) 오리너구리는 포유류와 파충류의 특징을 모두 갖는다.

(가)~(다)가 해당되는 진화의 증거를 각각 쓰시오.

출제예감

01 다음은 생물 진화의 증거로 이용되는 예이다.

(가) 오스트레일리아에는 다른 지역에 서식하지 않는 유대류가 서식하고 있다.
(나) 고래의 조상으로 추정되는 동물의 화석에 뒷다리 뼈가 있다.
(다) 새의 날개와 곤충의 날개는 발생 기원이 다르다.

이에 대한 설명으로 옳은 것만을 〈보기〉에서 있는 대로 고른 것은?

보기
ㄱ. (가)는 진화의 증거 중 생물지리학적 증거에 해당한다.
ㄴ. (나)는 진화의 증거 중 비교해부학적 증거에 해당한다.
ㄷ. (다)는 상사 기관의 예이다.

① ㄱ ② ㄷ ③ ㄱ, ㄴ
④ ㄱ, ㄷ ⑤ ㄴ, ㄷ

02 그림은 화석으로 알 수 있는 고래의 진화 과정을 나타낸 것이다.

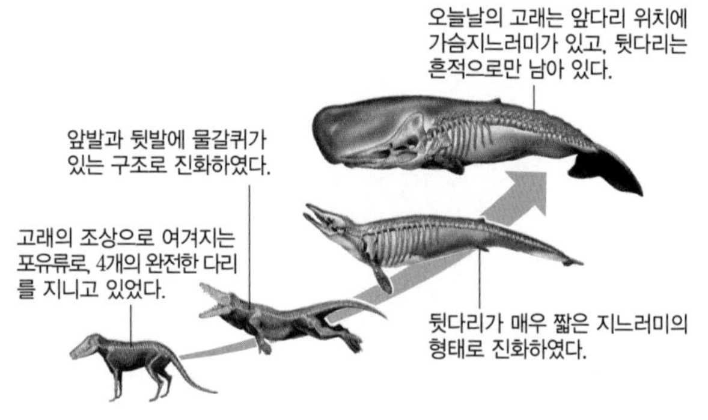

이에 대한 설명으로 옳은 것만을 〈보기〉에서 있는 대로 고른 것은?

보기
ㄱ. 고래의 뒷다리는 흔적 기관이다.
ㄴ. 고래의 조상은 바다에서 살았다.
ㄷ. 진화의 증거 중 비교해부학적 증거에 해당한다.

① ㄱ ② ㄴ ③ ㄷ
④ ㄱ, ㄴ ⑤ ㄱ, ㄷ

03 그림은 4종의 척추동물이 가지는 기관과 그들의 공통 조상이 가지는 앞다리 골격을 나타낸 것이다.

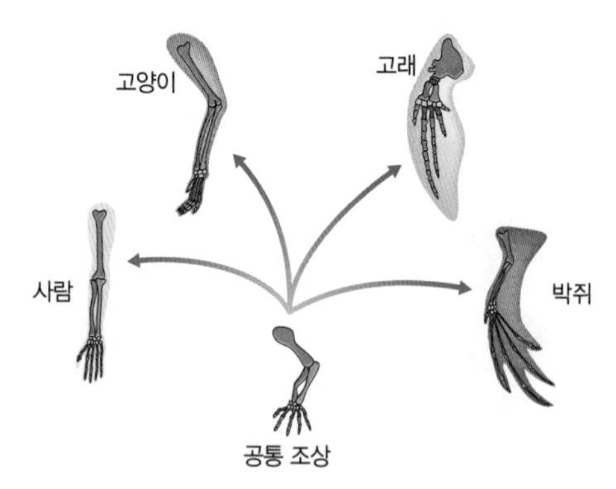

이에 대한 설명으로 옳은 것만을 〈보기〉에서 있는 대로 고른 것은?

보기
ㄱ. 사람의 팔과 박쥐의 날개는 상동 기관이다.
ㄴ. 생물이 각각의 환경에 따라 동일한 방향으로 진화하였음을 알 수 있다.
ㄷ. 진화의 증거 중 비교해부학적 증거에 해당한다.

① ㄱ ② ㄴ ③ ㄱ, ㄷ
④ ㄴ, ㄷ ⑤ ㄱ, ㄴ, ㄷ

04 그림은 척추동물의 발생 초기 배아의 모습을 나타낸 것이다.

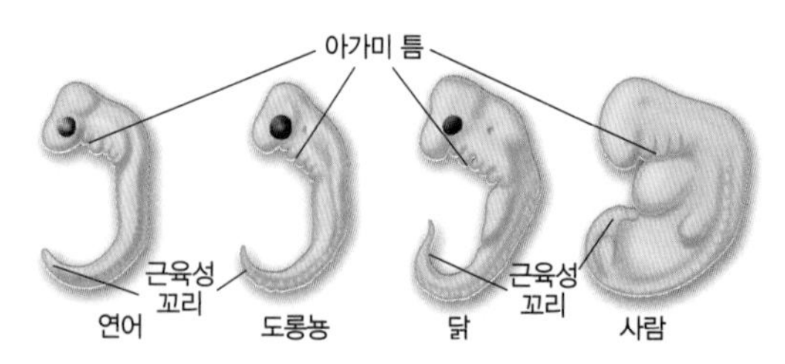

이에 대한 설명으로 옳은 것만을 〈보기〉에서 있는 대로 고른 것은?

보기
ㄱ. 아가미 틈은 상사 기관이다.
ㄴ. 척추동물의 공통 조상은 수중 생활을 하였다.
ㄷ. 진화의 증거 중 진화발생학적 증거에 해당한다.

① ㄱ ② ㄷ ③ ㄱ, ㄴ
④ ㄱ, ㄷ ⑤ ㄴ, ㄷ

정답과 해설 084쪽

출제예감

05 표는 사람과 척추동물 Ⅰ~Ⅳ 사이에서 차이를 보이는 사이토크롬 c의 아미노산 수를 나타낸 것이다. 사이토크롬 c는 미토콘드리아의 전자 전달계를 구성하는 효소이다.

척추동물	Ⅰ	Ⅱ	Ⅲ	Ⅳ
사람과 차이를 보이는 사이토크롬 c의 아미노산 수(개)	13	18	31	56

이에 대한 설명으로 옳은 것만을 〈보기〉에서 있는 대로 고른 것은? (단, 유연관계는 제시된 사람과 차이를 보이는 사이토크롬 c의 아미노산 수로만 판단한다.)

보기
ㄱ. 진화의 증거 중 분자진화학적 증거에 해당한다.
ㄴ. 사람과 Ⅰ의 유연관계는 사람과 Ⅲ의 유연관계보다 가깝다.
ㄷ. 이 자료를 통해 Ⅱ와 Ⅲ의 유연관계를 알 수 있다.

① ㄱ ② ㄴ ③ ㄱ, ㄴ
④ ㄴ, ㄷ ⑤ ㄱ, ㄴ, ㄷ

06 그림은 4종류의 생물 (가)~(라)에서 동일한 기능을 하는 어떤 단백질의 아미노산 서열을 나타낸 것이다. 영문자는 아미노산의 종류를 나타낸다.

(가)… A F A K S C S V A P V V C P R C T T P A H V Q R…

(나)… S F A K S G S V A P A V C L R D T V A A H C Q P…

(다)… S F A K S C S V A P S V C P R C T D P A H C Q I…

(라)… F F A K S G S V V P T A C P R V T D S A C H Q L…

이에 대한 설명으로 옳은 것만을 〈보기〉에서 있는 대로 고른 것은? (단, 유연관계는 제시된 아미노산 서열로만 판단하며, 그림에 나타나지 않은 아미노산 서열은 동일하다.)

보기
ㄱ. (가)와 차이 나는 (라)의 아미노산 수는 11개이다.
ㄴ. (가)와 (나)의 유연관계는 (가)와 (다)의 유연관계보다 가깝다.
ㄷ. 진화의 증거 중 분자진화학적 증거에 해당한다.

① ㄱ ② ㄷ ③ ㄱ, ㄴ
④ ㄱ, ㄷ ⑤ ㄴ, ㄷ

서술형

07 현존하는 여러 생물의 형태적 특징을 비교해 보면 이들이 공통 조상을 갖는지, 서로 다른 조상으로부터 진화했는지를 알 수 있다. 이를 비교해부학적 증거라고 하는데, 여기에는 상동 기관과 상사 기관이 있다. 상동 기관과 상사 기관의 정의를 각각 서술하고, 상동 기관과 상사 기관에 해당하는 예를 1가지씩 서술하시오.

[08~09] 다음은 생물 진화의 증거로 이용되는 예이다.

인도네시아의 발리섬과 롬복섬 사이의 경계선을 월리스선이라고 한다. 월리스선을 기준으로 생물의 분포 양상이 매우 다른데, 동쪽의 오스트레일리아구에는 캥거루와 같이 태반이 발달하지 않은 포유류가 서식하지만, 서쪽의 동남아시아구에는 서식하지 않는다.

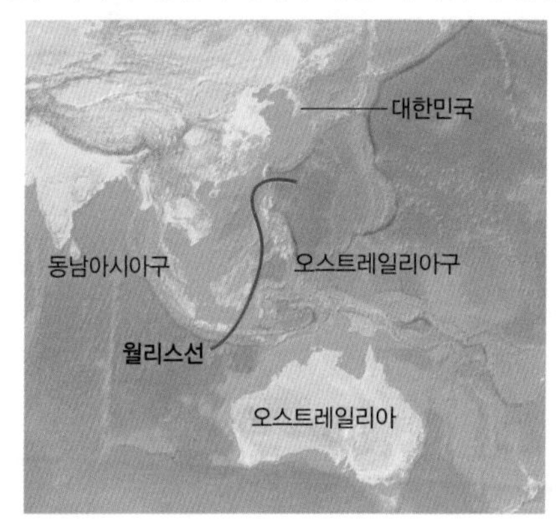

08 이 자료에서 알 수 있는 진화의 증거를 쓰시오.

서술형

09 이 자료에서 알 수 있는 진화의 증거에 해당하는 예를 1가지 서술하시오.

02 진화의 원리와 종분화

핵심 키워드로 흐름잡기

- A 유전자풀, 진화, 하디 · 바인베르크 법칙, 대립유전자 빈도
- B 돌연변이, 유전적 부동, 병목 효과, 창시자 효과, 자연 선택, 유전자 흐름
- C 종분화, 고리종

A 하디 · 바인베르크 법칙

|출·제·단·서| 시험에는 하디·바인베르크 법칙을 적용하는 문제가 나와.

1. 유전자풀과 진화

(1) 유전자풀 특정 시기에 한 집단❶의 개체들이 보유한 대립유전자의 총합

(2) 진화 집단의 유전적 특성인 유전자풀이 시간에 따라 변하는 현상 집단(개체군) 단위로 일어난다.

이 집단의 개체 수는 12마리이고, 각 개체는 한 쌍의 대립유전자를 가진다.

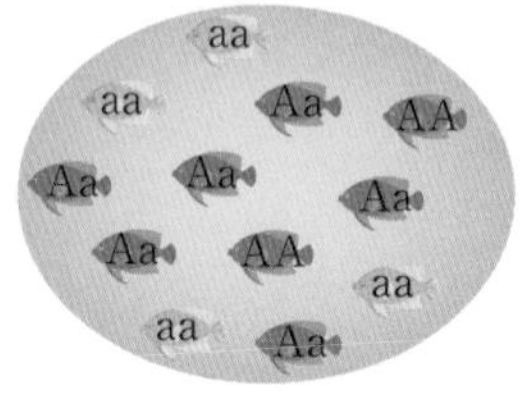

▲ 개체들의 유전자형

▲ 개체군의 유전자풀

이 집단의 유전자풀은 24개의 대립유전자로 구성되고, 이 중 대립유전자 A의 수는 10개, 대립유전자 a의 수는 14개이다.

2. 하디 · 바인베르크 법칙 탐구 POOL

유전자풀에 있는 유전자 구성을 나타낼 때 사용하며, 집단에서 대립유전자 빈도가 변하면 진화가 일어난다.

(1) 대립유전자 빈도❷ 집단 내 특정 대립유전자의 상대적 빈도를 뜻한다.

$$\text{대립유전자 빈도}=\frac{\text{특정 대립유전자의 수}}{\text{집단 내 특정 형질에 대한 대립유전자의 총 수}}$$

빈출 자료 대립유전자 빈도 구하기

털색을 결정하는 대립유전자 A와 a를 가지고 있는 어떤 고양이 집단에서 유전자형에 따른 개체 수로부터 대립유전자 A의 빈도(p)와 a의 빈도(q)를 다음과 같이 계산할 수 있다.

어떤 형질에 대한 대립유전자 빈도의 합은 항상 1이다.

표현형	검은색	검은색	흰색
유전자형	AA	Aa	aa
개체 수	36	48	16

➡

유전자형	대립유전자 A의 수	대립유전자 a의 수
AA	$2\times36=72$	0
Aa	$1\times48=48$	$1\times48=48$
aa	0	$2\times16=32$
합계	120	80

➡

대립유전자 빈도
$p=\frac{120}{200}=0.6$
$q=\frac{80}{200}=0.4$
$p+q=0.6+0.4=1$

(2) 하디·바인베르크 법칙 이상적인 조건을 갖춘 멘델 집단에서는 대립유전자 빈도가 세대를 거듭하여도 변하지 않는 유전적 평형 상태가 유지된다는 법칙

① **유전적 평형:** 세대를 거듭하여도 대립유전자의 종류와 빈도가 변하지 않는 상태이다.

② **멘델 집단:** 하디·바인베르크 법칙이 적용되는 유전적 평형 상태의 가상 집단이다. 멘델 집단은 다음 5가지 조건을 모두 갖추어야 하며, 어느 하나라도 충족되지 않으면 유전적 평형이 깨지고, 그 집단의 유전자풀이 변한다. ➡ 진화가 일어난다.

멘델 집단의 조건

❶ 집단의 크기가 충분히 커야 한다. 집단을 구성하는 개체 수가 충분히 많아야 확률적으로 통계 처리가 가능하다.

❷ 집단에서 개체의 이입과 이출이 일어나지 않는다. 다른 집단과의 유전자 흐름이 없어야 한다.

❸ 대립유전자에 돌연변이가 발생하지 않는다. 새로운 대립유전자가 생기지 않아야 한다.

❹ •배우자(정자와 난자)가 무작위로 결합하여 수정한다. 집단 내에서 개체들 간에 자유로운 교배가 일어나야 한다.

❺ 특정 대립유전자에 대한 자연 선택이 일어나지 않는다. 개체의 생존력과 번식력이 같아야 한다.

---

❶ 집단(개체군)
하나의 종에 속한 개체들이 같은 지역 안에 모여 생존과 생식 활동을 할 때 이를 집단 또는 개체군이라고 한다.

❷ 대립유전자 빈도
특정 집단의 유전자풀에서 대립유전자 A와 a의 비가 1 : 1에서 3 : 1로 변했다면 대립유전자 A의 빈도는 0.5에서 0.75로 변한 것으로, 개체군의 진화가 일어난 것이다.

? 왜 자연 상태에서 존재하지 않는 멘델 집단을 가정할까?
멘델 집단과 같이 통제된 가상적 집단과 실제 집단을 비교하면 생물 진화의 과정과 원리를 설명할 수 있기 때문이다.

용어 알기
•배우자(나눌 配, 짝 偶, 아들 子) 다른 세포와 접합하여 새로운 개체를 형성하는 세포로, 정자 또는 난자

③ 멘델 집단에서 대립유전자 빈도의 합은 항상 1이다. ➡ 대립유전자 A와 a가 있을 때, A의 빈도를 p, a의 빈도를 q라고 하면 $p+q=1$이 된다.

④ 자손에서 유전자형이 AA인 개체의 비율은 p^2, Aa인 개체의 비율은 $2pq$, aa인 개체의 비율은 q^2이 된다. **암기TiP** 하디·바인베르크 법칙이 성립하기 위해서는 반드시 멘델 집단이어야 한다.

하디·바인베르크 법칙❸의 증명

어떤 멘델 집단에서 부모 세대의 대립유전자 A의 빈도를 p, 대립유전자 a의 빈도를 q라고 할 때, 자손 1대의 대립유전자 빈도를 구하면 다음과 같다.

① 자손 1대의 유전자형에 따른 개체 수 비율

난자 \ 정자	A(p)	a(q)
A(p)	AA(p^2)	Aa(pq)
a(q)	Aa(pq)	aa(q^2)

② 자손 1대의 유전자형 빈도

- 유전자형 AA의 빈도$=p^2$
- 유전자형 Aa의 빈도$=2pq$
- 유전자형 aa의 빈도$=q^2$

총 합$=p^2+2pq+q^2=(p+q)^2=1$

③ 자손 1대의 대립유전자 빈도

- 대립유전자 A의 빈도(p)$=\dfrac{p^2+pq}{p^2+2pq+q^2}=\dfrac{p(p+q)}{(p+q)^2}=p$
- 대립유전자 a의 빈도(q)$=\dfrac{q^2+pq}{p^2+2pq+q^2}=\dfrac{q(p+q)}{(p+q)^2}=q$

- 자손 1대의 유전자형 빈도로부터 대립유전자 빈도를 계산하면 대립유전자 A의 빈도는 p, 대립유전자 a의 빈도는 q로, 부모 세대와 같다.
  ➡ 멘델 집단에서는 세대를 거듭하여도 대립유전자 빈도가 변하지 않는다.
  ➡ 진화가 일어나지 않는다.

빈출 자료 하디 · 바인베르크 법칙의 적용

다음은 500마리의 푸른발부비새❹가 살고 있는 가상의 멘델 집단에 대한 설명이다.

- 수컷과 암컷의 개체 수 비는 1 : 1이다.
- 물갈퀴●형질은 상염색체에 존재하는 한 쌍의 대립유전자에 의해 결정된다.
- '물갈퀴가 없는 발가락' 형질을 나타내는 대립유전자는 W, '물갈퀴가 있는 발가락' 형질을 나타내는 대립유전자는 w이며, W는 w에 대해 우성이다.
- 집단 내에 유전자형이 WW인 개체가 320마리, Ww가 160마리, ww가 20마리이다.

❶ 부모 세대와 자손 1대에서 나타나는 대립유전자 W와 w의 빈도를 계산하면 다음과 같다.

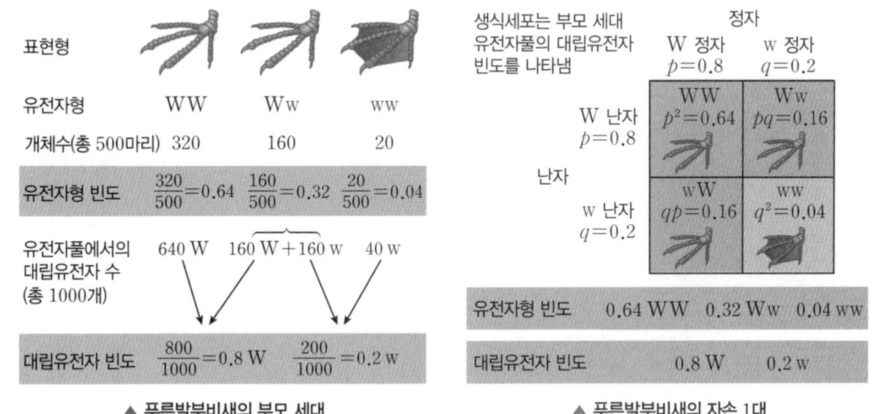

▲ 푸른발부비새의 부모 세대 ▲ 푸른발부비새의 자손 1대

❷ 자손 1대의 대립유전자 빈도는 부모 세대의 대립유전자 빈도와 같다.
➡ 멘델 집단에서는 대립유전자 빈도가 세대를 거듭하여도 변하지 않는 유전적 평형 상태가 유지된다.

❷ 왜 생식세포에는 대립유전자 한 쌍 중 하나만 있을까?
생식세포 분열 시 대립유전자가 분리되어 서로 다른 생식세포로 들어가므로, 생식세포에는 대립유전자 한 쌍 중 하나만 있게 된다.

❸ 하디 · 바인베르크 법칙
하디(Hardy, G. H., 1877~1947)와 바인베르크(Weinberg, W., 1862~1937)는 각자 독자적으로 연구하여 일정한 조건을 갖춘 집단에서는 세대를 거듭하여도 대립유전자 빈도나 유전자풀이 변하지 않는다는 것을 발표하였는데, 이를 하디·바인베르크 법칙이라고 한다.

❹ 푸른발부비새
밝은 파란색 물갈퀴가 있는 발이 특징인 바닷새이다. '물갈퀴가 없는 발가락' 형질은 가상의 형질이다.

용어 알기
●형질(모양 形, 바탕 質) 동식물의 모양, 크기, 성질 따위의 고유한 특징

B 유전자풀의 변화 요인 집단의 유전자풀에 변화를 일으켜 유전적 평형을 깨뜨리면 진화가 일어나며, 유전자풀의 변화 요인으로는 돌연변이, 유전적 부동, 자연 선택, 유전자 흐름이 있다.

|출·제·단·서| 시험에는 유전자풀의 변화 요인과 예를 묻는 문제가 나와.

1. 돌연변이❺ 방사선, 화학 물질, 바이러스 등으로 DNA의 염기 서열에 변화가 생겨 새로운 대립유전자가 나타나는 현상 돌연변이는 집단 내에 존재하는 모든 유전적 변이의 원천이다.

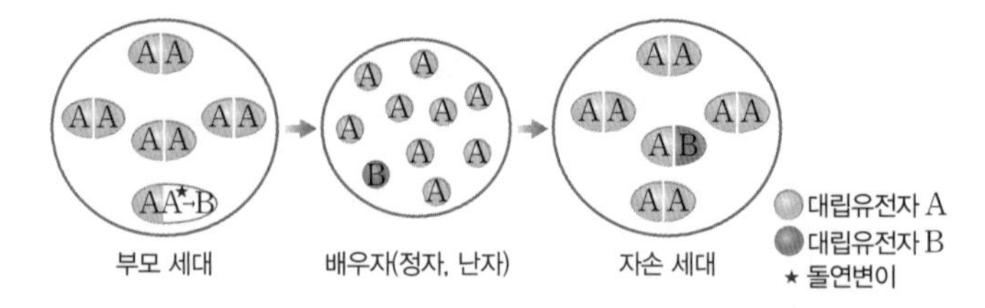

(1) 생식세포에 돌연변이가 일어나 다음 세대로 전달되면 이는 집단에 새로운 대립유전자가 등장하는 것과 같다. ➡ 돌연변이는 집단의 유전적 다양성을 증가시킨다. 돌연변이는 대부분 체세포에서 일어나 자손에게 유전되지 않고 사라진다.

(2) 대부분의 돌연변이는 생존에 불리하게 작용하여 대부분 사라지지만(•적응도 낮음), 일부는 생존에 유리하게 작용하여 유전자풀에서 대립유전자 빈도를 변화시킨다(적응도 높음).

(3) 돌연변이의 예❻

① 적혈구의 헤모글로빈 유전자에 돌연변이가 일어나 적혈구가 낫 모양으로 변하는 낫 모양 적혈구 빈혈증이 나타났다.

② 살충제의 살포로 많은 곤충이 죽었지만, 돌연변이에 의해 살충제에도 살아남는 곤충이 나타났다.

2. 유전적 부동 탐구 POOL 대립유전자가 자손에게 무작위로 전달되기 때문에 세대와 세대 사이에서 대립유전자 빈도가 예측할 수 없는 방향으로 변화하는 현상

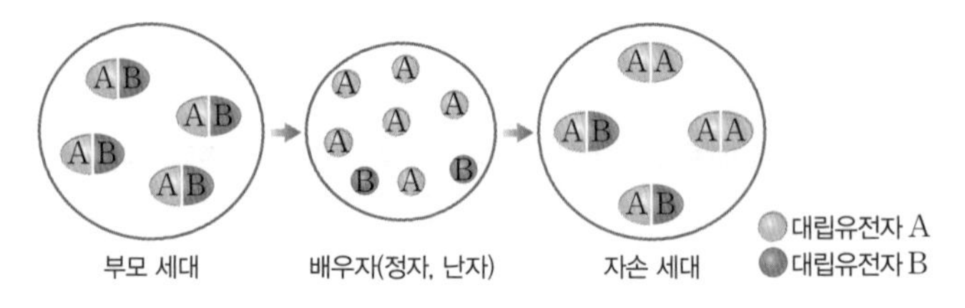

(1) 대립유전자 빈도의 변화는 집단에 속한 개체 수가 작을수록 커진다. 즉, 작은 집단일수록 유전적 부동이 심하게 일어난다.

(2) 유전적 부동은 병목 효과나 창시자 효과를 겪은 집단에서 잘 나타난다.

병목 효과❼	가뭄, 홍수, 산불, 질병, 지진과 같은 자연재해에 의해 집단의 크기가 급격히 작아지는 현상으로, 병목 효과가 일어나면 대립유전자 빈도가 기존 집단과 달라진다.
창시자 효과	큰 집단으로부터 일부 개체가 떨어져 나와 새로운 집단을 구성할 때 나타나는 현상으로, 창시자 효과가 일어나면 대립유전자 빈도가 기존 집단과 달라진다.

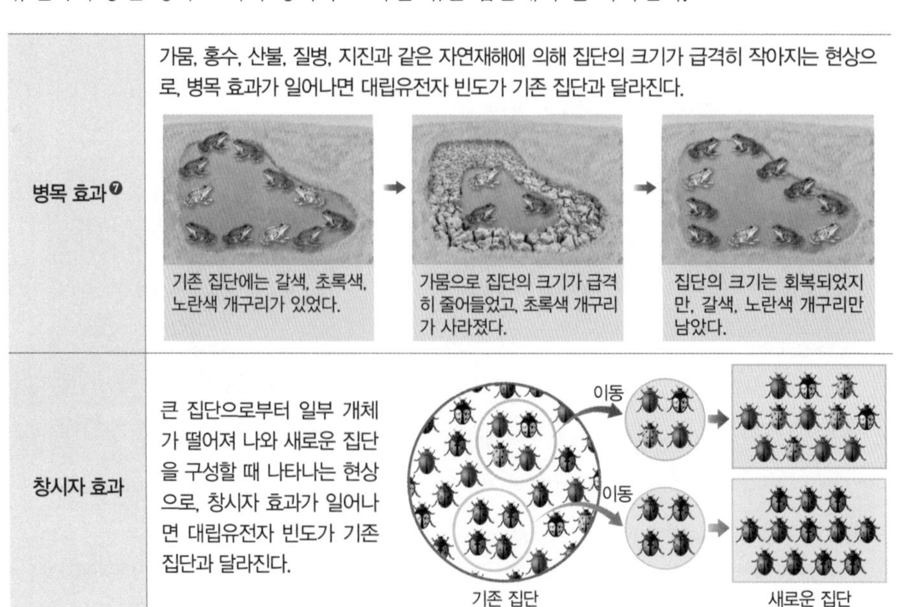

---

❺ 돌연변이

검은색 눈 [···GATATTCGTACGGACT···]
갈색 눈 [···GATGTTCGTACTGAAT···]
파란색 눈 [···GATATTCGTACGGAAT···]
DNA

눈 색깔을 결정하는 유전자에 돌연변이가 일어나 다양한 종류의 대립유전자가 만들어져 눈 색깔이 다양해졌다.

❻ 돌연변이에 의한 급격한 외부 형태의 변화

다세포 생물의 유전자 발현 조절 부위에 일어나는 돌연변이는 외부 형태 진화에 큰 기여를 하였다. 약 9000년 전부터 멕시코의 원주민은 야생의 잡초인 테오신테를 기르기 시작하였다. 그 후 식물의 발생을 조절하는 유전자인 *tb1*에 일어난 돌연변이로 테오신테의 곁가지가 없어지고 그 자리에 암꽃과 열매가 형성되었다. 그 결과 테오신테는 옥수수로 진화하였다.

❓ 사람 유전체의 돌연변이 속도는 어느 정도일까?

사람의 경우 DNA의 한 뉴클레오타이드 염기쌍이 다음 세대에서 다른 염기쌍으로 바뀔 확률은 약 10^{-8}이다. 사람 유전체의 크기가 약 3×10^{9} 염기쌍이므로 부모 중 한 명은 자식에게 약 30개의 새로운 돌연변이를 물려준다고 할 수 있다.

❼ 병목 효과의 원리

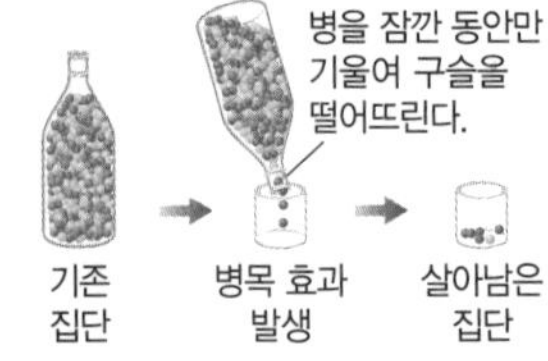

집단의 크기가 작을 때는 우연한 사건으로 집단에 특정 대립유전자의 빈도가 급격히 증가하거나 감소할 수 있다.

용어 알기

•적응도(적응 適, 응할 應, 법 度) 개체가 생존과 생식을 통해 자신의 유전자를 다음 세대에 물려줄 수 있는 능력

3. 자연 선택[8] 생존율과 번식률을 높이는 데 유리한 어떤 형질을 가진 개체가 다른 개체보다 더 많은 대립유전자를 다음 세대에 남겨 집단의 유전자풀이 변하는 현상

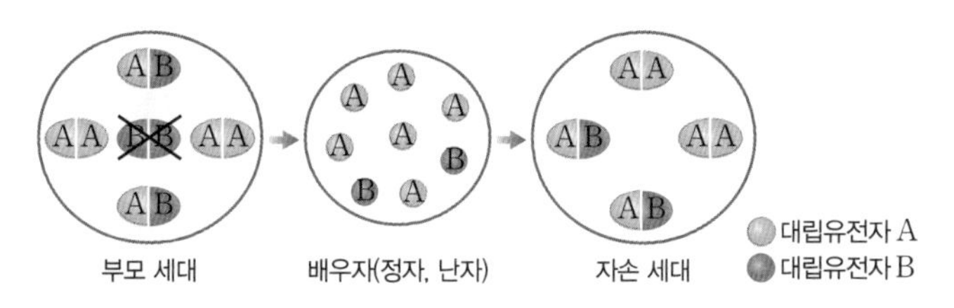

(1) 자연 선택이 일어나면 시간이 지남에 따라 환경의 변화에 적합한 대립유전자를 가진 개체들이 증가하므로, 집단에서 특정 대립유전자 빈도가 높아진다. 자연 선택은 해로운 돌연변이의 빈도가 증가하는 것을 막으며 이로운 돌연변이의 빈도를 높인다.

(2) 지구의 생물 다양성은 궁극적으로 이로운 돌연변이의 발생과 이에 대한 자연 선택의 결과이다.

빈출 자료 자연 선택과 유전자풀의 변화

그림은 전염병을 매개하는 모기를 없애기 위해 살충제인 •DDT를 지속적으로 살포하였을 때 시간의 경과에 따른 DDT 저항성 모기 개체 수의 변화를 나타낸 것이다.

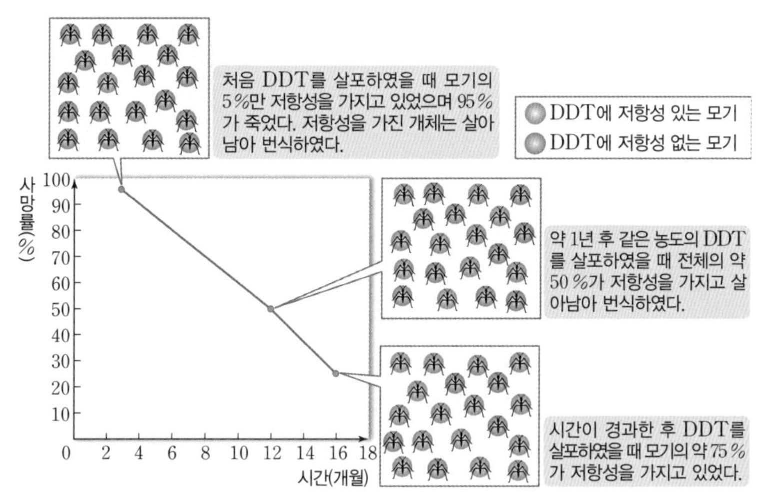

DDT가 살포되기 전에는 대부분의 모기가 DDT에 저항성이 없었다. DDT가 살포되는 환경에서 DDT 저항성 유전자를 가진 개체가 살아남아 더 많은 자손을 남기면서 DDT 저항성 유전자의 빈도가 점점 증가하였다. ➡ DDT가 살포되는 환경에서 살아남기에 적합한 유전자가 자연 선택된 것이다.

4. 유전자 흐름 서로 다른 두 집단 사이에서 개체의 이주나 배우자의 이동으로 두 집단의 유전자풀이 달라지는 현상 교배에 의해 대립유전자가 집단 사이를 이동하는 것은 유전자 흐름이다.

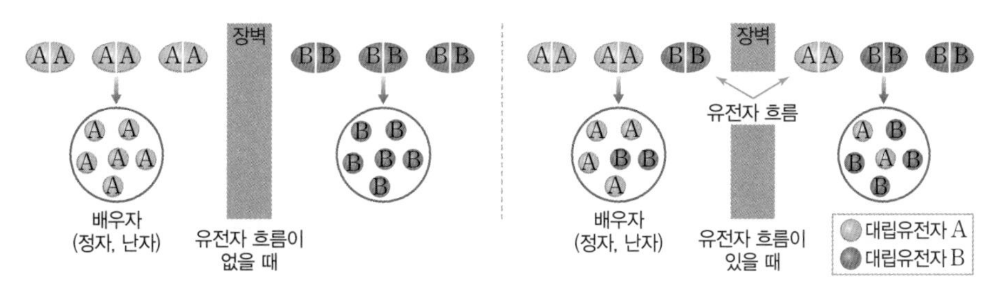

(1) 유전자 흐름은 집단에 없던 새로운 대립유전자를 도입시킬 수 있다. ➡ 유전자 흐름이 일어나면 두 집단 사이의 유전자풀 차이가 줄어든다.

(2) **유전자 흐름의 예** 검은 개 집단(A)의 개 한 마리가 흰 개 집단(B)으로 건너가 교배하여 자손을 낳고, 이 자손도 계속 자손을 낳는다면 시간이 흐름에 따라 집단 B에 몸을 검게 만드는 대립유전자가 퍼지게 된다.

8 자연 선택의 예

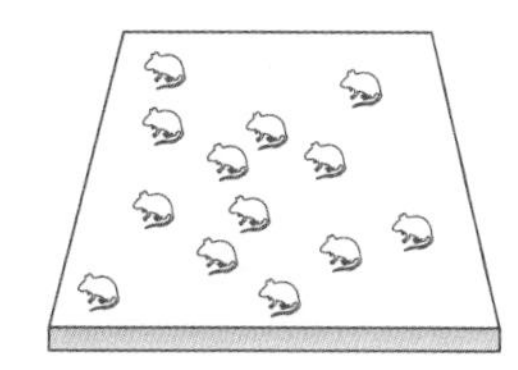

포켓쥐는 밝은색을 띠는 모래 및 암석이 바탕인 미국 남서부 사막에 널리 분포하고 있었다. 여기에 서식하는 포켓쥐들은 밝은색의 털을 가지고 있었다.

⬇

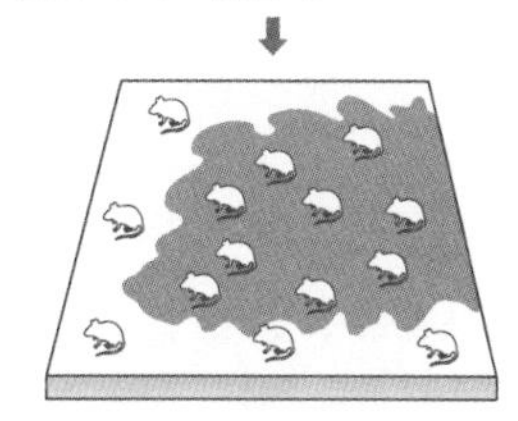

약 백만 년 전 화산 폭발로 용암이 흘러 내려 일부 사막 지대가 검은 암석과 모래로 뒤덮이게 되었다. 용암 지대에서 밝은색 털을 가지는 포켓쥐는 눈에 띄어 부엉이 등의 포식자에게 쉽게 잡혔다.

⬇

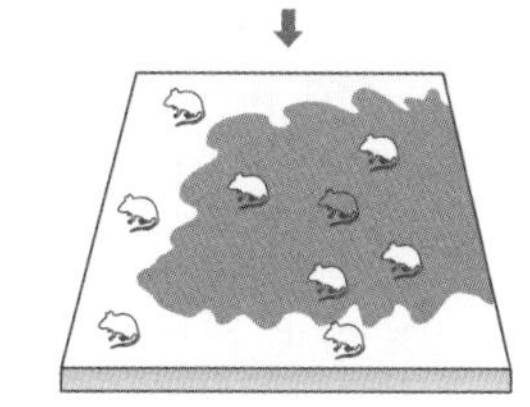

포켓쥐의 털 색깔을 결정짓는 유전자에 돌연변이가 일어나 털 색깔이 짙게 변한 포켓쥐가 등장하였다. 이러한 포켓쥐는 포식자의 눈에 잘 띄지 않아 생존에 유리하였다.

⬇

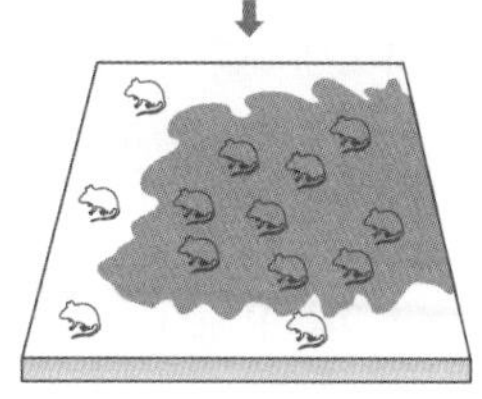

돌연변이를 지닌 개체는 자연 선택으로 그 빈도가 증가하여 결국 검은 용암 지대에 서식하는 대부분의 포켓쥐는 짙은 색의 털을 지니게 되었다.

용어 알기

• DDT(dichloro-diphenyl-trichloroethane) 유기 염소 화합물의 무색 결정성의 방역용·농업용 살충제

C 종분화

|출·제·단·서| 시험에는 종분화의 사례를 묻는 문제가 나와.

1. 종분화[9] 한 종에 속하였던 두 집단 사이에 생식적 격리[10]가 일어나 두 집단이 서로 다른 종으로 나뉘는 현상
(└ 가뭄, 홍수, 산불, 질병, 지진 등과 같은 자연재해에 의해)

(1) 종분화의 단계

① 지리적 격리가 일어나 집단 간의 유전자 흐름이 차단된다.

② 분리된 각 집단의 유전자풀은 독자적인 돌연변이, 유전적 부동, 자연 선택 등의 진화를 거친다.

③ 유전적으로 분화된 두 집단은 지리적 격리가 사라진 뒤에도 생식적으로 격리되어 두 종이 된다.

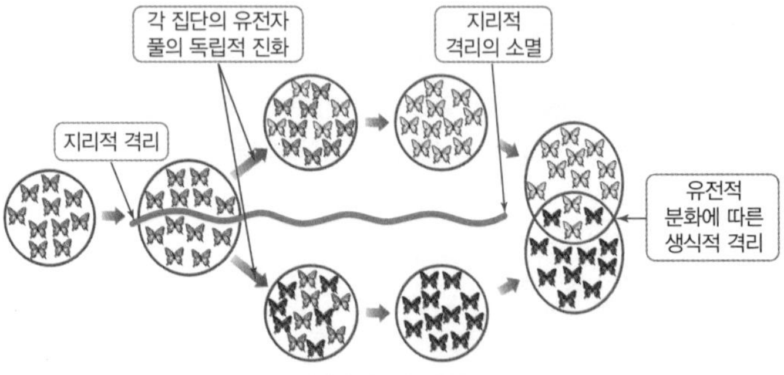

▲ 지리적 격리에 의한 종분화

(2) 지리적 격리에 의한 종분화의 사례

① **그랜드 캐니언의 다람쥐 종분화:** 그랜드 캐니언의 *협곡 양쪽에 서식하는 해리스영양다람쥐와 흰꼬리영양다람쥐는 원래 같은 종이었다. 그러나 큰 협곡으로 지리적 격리가 일어나 두 집단으로 분리되었고, 오랜 시간 동안 교류가 없는 상태에서 각각 돌연변이와 자연 선택 등이 일어나 서로 교배가 불가능한 다른 종으로 분화하였다.

② **파나마 *지협에서의 놀래기 종분화:** 파나마 지협의 양쪽에 서식하는 무지개놀래기와 파란머리놀래기는 원래 같은 종이었다. 약 500만 년 전에 대륙이 융기하여 파나마 지협이 형성되었고 이후 두 대양이 완전히 분리되었다. 두 지역의 놀래기 집단에서는 각각 서로 다른 변이가 계속해서 축적되었고 생식적 격리가 일어나 현재 두 종으로 완전히 분화가 일어났다.

2. 고리종[11] 어느 한 종이 지리적 장애물을 고리 모양으로 돌아가면서 양방향으로 서식지를 확장하는 경우가 있다. 이때 인접한 집단 간에는 유전자 흐름이 유지되어 제한적인 유전적 분화를 겪지만, 고리의 양 끝에 위치한 두 집단은 유전적 분화의 정도가 매우 커서 생식적으로 격리되어 있을 수 있다. 이러한 현상을 나타내는 이웃 집단의 모임을 고리종이라고 한다.

빈출 자료 고리종의 사례

엔사티나도롱뇽은 캘리포니아 중앙 협곡의 주 위를 고리 모양으로 분포하고 있다. 7개의 도롱뇽 아종에서 인접한 아종들 사이에는 교배가 일어나지만, 양끝 부분에 있는 두 아종 큰얼룩도롱뇽과 몬터레이도롱뇽은 가까이 분포하지만 상호 교배가 일어나지 않는다.

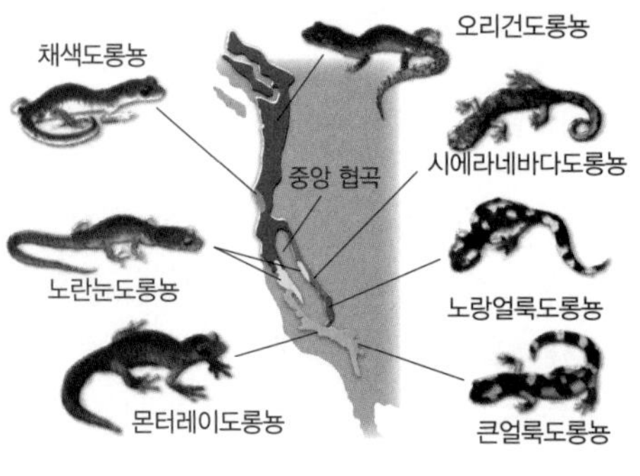

---

❾ 종분화와 격리
종분화가 일어날 때 반드시 지리적 격리가 일어날 필요는 없다. 그러나 서로 다른 종이 된다는 것은 생식적으로 격리된다는 것을 의미하므로 생식적 격리는 반드시 일어난다.

❿ 생식적 격리의 종류
- 짝짓기 행동, 생식기 구조, 서식지 등이 달라 교배가 되지 않거나 수정이 일어나지 않는다.
- 교배를 통해 수정이 일어나더라도 생존과 생식의 능력이 불완전한 개체가 만들어진다.

⓫ 고리종 모식도

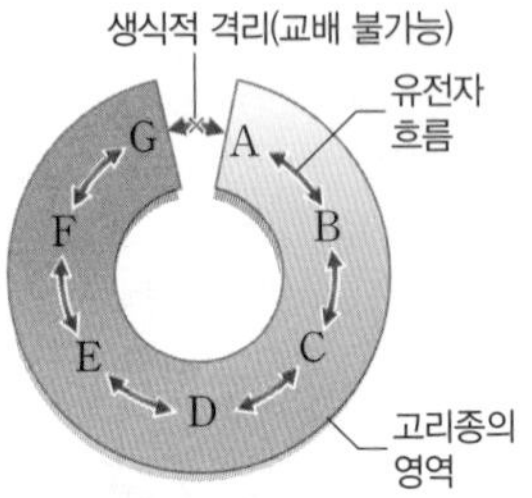

- A~G는 같은 생물종에서 분화된 여러 집단이다.
- 인접한 두 집단인 A와 B, B와 C, C와 D, D와 E, E와 F, F와 G 사이에는 각각 교배가 가능하다.
- 고리의 양 끝에 있는 A와 G 사이에는 생식적 격리가 일어나 교배가 불가능하다.

용어 알기

- *협곡(골짜기 峽, 골 谷) 하천의 아래쪽이 심하게 침식되어 생긴 깊은 골짜기
- *지협(땅 地, 골짜기 峽) 대륙과 같은 넓은 2개의 육지를 연결하는 좁고 잘록한 땅

하디·바인베르크 법칙과 유전적 부동의 모의 실험

목표 가상 집단 실험을 수행하여 유전자풀의 변화 요인을 확인한다.

과정

[과정 1] 하디·바인베르크 법칙 모의 실험

❶ 모둠별로 흰 바둑돌 100개와 검은 바둑돌 100개를 준비한다. 흰 바둑돌은 대립유전자 A, 검은 바둑돌은 대립유전자 a에 해당하며, 한 쌍의 바둑돌이 한 개체의 유전자형을 나타낸다고 가정한다.

❷ 바둑돌을 알맞게 짝 지어 총 100개체로 이루어지고, 하디·바인베르크 법칙을 따르는 가상 집단을 만들어 본다.

[과정 2] 유전적 부동 모의 실험

❶ [과정 1]의 바둑돌(흰 바둑돌 100개, 검은 바둑돌 100개)을 상자에 담고, 가상 집단을 부모 세대 집단이라고 가정한다.

❷ 상자를 흔들어 잘 섞이도록 한 후, 상자에서 무작위로 바둑돌을 1개 꺼내어 유전자형을 기록한 다음, 꺼낸 바둑돌을 다시 상자에 집어넣는다.

❸ 과정 ❷를 반복하여 유전자형을 기록한다. 이렇게 적힌 한 쌍의 유전자형을 다음 세대의 한 개체라고 가정한다.

❹ 위의 과정 ❷, ❸을 반복하여 총 100개체로 이루어진 자손 1대의 집단을 완성한다.

유의점
- 바둑돌을 꺼낼 때 상자 안을 보지 않는다.
- 상자 대신 속이 보이지 않는 주머니를, 바둑돌 대신 비즈를 사용할 수도 있다.

결과(예시)

- [과정 1]의 가상 집단에서는 유전자형이 AA, Aa, aa인 개체를 각각 25개, 50개, 25개 얻을 수 있다.
- [과정 2]의 자손 1대에서는 유전자형이 AA, Aa, aa인 개체를 각각 49개, 42개, 9개 얻을 수 있다.

정리 및 해석

- 가상 집단에서 유전자형 AA의 빈도는 0.25, Aa의 빈도는 0.5, aa의 빈도는 0.25이며, 대립유전자 A와 a의 빈도는 각각 0.5이다.
- 자손 1대에서 유전자형 AA의 빈도는 0.49, Aa의 빈도는 0.42, aa의 빈도는 0.09이며, 대립유전자 A의 빈도는 0.7, a의 빈도는 0.3이다.
- 부모 세대에서 A의 빈도는 0.5, a의 빈도는 0.5인데, 자손 1대에서 A의 빈도는 0.7, a의 빈도는 0.3이므로 부모 세대와 자손 1대의 대립유전자 빈도가 같지 않다. 유전적 평형이 유지되는 집단은 부모 세대 집단과 자손 1대 집단의 대립유전자 빈도가 같아야 하는데 이 집단은 부모 세대 집단과 자손 1대 집단의 대립유전자 빈도가 같지 않으므로 유전적 평형이 유지되지 않는다.
- 자손 1대의 대립유전자 빈도는 모둠에 따라 다르게 나타난다. 그 까닭은 집단의 크기가 무한하지 않고 100개체로 유한하기 때문이다. 이에 따라 집단의 생식 과정에 해당하는 대립유전자의 추출 과정에서 유전적 부동이 작용하기 때문에 유전적 평형이 유지되지 않아 유전자풀에 변화가 일어난다.

한·줄·핵심 유전적 부동은 유전자풀의 변화 요인이다.

확인 문제

정답과 해설 085쪽

01 [과정 1]의 ❷에서 한 쌍의 바둑돌은 무엇을 의미하는지 쓰시오.

02 흰 바둑돌 50개와 검은 바둑돌 50개를 준비한 후 [과정 1]의 ❷를 수행할 때 대립유전자 A의 빈도와 대립유전자 a의 빈도를 각각 구하시오.

콕콕!
개념 확인하기

정답과 해설 085쪽

✔ 잠깐 확인!

1. □□□□
특정 시기에 한 집단의 개체들이 보유한 대립유전자의 총합

2. □□·□□□□□ 법칙
이상적인 조건을 갖춘 멘델 집단에서는 대립유전자의 빈도가 세대를 거듭하여도 변하지 않는 유전적 평형 상태가 유지된다.

3. □□ 집단
하디·바인베르크 법칙이 적용되는 유전적 평형 상태의 가상 집단

4. □□□□
방사선, 화학 물질, 바이러스 등으로 DNA의 염기 서열에 변화가 생겨 새로운 대립유전자가 나타나는 현상

5. □□□ 효과
큰 집단으로부터 일부 개체가 떨어져 나와 새로운 집단을 구성할 때 대립유전자 빈도가 기존 집단과 달라지는 현상

6. □□ □□
생존율과 번식률을 높이는 데 유리한 어떤 형질을 가진 개체가 다른 개체보다 더 많은 대립유전자를 다음 세대에 남겨 집단의 유전자풀이 변하는 현상

7. □□□
한 종에 속하였던 두 집단 사이에 생식적 격리가 새롭게 발생하여 두 집단이 서로 다른 종으로 나뉘는 현상

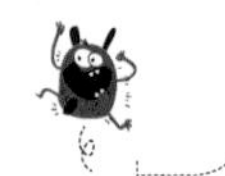

A 하디·바인베르크 법칙

01 표는 100명으로 구성된 멘델 집단에서 어떤 유전 형질의 유전자형에 따른 개체 수를 나타낸 것이다. 대립유전자 R는 r에 대해 완전 우성이다.

유전자형	RR	Rr	rr
개체 수	36	48	16

(1) 대립유전자 R의 빈도는 얼마인지 쓰시오.

(2) 대립유전자 r의 빈도는 얼마인지 쓰시오.

02 다음은 2400개체로 구성된 어떤 멘델 집단에 대한 자료이다.

- 이 집단에서 상염색체에 있는 대립유전자 A와 a의 빈도는 각각 p와 q이다.
- 대립유전자 A는 a에 대해 완전 우성이다.
- $p+q=1$이다.

이 집단에 대한 설명으로 옳은 것은 ○, 옳지 않은 것은 ×로 표시하시오.

(1) 유전자형이 AA가 나올 확률은 p^2이다. ( )

(2) 유전자형이 Aa가 나올 확률은 pq이다. ( )

(3) 다음 세대에서 p와 q는 변화한다. ( )

B 유전자풀의 변화 요인

03 그림 (가)~(라)는 유전자풀의 변화 요인을 모식적으로 나타낸 것이다.

방사선, 화학 물질

(가) (나) (다) (라)

(가)~(라)가 나타내는 유전자풀의 변화 요인을 각각 쓰시오.

04 유전자풀의 변화에 대한 설명으로 옳은 것은 ○, 옳지 않은 것은 ×로 표시하시오.

(1) 집단의 크기가 클수록 유전적 부동이 심하게 일어난다. ( )

(2) 유전자 흐름에 의해 집단에 없던 새로운 대립유전자가 도입될 수 있다. ( )

(3) 자연 선택이 일어나면 가장 적합한 대립유전자를 가진 개체의 비율이 증가한다. ( )

(4) 돌연변이는 DNA 염기 서열이나 염색체 구조의 변화를 가져와 개체의 표현형을 변화시킬 수 있다. ( )

C 종분화

05 다음은 종분화가 일어나는 과정을 순서 없이 나타낸 것이다.

(가) 지리적 격리가 일어나 집단 간의 유전자 흐름이 차단된다.
(나) 유전적으로 분화된 두 집단은 지리적 격리가 사라진 뒤에도 생식적으로 격리된다.
(다) 분리된 각 집단의 유전자풀은 독자적인 돌연변이와 자연 선택 등의 진화를 거친다.

(가)~(다)를 종분화가 일어나는 순서대로 나열하시오.

탄탄! 내신 다지기

정답과 해설 085쪽

A 하디·바인베르크 법칙

01 멘델 집단에 대한 설명으로 옳지 않은 것은?

① 개체 수가 무한하다.
② 자연 선택이 일어난다.
③ 대립유전자에 돌연변이가 생기지 않는다.
④ 정자와 난자가 무작위로 결합하여 수정한다.
⑤ 집단에서 개체의 이입과 이출이 일어나지 않는다.

02 표는 어떤 생물종 1000개체로 구성된 멘델 집단에서 어떤 유전 형질의 유전자형에 따른 개체 수를 나타낸 것이다. 대립유전자 A는 a에 대해 완전 우성이다.

유전자형	AA	Aa	aa
개체 수	360	㉠	160

이에 대한 설명으로 옳은 것은?

① 대립유전자 A의 빈도는 0.4이다.
② 대립유전자 a의 빈도는 0.6이다.
③ ㉠은 480이다.
④ 다음 세대에서 대립유전자 A의 빈도는 증가한다.
⑤ 다음 세대에서 유전자형을 Aa로 갖는 개체 수는 ㉠보다 감소한다.

03 표는 동일한 종으로 구성된 동물 집단 (가)와 (나)의 세대별 개체 수와 대립유전자 T와 t의 빈도를 나타낸 것이다. (가)와 (나) 중 한 집단은 멘델 집단이다.

세대		부모 세대		F_1		F_2	
		(가)	(나)	(가)	(나)	(가)	(나)
개체 수		500	500	800	1000	1000	1200
대립유전자 빈도	T	0.5	0.7	ⓐ	0.7	0.8	?
	t	0.5	0.3	0.4	0.3	0.2	ⓑ

이에 대한 설명으로 옳지 않은 것은?

① (나)는 멘델 집단이다.
② ⓐ는 0.6이다.
③ ⓑ는 0.3이다.
④ F_2에서 대립유전자 T를 갖는 개체 수는 (가)에서가 (나)에서보다 적다.
⑤ (나)에서 대립유전자 T를 갖는 개체가 t를 갖는 개체보다 유리하다.

04 다음은 사람 1000명으로 구성된 유전적 평형이 유지되는 집단 (가)에 대한 자료이다.

- 귓불 형질 중 분리형 대립유전자는 R, 부착형 대립유전자는 r이다.
- R는 r에 대해 완전 우성이고, R와 r는 상염색체에 있다.
- (가)에서 R의 빈도는 p, r의 빈도는 q이다.
- (가)에서 귓불이 분리형인 사람은 910명, 부착형인 사람은 90명이다.

이에 대한 설명으로 옳지 않은 것은?

① p는 0.7이다.
② 유전자형이 RR인 사람의 빈도는 0.49이다.
③ 유전자형이 rr인 사람의 빈도는 0.09이다.
④ 유전자형이 Rr인 사람의 수는 490이다.
⑤ 세대를 거듭하여도 대립유전자 R와 r의 빈도는 일정하다.

B 유전자풀의 변화 요인

05 다음은 유전자풀의 변화에 대한 자료이다.

> 화산 폭발로 인해 검은 용암 지대가 형성되면서 밝은 털을 가진 포켓쥐보다 어두운 털을 가진 포켓쥐의 비율이 증가하였다.

이 자료와 같은 유전자풀의 주된 변화 요인을 모형으로 나타낸 것으로 가장 적절한 것은?

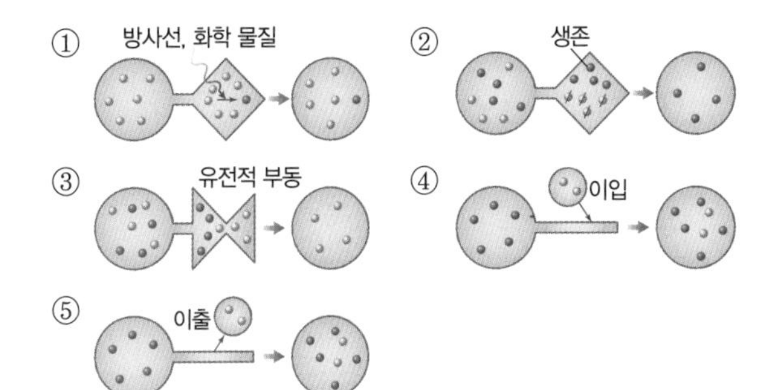

정답과 해설 085쪽

단답형

06 다음은 유전적 부동에 대한 사례이다.

> 펜실베니아의 랑카스터 카운티에는 다른 지역과 다소 격리된 곳에 모여 사는 부족인 아미쉬인이 살고 있다. 이 집단은 다른 집단에 비해 왜소발육증 대립유전자의 빈도가 높다. 아미쉬인은 1700년대 중반 이곳에 정착한 몇몇 유럽인들의 후손이며, 모집단인 유럽인의 왜소발육증 대립유전자의 빈도는 아미쉬인들보다 낮다.

이 자료에 해당하는 유전적 부동을 쓰시오.

07 다음은 유전자풀이 변화된 사례 (가)~(다)에 대한 설명이다.

> (가) 야생 잡초인 테오신테에서 식물의 발생을 조절하는 유전자의 DNA 염기 서열이 변화하여 테오신테가 옥수수로 진화하였다.
> (나) 말라리아 발병률이 높은 중앙아프리카 지역은 다른 지역에 비해 말라리아에 대한 저항성을 가진 낫 모양 적혈구 빈혈증 유전자의 빈도가 높다.
> (다) 미국 중부 지방의 초원에 사는 큰초원뇌조는 농경지 확장에 따른 서식지 감소로 인해 1990년대까지 집단의 크기가 급격히 감소하였다.

(가)~(다)의 유전자풀을 변화시킨 주된 요인을 옳게 짝 지은 것은?

	(가)	(나)	(다)
①	돌연변이	병목 효과	자연 선택
②	돌연변이	자연 선택	병목 효과
③	병목 효과	자연 선택	돌연변이
④	병목 효과	돌연변이	자연 선택
⑤	자연 선택	병목 효과	돌연변이

C 종분화

08 그림은 달팽이 종 A로부터 달팽이 종 B와 C가 분화되는 과정을 나타낸 것이다. A~C는 서로 다른 생물학적 종이다.

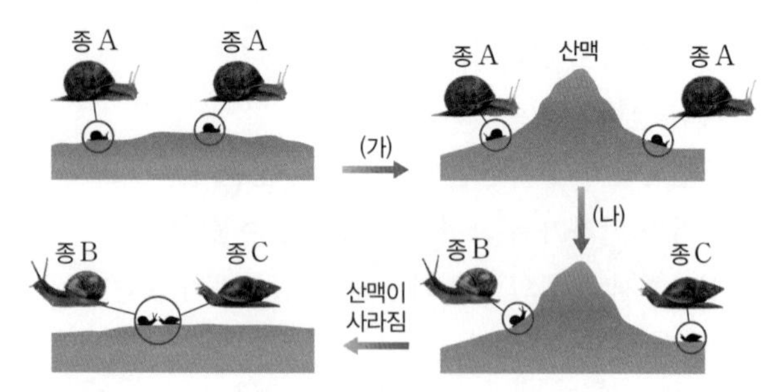

이에 대한 설명으로 옳은 것만을 <보기>에서 있는 대로 고른 것은?

> 보기
> ㄱ. (가)에서 지리적 격리가 일어났다.
> ㄴ. (나)에서 돌연변이가 일어났다.
> ㄷ. B와 C는 생식적으로 격리되어 있다.

① ㄱ　② ㄴ　③ ㄱ, ㄷ　④ ㄴ, ㄷ　⑤ ㄱ, ㄴ, ㄷ

09 그림은 종 A~C의 분화 과정을 나타낸 것이다. A~C는 서로 다른 생물학적 종이다. 지리적 격리는 섬의 분리에 의해서만 일어났고, 이입과 이출은 없었다.

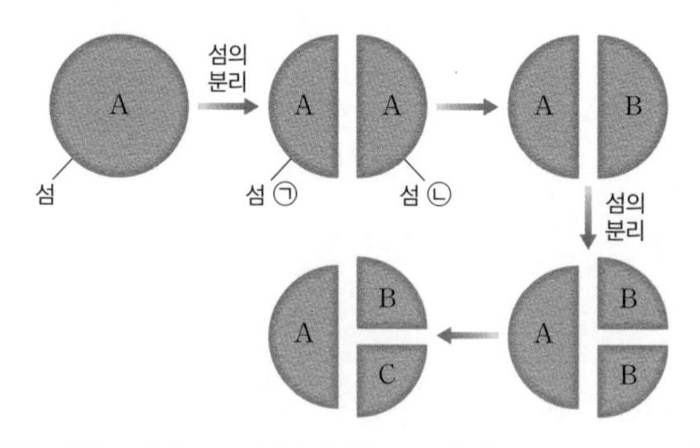

이에 대한 설명으로 옳은 것만을 <보기>에서 있는 대로 고른 것은? (단, A~C 이외의 종은 고려하지 않는다.)

> 보기
> ㄱ. ㉠의 A와 ㉡의 A는 생식적으로 격리되어 있다.
> ㄴ. B와 C는 모두 돌연변이에 의해 출현하였다.
> ㄷ. B와 C의 유연관계는 B와 A의 유연관계보다 가깝다.

① ㄱ　② ㄴ　③ ㄱ, ㄴ　④ ㄴ, ㄷ　⑤ ㄱ, ㄴ, ㄷ

정답과 해설 087쪽

01 그림은 멘델 집단인 어떤 나비 집단에서 세대별로 날개의 색깔에 따른 개체 수를 나타낸 것이다. 이 집단에서 날개의 색깔은 대립유전자 A와 a에 의해 결정된다.

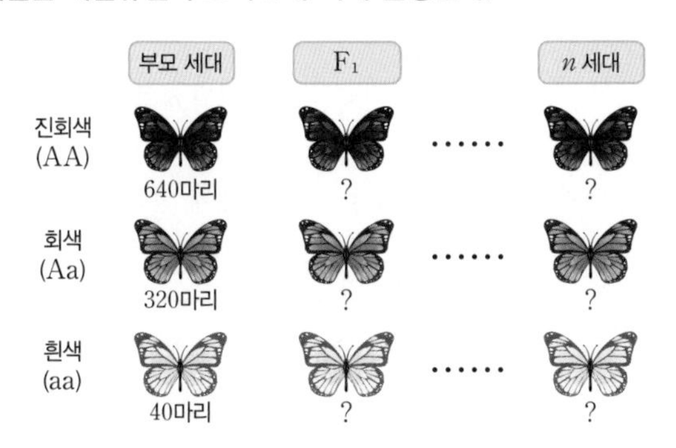

이에 대한 설명으로 옳은 것만을 〈보기〉에서 있는 대로 고른 것은? (단, 각 세대에서 암수의 비율은 동일하다.)

보기
ㄱ. 부모 세대에서 대립유전자 A의 빈도는 0.8이다.
ㄴ. n 세대에서 대립유전자 a의 빈도는 0.2이다.
ㄷ. 나비의 생식 성공률은 진회색>회색>흰색 순이다.

① ㄱ ② ㄴ ③ ㄱ, ㄴ
④ ㄴ, ㄷ ⑤ ㄱ, ㄴ, ㄷ

02 그림은 항생제 내성 세균의 출현과 진화 과정을 나타낸 것이다. A와 B는 각각 항생제 내성 세균과 항생제 내성이 없는 세균 중 하나이다.

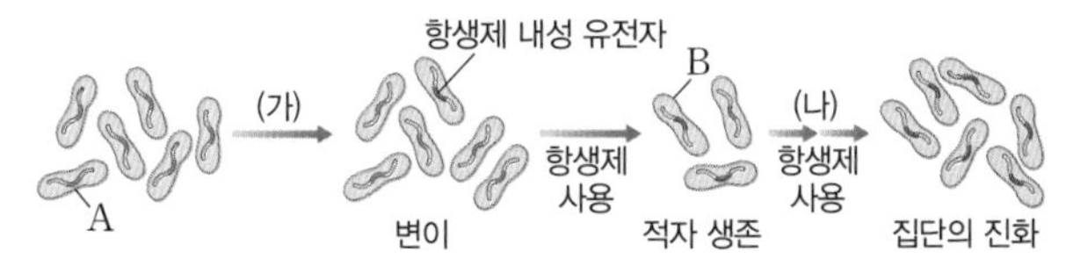

이에 대한 설명으로 옳은 것만을 〈보기〉에서 있는 대로 고른 것은?

보기
ㄱ. A는 항생제 내성이 없는 세균이다.
ㄴ. (가)에서 돌연변이가 일어났다.
ㄷ. (나)에서 A는 자연 선택되었다.

① ㄱ ② ㄴ ③ ㄱ, ㄴ
④ ㄴ, ㄷ ⑤ ㄱ, ㄴ, ㄷ

03 그림은 모기 집단에 처음 DDT를 살포한 후 주기적으로 DDT를 살포하였을 때 모기 집단의 사망률 변화를 나타낸 것이다. A~C는 각 시점의 모기 집단이다.

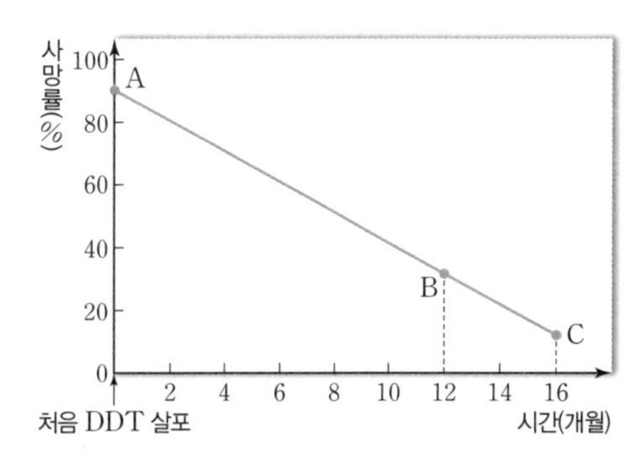

이에 대한 설명으로 옳은 것만을 〈보기〉에서 있는 대로 고른 것은?

보기
ㄱ. DDT 저항성을 갖는 모기의 비율은 A>B>C이다.
ㄴ. 처음 DDT 살포 시점에서 모기 집단 내에 DDT 저항성 유전자가 존재한다.
ㄷ. 처음 DDT 살포 이후 16개월 동안 자연 선택에 의해 모기 집단의 유전자풀이 변화되었다.

① ㄱ ② ㄴ ③ ㄱ, ㄷ
④ ㄴ, ㄷ ⑤ ㄱ, ㄴ, ㄷ

출제예감

04 그림은 종 A~C의 분화 과정을 나타낸 것이다. A~C는 서로 다른 생물학적 종이다. 지리적 격리는 섬의 분리와 산맥 형성에 의해서만 일어났고, 이입과 이출은 없었다.

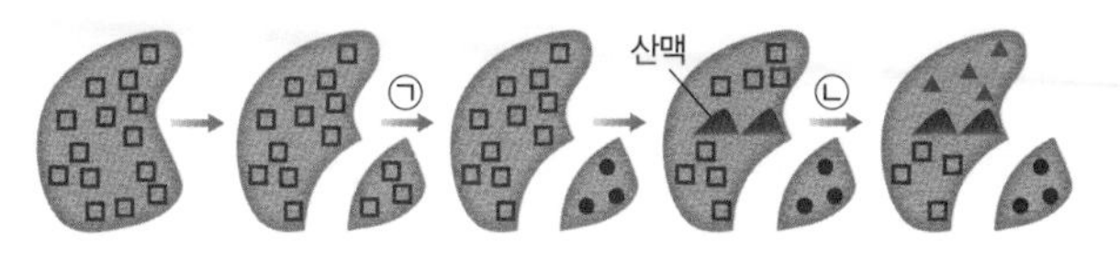

이에 대한 설명으로 옳은 것만을 〈보기〉에서 있는 대로 고른 것은?

보기
ㄱ. A 집단과 B 집단은 유전자풀이 같다.
ㄴ. ㉠과 ㉡에서 모두 돌연변이가 일어났다.
ㄷ. 산맥이 사라지면 A와 C는 교배하여 생식 능력을 갖는 자손을 얻을 수 있다.

① ㄱ ② ㄴ ③ ㄷ
④ ㄱ, ㄴ ⑤ ㄴ, ㄷ

출제예감

05 다음은 어떤 핀치 집단의 부리 크기 변화에 대한 자료이다.

- 가뭄 전에는 핀치가 먹기 좋은 작고 연한 씨가 풍부하였다.
- 가뭄 후 씨의 총 수는 감소하였고, 작고 연한 씨보다 크고 딱딱한 씨가 많아졌다.
- ㉠작은 부리를 가진 핀치는 크고 딱딱한 씨를 먹지 못해 가뭄에 살아남기 어려웠다.
- 그림은 가뭄 전과 가뭄 후 핀치의 부리 크기에 따른 개체 수를 나타낸 것이다.

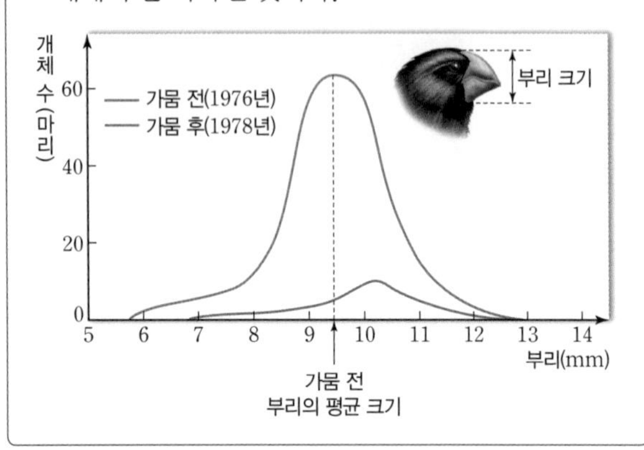

이에 대한 설명으로 옳은 것만을 〈보기〉에서 있는 대로 고른 것은?

〈보기〉
ㄱ. 가뭄 후 ㉠은 자연 선택되었다.
ㄴ. 가뭄 전보다 가뭄 후에 핀치 부리의 평균 크기가 커졌다.
ㄷ. 가뭄 전과 가뭄 후 모두 핀치 부리 크기에 대한 변이가 존재한다.

① ㄱ ② ㄴ ③ ㄱ, ㄷ
④ ㄴ, ㄷ ⑤ ㄱ, ㄴ, ㄷ

06 다음은 유전적 평형이 유지되는 집단 (가)에 대한 자료이다.

- (가)를 구성하는 사람의 수는 1600명이며, 남녀의 수는 동일하다.
- 적록 색맹 대립유전자는 정상 대립유전자에 대해 열성이다.
- 적록 색맹 대립유전자는 X 염색체에 있다.
- 적록 색맹인 사람은 모두 250명이다.

집단 (가)에서 적록 색맹 대립유전자 빈도를 쓰시오.

서술형

07 그림은 어떤 섬에서 모기 집단의 유전자풀이 시간에 따라 변화되는 과정을 나타낸 것이다. r는 DDT 감수성 대립유전자이고, R는 DDT 저항성 대립유전자이다.

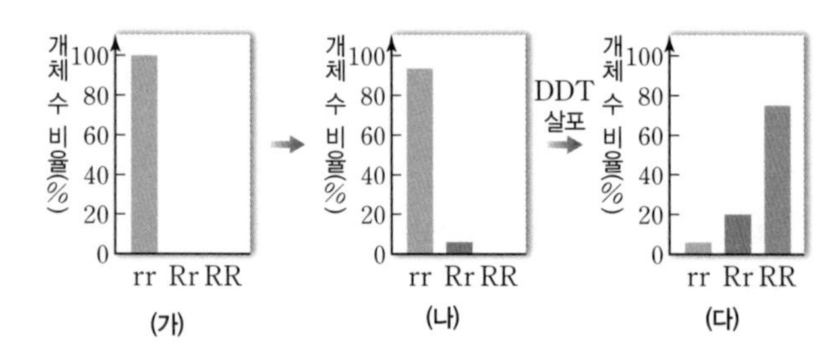

(나)에서 유전자형이 Rr인 개체가 나타난 까닭과 (다)에서 유전자형이 RR인 개체의 비율이 증가한 까닭은 무엇인지 서술하시오.

하디 · 바인베르크 법칙

대표 유형

출제 의도

제시된 조건을 이용하여 각 대립유전자의 빈도를 구하고, Ⅰ과 Ⅱ의 전체 개체 수를 구하는 문제이다.

이것이 함정

Ⅰ에서 대립유전자 A, A*의 빈도와 Ⅱ에서 대립유전자 A, A*의 빈도는 서로 다르다. 따라서 Ⅰ에서 A의 빈도를 p, A*의 빈도를 q라고 하고, Ⅱ에서 A의 빈도를 p', A*의 빈도를 q'이라고 하고 제시된 조건을 모두 이용하여 Ⅰ의 개체 수와 Ⅱ의 개체 수를 구해야 한다.

다음은 어떤 동물로 구성된 집단 Ⅰ과 Ⅱ에 대한 자료이다.

- Ⅰ과 Ⅱ는 모두 유전적 평형이 유지되는 집단이다.
- Ⅰ과 Ⅱ에서 이 동물의 몸 색은 상염색체에 있는 검은색 몸 대립유전자 A와 회색 몸 대립유전자 A*에 의해 결정되며, A는 A*에 대해 완전 우성이다.
- Ⅰ에서 $\dfrac{\text{유전자형이 AA*인 개체 수}\ (2pq)}{\text{검은색 몸 개체 수}\ (p^2+2pq)}=\dfrac{5}{7}$이다.
  → $7\times2pq=5\times(p^2+2pq)$이므로, $p=\dfrac{4}{9}$이고 q는 $\dfrac{5}{9}$이다.
- $\dfrac{\text{Ⅰ에서 회색 몸 개체의 비율}\ (q^2)}{\text{Ⅱ에서 검은색 몸 개체의 비율}\ (p'^2+2p'q')}=\dfrac{25}{72}$이다.
  → $q^2=\dfrac{25}{81}$이므로, $p'^2+2p'q'=\dfrac{72}{81}$이다. 따라서 $q'^2=\dfrac{9}{81}$이고, $q'=\dfrac{3}{9}$, $p'=\dfrac{6}{9}$이다.
- 유전자형이 AA인 개체 수는 Ⅰ에서가 Ⅱ에서보다 400 많다.
  → Ⅰ의 개체 수를 $N_{Ⅰ}$, Ⅱ의 개체 수를 $N_{Ⅱ}$라고 하면 $p^2\times N_{Ⅰ}-400=p'^2\times N_{Ⅱ}$이고, $\dfrac{16}{81}\times N_{Ⅰ}-400=\dfrac{36}{81}\times N_{Ⅱ}$이므로 $N_{Ⅱ}=\dfrac{4}{9}N_{Ⅰ}-900$이다.
- Ⅰ과 Ⅱ의 개체들을 모두 합쳐서 A의 빈도를 구하면 0.5이다.
  → $\dfrac{(2p^2\times N_{Ⅰ})+(2pq\times N_{Ⅰ})+(2p'^2\times N_{Ⅱ})+(2p'q'\times N_{Ⅱ})}{2N_{Ⅰ}+2N_{Ⅱ}}=0.5$이므로, $N_{Ⅰ}=3N_{Ⅱ}$이다.
  따라서 $N_{Ⅱ}=2700$이고 $N_{Ⅰ}=8100$이므로, Ⅰ과 Ⅱ의 개체 수 차는 5400이다.

Ⅰ과 Ⅱ의 개체 수 차는?

✓① 5400　② 5800　③ 6400　④ 6800　⑤ 7200

Ⅰ에서 대립유전자 A의 빈도를 p, A*의 빈도를 q라 하고, Ⅱ에서 대립유전자 A의 빈도를 p', A*의 빈도를 q'이라고 할 때 Ⅰ과 Ⅱ에서 각 유전자형에 따른 개체 수의 빈도는 표와 같이 나타낼 수 있다.

유전자형		AA	AA*	A*A*
표현형		검은색 몸	검은색 몸	회색 몸
빈도	Ⅰ	p^2	$2pq$	q^2
	Ⅱ	p'^2	$2p'q'$	q'^2

표나 그래프에서 경향성 찾기

Ⅰ과 Ⅱ에서 각 유전자형에 따른 개체 수 빈도를 구한다. >>> Ⅰ과 Ⅱ에서 대립유전자 A와 A*의 빈도 p, q, p', q'을 각각 구한다. >>> Ⅱ에서 유전자형이 AA인 개체 수를 구한다. >>> Ⅰ과 Ⅱ의 전체 개체에서 대립유전자 A의 빈도를 구하고, Ⅰ과 Ⅱ의 개체 수를 각각 구해 그 차를 얻는다.

추가 선택지

- Ⅰ에서 대립유전자 A의 빈도는 A*의 빈도보다 크다. (×)
  ⋯→ Ⅰ에서 대립유전자 A의 빈도는 $p=\dfrac{4}{9}$이고, A*의 빈도는 $q=\dfrac{5}{9}$이다.
- Ⅱ에서 회색 몸 개체 수는 300이다. (○)
  ⋯→ Ⅱ에서 회색 몸 개체 수는 Ⅱ의 개체 수인 2700에서 회색 몸 개체의 빈도인 $q'^2=\dfrac{9}{81}$를 곱하면 된다. 따라서 $2700\times\dfrac{9}{81}=300$이다.

실전! 수능 도전하기

01 표는 4가지 동물의 유연관계를 알아보기 위해 이들이 공통으로 가지고 있는 효소인 사이토크롬 c의 104개 아미노산 서열 중 차이를 보이는 아미노산의 수를 나타낸 것이다.

	사람	원숭이	개구리	참치
사람		1	18	21
원숭이	1		17	21
개구리	18	17		15
참치	21	21	15	

(단위: 개)

이에 대한 설명으로 옳은 것만을 〈보기〉에서 있는 대로 고른 것은?

〈보기〉
ㄱ. 진화의 증거 중 진화발생학적 증거에 해당한다.
ㄴ. 이 동물들 중 사람과 유연관계가 가장 가까운 동물은 참치이다.
ㄷ. 개구리와 참치의 유연관계는 개구리와 원숭이의 유연관계보다 가깝다.

① ㄱ ② ㄴ ③ ㄷ
④ ㄱ, ㄷ ⑤ ㄴ, ㄷ

02 다음은 동물 A~C 중 사람과 유연관계가 가장 가까운 동물을 알아보기 위한 실험이다. ㉠은 사람과 A~C 중 하나이다.

(가) ㉠의 혈청을 채취하여 토끼에 주사하고 일정 시간이 지난 후, 토끼의 혈청을 채취하여 사람 및 A~C의 혈청과 각각 섞어 침전율을 조사한다.
(나) (가)의 결과는 표와 같다.

사람	A	B	C
100 %	97 %	64 %	37 %

이에 대한 설명으로 옳은 것만을 〈보기〉에서 있는 대로 고른 것은?

〈보기〉
ㄱ. ㉠은 사람이다.
ㄴ. A~C 중 사람과 유연관계가 가장 가까운 동물은 A이다.
ㄷ. 진화의 증거 중 비교해부학적 증거에 해당한다.

① ㄱ ② ㄷ ③ ㄱ, ㄴ
④ ㄱ, ㄷ ⑤ ㄴ, ㄷ

수능 기출

03 다음은 어떤 동물 종 P의 서로 다른 두 집단 Ⅰ과 Ⅱ에서 털 길이 유전에 대한 자료이다.

- Ⅰ은 20000마리, Ⅱ는 10000마리로 구성되어 있고, 각각 유전적 평형이 유지된다. Ⅰ과 Ⅱ에서 각각 암컷과 수컷의 개체 수는 같다.
- P의 털 길이는 상염색체에 있는 긴 털 대립유전자 A와 짧은 털 대립유전자 A*에 의해 결정되며, A와 A* 사이의 우열 관계는 분명하다.
- Ⅰ과 Ⅱ에서 짧은 털을 갖는 개체 수의 합은 15600이다.
- Ⅰ에서 임의의 긴 털 암컷이 임의의 짧은 털 수컷과 교배하여 자손(F_1)을 낳을 때, 이 F_1이 긴 털을 가질 확률은 $\frac{4}{9}$이다.

Ⅱ의 유전자형이 AA*인 암컷이 Ⅱ의 임의의 짧은 털 수컷과 교배하여 자손(F_1)을 낳을 때, 이 F_1이 짧은 털을 가질 확률은?

① $\frac{6}{7}$ ② $\frac{5}{7}$ ③ $\frac{4}{7}$ ④ $\frac{3}{7}$ ⑤ $\frac{2}{7}$

04 그림은 시기 Ⅰ과 Ⅱ에서 동일한 종으로 구성된 조류 집단 P의 부리 크기에 따른 개체 수를 나타낸 것이다. Ⅰ에서 Ⅱ로 시간이 지나는 동안 자연 선택을 통해 부리 크기에 따른 개체 수가 변하였다.

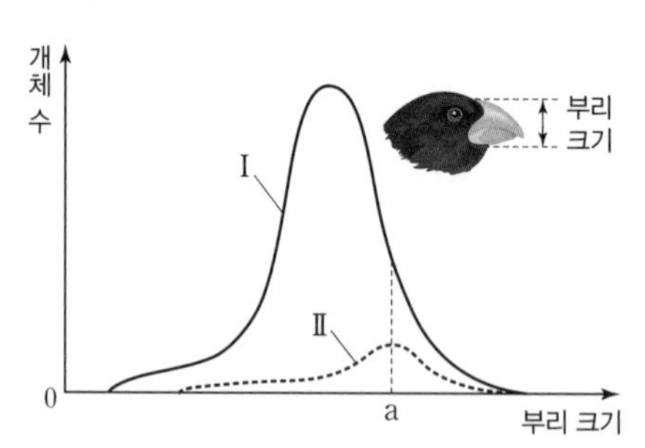

이에 대한 설명으로 옳은 것만을 〈보기〉에서 있는 대로 고른 것은?

〈보기〉
ㄱ. Ⅰ과 Ⅱ에서 모두 개체 사이에 부리 크기의 변이가 있었다.
ㄴ. Ⅰ과 Ⅱ에서 P의 유전자풀은 서로 같다.
ㄷ. 부리 크기가 a인 개체 수는 Ⅱ에서가 Ⅰ에서보다 적다.

① ㄱ ② ㄴ ③ ㄷ ④ ㄱ, ㄴ ⑤ ㄱ, ㄷ

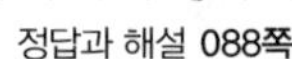

수능 기출

05 유전자풀의 변화 요인 중 병목 효과와 창시자 효과의 공통점으로 옳은 것만을 〈보기〉에서 있는 대로 고른 것은?

보기
ㄱ. 집단 내에 존재하지 않던 새로운 대립유전자를 제공한다.
ㄴ. 두 집단 사이의 유전자 흐름(이동)에 의해 일어난다.
ㄷ. 유전적 부동의 한 현상이다.

① ㄱ ② ㄴ ③ ㄷ
④ ㄱ, ㄷ ⑤ ㄴ, ㄷ

06 유전적 부동과 자연 선택에 대한 설명으로 옳은 것만을 〈보기〉에서 있는 대로 고른 것은?

보기
ㄱ. 창시자 효과는 자연 선택의 한 현상이다.
ㄴ. 자연 선택이 일어나면 환경의 변화에 가장 적합한 대립유전자를 가진 개체들의 비율이 증가한다.
ㄷ. 자연 선택과 유전적 부동은 모두 유전자풀의 변화 요인이다.

① ㄱ ② ㄴ ③ ㄱ, ㄷ
④ ㄴ, ㄷ ⑤ ㄱ, ㄴ, ㄷ

07 그림은 쥐 집단 P가 서로 다른 3가지 환경에서 자연 선택을 통해 집단 A~C로 되었을 때, A~C에서 털색 표현형에 따른 개체 수를 나타낸 것이다.

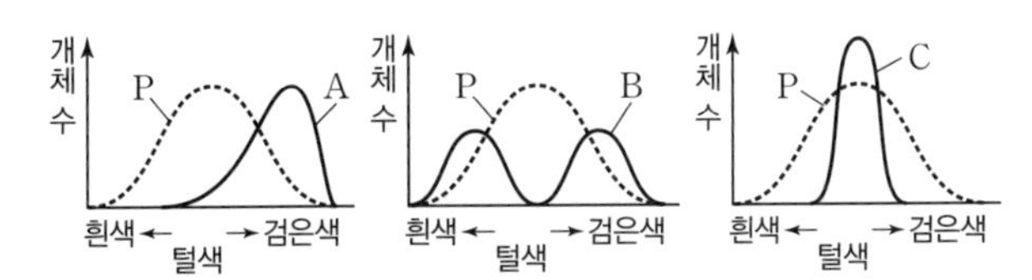

이에 대한 설명으로 옳은 것만을 〈보기〉에서 있는 대로 고른 것은?

보기
ㄱ. P에서 털색이 검은색에 가까운 쥐들의 생존율과 번식률이 높아 형성된 집단은 A이다.
ㄴ. B의 유전자풀은 C의 유전자풀과 동일하다.
ㄷ. 털색 표현형의 변이는 C보다 P에서 작다.

① ㄱ ② ㄴ ③ ㄷ
④ ㄱ, ㄴ ⑤ ㄴ, ㄷ

08 그림은 종 ㉠이 종 ㉡과 ㉢으로 분화되는 과정을, 표는 ㉠~㉢의 분류 단계를 나타낸 것이다. ⓐ와 ⓑ는 각각 과와 속 중 하나이다. 지리적 격리는 섬의 분리와 산맥 형성에 의해서만 일어났고, 이입과 이출은 없었다.

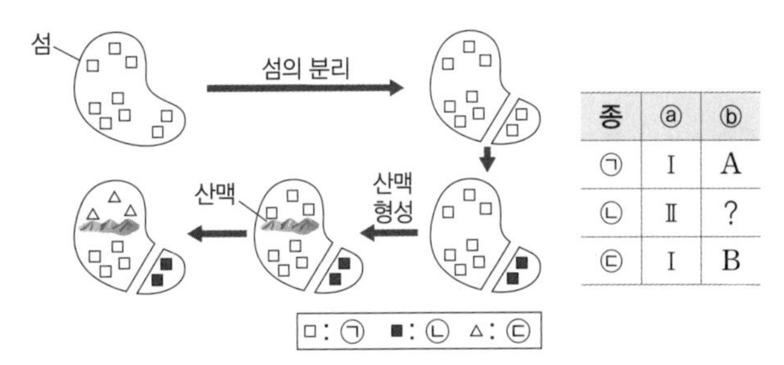

종	ⓐ	ⓑ
㉠	Ⅰ	A
㉡	Ⅱ	?
㉢	Ⅰ	B

이에 대한 설명으로 옳은 것만을 〈보기〉에서 있는 대로 고른 것은? (단, ㉠~㉢ 이외의 다른 종은 고려하지 않는다.)

보기
ㄱ. ㉡은 지리적 격리에 의해 ㉠으로부터 종분화되었다.
ㄴ. ㉡과 ㉢은 서로 다른 과에 속한다.
ㄷ. ㉠과 ㉡의 유연관계는 ㉠과 ㉢의 유연관계보다 가깝다.

① ㄱ ② ㄴ ③ ㄷ
④ ㄱ, ㄴ ⑤ ㄴ, ㄷ

09 그림은 생물종 X_1이 육지로부터 이웃한 섬으로 이주한 후, 종 X_2~X_3으로 분화되는 과정을 나타낸 것이다. X_1~X_3은 서로 다른 생물학적 종이다.

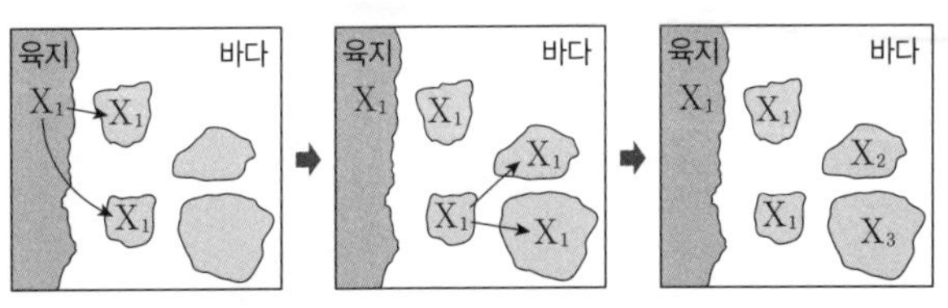

이에 대한 설명으로 옳은 것만을 〈보기〉에서 있는 대로 고른 것은? (단, 섬 내에서의 지리적 격리는 없으며, 제시된 이주와 종 X_1~X_3 이외의 다른 요인은 고려하지 않는다.)

보기
ㄱ. X_1과 X_2는 종소명이 같다.
ㄴ. X_2와 X_3의 유전자풀은 다르다.
ㄷ. 이 과정에서 창시자 효과 현상이 나타났다.

① ㄱ ② ㄴ ③ ㄷ
④ ㄱ, ㄴ ⑤ ㄴ, ㄷ

한눈에 보는 대단원 정리

V. 생물의 진화와 다양성

1 생명의 기원과 다양성

01 원시 생명체의 탄생과 진화

1. 최초 생명체 탄생에 대한 가설들

① 원시 생명체의 탄생 가설-화학적 진화설

- 밀러와 유리의 실험: 원시 대기의 혼합 기체로부터 간단한 유기물이 합성될 수 있음을 증명하였다.

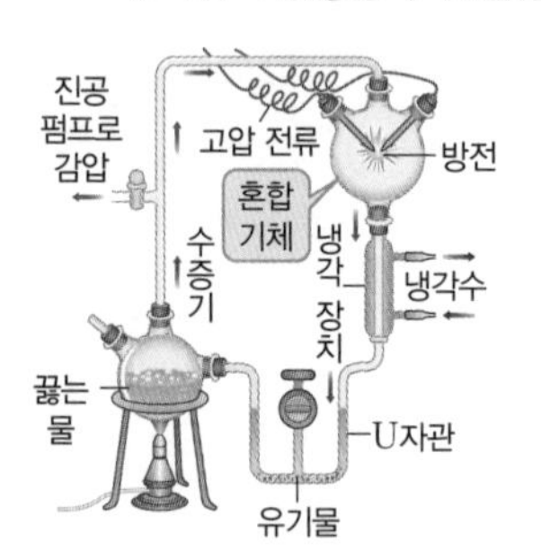

실험 장치	원시 지구
혼합 기체	원시 대기
방전	원시 에너지
냉각 장치를 통과한 액체	원시 지구에 내린 비
U자관에 고인 액체	원시 바다

② RNA 우선 가설: RNA는 유전 정보의 저장과 전달, 효소 기능을 하므로 최초의 유전 물질로 추정된다.

2. 원시 생명체의 진화

① 원핵생물의 출현

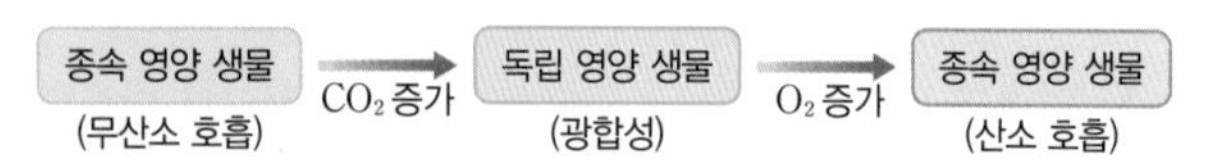

② 단세포 진핵생물의 출현: 막 진화설과 세포내 공생설로 설명할 수 있다.

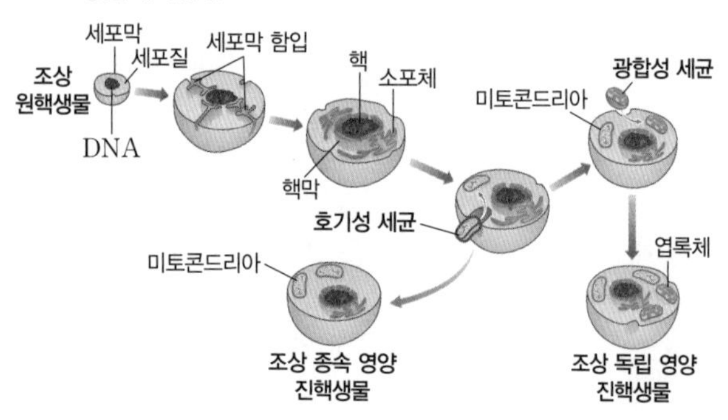

③ 다세포 진핵생물의 출현: 같은 종의 단세포 진핵생물이 군체를 이룬 후 세포의 형태와 기능이 분화되어 다세포 진핵생물로 진화하였다.

④ 육상 생물의 출현: 대기 중 산소 농도의 증가로 오존층이 형성되어 자외선을 차단함으로써 바닷속 다세포 진핵생물이 육상으로 진출할 수 있게 되었다.

02 생물의 분류 체계

1. 생물 분류

① 종: 생물을 분류하는 기본 단위로, 자연 상태에서 자유롭게 교배하여 생식 능력이 있는 자손을 낳을 수 있는 무리

② 분류 단계: 종 < 속 < 과 < 목 < 강 < 문 < 계 < 역

③ 학명: 린네가 제시한 이명법(속명+종소명)으로 표기한다.

2. 계통수: 생물의 계통을 알 수 있도록 생물 사이의 유연관계를 나뭇가지 모양으로 나타낸 것

03 생물의 다양성

1. 3역 6계 분류 체계

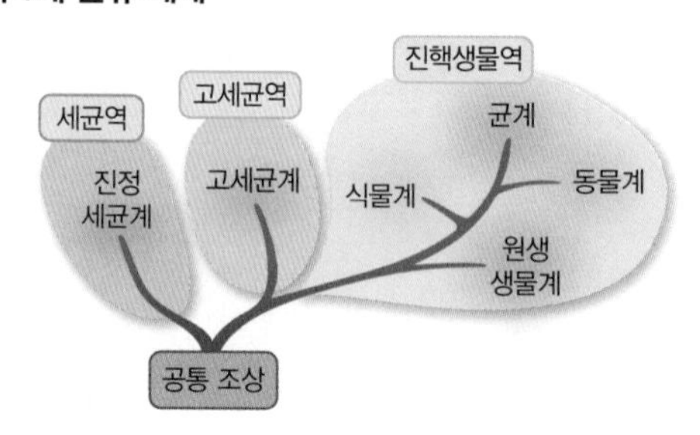

2. 6계의 특징

진정세균계	• 단세포 원핵생물, 펩티도글리칸 성분의 세포벽 • 종속 영양 세균, 독립 영양 세균 예 대장균, 젖산균, 남세균(아나베나)
고세균계	• 단세포 원핵생물, 세포벽에 펩티도글리칸이 없음 • 극한 환경에서 서식 예 극호열균, 극호염균, 메테인 생성균
원생생물계	• 진핵생물 중 식물, 균류, 동물을 제외한 분류군 • 대부분 단세포 진핵생물 예 아메바, 짚신벌레, 유글레나, 다시마, 미역
식물계	• 다세포 진핵생물, 셀룰로스 성분의 세포벽 • 독립 영양 생물(광합성) 예 우산이끼, 석송, 고사리, 소나무, 장미
균계	• 대부분 다세포 진핵생물, 키틴 성분의 세포벽 • 종속 영양 생물, 분해자의 역할 • 몸은 균사로 이루어져 있고, 포자로 번식 예 버섯, 곰팡이, 효모
동물계	• 다세포 진핵생물, 세포벽 없음 • 종속 영양 생물, 기관과 기관계가 발달 예 해파리, 달팽이, 잠자리, 상어, 침팬지

2 생물의 진화

3. 식물계 분류

비관다발 식물 (선태식물)	• 관다발 없음, 헛뿌리 있음, 포자로 번식 • 분류: 태류(예 우산이끼), 선류(예 솔이끼), 각태류(예 뿔이끼)
비종자 관다발 식물	• 관다발 있음, 뿌리, 줄기, 잎이 분화 • 포자로 번식 • 분류: 석송식물(예 석송, 물부추), 양치식물(예 고사리, 고비, 쇠뜨기, 솔잎란)
종자식물	• 관다발 발달, 뿌리, 줄기, 잎의 구분이 뚜렷함 • 종자로 번식 • 분류: 씨방이 없는 겉씨식물(예 소나무, 은행나무), 씨방이 있는 속씨식물(예 벼, 장미)

4. 동물계 분류

해면동물	• 무대칭성이며, 배엽을 형성하지 않음 예 주황해변해면, 해로동굴해면
자포동물	• 방사 대칭, 2배엽성 동물 예 해파리, 말미잘, 히드라, 산호
편형동물	• 좌우 대칭, 3배엽성 동물, 선구동물, 촉수담륜동물 예 플라나리아, 납작벌레, 간디스토마(간흡충)
연체동물	• 좌우 대칭, 3배엽성 동물, 선구동물, 촉수담륜동물 • 담륜자 유생 시기가 있음 예 달팽이, 소라, 대합, 오징어, 문어
환형동물	• 좌우 대칭, 3배엽성 동물, 선구동물, 촉수담륜동물 • 담륜자 유생 시기가 있음 • 몸이 수많은 체절로 이루어져 있음 예 지렁이, 갯지렁이, 거머리
선형동물	• 좌우 대칭, 3배엽성 동물, 선구동물, 탈피동물 예 예쁜꼬마선충, 회충, 요충
절지동물	• 좌우 대칭, 3배엽성 동물, 선구동물, 탈피동물 • 몸이 체절로 이루어져 있고, 키틴질의 외골격으로 덮여 있음 예 잠자리, 파리, 나비, 새우
극피동물	• 유생은 좌우 대칭이지만 성체는 방사 대칭, 3배엽성 동물, 후구동물 예 불가사리, 해삼, 성게
척삭동물	• 좌우 대칭, 3배엽성 동물, 후구동물 • 발생 과정의 한 시기 또는 또는 일생 동안 척삭이 나타남 • 두삭동물(예 창고기), 미삭동물(예 우렁쉥이), 척추동물(예 악어, 사람)로 구분

01 진화의 증거

구분	예
화석상의 증거	고래의 화석, 틱타알릭 화석
비교해부학적 증거	• 상동 기관: 척추동물의 앞다리 골격 구조 • 상사 기관: 새와 곤충의 날개 • 흔적 기관: 사람 배아의 아가미 틈
생물지리학적 증거	갈라파고스 제도의 핀치 부리 모양, 월리스선
진화발생학적 증거	• 척추동물 발생 초기 배아의 유사성 • 조개와 갯지렁이의 동일한 유생 단계
분자진화학적 증거	미토콘드리아에 있는 단백질인 사이토크롬 c의 아미노산 서열 비교

02 진화의 원리와 종분화

1. 하디·바인베르크 법칙: 멘델 집단에서는 대립유전자 빈도가 세대를 거듭하여도 변하지 않는 유전적 평형이 유지된다는 법칙

- 유전자풀: 특정 시기에 한 집단의 개체들이 보유한 대립유전자의 총합

2. 유전자풀의 변화 요인

돌연변이	방사선, 화학 물질 등으로 DNA의 염기 서열에 변화가 생겨 새로운 대립유전자가 나타나는 현상
유전적 부동	대립유전자가 자손에게 무작위로 전달되기 때문에 세대와 세대 사이에서 대립유전자 빈도가 예측할 수 없는 방향으로 변화하는 현상 ➡ 병목 효과와 창시자 효과
자연 선택	생존율과 번식률을 높이는 데 유리한 어떤 형질을 가진 개체가 다른 개체보다 더 많은 대립유전자를 다음 세대에 남겨 집단의 유전자풀이 변하는 현상
유전자 흐름	두 집단 사이에서 개체의 이주나 배우자의 이동으로 두 집단의 유전자풀이 달라지는 현상

3. 종분화

① **종분화:** 한 종에 속해 있던 두 집단 사이에서 생식적 격리가 발생하여 두 집단이 서로 다른 종으로 나뉘는 현상
예 그랜드 캐니언의 다람쥐, 파나마 지협의 놀래기

② **고리종:** 어느 한 종에서 분화한 이웃 집단이 고리 모양으로 분포하며, 인접한 집단 간에는 교배하여 생식 능력이 있는 자손이 태어나지만 고리의 양 끝의 두 집단은 생식적으로 격리되어 다른 종으로 분화하는 현상이 나타나는 집단의 모임

한번에 끝내는 대단원 문제

정답과 해설 089쪽

01 그림은 원시 지구에서 생명체가 출현하여 진화하는 과정을, 표는 생물 (가)~(다)의 특징 유무를 나타낸 것이다. ㉠과 ㉡은 각각 O_2와 CO_2 중 하나이며, (가)~(다)는 광합성 세균, 호기성 세균, 무산소 호흡 종속 영양 생물을 순서 없이 나타낸 것이다.

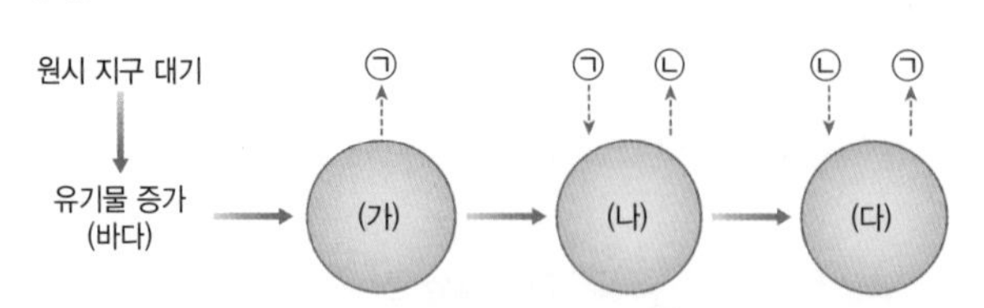

구분	(가)	(나)	(다)
종속 영양을 한다.	있음	?	있음
막으로 된 세포 소기관을 갖는다.	?	없음	ⓐ
산소 호흡을 한다.	ⓑ	?	있음

이에 대한 설명으로 옳은 것만을 〈보기〉에서 있는 대로 고른 것은?

보기
ㄱ. (나)는 광합성 세균이다.
ㄴ. ⓐ와 ⓑ는 모두 '없음'이다.
ㄷ. 대기 중 ㉡의 농도가 증가하여 오존층이 생성되었다.

① ㄴ ② ㄷ ③ ㄱ, ㄴ
④ ㄱ, ㄷ ⑤ ㄱ, ㄴ, ㄷ

02 그림은 A~C의 공통점과 차이점을 나타낸 것이다. A~C는 각각 DNA, 리보자임(RNA), 단백질 중 하나이다.
이에 대한 설명으로 옳은 것만을 〈보기〉에서 있는 대로 고른 것은?

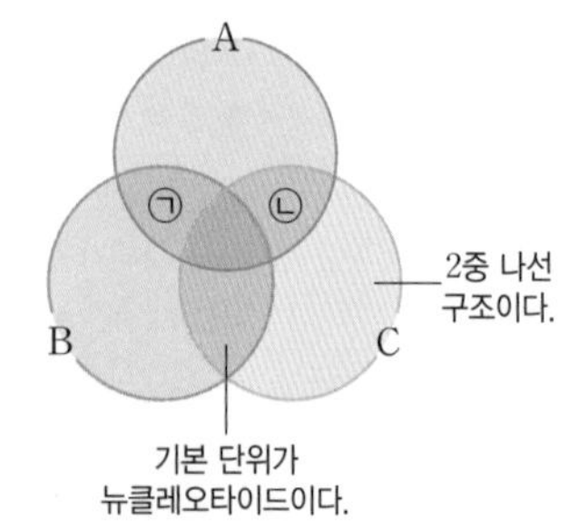

보기
ㄱ. '촉매 기능이 있다.'는 ㉠에 해당한다.
ㄴ. '입체 구조가 다양하다.'는 ㉡에 해당한다.
ㄷ. A~C 중 최초의 유전 물질이었을 가능성이 가장 높은 것은 C이다.

① ㄱ ② ㄴ ③ ㄷ
④ ㄱ, ㄴ ⑤ ㄱ, ㄷ

03 그림 (가)는 생물 5종 A~E의 유연관계를 알 수 있는 특징 ⓐ~ⓒ를 이용하여 5종을 분류한 것을, (나)는 이를 바탕으로 작성한 계통수를 나타낸 것이다. ㉠~㉤은 2개의 과로 이루어지며, 각각 A~E 중 하나이다.

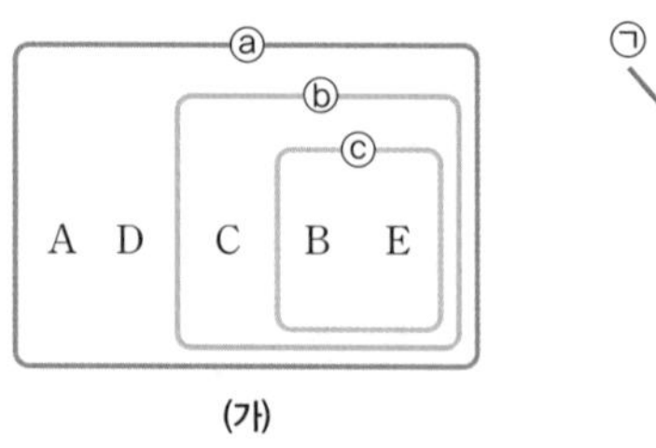

(가)

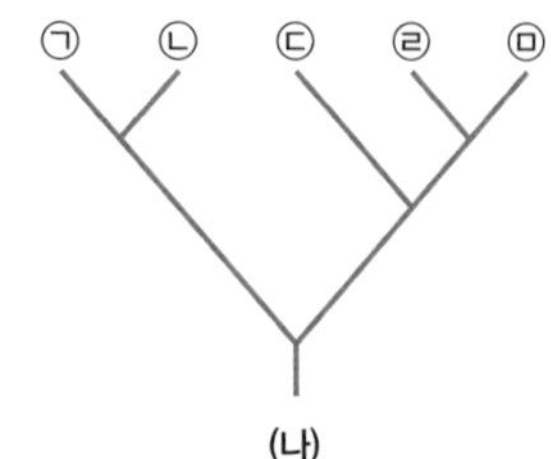

(나)

이에 대한 설명으로 옳은 것만을 〈보기〉에서 있는 대로 고른 것은?

보기
ㄱ. ㉠은 E이다.
ㄴ. ㉤은 ⓐ, ⓑ, ⓒ를 모두 가진다.
ㄷ. ㉢과 B는 같은 과에 속한다.

① ㄱ ② ㄴ ③ ㄷ
④ ㄱ, ㄴ ⑤ ㄴ, ㄷ

고난도

04 표는 어떤 유전자의 염기 서열로 계통의 유연관계를 파악할 수 있는 생물종 (가)~(마)에서 이 유전자의 염기 서열 중 일부를, 그림은 표의 염기 서열에서 일어난 염기 치환 ⓐ~ⓔ를 기준으로 작성한 계통수를 나타낸 것이다. ㉠~㉣은 각각 (가)~(라) 중 하나이다.

종	염기 서열 중 일부
(가)	GACTAAGT
(나)	GACAAAGT
(다)	GTCAAAGT
(라)	CTCATAGT
(마)	GTGATAGT

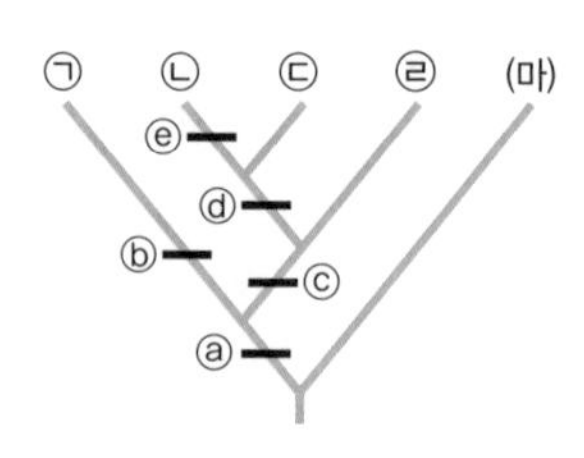

이에 대한 설명으로 옳은 것만을 〈보기〉에서 있는 대로 고른 것은?

보기
ㄱ. ㉠은 (나)이다.
ㄴ. ⓒ는 T에서 A으로의 치환이다.
ㄷ. (나)와 (가)의 유연관계는 (나)와 (다)의 유연관계보다 가깝다.

① ㄱ ② ㄴ ③ ㄱ, ㄷ
④ ㄴ, ㄷ ⑤ ㄱ, ㄴ, ㄷ

05 표는 6종의 동물 ㉠~㉥의 학명과 과명을, 그림은 ㉠~㉥ 중 5종의 계통수를 나타낸 것이다.

종	학명	과명
㉠	?	참새과
㉡	*Emberiza rulila*	멧새과
㉢	*Pyrrhula pyrrhularosacea*	되새과
㉣	*Emberiza cioides*	멧새과
㉤	*Anthus hodgsoni*	할미새과
㉥	*Anthus spinoletta japonicus*	할미새과

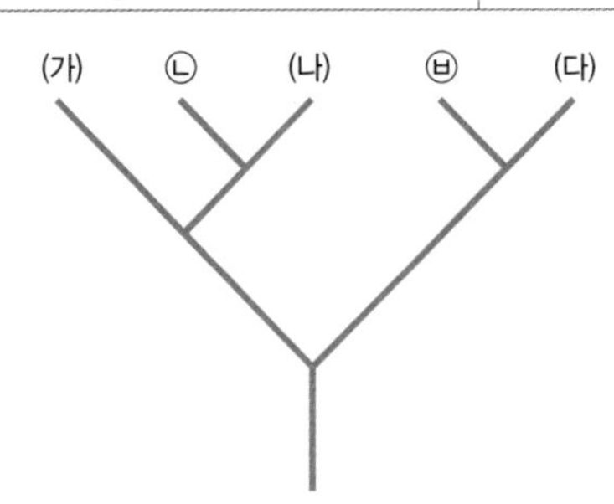

이에 대한 설명으로 옳은 것만을 〈보기〉에서 있는 대로 고른 것은?

〈보기〉
ㄱ. (나)는 ㉣이다.
ㄴ. (가)는 멧새과이다.
ㄷ. ㉥과 ㉤의 유연관계는 ㉥과 (나)의 유연관계보다 가깝다.

① ㄴ ② ㄷ ③ ㄱ, ㄴ
④ ㄱ, ㄷ ⑤ ㄴ, ㄷ

06 표는 세포 A~C의 특징을 나타낸 것이다. A~C는 각각 사람의 간세포, 시금치의 공변세포, 남세균 중 하나이다.

세포	특징
A	핵막이 없다.
B	세포벽이 없다.
C	셀룰로스가 있다.

이에 대한 설명으로 옳은 것만을 〈보기〉에서 있는 대로 고른 것은?

〈보기〉
ㄱ. A는 고세균계에 속한다.
ㄴ. B는 원핵세포이다.
ㄷ. C에는 엽록체가 있다.

① ㄱ ② ㄴ ③ ㄷ
④ ㄱ, ㄷ ⑤ ㄴ, ㄷ

07 그림은 생물 4종의 계통수를 나타낸 것이다.

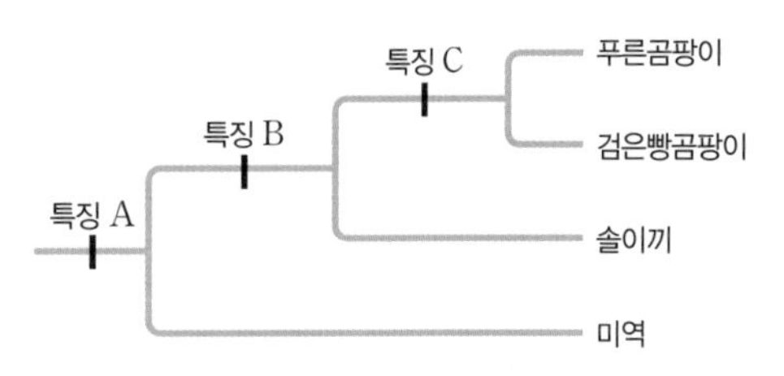

이에 대한 설명으로 옳은 것만을 〈보기〉에서 있는 대로 고른 것은?

〈보기〉
ㄱ. '막성 세포 소기관이 있다.'는 A에 해당한다.
ㄴ. '엽록소가 있다.'는 B에 해당한다.
ㄷ. '균사가 있다.'는 C에 해당한다.

① ㄱ ② ㄴ ③ ㄷ
④ ㄱ, ㄷ ⑤ ㄴ, ㄷ

08 그림은 동물 5종의 계통수를, 표는 이 계통수의 분류 특징 ㉠~㉣을 순서 없이 나타낸 것이다. A~C는 각각 창고기, 오징어, 불가사리 중 하나이다.

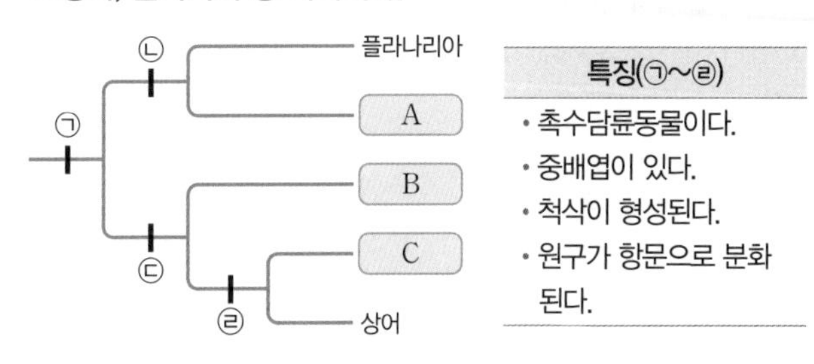

특징(㉠~㉣)
• 촉수담륜동물이다.
• 중배엽이 있다.
• 척삭이 형성된다.
• 원구가 항문으로 분화된다.

이에 대한 설명으로 옳은 것만을 〈보기〉에서 있는 대로 고른 것은?

〈보기〉
ㄱ. ㉡은 '촉수담륜동물이다.'이다.
ㄴ. ㉢은 '척삭이 형성된다.'이다.
ㄷ. A는 몸이 외투막으로 싸여 있다.

① ㄱ ② ㄷ ③ ㄱ, ㄴ
④ ㄱ, ㄷ ⑤ ㄴ, ㄷ

09 그림은 갈라파고스 제도의 서로 다른 섬에 서식하는 핀치의 먹이 종류에 따른 부리 모양을 나타낸 것이다. 각 섬의 핀치는 조상종 핀치에서 여러 종으로 진화하였고, 각 섬은 핀치가 왕래할 수 없도록 떨어져 있다.

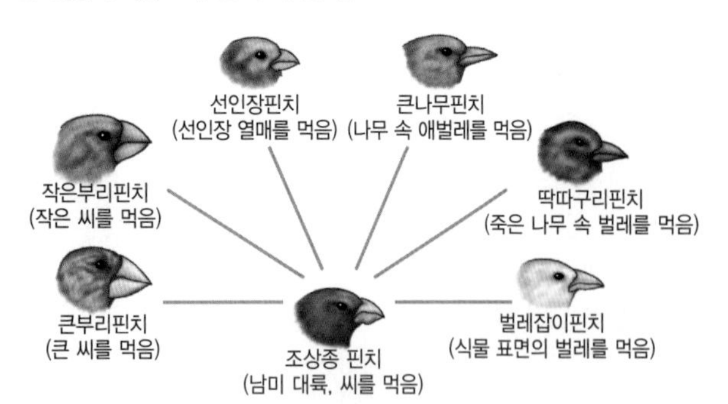

이에 대한 설명으로 옳은 것만을 〈보기〉에서 있는 대로 고른 것은?

보기
ㄱ. 각 섬의 핀치는 먹이의 종류에 따라 각각 다른 종으로 자연 선택되었다.
ㄴ. 각 섬의 핀치가 서로 다른 종으로 진화하는 데 지리적 격리가 영향을 미쳤다.
ㄷ. 진화의 증거 중 생물지리학적 증거에 해당한다.

① ㄱ ② ㄷ ③ ㄱ, ㄴ
④ ㄴ, ㄷ ⑤ ㄱ, ㄴ, ㄷ

10 표는 사람과 4종의 동물 (가)~(라) 사이에서 특정 유전자의 DNA 염기 서열 차이를, 그림은 이를 바탕으로 사람과 (가)~(라)의 유연관계를 나타낸 것이다. ⓐ~ⓓ는 각각 (가)~(라) 중 하나이다.

동물	사람의 DNA 염기 서열과의 차이(%)
(가)	1.7
(나)	1.8
(다)	3.3
(라)	4.3

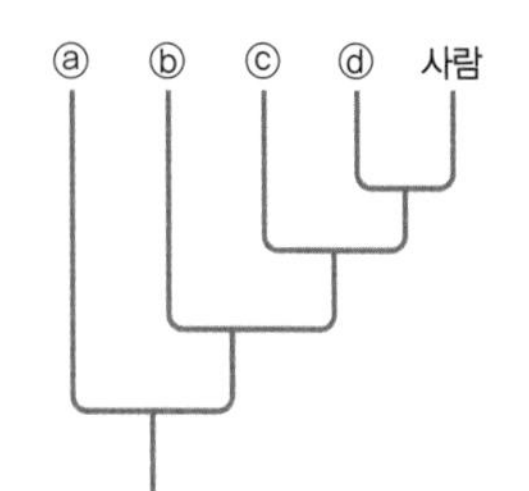

이에 대한 설명으로 옳은 것만을 〈보기〉에서 있는 대로 고른 것은?

보기
ㄱ. ⓑ는 (나)이다.
ㄴ. (가)~(라) 중 사람과 유연관계가 가장 가까운 동물은 (가)이다.
ㄷ. 진화의 증거 중 분자진화학적 증거이다.

① ㄱ ② ㄴ ③ ㄱ, ㄷ
④ ㄴ, ㄷ ⑤ ㄱ, ㄴ, ㄷ

11 그림은 서로 다른 환경 (가)~(다)에서 어떤 동물 집단 P의 털색 표현형에 따른 적응도를 나타낸 것이다. 적응도는 특정 표현형의 개체가 살아남을 확률과 이 개체가 일생 동안 생산하는 평균적인 자손의 수를 곱한 것이다.

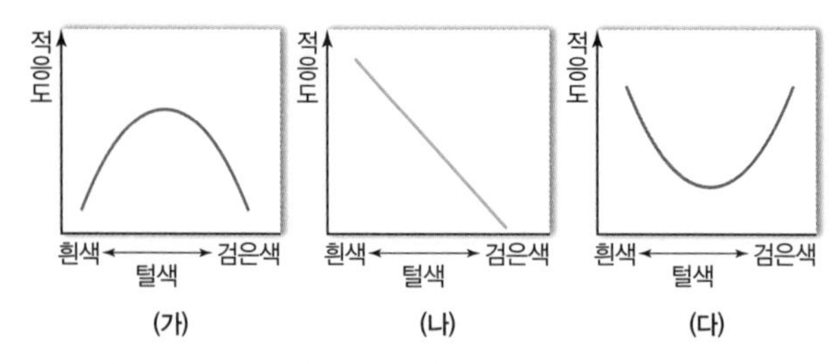

이에 대한 설명으로 옳은 것만을 〈보기〉에서 있는 대로 고른 것은?

보기
ㄱ. (가)에서 털색에 대한 변이가 있다.
ㄴ. (나)에서 세대가 거듭될수록 털색이 검은색인 개체의 비율이 흰색인 개체의 비율보다 커진다.
ㄷ. (가)~(다) 중 종분화될 가능성은 (다)에서 가장 크다.

① ㄱ ② ㄴ ③ ㄱ, ㄷ
④ ㄴ, ㄷ ⑤ ㄱ, ㄴ, ㄷ

고난도

12 다음은 딱총새우류의 진화에 대한 자료이다.

• 파나마 지협은 약 3백만 년 전 생성된 것으로, 그 이전에는 태평양과 카리브 해가 연결되어 있었다. 파나마 지협은 다양한 해양 생물의 종분화를 일으켰다.

• 표는 파나마 지협을 경계로 태평양과 카리브 해에 서식하는 딱총새우류(*Alpheus*) 3종의 지리적 분포를 나타낸 것이다. 파나마 지협의 생성으로 인해 *Alpheus simus*와 *Alpheus saxidomus*가 종분화되어 출현하였다.

종	태평양	카리브 해
㉠ *Alpheus websteri*	서식함	서식함
㉡ *Alpheus simus*	서식 안 함	서식함
㉢ *Alpheus saxidomus*	서식함	서식 안 함

이에 대한 설명으로 옳은 것만을 〈보기〉에서 있는 대로 고르시오.

보기
ㄱ. ㉠~㉢은 모두 같은 속에 속한다.
ㄴ. ㉡과 ㉢은 지리적 격리의 결과로 생성되었다.
ㄷ. ㉡과 ㉢의 유전자풀은 서로 다르다.

서술형

13 그림은 세 가지 동물문의 계통수를 나타낸 것이다.

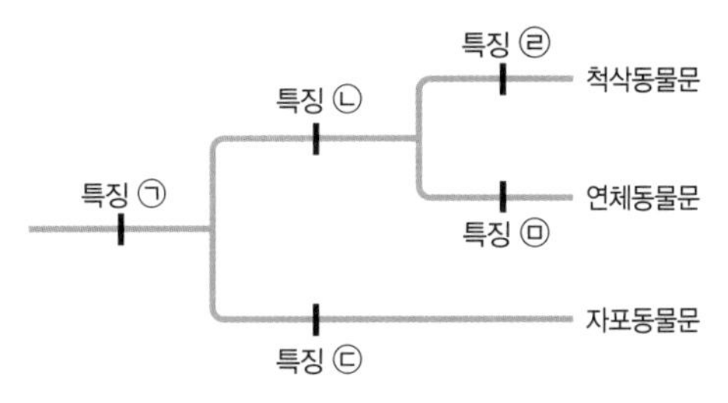

특징 ㉠~㉤에 해당하는 것을 각각 1가지씩 서술하시오.

14 그림은 여러 척추동물이 가지는 특정 기관의 골격 구조 ㉠~㉣을 나타낸 것이다.

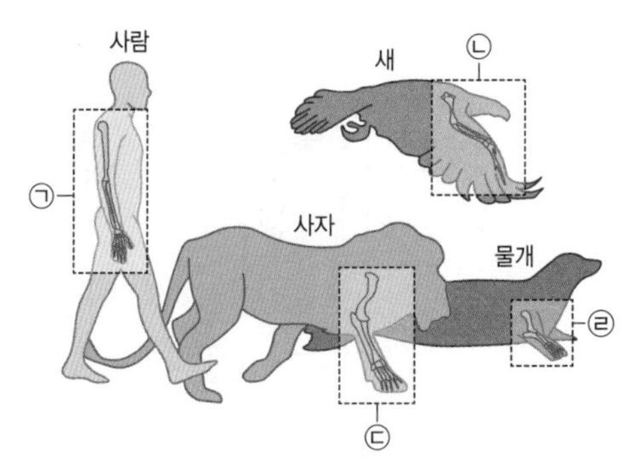

㉠~㉣은 상동 기관과 상사 기관 중 어느 것에 해당하는지 쓰고, 이는 진화의 증거 중 무엇인지 쓰시오.

서술형

15 그림은 집단의 크기는 다르지만 대립유전자 A와 a의 빈도가 같은 동일 종의 세 집단 (가)~(다)에서 세대가 거듭될 때 대립유전자 A의 빈도 변화를 나타낸 것이다.

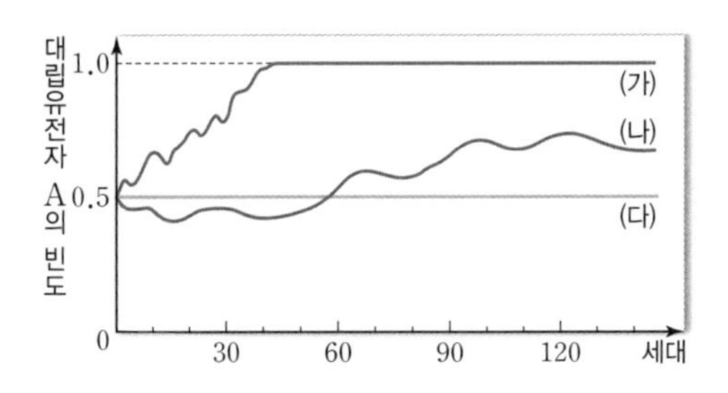

(가)~(다) 중 유전적 평형이 유지되는 집단은 어느 것인지 쓰고, 그 까닭을 서술하시오.

서술형

16 그림은 어떤 생물종에서 개체 수가 다른 집단 (가)와 (나)의 대립유전자 R의 빈도를 세대에 따라 조사한 것이다.

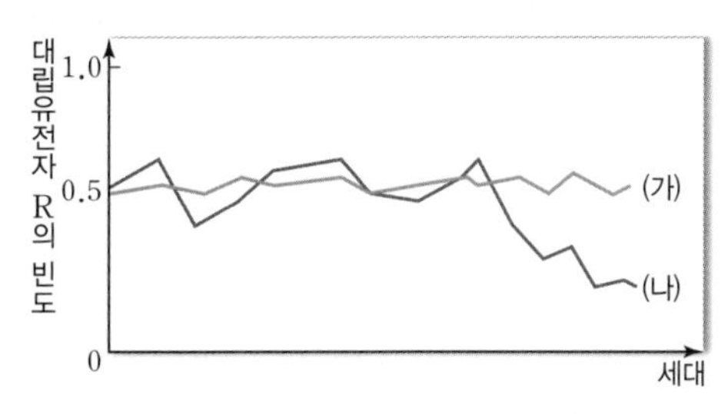

(가)와 (나) 중 개체 수가 많은 집단은 어느 것인지 쓰고, 그렇게 생각한 까닭을 서술하시오.

[17~18] 다음은 유전적 평형이 유지되는 사람 집단 Ⅰ에서 나타나는 유전병 ㉠에 대한 자료이다.

- ㉠은 X 염색체에 존재하는 대립유전자 H와 H*에 의해 결정되며, H가 H*에 대해 완전 우성이다.
- 남자 아이인 민수는 정상이고 민수의 어머니는 ㉠이 발현된다.
- Ⅰ에서 남녀의 수는 같고, $\frac{\text{유전자형이 HH*인 사람의 수}}{\text{㉠이 발현된 사람의 수}}=\frac{6}{13}$이다.

17 대립유전자 H의 빈도와 H*의 빈도를 각각 쓰시오.

18 Ⅰ에서 임의의 남자가 임의의 ㉠이 발현되는 여자와 결혼하여 아이가 태어날 때, 이 아이에게서 ㉠이 발현되지 않을 확률을 쓰시오.

VI

생명 공학 기술과 인간 생활

나의 학습 계획표

중단원	소단원	계획일	실천일	성취도
1 생명 공학 기술	01. 유전자 재조합 기술의 원리와 활용	/	/	○△×
	02. 생명 공학 기술의 원리와 실제 사례	/	/	○△×
	03. 생명 공학 기술의 발달과 문제점	/	/	○△×
	수능 POOL + 실전! 수능 도전하기	/	/	○△×
	대단원 정리 + 문제	/	/	○△×

1 생명 공학 기술

배울 내용 살펴보기

01 유전자 재조합 기술의 원리와 활용

A 유전자 재조합 기술의 원리

B 유전자 재조합 기술의 활용

유전자 재조합 기술은 새로운 유전자 조합을 가진 DNA를 만드는 생명 공학 기술로, 의약품 대량 생산, 농작물 개발 등에 활용되고 있어.

02 생명 공학 기술의 원리와 실제 사례

A 생명 공학 기술의 원리와 적용 사례

핵치환, 세포 융합, 조직 배양, 유전자 치료 등의 생명 공학 기술을 활용하면 난치병 치료 등에 도움을 줄 수 있어.

03 생명 공학 기술의 발달과 문제점

A 유전자 변형 생물체(LMO)

B 생명 공학 기술의 전망과 문제점

생명 공학 기술을 활용하여 다른 생물의 유전자를 도입하여 발현되도록 조작한 생물을 LMO라고 하는데, LMO는 긍정적인 면도 있고 부정적인 면도 있어.

01 유전자 재조합 기술의 원리와 활용

핵심 키워드로 흐름잡기

A 유전자 재조합 기술, 유용한 유전자, DNA 운반체, 제한 효소, DNA 연결 효소, 숙주 세포

B 기초 생명 과학 연구, 의약품 생산, 형질 전환 생물의 개발

A 유전자 재조합 기술의 원리

|출·제·단·서| 시험에는 유전자 재조합에 필요한 요소와 유전자 재조합 기술의 원리에 대한 문제가 나와.

1. 유전자 재조합 기술 (DNA 재조합 기술이라고도 한다.) DNA에서 특정 유전자가 포함된 부분을 잘라 내고, 이를 다른 DNA에 끼워 넣어 새로운 유전자 조합을 가진 DNA(재조합 DNA)를 만드는 생명 공학 기술

2. 유전자 재조합에 필요한 요소

(1) 유용한 유전자 유용한 물질을 만드는 유전자 예 사람의 인슐린 유전자, 생장 호르몬 유전자

(2) DNA 운반체

① 유용한 유전자를 •숙주 세포로 운반하는 역할을 하는 DNA로, 세균의 플라스미드❶가 주로 사용된다. (바이러스의 DNA, 효모의 인공 염색체 등도 사용된다.)

주염색체 플라스미드

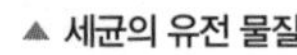
▲ 세균의 유전 물질

② **DNA 운반체로 플라스미드를 주로 사용하는 까닭**

- 숙주의 염색체와는 독립적으로 복제된다.
- 크기가 작아 세균에서 분리하여 조작하기 쉽고, 다른 세포로 쉽게 도입될 수 있다.
- 일부는 항생제 내성 유전자가 있어 형질 전환❷ 세포를 선별하는 데 이용된다.

(3) 제한 효소

① DNA의 특정 염기 서열(제한 효소 자리)을 인식하여 자르는 효소로, 종류에 따라 인식하는 염기 서열이 다르다. ➡ 적합한 제한 효소를 사용하면 DNA에서 원하는 부위를 자를 수 있다.

② 제한 효소로 잘린 DNA 양쪽 말단 부위(점착 말단❸)는 그 부위와 상보적 염기 서열을 가진 다른 DNA 말단과 결합할 수 있다.

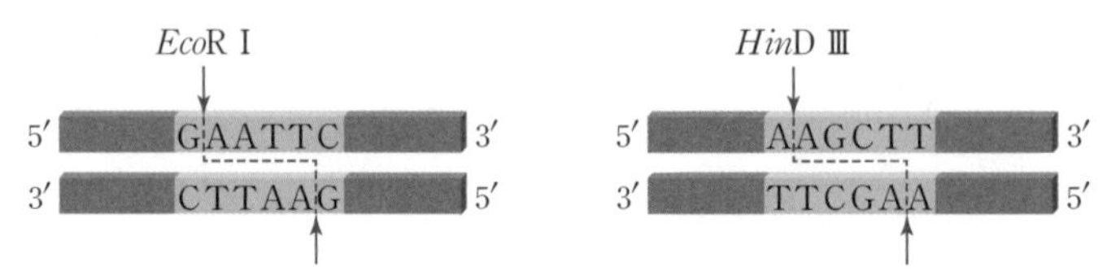

▲ 제한 효소의 종류에 따른 절단 부위의 염기 서열

(4) DNA 연결 효소 DNA 조각들을 연결하는 효소로, 유용한 유전자와 DNA 운반체를 연결하여 재조합 DNA를 만든다.

(5) 숙주 세포 재조합 DNA가 이식되는 세포이며, 주로 대장균이나 효모를 사용한다.

3. 유전자 재조합 기술을 이용한 인슐린 생산 과정 탐구 POOL

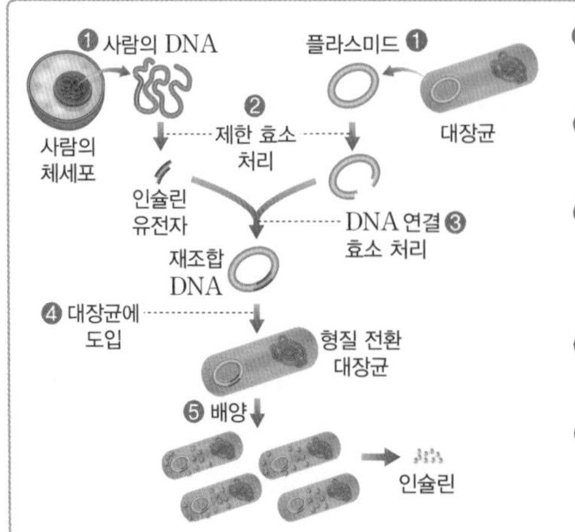

❶ 유용한 유전자가 포함된 사람의 DNA와 대장균의 플라스미드를 각각 분리한다.
❷ 분리한 DNA와 플라스미드를 동일한 제한 효소로 자른다.
❸ DNA 연결 효소를 사용하여 인슐린 유전자와 플라스미드를 연결하여 재조합 DNA를 만든다.
❹ 재조합 DNA를 숙주 세포인 대장균에 도입하여 형질 전환 대장균을 만든다.
❺ 형질 전환 대장균을 선별하여 증식시키고 인슐린 유전자를 발현시켜 인슐린을 대량으로 생산한다.

❶ 플라스미드
세균의 주염색체와는 별도로 존재하는 작은 고리 모양의 DNA로, 세포 내에서 독자적으로 증식할 수 있다.

❷ 형질 전환
외부 DNA가 세포 내로 도입되어 세포 또는 개체의 형질이 변하는 현상이다. 유전자 재조합 기술을 이용하면 새로운 형질을 가진 형질 전환 생물을 만들 수 있다.

❸ 점착 말단
제한 효소는 DNA의 두 가닥을 엇갈리게 잘라서 잘린 부위에 짧은 단일 가닥 말단을 만드는데, 이 말단은 다른 DNA 조각의 상보적인 단일 가닥 말단과 결합할 수 있으므로, 이 부위를 점착 말단이라고 한다.

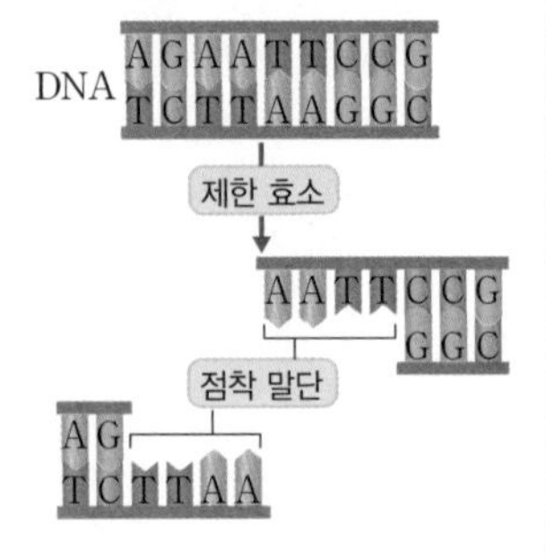

용어 알기

•숙주(숙박할 宿, 주인 主) 기생 생물에게 영양을 공급하는 생물

빈출 탐구 유전자 재조합 모의 실험

종이 DNA 모형으로 재조합 DNA를 만들어 보고 유전자 재조합 기술의 원리를 이해할 수 있다.

과정

① 앰피실린❹ 저항성 유전자(amp^R)와 테트라사이클린❺ 저항성 유전자(tet^R)가 표시된 선형 DNA 모형을 준비한 다음, 끝을 풀로 붙여 원형 DNA 모형을 만든다.

EcoR I　HinD Ⅲ
amp^R　tet^R

② 인슐린 유전자가 표시된 선형 DNA 모형을 준비한다.

EcoR I　EcoR I
인슐린 유전자

③ 가위를 사용하여 선형 DNA 모형에서 인슐린 유전자 부위를 자른다.

④ 과정 ③에서 사용한 가위를 사용하여 과정 ①에서 만든 원형 DNA 모형에서 인슐린 유전자 부위가 들어갈 자리를 자른다.

⑤ 과정 ③에서 자른 인슐린 유전자 부위를 과정 ④의 원형 DNA 모형에 맞추어 넣고 셀로판테이프로 붙인다.

결과

EcoR I　EcoR I　HinD Ⅲ
amp^R　인슐린 유전자　tet^R

정리

❶ 모의 실험에서 제한 효소와 DNA 연결 효소의 역할을 한 것: 제한 효소의 역할은 가위가 하였고, DNA 연결 효소의 역할은 셀로판테이프가 하였다.

❷ 과정 ③과 ④에서 가위로 작용한 제한 효소: 두 DNA에 공통적으로 작용할 수 있는 제한 효소는 EcoR I 이다.

❸ 인슐린 유전자가 제대로 삽입된 경우: 앰피실린 저항성 유전자는 •발현되지 않고 테트라사이클린 저항성 유전자만 발현된다.

❹ 앰피실린
세균의 생장과 증식을 억제하는 항생 물질이다. 수막염, 살모넬라증, 심장내막염 등 세균성 질병 치료에 사용된다.

❺ 테트라사이클린
세균의 단백질 합성을 억제하여 항균 작용을 하는 항생제이다. 티푸스, 폐렴, 여드름 등 세균성 질병 치료에 사용된다.

B 유전자 재조합 기술의 활용

|출·제·단·서| 시험에는 유전자 재조합 기술의 활용 분야를 확인하는 문제가 나와.

1. 기초 생명 과학 연구 생명 과학 연구에 유용한 DNA를 다량 얻을 수 있고, 그에 따른 DNA 조작이 가능하므로 원하는 유전자와 단백질을 대량 생산하여 생명 과학 연구에 활용할 수 있다. ➡ 생명 과학 연구 전반의 발달에 도움을 준다.

2. 의약품 생산 인슐린, 생장 호르몬, •혈전 용해제, 인터페론 등 다양한 의약품을 대량으로 빠르게 생산하는 데 활용된다. ➡ 질병 치료와 이를 통한 인류의 평균 수명 연장에 도움을 준다.

의약품	용도	의약품	용도
인슐린	당뇨병 치료	인터페론	암, 바이러스 감염 치료
생장 호르몬	생장 결함 치료	간염 백신	간염 예방
혈전 용해제	혈액 응고 방지	혈액 응고 인자	혈우병 치료

3. 형질 전환 생물의 개발 제초제에 저항성을 갖는 콩, 병충해에 강한 옥수수, 유조선에서 방출된 기름을 분해하는 세균 등의 생산에 활용된다. ➡ 식량 문제, 환경 문제 등을 해결하는 데 도움을 준다.

? 유용한 유전자를 다량으로 얻을 수 있는 방법은 무엇일까?
중합 효소 연쇄 반응(PCR)을 활용한다. PCR는 DNA 프라이머와 DNA 중합 효소를 사용하여 미량의 특정 DNA를 선택적으로 증폭시키는 기술이다. PCR를 활용하면 유전자 재조합에 필요한 유용한 유전자가 포함된 DNA를 빠르고 간편하게 다량으로 얻을 수 있다.

용어 알기
•**발현**(필 發, 나타날 現) 유전자에 의해 결정되는 형질이 표현형으로 나타나는 것
•**혈전**(피 血, 마개 栓) 생명체의 혈관 속에서 혈액 성분이 응고되어 형성된 덩어리

재조합 플라스미드가 도입된 대장균 선별 방법

목표 재조합 플라스미드가 포함된 대장균을 선별하는 방법을 이해할 수 있다.

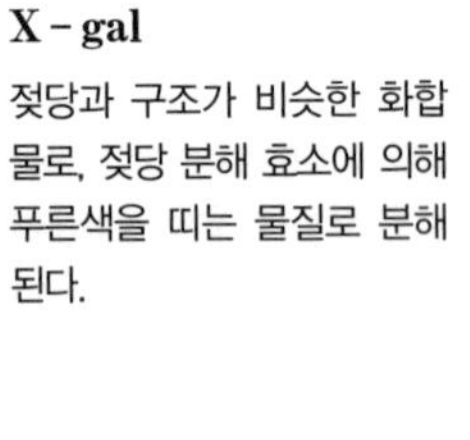

X-gal

젖당과 구조가 비슷한 화합물로, 젖당 분해 효소에 의해 푸른색을 띠는 물질로 분해된다.

과정

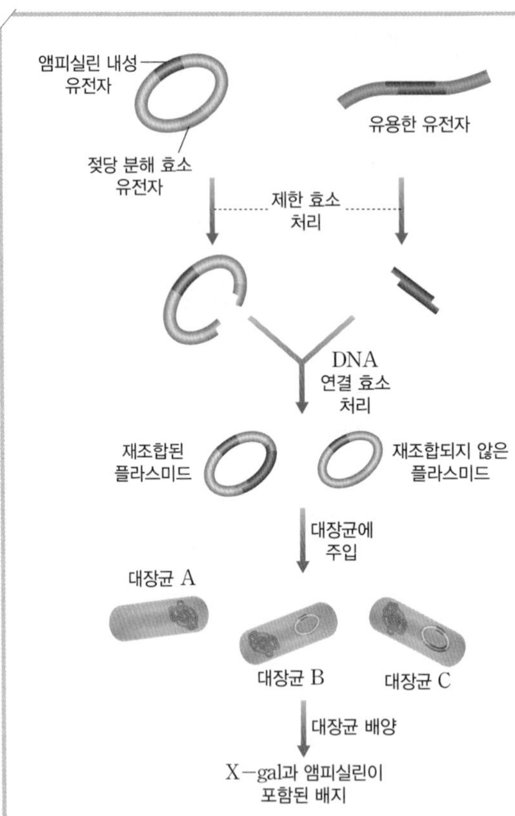

❶ 제한 효소와 DNA 연결 효소를 사용하여 플라스미드의 젖당 분해 효소 유전자 부위에 유용한 유전자를 삽입한다.

❷ DNA 조각이 결합하는 과정에서 재조합된 플라스미드와 재조합되지 않은 플라스미드가 생긴다.

❸ 플라스미드를 앰피실린 내성 유전자와 젖당 분해 효소 유전자가 없는 대장균에 주입한다.

❹ 플라스미드가 주입되지 않은 대장균 A, 재조합되지 않은 플라스미드가 도입된 대장균 B, 재조합된 플라스미드가 도입된 대장균 C가 생긴다.

❺ 대장균 A~C를 X-gal과 앰피실린이 포함된 배지에서 배양하여 군체 색깔을 확인한다.

이런 실험도 있어요!

두 가지 항생제 내성 유전자를 이용한 방법

복제 평판을 이용하여 형질 전환 대장균을 선별할 때는 서로 다른 항생제(앰피실린, 테트라사이클린)에 대한 내성 유전자를 포함한 플라스미드를 사용한다. 플라스미드의 테트라사이클린 내성 유전자에 유용한 유전자를 삽입하여 재조합 플라스미드를 만들고, 이를 대장균에 도입한 후 테트라사이클린이 포함된 배지에서 배양하면 죽는 군체가 관찰되는데, 이 군체를 선별하면 형질 전환 대장균을 얻을 수 있다.

결과

A는 군체를 형성하지 않는다. B는 푸른색 군체를, C는 흰색 군체를 형성한다.

정리 및 해석

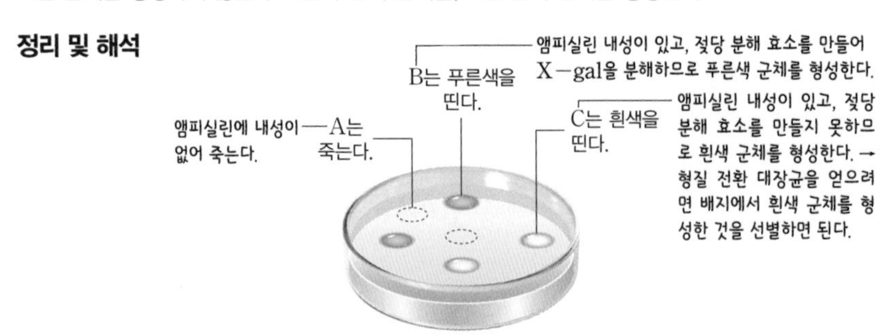

▲ X-gal과 앰피실린이 포함된 배지

한·줄·핵심 군체 색깔로 유전자 도입을 구분하는 실험에서는 앰피실린 내성 유전자와 젖당 분해 효소 유전자를 포함한 플라스미드를 이용한다.

확인 문제

정답과 해설 093쪽

01 위 탐구에서 재조합 플라스미드가 도입된 대장균 군체의 색깔을 쓰시오.

02 플라스미드에 유용한 유전자를 삽입하기 위한 조건은 무엇인지 쓰시오.

콕콕! 개념 확인하기

정답과 해설 093쪽

✔ 잠깐 확인!

1. □□□ □□□
유용한 유전자를 숙주 세포로 운반하는 역할을 하는 DNA

2. □□ □□
DNA의 특정 염기 서열을 인식하여 자르는 효소

3. □□□ □□ □□
제한 효소가 자른 DNA 조각들을 연결하는 효소

4. □□ □□
재조합 DNA가 이식되는 세포이며, 대장균이나 효모를 주로 사용한다.

5. □□□□□
세균의 주염색체와는 별도로 존재하는 고리 모양의 DNA로, DNA 운반체로 주로 사용된다.

6. □□ □□
제한 효소로 잘린 DNA 양쪽 말단 부위로, 동일한 제한 효소를 사용하면 동일한 염기 서열을 가지게 된다.

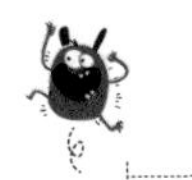

A 유전자 재조합 기술의 원리

01 유전자 재조합에 대한 설명으로 옳은 것은 ○, 옳지 않은 것은 ×로 표시하시오.

(1) 제한 효소는 DNA를 무작위로 자른다. ( )

(2) 숙주 세포로는 대장균이나 효모를 주로 사용한다. ( )

(3) DNA 운반체로는 세균의 플라스미드를 주로 사용한다. ( )

(4) DNA 연결 효소는 유용한 유전자와 DNA 운반체를 연결한다. ( )

02 DNA의 특정 부위인 유전자는 생명체를 구성하는 어떤 물질 합성에 대한 정보를 가지고 있다. 이 물질에 의해 생명체의 형질이 결정되는데, 이 물질은 무엇인지 쓰시오.

03 유전자 재조합에 필요한 요소와 그 예를 옳게 연결하시오.

(1) 유용한 유전자 •	• ㉠ *Eco*R I
(2) DNA 운반체 •	• ㉡ 대장균
(3) 제한 효소 •	• ㉢ 플라스미드
(4) 숙주 세포 •	• ㉣ 인슐린 유전자

B 유전자 재조합 기술의 활용

04 유전자 재조합 기술로 만드는 의약품을 3가지 쓰시오.

05 다음은 유전자 재조합 기술에 대한 설명이다.

> 유전자 재조합 기술을 사용하면 연구자가 원하는 유전자와 단백질을 대량 생산하여 생명 과학 연구에 활용할 수 있다. 또, 인슐린, 인터페론, 혈전 용해제와 같은 다양한 (㉠)을 생산하여 질병 치료에 도움이 된다. 병충해에 강한 옥수수나 기름을 분해하는 세균과 같은 (㉡)을 개발하면 식량 문제나 환경 문제를 해결하는 데 도움이 된다.

㉠, ㉡에 들어갈 알맞은 말을 쓰시오.

탄탄! 내신 다지기

A 유전자 재조합 기술의 원리

01 유전자 재조합 기술로 인슐린 유전자를 도입한 형질 전환 생물을 만들 때 필요한 요소로 옳지 않은 것은?

① 제한 효소 ② 숙주 세포
③ 플라스미드 ④ 인슐린 유전자
⑤ DNA 중합 효소

02 DNA 운반체인 플라스미드에 대한 설명으로 옳지 않은 것은?

① 세포 안으로 쉽게 도입된다.
② 사람의 체세포에 있는 DNA이다.
③ 크기가 작아 세균에서 분리하기 쉽다.
④ 일부는 항생제 내성 유전자를 가지고 있다.
⑤ 숙주 세포의 염색체와 독립적으로 복제된다.

03 그림은 몇 가지 제한 효소가 DNA에서 자르는 부위를 나타낸 것이다.

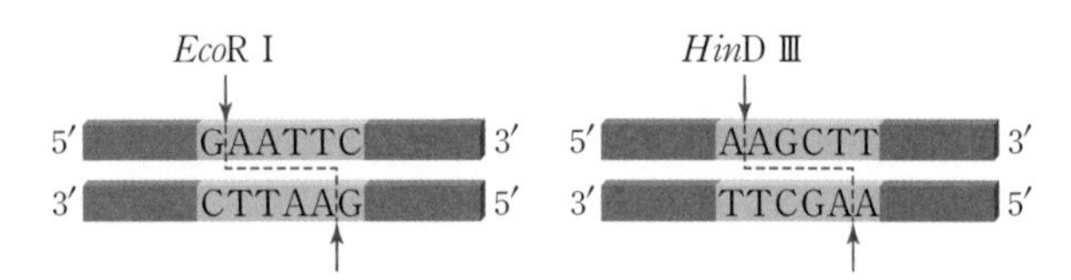

이에 대한 설명으로 옳지 않은 것은?

① 제한 효소는 DNA의 특정 염기 서열을 자른다.
② 제한 효소의 종류에 따라 자르는 염기 서열이 다르다.
③ 제한 효소는 자른 DNA를 다시 연결하는 역할도 한다.
④ 제한 효소는 플라스미드에서 원하는 부위를 자를 때 사용한다.
⑤ 잘린 DNA 말단 부위는 그 부위와 상보적인 염기 서열을 가진 다른 DNA 말단 부위와 결합할 수 있다.

단답형

04 그림은 제한 효소가 작용하는 과정을 나타낸 것이다.

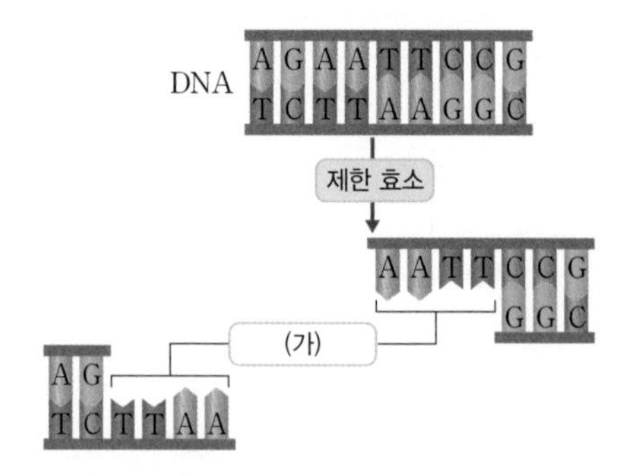

(가) 부분을 무엇이라고 하는지 쓰시오.

05 유전자 재조합에 필요한 요소에 대한 설명으로 옳지 않은 것은?

① 제한 효소는 점착 말단을 만들어 낸다.
② 숙주 세포로는 대장균을 주로 사용한다.
③ 플라스미드는 유용한 유전자를 숙주 세포로 운반한다.
④ 유용한 유전자와 플라스미드를 서로 다른 제한 효소로 자른다.
⑤ DNA 연결 효소로 유용한 유전자와 DNA 운반체를 연결한다.

단답형

06 그림은 세균의 유전 물질을 나타낸 것이다.

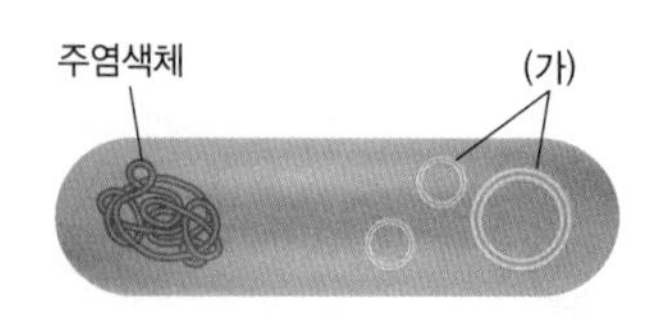

(가)를 무엇이라고 하는지 쓰시오.

정답과 해설 093쪽

07 그림은 재조합 DNA를 만드는 과정을 나타낸 것이다.

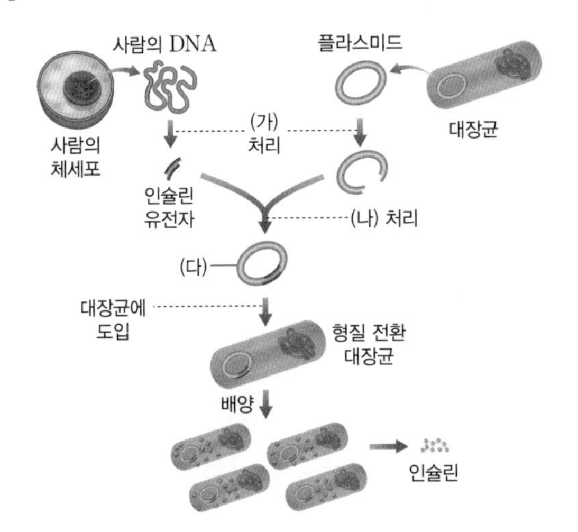

(가)~(다)에 해당하는 것을 옳게 짝 지은 것은?

	(가)	(나)	(다)
①	제한 효소	DNA 연결 효소	재조합 DNA
②	제한 효소	DNA 중합 효소	유용한 DNA
③	DNA 연결 효소	제한 효소	유용한 DNA
④	DNA 연결 효소	DNA 중합 효소	재조합 DNA
⑤	DNA 중합 효소	DNA 연결 효소	유용한 DNA

08 유전자 재조합 기술을 이용하여 사람의 인슐린을 대량 생산하려고 한다. 인슐린 유전자가 포함된 재조합 DNA를 만드는 과정에서 제한 효소로 잘라야 하는 유전자만을 〈보기〉에서 있는 대로 고른 것은?

보기
ㄱ. 사람의 DNA　　ㄴ. 재조합 DNA
ㄷ. 대장균의 주염색체　　ㄹ. 대장균의 플라스미드

① ㄱ　② ㄱ, ㄴ　③ ㄱ, ㄹ
④ ㄴ, ㄷ　⑤ ㄱ, ㄴ, ㄷ, ㄹ

B 유전자 재조합 기술의 활용

09 유전자 재조합 기술의 활용에 대한 설명으로 옳지 않은 것은?

① DNA 조작이 가능하다.
② 유용한 유전자를 다른 생물에서 발현시킬 수 있다.
③ 유전 물질을 사용하여 치료용 백신을 만들 수 있다.
④ 해충에 강한 옥수수와 같은 형질 전환 생물은 만들 수 없다.
⑤ 인슐린 유전자와 같은 특정 DNA를 대량으로 얻을 수 있다.

단답형

10 다음은 유전자 재조합 기술에 대한 설명이다.

외부 DNA가 세포 내로 도입되어 세포 또는 개체의 형질이 변하는 현상을 (　　)이라고 한다. 유전자 재조합 기술을 활용하여 유용한 유전자를 동식물의 유전체에 집어넣으면 새로운 형질을 가진 (　　) 생물을 만들 수 있다. 예를 들어 해파리의 녹색 형광 유전자를 쥐나 고양이의 유전체에 집어넣어 형광을 띠는 쥐나 고양이를 만들기도 한다.

(　) 안에 공통으로 들어갈 알맞은 말을 쓰시오.

11 유전자 재조합 기술을 활용하여 생산한 의약품에 해당하는 것만을 〈보기〉에서 있는 대로 고른 것은?

보기
ㄱ. 인슐린　　ㄴ. 생장 호르몬
ㄷ. 간염 백신　　ㄹ. 임신 진단 키트

① ㄱ, ㄴ　② ㄴ, ㄷ　③ ㄷ, ㄹ
④ ㄱ, ㄴ, ㄷ　⑤ ㄴ, ㄷ, ㄹ

도전! 실력 올리기

01 그림은 효소 X 유전자와 항생제 Y 내성 유전자를 가진 플라스미드에 사람의 인슐린 유전자를 끼워 넣어 재조합 DNA (가)를 만드는 과정을 나타낸 것이다.

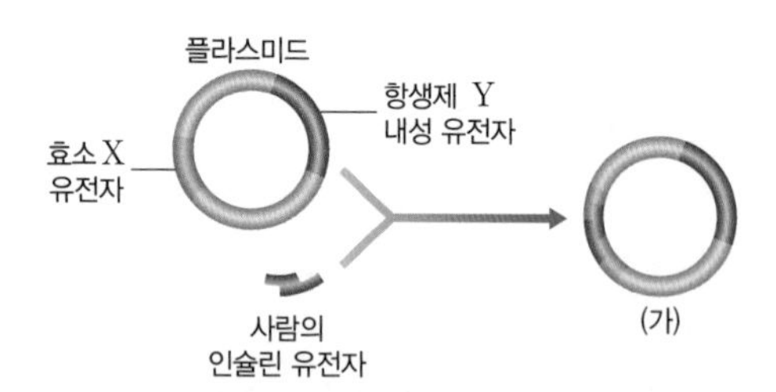

이에 대한 설명으로 옳은 것만을 〈보기〉에서 있는 대로 고른 것은?

보기
ㄱ. (가)는 효소 X를 합성하지 못한다.
ㄴ. (가)는 사람의 인슐린을 합성한다.
ㄷ. 배지에 항생제 Y가 있으면 (가)는 생존할 수 없다.

① ㄱ ② ㄴ ③ ㄷ ④ ㄱ, ㄴ ⑤ ㄴ, ㄷ

02 그림은 유전자 재조합 기술에 대해 학생들이 설명하는 내용이다.

옳게 설명한 학생만을 있는 대로 고른 것은?

① A ② C ③ A, B ④ B, C ⑤ A, B, C

출제예감

03 그림은 DNA 재조합 기술을 활용하여 사람의 인슐린을 대량 생산하는 과정을 나타낸 것이다.

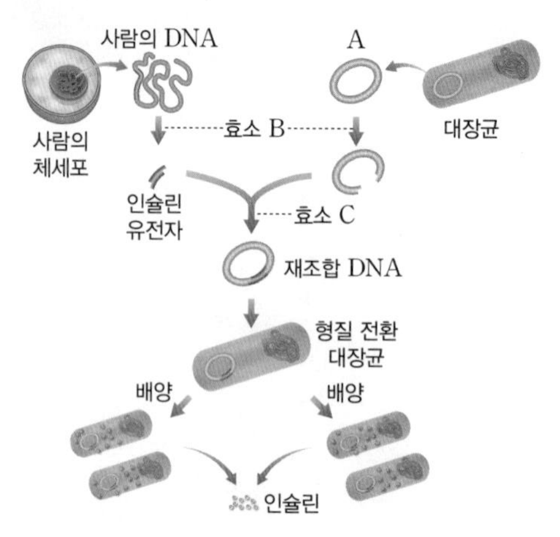

이에 대한 설명으로 옳은 것만을 〈보기〉에서 있는 대로 고른 것은?

보기
ㄱ. A는 DNA 운반체 역할을 한다.
ㄴ. B는 DNA 부위를 무작위로 절단한다.
ㄷ. C는 DNA를 복제할 때도 사용된다.

① ㄱ ② ㄴ ③ ㄷ ④ ㄱ, ㄷ ⑤ ㄴ, ㄷ

04 그림은 플라스미드와 인슐린 유전자를 사용하여 인슐린을 생산하는 대장균을 얻는 과정을 나타낸 것이다.

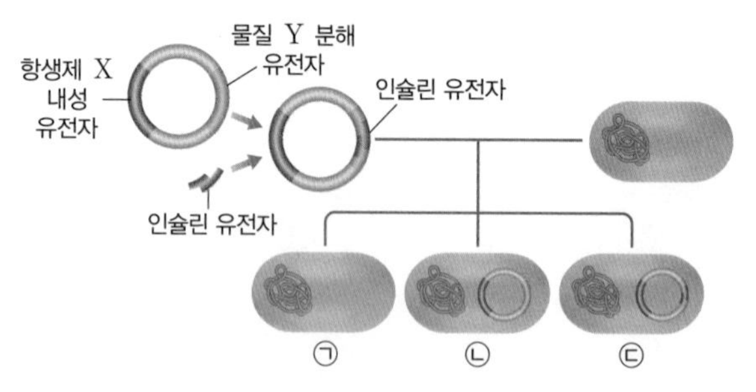

이에 대한 설명으로 옳은 것만을 〈보기〉에서 있는 대로 고른 것은? (단, 숙주 대장균에는 항생제 X 내성 유전자가 없다.)

보기
ㄱ. 항생제 X가 있는 배지에서 살아남는 대장균은 ㉠뿐이다.
ㄴ. 인슐린을 생산하는 대장균은 물질 Y를 분해할 수 없다.
ㄷ. 인슐린 유전자 추출에 사용한 제한 효소는 플라스미드를 자르는 제한 효소와 동일하다.

① ㄱ ② ㄷ ③ ㄱ, ㄴ ④ ㄱ, ㄷ ⑤ ㄴ, ㄷ

출제예감

05 다음은 재조합 플라스미드의 제작에 대한 자료와 재조합 플라스미드를 대장균에 도입하는 실험이다.

• 그림은 공여체 DNA와 플라스미드에 작용하는 제한 효소 A~C의 절단 부위를 나타낸 것이다.

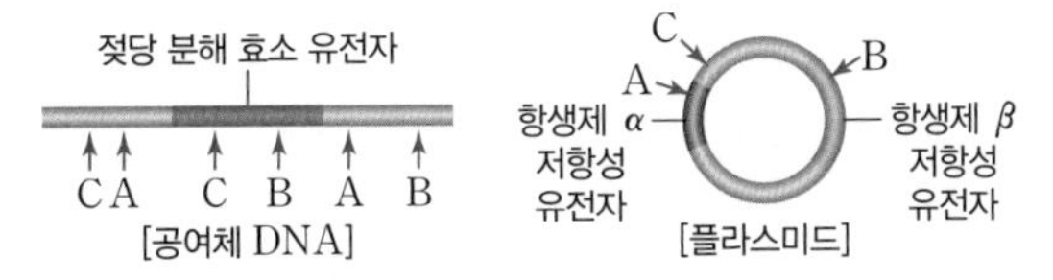

• 젖당 분해 효소는 시약 X를 분해하여 대장균 군체를 흰색에서 푸른색으로 변화시킨다.

[실험 과정]

(가) 공여체 DNA와 플라스미드를 A~C 중 하나로 절단한다.

(나) 절단된 DNA를 플라스미드에 삽입시켜 재조합 플라스미드 Y를 만든다.

(다) Y를 숙주 대장균에 도입하여 여러 배지에서 배양한다.

[실험 결과]

배지 종류	정상 배지+X	정상 배지+X +항생제 α	정상 배지+X +항생제 β
대장균 군체	푸른색 군체 생존	사멸	㉠

이에 대한 설명으로 옳은 것만을 〈보기〉에서 있는 대로 고른 것은?

보기

ㄱ. 사용된 제한 효소는 A이다.

ㄴ. Y에는 젖당 분해 효소 유전자가 존재한다.

ㄷ. ㉠은 '푸른색 군체 생존'이다.

① ㄱ ② ㄴ ③ ㄱ, ㄷ

④ ㄴ, ㄷ ⑤ ㄱ, ㄴ, ㄷ

06 종이 DNA 모형으로 재조합 DNA를 만드는 과정에서 DNA에 표시된 부위를 가위로 자르고, 다시 풀을 사용하여 인슐린 유전자를 플라스미드에 넣어 붙였다. 이 과정에서 사용된 가위와 풀은 유전자 재조합 과정의 각각 무엇에 해당하는지 쓰시오.

서술형

07 유전자 재조합 과정에서 사람의 DNA와 플라스미드를 동일한 제한 효소로 자르는 까닭을 서술하시오.

서술형

08 그림은 유전자 재조합 기술로 사람의 인슐린 유전자를 도입한 형질 전환 대장균을 만드는 과정을 나타낸 것이다.

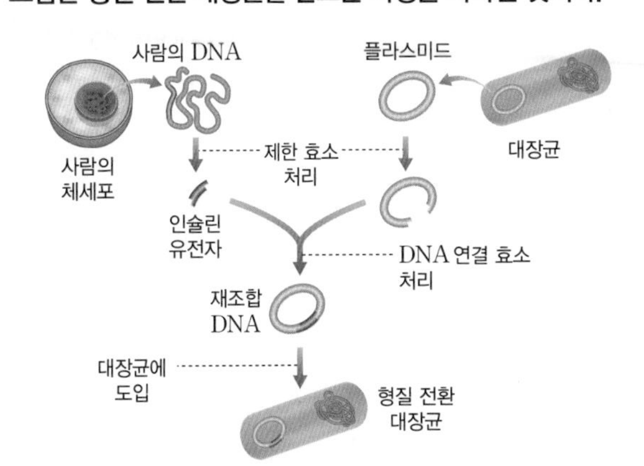

이 과정에서 플라스미드를 DNA 운반체로 사용하는 까닭을 2가지 서술하시오.

02 생명 공학 기술의 원리와 실제 사례

핵심 키워드로 흐름잡기

[A] 핵치환, 줄기세포, 세포 융합, 단일 클론 항체, 조직 배양, 유전자 치료

A 생명 공학 기술의 원리와 적용 사례

|출·제·단·서| 시험에는 생명 공학 기술의 원리를 파악하고 이를 어떻게 적용하는지를 구분하는 문제가 나와.

1. 핵치환 세포에서 핵을 제거하고, 이 세포에 다른 세포의 핵을 이식하는 기술 ➡ 멸종 위기 동물 또는 우수한 형질을 가진 동물을 복제하거나 복제 배아 줄기세포를 만드는 데 활용된다.

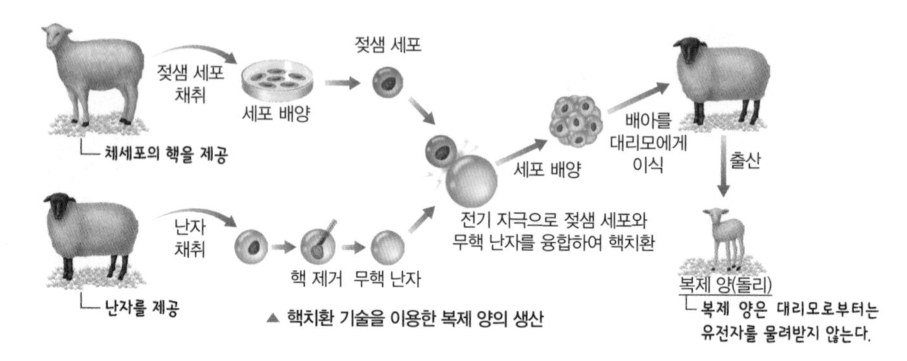

▲ 핵치환 기술을 이용한 복제 양의 생산

? 복제 동물의 DNA는 누구와 같을까?
복제 동물의 핵에 들어 있는 DNA는 체세포 핵을 제공한 개체의 DNA와 같지만, 복제 동물의 미토콘드리아에 들어 있는 DNA는 난자(세포질)를 제공한 개체의 미토콘드리아 DNA와 같다.

(1) **줄기세포** 몸을 구성하는 다양한 세포와 조직으로 •분화할 수 있는 미분화 세포

(2) **줄기세포의 종류**

종류	제작 방법	장점	단점
배아 줄기세포	발생 초기 배아나 체세포 복제 배아❶에서 분리하여 얻는다.	인체를 이루는 모든 종류의 세포로 분화할 수 있다.	• 발생 중인 배아를 희생시켜야 한다. • 난자를 채취해야 하고, 배아를 치료 수단으로 사용하므로 생명 윤리 문제가 발생한다.
성체 줄기세포	골수나 탯줄의 혈액에서 얻는다.	환자 자신의 세포를 사용하므로 생명 윤리 문제가 없고, 면역 거부 반응이 없다.	배아 줄기세포에 비해 증식이 어렵고, 분화될 수 있는 세포의 종류가 제한적이다.
유도 만능 줄기세포 (역분화 줄기세포라고도 한다.)	성체의 체세포를 역분화❷시켜 얻는다.	• 다양한 세포로 분화할 수 있다. • 환자 자신의 세포를 사용하므로 생명 윤리 문제가 없고, 면역 거부 반응이 없다.	체세포를 역분화시키는 과정에서 유전자 변이가 일어날 수 있다.

배아 줄기세포나 유도 만능 줄기세포의 경우, 분화 과정에서 종양이 발생할 가능성이 있어, 안정성을 높이는 연구가 진행 중이다.

❶ **체세포 복제 배아**
핵치환 기술로 환자의 체세포 핵을 무핵 난자에 이식하여 복제 배아를 만들고, 이 복제 배아에서 줄기세포를 얻을 수 있다. 핵을 제공한 환자와 유전적으로 동일하므로, 환자에게 이식하였을 때 면역 거부 반응이 없다.

❷ **역분화**
환자나 일반인의 체세포를 분리하고, 난자나 배아 줄기세포에 존재하는 역분화 유도 인자를 이 체세포에 도입하여 역분화시킴으로써 분화 이전의 줄기세포를 만드는 것이다.

(3) **줄기세포를 활용한 치료** 줄기세포는 여러 조직이나 기관으로 분화할 수 있으므로, 파킨슨병, 관절염과 같은 다양한 난치병의 치료에 활용된다.

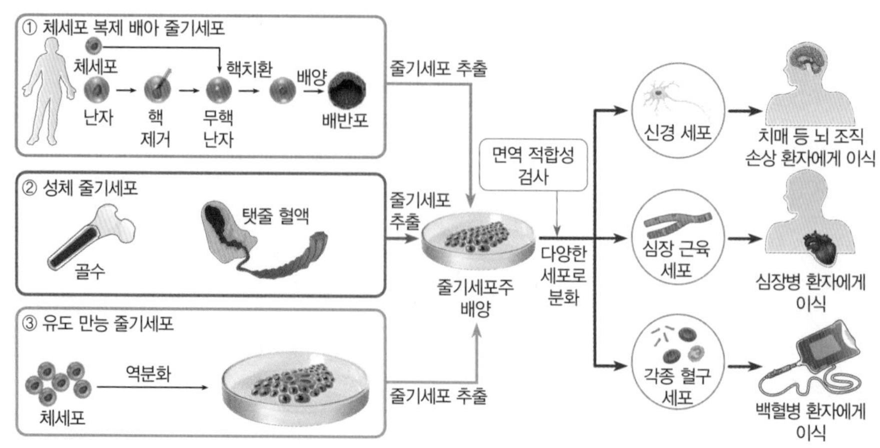

▲ 줄기세포의 종류와 활용

용어 알기

•분화(구별할 分, 모양이 바뀔 化) 세포가 분열 증식하여 성장하는 동안에 구조나 기능이 특수화하는 현상으로, 생물의 세포, 조직 등이 각각에게 주어진 일을 수행하기 위해 형태나 기능이 변해가는 것

2. 세포 융합 서로 다른 두 종류의 세포를 융합하여 두 세포가 원래 가지고 있는 특징을 모두 가진 잡종 세포를 만드는 기술 ➡ 포마토(토마토+감자)와 같은 잡종 식물, 질병의 진단과 치료에 사용되는 단일 •클론 항체(B 림프구+암세포) 등을 생산하는 데 활용된다.

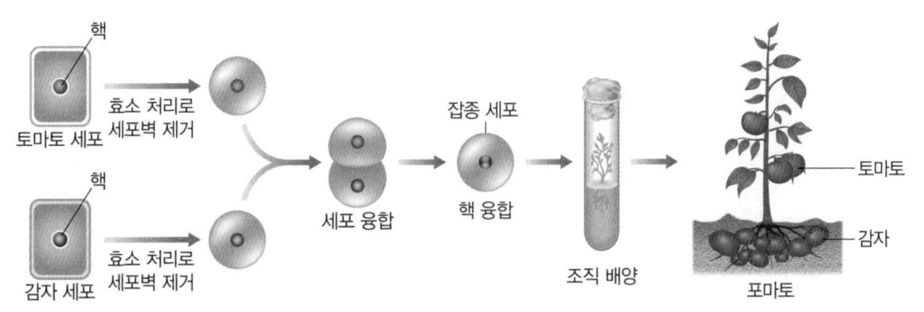

▲ 세포 융합 기술을 이용한 포마토(잡종 식물)의 생산

(1) 단일 클론 항체 한 종류의 잡종 세포의 세포군(클론)에서 만들어지는 한 종류의 항체로, 한 가지 항원 결정기❸에만 특이적으로 결합한다.

(2) 단일 클론 항체의 생산 과정 쥐에게 항원을 주입하여 항체를 생산하는 B 림프구를 얻는다. 한 종류의 B 림프구는 한 가지 항원 결정기에만 결합하는 한 종류의 항체를 생산한다. → B 림프구와 암세포를 세포 융합한다. → 각기 다른 항체를 생산하는 잡종 세포❹를 분리한 후 배양하여 단일 클론 항체를 얻는다.

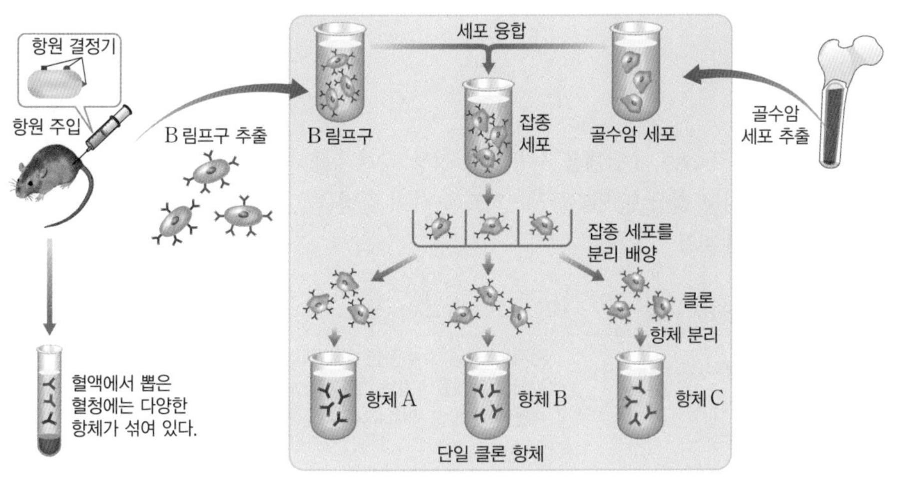

▲ 단일 클론 항체의 생산 과정

(3) 단일 클론 항체의 활용 단일 클론 항체는 특정 항원을 인식하는 특이성이 높아 암과 같은 난치병 치료❺, 에이즈와 같은 질병의 신속한 진단, 임신 진단 등에 활용된다.

- 임신 진단: 임신을 하였을 때 태반에서 분비되는 호르몬인 hCG❻와 결합하는 단일 클론 항체를 임신 진단 키트에 붙여 놓고, hCG와의 결합을 확인하여 임신 여부를 알 수 있다.

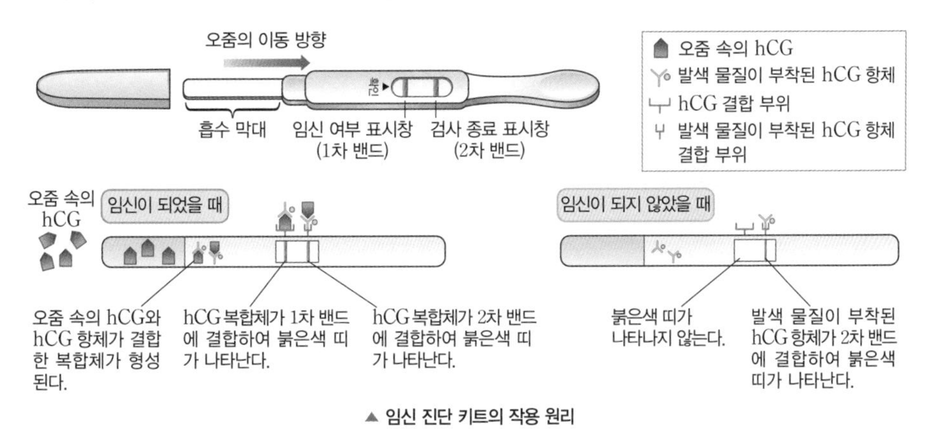

▲ 임신 진단 키트의 작용 원리

❸ 항원과 항원 결정기

항원에서 항체를 생산하게 하는 특정 부위를 항원 결정기라고 하는데, 일반적으로 항원은 여러 종류의 항원 결정기를 가진다. 따라서 하나의 항원이 체내로 들어오면 각각의 항원 결정기에 대응하는 여러 종류의 항체가 생성된다.

❹ B 림프구, 암세포, 잡종 세포의 특성

- B 림프구: 항체를 생산하며, 체외에서 분열하지 않고, 수명이 짧다.
- 암세포: 인공 배지에서 빠르게 분열하며, 수명이 반영구적이다.
- 잡종 세포: 항체를 생산하고, 인공 배지에서 빠르게 분열하며, 수명이 반영구적이다.

❺ 단일 클론 항체를 활용한 암 치료

특정 암세포에만 결합하는 단일 클론 항체를 만들고, 여기에 항암제를 부착시켜 표적 항암제를 만든 후 암 환자에게 투여한다.
이러한 표적 항암제를 사용하면 단일 클론 항체가 암세포의 항원 결정기와 특이적으로 결합하여 항암제가 암세포에 집중적으로 작용하므로, 정상 세포의 손상을 줄이고 치료 효과를 높일 수 있다.

❻ hCG(human Chorionic Gonadotropin, 융모성 생식선 자극 호르몬)

임신 직후 태반에서 분비되는 호르몬으로, 황체가 퇴화되지 않도록 하여 임신을 유지시킨다. hCG는 일부 오줌으로 배출되므로, 임신을 진단하는 데 이용된다.

용어 알기

•클론(clone) 세포 하나에서 유래되어 유전 정보가 같은 세포 집단

3. 조직 배양 생물의 세포나 조직 일부를 떼어 내어 영양분이 들어 있는 인공 •배지에서 배양하여 증식시키는 기술 ➡ 유전적으로 같은 세포를 대량으로 얻을 수 있다.

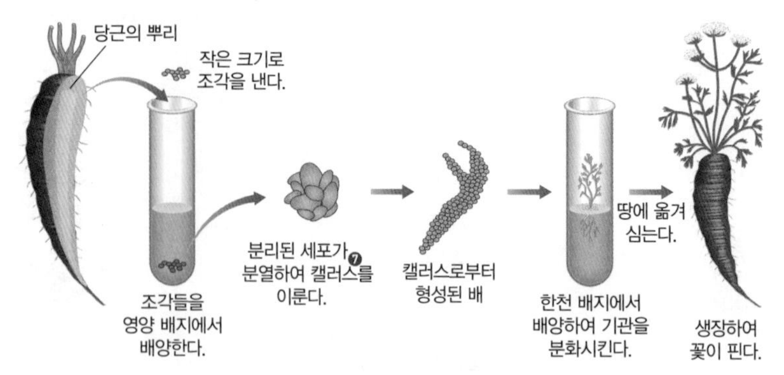

▲ 조직 배양 기술을 이용한 복제 당근의 생산

❼ 캘러스
식물의 분열 조직에서 얻은 분화되지 않은 상태의 세포 덩어리이다. 호르몬을 처리하고 적절한 조건에서 배양하면 캘러스는 완전한 식물체로 자란다.

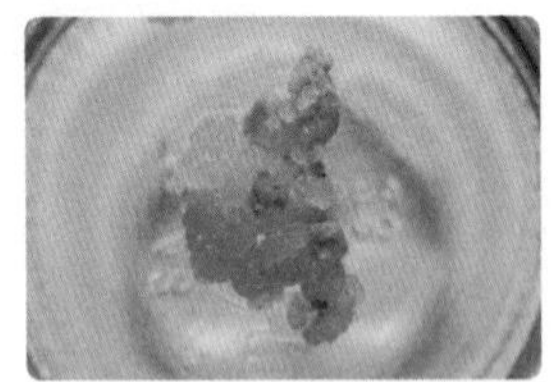

(1) 식물의 조직 배양 식물 세포나 조직을 조직 배양하면 완전한 식물체를 만들 수 있다. 따라서 형질이 우수한 식물을 대량 생산하거나 번식 능력이 약한 식물을 인공적으로 증식할 때 활용할 수 있다.

(2) 동물의 조직 배양 동물 세포는 분화에 한계가 있어 조직 배양만으로 완전한 개체를 만들 수 없다. 따라서 동물에서는 유전자 재조합 기술이나 핵치환 기술로 만들어진 세포나 조직을 배양할 때 활용된다.

4. 유전자 치료 DNA 운반체를 사용하여 정상 유전자를 사람의 몸에 넣어 결함이 있는 유전자를 대체하고 정상 단백질을 생산하도록 하여 질병을 치료하는 방법

(1) 유전자 치료의 종류

체내 유전자 치료	체외 유전자 치료	유전자 가위❽
DNA 운반체를 사용하여 치료에 필요한 유전자를 환자의 몸 안에 직접 넣어 치료한다.	환자의 몸에서 추출한 체세포에 정상 유전자를 도입하고, 이 체세포를 환자의 몸 안에 다시 넣어 치료한다.	DNA에서 이상이 있는 부위를 유전자 가위로 잘라 내고, 정상 부위로 교체하여 유전자를 교정한다.
치료 물질 생성 유전자 바이러스(DNA 운반체) 치료 물질 생성 유전자를 가진 바이러스(DNA 운반체)를 환자의 몸에 직접 투여한다.	치료 물질 생성 유전자 바이러스(DNA 운반체) 환자의 세포 채취 환자의 몸에서 채취한 골수 세포에 치료 물질 생성 유전자를 가진 바이러스(DNA 운반체)를 삽입한 후 이 세포를 환자의 몸에 투여한다.	질병을 유발하는 DNA 염기 서열 질병 유발 DNA 제거 유전자 가위를 사용하여 질병을 유발하는 DNA를 제거한다.

❽ 유전자 가위
유전자에 결합해 특정 DNA 부위를 자르는 데 사용되는 인공 효소이다. 유전자 가위를 사용하면 기존의 유전자 재조합 기술보다 간단하고 빠르게 유전자를 교정할 수 있다.

- DNA 운반체: 사람의 세포에는 플라스미드가 없으므로 DNA 운반체로 바이러스를 사용한다.
  DNA 운반체로 사용되는 바이러스는 독성이 없고 체세포를 감염시킬 수 있어야 하며, 자신의 DNA를 숙주 세포에 끼워 넣어 증식할 수 있어야 한다.

(2) 유전자 치료의 활용 암, 유전병과 같은 유전적 결함에 의한 난치병을 유전자 수준에서 치료하는 데 활용할 수 있다.

용어 알기
•배지(북돋울 培, 땅 地,) 미생물이나 조직, 식물 따위를 인공적인 조건 아래에서 발육, 증식시키기 위해 여러 가지 영양분을 조제한 액체나 고형 혼합물

콕콕! 개념 확인하기

정답과 해설 095쪽

✔ 잠깐 확인!

1. □□□
세포에서 핵을 제거하고, 이 세포에 다른 세포의 핵을 이식하는 기술

2. □□□□
다양한 세포와 조직으로 분화할 수 있는 능력을 가지고 있는 미분화 세포

3. □□ □□
서로 다른 두 종류의 세포를 융합하여 두 세포가 원래 가지고 있는 특징을 모두 가진 세포를 만드는 기술

4. □□ □□ □□
한 종류의 잡종 세포의 세포군(클론)에서 만들어지는 한 종류의 항체

5. □□ □□
생물의 세포나 조직 일부를 떼어 내어 영양분이 들어 있는 인공 배지에서 배양하여 증식시키는 기술

6. □□□ □□
DNA 운반체를 사용하여 정상 유전자를 사람의 몸에 넣어 결함이 있는 유전자를 대체하고 정상 단백질을 생산하도록 하여 질병을 치료하는 방법

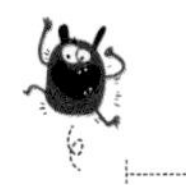

A 생명 공학 기술의 원리와 적용 사례

01 핵치환과 줄기세포에 대한 설명으로 옳은 것은 ○, 옳지 않은 것은 ×로 표시하시오.

(1) 핵치환은 늑대와 같은 동물을 복제하는 데 활용된다. ( )

(2) 배아 줄기세포는 발생 초기 배아에서 분리하여 얻을 수 있다. ( )

(3) 성체 줄기세포는 골수나 탯줄의 혈액에서 얻을 수 있다. ( )

(4) 핵치환으로 줄기세포를 만들 수는 없다. ( )

02 임신을 하였을 때 태반에서 분비되는 호르몬으로, 이 호르몬과 결합하는 단일 클론 항체를 임신 진단 키트에 붙여 놓고 호르몬과의 결합을 확인하여 임신 여부를 판별한다. 이 호르몬의 이름은 무엇인지 쓰시오.

03 다음은 서로 다른 줄기세포에 대한 설명이다. 각각 어떤 종류의 줄기세포인지 쓰시오.

(1) 체세포에 역분화를 일으키는 인자를 넣어서 얻을 수 있다.

(2) 생명 윤리 문제는 없지만, 분화될 수 있는 세포의 종류가 제한적이다.

(3) 배아를 치료 수단으로 사용하므로 생명 윤리 문제가 있지만, 인체를 이루는 모든 종류의 세포로 분화할 수 있다.

04 다음은 어떤 생명 공학 기술에 대한 설명이다.

> 생물의 세포나 조직 일부를 떼어 내어 영양분이 들어 있는 인공 배지에서 배양하여 증식시키는 기술이다. 이 기술은 형질이 우수한 식물의 대량 생산, 멸종 위기 식물의 보존, 유전자 재조합 기술이나 핵치환 기술로 만들어진 세포나 조직의 배양 등에 활용된다.

이 생명 공학 기술은 무엇인지 쓰시오.

05 다음은 유전자 치료 방법을 설명한 것이다. 각각 어떤 치료 방법인지 쓰시오.

(1) 치료 물질 생성 유전자를 바이러스에 주입한 후, 이 바이러스를 환자 몸 안에 주입하여 치료한다.

(2) 치료 물질 생성 유전자를 가진 바이러스를 환자에서 채취한 세포에 감염시킨 후, 그 세포를 환자의 몸에 주입하여 치료한다.

탄탄! 내신 다지기

A 생명 공학 기술의 원리와 적용 사례

01 생명 공학 기술 중 핵치환에 대한 설명으로로 옳지 않은 것은?

① 복제 양 돌리가 탄생하는 데 활용되었다.
② 멸종 위기 동식물을 보존하는 데 활용한다.
③ 체세포 복제 배아 줄기세포를 만드는 데 활용할 수 있다.
④ 핵을 제거한 세포에 다른 세포의 핵을 이식하는 기술이다.
⑤ 오줌으로 임신 여부를 진단하는 키트를 만드는 데 활용할 수 있다.

단답형

02 다음의 (가)와 (나)에 활용될 수 있는 생명 공학 기술을 각각 쓰시오.

> (가) 희귀 식물을 대량으로 생산하여 번식시킨다.
> (나) 땅 위에는 토마토가 열리고, 땅속에는 감자가 열리는 식물을 만든다.

03 그림은 체세포를 사용하여 개를 만드는 과정을 나타낸 것이다.

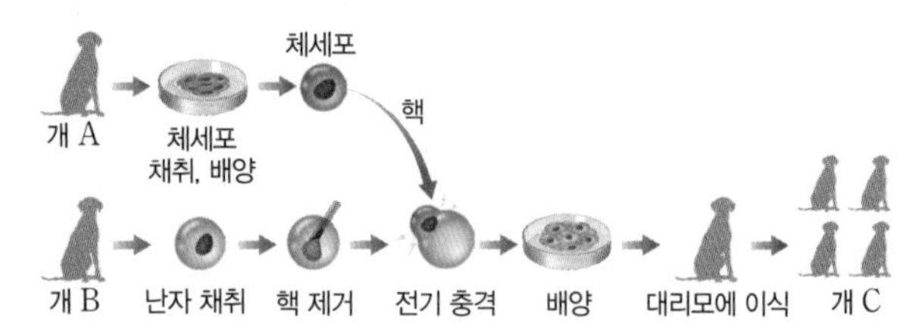

이에 대한 설명으로 옳은 것만을 〈보기〉에서 있는 대로 고른 것은?

> 보기
> ㄱ. A와 C의 핵에 들어 있는 DNA는 동일하다.
> ㄴ. C의 미토콘드리아 DNA는 B와 같다.
> ㄷ. 이 과정에서 세포 융합 기술이 활용되었다.

① ㄱ ② ㄷ ③ ㄱ, ㄴ
④ ㄴ, ㄷ ⑤ ㄱ, ㄴ, ㄷ

단답형

04 그림은 줄기세포를 만드는 과정을 나타낸 것이다.

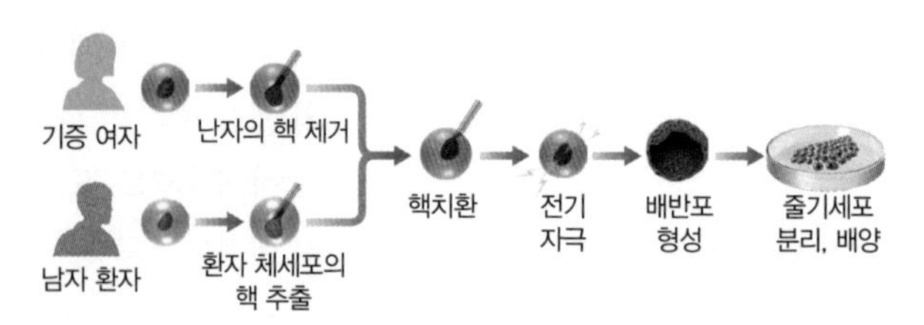

이와 같은 과정을 통해 만든 줄기세포는 어떤 종류의 줄기세포인지 쓰시오.

05 다음은 어떤 생명 공학 기술의 활용에 대한 설명이다.

> 치매나 파킨슨병 환자에게 (가)를 주사하여 신경 세포를 재생하는 연구가 활발하게 진행되고 있다.

(가)에 대한 설명으로 옳지 않은 것은?

① 손상된 신경의 치료에 사용된다.
② 체세포를 역분화시켜 얻을 수 있다.
③ 발생 초기 배아에서 분리하여 얻을 수 있다.
④ 몸을 구성하는 다양한 종류의 세포로 분화할 수 있다.
⑤ 골수나 탯줄의 혈액과 같이 분화된 세포에서는 얻을 수 없다.

06 그림은 줄기세포로부터 다양한 세포로 분화하는 과정을 나타낸 것이다.

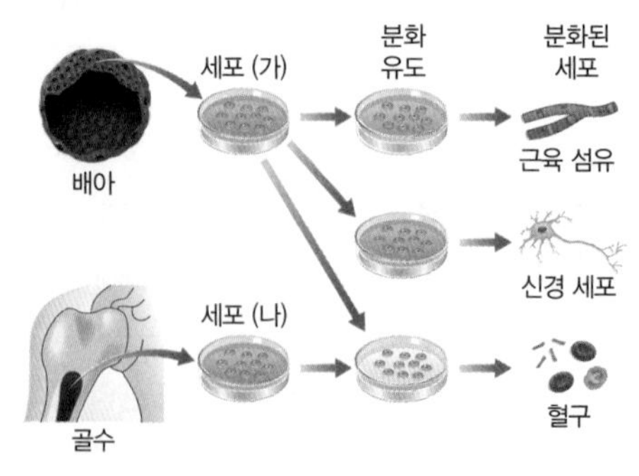

이에 대한 설명으로 옳은 것만을 〈보기〉에서 있는 대로 고른 것은?

> 보기
> ㄱ. (가)와 (나)는 미분화된 세포이다.
> ㄴ. (가)는 모든 종류의 세포로 분화될 수 있다.
> ㄷ. (나)를 사용하면 윤리적 논쟁을 피할 수 있다.

① ㄱ ② ㄷ ③ ㄱ, ㄴ
④ ㄴ, ㄷ ⑤ ㄱ, ㄴ, ㄷ

단답형

07 다음과 같은 특징을 갖는 줄기세포를 무엇이라고 하는지 쓰시오.

> 난자를 사용하지 않고 성체의 체세포를 역분화시켜 얻은 줄기세포이다. 환자 자신의 세포를 사용하므로 생명 윤리 문제로부터 자유롭고 면역 거부 반응이 일어날 염려가 없다.

08 그림은 생명 공학 기술을 이용하여 포마토를 만드는 과정을 나타낸 것이다.

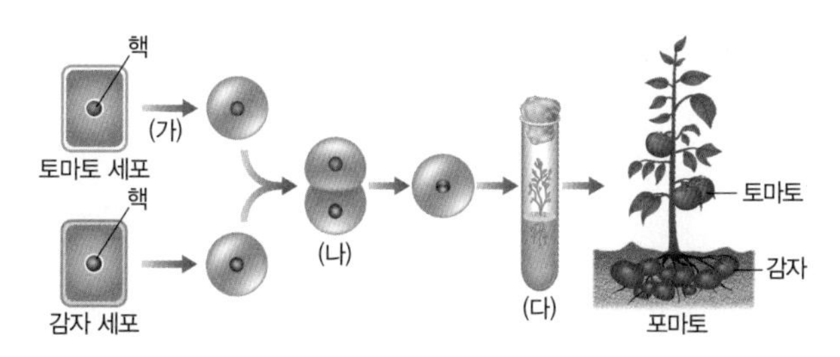

이에 대한 설명으로 옳은 것은?

① 동물 세포에서는 (가) 과정이 필요 없다.
② (나)에서 제한 효소가 필요하다.
③ (나)에서 핵 융합 후에 세포질 융합이 일어난다.
④ (다)에서 핵치환 기술이 이용된다.
⑤ 이 기술은 멸종 위기 동물 복제에 활용된다.

09 그림은 암 치료를 위한 단일 클론 항체를 생산하는 과정을 나타낸 것이다.

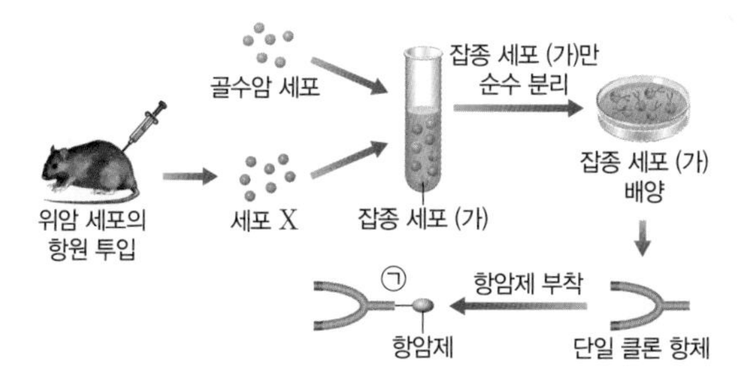

이에 대한 설명으로 옳은 것은?

① ㉠은 위암 치료에 사용된다.
② 골수암 세포는 항체 생산 능력이 있다.
③ 단일 클론 항체의 주성분은 탄수화물이다.
④ (가)는 유전자 재조합 기술로 얻은 것이다.
⑤ X와 (가)의 모든 유전자 염기 서열이 같다.

단답형

10 그림은 단일 클론 항체의 생산 과정을 나타낸 것이다.

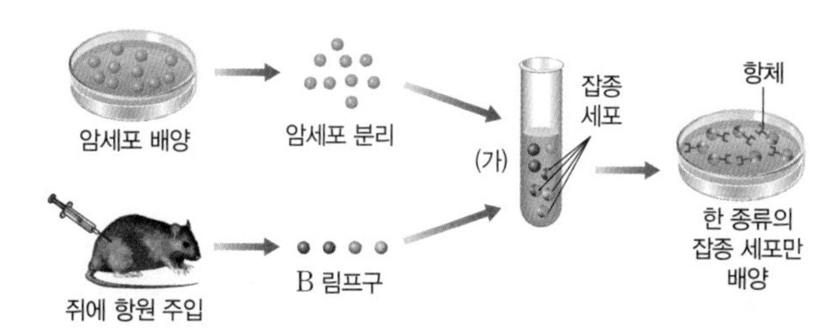

(가) 과정에 사용된 생명 공학 기술은 무엇인지 쓰시오.

단답형

11 다음은 골수 세포에 이상이 있는 환자를 치료하는 과정을 설명한 것이다.

> (가) 정상 유전자를 바이러스 DNA에 삽입하여 재조합 DNA를 가진 바이러스를 만든다.
> (나) 이 바이러스를 환자의 골수 세포에 감염시킨다.
> (다) 바이러스의 DNA가 환자의 골수 세포의 DNA에 삽입되어 정상적인 기능을 가진 골수가 된다.

이러한 질병 치료 방법을 무엇이라 하는지 쓰시오.

12 다음은 두 가지 유전자 치료 방법을 설명한 것이다.

> (가) 정상 유전자가 포함된 DNA 운반체를 환자에게 직접 투여한다.
> (나) 환자로부터 세포 X를 추출하여 여기에 정상 유전자를 도입한 후 이 세포를 환자에게 다시 투여한다.

이에 대한 설명으로 옳은 것만을 〈보기〉에서 있는 대로 고른 것은?

> 보기
> ㄱ. (가)는 체외 유전자 치료 방법이다.
> ㄴ. (나)에서 X는 비정상 세포이다.
> ㄷ. 두 방법에 모두 유전자 재조합 기술이 활용되었다.

① ㄱ ② ㄷ ③ ㄱ, ㄴ
④ ㄴ, ㄷ ⑤ ㄱ, ㄴ, ㄷ

도전! 실력 올리기

01 그림은 줄기세포 A와 B를 얻는 과정을 각각 나타낸 것이다.

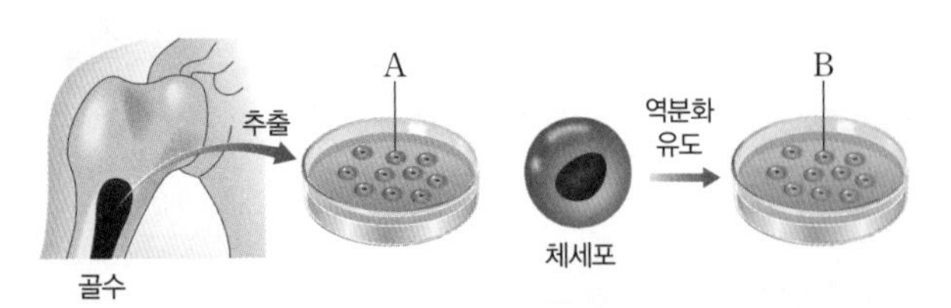

이에 대한 설명으로 옳은 것만을 〈보기〉에서 있는 대로 고른 것은?

보기
ㄱ. A는 모든 세포로 분화할 수 있다.
ㄴ. B는 면역 거부 반응이 없다.
ㄷ. A와 B를 만들 때 윤리적인 문제가 없다.

① ㄱ ② ㄴ ③ ㄱ, ㄷ
④ ㄴ, ㄷ ⑤ ㄱ, ㄴ, ㄷ

02 그림은 단일 클론 항체의 생산 과정을 나타낸 것이다.

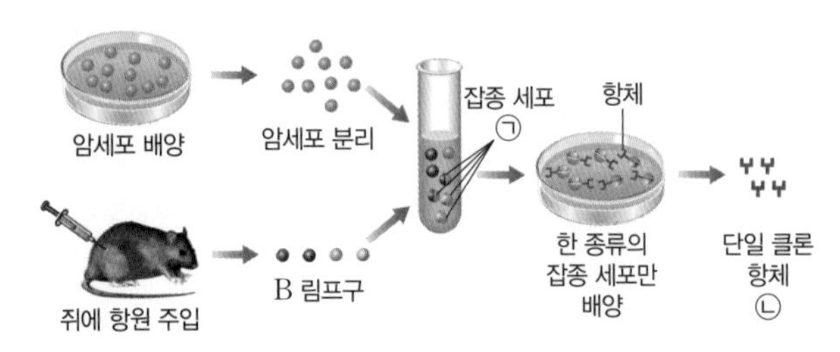

이에 대한 설명으로 옳은 것만을 〈보기〉에서 있는 대로 고른 것은?

보기
ㄱ. 세포 융합 기술이 활용되었다.
ㄴ. ㉠은 수명이 반영구적이다.
ㄷ. ㉡은 다양한 종류의 항원을 공격할 수 있다.

① ㄱ ② ㄷ ③ ㄱ, ㄴ
④ ㄴ, ㄷ ⑤ ㄱ, ㄴ, ㄷ

출제예감

03 그림은 임신한 여성의 오줌에 포함된 hCG를 검출하여 임신 여부를 진단하는 키트를 나타낸 것이다. (가)와 (나)는 각각 임신이 된 경우와 임신이 되지 않은 경우 중 하나이다.

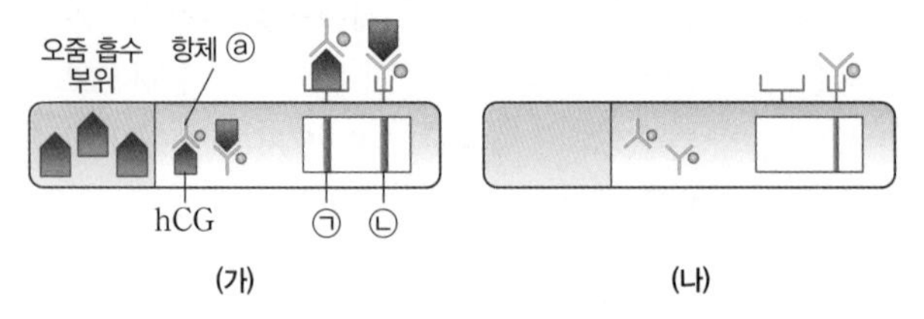

이에 대한 설명으로 옳은 것만을 〈보기〉에서 있는 대로 고른 것은?

보기
ㄱ. ⓐ는 hCG에 대한 단일 클론 항체이다.
ㄴ. (가)는 임신이 된 경우이다.
ㄷ. ㉡은 hCG가 ⓐ와 결합한 경우에만 나타난다.

① ㄱ ② ㄱ, ㄴ ③ ㄱ, ㄷ
④ ㄴ, ㄷ ⑤ ㄱ, ㄴ, ㄷ

04 그림은 당근의 뿌리에서 추출한 세포를 사용하는 어떤 생명 공학 기술을 나타낸 것이다.

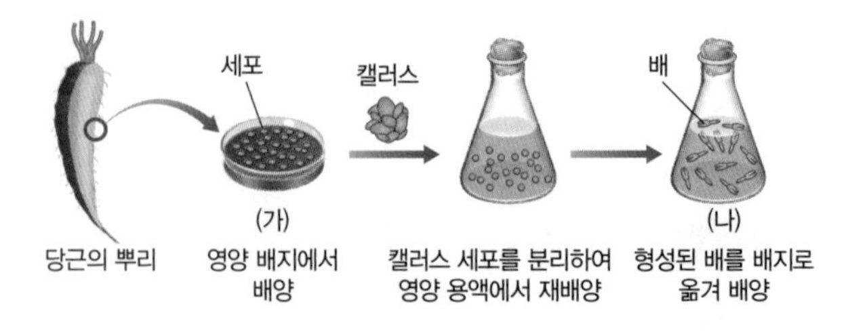

이에 대한 설명으로 옳은 것만을 〈보기〉에서 있는 대로 고른 것은?

보기
ㄱ. (가)의 세포는 분열 능력이 있는 세포이다.
ㄴ. (나)의 배는 완전한 식물체로 발생할 수 있다.
ㄷ. 세포 융합 기술이 사용되었다.

① ㄱ ② ㄷ ③ ㄱ, ㄴ
④ ㄴ, ㄷ ⑤ ㄱ, ㄴ, ㄷ

정답과 해설 096쪽

출제예감

05 그림은 어떤 유전병 환자를 치료하는 과정을 나타낸 것이다.

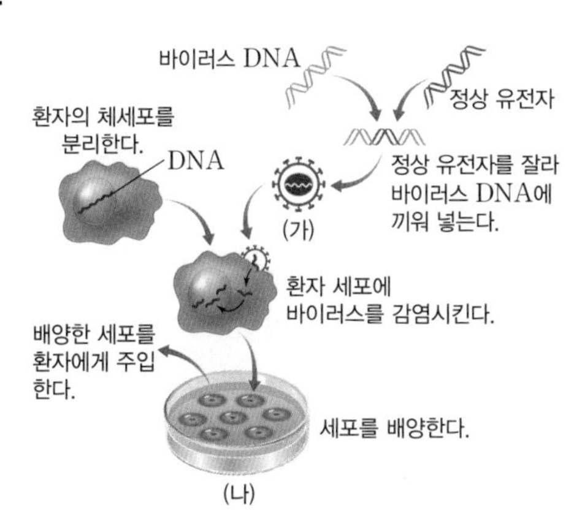

이에 대한 설명으로 옳은 것만을 〈보기〉에서 있는 대로 고른 것은?

보기
ㄱ. (가)는 유전자 재조합 기술로 만들었다.
ㄴ. (나)는 다른 환자에게 주입해도 거부 반응이 없다.
ㄷ. 체내 유전자 치료 방법을 나타낸 것이다.

① ㄱ ② ㄴ ③ ㄱ, ㄷ
④ ㄴ, ㄷ ⑤ ㄱ, ㄴ, ㄷ

06 그림은 유전병을 치료하는 방법을 나타낸 것이다.

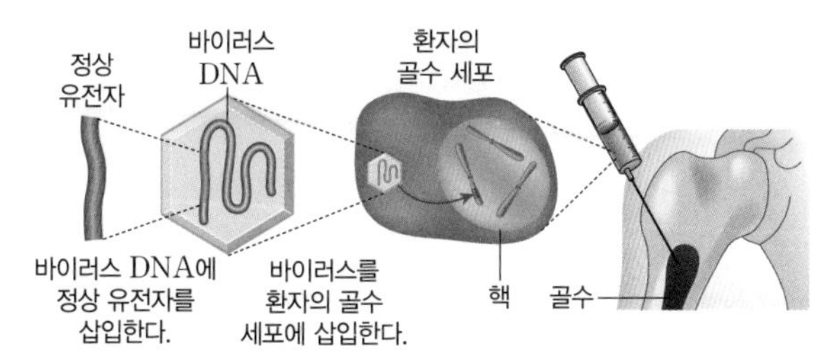

이에 대한 설명으로 옳은 것만을 〈보기〉에서 있는 대로 고른 것은?

보기
ㄱ. 바이러스는 정상 유전자를 운반한다.
ㄴ. 바이러스에 정상 유전자를 삽입할 때 제한 효소와 DNA 연결 효소가 사용된다.
ㄷ. 환자의 체내에서 정상 유전자가 발현되면 치료 효과가 나타난다.

① ㄱ ② ㄴ ③ ㄱ, ㄷ
④ ㄴ, ㄷ ⑤ ㄱ, ㄴ, ㄷ

서술형

07 그림은 줄기세포를 만드는 과정을 나타낸 것이다.

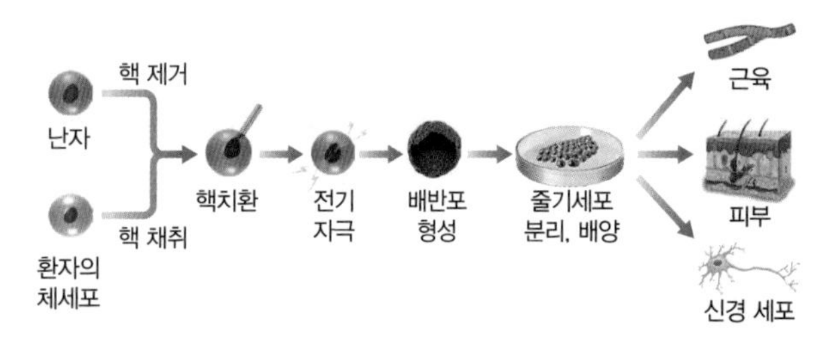

이렇게 얻은 줄기세포에서 분화된 조직이나 기관을 환자에게 이식하면 거부 반응이 일어나지 않는데, 그 까닭을 서술하시오.

서술형

08 그림은 단일 클론 항체를 만드는 과정을 나타낸 것이다.

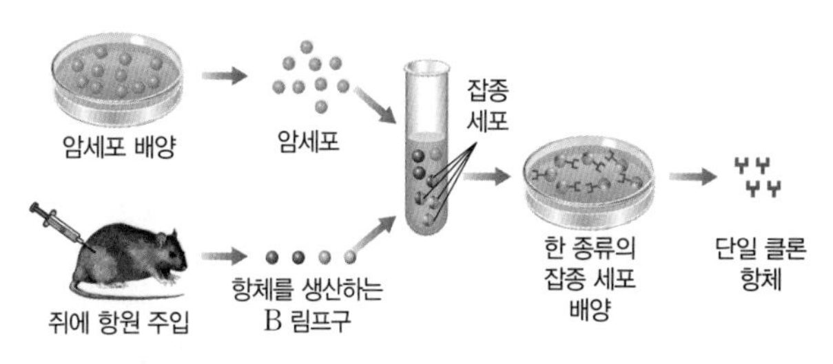

단일 클론 항체를 생산하는 과정에서 암세포와 B 림프구를 융합시키는 까닭은 무엇인지 각 세포의 특성을 포함하여 서술하시오.

03 생명 공학 기술의 발달과 문제점

핵심 키워드로 흐름잡기
- A 유전자 변형 생물체(LMO)
- B 생명 공학 기술의 전망, 생명 공학 기술의 문제점

A 유전자 변형 생물체(LMO)

|출·제·단·서| 시험에는 유전자 변형 생물체를 만드는 방법과 활용 사례, 장단점을 구분하는 문제가 나와.

1. 유전자 변형 생물체(LMO) 생명 공학 기술(주로 유전자 재조합 기술)을 활용하여 다른 생물의 유용한 유전자를 도입하여 발현되도록 조작한 생물(동물, 식물, 미생물) ➡ 기존의 번식 방법으로는 가질 수 없는 새로운 유전자의 도입으로 의료, 식량, 농업, 환경, 바이오 산업❶ 등에서 폭넓게 활용될 것으로 기대된다.

2. 유전자 변형 생물체(LMO)를 만드는 방법

유전자 변형 식물	유전자 변형 동물
유전자 재조합 기술로 만든 재조합 DNA를 세균에 도입한 후 식물 세포에 감염시키고 조직 배양하여 유전자 변형 식물을 얻는다. (유전자 총을 사용하여 식물 세포에 유전자를 직접 삽입하기도 한다.)	유용한 유전자를 난자나 수정란에 직접 주입하여 포배까지 발생시킨 후 대리모의 자궁에 착상시켜 유전자 변형 동물을 얻는다.

재조합 DNA를 세균에 도입
유용한 유전자
재조합 DNA
세균
세균을 식물 세포에 감염시킴
재조합 DNA가 도입된 식물 세포
조직 배양
조직 배양한 식물 세포
유전자 변형 식물

유용한 유전자
염소의 난자에 유용한 유전자 도입
난자
수정 후 대리모 자궁에 착상
대리모
출산
유용한 단백질이 포함된 젖 생산
유전자 변형 염소

3. 유전자 변형 생물체(LMO)의 장단점

구분	장점	단점
의료	사람에게 유용한 의약품(호르몬, 항체 등)을 대량으로 생산할 수 있다.	LMO가 특허 대상이 되면 이에 대한 권리를 소수 기업이 독점하게 되어 질병 치료에 많은 비용을 지불해야 한다.
식량	병충해에 강하고 수확량이 많은 품종을 얻을 수 있어 식량 문제를 해결할 수 있다.	LMO로 만든 식품의 인체에 대한 안전성이 충분히 검증되지 않아 독성이나 알레르기를 유발할 가능성이 있다.
농업	생산비를 절감하고 적은 노동력으로 수확량을 늘릴 수 있어 농가 소득이 향상된다.	• 단일 품종의 LMO 작물을 대규모로 재배할 경우 생물 다양성이 감소할 수 있다. • 해충을 죽이는 독소 유전자가 재조합된 작물에 의해 다른 곤충이 피해를 입을 수 있다.
환경	제초제, 살충제 등의 사용을 감소시켜 환경 오염을 개선할 수 있다.	LMO에 도입된 유전자가 다른 생물에게 전이되어 의도하지 않은 형질을 가진 생물이 출현할 경우 생태계가 교란될 수 있다.

4. 유전자 변형 생물체(LMO)의 활용 사례

(1) 의학적으로 유용한 물질을 대량으로 생산하는 생물 개발 사람의 인슐린이나 생장 호르몬을 생산하는 세균, 사람의 혈액 응고 단백질을 젖으로 분비하는 염소 등

(2) 생산성이 높고 품질이 향상된 식량 자원 개발 잘 무르지 않는 토마토, 제초제 저항성 콩, 병충해에 강한 옥수수, 비타민 A 강화 황금쌀, 생장 속도가 빠른 슈퍼 연어, •안토시아닌이 포함된 보라색 토마토 등

❓ LMO와 GMO는 어떻게 다른가?
- LMO(Living Modified Organisms): 살아 있는 유전자 변형 생물체로, 생식과 번식이 가능한 생물 그 자체를 말한다.
- GMO(Genetically Modified Organisms): LMO뿐만 아니라 LMO로 만든 식품, 가공물을 모두 포함한다. LMO는 GMO의 한 부분이다.

❶ 바이오 산업
바이오 기술을 바탕으로 생명체의 기능 및 정보를 활용하여 제품 및 서비스 등 다양한 고부가 가치를 생산하는 산업이다.

용어 알기
• 안토시아닌(anthocyanin) 꽃이나 과일 등에 주로 포함되어 있으며, 산성도에 따라 빨간색, 보라색, 파란색 등을 띠는 색소

(3) **폐기물의 오염을 줄이거나 오염 물질을 분해하는 생물 개발** 카드뮴이나 납 등의 중금속을 흡수하는 식물, 기름이나 독성 유기 화합물을 분해하는 세균 등

(4) **바이오 연료나 신재생 에너지를 생산하는 생물 개발** •바이오 연료 생산을 위한 바이오 에탄올용 고구마, 세포벽이 쉽게 분해되는 작물, 당을 에탄올로 바꾸는 데 필요한 효소를 대량 생산하는 미생물 등

B 생명 공학 기술의 전망과 문제점

|출·제·단·서| 시험에는 생명 공학 기술의 전망과 문제점을 구분하는 문제가 나와.

1. 생명 공학 기술의 전망

구분	전망
의학 분야	사람 유전체 사업을 완성한 뒤 많은 질병 유전자가 밝혀졌으며, 이를 이용하여 새로운 의약품 개발, 질병의 진단과 치료, 예방 등을 할 수 있는 생명 공학 기술이 개발되고 있다.
농업·축산업 분야	유전자 재조합 기술은 전통적인 •육종 방법보다 품종을 개량하는 데 걸리는 시간을 단축시켰다. 앞으로는 유전자 가위 기술로 유전자를 더 빠르고 정확하게 교정할 수 있을 것으로 기대하고 있다.
법의학 분야	범죄 현장이나 증거물에서 범인의 혈액, 조직을 얻을 수 있다면 PCR(중합 효소 연쇄 반응) 기술과 DNA 지문 검사❷로 범인을 검거하거나 무죄를 증명할 수 있다.
환경 분야	생물의 환경 정화 능력을 생명 공학 기술로 강화하여 환경 오염을 극복할 수 있다. 중금속을 흡수하는 유전자 변형 식물, 여러 물질을 함께 분해할 수 있는 유전자 변형 생물 등이 있다.
산업 분야	미생물, 동식물과 같은 생물, 음식물 쓰레기와 같은 유기 폐기물을 이용한 바이오 연료의 생산에 대한 연구가 이루어지고 있다.

2. 생명 공학 기술의 문제점

구분	문제점
생명 윤리❸ 문제	• 장기 이식용 복제 동물의 생산, 배아 줄기세포 생산을 위한 배아와 난자의 사용은 생명의 존엄성을 훼손할 수 있고 인간 복제의 가능성을 높인다. • 유전자 가위를 활용하여 맞춤형 아기를 탄생시킬 수 있으므로 생명 윤리 문제를 불러일으킨다.
사회적 문제	• LMO에 대한 특허가 소수 기업에 집중되면 질병 치료, 식량 구입 비용이 높아져 빈부 갈등이 심화될 수 있다. • 생명 공학 기술의 무분별한 활용은 생명을 목적이 아닌 수단으로 여기게 되어 생명 경시 풍조가 만연해질 수 있다.
생태학적 문제	• LMO로 만든 식품의 안전성이 충분히 검증되지 않아 인류의 건강을 위협할 수 있다. • LMO에 도입된 유전자의 전이로 유전자가 변형된 새로운 생물이 나타나 생태계가 교란될 수 있다. • 단일 품종의 LMO 작물을 대규모로 재배하면 생물 다양성이 감소하여 생태계 평형이 파괴될 가능성이 있다.
법적 문제	특정 유전자나 LMO가 특허 대상이 되어 이를 소수 기업이 독점하게 될 경우 유전자 사용에 대한 법적 분쟁이 생길 수 있다.

3. 생명 공학 기술의 과제

(1) 생명 공학의 연구 범위와 생명 윤리를 규정하는 법적·제도적 장치들을 통해 생명 공학 기술을 올바르게 활용하도록 지속적으로 규제하고 관리해야 한다.

(2) 올바른 생명 윤리를 바탕으로 공동체 구성원의 생명 공학 기술에 대한 인식을 높이고, 생명 공학 기술의 활용 범위를 사회적으로 합의하는 것이 필요하다.

❷ DNA 지문 검사
사람의 DNA에는 염기 서열이 여러 번 반복되는 부위가 있는데, 이 반복 서열의 길이는 사람마다 다르다. 이 서열 부위를 PCR로 증폭한 후 제한 효소로 잘라 전기 영동으로 분리하면 사람마다 띠의 위치가 다르게 나타나므로 개인을 식별할 때 지문처럼 사용한다.

❸ 생명 윤리
생명 과학에서는 생명체를 대상으로 행해지는 실험이 많다. 이러한 과정에서 이용되는 실험 동물에 관한 윤리적인 문제뿐만 아니라 생명 공학과 의학의 발달에 따라 다양한 윤리적 문제가 발생하고 있다. 이처럼 생명과 관련된 일련의 윤리적 문제를 생명 윤리라고 한다.

? 생명 공학의 연구 범위와 생명 윤리를 규정하는 법적·제도적 장치에는 무엇이 있을까?
• 생명 윤리법(생명 윤리 및 안전에 관한 법률): 인간, 배아, 유전자 등을 연구할 때 인간의 존엄과 가치를 침해하거나 인체에 해를 끼치는 것을 방지함으로써 생명 윤리 및 안전을 확보하고, 국민의 건강과 삶의 질 향상을 목적으로 한다.
• 바이오 안전성 의정서: 유전자 변형 생물체(LMO)의 국가 간 이동을 규제하는 국제 협약이다.

용어 알기
•**바이오 연료(bio-탈, 燃 헤아릴 料)** 동식물이나 미생물이 생산한 유기물로부터 얻은 연료
•**육종(기를 育, 씨 種)** 생물이 가진 유전적 성질을 이용하여 새로운 품종을 만들어 내거나 기존 품종을 개량하는 일

콕콕! 개념 확인하기

정답과 해설 097쪽

✔ 잠깐 확인!

1. ☐☐☐ ☐☐
바이오 기술을 바탕으로 생명체의 기능 및 정보를 활용하여 제품 및 서비스 등 다양한 고부가 가치를 생산하는 산업

2. 유전자 변형 식물을 만들 때 유전자 재조합 기술로 만든 재조합 DNA를 세균에 도입한 후 식물 세포에 감염시키고 ☐☐ ☐☐하여 유전자 변형 식물을 얻는다.

3. 생명과 관련된 일련의 윤리적 문제를 ☐☐ ☐☐라고 한다.

4. 단일 품종의 LMO 작물을 대규모로 재배하면 생물 다양성이 감소하여 ☐☐☐ ☐☐이 파괴될 가능성이 있다.

A 유전자 변형 생물체(LMO)

01 생명 공학 기술을 활용하여 다른 생물의 유용한 유전자를 도입하여 발현되도록 조작한 생물을 무엇이라고 하는지 쓰시오.

02 유전자 변형 생물체(LMO)와 관련된 설명으로 옳은 것은 ○, 옳지 않은 것은 ×로 표시하시오.

(1) LMO는 외부의 유전자가 삽입되어 형질 전환된 생물을 말한다. ( )

(2) LMO는 식량 생산량을 증대하기 위한 방법 중 하나이다. ( )

(3) 우리나라에서는 생명체를 대상으로 하는 실험을 제한하기 위해 생명 윤리 및 안전에 관한 법률을 제정하였다. ( )

03 다음은 유전자 변형 생물체(LMO)의 양면성을 나타낸 것이다.

> (가) 긍정적인 면: 사람에게 유용한 의약품을 대량으로 생산할 수 있고, 병충해에 강하고 수확량이 많은 품종을 얻을 수 있어 (㉠) 문제를 해결할 수 있다.
> (나) 부정적인 면: LMO 식품의 인체에 대한 안전성이 충분히 검증되지 않았고, LMO에 도입된 유전자가 다른 생물에게 전달될 가능성이 있다. 또, 단일 품종 LMO 작물의 대규모 재배로 인해 (㉡)이 감소될 수 있다.

㉠, ㉡에 들어갈 알맞은 말을 쓰시오.

B 생명 공학 기술의 전망과 문제점

04 다음은 생명 공학 기술 분야와 각 분야의 전망에 대한 내용이다. 해당되는 분야와 내용을 옳게 연결하시오.

(1) 의학 분야 •		• ㉠ 바이오 연료 생산
(2) 농업·축산업 분야 •		• ㉡ 범인 확인, 사망자 신원 확인
(3) 법의학 분야 •		• ㉢ 환경 정화 능력을 가진 미생물 개발
(4) 환경 분야 •		• ㉣ 유전자 치료, 줄기세포, 단일 클론 항체
(5) 산업 분야 •		• ㉤ 다른 종의 유전자나 형질을 가지는 동식물을 얻음

05 생명 공학 기술의 전망과 문제점에 대한 설명으로 옳은 것은 ○, 옳지 않은 것은 ×로 표시하시오.

(1) 식량 증산을 통한 기아 문제 해결 등에 활용될 수 있다. ( )

(2) 동물 복제가 인간 복제로 이어지면 생명 경시 현상이 나타날 수 있다. ( )

(3) 특정 유전자나 LMO가 특허 대상이 되어 이를 소수 기업이 독점하게 될 경우 유전자 사용에 대한 법적 분쟁이 생길 수 있다. ( )

탄탄! 내신 다지기

정답과 해설 097쪽

A 유전자 변형 생물체(LMO)

01 유전자 변형 생물체(LMO)의 활용에 대한 설명으로 옳지 않은 것은?

① LMO를 재배해도 생태계는 아무런 영향을 받지 않는다.
② 해충 저항성 옥수수를 재배하여 옥수수의 생산성을 높인다.
③ LMO는 병충해에 강하고 높은 생산량을 가지므로 식량 문제를 해결해 줄 수 있다.
④ LMO는 유용한 의약품이나 호르몬, 항체 등을 생산하여 질병 치료에 도움을 준다.
⑤ 토마토를 무르게 하는 유전자 발현을 억제하는 유전자를 삽입하여 잘 무르지 않는 토마토를 만든다.

02 유전자 변형 생물체(LMO)에 해당하지 않는 것은?

① 제초제에 저항성이 있는 옥수수
② 프로비타민 A를 생산하는 황금쌀
③ 항산화 물질이 많이 포함된 보라색 토마토
④ 생장 속도가 빠르고 크게 자라는 슈퍼 연어
⑤ 유전적으로 우수한 개체를 씨가축으로 사용

단답형

03 다음에서 구분하여 설명하고 있는 (가), (나)는 각각 무엇인지 쓰시오.

> (가) 생명 공학 기술을 활용하여 다른 생물의 유용한 유전자를 도입·발현되도록 조작한 생물로, 번식이 가능하다.
> (나) 생명 공학 기술을 활용하여 다른 생물의 유용한 유전자를 도입하고 발현되도록 조작한 생물뿐만 아니라 이 생물로부터 얻은 식품과 가공물을 모두 포함한 것이다.

04 유전자 변형 생물체(LMO) 중 의학적으로 유용한 물질의 대량 생산을 위해 개발된 생물은?

① 제초제 저항성 콩
② 기름을 분해하는 세균
③ 중금속을 흡수하는 식물
④ 바이오 에탄올용 고구마
⑤ 생장 호르몬을 생산하는 세균

단답형

05 다음은 유전자 변형 생물체(LMO)의 하나인 슈퍼 마우스와 관련된 설명이다.

> 1982년에 최초로 사람의 생장 호르몬 유전자를 플라스미드를 이용하여 생쥐의 수정란에 주입하고, 이 수정란을 발생시켜 탄생한 슈퍼 마우스를 시작으로 형질 전환 동물의 생산이 증가하고 있다.

슈퍼 마우스에게 생장 호르몬 유전자를 주입하는 데 활용된 생명 공학 기술은 무엇인지 쓰시오.

06 그림은 유전자 변형 식물을 만드는 과정을 나타낸 것이다.

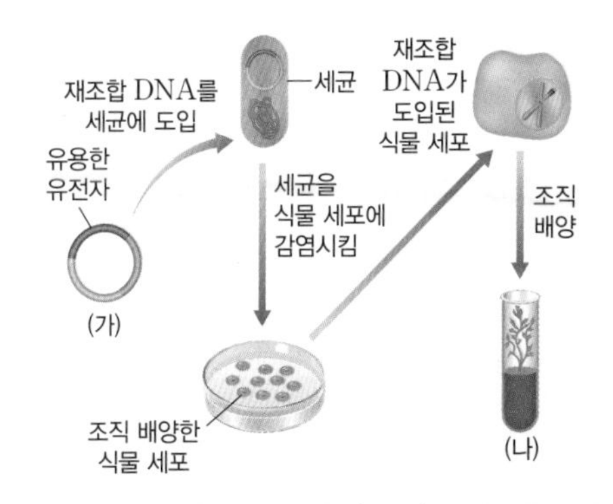

이에 대한 설명으로 옳은 것만을 <보기>에서 있는 대로 고른 것은?

> 보기
> ㄱ. (가)는 유전자 재조합 기술로 만들어진 것이다.
> ㄴ. (나)의 식물은 유용한 유전자를 가지고 있다.
> ㄷ. 이 과정에는 세포 융합 기술이 활용되었다.

① ㄱ ② ㄴ ③ ㄷ
④ ㄱ, ㄴ ⑤ ㄴ, ㄷ

07 그림은 유전자 변형 동물을 만드는 과정을 나타낸 것이다.

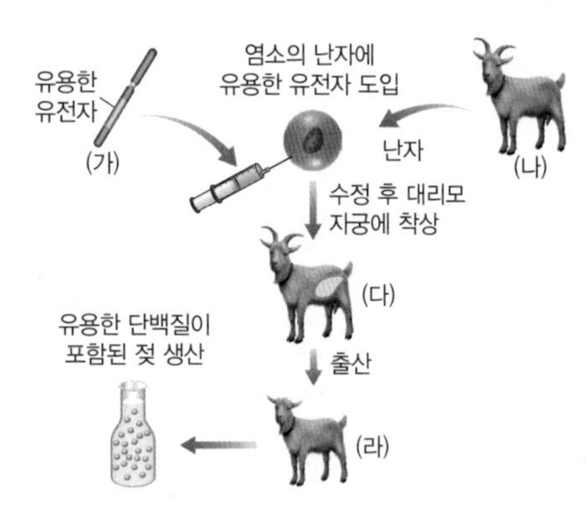

이에 대한 설명으로 옳은 것만을 〈보기〉에서 있는 대로 고른 것은?

> 보기
> ㄱ. (가)를 만드는 데 세포 융합 기술이 활용된다.
> ㄴ. (나)의 미토콘드리아 DNA는 (라)에게 전달된다.
> ㄷ. (다)의 체세포 핵에 있는 유전자는 (라)에게 전달된다.

① ㄱ ② ㄴ ③ ㄱ, ㄷ
④ ㄴ, ㄷ ⑤ ㄱ, ㄴ, ㄷ

08 유전자 변형 생물체(LMO)의 장점으로 옳지 않은 것은?

① 식량 문제를 해결할 수 있다.
② 환경 오염을 개선할 수 있다.
③ 의약품을 대량 생산할 수 있다.
④ 농가 소득을 향상시킬 수 있다.
⑤ 특허로 인해 질병 치료 비용이 증가한다.

B 생명 공학 기술의 전망과 문제점

단답형

09 생명 공학 기술을 적용하는 분야 중에서 PCR(중합 효소 연쇄 반응) 기술과 DNA 지문 검사 등을 활용하여 범인을 검거하거나 신분을 확인할 수 있는 것은 어느 분야인지 쓰시오.

10 생명 공학 기술의 긍정적인 전망으로 옳지 않은 것은?

① 우수한 형질을 가진 동물을 대량 생산할 수 있다.
② 사람의 생장 호르몬, 인슐린 등을 대량으로 생산할 수 있다.
③ 유전체 편집을 이용한 유전자 교정이 가능하여 난치병 치료의 길이 열렸다.
④ PCR 기술과 DNA 지문 검사로 범인을 검거할 때 활용할 수 있다.
⑤ 바이오 연료용 작물을 과다하게 재배하면 생태계가 파괴될 수 있다.

11 생명 공학 기술의 긍정적인 전망에 해당하는 것만을 〈보기〉에서 있는 대로 고른 것은?

> 보기
> ㄱ. 유전자 가위 기술로 유전자를 더 빠르고 정확하게 교정할 수 있다.
> ㄴ. 환경 정화 생물로 환경 오염 극복이 가능하다.
> ㄷ. 단일 품종 LMO 작물의 대규모 재배는 생물 다양성을 감소시킨다.

① ㄱ ② ㄱ, ㄴ ③ ㄱ, ㄷ
④ ㄴ, ㄷ ⑤ ㄱ, ㄴ, ㄷ

단답형

12 다음은 생명 과학의 발달과 관련된 문제를 설명한 것이다.

> 생명 과학에서는 생명체를 대상으로 행해지는 실험이 많다. 이때 의약품 개발과 사람에게 유용한 산물의 생산을 위해 실험 동물을 이용하고 있다. 이 과정에서 실험 동물 이용에 관한 윤리적인 문제에 직면하게 된다. 또한, 생명 공학과 의학의 발달에 따라 다양한 윤리적인 문제가 발생하고 있다.

이와 같이 생명과 관련된 일련의 윤리적인 문제를 무엇이라고 하는지 쓰시오.

도전! 실력 올리기

정답과 해설 099쪽

출제예감

01 그림은 생명 공학 기술을 활용하여 건조한 기후에 잘 견디는 밀을 만드는 과정을 나타낸 것이다.

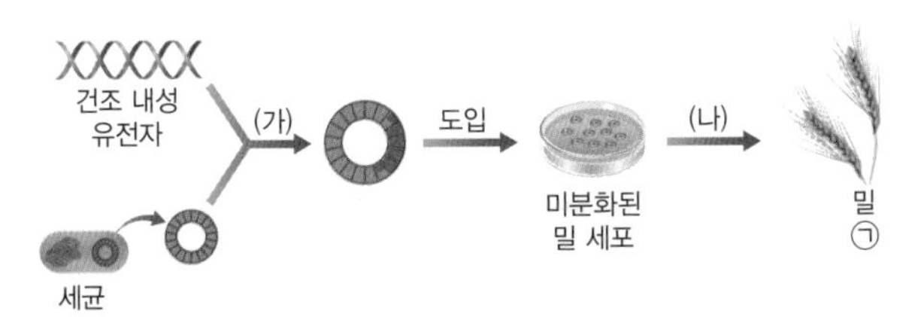

이에 대한 설명으로 옳은 것만을 〈보기〉에서 있는 대로 고른 것은?

보기
ㄱ. (가) 과정에 제한 효소가 사용되었다.
ㄴ. (나) 과정에 세포 융합 기술이 활용되었다.
ㄷ. ㉠은 건조한 지역에서 잘 자란다.

① ㄱ ② ㄴ ③ ㄷ
④ ㄱ, ㄷ ⑤ ㄴ, ㄷ

02 그림은 범죄 현장에서 얻은 범인의 DNA 일부와 용의자 A~C에서 얻은 DNA 일부를 증폭한 뒤 전기 영동한 결과를 나타낸 것이다.

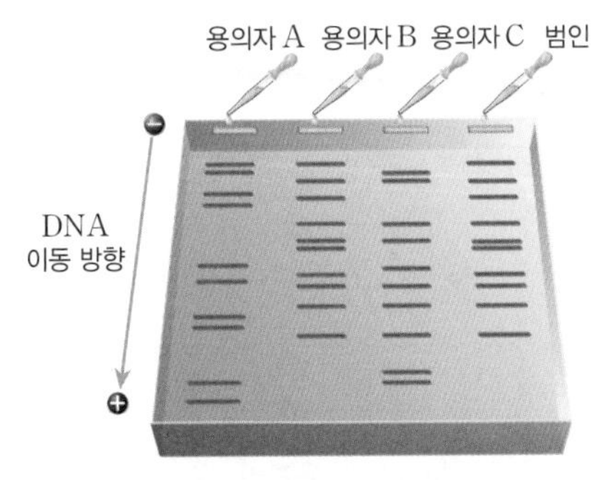

이에 대한 설명으로 옳은 것만을 〈보기〉에서 있는 대로 고른 것은?

보기
ㄱ. 범인은 용의자 B이다.
ㄴ. DNA의 증폭에는 PCR 기술을 활용한다.
ㄷ. 생명 공학 기술이 법의학 분야에 적용된 것이다.

① ㄱ ② ㄴ ③ ㄱ, ㄷ
④ ㄴ, ㄷ ⑤ ㄱ, ㄴ, ㄷ

03 다음은 생명 공학 기술을 활용하여 만든 생물들이다.

- 생장 속도가 빠르고 크게 자라는 슈퍼 연어
- 프로비타민 A를 생산하는 황금쌀
- 제초제에 저항성이 있는 옥수수

이 생물들을 무엇이라고 하는지 쓰시오.

서술형

04 그림은 제초제 저항성 식물을 만드는 과정을 나타낸 것이다.

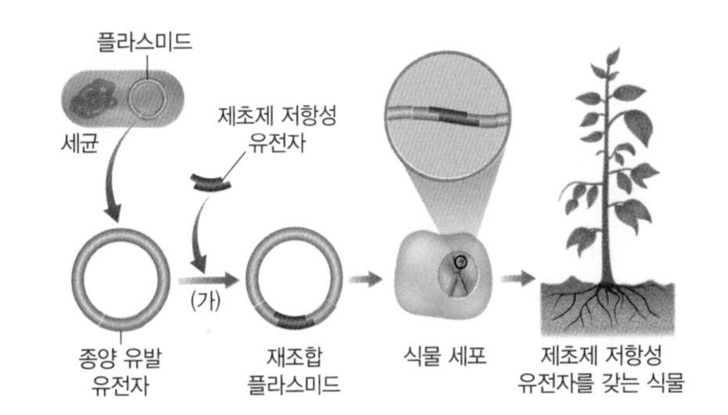

(1) (가)에 활용된 생명 공학 기술을 쓰시오.

(2) 이런 식물의 문제점을 1가지만 서술하시오.

서술형

05 사람에게 사용하는 의약품들은 대게 동물 실험을 거쳐 안전성이 확인된 후 사람에게 적용한다. 의약품에 대한 동물 실험은 세균이나 초파리와 같은 생물이 아니라 쥐나 토끼와 같은 동물로 실험을 하는데, 그 까닭을 서술하시오.

수능을 알기 쉽게 풀어주는 수능 POOL

유전자 재조합 기술

대표 유형

출제 의도

유전자 재조합 과정에서 도입된 유전자가 포함된 숙주 세포를 구분할 수 있는지를 묻는 문제이다.

이것이 함정

P_3에는 A와 B를 함께 처리하기 때문에 P_1, P_2에 작용한 부위에 동시에 작용한다는 것을 알아야 한다.

다음은 유전자 재조합 기술에 대한 자료이다.

- 그림은 플라스미드 P를 나타낸 것이다. 제한 효소 A와 B는 ㉠~㉢ 중 서로 다른 한 부위를 절단한다.

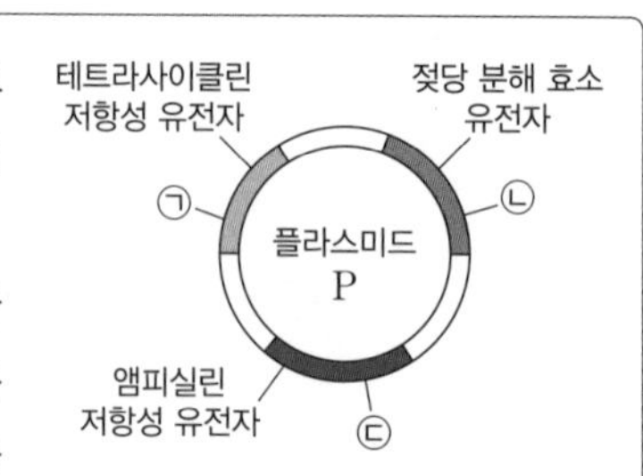

- P에 A를 처리하여 유전자 x가 삽입된 재조합 플라스미드 P_1을, B를 처리하여 유전자 y가 삽입된 재조합 플라스미드 P_2를, A와 B를 함께 처리하여 유전자 x와 y가 모두 삽입된 재조합 플라스미드 P_3을 만든다.
- P_1~P_3을 각각 숙주 대장균에 도입하여 대장균 Ⅰ~Ⅲ을 만든다. Ⅰ은 P_1을, Ⅱ는 P_2를, Ⅲ은 P_3을 가진다.
- 표는 Ⅰ~Ⅲ을 각각 서로 다른 배지에서 배양한 결과이다. 젖당 분해 효소 유전자의 산물은 물질 G를 분해하여 대장균 군체를 흰색에서 푸른색으로 변화시킨다.

배지 \ 대장균	Ⅰ (㉢이 잘린 P_1을 가짐)	Ⅱ (㉡이 잘린 P_2를 가짐)	Ⅲ (㉡, ㉢이 잘린 P_3을 가짐)
테트라사이클린과 G를 포함한 배지	푸른색 군체 형성 → ㉠, ㉡이 정상이므로	흰색 군체 형성 → ㉠은 정상이고 ㉡이 잘림	ⓐ
앰피실린과 G를 포함한 배지	㉢이 잘림 ? → ㉢이 잘렸으므로 생존 못 함	? → ㉡이 잘렸으므로 흰색 군체 형성	생존 못 함 → ㉢이 잘렸기 때문

이에 대한 설명으로 옳은 것만을 〈보기〉에서 있는 대로 고른 것은? (단, 돌연변이는 고려하지 않는다.)

Ⅰ은 ㉢이 잘린 P_1, Ⅱ는 ㉡이 잘린 P_2를 가지므로 Ⅲ은 ㉡, ㉢이 모두 잘린 P_3을 가진다. → 흰색 군체 형성

보기

ㄱ. A의 절단 위치는 ㉢이다. → 대장균 Ⅰ은 플라스미드 P_1을 가지는데, P_1은 A가 ㉢ 부위를 잘라서 유전자 x가 삽입된 것이다.

ㄴ. ⓐ는 '~~푸른색 군체 형성~~'이다. (흰색 군체 형성)

ㄷ. Ⅱ는 테트라사이클린과 앰피실린 모두에 대해 저항성을 가진다. → Ⅱ는 ㉡이 잘렸지만 ㉠, ㉢이 정상인 P_2를 가진다.

① ㄱ ② ㄷ ③ ㄱ, ㄴ ④ ㄱ, ㄷ ⑤ ㄴ, ㄷ

재조합 유전자 도입 여부 확인 과정을 이해하기

저항성 유전자와 젖당 분해 유전자가 어떤 역할을 하는지 확인한다. ⋙ 각 유전자의 역할과 실험 결과를 비교하여 Ⅰ~Ⅲ에서 어느 유전자가 작용하지 않는지 확인한다. ⋙ 작용하지 않는 유전자를 근거로 ㉠~㉢ 중 어느 부위가 절단되었는지 확인한다. ⋙ Ⅰ~Ⅲ의 실험 결과에 나타나지 않은 결과를 확인한다.

추가 선택지

- B의 절단 위치는 ㉡이다. (○)
  ⋯→ P_2를 도입한 Ⅱ는 흰색 군체를 형성하였으므로 ㉡이 절단되었다.
- Ⅲ은 테트라사이클린과 G를 포함한 배지에서 생존하지 못한다. (×)
  ⋯→ Ⅲ은 ㉡과 ㉢ 부위가 절단되었으므로 테트라사이클린과 G를 포함한 배지에서 생존한다.

실전! 수능 도전하기

정답과 해설 099쪽

01 그림은 유전자 재조합 기술을 활용하여 사람의 인슐린을 생산하는 과정을 나타낸 것이다.

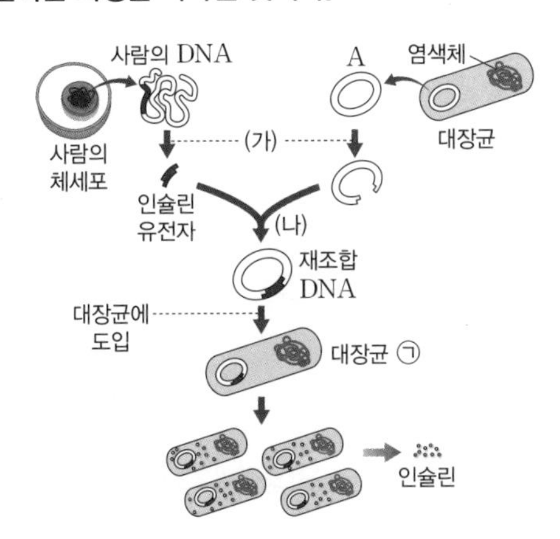

이에 대한 설명으로 옳은 것만을 <보기>에서 있는 대로 고른 것은?

보기
ㄱ. A는 플라스미드이다.
ㄴ. (가)와 (나)에는 동일한 효소가 사용된다.
ㄷ. ㉠은 사람의 인슐린 유전자를 가진다.

① ㄱ ② ㄴ ③ ㄱ, ㄷ
④ ㄴ, ㄷ ⑤ ㄱ, ㄴ, ㄷ

02 그림은 재조합 DNA를 만드는 과정을 나타낸 것이다. (가) 과정에는 효소 X, (나) 과정에는 효소 Y가 사용되었고, X와 Y는 각각 제한 효소와 DNA 연결 효소 중 하나이다.

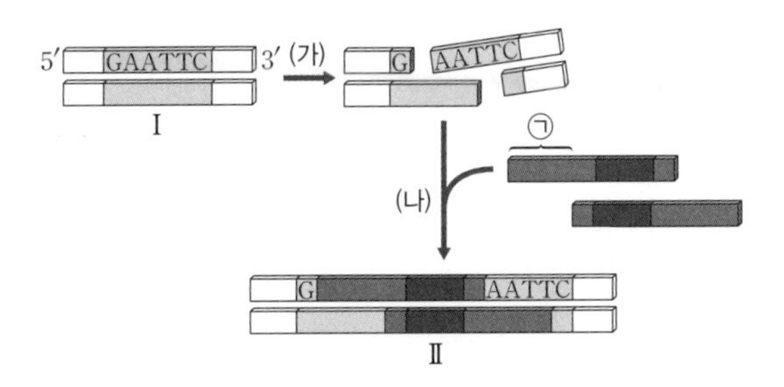

이에 대한 설명으로 옳은 것만을 <보기>에서 있는 대로 고른 것은?

보기
ㄱ. ㉠ 부분의 염기 서열은 5′-AATT-3′이다.
ㄴ. I은 DNA 운반체 역할을 한다.
ㄷ. (가) 과정에 사용된 X는 DNA의 특정 부위만을 자른다.

① ㄱ ② ㄴ ③ ㄱ, ㄷ
④ ㄴ, ㄷ ⑤ ㄱ, ㄴ, ㄷ

수능 기출

03 그림 (가)는 유전자 재조합 기술을 이용하여 대장균 I로부터 유전자 X의 단백질과 유전자 Y의 단백질을 모두 생산하는 대장균 IV를 얻는 과정을, (나)는 (가)의 대장균 I~IV를 섞어 3종류의 항생제 중 하나를 첨가한 각각의 배지에서 배양한 결과를 나타낸 것이다. 유전자 A~C는 각각 앰피실린 저항성 유전자, 카나마이신 저항성 유전자, 테트라사이클린 저항성 유전자 중 하나이다. 동일한 대장균은 각 배지에서 동일한 위치에 존재한다.

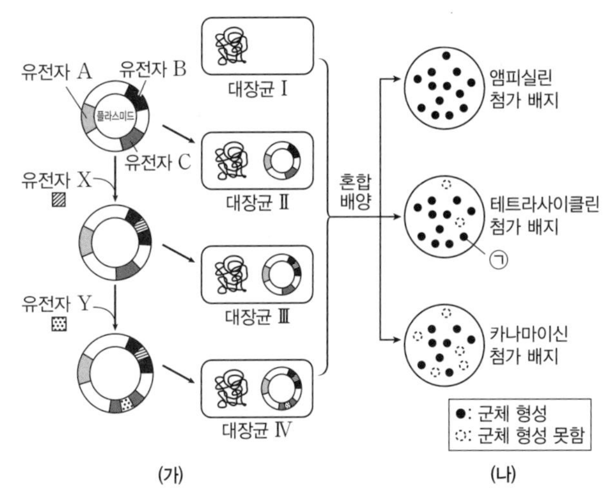

이에 대한 설명으로 옳은 것만을 <보기>에서 있는 대로 고른 것은?

보기
ㄱ. Y가 삽입된 위치는 카나마이신 저항성 유전자이다.
ㄴ. (나)에서 ㉠은 X의 단백질을 생산한다.
ㄷ. A는 앰피실린 저항성 유전자이다.

① ㄱ ② ㄷ ③ ㄱ, ㄴ
④ ㄴ, ㄷ ⑤ ㄱ, ㄴ, ㄷ

04 그림은 생명 공학 기술을 활용하여 복제 양을 만드는 과정을 나타낸 것이다.

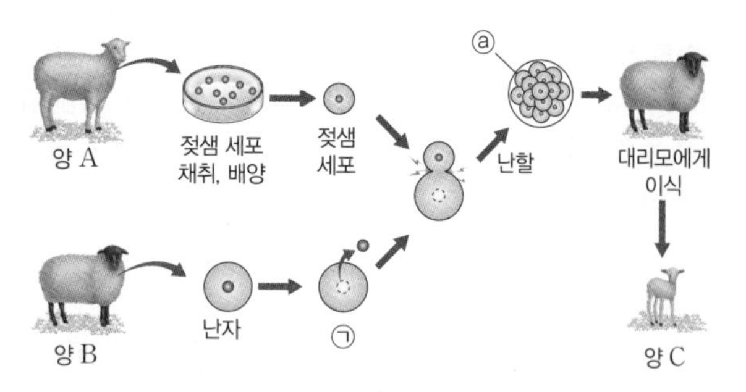

이에 대한 설명으로 옳은 것만을 〈보기〉에서 있는 대로 고른 것은?

> 보기
> ㄱ. ⓐ의 핵상은 $2n$이다.
> ㄴ. ㉠은 난자의 핵을 제거하는 과정이다.
> ㄷ. 양 C는 양 B를 복제한 것이다.

① ㄱ ② ㄴ ③ ㄷ
④ ㄱ, ㄴ ⑤ ㄴ, ㄷ

수능 기출

05 무른 토마토는 토마토의 껍질을 연하게 만드는 효소 X를 가지고 있다. 그림은 효소 X 유전자의 발현을 억제하는 유전자 A를 이용하여 무르지 않는 토마토를 만드는 과정을 나타낸 것이다.

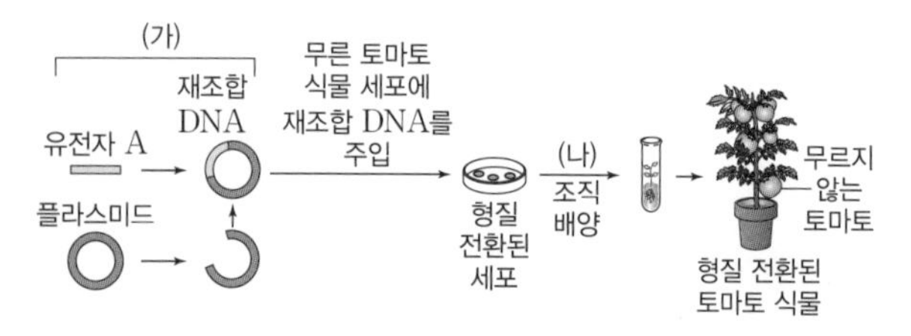

이에 대한 설명으로 옳은 것만을 〈보기〉에서 있는 대로 고른 것은?

> 보기
> ㄱ. 단위 무게당 효소 X의 양은 무르지 않는 토마토가 무른 토마토보다 많다.
> ㄴ. (가)에서 유전자 재조합 기술이 이용된다.
> ㄷ. (나)에서 감수 분열이 일어난다.

① ㄱ ② ㄴ ③ ㄱ, ㄴ
④ ㄱ, ㄷ ⑤ ㄴ, ㄷ

06 그림은 줄기세포를 만드는 방법 (가)~(다)를 나타낸 것이다.

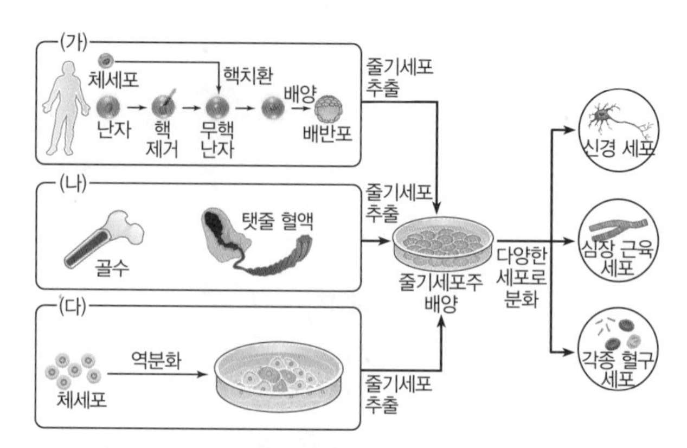

이에 대한 설명으로 옳은 것만을 〈보기〉에서 있는 대로 고른 것은?

> 보기
> ㄱ. (가)로 만들어진 줄기세포는 모든 세포로 분화가 가능하다.
> ㄴ. (나)는 생명 윤리 문제를 발생시킨다.
> ㄷ. (다)는 역분화 과정에서 유전자 변이가 일어날 수 있다.

① ㄱ ② ㄴ ③ ㄱ, ㄷ
④ ㄴ, ㄷ ⑤ ㄱ, ㄴ, ㄷ

수능 기출

07 그림은 단일 클론 항체를 만드는 과정을 나타낸 것이다.

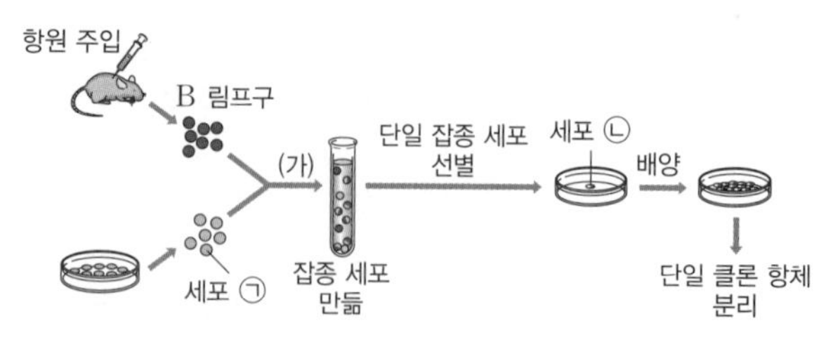

이에 대한 설명으로 옳은 것만을 〈보기〉에서 있는 대로 고른 것은?

> 보기
> ㄱ. B 림프구에는 항체 생성 능력이 있다.
> ㄴ. (가) 과정에서 핵치환 기술이 이용된다.
> ㄷ. ㉠과 ㉡의 모든 유전자의 염기 서열이 동일하다.

① ㄱ ② ㄴ ③ ㄷ
④ ㄱ, ㄴ ⑤ ㄱ, ㄷ

08 철수는 건조 저항성 유전자 X를 옥수수에 도입하여 형질 전환 옥수수를 만들었다. 다음은 철수가 수행한 실험 과정을 순서 없이 나열한 것이다.

> (가) 재조합된 플라스미드를 세균에 도입하였다.
> (나) ㉠X가 도입된 옥수수 세포를 조직 배양하였다.
> (다) 형질 전환된 세균을 ㉡옥수수 세포에 감염시켰다.
> (라) 어떤 식물에서 X를 분리하고, 이를 플라스미드와 재조합하였다.

이에 대한 설명으로 옳은 것만을 〈보기〉에서 있는 대로 고른 것은?

보기
ㄱ. ㉠과 ㉡의 유전자 조성은 서로 다르다.
ㄴ. (라)에서 제한 효소와 DNA 연결 효소가 사용되었다.
ㄷ. 철수의 실험 수행 순서는 (라) → (가) → (다) → (나)이다.

① ㄱ ② ㄷ ③ ㄱ, ㄴ
④ ㄴ, ㄷ ⑤ ㄱ, ㄴ, ㄷ

09 그림은 사람의 항응고 단백질을 생산하는 염소 D를 만드는 과정을 나타낸 것이다.

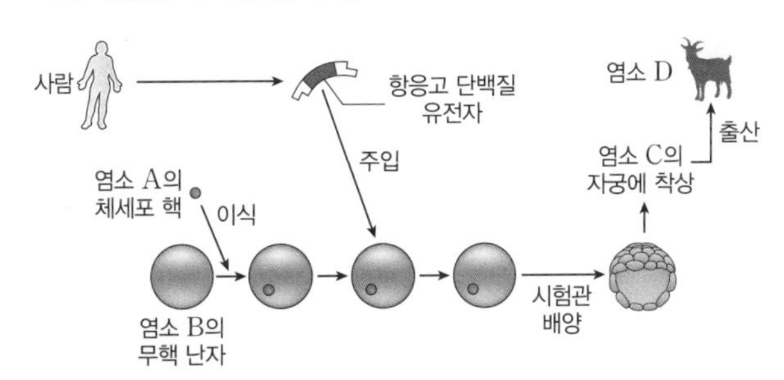

이에 대한 설명으로 옳은 것만을 〈보기〉에서 있는 대로 고른 것은?

보기
ㄱ. A와 D는 유전적으로 동일한 염소이다.
ㄴ. C의 미토콘드리아 유전자가 D에게 전달되었다.
ㄷ. 이 과정에서 핵치환 기술이 이용되었다.

① ㄱ ② ㄷ ③ ㄱ, ㄴ
④ ㄴ, ㄷ ⑤ ㄱ, ㄴ, ㄷ

10 그림 (가)는 줄기세포 A를 만드는 과정을, (나)는 철수의 체세포, 영희의 체세포, A의 1번 염색체 DNA를 각각 동일한 제한 효소로 자른 후 전기 영동으로 분리한 결과를 순서 없이 나타낸 것이다.

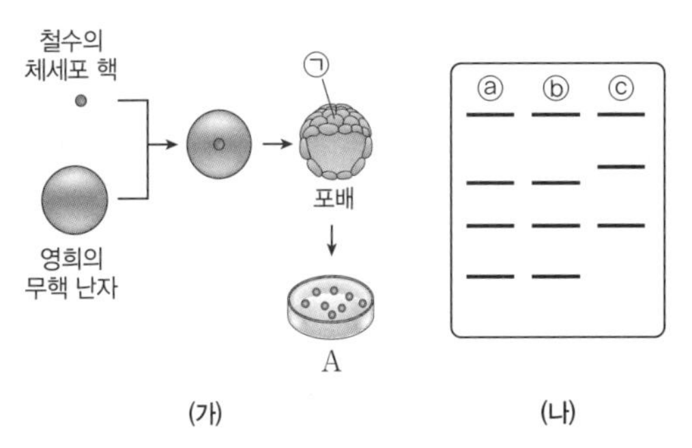

이에 대한 설명으로 옳은 것만을 〈보기〉에서 있는 대로 고른 것은?

보기
ㄱ. A는 ㉠으로 만든 것이다.
ㄴ. 영희 체세포의 DNA는 ⓒ이다.
ㄷ. A를 영희 몸에 이식하면 면역 거부 반응이 일어나지 않는다.

① ㄱ ② ㄴ ③ ㄷ
④ ㄱ, ㄴ ⑤ ㄴ, ㄷ

11 그림은 유전자 변형 생물체(LMO)를 만드는 두 가지 방법의 일부를 나타낸 것이다.

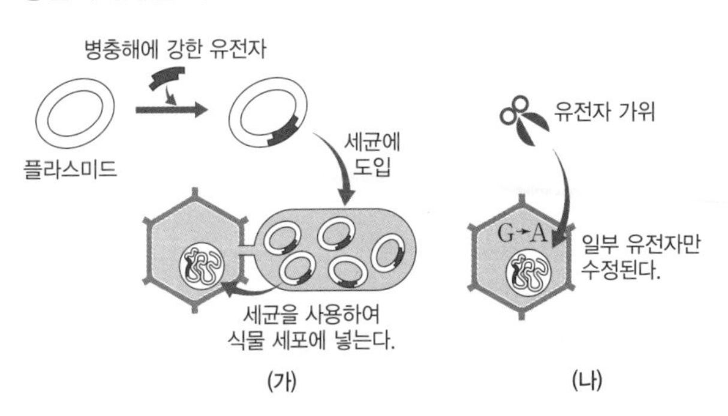

이에 대한 설명으로 옳은 것만을 〈보기〉에서 있는 대로 고른 것은?

보기
ㄱ. (가)는 원하는 유전자만을 삽입할 수 있다.
ㄴ. (나)는 맞춤형 아기를 탄생시킬 수 있어 생명 윤리 문제를 일으킨다.
ㄷ. 형질 전환 생물의 안전성은 (나)가 (가)보다 높다.

① ㄱ ② ㄴ ③ ㄱ, ㄷ
④ ㄴ, ㄷ ⑤ ㄱ, ㄴ, ㄷ

한눈에 보는
대단원 정리

1 생명 공학 기술

01 유전자 재조합 기술의 원리와 활용

1. 유전자 재조합 기술: DNA에서 특정 유전자가 포함된 부분을 잘라 내고, 이를 다른 DNA에 끼워 넣어 새로운 유전자 조합을 가진 DNA를 만드는 생명 공학 기술

2. 유전자 재조합에 필요한 요소

유용한 유전자	유용한 물질을 만드는 유전자 예 사람의 인슐린 유전자
DNA 운반체	유용한 유전자를 숙주 세포로 운반하는 역할을 하는 DNA 예 세균의 플라스미드
제한 효소	DNA의 특정 염기 서열을 인식하여 자르는 효소 ➡ 제한 효소의 종류에 따라 인식하는 염기 서열이 다름
DNA 연결 효소	제한 효소가 자른 DNA 조각들을 연결하는 효소
숙주 세포	재조합 DNA가 이식되는 세포 예 대장균

3. 유전자 재조합 기술을 이용한 인슐린 생산 과정

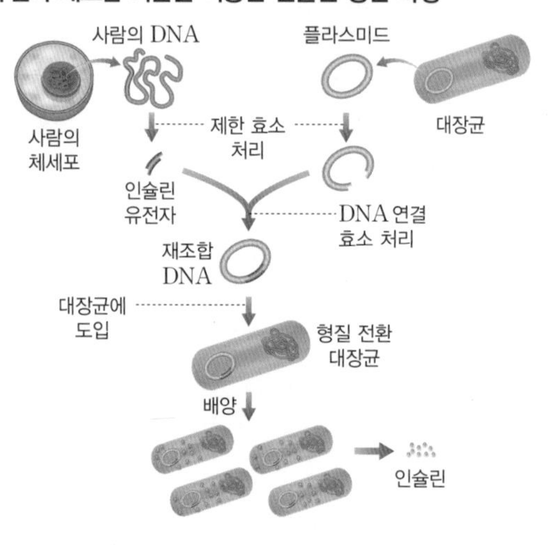

4. 유전자 재조합 기술의 활용

기초 생명 과학 연구	생명 과학 연구에 유용한 DNA를 다량 얻을 수 있고 DNA 조작이 가능 ➡ 원하는 유전자와 단백질 대량 생산
의약품 생산	인슐린, 생장 호르몬, 혈전 용해제, 인터페론 등 다양한 의약품을 대량으로 빠르게 생산
형질 전환 생물 개발	제초제에 저항성을 갖는 콩, 병충해에 강한 옥수수, 유조선에서 방출된 기름을 분해하는 세균 등의 생산

02 생명 공학 기술의 원리와 실제 사례

1. 핵치환: 세포에서 핵을 제거하고, 이 세포에 다른 세포의 핵을 이식하는 기술 ➡ 동물 복제나 줄기세포를 만드는 데 활용

① **방법**

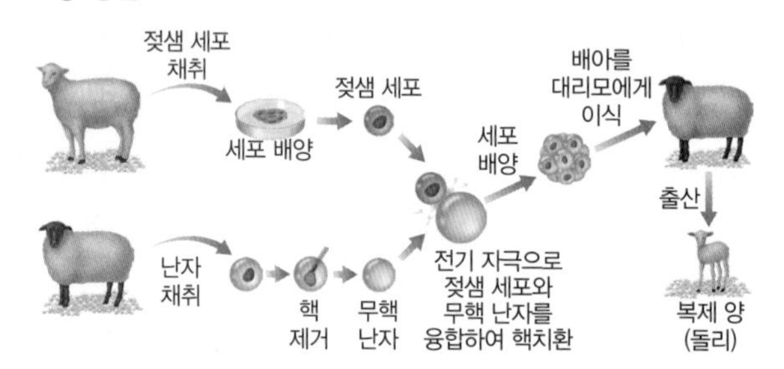

② **적용 사례-줄기세포:** 몸을 구성하는 다양한 세포와 조직으로 분화할 수 있는 미분화 세포

배아 줄기세포	발생 초기 배아나 체세포 복제 배아에서 얻음	• 모든 종류의 세포로 분화 가능 • 생명 윤리 문제 발생
성체 줄기세포	골수나 탯줄 혈액에서 얻음	• 생명 윤리 문제가 없음 • 면역 거부 반응이 없음 • 제한된 세포로 분화됨
유도 만능 줄기세포	체세포에 역분화를 일으켜 얻음	• 다양한 세포로 분화 가능 • 생명 윤리 문제가 없음 • 면역 거부 반응이 없음 • 역분화 중에 유전자 변이 가능

2. 세포 융합: 서로 다른 두 종류의 세포를 융합하여 두 세포가 원래 가지고 있는 특징을 모두 가진 잡종 세포를 만드는 기술

① **방법**

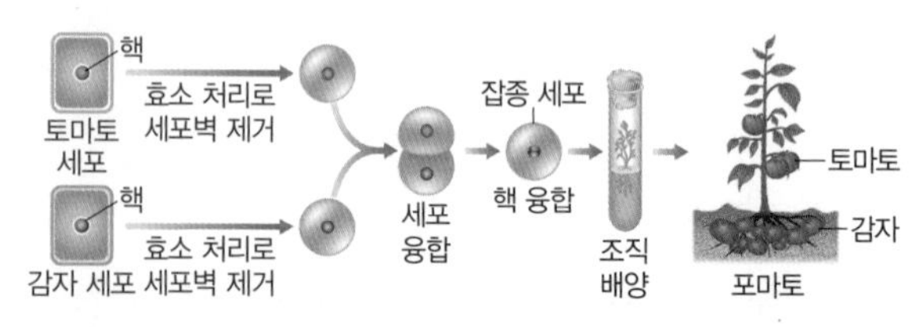

② **적용 사례-단일 클론 항체:** 한 종류의 잡종 세포의 세포군(클론)에서 만들어지는 한 종류의 항체 ➡ 한 가지 항원 결정기에만 특이적으로 결합

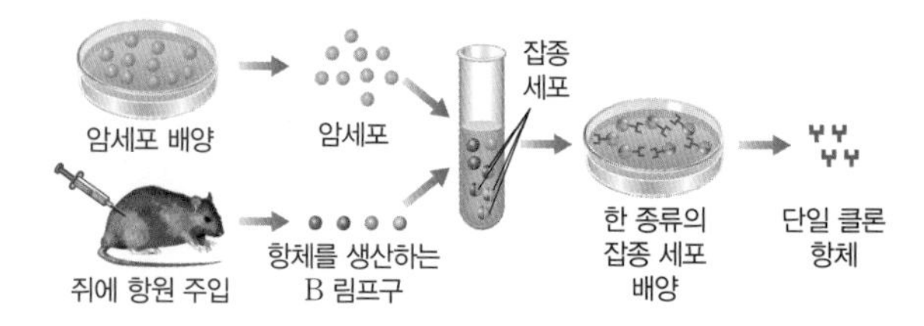

- 단일 클론 항체의 활용: 암과 같은 난치병 치료, 에이즈와 같은 질병의 신속한 진단, 임신 진단 등

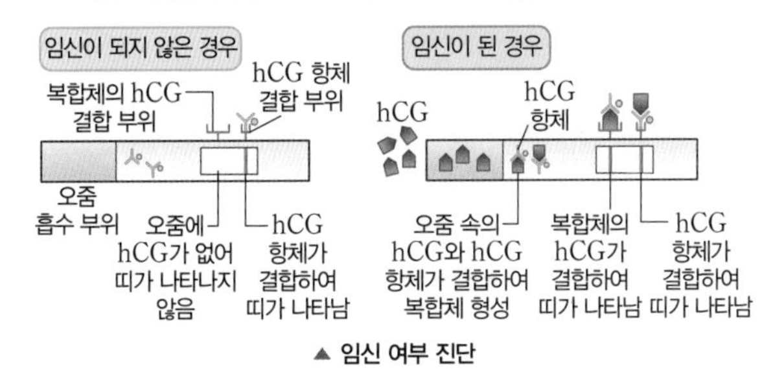

▲ 임신 여부 진단

3. 조직 배양: 생물의 세포나 조직 일부를 떼어 내어 영양분이 들어 있는 인공 배지에서 배양하여 증식시키는 기술

식물의 조직 배양	완전한 식물체로 발생 가능
동물의 조직 배양	완전한 동물체로 발생 불가능 ➡ 유전자 재조합 기술이나 핵치환 기술로 만들어진 세포나 조직을 배양할 때 활용

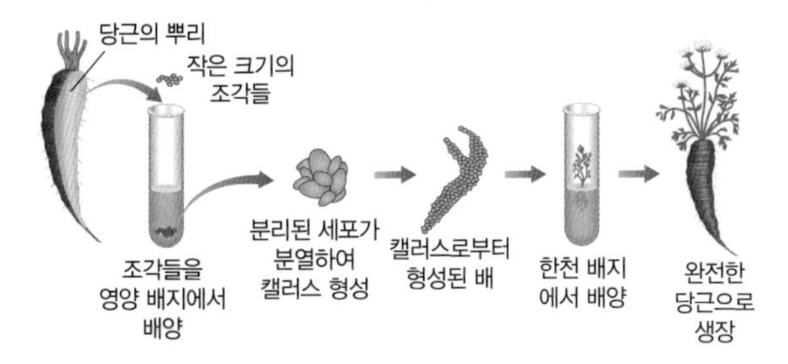

4. 유전자 치료: DNA 운반체를 사용하여 정상 유전자를 사람의 몸에 넣어 결함이 있는 유전자를 대체하고 정상 단백질을 생산하도록 하는 기술

체내 유전자 치료	체외 유전자 치료	유전자 가위
치료 물질 생성 유전자 / 바이러스(DNA 운반체)	치료 물질 생성 유전자 / 바이러스(DNA 운반체) / 환자의 세포 채취	질병 유발 DNA / 질병 유발 DNA 제거
치료 물질 생성 유전자를 가진 바이러스(DNA 운반체)를 환자의 몸에 직접 투여	채취한 환자의 골수 세포에 치료 물질 생성 유전자를 가진 바이러스(DNA 운반체)를 삽입한 후 이를 환자의 몸에 투여	유전자 가위로 질병을 유발하는 DNA 제거

03 생명 공학 기술의 발달과 문제점

1. 유전자 변형 생물체(LMO): 생명 공학 기술을 활용하여 다른 생물의 유용한 유전자를 도입하여 발현되도록 조작한 생물

① 유전자 변형 생물체(LMO)를 만드는 방법

유전자 변형 식물	유전자 변형 동물

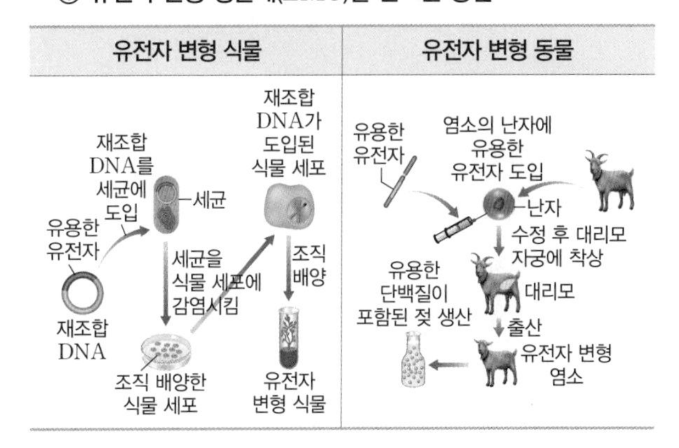

② 유전자 변형 생물체(LMO)의 장단점

장점	의약품 대량 생산, 식량 문제 해결, 농가 소득 향상, 환경 오염 개선 등
단점	LMO 식품의 안전성 미검증, 생물 다양성 감소, 생태계 교란 등

2. 생명 공학 기술의 전망

의학 분야	사람 유전체 사업 완성 후 신약 개발, 질병의 진단과 치료, 예방 등을 위한 생명 공학 기술이 개발
농업 · 축산업 분야	유전자 재조합 기술과 유전자 가위 기술 등을 활용하여 품종 개량 시간을 단축
법의학 분야	PCR 기술과 DNA 지문 검사로 범인을 검거하거나 무죄 증명 가능
환경 분야	생물의 환경 정화 능력을 강화하여 환경 오염을 극복
산업 분야	유기 폐기물을 이용한 바이오 연료 생산을 연구

3. 생명 공학 기술의 문제점

생명 윤리 문제	복제 동물, 배아 줄기세포, 유전자 가위 ➡ 생명의 존엄성 훼손, 인간 복제 가능성
사회적 문제	생명 공학 기술의 무분별한 활용 ➡ 생명 경시 풍조 만연 조장
생태학적 문제	LMO ➡ 인류의 건강 위협, 생태계 교란, 생물 다양성 감소
법적 문제	특정 유전자나 LMO의 특허로 인한 유전자 사용에 대해 법적 분쟁 가능성

한번에 끝내는 대단원 문제

정답과 해설 101쪽

01 그림은 유전자 재조합 과정에서 만들어진 재조합 DNA를 나타낸 것이다.

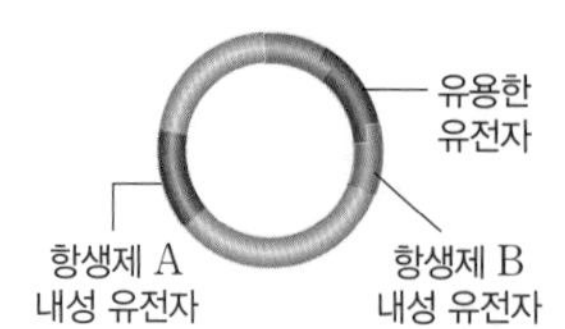

이에 대한 설명으로 옳은 것만을 〈보기〉에서 있는 대로 고른 것은?

보기
ㄱ. 이것을 만드는 과정에 제한 효소가 사용된다.
ㄴ. 이 DNA를 삽입한 대장균은 항생제 B에 내성을 보인다.
ㄷ. 이 DNA를 삽입한 대장균은 유용한 유전자에 대한 단백질을 합성한다.

① ㄱ ② ㄴ ③ ㄱ, ㄷ
④ ㄴ, ㄷ ⑤ ㄱ, ㄴ, ㄷ

고난도

02 그림은 인슐린 유전자가 재조합된 플라스미드가 도입된 대장균을 선별하는 실험을 나타낸 것이다. 효소 A는 물질 X를 분해하여 대장균 군체를 흰색에서 푸른색으로 변화시킨다.

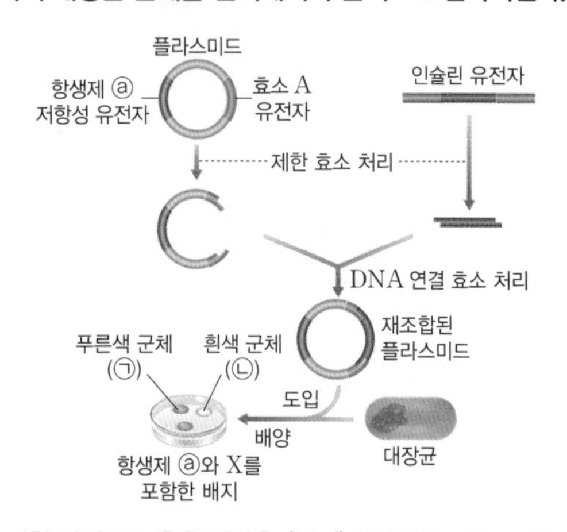

이에 대한 설명으로 옳은 것만을 〈보기〉에서 있는 대로 고른 것은?

보기
ㄱ. 대장균 군체 ㉠에는 효소 A가 존재한다.
ㄴ. 대장균 군체 ㉡에서는 항생제 ⓐ 저항성 유전자가 발현되지 않았다.
ㄷ. 플라스미드에서 제한 효소로 자른 부분은 효소 A 유전자 부분이다.

① ㄱ ② ㄴ ③ ㄱ, ㄷ
④ ㄴ, ㄷ ⑤ ㄱ, ㄴ, ㄷ

03 그림은 부모와 그 자녀로 추정되는 사람을 포함한 4명의 DNA 지문을 나타낸 것이다.

(가) (나) (다) (라)

부모와 친자의 DNA 지문을 옳게 짝 지은 것은?

	부모	자녀
①	(가), (나)	(라)
②	(가), (다)	(나)
③	(나), (다)	(라)
④	(다), (라)	(나)
⑤	(다), (라)	(가)

고난도

04 그림은 단일 클론 항체를 사용하여 암세포를 치료하는 과정을 나타낸 것이다.

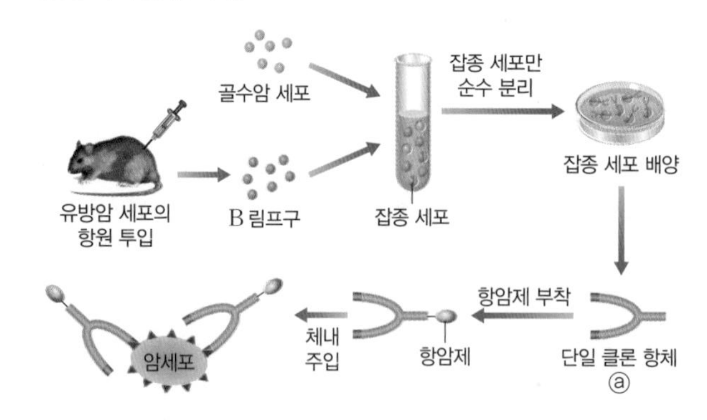

이에 대한 설명으로 옳은 것만을 〈보기〉에서 있는 대로 고른 것은?

보기
ㄱ. ⓐ는 암세포와만 특이적으로 결합한다.
ㄴ. ⓐ는 반영구적으로 분열한다.
ㄷ. 단일 클론 항체를 만드는 데 세포 융합 기술이 활용되었다.

① ㄱ ② ㄴ ③ ㄷ
④ ㄱ, ㄴ ⑤ ㄱ, ㄷ

고난도

05 그림은 복제 양이 탄생하는 과정을 나타낸 것이다.

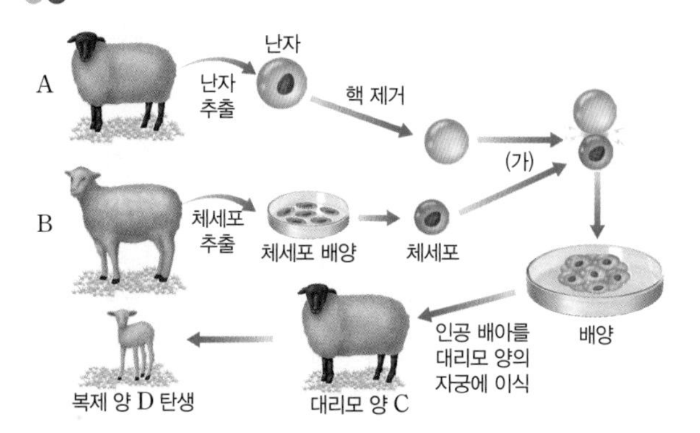

이에 대한 설명으로 옳지 않은 것은?

① (가)는 핵치환 과정이다.
② A와 D는 미토콘드리아 DNA가 동일하다.
③ B와 D는 핵 DNA가 동일하다.
④ C의 줄기세포를 사용하여 D가 탄생하였다.
⑤ D의 세포질은 A로부터 물려받았다.

06 그림은 당근 뿌리에서 추출한 세포를 사용하는 어떤 생명 공학 기술을 나타낸 것이다.

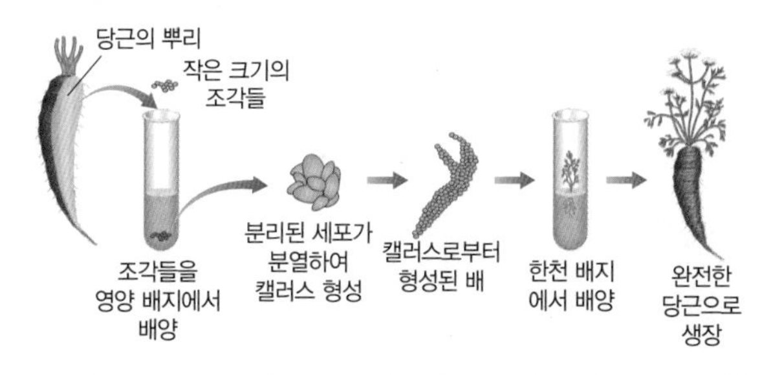

이에 대한 설명으로 옳은 것만을 〈보기〉에서 있는 대로 고른 것은?

보기
ㄱ. 유전자 재조합 기술이 활용되었다.
ㄴ. 동물을 복제할 때 이 기술만 활용한다.
ㄷ. 당근의 뿌리는 완전한 당근이 되는 데 필요한 유전자를 모두 가지고 있다.

① ㄱ ② ㄴ ③ ㄷ
④ ㄱ, ㄴ ⑤ ㄱ, ㄷ

07 줄기세포에 대한 설명으로 옳지 않은 것은?

① 배아 줄기세포는 발생 초기 배아에서 얻는다.
② 배아 줄기세포는 발생 중인 배아를 희생시킨다.
③ 성체 줄기세포는 면역 거부 반응이 없다.
④ 성체의 체세포를 역분화시켜 얻은 것을 성체 줄기세포라고 한다.
⑤ 유도 만능 줄기세포는 생명 윤리 문제가 없다.

08 다음은 유용한 형질을 가진 생물들을 나타낸 것이다.

- 생장 속도가 빠른 슈퍼 연어
- 사람의 혈액 응고 단백질을 젖으로 분비하는 염소
- 기름이나 독성 유기 화합물을 분해하는 세균
- 바이오 에탄올용 고구마

이에 대한 설명으로 옳은 것만을 〈보기〉에서 있는 대로 고른 것은?

보기
ㄱ. 생태계가 교란될 가능성이 있다.
ㄴ. 여러 생명 공학 기술을 활용하여 만든다.
ㄷ. 기존 번식 방법으로는 나타날 수 없는 형질을 가진 생물들이다.

① ㄱ ② ㄴ ③ ㄷ
④ ㄱ, ㄴ ⑤ ㄱ, ㄴ, ㄷ

09 유전자 변형 생물체(LMO)가 생태계와 인간의 생활에 미치는 영향에 대한 설명으로 옳지 않은 것은?

① 질병 치료에 도움을 준다.
② 식량 문제를 해결할 수 있다.
③ 에너지 문제를 해결할 수 있다.
④ 환경 오염 물질을 제거할 수 있다.
⑤ 단일 품종의 LMO 작물을 대규모로 재배하면 생태계 평형을 가져온다.

서술형

10 그림은 단일 클론 항체를 만드는 과정을 나타낸 것이다.

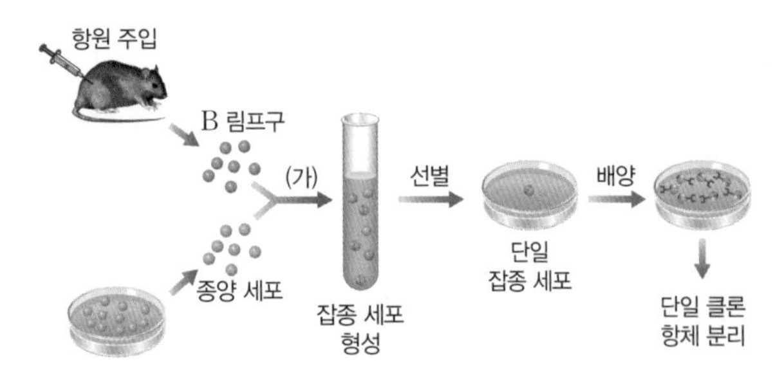

(1) (가) 과정에서 사용한 생명 공학 기술을 쓰시오.

(2) 단일 잡종 세포의 특성을 세포 분열 능력과 만들 수 있는 항체와 관련지어 서술하시오.

서술형

11 다음은 줄기세포에 대한 설명이다.

- 줄기세포는 다양한 세포와 조직으로 분화할 수 있는 능력을 가지고 있는 미분화 세포를 말한다.
- 줄기세포의 종류에는 발생 초기 배아에서 분리하는 (가), 골수나 탯줄의 혈액에서 얻는 (나), 체세포를 역분화시켜 만드는 (다)가 있다.

(1) (가)~(다) 중 생명 윤리 문제가 없는 것을 있는 대로 쓰시오.

(2) 줄기세포를 만드는 데 활용하는 생명 공학 기술은 무엇이며, 이 기술을 활용하여 줄기세포를 어떻게 만드는지 서술하시오.

서술형

12 다음은 하천 오염과 관련된 자료이다.

- 대장균 A는 곡물 사료에 많이 들어 있는 물질 X를 분해하는 효소 Y를 가지고 있다.
- 보통의 돼지는 효소 Y를 가지고 있지 않아 곡물 사료를 먹은 돼지의 분뇨에 다량의 물질 X가 포함되어 있고, 이로 인해 돼지의 분뇨를 농작물의 비료로 사용하면 물질 X에 의해 하천이 오염된다.

생명 공학 기술을 활용하여 하천 오염 문제를 해결하기 위한 방법을 서술하시오.

서술형

13 그림은 생명 공학 기술을 활용하여 만든 유전자 변형 생물체(LMO)들을 나타낸 것이다.

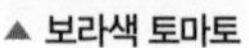
▲ 보라색 토마토

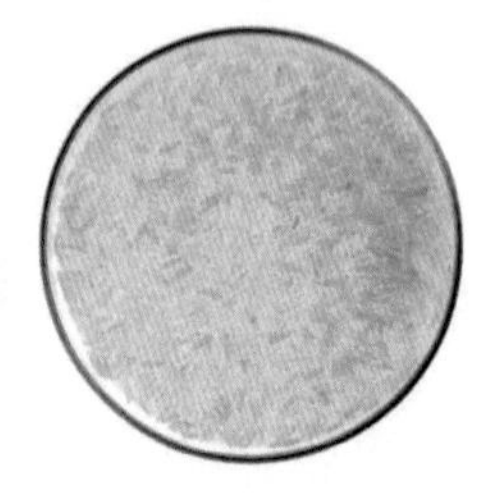
▲ 황금쌀

이런 유전자 변형 생물체(LMO)가 생태계에 미치는 부정적인 영향을 2가지 서술하시오.

집중력을 높이는 숫자 Game

• 가로와 세로에 0부터 9까지의 숫자를 각각 한 번씩만 씁니다.

• 10칸짜리 사각형에도 0부터 9까지의 숫자를 한 번씩만 씁니다.

가로, 세로, 사각형 안의 숫자가 중복되면 안 된대!

7		6	9			1	3		0
	2		1			7		9	
2			0			3			9
4	3	9					7	5	2
				4	7				
				2	4				
9	1	3					8	0	5
5			2			4			3
	7		3			0		4	
1		4	5			8	2		7

정답

7	4	6	9	5	2	1	3	8	0
8	2	0	1	3	5	7	6	9	4
2	5	7	0	6	8	3	4	1	9
4	3	9	8	1	0	6	7	5	2
3	9	1	6	4	7	5	0	2	8
0	8	5	7	2	4	9	1	3	6
9	1	3	4	7	6	2	8	0	5
5	6	8	2	0	1	4	9	7	3
6	7	2	3	8	9	0	5	4	1
1	0	4	5	9	3	8	2	6	7

집중력을 높이는 미로 Game

주방 보조 몬스터!

냥셰프에게 요리 재료를 무사히 전달하라!

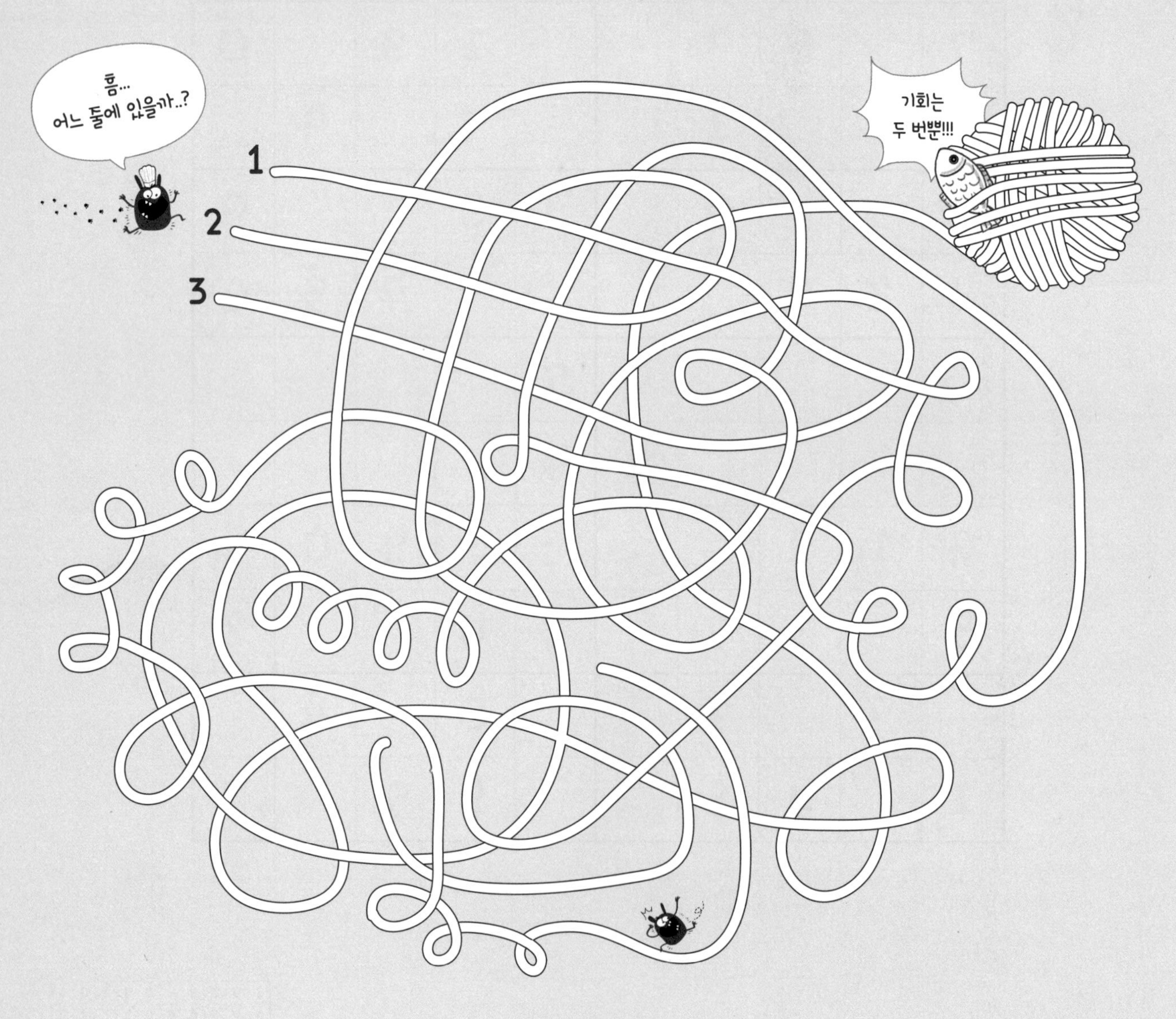

지학사

개념 학습과 정리가 한번에 끝나는 기본서

개념풀

생명과학 Ⅱ

정답과 해설

개념 학습과 정리가 한번에 끝나는 기본서

개념풀

생명과학 Ⅱ

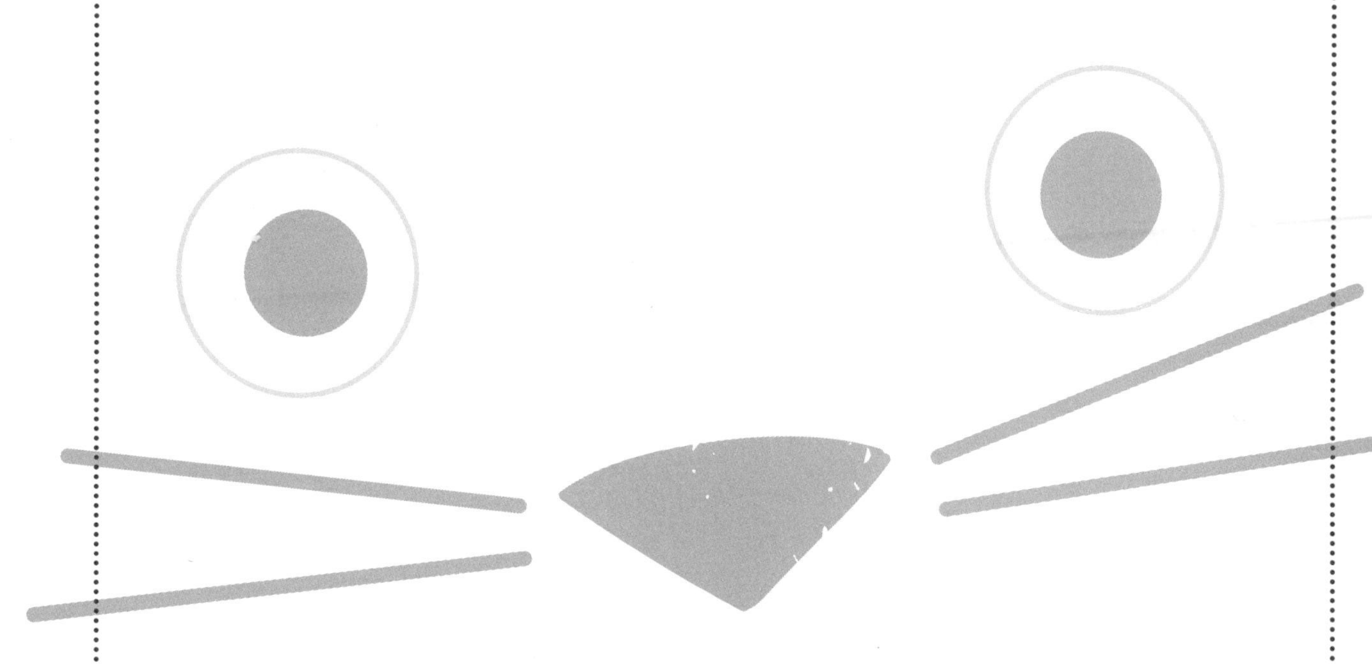

1 »» 생명 과학의 역사

01 ~ 생명 과학의 발달 과정과 연구 방법

개념POOL 012쪽

01 (1) × (2) ○ (3) ○
02 (1) 연역 (2) 연역 (3) 연역 (4) 귀납

01 (1) 파스퇴르는 생물 속생설을 증명하였다.
(3) 로렌츠와 구달은 귀납적 탐구 방법을 사용하여 각각 동물 행동과 침팬지에 대한 연구를 수행하였다.

02 (1), (2), (3) 파스퇴르의 백신 연구, 란트슈타이너의 혈액형 연구, 밴팅의 인슐린 연구는 모두 자연 현상을 관찰하여 생긴 의문점을 해결하기 위해 가설을 세우고, 이를 실험을 통해 검증하는 연역적 탐구 방법을 사용한 연구이다.
(4) 로렌츠의 동물 행동 연구는 자연 현상에 대한 관찰을 통해 수집한 자료를 종합하고 분석하여 일반적인 원리나 법칙을 도출하는 귀납적 탐구 방법을 사용한 연구이다.

콕콕! 개념 확인하기 013쪽

✔ 잠깐 확인!
1 세포 **2** 하비 **3** 자연 선택 **4** 유전자설 **5** 유전부호 **6** PCR **7** 자기 방사법

01 (1) ○ (2) ○ (3) × (4) × **02** (1) 니런버그 (2) 플레밍 (3) 코흐 (4) 슈반 **03** (가)-(다)-(나) **04** (1)-㉣ (2)-㉤ (3)-㉡ (4)-㉢ (5)-㉠ **05** 생물 정보학

01 (3) 린네는 생물 분류 체계를 확립하였다. 용불용설로 진화를 설명한 과학자는 라마르크이다.
(4) DNA의 입체 구조를 밝힌 것은 왓슨과 크릭의 업적이고, 생어는 DNA 염기 서열 분석 방법을 고안하였다.

03 멘델의 유전 원리 발견(1865) 이후 모건이 유전자가 염색체의 일정 위치에 있다는 유전자설을 발표(1926)하였고, 에이버리가 폐렴 쌍구균의 형질 전환 실험으로 DNA가 유전 물질임을 증명(1944)하였다.

05 생명 과학 분야 중 생물 정보학은 생명 공학 연구에서 얻은 대량의 데이터를 컴퓨터 프로그램을 통해 분석하고 해석하는 분야이다.

탄탄! 내신 다지기 014쪽~015쪽

01 생명 과학 **02** ⑤ **03** ③ **04** ⑤ **05** ③ **06** ④ **07** ㉠ 니런버그, ㉡ RNA **08** 오감을 이용한 관찰 **09** ③ **10** ① **11** 돌연변이 **12** ⑤ **13** (1) 귀납적 탐구 (2) 연역적 탐구 **14** ②

01 생명 과학의 연구 대상은 생물체이며, 생물체를 관찰하거나 또는 실험을 통하여 생물체의 구조와 기능을 연구하고 궁극적으로는 생명 현상을 확인하기 위한 학문이다.

02 | 선택지 분석 |
㉠ 인간 생활과 밀접한 생물에 대한 관심에서 시작되었다.
➡ 생명 과학이 탄생할 무렵에 인류는 자신의 생활과 밀접한 가축 같은 생물에 대해 관심을 갖고 있었다.
㉡ 빵과 술 제조에 미생물을 이용하였다.
➡ 빵이나 술 제조에 미생물을 사용하였고 품종 개량도 할 수 있었다.
㉢ 아리스토텔레스는 생물을 관찰하고 분류하였다.
➡ 아리스토텔레스는 생물을 직접 관찰하고 분류하기도 하였다.

03 ③ 결핵균과 콜레라균을 발견한 사람은 코흐이고, 플레밍은 푸른곰팡이에서 항생 물질인 페니실린을 발견하였다.

04 | 선택지 분석 |
✗ 현미경 발명 ~~전에~~ (후에) 세포를 관찰하였다.
➡ 현미경을 발명한 후에 세포를 관찰하였다.
㉡ 슐라이덴과 슈반은 세포설을 주장하였다.
➡ 슐라이덴은 식물 세포를, 슈반은 동물 세포를 관찰하고 세포설을 주장하였다.
㉢ 코흐는 감염병의 원인을 규명하였다.
➡ 코흐는 감염병의 원인을 규명하고, 결핵균과 콜레라균을 발견하였다.

05 | 선택지 분석 |
㉠ 베살리우스는 해부학의 발달에 영향을 주었다.
➡ 베살리우스는 인체 해부를 통해 해부학의 발달에 영향을 주었다.
㉡ 하비는 혈액이 순환한다는 것을 발견하였다.
➡ 하비는 심장에 의해 혈액이 순환한다는 것을 발견하였다.
✗ 호지킨과 헉슬리는 ~~호르몬 작용의 원리~~ (신경 흥분 전도 기작)를 발견하였다.
➡ 호지킨과 헉슬리는 신경 흥분 전도 기작을 규명하였다. 호르몬 작용의 원리는 서덜랜드가 밝혀냈다.

06 (라) 완두 교배 실험으로 유전의 기본 원리를 밝힌 것은 멘델이며, 유전학의 시작이었다. (나) 모건은 초파리 교배를 통해 유전자가 염색체의 일정 위치에 존재한다는 유전자설을 제시하였다. (가) 왓슨과 크릭은 DNA의 입체 구조를 밝혔고, (다) 멀리스가 PCR 기술을 개발하였다.

07 니런버그와 마테이는 한 종류의 염기가 반복되는 RNA를 합성하고, 이 RNA로부터 생성되는 단백질의 아미노산을 분석하여 최초로 유전부호를 해독하였다.

08 베살리우스는 인체를 해부하면서 시각이나 촉각 같은 오감을 사용하여 해부 결과를 그림으로 나타내었다.

09 | **선택지 분석** |

ㄱ 훅은 광학 현미경으로 코르크를 관찰하면서 세포 구조를 관찰하였다.
➡ 훅은 자신이 직접 만든 현미경을 사용하여 코르크를 관찰하던 중에 작은 방 같은 구조를 관찰하고 세포라고 이름을 붙였다.

ㄴ 세포 소기관의 구조는 전자 현미경으로 관찰할 수 있다.
➡ 전자 현미경은 해상도가 높아 세포 소기관과 같은 작은 구조도 볼 수 있다.

✕ 전자 현미경으로 바이러스는 관찰할 수 ~~없다~~ 있다.
➡ 전자 현미경으로 바이러스를 관찰할 수 있다.

10 자기 방사법은 방사성 동위 원소를 사용하여 연구하는 방법이다. 방사성 동위 원소를 특정 물질에 표지하면 그 물질의 위치를 파악할 수 있고, 이를 이용해 캘빈은 광합성 산물의 합성 경로를 파악할 수 있었다. 또한, 박테리오파지와 대장균을 이용하여 DNA가 유전 물질임을 밝히는 데도 사용하였다. 그러나 세포 소기관의 기능은 파악할 수 없다.

11 모건은 초파리에 돌연변이를 일으켜 교배한 결과를 해석하여 유전자설을 증명하였고, 비들은 붉은빵곰팡이의 영양 요구성 돌연변이를 이용한 실험을 통해 1유전자 1효소설을 주장하였다.

12 | **선택지 분석** |

ㄱ 동물에서 발생하는 전기 현상을 측정하는 기술을 이용해 신경 전도 원리를 발견하였다.
➡ 신경 전도는 생물체 내에서 발생하는 미세한 전기적인 현상을 측정하는 기술을 사용하여 알게 되었다.

ㄴ DNA 증폭 기술과 DNA 염기 서열 분석기를 사용하여 생물의 유전체 해독을 하고 있다.
➡ 생물의 유전체 해독에는 많은 양의 DNA가 필요하고, 그 DNA의 염기 서열을 분석해야 가능하다.

ㄷ 생명 과학과 컴퓨터 과학, 통계학이 연계되어 생물 정보학이 탄생하였다.
➡ 생물 정보학은 생명 과학에서 컴퓨터를 사용하여 얻는 많은 양의 데이터를 통계학의 도움으로 분석하는 학문이다.

13 (1) 로렌츠의 동물 행동 연구는 동물의 행동을 관찰하고 그 결과를 종합한 것이므로 귀납적 탐구에 해당한다.
(2) 파스퇴르가 닭 콜레라균에 대한 백신을 연구할 때, 가설을 설정하고 그 가설을 증명하는 방법을 사용하였으므로 연역적 탐구에 해당한다.

14 | **선택지 분석** |

✕ 구달의 침팬지 연구는 ~~연역적~~ 귀납적 탐구이다.
➡ 구달의 침팬지 연구는 관찰한 사실을 종합한 것이므로 귀납적 탐구 방법이다.

ㄴ 연역적 탐구에는 가설을 세우는 과정이 포함된다.
➡ 연역적 탐구에서 관찰한 사실로부터 가지는 의문을 해결하기 위해 가설을 설정하는 과정이 귀납적 탐구와 가장 큰 차이점이다.

✕ 플레밍이 페니실린을 발견한 연구는 ~~귀납적~~ 연역적 탐구이다.
➡ 플레밍이 페니실린을 발견한 연구는 가설을 설정하고 수행한 연구이므로 연역적 탐구에 해당한다.

도전! 실력 올리기 016쪽~017쪽

01 ① **02** ① **03** ② **04** ① **05** ② **06** ④ **07** ③

08 신경 전도 원리

09 | **모범 답안** | 현미경의 개발로 세포와 미생물을 관찰할 수 있게 되었으며, 생명 과학 지식이 크게 증가하는 데 기여하였다.

10 | **모범 답안** | 초파리의 교배 결과를 종합, 분석하여 결론을 내린 것은 귀납적 탐구 방법에 해당한다. 한편, 이를 증명하기 위해 가설을 세우고 실험을 수행한 것은 연역적 탐구에 해당한다. 즉, 귀납적 탐구와 연역적 탐구가 함께 수행되었다.

01 ① 세포를 처음 명명한 사람은 로버트 훅이다. 훅은 자신이 만든 현미경으로 코르크를 관찰하던 중 작은 방 같은 구조가 있는 것을 보고 세포라고 명명하였다.

02 | **선택지 분석** |

ㄱ 아리스토텔레스는 생물을 관찰 및 분류하였다.
➡ 아리스토텔레스는 여러 가지 생물을 관찰하고 분류하였다.

✕ 다윈은 ~~용불용설~~ 자연 선택설로 생물의 진화를 설명하였다.
➡ 다윈은 자연 선택설로 생물의 진화를 설명하였다.

✕ ~~20세기가 지나서~~ 18세기 체계적인 생물 분류가 시작되었다.
➡ 체계적인 생물 분류는 린네에 의해 실시되었고, 이는 18세기이다.

03 ㉠ 세포라는 용어를 처음 사용한 사람은 훅이고, ㉡ 미생물을 처음 관찰한 사람은 레이우엔훅이다. ㉢ 슐라이덴과 슈반은 동·식물을 관찰한 후 생물체는 세포로 되어 있다는 세포설을 주장하였다.

04 | **선택지 분석** |

ㄱ (가)는 린네에 의해 체계화되었다.
➡ 동·식물 분류는 린네에 의해서 체계화되었다.

✕ (나)는 ~~멘델~~ 다윈이 주장한 것이다.
➡ 자연 선택설은 다윈이 주장하였다.

✕ 진화 이론의 통합에는 용불용설과 자연 선택설이 함께 포함되었다.
➡ 진화 이론의 통합에는 자연 선택설은 포함되었지만 용불용설은 포함되지 않았다.

05 | 선택지 분석 |

ㄱ. ✕ 이 실험은 멀리스에 의해 수행되었다.
➡ (나)는 그리피스, (다)는 에이버리에 의해 실시되었다.

ㄴ. ◯ R형 균을 S형 균으로 바꾼 것은 DNA이다.
➡ (나)에서는 R형 균의 형질을 S형 균이 변화시키는 것을 알 수 있고, (다)에서는 (나)의 물질이 DNA임을 확인할 수 있다.

ㄷ. ✕ S형 균의 유전 물질은 열처리로 ~~파괴된다~~. (파괴되지 않는다.)
➡ S형 균의 유전 물질이 열에 의해 파괴된다면 (나)에서 살아 있는 S형 균이 발견될 수 없다.

06 | 선택지 분석 |

ㄱ. ✕ 이 생명 과학자는 ~~플레밍~~이다. (파스퇴르)
➡ 백조목 플라스크 실험은 파스퇴르가 실시한 실험이다.

ㄴ. ◯ (가)는 자연 발생설을 부정한 실험이다.
➡ 이 실험은 생물 속생설을 지지하는 결정적인 실험으로 생물의 자연 발생설을 부정한 실험이다.

ㄷ. ◯ (나) 실험은 연역적 탐구를 실행한 것이다.
➡ (나) 실험은 독성을 약화시킨 콜레라균을 닭에게 주입하면, 닭에 독성이 강한 콜레라균이 침입해도 살아남을 것이라는 가설을 설정하고 이를 증명한 실험이다.

07 | 선택지 분석 |

ㄱ. ✕ (가)는 ~~광학~~ 현미경을 이용한 결과이다. (전자)
➡ 세포 소기관 발견과 바이러스 관찰은 전자 현미경을 이용한 것이다.

ㄴ. ✕ (나) 실험에는 ~~전기적 현상을 측정하는 기술~~을 사용하였다. (돌연변이)
➡ 붉은빵곰팡이를 이용한 실험은 돌연변이를 이용한 실험이다.

ㄷ. ◯ (다)에는 방사성 동위 원소를 이용하는 연구 방법이 사용되었다.
➡ 광합성 산물의 합성 경로를 발견한 것은 방사성 동위 원소를 이용하는 자기 방사법을 사용한 것이다.

08 전기 측정 기술의 발달과 이를 이용한 기기를 사용하여 오징어에서 신경 전도 원리를 알게 되었다.

09 현미경의 개발로 생명체의 세부적인 부분까지 관찰할 수 있게 되었으며, 특히 생명체의 기본 구조인 세포를 관찰할 수 있게 되었다.

채점 기준	배점
현미경이 생명 과학의 발달에 미친 영향을 2가지로 서술한 경우	100 %
현미경이 생명 과학의 발달에 미친 영향을 1가지만을 서술한 경우	50 %

10 초파리의 교배 결과를 종합, 분석하여 결론을 내린 것은 귀납적 탐구 방법에 해당하며, 이를 증명하기 위해 가설을 세우고 실험을 수행한 것은 연역적 탐구에 해당한다.

채점 기준	배점
귀납적 탐구와 연역적 탐구를 함께 설명한 경우	100 %
귀납적 탐구와 연역적 탐구 중에서 1가지만 설명한 경우	50 %

실전! 수능 도전하기

019쪽~021쪽

01 ④ 02 ④ 03 ③ 04 ① 05 ③ 06 ① 07 ⑤ 08 ③ 09 ③ 10 ③ 11 ④ 12 ④

01 | 선택지 분석 |

ㄱ. ◯ 아리스토텔레스는 자연 발생설을 주장하였다.
➡ 아리스토텔레스는 기원전에 이미 많은 생물을 분류하였으며, 생물의 자연 발생을 주장하였다.

ㄴ. ✕ ~~린네~~는 자연 선택에 의한 종 분화를 주장하였다. (다윈)
➡ 린네는 현대적인 생물 분류가 가능하도록 생물 분류법을 완성하였다. 자연 선택에 의한 종 분화는 다윈이 주장한 것이다.

ㄷ. ◯ 왓슨과 크릭은 DNA의 입체 구조를 밝혔다.
➡ 왓슨과 크릭은 귀납적 탐구를 이용하여 DNA의 입체 구조를 밝혔다.

02 | 자료 분석 |

(가) 모건은 초파리 교배 실험으로 유전자가 염색체의 특정 위치에 있음을 밝혔다. 돌연변이를 이용, 유전자설 주장
(나) 멘델은 완두의 교배 실험을 통해 유전의 기본 원리를 발견하였다. 유전 연구의 시작
(다) 왓슨과 크릭은 DNA의 입체적인 구조를 밝혔다. 귀납적 연구로 밝힘

| 선택지 분석 |

ㄱ. ✕ (가)의 연구에 전자 현미경이 사용되었다.
➡ 모건은 초파리 교배 실험에 돌연변이를 사용하여 유전자가 염색체의 특정한 위치에 있음을 밝혀냈다.

ㄴ. ◯ (다)는 귀납적 탐구 과정을 통해 연구되었다.
➡ 왓슨과 크릭은 자신들이 가설을 설정하고 그것을 검증한 것이 아니라 여러 과학자들이 연구한 결과들을 종합하여 DNA의 입체 구조를 밝히는 귀납적 탐구를 수행하였다.

ㄷ. ◯ 위의 연구 성과를 시간 순서대로 나열하면 (나) → (가) → (다) 순이다.
➡ 연구를 수행한 과학자들을 시대 순으로 나열하면 멘델(나) → 모건(가) → 왓슨과 크릭(다)의 순서이다.

03 | 선택지 분석 |

ㄱ. ◯ (가)는 자기 방사법을 사용한 것이다.
➡ 방사성 동위 원소를 이용한 광합성 산물의 합성 경로 추적은 자기 방사법을 사용하여 연구한 것이다.

ㄴ. ✕ (나)는 돌연변이 생물로 연구하였다.
➡ 개에서 인슐린을 추출하는 연구에 돌연변이 생물이 이용되지는 않았다.

ㄷ. ◯ (다)에는 귀납적 탐구 방법이 사용되었다.
➡ 로렌츠의 동물 행동 연구에는 귀납적 탐구 방법이 사용되었다.

04 | 선택지 분석 |

ㄱ (나)는 하비의 업적이다.

➡ 혈액 순환의 원리는 하비가 발견하였다.

✕ (라)는 ~~호지킨과 헉슬리~~서덜랜드에 의해 발견되었다.

➡ 호르몬 작용 기작은 서덜랜드에 의해 발견되었다.

✕ (가), (다)는 현미경의 역할이 결정적이었다.

➡ 해부학의 발달은 오감에 의한 관찰이 주된 연구 방법이었으며, 신경 전도 원리를 발견하는 데는 생물체 내 전기 현상을 측정하는 기술을 사용하였다.

05 | 자료 분석 |

(가) 모든 조건이 동일한 세균 배양 접시 A와 B를 준비하였다.
(나) A에는 푸른곰팡이를 접종하였고, B에는 푸른곰팡이를 접종하지 않았다. 대조 실험을 함: 푸른곰팡이 접종 여부
(다) B에만 세균이 증식하였다. 실험 결과
(라) 푸른곰팡이는 세균의 증식을 억제한다. 결론 도출

| 선택지 분석 |

ㄱ 이 실험의 가설은 '푸른곰팡이는 세균의 증식을 억제할 것이다.'이다.

➡ (가)에서 동일한 배지를 사용하였고 (나)에서 A와 B의 차이는 푸른곰팡이 접종 여부이므로, 이 실험은 푸른곰팡이가 세균의 증식을 억제할 것이라는 가설을 증명하기 위한 실험이다.

ㄴ 플레밍은 이후에 푸른곰팡이에서 항생 물질인 페니실린을 발견하였다.

➡ 플레밍은 푸른곰팡이에서 페니실린을 발견하였다.

✕ 플레밍은 이후 감염병의 원인을 규명하였다.

➡ 감염병의 원인을 밝힌 사람은 코흐이다.

06 | 자료 분석 |

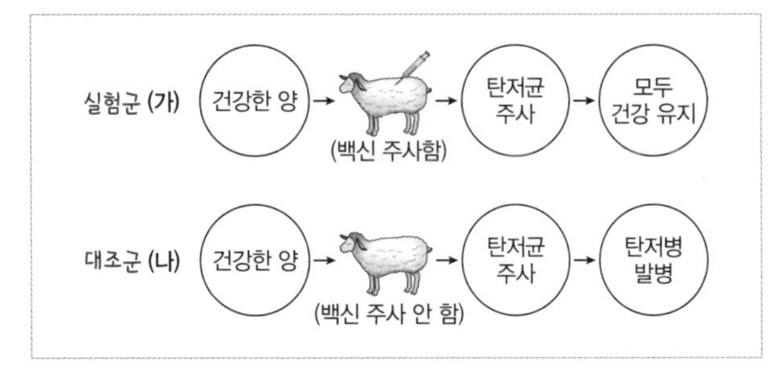

| 선택지 분석 |

ㄱ (가)는 실험군, (나)는 대조군이다.

➡ 이 실험은 연역적 탐구이며 (가)는 실험군, (나)는 대조군이다.

✕ 파스퇴르는 ~~귀납적~~연역적 탐구 방법을 사용하였다.

➡ 이 실험은 백신이 탄저병을 예방할 수 있다는 가설을 세우고 그 가설이 맞는지를 대조군 실험을 통해 확인한 실험이므로 연역적 탐구 방법이다.

✕ 이 실험으로 생물은 생물로부터 생기는 것을 입증하였다.

➡ 파스퇴르의 생물 속생설 증명은 백조목 플라스크 실험을 통해서이다.

07 | 자료 분석 |

(가) 유전부호 해독 – 니런버그, 마테이
(나) 유전의 기본 원리 발견 – ㉠ → 멘델
(다) DNA 염기 서열 분석법 – ㉡ → 생어
(라) DNA 이중 나선 구조 규명 – 왓슨, 크릭

| 선택지 분석 |

✕ ㉠은 모건과 멀리스이다.

➡ ㉠은 멘델이다.

ㄴ ㉡에 해당하는 과학자는 생어이다.

➡ ㉡은 생어이다.

ㄷ (나) – (라) – (가) – (다) 순으로 일어났다.

➡ 자료에 있는 사건들의 시간적 순서는 (나) – (라) – (가) – (다)이다.

08 | 선택지 분석 |

ㄱ 아리스토텔레스가 (가)를 주장하였다.

➡ 아리스토텔레스는 무기물에서 우연히 생물이 발생한다는 자연 발생설을 주장하였다.

ㄴ 파스퇴르는 실험을 통해 (가) 이론을 부정하였다.

➡ 자연 발생설은 생물 속생설과 논란을 일으켰으나, 파스퇴르의 백조목 플라스크 실험으로 완전히 부정되었다.

✕ 플레밍은 푸른곰팡이 실험으로 (나)를 입증하였다.

➡ 플레밍은 푸른곰팡이 실험으로 페니실린을 발견하였다. 생물 속생설의 입증은 파스퇴르에 의해 이루어졌다.

09 | 선택지 분석 |

ㄱ (가)는 인식한 문제에 대한 잠정적인 답이다.

➡ (가)는 가설로 인식한 문제에 대한 잠정적인 답이다.

✕ 구달이 침팬지를 연구할 때 사용한 탐구 방법이다.

➡ 구달이 침팬지를 연구할 때 사용한 탐구 방법은 귀납적 탐구 방법이다.

ㄷ 대조군과 실험군을 설정하여 탐구를 수행한다.

➡ 연역적 탐구에서는 대조군과 실험군을 설정하여 탐구를 수행한다.

10 | 선택지 분석 |

ㄱ (가)에서 ㉡은 실험군에 해당한다.

➡ (가)에서는 대조 실험을 수행하는데 ㉠은 대조군, ㉡은 실험군에 해당된다.

ㄴ (나)는 오감에 의한 직접 관찰이라는 연구 방법을 사용하였다.

➡ (나)에서 로렌츠는 자신이 야생 동물을 직접 관찰하여 연구를 실시하였으므로 오감을 이용한 연구 방법을 사용한 것이다.

✕ (가)와 (나)는 모두 귀납적 탐구 방법을 사용하였다.

➡ (가)는 연역적 탐구 방법이고, (나)는 귀납적 탐구 방법이다.

11 | 자료 분석 |

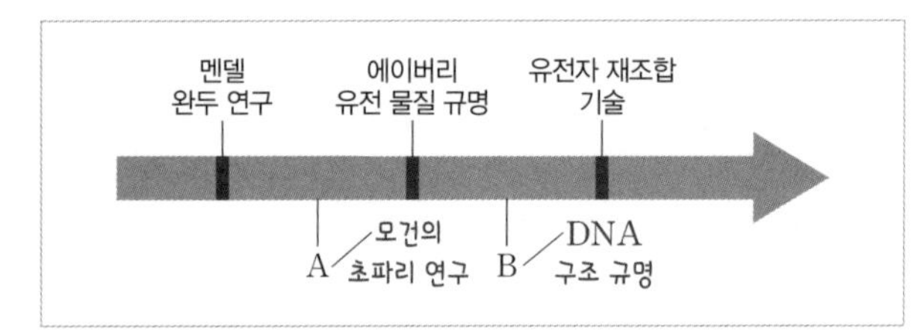

| 선택지 분석 |

ㄱ. A는 모건의 초파리 연구이다.
➡ 모건은 초파리 돌연변이 연구를 통해 유전자가 염색체 위에 있음을 밝혔다.

✕ B는 ~~연역적~~ 귀납적 탐구 방법으로 연구한 것이다.
➡ 왓슨과 크릭의 DNA 구조 규명 연구는 귀납적 탐구 방법을 사용하였다.

ㄷ. 멘델은 완두 교배 실험으로 유전의 기본 원리를 밝혔다.
➡ 멘델은 완두 교배를 통해 유전의 기본 원리를 처음으로 제시하였다.

12 | 선택지 분석 |

ㄱ. (가)는 란트슈타이너의 혈액형 발견과 연관이 있다.
➡ 혈액형의 발견은 란트슈타이너에 의해 이루어졌다.

✕ (나)는 ~~귀납적~~ 연역적 탐구 방법을 사용하였다.
➡ 백신에 대한 연구는 연역적 탐구 방법을 사용하였다.

ㄷ. 최초로 발견된 항생제는 페니실린이다.
➡ 최초의 항생제는 플레밍에 의해 푸른곰팡이에서 발견된 페니실린이다.

한번에 끝내는 대단원 문제 023쪽~025쪽

01 ⑤ **02** ⑤ **03** ④ **04** ④ **05** ③ **06** ④ **07** ④
08 ⑤ **09** ④ **10** ⑤

11 전자 현미경 **12** 생리학

13 | 모범 답안 | 세균의 감염으로 생긴 질병으로 고통받는 사람들에게 세균을 물리칠 수 있는 항생제를 발견함으로써 질병의 고통에서 해방될 수 있도록 했다.

14 | 모범 답안 | (가)는 생쥐 안에서 R형균과 S형균을 발견해야 하므로 현미경, 즉 도구를 사용하였다. (나)는 방사성 동위원소를 사용한 것으로 자기 방사법을 사용하였다.

15 | 모범 답안 | 왓슨과 크릭은 플랭클린이 찍은 X선 회절 사진과 DNA에 대한 여러 연구 결과를 종합하여 DNA 구조를 밝혀냈다. 따라서 귀납적 연구 방법이다.

01 ⑤ 완두 실험으로 유전 원리를 제시한 사람은 멘델이다. 모건은 초파리 교배 실험으로 유전자가 염색체 위에 존재함을 주장하였다.

02 니런버그는 인공으로 합성한 RNA를 이용하여 단백질을 합성함으로써 유전부호를 해독하였다. 코헨과 보이어는 플라스미드에 유용한 DNA를 삽입할 수 있는 유전자 재조합 기술을 개발하였다. 멀리스는 DNA의 특정 부분만을 대량으로 증폭시키는 PCR 기술을 개발하였다.

03 밴팅은 개 이자에서 인슐린을 추출했다. 다윈은 자연 선택설을 주장하였다. 로렌츠는 동물 행동을 연구하였다. 레이우엔훅은 현미경으로 미생물을 관찰하였다.

04 각 생명 과학자의 주된 연구를 수행했던 시기는 다음과 같다. 베살리우스(다)는 16세기에 해부를 하였고, 코흐(나)는 1882년에 감염병 원인을 규명하였으며, 모건(라)은 1926년에 유전자설을 주장하였고, 왓슨과 크릭(가)은 1953년에 DNA 입체 구조를 밝혔다.

05 | 자료 분석 |

> 플레밍 연구실의 세균 배지에 우연히 (㉠)의 포자가 떨어져 자랐다. (㉠)이/가 자란 주위에는 세균이 생장하지 못하는 것을 발견하였다. 이후 (㉠)이/가 만드는 물질이 최초의 항생 물질인 (㉡)임이 밝혀졌다.
> ㉠ 푸른곰팡이, ㉡ 페니실린

| 선택지 분석 |

ㄱ. ㉠은 푸른곰팡이이다.
➡ 플레밍은 푸른곰팡이로 오염된 세균 생장 배지를 관찰하였다.

ㄴ. ㉡은 세균에 의한 질병 치료에 사용한다.
➡ 페니실린은 세균으로 인한 질병 치료에 사용이 가능하다.

✕ ㉡이 발견된 이후, 훅은 현미경으로 세포를 관찰했다.
➡ 훅이 현미경으로 세포를 발견한 것은 플레밍의 페니실린 발견보다 한참 전이다.

06 ④ 진화는 1가지 요인에 의해 일어나는 것이 아니라 돌연변이, 격리, 자연 선택 등의 다양한 요인에 의해 일어난다.

07 | 자료 분석 |

> (가) 생명 과학자들이 여러 생물에서 세포를 관찰하고 얻은 결과를 종합하여 '모든 생물은 세포로 이루어져 있다.'라는 세포설을 발표하였다. 슐라이덴과 슈반
> (나) 갈라파고스 제도를 비롯한 여러 나라에서 수집한 자료를 바탕으로 생물의 진화를 설명하는 자연 선택설을 제안하였다.
> → 다윈이 발표함. 다른 학문과 정치, 사회에도 영향을 끼침

| 선택지 분석 |

✕ (가)의 세포설을 기초로 현미경이 발명되었다.
➡ 세포설은 현미경이 발견되고 여러 생물을 현미경으로 관찰한 후에 성립된 이론이다.

ㄴ (나) 이론은 생명 과학뿐 아니라 다른 분야에도 영향을 끼쳤다.
➡ 진화론은 생물의 진화를 설명하는 것뿐 아니라 정치, 사회, 철학 등 다른 분야에도 영향을 끼쳤다.

ㄷ (가)와 (나) 모두 귀납적 탐구 방법을 사용하였다.
➡ (가)와 (나)는 모두 관찰한 것을 종합하여 이론을 만든 귀납적 탐구 방법이다.

08 | 선택지 분석 |

ㄱ A에서는 미생물이 증식한다.
➡ A에서는 공기 중의 미생물이 플라스크 안으로 들어가서 고기즙에 미생물이 증식한다.

ㄴ B에서는 공기 중의 미생물이 플라스크 안으로 들어가지 못한다.
➡ B에서는 공기 중의 미생물이 목 부분에 맺힌 물방울들 때문에 플라스크 안으로 들어가지 못해 고기즙에 미생물이 증식하지 못한다.

ㄷ 자연 발생설을 부정한 실험이다.
➡ 파스퇴르의 백조목 플라스크 실험은 자연 발생설을 부정하고 생물 속생설을 지지하는 실험이다.

09 | 선택지 분석 |

ㄱ (가)는 ~~오감을 직접~~ 현미경을 사용한 관찰 방법이다.
➡ 현미경이라는 도구를 사용한 관찰이다. 오감을 직접 사용한 것은 아니다.

ㄴ (나)는 자기 방사법을 사용한 것이다.
➡ 자기 방사법을 사용한 것이다. 허시와 체이스가 DNA가 유전물질임을 증명할 때도 이 방법을 사용하였다.

ㄷ (다)는 모건과 같은 연구 방법을 사용하였다.
➡ 돌연변이를 일으킨 생물을 이용한 연구 방법이다. 모건도 돌연변이를 일으킨 초파리의 교배 실험 결과를 토대로 유전자설을 주장하였다.

10 | 자료 분석 |

(가) 독성이 약화된 콜레라균을 닭에게 주사한 후 독성이 강한 콜레라균을 주사하면, 닭이 콜레라균에 저항성을 가진다는 것을 발견하고 약화시킨 병원체를 '백신'이라고 명명하였다.
감염성 질병에 대한 백신 발견

(나) 란트슈타이너는 다양한 사람의 혈액을 섞어 응집 반응을 확인하여 혈액형의 종류를 밝혀냈다.
혈액형의 종류를 밝혀 수혈의 부작용을 예방

(다) 로렌츠는 야생 동물을 직접 관찰하거나, 집에서 키우면서 동물 행동을 연구하였다. 그 결과 동물 행동에서 본능이 중요한 역할을 한다는 사실을 밝혔다. 귀납적 탐구 방법 사용

| 선택지 분석 |

ㄱ (가)는 백신을 통한 질병 예방에 기여하였다.
➡ (가)는 감염성 질병에 대한 백신을 발견한 것으로 질병의 예방에 공헌한 연구이다.

ㄴ (나)는 안전한 수혈이 가능하게 하였다.
➡ (나)는 혈액형과 그 특성을 발견하여 수혈의 부작용을 크게 줄여주었고, 안전하게 수혈할 수 있게 해주었다.

ㄷ (다)는 귀납적 탐구 방법을 사용한 것이다.
➡ (다)는 로렌츠가 야생 동물을 직접 관찰한 결과를 종합하여 이론을 제시하였으므로 귀납적 탐구 방법을 사용한 것이다.

11 1931년에 최초로 투사 전자 현미경이 발명되었고, 이후로 주사 전자 현미경도 발명되면서 세포의 구조를 정밀하게 관찰하게 되었다.

12 생리학은 생물체의 기능을 연구하는 분야이다. 해부학은 기능을 수행하는 인체 구조를 연구하는 것이고, 하비는 심장의 기능을, 호지킨과 헉슬리는 신경의 기능을, 서덜랜드는 호르몬의 기능을 각각 연구하였다.

13 세균의 감염으로 생긴 질병으로 고통받는 사람들에게 세균을 물리칠 수 있는 항생제를 발견함으로써 질병의 고통에서 해방될 수 있도록 했다.

채점 기준	배점
세균과 질병의 관계, 항생제와 세균의 관계 2가지를 모두 서술한 경우	100 %
세균과 질병의 관계, 항생제와 세균의 관계 2가지 중 1가지만 서술한 경우	50 %

14 (가)는 생쥐 안에서 R형 균과 S형 균을 발견해야 하므로 현미경, 즉 도구를 사용하였다. (나)는 방사성 동위 원소를 사용한 것으로 자기 방사법을 사용하였다.

채점 기준	배점
2가지 연구 방법을 모두 정확하게 서술한 경우	100 %
2가지 연구 방법 중 1가지만 정확하게 서술한 경우	50 %

15 왓슨과 크릭은 플랭클린이 찍은 X선 회절 사진과 DNA에 대한 여러 연구 결과를 종합하여 DNA 구조를 밝혀냈으므로 귀납적 연구 방법이다.

채점 기준	배점
탐구 과정에 대한 설명과 귀납적 연구를 언급한 경우	100 %
귀납적 연구만 언급한 경우	50 %

1 »» 세포의 특성

01 생명체의 구성

콕콕! 개념 확인하기 032쪽

✔ 잠깐 확인!

1 이당류, 다당류 **2** 인지질 **3** 펩타이드 **4** 입체 구조 **5** 당, 염기 **6** 저장, 전달 **7** 기관계 **8** 조직계

01 탄소(C), 수소(H), 산소(O) **02** (1) 탄수화물 (2) 핵산 (3) 지질 (4) 단백질 **03** (1) × (2) ○ (3) × (4) × **04** (가) 뉴클레오타이드 (나) 포도당 (다) 아미노산 **05** A: 조직, B: 기관, C: 기관계, D: 조직, E: 조직계, F: 기관 **06** (1)-㉢ (2)-㉠ (3)-㉡ (4)-㉣ **07** (1) 관다발 조직계 (2) 기본 조직계 (3) 표피 조직계

01 탄수화물을 구성하는 원소는 탄소(C), 수소(H), 산소(O), 지질을 구성하는 원소는 탄소(C), 수소(H), 산소(O), 단백질을 구성하는 원소는 탄소(C), 수소(H), 산소(O), 질소(N), 황(S)(일부), 핵산을 구성하는 원소는 탄소(C), 수소(H), 산소(O), 질소(N), 인(P)이다.

02 (1) 탄수화물은 생명체의 주된 에너지원으로 사용된다.
(2) 핵산 중 DNA는 유전 정보를 저장하고, RNA는 유전 정보를 전달한다.
(3) 지질 중 중성 지방은 에너지원으로 사용되고, 인지질은 세포막의 구성 성분이며, 스테로이드는 성호르몬의 구성 성분이다.
(4) 단백질은 효소와 호르몬의 주성분으로 물질대사와 생리 기능을 조절한다.

03 (1) 녹말은 식물, 글리코젠은 동물의 저장 탄수화물이다.
(3) 중성 지방은 3분자의 지방산과 1분자의 글리세롤로 구성되어 있다.
(4) DNA의 구성 당은 디옥시리보스, RNA의 구성 당은 리보스이다.

04 (가)는 핵산의 단위체인 뉴클레오타이드, (나)는 탄수화물의 단위체인 포도당, (다)는 단백질의 단위체인 아미노산이다.

05 동물의 구성 단계는 세포 → 조직 → 기관 → 기관계 → 개체이고, 식물의 구성 단계는 세포 → 조직 → 조직계 → 기관 → 개체이다.

07 (1) 물관과 체관 등으로 구성된 관다발 조직계는 물과 양분의 이동 통로 역할을 한다.
(2) 대부분 유조직으로 구성된 기본 조직계에서는 광합성과 호흡, 물과 양분의 저장 등이 일어난다.
(3) 표피 조직으로 구성된 표피 조직계는 식물의 바깥 표면을 덮어 내부를 보호하고 기체 교환과 수분 출입을 조절한다.

탄탄! 내신 다지기 033쪽~034쪽

01 ④ **02** ⑤ **03** ④ **04** ③ **05** ⑤ **06** ④ **07** ④ **08** ③ **09** ⑤ **10** (가) 표피 조직, (나) 유조직, (다) 통도 조직, (라) 분열 조직 **11** ④

01 (가)는 단당류, (나)는 이당류, (다)는 다당류이다. 단당류의 예로는 포도당, 과당, 갈락토스가 있고, 이당류의 예로는 엿당, 젖당, 설탕이 있다. 다당류의 예로는 녹말, 셀룰로스, 글리코젠 등이 있다.

02 | 선택지 분석 |

① (가)는 중성 지방이다.
➡ (가)는 지방산과 글리세롤로 이루어진 중성 지방이다.

② (나)는 세포막을 구성한다.
➡ (나)는 인지질로, 세포막을 구성한다.

③ (다)의 예로 콜레스테롤이 있다.
➡ (다)는 스테로이드로, 콜레스테롤은 스테로이드의 예이다.

④ ㉠은 글리세롤, ㉡은 지방산이다.
➡ 중성 지방을 이루는 지방산은 3분자, 글리세롤은 1분자이다. 따라서 ㉠은 글리세롤, ㉡은 지방산이다.

⑤ (가)는 유기 용매보다 물에 잘 녹는다.
물 유기 용매
➡ 중성 지방은 물보다 유기 용매에 잘 녹는다.

03 | 선택지 분석 |

① 고유한 입체 구조를 가진다.
➡ 단백질은 아미노산의 종류, 수, 배열 순서에 따라 고유한 입체 구조를 가진다.

② 효소, 항체의 구성 성분이다.
➡ 단백질은 효소, 항체, 호르몬, 헤모글로빈 등의 구성 성분이다.

③ 머리카락, 손톱의 구성 성분이다.
➡ 단백질은 머리카락, 손톱 등을 구성한다.

④ 기본 단위는 뉴클레오타이드이다.
아미노산
➡ 단백질의 기본 단위는 아미노산이다.

⑤ 구성 원소에 탄소(C), 수소(H), 산소(O), 질소(N)가 있다.
➡ 단백질의 구성 원소에는 탄소(C), 수소(H), 산소(O), 질소(N)가 있으며, 일부는 황(S)이 있다.

04 | 자료 분석 |

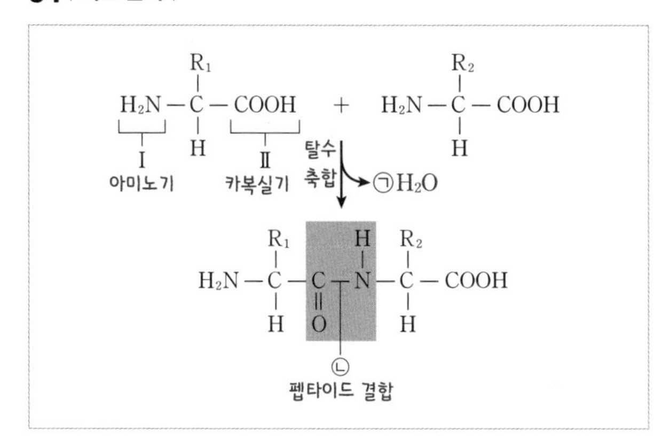

| 선택지 분석 |

① Ⅰ은 아미노기이다.
➡ Ⅰ은 아미노산 단위체 중 아미노기에 해당한다.

② Ⅱ은 카복실기이다.
➡ Ⅱ는 아미노산 단위체 중 카복실기에 해당한다.

③ ㉠은 CO_2이다.
➡ 아미노산과 아미노산 사이에서 물(H_2O) 1분자가 빠지면서 펩타이드 결합이 이루어진다.

④ ㉡은 펩타이드 결합이다.
➡ 아미노산과 아미노산 사이의 결합인 ㉡은 펩타이드 결합이다.

⑤ 이와 같은 반응으로 폴리펩타이드가 형성된다.
➡ 아미노산과 아미노산이 펩타이드 결합으로 연결되어 폴리펩타이드가 형성되고, 폴리펩타이드가 꼬이거나 접혀 입체 구조를 형성하여 단백질이 된다.

05 | 선택지 분석 |

① (가)는 2중 나선 구조이다.
➡ (가)는 DNA이며, DNA는 2중 나선 구조이다.

② (나)는 RNA이다.
➡ (나)는 단일 가닥이므로 RNA이다.

③ (가)는 유전 정보를 저장한다.
➡ DNA의 염기 서열에는 유전 정보가 저장되어 있다.

④ (나)를 구성하는 당은 리보스이다.
➡ DNA(가)를 구성하는 당은 디옥시리보스이고, RNA(나)를 구성하는 당은 리보스이다.

⑤ (가)와 (나)는 모두 타이민(T)을 가진다.
➡ DNA(가)의 염기에는 아데닌(A), 구아닌(G), 사이토신(C), 타이민(T)이 있고, RNA(나)의 염기에는 아데닌(A), 구아닌(G), 사이토신(C), 유라실(U)이 있다.

06 | 자료 분석 |

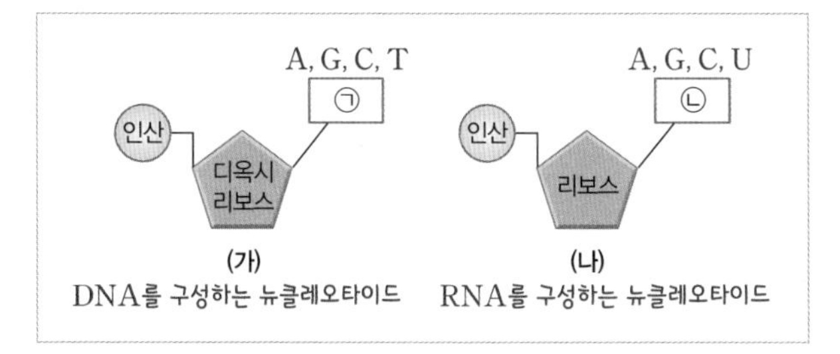

(가) DNA를 구성하는 뉴클레오타이드 (나) RNA를 구성하는 뉴클레오타이드

| 선택지 분석 |

ㄱ. (가)는 DNA를, (나)는 RNA를 구성한다.
➡ (가)의 당은 디옥시리보스이므로 (가)는 DNA를 구성하는 뉴클레오타이드이고, (나)의 당은 리보스이므로 (나)는 RNA를 구성하는 뉴클레오타이드이다.

ㄴ. 유라실(U)은 ㉠에 해당한다.
➡ 유라실(U)은 RNA를 구성하는 염기이므로 ㉠에 해당하지 않는다.

ㄷ. ㉡에 해당하는 염기는 4종류이다.
➡ ㉡에 해당하는 염기는 아데닌(A), 구아닌(G), 사이토신(C), 유라실(U) 4종류이다.

07 | 선택지 분석 |

① (가)는 조직이다.
➡ (가)는 조직, (나)는 기관, (다)는 기관계이다.

② (가)는 모양과 기능이 비슷한 세포들이 모인 것이다.
➡ (가)는 조직이며, 조직은 모양과 기능이 비슷한 세포들이 모인 것이다.

③ (나)는 여러 조직이 모여 특정한 형태와 기능을 나타낸다.
➡ 기관은 신경 조직, 상피 조직, 결합 조직, 근육 조직이 모여 특정한 형태와 기능을 나타낸다.

④ (다)는 식물에도 있는 구성 단계이다.
➡ (다)는 기관계이며, 식물에는 없다. 식물에는 조직계가 있다.

⑤ 생명체는 유기적이고 정교한 체제를 갖추고 있다.
➡ 생명체는 세포가 모여 조직을, 조직이 모여 기관을, 기관이 모여 개체를 형성하며 유기적으로 정교한 체제를 갖추고 있다.

08 | 선택지 분석 |

① A는 결합 조직이다.
➡ A는 위의 표면이나 안쪽 벽을 덮고 있으므로 상피 조직이다.

② B는 상피 조직이다.
➡ B는 조직을 연결하거나 지지하므로 결합 조직이다.

③ C는 뉴런으로 구성된다.
➡ C는 신경 조직이며, 신경 조직은 신경 세포인 뉴런으로 구성된다.

④ D는 소화 효소를 분비하는 기능이 있다.
➡ 소화 효소를 분비하는 기능은 상피 조직(A)에서 일어난다.

⑤ 위는 동물의 구성 단계 중 조직계에 해당한다.
➡ 위는 여러 가지 조직으로 구성되어 특정한 형태와 기능을 갖춘 기관 단계에 해당한다.

09 | 선택지 분석 |

ㄱ. A는 근육 조직이다.
➡ A는 근육 세포가 모여 이룬 근육 조직이다.

ㄴ. B에 물관부와 체관부가 존재한다.
➡ B는 관다발 조직계이며, 관다발 조직계에는 물관부, 체관부, 형성층이 속한다.

ㄷ. 줄기는 C에 해당한다.
➡ C는 기관에 해당하는 예이므로 C에는 잎, 줄기, 뿌리, 꽃, 열매가 해당된다.

10 (가)는 식물의 표면을 덮고 있는 표피 조직이다. (나)는 울타리 조직과 해면 조직이 해당하므로 유조직이며, 유조직은 물질대사가 활발하다. (다)는 물의 이동 통로인 물관과 양분의 이동 통로인 체관이 해당하는 통도 조직이다. (라)는 세포 분열이 활발히 일어나므로 분열 조직이며, 분열 조직에는 형성층과 생장점이 있다.

11 | 선택지 분석 |

① (가)는 ~~표피 조직~~ 유조직이다.
➡ (가)는 울타리 조직이므로 유조직이다.

② (나)는 ~~통도 조직~~ 유조직이다.
➡ (나)는 해면 조직이므로 유조직이다.

③ (다)는 ~~분열 조직~~ 영구 조직에 해당한다.
➡ (다)는 식물의 표면을 덮고 있으므로 표피 조직이다. 표피 조직은 영구 조직에 해당한다.

④ (라)는 관다발 조직계에 속한다.
➡ (라)는 통도 조직이므로 관다발 조직계에 속한다.

⑤ 잎은 식물의 ~~생식 기관~~ 영양 기관에 해당한다.
➡ 잎은 식물의 영양 기관에 해당한다.

도전! 실력 올리기

035쪽

01 ③ **02** ③

03 (1) (가) 녹말, (나) 단백질, (다) DNA
(2) | **모범 답안** | (가) 에너지원이다. (나) 효소, 호르몬, 항체의 주성분이다. (다) 유전 정보를 저장한다.

04 | **모범 답안** | DNA의 당은 디옥시리보스이고 RNA의 당은 리보스이다. DNA의 염기에는 타이민(T)이 있으며, RNA의 염기에는 유라실(U)이 있다.

05 | **모범 답안** | ㉠은 조직, ㉡은 조직계, ㉢은 기관계이다. 왜냐하면 동물인 토끼와 식물인 장미는 모두 조직이 있지만, 동물인 토끼는 조직계가 없고, 식물인 장미는 기관계가 없기 때문이다.

01 | 선택지 분석 |

ㄱ. ㉠의 구성 원소에는 질소(N)가 포함된다.
➡ ㉠은 기본 단위가 아미노산이므로 단백질이다. 단백질의 구성 원소에는 탄소(C), 수소(H), 산소(O), 질소(N)가 있고, 일부 황(S)이 있다.

ㄴ. ㉡의 기본 단위는 뉴클레오타이드이다.
➡ ㉡은 DNA이며, DNA의 기본 단위는 뉴클레오타이드이다.

✕ ㉢은 ~~단백질~~ 스테로이드이다.
➡ ㉢은 기본 단위가 아미노산이 아니며, 호르몬의 구성 성분이므로 스테로이드이다.

02 | 자료 분석 |

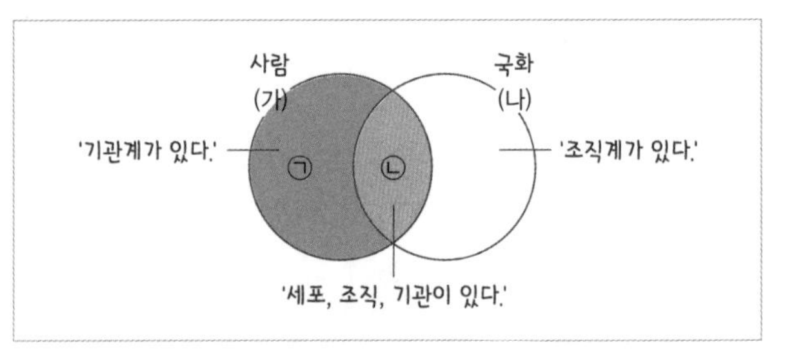

| 선택지 분석 |

ㄱ. (가)는 사람이다.
➡ 사람과 국화 중 '기관계가 있다.'는 사람에만 해당하므로 '기관계가 있다.'는 ㉠이며, (가)는 사람, (나)는 국화이다.

✕ '조직계가 있다.'는 ㉡에 ~~해당한다~~ 해당하지 않는다.
➡ '조직계가 있다.'는 국화에만 해당하므로 사람과 국화의 공통적인 특징인 ㉡에 해당하지 않는다.

ㄷ. 사람의 적혈구와 국화의 유세포는 생물의 구성 단계 중 같은 구성 단계에 해당한다.
➡ 사람의 적혈구와 국화의 유세포는 모두 생물의 구성 단계 중 세포에 해당한다.

03 (1) (가)의 기본 단위는 포도당, (나)의 기본 단위는 아미노산, (다)의 기본 단위는 뉴클레오타이드이다.
(2) 녹말은 에너지원이다. 단백질은 효소, 호르몬, 항체, 헤모글로빈 등의 주성분이다. DNA는 유전 정보를 저장한다.

채점 기준	배점
(가)~(다)의 기능을 모두 옳게 서술한 경우	100 %
(가)~(다)의 기능 중 2개만 옳게 서술한 경우	40 %
(가)~(다)의 기능 중 1개만 옳게 서술한 경우	20 %

04 DNA를 구성하는 당은 디옥시리보스이고 RNA를 구성하는 당은 리보스이다. 디옥시리보스는 리보스보다 산소 원자 하나가 부족하다. DNA의 염기에는 아데닌(A), 구아닌(G), 사이토신(C), 타이민(T)이 있으며, RNA의 염기에는 아데닌(A), 구아닌(G), 사이토신(C), 유라실(U)이 있다.

채점 기준	배점
DNA와 RNA를 구성하는 물질의 차이점을 2가지 모두 옳게 서술한 경우	100 %
DNA와 RNA를 구성하는 물질의 차이점을 1가지만 옳게 서술한 경우	50 %

05 ㉠은 조직, ㉡은 조직계, ㉢은 기관계이다. 동물과 식물은 모두 조직이 있고, 동물은 조직계가, 식물은 기관계가 없다.

채점 기준	배점
㉠~㉢을 모두 옳게 쓰고, 까닭을 옳게 서술한 경우	100 %
㉠~㉢을 모두 옳게 썼지만, 까닭을 옳게 서술하지 못한 경우	40 %

02 세포의 구조와 기능

개념POOL 042쪽

01 ㉠ 거친면 소포체, ㉡ 골지체, ㉢ 분비 소낭
02 (1) × (2) ○ (3) ○ (4) ×

01 리보솜에서 DNA의 유전 정보에 따라 합성된 단백질은 소포체 → 골지체 → 분비 소낭의 경로를 거쳐 세포 밖으로 분비된다.

02 (1) 핵 속의 DNA에는 단백질에 대한 유전 정보가 저장되어 있으며, 이 정보에 따라 단백질이 합성된다.
(4) 골지체에서는 소포체에서 이동해 온 단백질을 소낭에 싸서 세포 밖으로 분비하거나 세포의 다른 부위로 이동시킨다.

콕콕! 개념 확인하기 043쪽

✔ 잠깐 확인!!
1 광학 **2** 주사 전자 **3** 세포 분획법 **4** 원핵세포, 진핵세포 **5** 핵막, 인 **6** rRNA, 단백질, 거친면 **7** 액포, 세포벽

01 (1) ○ (2) × (3) × (4) ○ **02** ㉠ 핵, ㉡ 엽록체, ㉢ 미토콘드리아, ㉣ 소포체 **03** ㉠ 없음, ㉡ 선형 DNA, ㉢ 펩티도글리칸 **04** (1)–㉣ (2)–㉠ (3)–㉤ (4)–㉢ (5)–㉡ **05** (가) 미세 소관, (나) 중간 섬유, (다) 미세 섬유

01 (2) 전자 현미경은 전자선을 이용한다.
(3) 세포 분획법에서 무거운 세포 소기관은 가벼운 세포 소기관보다 원심 분리 속도를 더 느리게 하여 가벼운 세포 소기관보다 먼저 분리되도록 한다.

02 세포벽을 제거한 식물 세포를 세포 분획법으로 분리했을 때 세포 소기관이 가라앉아 분리되는 순서는 핵 → 엽록체 → 미토콘드리아 → 소포체 → 리보솜 → 세포액이다.

03 원핵세포는 핵과 막성 세포 소기관이 없고, 펩티도글리칸 성분의 세포벽을 갖는다. 진핵세포는 선형 DNA를 여러 개 갖는다.

04 리소좀에서는 세포내 소화, 엽록체에서는 광합성이 일어난다. 골지체는 소포체로부터 운반되어 온 단백질을 가공하고 소낭에 싸서 세포 밖으로 분비하거나 세포의 다른 부위로 이동시킨다. 리보솜에서는 단백질 합성이, 미토콘드리아에서는 세포 호흡이 일어난다.

05 세포 골격을 이루는 단백질 섬유의 굵기를 비교하면 미세 소관(가) > 중간 섬유(나) > 미세 섬유(다)이다.

탄탄! 내신 다지기 044쪽~045쪽

01 ⑤ **02** ② **03** ④ **04** (가), (나) **05** ① **06** ③ **07** ③ **08** ⑤ **09** ④

01 | 선택지 분석 |
① 광학 현미경은 가시광선을 광원으로 사용한다.
➡ 광학 현미경은 광원으로 가시광선을 사용한다.
② 투과 전자 현미경(TEM)은 전자선을 광원으로 사용한다.
➡ 전자 현미경은 광원으로 전자선을 사용한다.
③ 투과 전자 현미경(TEM)은 세포 소기관의 미세 구조 단면을 관찰하는 데 적합하다.
➡ 투과 전자 현미경은 투과되는 전자선을 사용하기 때문에 세포 소기관의 미세 구조 단면을 관찰하는 데 적합하다.
④ 주사 전자 현미경(SEM)으로 세포를 관찰하면 세포 표면의 3차원적인 입체 구조를 관찰할 수 있다.
➡ 주사 전자 현미경은 시료 표면에서 반사되어 나오는 2차 전자를 이용하기 때문에 세포 표면의 3차원적인 입체 구조를 관찰할 수 있다.
⑤ 주사 전자 현미경(SEM)은 살아 있는 생물의 운동성을 관찰하기에 ~~적합하다~~ 적합하지 않다.
➡ 전자 현미경의 안은 진공 상태이기 때문에 살아 있는 생물을 관찰할 수 없다. 살아 있는 생물의 운동성을 관찰하기에 적합한 현미경은 광학 현미경이다.

02 (가)는 투과 전자 현미경, (나)는 주사 전자 현미경이다.
| 선택지 분석 |
✗ ~~(나)~~(가)는 ~~(가)~~(나)보다 해상력이 뛰어나다.
➡ 투과 전자 현미경(가)의 해상력은 0.0002 μm이고, 주사 전자 현미경의 해상력(나)은 0.005 μm이다. 해상력은 해상력의 수치와 반비례하므로 투과 전자 현미경(가)은 주사 전자 현미경(나)보다 해상력이 뛰어나다.
✗ ~~(가)~~(나)는 시료 표면에서 반사되어 나온 전자를 이용한다.
➡ 투과 전자 현미경(가)은 시료에 투과되는 전자를 이용한다.
㉢ (나)는 세포나 조직의 입체 구조를 관찰하는 데 적합하다.
➡ 주사 전자 현미경(나)은 3차원적인 입체 영상을 형성하므로 세포나 조직의 입체 구조를 관찰하는 데 적합하다.

03 | 자료 분석 |

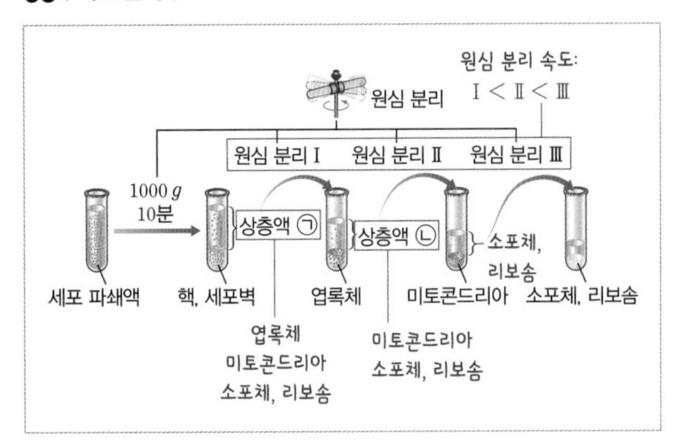

| 선택지 분석 |

① 이 과정은 세포 분획법이다.
➡ 원심 분리기를 이용하여 세포 소기관을 분리하는 과정은 세포 분획법이다.

② ㉠에는 엽록체가 있다.
➡ ㉠을 원심 분리했을 때 침전물에 엽록체, 미토콘드리아, 소포체, 리보솜이 있으므로 ㉠에는 엽록체가 있다.

③ ㉡에는 미토콘드리아와 리보솜이 모두 있다.
➡ ㉡을 원심 분리했을 때 침전물에 미토콘드리아와 소포체, 리보솜이 있으므로 ㉡에는 미토콘드리아와 리보솜이 모두 있다.

④ 원심 분리 속도의 크기는 ~~Ⅰ > Ⅱ > Ⅲ~~ Ⅰ < Ⅱ < Ⅲ이다.
➡ 원심 분리 속도가 빠를수록 크기와 밀도가 더 작은 세포 소기관이 분리된다. 세포 소기관의 크기와 밀도는 엽록체 > 미토콘드리아 > 소포체, 리보솜이므로 원심 분리 속도의 크기는 Ⅰ < Ⅱ < Ⅲ이다.

⑤ 원심 분리의 속도를 빠르게 할수록 작고 가벼운 세포 소기관이 분리된다.
➡ 원심 분리의 속도를 빠르게 할수록 작고 가벼운 세포 소기관이 분리되므로 세포 분획법에서 원심 분리 속도를 점점 더 빠르게 한다.

04
(가)와 (나)는 방사성 동위 원소를 사용하였으므로 자기 방사법을 이용하였고, (다)는 비방사성 동위 원소를 사용하였으므로 자기 방사법을 이용하지 않았다.

05 | 선택지 분석 |

㉠ (가)는 진핵세포이다.
➡ (가)에 핵이 있으므로 (가)는 진핵세포이다.

✕ (나)의 세포벽의 성분은 ~~셀룰로스~~ 펩티도글리칸이다.
➡ (나)는 원핵세포이며, 원핵세포의 세포벽 성분은 펩티도글리칸이다. 셀룰로스는 진핵세포에 해당하는 식물 세포의 세포벽 주성분이다.

✕ (가)와 (나)에는 모두 막성 세포 소기관이 있다.
➡ 원핵세포(나)에는 막성 세포 소기관이 없다.

06
A는 크리스타 구조를 갖는 미토콘드리아, B는 미세 소관으로 구성된 중심체, C는 작은 알갱이 구조의 리보솜, D는 2중막 구조이며 인이 있는 핵, E는 시스터나 구조의 골지체이다.

| 선택지 분석 |

① A: ~~광합성을~~ 세포 호흡을 한다.
➡ 미토콘드리아(A)는 세포 호흡을 한다.

② B: ~~세포내 소화를 한다~~ 방추사를 형성한다.
➡ 중심체(B)는 방추사를 형성한다.

③ C: 단백질을 합성한다.
➡ 리보솜(C)은 단백질을 합성한다.

④ D: ~~세포 호흡을 한다~~ 생명 활동의 중심이다.
➡ 핵(D)은 생명 활동의 중심이다.

⑤ E: ~~유전 정보를 저장한다~~ 단백질을 저장, 포장, 분비한다.
➡ 골지체(E)는 단백질을 저장, 포장, 분비한다.

07 | 선택지 분석 |

㉠ A는 DNA와 단백질로 구성되어 있다.
➡ A는 염색사이며, 염색사는 DNA와 히스톤 단백질로 구성되어 있다.

㉡ B에서 rRNA가 합성된다.
➡ B는 인이며, 인에서 rRNA가 합성된다.

✕ DNA는 핵공을 통해 세포질로 이동한다.
➡ 핵공을 통해 단백질, RNA 등이 이동하며, DNA는 세포질로 이동하지 않는다.

08 | 선택지 분석 |

① (가)는 엽록체이다.
➡ (가)는 내부에 틸라코이드가 있는 엽록체이다.

② (가)에서 빛에너지가 화학 에너지로 전환된다.
➡ 엽록체에서 광합성을 통해 빛에너지가 화학 에너지(포도당)로 전환된다.

③ (나)에서 ATP가 생성된다.
➡ (나)는 미토콘드리아이며, 미토콘드리아에서 세포 호흡을 통해 ATP가 생성된다.

④ (가)와 (나)는 모두 식물 세포에 존재한다.
➡ 엽록체와 미토콘드리아는 모두 식물 세포에 존재한다.

⑤ (가)와 (나)는 모두 동물 세포에 존재한다.
➡ 엽록체(가)는 동물 세포에 존재하지 않는다.

09 | 자료 분석 |

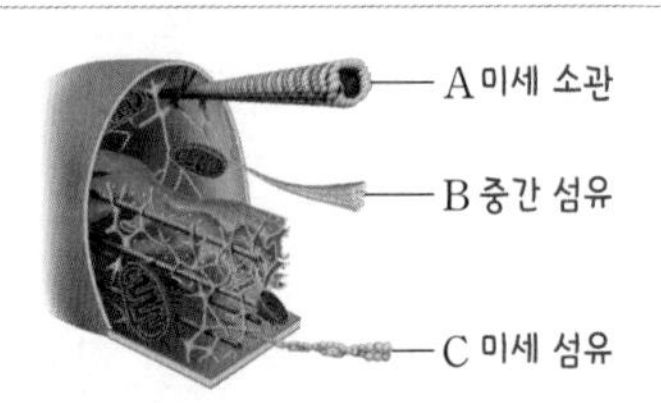

- 미세 소관(A): 튜불린으로 구성되며 세포의 모양 유지, 염색체의 이동과 세포 소기관의 이동에 관여한다.
- 중간 섬유(B): 여러 가닥의 단백질이 꼬여서 형성되며 세포의 형태를 유지하고 세포 소기관의 위치를 고정한다.
- 미세 섬유(C): 두 가닥의 액틴 필라멘트가 나선형으로 꼬여서 형성되며 세포의 형태를 유지하고 근수축, 동물 세포의 세포질 분열에 관여한다.

| 선택지 분석 |

ㄱ A는 염색체의 이동에 관여한다.

➡ A는 미세 소관으로 방추사를 구성하므로 염색체의 이동에 관여한다.

✕ B는 튜불린으로 구성된다. (A)

➡ 튜불린으로 구성되는 것은 미세 소관(A)이다.

ㄷ C는 근육의 수축에 관여한다.

➡ C는 미세 섬유이며, 미세 섬유는 근육의 액틴 필라멘트를 구성하므로 근육의 수축에 관여한다.

도전! 실력 올리기 046쪽~047쪽

01 ⑤ **02** ① **03** ② **04** ⑤ **05** ⑤ **06** ⑤

07 (1) 단백질은 거친면 소포체, 골지체, 분비 소낭 순으로 이동한다.

(2) | **모범 답안** | A는 거친면 소포체로 단백질을 가공하고 운반하며, B는 골지체로 단백질을 저장하고, 가공, 포장하여 세포 밖으로 분비한다.

08 | **모범 답안** | A는 핵이고, 생명 활동을 조절한다. B는 엽록체이고, 광합성을 한다. C는 미토콘드리아이고, 세포 호흡을 한다.

01 | 선택지 분석 |

ㄱ (가)는 광학 현미경이다.

➡ (가)는 광학 현미경, (나)는 투과 전자 현미경, (다)는 주사 전자 현미경이다.

ㄴ (나)를 통해 10 μm의 바이러스를 관찰할 수 있다.

➡ (나)의 해상력은 0.0002 μm이므로 길이가 0.0002 μm까지의 시료를 관찰할 수 있다. 10 μm의 바이러스는 0.0002 μm보다 길이가 길기 때문에 (나)를 통해 관찰할 수 있다.

ㄷ (다)의 광원은 전자선이다.

➡ 주사 전자 현미경의 광원은 전자선이다.

02 | 선택지 분석 |

ㄱ A는 자기 방사법이다.

➡ A는 자기 방사법, B는 세포 분획법, C는 현미경 관찰법이다.

✕ A~C 중 동물 세포의 형태를 관찰하기에 가장 적절한 방법은 B이다. (C)

➡ 동물 세포의 형태를 관찰하기에 가장 적절한 방법은 현미경 관찰법(C)이다.

✕ A~C 중 원심 분리기를 사용하는 방법은 ~~C~~이다. (B)

➡ 원심 분리기를 사용하는 방법은 세포 분획법(B)이다.

03 | 자료 분석 |

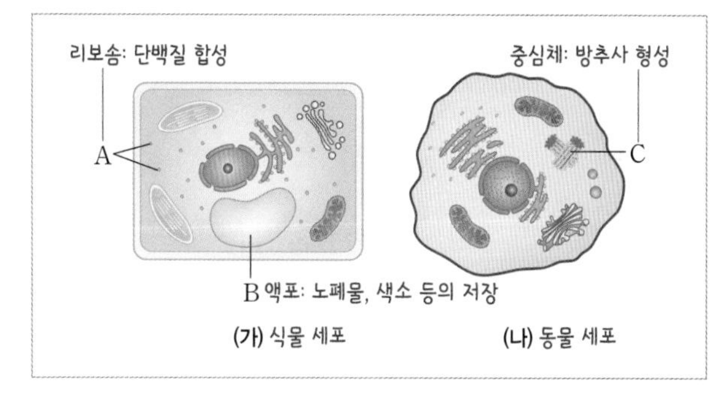

| 선택지 분석 |

✕ A는 ~~인지질 2중층의 막 구조이다~~. (막 구조가 아니다.)

➡ A는 리보솜이다. 리보솜은 단백질과 rRNA로 구성되어 있으며, 막 구조가 아니다.

ㄴ B의 크기는 성숙한 식물 세포일수록 크다.

➡ B는 액포이다. 액포는 성숙한 식물 세포일수록 물, 노폐물 등이 많아져 크기가 크다.

✕ ~~중간 섬유는~~ C를 구성한다. (미세 소관은)

➡ C는 중심체이다. 중심체를 구성하는 것은 미세 소관이다.

04 | 선택지 분석 |

ㄱ A에 리보솜이 붙어 있다.

➡ A는 거친면 소포체이며, 거친면 소포체에는 리보솜이 붙어 있다.

ㄴ B는 단백질의 분비 작용이 활발한 세포에 발달되어 있다.

➡ B는 골지체이며, 골지체는 단백질의 저장, 포장, 분비의 기능을 하기 때문에 단백질의 분비 작용이 활발한 세포에 발달되어 있다.

ㄷ C에 가수 분해 효소가 들어 있다.

➡ C는 리소좀이며, 리소좀에는 가수 분해 효소가 들어 있어 세포 내 소화를 담당한다.

05 | 자료 분석 |

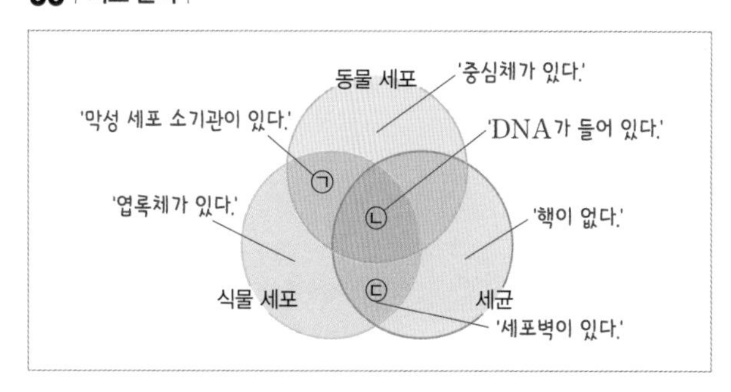

| 선택지 분석 |

ㄱ '막성 세포 소기관이 있다.'는 ㉠에 해당한다.

➡ '막성 세포 소기관이 있다.'는 동물 세포와 식물 세포만 해당한다.

ㄴ 'DNA가 들어 있다.'는 ㉡에 해당한다.

➡ 'DNA가 들어 있다.'는 동물 세포, 식물 세포, 세균이 모두 해당한다.

ㄷ '세포벽이 있다.'는 ㉢에 해당한다.

➡ '세포벽이 있다.'는 식물 세포와 세균만 해당한다.

06 | 선택지 분석 |

✕ 핵이 있다.
➡ 대장균은 핵이 없다.

ㄴ DNA가 있다.
➡ 대장균과 동물 세포에는 모두 유전 물질인 DNA가 있다.

ㄷ 단백질이 합성된다.
➡ 대장균과 동물 세포에는 모두 리보솜이 있어 단백질이 합성된다.

07 (1) 실험 결과를 보면 방사성 아미노산은 리보솜에서 단백질로 합성되어 거친면 소포체 → 골지체 → 분비 소낭 순으로 이동했음을 알 수 있다.
(2) A는 거친면 소포체이고, B는 골지체이다.

채점 기준	배점
A와 B의 기능을 모두 옳게 서술한 경우	100%
A와 B의 기능을 중 하나만 옳게 서술한 경우	40%

08 세포벽을 제거한 식물 세포를 세포 분획법으로 분리하면 세포 소기관은 핵 → 엽록체 → 미토콘드리아 → 소포체 → 리보솜 → 세포액 순으로 가라앉아 분리된다. 따라서 A는 핵, B는 엽록체, C는 미토콘드리아이다.

채점 기준	배점
A~C의 명칭과 각각의 기능을 모두 옳게 서술한 경우	100%
A~C의 명칭을 옳게 서술하였지만, 각각의 기능은 옳게 서술하지 않은 경우	40%

실전! 수능 도전하기

049쪽~052쪽

01 ① 02 ⑤ 03 ③ 04 ① 05 ③ 06 ⑤ 07 ③
08 ② 09 ⑤ 10 ⑤ 11 ④ 12 ⑤ 13 ⑤ 14 ④
15 ⑤ 16 ③

01 | 자료 분석 |

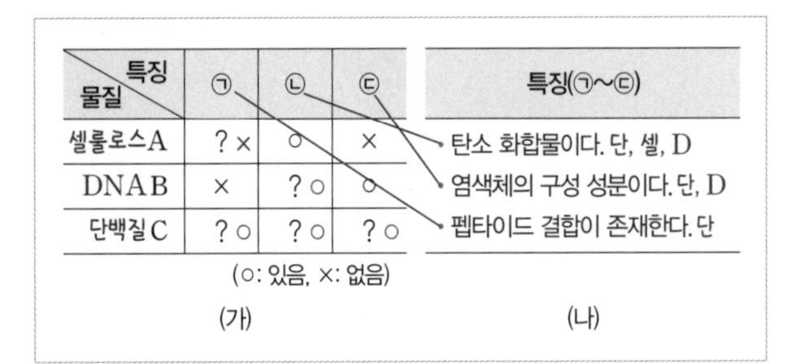

'탄소 화합물이다.'는 단백질, 셀룰로스, DNA가 모두 해당하고, '염색체의 구성 성분이다.'는 단백질, DNA만 해당하며, '펩타이드 결합이 존재한다.'는 단백질만 해당한다. 따라서 A는 셀룰로스, B는 DNA, C는 단백질이다.

| 선택지 분석 |

ㄱ ㉠은 '펩타이드 결합이 존재한다.'이다.
➡ ㉠은 '펩타이드 결합이 존재한다.', ㉡은 '탄소 화합물이다.', ㉢은 '염색체의 구성 성분이다.'이다.

✕ A의 기본 단위는 ~~뉴클레오타이드~~ 포도당이다.
➡ 셀룰로스(A)의 기본 단위는 포도당이다.

✕ ~~B~~ A는 탄수화물에 속한다.
➡ DNA(B)는 탄수화물에 속하지 않는다. 탄수화물에 속하는 것은 셀룰로스(A)이다.

02 | 선택지 분석 |

ㄱ (가)는 헤모글로빈의 구성 성분이다.
➡ (가)는 단백질이고, (나)는 핵산이다. 단백질은 헤모글로빈의 구성 성분이다.

ㄴ (가)와 (나)는 모두 탄소 화합물이다.
➡ 단백질(가)과 핵산(나)은 구성 원소에 공통적으로 탄소, 수소, 산소가 포함되어 있으므로 탄소 화합물이다.

ㄷ 핵에는 (가)와 (나)가 들어 있다.
➡ 핵에는 염색사가 있으며, 염색사는 히스톤 단백질과 핵산에 속하는 DNA로 구성되어 있다.

03 | 선택지 분석 |

ㄱ A는 지질이다.
➡ A는 지질, B는 단백질, C는 탄수화물이다.

ㄴ (나)는 B의 기본 단위이다.
➡ (나)는 아미노산으로, 단백질(B)의 기본 단위이다.

✕ ~~C는~~ 물은 인체를 구성하는 물질 중 비율이 가장 높다.
➡ 인체를 구성하는 물질 중 비율이 가장 높은 것은 물이다.

04 | 선택지 분석 |

ㄱ A는 스테로이드이다.
➡ A는 스테로이드, B는 DNA, C는 엿당이다.

✕ B의 기본 단위를 구성하는 당은 ~~라이보스~~ 디옥시리보스이다.
➡ DNA(B)의 기본 단위는 뉴클레오타이드이며, DNA의 뉴클레오타이드를 구성하는 당은 디옥시리보스이다.

✕ C는 ~~단당류~~ 이당류에 속한다.
➡ 엿당(C)은 포도당 2분자가 결합한 이당류이다.

05 | 선택지 분석 |

Ⅰ은 기관, Ⅱ는 조직계, Ⅲ은 조직이다.

ㄱ ⓐ에는 관다발 조직계가 있다.
➡ 잎에는 관다발 조직계, 표피 조직계, 기본 조직계가 모두 있다.

✕ 체관은 ~~Ⅱ~~ Ⅲ의 예에 해당한다.
➡ 체관은 조직(Ⅲ)의 예에 해당한다.

ㄷ ⓑ는 분열 조직이다.
➡ 형성층은 세포 분열이 활발한 분열 조직이다.

06 | 선택지 분석 |

✕ A는 결합 조직이다.
➡ A는 상피 조직, B는 결합 조직, C는 근육 조직이다.

ㄴ 적혈구는 B를 구성한다.
➡ 결합 조직(B)에는 혈액이 있으며, 적혈구는 혈액을 구성한다.

ㄷ 심장에는 A~C가 모두 있다.
➡ 기관에 해당하는 심장에는 상피 조직(A), 결합 조직(B), 근육 조직(C)이 모두 있다.

07 A는 뉴런, B는 신경계, C는 관다발 조직계이다.

| 선택지 분석 |

ㄱ A와 적혈구는 동물의 구성 단계 중 같은 구성 단계에 해당한다.
➡ 뉴런(A)과 적혈구는 모두 동물의 구성 단계 중 세포에 해당한다.

ㄴ B와 소화계는 모두 동물의 구성 단계 중 기관계에 해당한다.
➡ 신경계(B)와 소화계는 모두 동물의 구성 단계 중 기관계에 해당한다.

✕ 표피 조직은 ~~C~~(표피 조직계)에 속한다.
➡ 표피 조직은 표피 조직계에 속한다.

08 A는 표피 조직, B는 해면 조직이다.

| 선택지 분석 |

✕ A는 기본 조직계에 속한다.
➡ 표피 조직(A)은 표피 조직계에 속한다.

ㄴ B에서 광합성이 활발하게 일어난다.
➡ 해면 조직(B)과 울타리 조직에서는 광합성이 활발하게 일어난다.

✕ 잎은 식물의 생식 기관에 해당한다.
➡ 잎은 식물의 영양 기관에 해당한다.

09 | 선택지 분석 |

ㄱ ㉠에는 리보솜이 있다.
➡ ㉠에는 핵, 미토콘드리아, 소포체, 리보솜이 있다.

ㄴ ㉡에는 DNA를 갖는 세포 소기관이 있다.
➡ 미토콘드리아에는 DNA가 있고, ㉡을 원심 분리한 시험관에 미토콘드리아가 있으므로 ㉡에는 DNA를 갖는 세포 소기관이 있다.

ㄷ 핵을 분리하는 과정에 세포 분획법이 이용되었다.
➡ 원심 분리기를 이용한 이 과정은 세포 분획법이다.

10 | 선택지 분석 |

✕ (가)는 ~~세포 분획법~~(현미경을 이용한 방법)이다.
➡ (가)는 현미경을 이용한 방법, (나)는 세포 분획법, (다)는 자기 방사법이다.

ㄴ (나)를 이용하여 동물 세포로부터 미토콘드리아를 분리할 수 있다.
➡ 세포 분획법(나)을 이용하여 동물 세포로부터 세포 소기관을 분리할 수 있다.

ㄷ ^{3}H를 이용하여 DNA의 합성 장소를 알아내는 방법은 (다)이다.
➡ ^{3}H는 방사성 동위 원소이며, ^{3}H를 이용하여 DNA의 합성 장소를 알아내는 방법은 자기 방사법(다)이다.

11 | 선택지 분석 |

✕ ㉠은 ~~미토콘드리아~~(핵)이다.
➡ ㉠은 핵, ㉡은 미토콘드리아, ㉢은 거친면 소포체이다.

ㄴ 동물 세포에는 ㉠과 ㉡이 모두 있다.
➡ 동물 세포에는 핵(㉠)과 미토콘드리아(㉡), 거친면 소포체(㉢)가 모두 있다.

ㄷ ㉡과 ㉢에는 모두 단백질이 들어 있다.
➡ 미토콘드리아(㉡)에는 리보솜이 있으므로 단백질이 들어 있으며, 거친면 소포체(㉢)는 단백질의 이동 통로이므로 단백질이 들어 있다.

12 A는 핵, B는 미토콘드리아, C는 거친면 소포체, D는 골지체이다.

| 선택지 분석 |

ㄱ (가)를 통해 A를 관찰할 수 있다.
➡ 전자선을 이용한 투과 전자 현미경을 이용하여 핵의 단면을 관찰할 수 있다.

ㄴ (나)를 통해 B를 분리할 수 있다.
➡ 세포 분획법(나)을 이용하여 세포 소기관을 크기와 밀도에 따라 분리할 수 있다.

ㄷ (다)를 통해 C에서 D로 이동하는 ^{14}C로 표지된 단백질을 추적할 수 있다.
➡ ^{14}C는 방사성 동위 원소이며, 자기 방사법(다)을 이용하여 거친면 소포체(C)에서 골지체(D)로 이동하는 단백질을 추적할 수 있다.

13 | 선택지 분석 |

✕ ~~매끈면~~(거친면) 소포체의 표면에는 리보솜이 붙어 있다.
➡ 매끈면 소포체의 표면에는 리보솜이 붙어 있지 않으며, 거친면 소포체의 표면에 리보솜이 붙어 있다.

ㄴ 핵과 리보솜에는 모두 rRNA가 있다.
➡ 핵의 인에서 rRNA가 합성되며, 리보솜은 rRNA와 단백질로 구성된다.

ㄷ 핵과 매끈면 소포체는 모두 인지질 2중층을 가진다.
➡ 핵과 매끈면 소포체는 모두 인지질 2중층으로 된 막 구조를 가진다.

14 | 자료 분석 |

구분	㉠	㉡	㉢
핵	○	○	×
리보솜	×	○	ⓐ ×
엽록체	○	○	○

(○: 있음, ×: 없음)

(가)

특징(㉠~㉢)
RNA가 있다. 핵, 리, 엽
2중막을 갖는다. 핵, 엽
그라나를 갖는다. 엽

(나)

| 선택지 분석 |

✕ ⓐ는 '~~○~~ ×'이다.
➡ 리보솜은 그라나를 갖지 않으므로 ⓐ는 '×'이다.

ㄴ ㉠은 '2중막을 갖는다.'이다.
➡ ㉠은 '2중막을 갖는다.', ㉡은 'RNA가 있다.' ㉢은 '그라나를 갖는다.'이다.

ㄷ 리보솜은 단백질을 합성한다.
➡ 리보솜은 유전 정보에 따라 단백질을 합성한다.

15 | 자료 분석 |

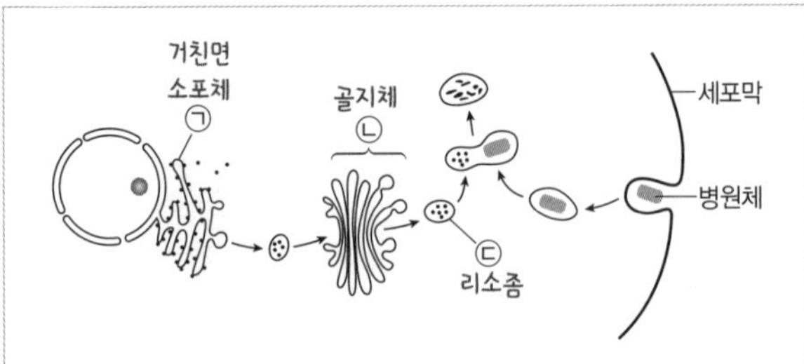

- 거친면 소포체: 표면에 리보솜이 붙어 있으며, 단백질을 가공 및 운반한다.
- 골지체: 소포체에서 이동해 온 단백질이나 지질을 저장하고, 가공 및 포장하여 세포 밖으로 분비하거나 세포의 다른 부위로 이동시킨다.
- 리소좀: 골지체 막 일부가 떨어져 만들어진 작은 주머니 모양으로, 가수 분해 효소가 들어 있어 세포내 소화를 담당한다.

| 선택지 분석 |

ㄱ ㉠에 단백질이 있다.
➡ 거친면 소포체(㉠)는 단백질의 이동 통로이므로 단백질이 있다.

ㄴ ㉡에서 분비 소낭이 형성된다.
➡ 골지체(㉡)에서 세포 밖으로 분비될 단백질을 가지고 있는 분비 소낭이 형성된다.

ㄷ ㉢은 세포내 소화를 담당한다.
➡ 리소좀(㉢)은 가수 분해 효소를 가지고 있어 세포내 소화를 담당한다.

16 | 선택지 분석 |

ㄱ (가)는 사람의 간세포이다.
➡ (가)는 사람의 간세포, (나)는 시금치의 공변세포, (다)는 대장균이다.

✕ (나)의 세포벽은 ~~펩티도글리칸~~ 셀룰로스 성분이다.
➡ 시금치의 공변세포(나)의 세포벽은 셀룰로스 성분이다. 펩티도글리칸 성분의 세포벽을 갖는 것은 대장균(다)이다.

ㄷ (다)는 원핵세포에 해당한다.
➡ 대장균(다)은 핵막과 막성 세포 소기관이 없으므로 원핵세포에 해당한다.

2 ››› 세포막과 효소

01 ~ 세포막을 통한 물질 이동

개념POOL　　059쪽

01 (가) 단순 확산, (나) 촉진 확산, (다) 능동 수송　**02** ㉠ 물질이 고농도에서 저농도로 이동한다. ㉡ 수송 단백질이 관여한다.

01 (가)는 물질이 인지질 2중층을 직접 통과하므로 단순 확산이며, (나)는 막단백질을 통해 고농도에서 저농도로 물질이 이동하므로 촉진 확산이다. (다)는 에너지를 소모하여 저농도에서 고농도로 물질이 이동하므로 능동 수송이다.

02 ㉠은 단순 확산과 촉진 확산만 해당하는 공통점이므로 '물질이 고농도에서 저농도로 이동한다.'이며, ㉡은 촉진 확산과 능동 수송만 해당하는 공통점이므로 '수송 단백질이 관여한다.'이다.

탐구POOL　　060쪽

01 (가), (나), (다)

01 (가)는 고장액, (나)는 등장액, (다)는 저장액이며, 삼투압은 용질의 농도에 비례한다.
따라서 소금 농도는 (가)>(나)>(다)이다.

콕콕! 개념 확인하기　　061쪽

✔ 잠깐 확인!!
1 선택적　**2** 단순　**3** 촉진　**4** 삼투　**5** 삼투압, 팽압　**6** 능동 수송　**7** 세포내 섭취　**8** 세포외 배출

01 (1) ○ (2) × (3) ×　**02** (1) × (2) × (3) ○ (4) × (5) ○　**03** A: 촉진 확산, B: 단순 확산, C: 능동 수송, D: 세포외 배출　**04** (가) 고장액, (나) 등장액, (다) 저장액　**05** (1) ㉠ 삼투압, ㉡ 팽압 (2) 2

01 (2) 인지질(A)의 머리 부분(㉠)은 친수성, 꼬리 부분(㉡)은 소수성이다.
(3) 세포막은 유동성을 가지고 있어 인지질(A)과 단백질(B)은 모두 움직일 수 있다.

02 (1) 확산은 물질이 농도 기울기를 따라 고농도에서 저농도로 이동하는 현상으로 에너지가 소비되지 않는다.
(4) 삼투는 반투과성 막을 경계로 저농도에서 고농도로 용매가 이동하는 현상이다.

03 A는 물질이 막단백질을 통해 고농도에서 저농도로 이동하므로 촉진 확산, B는 물질이 인지질 2중층을 직접 통과하므로 단순 확산이다. C는 물질이 막단백질을 통해 저농도에서 고농도로 이동하므로 능동 수송, D는 물질을 싼 소낭이 세포막과 융합하여 물질을 내보내므로 세포외 배출이다.

04 (가)에 넣은 적혈구는 물이 빠져나가 쭈그러들었으므로 (가)는 적혈구 안보다 삼투압이 높은 고장액이다. (나)에 넣은 적혈구는 부피의 변화가 없으므로 (나)는 적혈구 안과 삼투압이 같은 등장액이다. (다)에 넣은 적혈구는 물이 들어와 부풀었으므로 (다)는 적혈구 안보다 삼투압이 낮은 저장액이다.

05 (1) 고장액에 있던 식물 세포를 저장액으로 옮기면 삼투에 의해 물이 식물 세포로 들어가 세포의 부피가 증가하고, 그에 따라 식물 세포의 삼투압은 낮아지고 팽압은 높아진다. 따라서 ㉠은 삼투압, ㉡은 팽압이다.
(2) 흡수력=삼투압−팽압이고, 세포의 부피가 1.3일 때 삼투압(㉠)은 4, 팽압(㉡)은 2이므로 흡수력=4−2=2이다.

탄탄! 내신 다지기 062쪽~063쪽

01 ④ **02** ④ **03** ⑤ **04** ② **05** (다), (나), (가)
06 ③ **07** ② **08** ③ **09** ⑤

01 | 선택지 분석 |

① A는 다른 세포의 인식에 관여한다.
➡ A는 막단백질에 붙어 있는 탄수화물이며, 다른 세포의 인식에 관여한다.

② B는 물질 수송에 관여한다.
➡ B는 막단백질이며, 물질 수송에 관여한다.

③ B는 리보솜에서 합성된다.
➡ B는 단백질이므로 리보솜에서 합성된다.

④ B는 인지질 2중층에서 이동할 수 ~~없다~~. 있다.
➡ 인지질 2중층은 유동성이 있으므로 인지질 2중층에 있는 막단백질도 이동할 수 있다.

⑤ C는 친수성과 소수성이 모두 있다.
➡ C는 인지질이며, 머리는 친수성이고, 꼬리는 소수성이다.

02 | 선택지 분석 |

㉠ 막단백질은 유동성을 가진다.
➡ 표면의 막단백질이 고르게 섞여 분포하므로 막단백질이 유동성을 가짐을 알 수 있다.

✕ 인지질은 특정 위치에 고정되어 있다.
➡ 막단백질뿐만 아니라 인지질도 유동성이 있어 특정 위치에 고정되어 있지 않고 움직일 수 있다.

㉢ 실험 결과와 관련 있는 세포막의 구조 모형은 유동 모자이크막 모델이다.
➡ 이 실험과 관련된 세포막의 구조 모형을 유동 모자이크막 모델이라고 한다.

03 | 선택지 분석 |

㉠ A의 이동 방식은 단순 확산이다.
➡ A는 농도 차가 증가할수록 물질의 이동 속도가 계속 증가하므로 A의 이동 방식은 단순 확산이다.

㉡ B의 이동에는 막단백질이 관여한다.
➡ B의 이동 방식은 촉진 확산이며, 촉진 확산에는 수송 단백질과 같은 막단백질이 관여한다.

㉢ A와 B는 모두 고농도에서 저농도로 물질이 이동하는 방식이다.
➡ 단순 확산(A)과 촉진 확산(B)은 모두 고농도에서 저농도로 물질이 이동하는 방식이다.

04 | 선택지 분석 |

✕ 물이 반투과성 막을 통과할 때 에너지가 ~~소모된다~~. 소모되지 않는다.
➡ 물은 삼투 현상으로 이동하므로 에너지가 소모되지 않는다.

㉡ 일정 시간이 지난 후 B 쪽의 포도당 양은 증가한다.
➡ 포도당은 반투과성 막을 통과할 수 있으며, 포도당의 농도가 높은 A에서 B로 포도당이 이동하므로 B 쪽의 포도당 양은 증가한다.

✕ 일정 시간이 지난 후 ~~A~~ B 쪽의 수면이 ~~B~~ A 쪽의 수면보다 더 높아진다.
➡ 포도당은 반투과성 막을 통과할 수 있으므로 일정 시간이 지난 후 A 쪽과 B 쪽의 포도당의 양은 같아지며, 설탕은 반투과성 막을 통과하지 못하며 B 쪽이 A 쪽보다 설탕의 양이 많으므로 농도는 B 쪽이 A 쪽보다 높다. 따라서 물이 A 쪽에서 B 쪽으로 이동하므로 일정 시간이 지난 후 B 쪽의 수면이 A 쪽의 수면보다 더 높아진다.

05 (가)는 물이 세포 내로 들어왔으므로 세포보다 농도가 낮은 용액이고, (나)는 물이 세포 내로 들어온 양과 나간 양이 같으므로 세포와 농도가 같은 용액이며, (다)는 물이 세포 밖으로 나갔으므로 세포보다 농도가 높은 용액이다. 따라서 용액의 농도는 (다)>(나)>(가)이다.

06 | 자료 분석 |

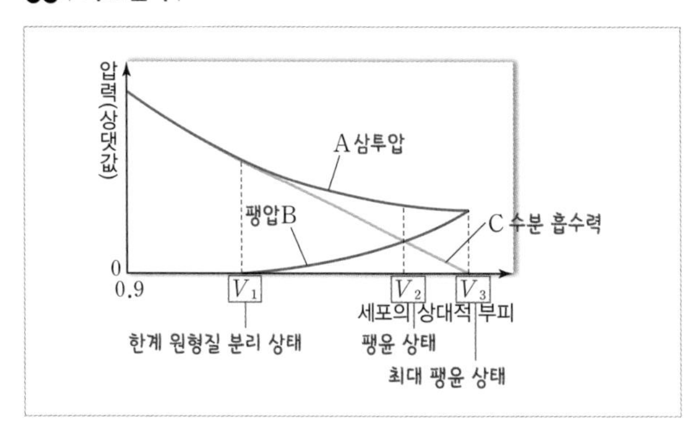

| 선택지 분석 |

① A는 ~~수분 흡수력~~(삼투압)이다.

➡ A는 삼투압, B는 팽압, C는 수분 흡수력이다.

② V_2일 때 이 세포는 ~~원형질 분리 상태~~(팽윤 상태)이다.

➡ V_2일 때 이 세포는 팽압이 존재하므로 팽윤 상태이다.

③ V_3일 때 이 세포는 최대 팽윤 상태이다.

➡ V_3일 때 이 세포는 삼투압과 팽압이 같으므로 최대 팽윤 상태이다.

④ 이 세포의 팽압은 V_2일 때가 V_3일 때보다 ~~높다~~(낮다).

➡ 팽압은 B이며, 이 세포의 팽압은 V_2일 때가 V_3일 때보다 낮다.

⑤ V_1일 때 이 세포의 ~~수분 흡수력~~(팽압)은 0이다.

➡ V_1일 때 이 세포는 한계 원형질 분리 상태이며, 팽압이 0이므로 수분 흡수력은 삼투압과 같다.

07 | 선택지 분석 |

① ~~(가)~~((나))에서 ATP가 소모된다.

➡ ATP의 소모는 (나)에서 일어난다.

② 인산기가 결합하면서 운반체의 단백질 구조가 변형된다.

➡ Na^+-K^+ 펌프는 인산기가 붙고 떨어지는 것에 따라 구조가 변형된다.

③ Na^+-K^+ 펌프에 의해 Na^+은 세포 밖으로 ~~확산~~(능동 수송)된다.

➡ Na^+-K^+ 펌프에 의해 Na^+은 세포 밖으로 능동 수송된다.

④ 세포 호흡이 중단되어도 Na^+-K^+ 펌프는 ~~계속 작동한다~~(작동이 멈춘다).

➡ 세포 호흡이 중단되면 ATP가 생성되지 않아 Na^+-K^+ 펌프의 작동이 멈춘다.

⑤ Na^+-K^+ 펌프에 의해 K^+의 세포 안 농도가 ~~낮게~~(높게) 유지된다.

➡ Na^+-K^+ 펌프에 의해 K^+이 세포 밖에서 안으로 능동 수송되므로 세포 안 농도가 높게 유지된다.

08 | 자료 분석 |

이동 방식	막단백질	에너지 소비
A 촉진 확산	관여함	ⓐ 없음
B 단순 확산	? 관여하지 않음	없음
C 능동 수송	관여함	있음

| 선택지 분석 |

ㄱ. ⓐ는 '없음'이다.

➡ A는 촉진 확산, B는 단순 확산, C는 능동 수송이다. 촉진 확산에서 에너지 소비는 없다.

ㄴ. B 방식으로 이동하는 물질은 세포 안팎의 농도 차가 클수록 이동 속도가 빠르다.

➡ 단순 확산(B)은 물질이 고농도에서 저농도로 농도 기울기에 따라 이동하는 것이므로 세포 안팎의 농도 차가 클수록 물질의 이동 속도가 빠르다.

ㄷ. C는 물질이 ~~고농도~~(저농도)에서 ~~저농도~~(고농도)로 이동하는 방식이다.

➡ 능동 수송(C)은 물질이 에너지를 소비하면서 저농도에서 고농도로 이동하는 방식이다.

09 | 선택지 분석 |

① (가)는 음세포 작용이다.

➡ (가)는 세포 밖의 녹아 있는 분자가 세포 내로 소낭을 형성해 들어오므로 음세포 작용이다.

② (나)는 식세포 작용이다.

➡ (나)는 세포 밖의 고형 물질이 세포 내로 식포를 형성해 들어오므로 식세포 작용이다.

③ (가)가 일어날 때 에너지가 소모된다.

➡ (가)~(다)가 일어날 때 모두 에너지가 소모된다.

④ 이자에서 인슐린은 (다)의 방식으로 분비된다.

➡ 이자에서 인슐린은 분비 소낭에 싸여 세포외 배출로 분비된다.

⑤ 폐포와 모세 혈관 사이에서 산소의 이동 방식은 ~~(나)~~(단순 확산)에 해당한다.

➡ 폐포와 모세 혈관 사이에서 산소의 이동 방식은 단순 확산에 해당한다.

도전! 실력 올리기 064쪽~065쪽

01 ③ **02** ④ **03** ④ **04** ② **05** ③ **06** ③

07 | **모범 답안** | (다)의 등장액, (다)의 등장액에 사람의 적혈구를 넣었을 때 적혈구가 쭈그러든 것은 (다)의 등장액이 사람의 등장액보다 농도가 높아 적혈구 안의 물이 적혈구 밖으로 이동했기 때문이다.

08 (1) (가) 능동 수송, (나) 확산

(2) | **모범 답안** | (가), 살아 있는 파래에서는 세포 호흡을 통해 ATP가 공급되므로 능동 수송이 일어나 세포 안과 밖의 Na^+과 K^+의 농도 기울기가 (가)와 같이 유지되기 때문이다.

01 | 선택지 분석 |

ㄱ. A는 막단백질이다.

➡ A는 인지질 2중층에 박혀 있는 막단백질이다.

ㄴ. A는 물질 이동의 통로 역할을 한다.

➡ A와 같이 인지질 2중층에 박혀 있는 막단백질은 물질 이동의 통로 역할을 한다.

ㄷ. B는 ~~소수성~~(친수성)을, C는 ~~친수성~~(소수성)을 띤다.

➡ B는 인지질의 머리 부분이므로 친수성을, C는 인지질의 꼬리 부분이므로 소수성을 띤다.

02 | 선택지 분석 |

ㄱ. A가 세포막을 통과할 때 ATP가 소모된다.

➡ A는 ATP 농도에 따라 통과 속도가 변하므로 A의 이동 방식은 능동 수송이고, B는 ATP 농도에 통과 속도가 영향을 받지 않으므로 B의 이동 방식은 단순 확산이다. A의 이동 방식은 능동 수송이므로 A가 세포막을 통과할 때 ATP가 소모된다.

✕ A와 ~~B는~~ 모두 막단백질이 관여한다.

➡ B의 이동 방식은 단순 확산이므로 막단백질이 관여하지 않는다.

㉢ 세포 안팎의 B의 농도 기울기가 커질수록 B의 이동 속도는 증가한다.

➡ B의 이동 방식은 단순 확산이며, 단순 확산은 물질이 농도가 높은 곳에서 낮은 곳으로 이동하는 것이므로 B의 농도 기울기가 커질수록 B의 이동 속도는 증가한다.

03 | 자료 분석 |

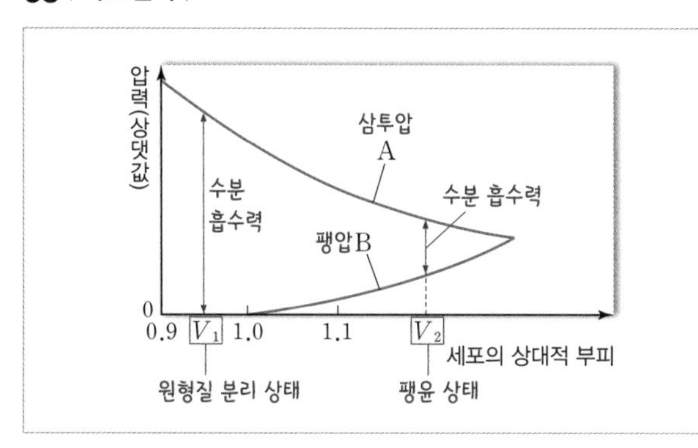

| 선택지 분석 |

✕ A는 ~~팽압~~이다. (삼투압)

➡ A는 세포의 부피가 증가할수록 압력이 감소하므로 삼투압이다.

㉡ V_2일 때 세포 안으로 물이 들어온다.

➡ V_2일 때 삼투압이 팽압보다 크므로 세포 안으로 물이 들어온다.

㉢ 세포의 수분 흡수력은 V_1일 때가 V_2일 때보다 크다.

➡ 수분 흡수력은 삼투압(A)과 팽압(B)의 차이므로 V_1일 때가 V_2일 때보다 크다.

04 | 선택지 분석 |

✕ A는 ~~촉진 확산~~이다. (단순 확산)

➡ A는 단순 확산, B는 능동 수송, C는 촉진 확산이다.

㉡ ATP 공급이 차단되면 차단되기 전보다 B에 의한 ㉠의 이동량이 감소한다.

➡ ㉠의 이동 방식은 능동 수송이며, 능동 수송은 ATP를 소비하면서 이루어진다. 따라서 ATP 공급이 차단되면 능동 수송이 일어나지 않아 능동 수송에 의한 ㉠의 이동량이 감소한다.

✕ 뉴런에서 만들어진 신경 전달 물질의 분비는 ~~C~~에 의해 일어난다. (세포외 배출)

➡ 뉴런에서 만들어진 신경 전달 물질의 분비는 세포외 배출에 의해 일어난다.

05 | 선택지 분석 |

㉠ 리포솜은 인지질 2중층의 막 구조이다.

➡ 리포솜의 막은 세포막과 융합되는 인지질 2중층의 막 구조이다.

㉡ 세포막은 유동성이 있다.

➡ 세포막은 유동성이 있어, 리포솜이 세포막에 융합할 수 있다.

✕ 이 과정에서 세포막의 표면적이 ~~감소한다~~. (증가한다.)

➡ 리포솜이 세포막과 융합하는 과정에서 세포막의 표면적은 증가한다.

06 | 자료 분석 |

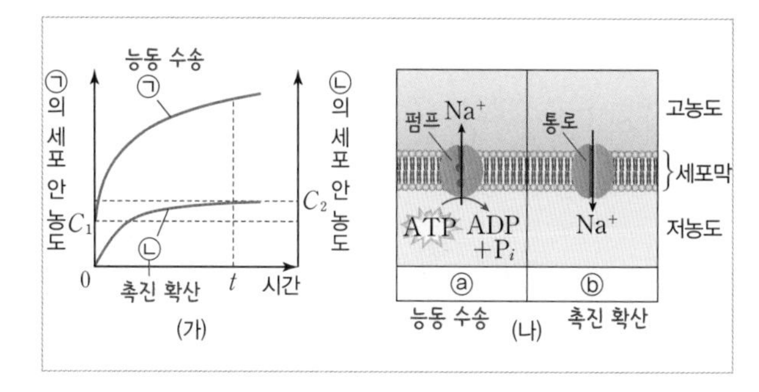

| 선택지 분석 |

㉠ ⓐ는 ㉠의 이동 방식과 같다.

➡ ㉠의 이동 방식은 능동 수송이고, ㉡의 이동 방식은 촉진 확산이다. ⓐ는 Na^+이 ATP를 소비하여 저농도에서 고농도로 막단백질을 통해 이동하므로 능동 수송이고, ⓑ는 Na^+이 고농도에서 저농도로 막단백질을 통해 이동하므로 촉진 확산이다. 따라서 ⓐ와 ㉠의 이동 방식은 능동 수송이고, ⓑ와 ㉡의 이동 방식은 촉진 확산으로 같다.

㉡ ㉡은 농도 기울기에 따라 이동한다.

➡ ㉡의 이동 방식은 촉진 확산이므로 ㉡은 고농도 쪽에서 저농도 쪽으로 농도 기울기에 따라 이동한다.

✕ t일 때 세포막을 통과하는 이동 속도는 ㉠이 ㉡보다 ~~느리다~~. (빠르다.)

➡ t에서 ㉠의 기울기가 ㉡의 기울기보다 크므로 ㉠의 이동 속도는 ㉡의 이동 속도보다 빠르다.

07 (가)의 등장액에 넣은 적혈구는 모양 변화가 거의 없으므로 사람의 등장액과 농도가 비슷하며, (나)의 등장액에 넣은 적혈구는 많이 부풀었으므로 (나)의 등장액은 저장액이다. (다)의 등장액에 넣은 적혈구는 쭈그러들었으므로 (다)의 등장액이 사람의 등장액보다 농도가 높은 고장액이다.

채점 기준	배점
(다)의 등장액을 고르고, 그렇게 판단한 까닭을 옳게 서술한 경우	100 %
(다)의 등장액을 골랐으나, 그렇게 판단한 까닭을 옳게 서술하지 못한 경우	40 %

08 (1) (가) 살아 있는 파래에서는 세포 호흡을 통해 ATP가 공급되어 Na^+과 K^+의 능동 수송이 일어나 Na^+과 K^+ 각각의 세포 안과 밖의 농도가 다르게 유지된다. (나) 죽은 파래에서는 세포 호흡이 일어나지 않아 ATP가 생성되지 않으므로 능동 수송은 일어나지 않고, 확산에 의한 Na^+과 K^+의 이동이 일어나 Na^+과 K^+ 각각의 세포 안과 밖의 농도가 같아진다.

(2) 살아 있는 파래에서는 능동 수송이 일어나 세포막을 경계로 농도 기울기가 형성된다.

채점 기준	배점
(가)라고 쓰고, 그 까닭을 옳게 서술한 경우	100 %
(가)라고 썼지만, 그 까닭에 대한 설명이 다소 부족한 경우	40 %

02 효소

개념POOL 069쪽

01 A: 비경쟁적 저해제, B: 경쟁적 저해제
02 Ⅰ: 저해제 처리하지 않음, Ⅱ: 경쟁적 저해제 처리, Ⅲ: 비경쟁적 저해제 처리

01 A는 효소의 활성 부위가 아닌 곳에 결합하여 효소와 기질의 결합을 저해하므로 비경쟁적 저해제이다. B는 효소의 활성 부위에 결합하여 효소와 기질의 결합을 저해하므로 경쟁적 저해제이다.

02 같은 기질 농도에서 Ⅱ와 Ⅲ은 Ⅰ보다 초기 반응 속도가 느리므로 Ⅰ은 저해제를 처리하지 않았을 때이고, Ⅱ와 Ⅲ은 저해제를 처리했을 때이다. Ⅱ는 기질 농도가 높아질수록 저해 효과가 낮아지므로 경쟁적 저해제를 처리한 경우이고, Ⅲ은 기질 농도가 높아져도 저해 효과가 유지되므로 비경쟁적 저해제를 처리한 경우이다.

콕콕! 개념 확인하기 070쪽

✔ 잠깐 확인!
1 활성화 **2** 효소 **3** 기질, 활성 부위 **4** 기질 특이성 **5** 주효소, 보조 인자 **6** 금속 이온, 조효소 **7** 온도, 기질 **8** 경쟁적

01 (1) ○ (2) ○ (3) ○ (4) × **02** (가) ㉡, (나) ㉠ **03** A: 보조 인자, B: 기질, C: 주효소, D: 생성물 **04** (가) 전이 효소, (나) 이성질화 효소, (다) 연결 효소 **05** (1) × (2) ○ (3) ×

01 (4) 효소는 반응이 끝나도 구조가 변형되지 않아 다른 반응에 재사용될 수 있다.

02 활성화 에너지는 반응이 일어나기 위해 넘어야 할 에너지 언덕에 해당하며, 효소는 활성화 에너지를 낮추어 반응을 촉진한다. 따라서 ㉠이 효소가 없을 때의 활성화 에너지, ㉡이 효소가 있을 때의 활성화 에너지이다. ㉢은 생성물과 반응물의 에너지 차이인 반응열에 해당한다.

03 A와 C는 반응 전후에 변하지 않고 A는 C보다 크기가 작고 C와 일시적으로 결합하므로 A는 보조 인자, C는 주효소이다. B는 반응 후 D로 변하므로 B는 기질, D는 생성물이다.

04 특정 기질에서 작용기를 떼어 다른 분자에 전달하는 효소는 전이 효소, 기질을 이루는 원자의 위치를 변화시켜 이성질체로 전환하는 효소는 이성질화 효소, 에너지를 사용하여 두 기질 분자를 연결하는 효소는 연결 효소이다.

05 (1) 온도가 최적 온도 이상 높아지면 효소 단백질의 입체 구조가 변하여 활성이 떨어지므로 반응 속도가 급격히 느려진다.
(3) 효소의 농도가 일정할 때 초기 반응 속도는 기질의 농도가 낮을 때는 증가하다가 기질의 농도가 일정 수준에 도달하면 더 이상 증가하지 않고 일정해진다.

탄탄! 내신 다지기 071쪽~072쪽

01 ⑤ **02** ⑤ **03** ③ **04** ③ **05** S_1: C, S_2: A, S_3: B **06** ② **07** ③ **08** ⑤

01 | 자료 분석 |

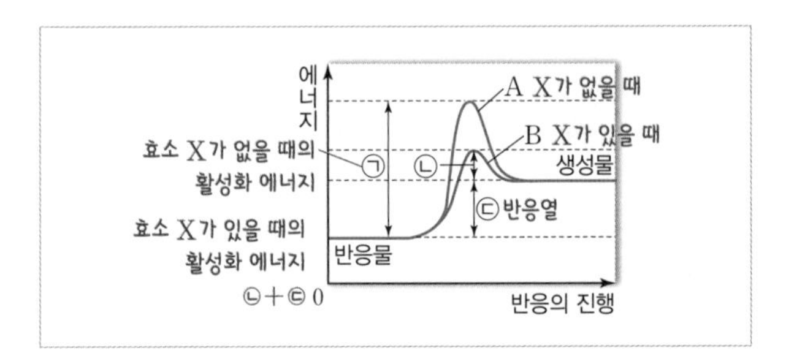

| 선택지 분석 |

① 이 반응은 흡열 반응이다.
➡ 반응물의 에너지가 생성물의 에너지보다 작으므로 흡열 반응이다.

② A는 X가 없을 때의 에너지 변화이다.
➡ A가 B보다 활성화 에너지가 크므로 A는 X가 없을 때이다.

③ X가 없을 때 활성화 에너지는 ㉠이다.
➡ 이 반응에서 X가 없을 때 활성화 에너지는 A에서의 에너지 언덕인 ㉠이다.

④ X가 있을 때 활성화 에너지는 ㉡+㉢이다.
➡ 이 반응에서 X가 있을 때 활성화 에너지는 B에서의 에너지 언덕인 ㉡+㉢이다.

⑤ X의 농도가 증가하면 ㉢의 크기는 ~~감소한다~~ 일정하다.
➡ ㉢은 생성물과 반응물의 에너지 차이로 X의 농도에 영향을 받지 않는다.

02 | 선택지 분석 |

① 효소 A는 기질 특이성을 갖는다.
➡ A는 설탕하고만 결합하므로 기질 특이성을 갖는다.

② ㉠은 효소·기질 복합체이다.
➡ ㉠은 효소와 기질이 결합한 효소·기질 복합체이다.

③ ㉡은 생성물이다.
➡ ㉡은 효소 A의 작용으로 생성된 생성물이다.

④ A는 ㉠을 형성하여 반응의 활성화 에너지를 낮춘다.
➡ 효소 A는 효소·기질 복합체를 형성하여 반응의 활성화 에너지를 낮춘다.

⑤ 반응이 끝나면 효소 A는 ~~변성된다~~ 재사용된다.
➡ 효소는 반응 전후 변하지 않고, 재사용된다.

03 | 선택지 분석 |

㉠ 전효소는 A와 B가 결합한 것이다.

➡ A는 반응 전후 변하지 않으므로 주효소이고, B는 주효소에 결합하는 보조 인자이다. 주효소와 보조 인자가 결합한 것을 전효소라고 한다.

✕ A는 B보다 온도의 영향을 ~~적게~~ (많이) 받는다.

➡ 주효소의 주성분은 단백질이므로 주효소(A)는 보조 인자(B)보다 온도의 영향을 크게 받는다.

㉢ C는 반응물, D는 생성물이다.

➡ C는 반응물이고, D는 반응 후 생성되는 생성물이다.

04 | 선택지 분석 |

㉠ (가)는 산화 환원 효소이다.

➡ (가)는 H_2를 얻고 잃는 반응을 촉매하는 산화 환원 효소이다.

✕ (나)는 ~~제거 부가~~ (전이) 효소이다.

➡ (나)는 전이 효소이며, 기질의 작용기를 떼어 다른 분자에 전달한다.

㉢ (다)는 물을 첨가하여 특정 기질을 분해한다.

➡ (다)는 물(H_2O)을 첨가하여 기질의 결합을 분해하는 가수 분해 효소이다.

05 S_1은 초기 반응 속도가 계속 증가하고 있는 시점이므로 기질의 농도보다 효소의 농도가 높은 C이다. S_2는 초기 반응 속도가 최대가 되는 지점이므로 기질의 농도와 효소의 농도가 같은 A이다. S_3은 초기 반응 속도가 최대가 되는 지점에서 기질의 농도를 더 높인 지점이므로 기질의 농도가 효소의 농도보다 높은 B이다.

06 | 선택지 분석 |

✕ (가)는 pH가 2일 때 구조의 변성이 일어난다.

➡ (가)는 pH가 2일 때 최대 활성을 나타내므로 구조의 변성이 일어나지 않는다.

㉡ (나)의 최적 pH는 (다)의 최적 pH보다 낮다.

➡ (나)의 최적 pH는 7이고, (다)의 최적 pH는 8이다.

✕ (가)~(다)는 모두 같은 소화 기관에서 작용한다.

➡ (가)~(다)는 반응 속도가 최대인 pH가 다르므로 모두 다른 소화 기관에서 작용한다.

07 | 선택지 분석 |

㉠ 경쟁적 저해제이다.

➡ 기질의 농도가 증가할수록 A의 저해 효과가 감소하므로 A는 경쟁적 저해제이다.

㉡ 효소의 활성 부위에 결합한다.

➡ 경쟁적 저해제는 효소의 활성 부위에 결합한다.

✕ 기질의 농도가 증가해도 저해 효과는 ~~감소하지 않는다~~ (감소한다).

➡ 기질과 경쟁적 저해제(A)는 효소의 활성 부위에 경쟁적으로 결합하므로 기질의 농도가 증가하면 경쟁적 저해제가 효소의 활성 부위에 결합할 확률이 감소하여 저해 효과가 감소한다.

08 | 선택지 분석 |

① B는 ~~경쟁적~~ (비경쟁적) 저해제이다.

➡ B는 기질 농도가 충분히 높을 때 반응 속도가 같아지지 않으므로 비경쟁적 저해제이다.

② B는 효소의 ~~활성 부위~~ (비활성 부위)에 결합한다.

➡ B는 비경쟁적 저해제이므로 효소의 비활성 부위에 결합한다.

③ Ⅱ에서 효소·기질 복합체의 농도는 S_1이 S_2보다 ~~크다~~ (작다).

➡ 효소·기질 복합체의 농도는 반응 속도와 비례하므로 Ⅱ에서 효소·기질 복합체의 농도는 S_1이 S_2보다 작다.

④ S_1일 때 이 효소 반응의 활성화 에너지는 ~~Ⅰ이 Ⅱ보다 크다~~ (Ⅰ과 Ⅱ가 같다).

➡ 효소 반응의 활성화 에너지 크기는 저해제의 유무와 관련이 없다.

⑤ Ⅰ에서 S_2일 때 이 효소를 첨가하면 반응 속도는 증가한다.

➡ Ⅰ은 저해제가 없을 때의 반응 속도이다. Ⅰ에서 S_2일 때는 모든 효소가 기질에 포화된 상태이다. 이때 효소를 더 첨가하면 반응 속도는 증가한다.

도전! 실력 올리기

073쪽

01 ④ **02** ⑤

03 (1) 가수 분해 효소

(2) | **모범 답안** | 효소는 활성 부위에 맞는 구조를 가진 특정 기질에만 작용하는 기질 특이성이 있다. 효소는 반응에서 소모되거나 변형되지 않고 반응이 끝나면 생성물과 분리된 후 새로운 기질과 결합하여 다시 반응을 촉매한다.

04 (1) | **모범 답안** | 온도가 높아질수록 기질이 효소의 활성 부위에 더 빈번하게 충돌하여 효소·기질 복합체가 더 많이 형성되기 때문이다.

(2) | **모범 답안** | 최적 온도보다 높은 온도에서는 효소의 주성분인 단백질의 입체 구조가 변하기 때문이다.

01 | 선택지 분석 |

㉠ ㉠은 X가 있을 때이다.

➡ ㉠은 ㉡보다 생성물의 농도가 빠르게 증가하므로 ㉠은 X가 있을 때이다.

✕ t_1일 때 이 반응의 활성화 에너지는 ㉠이 ㉡보다 ~~높다~~ (낮다).

➡ 어떤 반응에서 효소를 첨가하면 활성화 에너지가 감소한다. ㉠은 효소 X가 있을 때, ㉡은 효소 X가 없을 때이므로 t_1일 때 이 반응의 활성화 에너지는 ㉠이 ㉡보다 낮다.

㉢ ㉠에서 효소·기질 복합체의 농도는 t_1일 때가 t_2일 때보다 높다.

➡ ㉠에서 t_1은 생성물의 농도가 증가하고 있는 시점이므로 효소·기질 복합체가 있다. 반면 t_2는 생성물의 농도가 더 이상 증가하지 않는 시점이므로 이때 기질은 모두 생성물로 전환된 것이다. 따라서 기질이 존재하지 않으므로 효소·기질 복합체가 없다.

02 | 자료 분석 |

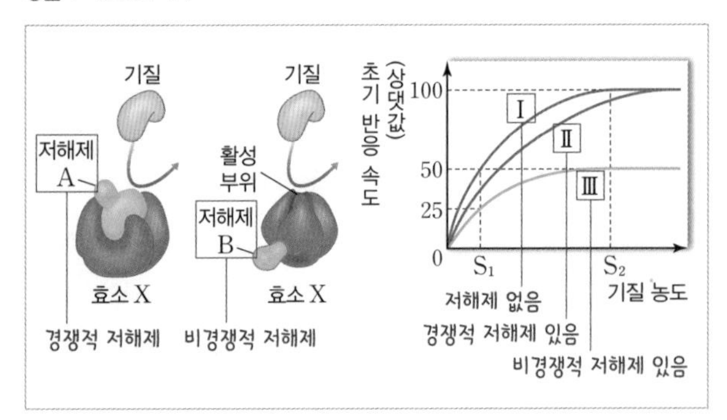

| 선택지 분석 |

㉠ B는 비경쟁적 저해제이다.

➡ B는 X의 활성 부위에 결합하지 않으므로 비경쟁적 저해제이다.

㉡ Ⅱ는 저해제 A가 있는 경우이다.

➡ Ⅰ과 Ⅱ를 비교해 볼 때 기질의 농도가 높아질수록 저해 효과가 감소하므로 Ⅱ는 경쟁적 저해제(A)가 있는 경우이다.

㉢ Ⅰ에서 $\frac{\text{기질과 결합한 X의 수}}{\text{X의 총 수}}$는 S_1일 때가 S_2일 때보다 작다.

➡ 기질과 결합한 X의 수는 초기 반응 속도에 비례한다. Ⅰ에서 S_1일 때가 S_2일 때보다 초기 반응 속도가 느리므로 $\frac{\text{기질과 결합한 X의 수}}{\text{X의 총 수}}$는 S_1일 때가 S_2일 때보다 작다.

03

(1) 물 분자를 첨가하여 기질을 분해하므로 가수 분해 효소가 해당한다.

(2) 효소가 설탕하고만 결합하므로 특정 기질에만 작용하는 기질 특이성이 있음을 알 수 있다. 또한, 효소는 반응에서 소모되거나 변형되지 않고 반응이 끝나면 생성물과 분리된 후 새로운 기질과 결합하여 재사용됨을 알 수 있다.

채점 기준	배점
효소의 기질 특이성과 효소의 재사용에 대해 옳게 서술한 경우	100 %
효소의 기질 특이성과 효소의 재사용 중 한 가지에 대해 옳게 서술한 경우	50 %

04

(1) 효소가 관여하는 화학 반응에서는 최적 온도가 될 때까지 온도가 높을수록 반응 속도가 빨라진다. 이는 최적 온도가 될 때까지 온도가 높아지면 기질이 효소의 활성 부위에 더 빈번하게 충돌하여 효소·기질 복합체가 더 많이 형성되기 때문이다.

채점 기준	배점
온도가 높아질수록 효소·기질 복합체가 더 많이 형성되기 때문이라는 내용을 포함하여 서술한 경우	100 %
온도가 높아질수록 기질이 효소의 활성 부위에 더 빈번하게 충돌하기 때문이라고만 서술한 경우	70 %

(2) 온도가 최적 온도 이상으로 올라가면 효소 단백질의 입체 구조가 변하여 반응 속도가 급격히 느려진다.

채점 기준	배점
효소의 주성분인 단백질의 입체 구조가 변하기 때문이라고 옳게 서술한 경우	100 %
효소가 변하기 때문이라고 서술한 경우	30 %

실전! 수능 도전하기

075쪽~077쪽

01 ④ 02 ② 03 ② 04 ④ 05 ② 06 ④ 07 ②
08 ⑤ 09 ③ 10 ④ 11 ④ 12 ②

01 | 자료 분석 |

이동 방식 \ 특징	막단백질을 이용함	저농도에서 고농도로 물질이 이동함
능동 수송Ⅰ	ⓐ ○	○
촉진 확산Ⅱ	○	×
단순 확산Ⅲ	×	? ×

(○: 있음, ×: 없음)

㉠의 세포 안 농도 / 시간 / 능동 수송 / C / 0

능동 수송은 막단백질을 이용하고, 저농도에서 고농도로 물질이 이동한다. 촉진 확산은 막단백질을 이용하지만, 저농도에서 고농도로 물질이 이동하지 않는다. 단순 확산은 막단백질을 이용하지 않고, 저농도에서 고농도로 물질이 이동하지 않는다. 따라서 Ⅰ은 능동 수송, Ⅱ은 촉진 확산, Ⅲ은 단순 확산이다.

| 선택지 분석 |

㉠ ⓐ는 'ㅇ'이다.

➡ 능동 수송(Ⅰ)은 막단백질을 이용하여 물질이 이동하므로 ⓐ는 'ㅇ'이다.

✕ ㉠의 이동 방식은 ~~Ⅱ~~ Ⅰ이다.

➡ 세포 안과 밖의 농도가 같아진 이후에도 ㉠의 세포 안 농도가 계속 증가하므로 ㉠은 능동 수송에 의해 이동한다.

㉢ 폐포에서 세포막을 통한 O_2의 이동은 Ⅲ에 의해 일어난다.

➡ 폐포에서 세포막을 통한 O_2의 이동은 단순 확산(Ⅲ)에 의해 일어난다.

02 | 선택지 분석 |

✕ ㉠의 이동 방식은 ~~능동 수송~~ 촉진 확산이다.

➡ ㉠의 세포 안과 세포 밖의 농도가 같아졌을 때 ㉠의 세포 안 농도가 증가하지 않으므로 ㉠의 이동 방식은 촉진 확산이다.

ㄴ. ㉠의 세포 안과 밖의 농도 차는 t_1일 때가 t_2일 때보다 크다.
➡ ㉠은 촉진 확산에 의해 세포 내로 들어오고 있으므로 세포 안의 농도가 낮을수록 세포 안과 밖의 농도 차가 크다. 따라서 ㉠의 세포 안과 밖의 농도 차는 t_1일 때가 t_2일 때보다 크다.

✕ Na^+-K^+ 펌프를 통한 Na^+의 이동 방식은 ~~㉠의 이동 방식과 같다~~(능동 수송이다).
➡ Na^+-K^+ 펌프를 통한 Na^+의 이동 방식은 능동 수송이다.

03 Ⅰ은 단순 확산, Ⅱ는 세포외 배출이다.

| 선택지 분석 |

✕ Ⅰ에서 막단백질이 ~~이용된다~~(이용되지 않는다).
➡ 단순 확산(Ⅰ)에서 물질은 막단백질을 이용하지 않고, 인지질 2중층을 직접 통과한다.

✕ Ⅰ에 의해 물질이 ~~저~~(고)농도에서 ~~고~~(저)농도로 이동한다.
➡ 단순 확산(Ⅰ)은 물질이 고농도에서 저농도로 이동하는 이동 방식이다.

ㄷ. Ⅱ에서 ATP가 사용된다.
➡ 세포외 배출(Ⅱ)은 ATP를 사용한다.

04 | 선택지 분석 |

ㄱ. A는 삼투압이다.
➡ A는 부피가 증가할수록 압력이 감소하므로 삼투압이고, B는 부피가 증가할수록 압력이 증가하므로 팽압이다.

✕ (가)에서 V_2일 때의 흡수력은 V_3일 때의 흡수력보다 ~~작다~~(크다).
➡ 흡수력은 삼투압 − 팽압이므로 V_2일 때의 흡수력은 V_3일 때의 흡수력보다 크다.

ㄷ. (나)는 V_1일 때의 상태이다.
➡ (나)는 원형질 분리가 일어난 상태이므로 V_1일 때의 상태이다.

05 | 자료 분석 |

이동 방식 / 특징	촉진 확산 Ⅰ	능동 수송 Ⅱ	단순 확산 Ⅲ
㉠	○	ⓐ ○	ⓑ ×
㉡	×	○	×

(○: 있음, ×: 없음)

(가)

특징(㉠, ㉡)
막단백질을 이용한다. 촉, 능
저농도에서 고농도로 물질이 이동한다. 능

(나)

| 선택지 분석 |

✕ Ⅰ은 ~~능동 수송~~(촉진 확산)이다.
➡ Ⅰ은 촉진 확산, Ⅱ는 능동 수송, Ⅲ은 단순 확산이다.

ㄴ. ㉠은 '막단백질을 이용한다.'이다.
➡ '막단백질을 이용한다.'는 촉진 확산과 능동 수송만, '저농도에서 고농도로 물질이 이동한다.'는 능동 수송만 해당하므로 ㉠은 '막단백질을 이용한다.', ㉡은 '저농도에서 고농도로 물질이 이동한다.'이다.

✕ ~~ⓐ와 ⓑ는 모두 '○'이다~~(ⓐ는 '○', ⓑ는 '×'이다).
➡ 능동 수송(Ⅱ)은 막단백질을 이용하고, 단순 확산(Ⅲ)은 막단백질을 이용하지 않으므로 ⓐ는 '○', ⓑ는 '×'이다.

06 | 선택지 분석 |

ㄱ. (가)는 촉진 확산이다.
➡ (가)는 농도가 높은 곳에서 낮은 곳으로 이동하므로 촉진 확산이고, (나)는 농도가 낮은 곳에서 높은 곳으로 이동하므로 능동 수송이다.

ㄴ. B는 세포 외부이다.
➡ ㉠은 능동 수송(나)을 통해 세포 내부에서 외부로 이동하므로 A는 세포 내부, B는 세포 외부이다.

✕ ~~(가)를 통한 ㉠의 이동~~과 (나)를 통한 ㉠의 이동에서 ~~모두~~ ATP가 소모된다.
➡ 촉진 확산(가)을 통한 ㉠의 이동은 농도 차에 의해서 이동하는 것이므로 ATP가 소모되지 않는다.

07 | 선택지 분석 |

✕ X는 ~~이성질화~~(연결) 효소이다.
➡ X에 의해 2분자의 기질이 연결되므로 X는 연결 효소이다.

ㄴ. A는 경쟁적 저해제이다.
➡ A는 X의 활성 부위에 결합하므로 경쟁적 저해제이다.

✕ X에 의한 반응의 활성화 에너지는 ~~ⓑ~~(ⓐ)이다.
➡ 활성화 에너지는 기질이 생성물이 되기 위해 넘어야 할 에너지 언덕이므로 X에 의한 반응의 활성화 에너지는 ⓐ이다.

08 A는 효소, B는 기질이다.

| 선택지 분석 |

ㄱ. A는 가수 분해 효소이다.
➡ 물(H_2O)이 첨가되어 기질(B)이 분해되므로 A는 가수 분해 효소이다.

ㄴ. B는 A의 활성 부위에 결합한다.
➡ 기질(B)은 효소(A)의 활성 부위에 결합한다.

ㄷ. A에 의한 반응의 활성화 에너지는 ㉠이다.
➡ 활성화 에너지는 기질이 생성물이 되기 위해 넘어야 할 에너지 언덕이므로 A에 의한 반응의 활성화 에너지는 ㉠이다.

09 | 선택지 분석 |

✕ A는 ~~주효소~~(기질)이다.
➡ A는 효소 반응 이후 분해되므로 기질이고, B는 보조 인자이다. 따라서 C는 주효소이다.

✕ 전효소는 ~~A~~(B)와 C의 합이다.
➡ 전효소는 주효소(C)와 보조 인자(B)의 합이다.

ㄷ. C의 주성분은 단백질이다.
➡ 주효소(C)는 단백질이고, 보조 인자(B)는 비단백질 성분이다.

10 | 선택지 분석 |

ㄱ Ⅱ에서 O_2가 생성되었다.

➡ Ⅱ에서 기포가 많이 발생했으므로 Ⅱ에서 H_2O_2가 분해되어 O_2가 생성되었다.

✕ 감자즙에 있는 카탈레이스는 ~~이성질화~~(산화 환원) 효소이다.

➡ 카탈레이스는 과산화 수소를 물과 산소로 분해하는 산화 환원 효소이다.

ㄷ (나)에서 카탈레이스 활성은 중성일 때가 염기성일 때보다 높다.

➡ (나)에서 Ⅱ에서가 Ⅲ에서보다 기포 발생량이 많으므로 카탈레이스 활성은 중성일 때가 염기성일 때보다 높다.

11 | 자료 분석 |

실험	ⅠB	ⅡC	ⅢA
X의 농도(상댓값)	1	1	2
㉠	없음	있음	없음

비경쟁적 저해제

초기 반응 속도(상댓값): 100, 50, 25, 0 / ⅢA, ⅠB, ⅡC / S_1, S_2 기질 농도

| 선택지 분석 |

✕ A는 ~~Ⅰ~~(Ⅲ)의 결과이다.

➡ A는 초기 반응 속도가 가장 빠르므로 A는 Ⅲ의 결과이다.

ㄴ ㉠은 비경쟁적 저해제이다.

➡ B와 C를 비교해 봤을 때 기질의 농도가 높아도 B와 C의 초기 반응 속도가 같아지지 않으므로 ㉠은 비경쟁적 저해제이다.

ㄷ Ⅲ에서 $\frac{\text{기질과 결합하지 않은 X의 수}}{\text{X의 총 수}}$는 S_1일 때가 S_2일 때보다 크다.

➡ 기질과 결합한 X의 수는 기질 농도가 증가할수록 많아진다. Ⅲ(A)에서 기질 농도는 S_1일 때가 S_2일 때보다 낮으므로 $\frac{\text{기질과 결합하지 않은 X의 수}}{\text{X의 총 수}}$는 S_1일 때가 S_2일 때보다 크다.

12 | 선택지 분석 |

✕ ㉠은 ~~Ⅰ~~(Ⅲ)의 결과이다.

➡ X의 최적 온도가 37 ℃이므로 생성물(B)의 농도가 가장 빨리 증가하는 ㉠은 Ⅲ의 결과이다. 또한 Ⅱ가 Ⅰ보다 X의 농도가 높으므로 ㉡은 Ⅱ의 결과, ㉢은 Ⅰ의 결과이다.

ㄴ Ⅲ에서 효소·기질 복합체의 농도는 t_1일 때가 t_2일 때보다 높다.

➡ Ⅲ(㉠)의 t_1일 때는 B의 농도가 증가하고 있는 시점이므로 효소·기질 복합체가 있다. t_2일 때는 B의 농도가 더 이상 증가하지 않는 시점이므로 이때 효소·기질 복합체는 없다.

✕ t_2일 때 X의 활성화 에너지는 Ⅱ에서가 Ⅲ에서보다 ~~낮다~~(같다).

➡ 활성화 에너지의 크기는 온도와는 관련이 없다.

한번에 끝내는 대단원 문제 080쪽~083쪽

01 ③ 02 ③ 03 ⑤ 04 ④ 05 ② 06 ⑤ 07 ②
08 ③ 09 ① 10 ④ 11 ③ 12 ②

13 (가) 4종류, 염기, (나) 20종류, 곁사슬(R)

14 (가) 식물 세포, (나) 대장균, (다) 동물 세포

15 | **모범 답안** | 세포막이 있다, 세포질이 있다, 유전 물질(DNA)이 있다, 리보솜이 있다 중 2가지

16 | **모범 답안** | A: 엽록체, B: 미토콘드리아, 2중막 구조이다. DNA와 리보솜이 있다. 에너지 전환이 일어난다. 중 2가지

17 | **모범 답안** | A가 더 높다. 물은 삼투에 의해 설탕 농도가 낮은 쪽에서 높은 쪽으로 이동하는데, (나)에서 A′가 B′보다 수면의 높이가 높으므로 (가)에서 물이 설탕 농도가 낮은 B에서 설탕 농도가 높은 A로 이동했다는 것을 알 수 있기 때문이다.

18 | **모범 답안** | 감자즙이 카탈레이스에 의해 과산화 수소가 분해되면서 산소가 발생하기 때문에 거름종이가 떠오르며, 카탈레이스의 활성은 35 ℃에서 가장 크다.

01 '효소의 주성분이다.'는 단백질에, '구성 원소에 질소(N)가 있다.'는 단백질과 핵산에, '탄소 화합물이다.'는 탄수화물, 단백질, 핵산에 해당한다. 따라서 (가)는 탄수화물, (나)는 단백질, (다)는 핵산이다.

| 선택지 분석 |

ㄱ (가)는 탄수화물이다.

➡ (가)는 탄수화물, (나)는 단백질, (다)는 핵산이다.

ㄴ (나)에 펩타이드 결합이 있다.

➡ 단백질(나)에는 펩타이드 결합이 있다.

✕ '탄소 화합물이다.'는 ~~㉢~~(㉠)이다.

➡ '탄소 화합물이다.'는 ㉠, '효소의 주성분이다.'는 ㉡, '구성 원소에 질소(N)가 있다.'는 ㉢이다.

02 | 선택지 분석 |

ㄱ '기본 단위는 뉴클레오타이드이다.'는 ㉠에 해당한다.

➡ DNA와 RNA의 기본 단위는 모두 뉴클레오타이드이다.

ㄴ '2중 나선 구조이다.'는 ㉡에 해당한다.

➡ DNA는 2중 나선 구조이고, RNA는 단일 가닥 구조이다.

✕ '염기에 ~~타이민(T)~~(유라실(U))이 있다.'는 ㉢에 해당한다.

➡ 염기에 타이민(T)이 있는 것은 DNA이며, 염기에 유라실(U)이 있는 것은 RNA이다.

03 | 자료 분석 |

구성 단계 \ 생물	㉠ 사자	㉡ 해바라기
Ⅰ 기관계	○	×
Ⅱ 조직 또는 기관	ⓐ ○	○
Ⅲ 조직 또는 기관	○	ⓑ ○

(○: 있음, ×: 없음)

| 선택지 분석 |

✕ ㄱ. ㉠은 ~~해바라기~~사자이다.

➡ 기관계는 동물의 구성 단계에만 있으므로 ㉠은 사자, ㉡은 해바라기이다.

○ ㄴ. Ⅰ은 기관계이다.

➡ 기관계는 사자에만 있으므로 Ⅰ은 기관계이고, 조직과 기관은 사자와 해바라기에 모두 있으므로 Ⅱ와 Ⅲ 중 하나는 조직, 나머지 하나는 기관이다.

○ ㄷ. ⓐ와 ⓑ는 모두 'ㅇ'이다.

➡ 조직과 기관은 사자와 해바라기에 모두 있으므로 ⓐ와 ⓑ는 모두 'ㅇ'이다.

04 '핵산이 있는가?'는 리보솜과 미토콘드리아에만 해당한다. 따라서 A는 미토콘드리아이고, B는 미세 소관이다.

| 선택지 분석 |

○ ㄱ. A는 크리스타를 가지고 있다.

➡ 미토콘드리아(A)의 내막은 크리스타 구조이다.

✕ ㄴ. '단백질이 있는가?'는 (가)에 ~~해당한다~~해당하지 않는다.

➡ 리보솜은 단백질을 합성하며, 미토콘드리아에는 리보솜이 있어 단백질을 합성할 수 있다. 따라서 '단백질이 있는가?'는 미토콘드리아와 리보솜 모두 해당하므로 (가)에 해당하지 않는다.

○ ㄷ. B는 섬모를 구성한다.

➡ 미세 소관(B)은 섬모와 편모를 구성한다.

05 A는 엽록체, B는 핵, C는 미토콘드리아이다.

| 선택지 분석 |

✕ ㄱ. '인이 있다.'는 ㉠에 ~~해당한다~~해당하지 않는다.

➡ '인이 있다.'는 핵에만 해당하므로 ㉠에 해당하지 않는다.

○ ㄴ. 'DNA가 있다.'는 ㉡에 해당한다.

➡ 'DNA가 있다.'는 엽록체, 핵, 미토콘드리아에 모두 해당하므로 ㉡에 해당한다.

✕ ㄷ. '2중막으로 구성되어 있다.'는 ~~㉢~~㉡에 해당한다.

➡ '2중막으로 구성되어 있다.'는 엽록체, 핵, 미토콘드리아에 모두 해당하므로 ㉡에 해당한다.

06 | 선택지 분석 |

○ ㄱ. A에는 핵이 있다.

➡ 원심 분리 결과 핵, 엽록체, 미토콘드리아 순으로 침전되므로 A에는 핵이 있다. B에는 세포 호흡을 하는 세포 소기관이 있으므로 미토콘드리아가 있다. 따라서 C에는 엽록체가 있다.

○ ㄴ. B는 2차 원심 분리의 상층액이다.

➡ B에는 미토콘드리아가 있고, 엽록체가 미토콘드리아보다 먼저 침전되므로 B는 2차 원심 분리의 상층액, C는 침전물이다.

○ ㄷ. C에는 광합성을 하는 세포 소기관이 있다.

➡ C에는 광합성을 하는 세포 소기관인 엽록체가 있다.

07 | 선택지 분석 |

✕ ㄱ. 주머니 안의 삼투압은 t_1일 때가 t_2일 때보다 ~~낮다~~높다.

➡ t_2일 때가 t_1일 때보다 주머니 안으로 물이 많이 들어온 상태이므로 주머니 안의 삼투압은 t_1일 때가 t_2일 때보다 높다.

✕ ㄴ. t_3일 때 주머니 ~~안과 밖으로의 물의 이동은 없다~~안에서 밖으로 이동하고 있다.

➡ t_3일 때 주머니의 부피가 감소하고 있으므로 t_3일 때 물이 주머니 밖으로 이동하고 있다.

○ ㄷ. 단위 시간당 주머니 안으로 이동하는 물의 양은 t_1에서가 t_3에서보다 많다.

➡ t_1일 때 주머니 부피가 증가하고 있고, t_3일 때 주머니 부피가 감소하고 있으므로 단위 시간당 주머니 안으로 이동하는 물의 양은 t_1에서가 t_3에서보다 많다.

08 | 선택지 분석 |

○ ㄱ. '고농도에서 저농도로 물질이 이동하는가?'는 A에 해당한다.

➡ '고농도에서 저농도로 물질이 이동하는가?'는 촉진 확산과 단순 확산만 해당하므로 A에 해당한다.

○ ㄴ. '막단백질을 이용하는가?'는 B에 해당한다.

➡ 촉진 확산과 단순 확산 중 '막단백질을 이용하는가?'는 촉진 확산에만 해당하므로 B에 해당한다.

✕ ㄷ. (가)는 에너지를 ~~소비하는~~소비하지 않는 물질 이동 방식이다.

➡ (가)는 촉진 확산이며, 농도 기울기에 따라 물질이 이동하므로 에너지를 소비하지 않는다.

09 | 선택지 분석 |

○ ㄱ. Ⅰ은 촉진 확산이다.

➡ Ⅰ은 물질이 고농도에서 저농도로 이동하므로 촉진 확산이고, Ⅱ는 물질이 저농도에서 고농도로 이동하므로 능동 수송이다.

✕ ㄴ. ㉠의 이동 방식은 ~~Ⅱ~~Ⅰ이다.

➡ ㉠의 세포 안 농도는 C보다 증가하지 않으므로 ㉠의 이동 방식은 촉진 확산(Ⅰ)이다.

✕ ㄷ. ㉠의 세포 안과 밖의 농도 차는 t_1일 때가 t_2일 때보다 ~~작다~~크다.

➡ (나)에서 ㉠은 세포 밖에서 세포 안으로 이동하고 있으므로 세포 안과 밖의 농도 차는 ㉠의 세포 안 농도와 반비례한다. ㉠의 세포 안 농도는 t_1일 때가 t_2일 때보다 낮으므로 ㉠의 세포 안과 밖의 농도 차는 t_1일 때가 t_2일 때보다 크다.

10 | 선택지 분석 |

○ ㄱ. A는 효소·기질 복합체이다.

➡ A는 효소 X와 기질이 결합한 효소·기질 복합체이다.

✕ ㄴ. (나)에서 단위 시간당 형성되는 A의 농도는 t_1일 때가 t_2일 때보다 ~~높다~~낮다.

➡ 단위 시간당 형성되는 A의 농도는 반응 속도에 비례한다. 반응 속도는 t_1일 때가 t_2일 때보다 느리므로 단위 시간당 형성되는 A의 농도는 t_1일 때가 t_2일 때보다 낮다.

○ ㄷ. t_3 이후 X의 반응 속도가 감소하는 것은 X가 변성되기 때문이다.

➡ 최적 온도인 t_3 이후 X의 반응 속도가 감소하는 것은 온도에 의해 단백질이 주성분인 X가 변성되기 때문이다.

11 | 선택지 분석 |

ㄱ X는 경쟁적 저해제이다.

➡ (가)에서 기질 농도가 충분할 때 두 그래프의 초기 반응 속도가 같아지므로 X는 경쟁적 저해제이다.

ㄴ ㉠은 37 ℃에서 생성물 양의 변화이다.

➡ 사람에 있는 효소의 최적 온도는 체온과 비슷한 37 ℃이다. ㉠이 ㉡보다 생성물의 양이 빠르게 증가하고 있으므로 ㉠이 37 ℃에서 생성물 양의 변화이다.

✕ t_1일 때 효소 A의 초기 반응 속도는 ㉠에서가 ㉡에서보다 ~~빠르다~~ 느리다.

➡ t_1일 때 ㉠은 생성물의 양이 더 이상 증가하지 않으므로 기질이 없어 A가 반응하지 않는다. ㉡은 생성물의 양이 증가하고 있으므로 효소·기질 복합체가 있어 A가 반응한다.

12 | 선택지 분석 |

✕ ~~㉡~~ ㉠은 X의 활성 부위에 결합한다.

➡ Ⅰ과 Ⅱ를 비교했을 때 기질 농도가 충분할 때 초기 반응 속도가 같아지므로 ㉠은 경쟁적 저해제이다. 따라서 ㉡은 비경쟁적 저해제이다. X의 활성 부위에 결합하는 저해제는 경쟁적 저해제(㉠)이다.

ㄴ S_1일 때 $\frac{\text{기질과 결합한 X의 수}}{\text{효소 X의 총 수}}$는 Ⅰ에서가 Ⅲ에서의 2배이다.

➡ 기질과 결합한 X의 수는 초기 반응 속도에 비례한다. S_1일 때 Ⅰ에서가 Ⅲ에서보다 초기 반응 속도가 2배이므로 S_1일 때 $\frac{\text{기질과 결합한 X의 수}}{\text{효소 X의 총 수}}$는 Ⅰ에서가 Ⅲ에서의 2배이다.

✕ S_1일 때 X에 의한 반응의 활성화 에너지는 Ⅲ에서가 Ⅳ에서보다 ~~크다~~ 같다.

➡ 활성화 에너지는 효소의 유무에 관련이 있지만, 효소가 있는 상태에서 효소의 농도에 따라 변하지 않는다.

13 (가)는 DNA를 구성하는 뉴클레오타이드이며, 구성하는 염기가 각기 다른 4종류가 있다. (나)는 아미노산이며, 단백질을 구성하는 아미노산은 모두 20종류이다. 아미노산은 곁사슬(R)에 따라 종류가 결정된다.

14 (가)는 세포벽, 엽록체, 핵이 있으므로 진핵세포 중 식물 세포, (나)는 핵이 없으므로 원핵세포인 대장균, (다)는 세포벽, 엽록체가 없고, 핵이 있으므로 진핵세포 중 동물 세포이다.

15 원핵세포와 진핵세포는 모두 세포질을 갖고 세포막으로 싸여 있는 구조이며, 유전 물질(DNA)과 리보솜을 갖는다. 원핵세포는 유전 물질(DNA)이 세포질에 있고, 진핵세포는 유전 물질(DNA)이 핵막에 싸여 핵 속에 있다.

채점 기준	배점
(가)~(다)의 공통점 2가지를 모두 옳게 서술한 경우	100 %
(가)~(다)의 공통점 중 1가지만 옳게 서술한 경우	40 %

16 A는 엽록체, B는 미토콘드리아이며, 모두 외막과 내막의 2중막으로 둘러싸인 구조이다. 엽록체와 미토콘드리아에는 자체 DNA가 있고 RNA, 리보솜이 있다. 따라서 엽록체와 미토콘드리아는 스스로 단백질을 합성하고 복제 증식할 수 있다.

채점 기준	배점
A와 B의 명칭을 옳게 쓰고, A와 B의 공통점 2가지를 모두 옳게 서술한 경우	100 %
A와 B의 명칭을 옳게 쓰고, A와 B의 공통점 중 1가지만 옳게 서술한 경우	60 %

17 (가)에서 반투과성 막을 통해 삼투가 일어난 결과 수면 높이가 (나)와 같이 변하였다. (가)에서는 삼투에 의해 물이 용질(설탕)의 농도가 낮은 곳에서 높은 곳으로 이동하는데, (나)의 결과를 보면 (가)에서 물이 B에서 A로 이동했음을 알 수 있다. 따라서 A가 B보다 설탕의 농도가 더 높은 용액임을 알 수 있다.

채점 기준	배점
A가 더 높다고 쓰고, 그 까닭을 모두 옳게 서술한 경우	100 %
A가 더 높다고만 쓴 경우	30 %

18 거름종이가 떠오르는 이유는 과산화 수소가 분해되면서 발생하는 산소 기포가 거름종이에 달라붙어 부력이 생기기 때문이다. 실험 결과에서 35 ℃에서 거름종이가 떠오르는 데 걸린 시간이 가장 짧으므로 카탈레이스가 35 ℃에서 활발하게 작용함을 알 수 있다.

채점 기준	배점
카탈레이스에 의해 과산화 수소가 분해되면서 산소가 발생하기 때문이라고 쓰고, 카탈레이스의 활성은 35 ℃에서 가장 크다고 서술한 경우	100 %
산소가 발생하기 때문이라고만 쓰거나 카탈레이스의 활성은 35 ℃에서 가장 크다고만 서술한 경우	40 %

1 ››› 세포 호흡과 발효

01 세포 호흡

개념POOL 091쪽

01 (가) 막 사이 공간, (나) 미토콘드리아 내막, (다) 미토콘드리아 기질, ㉠ NADH, ㉡ $FADH_2$, ㉢ O_2 **02** (1) × (2) × (3) ○

02 (1) 미토콘드리아 내막에 있는 전자 전달계에서 H^+의 능동 수송에 이용되는 에너지는 ATP 에너지가 아니라 전자가 방출하는 에너지이다.
(2) 전자 전달계에서 전자는 최종적으로 O_2에 전달되어 H_2O이 생성된다.

탐구POOL 092쪽

01 전자 전달계 **02** ❷와 ❹에서 모두 ATP가 합성되지 않는다.

02 H^+이 ATP 합성 효소를 통해 막 사이 공간에서 기질로 확산될 때 ATP가 합성되는데, 이는 막 사이 공간의 H^+ 농도가 기질보다 높을 때 일어난다.

콕콕! 개념 확인하기 093쪽

✔ 잠깐 확인!

1 세포질 **2** 기질 수준 인산화 **3** 3, 4, 1, 1 **4** ATP 합성 효소 **5** 화학 삼투 **6** 호흡률

01 (1) × (2) ○ (3) ○ **02** ㉠ 산소, ㉡ 이산화 탄소, ㉢ 아세틸 CoA **03** ATP, NADH, $FADH_2$, CO_2 **04** ㉠ 전자 전달계, ㉡ H^+ **05** 1 : 7 **06** 단백질

01 (1) 세포 호흡의 단계 중 해당 과정은 산소의 유무와 관계없이 일어난다.

02 피루브산은 탈탄산 반응으로 CO_2 방출, 탈수소 반응으로 NADH 생성 후 조효소 A(CoA)와 결합하여 아세틸 CoA가 되어 TCA 회로로 들어간다.

03 TCA 회로에서 기질 수준 인산화로 ATP가, 탈수소 반응으로 NADH와 $FADH_2$가, 탈탄산 반응으로 CO_2가 각각 생성된다.

04 산화적 인산화는 전자 전달계와 화학 삼투에 의해 ATP가 합성되는 과정이다.

05 1분자의 포도당이 세포 호흡에 이용될 때 기질 수준 인산화로 4ATP, 산화적 인산화로 최대 28ATP가 생성된다.

06 단백질 구성 성분에는 질소(N)가 포함되어 있어 탈아미노 과정으로 아미노기가 제거되는 과정이 필요하다.

탄탄! 내신 다지기 094쪽~095쪽

01 ③ **02** (가) 피루브산, (나) 아세틸 CoA, (다) CO_2, (라) O_2 **03** ⑤ **04** ⑤ **05** ① **06** ④ **07** (가) 전자 전달계, (나) 화학 삼투, ㉠ O_2(산소), ㉡ H_2O(물) **08** ⑤ **09** ② **10** ㉠ 2, ㉡ 5, ㉢ 5, ㉣ 2 **11** ① **12** 0.8

01 | 선택지 분석 |

① ㉠은 호흡 기질이며, 섭취한 음식물이 소화된 형태이다.
➡ 포도당은 세포 호흡의 호흡 기질이며, 음식물 속의 다당류가 소화 작용으로 분해된 형태이다.

② ㉠에 포함된 에너지의 일부가 ATP로 전환된다.
➡ 포도당의 세포 호흡 과정에서 생성된 에너지 일부가 ATP로 전환된다.

③ 세포 호흡 과정에서 ㉠은 ㉡에 의해 ~~환원~~된다. (산화)
➡ 산소 호흡에서 산소는 호흡 기질을 산화시킨다.

④ ㉢이 생성되는 과정에서 탈탄산 효소가 관여한다.
➡ 이산화 탄소는 탈탄산 효소의 작용으로 생성된다.

⑤ ㉣의 일부는 생명 활동에 이용된다.
➡ 세포 호흡에서 발생하는 에너지는 ATP와 열에너지이며, ATP는 생명 활동에 이용된다.

02 해당 과정을 통해 피루브산이 형성되며, 피루브산은 아세틸 CoA가 되어 TCA 회로로 들어가 CO_2가 방출된다.

03 | 선택지 분석 |

① ~~산소가 없을 때에만~~ 일어난다. (산소의 유무와 관계없이)
➡ 해당 과정은 산소의 유무와 관계없이 일어난다.

② ATP가 소모되는 단계가 ~~없다~~. (있다.)
➡ 해당 과정에는 ATP가 소모되는 단계가 있는데, 포도당에서 과당 2인산이 생성되는 과정에서 ATP의 소모가 일어난다.

③ 탈수소 효소가 ~~관여하지 않는다~~. (관여한다.)
➡ NADH가 생성되는 과정에서 탈수소 효소가 관여한다.

④ ~~미토콘드리아 내막~~에서 일어난다. (세포질)
➡ 해당 과정은 세포질에서 일어난다.

⑤ 1분자의 포도당으로부터 2ATP를 얻을 수 있다.
➡ 해당 과정에서는 2ATP가 먼저 소모된 후 4ATP가 합성되므로 1분자의 포도당으로부터 2ATP가 순생성된다.

04 | 선택지 분석 |

① (가)는 CO_2이다.
➡ 피루브산에서 탈탄산 효소의 작용으로 이산화 탄소가 방출된다.

② (나)는 전자 전달계에 전자를 제공한다.
➡ (나)는 NADH로, 전자 전달계에서 고에너지 전자를 제공한다.

③ 위 반응은 미토콘드리아에서 일어난다.
➡ 해당 과정에서 생성된 피루브산은 산소가 있을 때 미토콘드리아로 들어가 산화되어 아세틸 CoA가 된다.

④ 위 반응은 산소가 충분할 때 일어난다.
➡ 해당 과정에서 생성된 피루브산은 산소가 없으면 미토콘드리아로 들어가지 못하고 발효 과정이 진행된다.

⑤ 아세틸 CoA는 옥살아세트산와 결합하여 시트르산을 형성한다.
➡ 아세틸 CoA는 옥살아세트산과 결합하여 시트르산이 되어 TCA 회로가 진행된다.

05 | 선택지 분석 |

ㄱ. 탈탄산 효소가 관여한다.
➡ 탈탄산 효소의 작용으로 1분자의 피루브산이 TCA 회로를 거치면서 3분자의 CO_2가 방출된다.

ㄴ. NADH와 $FADH_2$가 산화된다.
➡ TCA 회로에서는 NAD^+와 FAD의 환원으로 NADH와 $FADH_2$가 생성된다.

ㄷ. 기질 수준 인산화로 ATP가 합성된다.
➡ 1분자의 피루브산이 TCA 회로를 거칠 때 5탄소 화합물에서 4탄소 화합물이 생성되는 단계에서 기질 수준 인산화로 1분자의 ATP가 생성된다.

ㄹ. 미토콘드리아 기질에서 산소의 유무와 관계없이 일어난다.
➡ TCA 회로는 산소가 충분할 때 일어난다.

06 탈탄산 효소의 작용으로 CO_2가 방출되면서 반응물보다 탄소 수가 적은 생성물이 형성된다. (가), (나), (다)는 반응물보다 생성물의 탄소 수가 적은 과정이다. 탈수소 효소의 작용으로 NADH나 $FADH_2$가 생성된다. (가)~(마)에서 모두 NADH나 $FADH_2$가 생성된다.

07 산화적 인산화는 전자 전달계와 화학 삼투로 이루어진다. 전자 전달계에서 전자의 최종 수용체는 O_2이며, H^+과 결합하여 H_2O이 형성된다. H^+의 농도 기울기에 의해 H^+이 ATP 합성 효소를 통해 막 사이 공간에서 미토콘드리아 기질로 확산될 때 ATP가 합성된다.

08 | 선택지 분석 |

① (가)와 (나)를 합쳐서 산화적 인산화라고 한다.
➡ 전자 전달계(가)와 화학 삼투에 의한 ATP 합성(나)을 합쳐서 산화적 인산화라고 한다.

② (가) 과정이 일어나지 않으면 TCA 회로도 일어나지 않는다.
➡ 전자 전달계에서 NADH와 $FADH_2$를 산화시켜 NAD^+와 FAD가 재생되면 이를 TCA 회로에서 이용하여 NADH와 $FADH_2$를 생성할 수 있다.

③ (가)에서 전자의 에너지를 이용한 H^+의 능동 수송이 일어난다.
➡ (가)의 전자 전달계에서 전자 운반체 중 일부가 양성자 펌프로 작용하여 고에너지 전자가 운반될 때 방출하는 에너지를 이용한 H^+의 능동 수송이 일어난다.

④ (나)에서 ATP 합성 효소에 의해 H^+의 촉진 확산이 일어난다.
➡ ATP 합성 효소는 H^+의 통로가 포함되어 있어 H^+이 농도 기울기에 따라 확산될 때 ATP를 합성한다.

⑤ (가)의 결과 미토콘드리아 기질의 H^+ 농도가 막 사이 공간보다 높아진다.
➡ 전자 전달계가 진행되면 막 사이 공간의 H^+ 농도가 미토콘드리아 기질보다 높아진다.

09 | 선택지 분석 |

ㄱ. NAD^+와 FAD의 환원이 일어난다.
➡ 산화적 인산화에서는 NADH와 $FADH_2$의 산화가 일어난다. NAD^+와 FAD의 환원은 TCA 회로에서 일어난다.

ㄴ. 미토콘드리아 내막의 전자 전달 효소 복합체가 관여한다.
➡ 전자 전달계의 작용은 미토콘드리아 내막의 전자 전달 효소 복합체에 의해 일어난다.

ㄷ. H^+ 농도 기울기에 따라 H^+이 확산되면서 ATP가 합성된다.
➡ ATP 합성 효소는 H^+의 통로가 포함되어 있어 H^+의 농도 기울기에 따라 ATP 합성 효소를 통해 H^+이 확산될 때 ATP가 합성된다.

ㄹ. 전자 전달계를 따라 이동하는 전자는 ATP 합성 효소에 최종적으로 전달된다.
➡ 전자 전달계를 따라 이동하는 전자는 최종적으로 산소(O_2)에 전달된다.

10 1분자의 포도당은 해당 과정(㉠)과 TCA 회로(㉣)에서 기질 수준 인산화로 각각 2ATP가 생성된다. 해당 과정에서 생성된 2NADH는 산화적 인산화(㉡)에 의해 5ATP가, 피루브산의 산화 과정에서 생성된 2NADH는 산화적 인산화(㉢)에 의해 5ATP가 생성된다.

11 | 선택지 분석 |

ㄱ. (가)는 아미노산이다.
➡ (가)는 아미노산, (나)는 지방산, (다)는 포도당이다.

ㄴ. 1 g당 발생하는 에너지는 (나)보다 (다)가 많다.
➡ 지방산(나)은 포도당(다)에 비해 산소의 비율이 낮고 수소의 비율이 높아 더 많은 에너지를 낼 수 있다.

ㄷ. (가)~(다)가 호흡 기질로 이용될 때, 모두 해당 과정을 거친다.
➡ 아미노산(가)과 지방산(나)은 해당 과정을 거치지 않는다.

12 호흡률은 소모된 산소의 부피에 대해 발생한 이산화 탄소의 부피 비이므로 $\frac{12}{15}=0.8$이다.

도전! 실력 올리기 096쪽~097쪽

01 ① **02** ② **03** ④ **04** ① **05** ③ **06** ③

07 | **모범 답안** | 탈탄산 반응이 일어나 CO_2가 방출된다. 탈수소 반응이 일어나 NADH가 생성된다. 조효소 A와 결합한다.

08 | **모범 답안** | 산소는 산화적 인산화 과정에서 전자의 최종 수용체이므로 산소가 없으면 산화적 인산화가 일어나지 않는다. 따라서 산소가 없으면 NADH와 $FADH_2$가 산화되지 않아 TCA 회로에 공급되어야 할 NAD^+와 FAD가 부족하여 TCA 회로가 억제된다.

09 (1) (가) 막 사이 공간, (나) 미토콘드리아 기질 (2) (가) → (나), (나)

01 | 선택지 분석 |

ㄱ A에는 탈탄산 반응이 일어나는 단계가 있다.

➡ $FADH_2$는 TCA 회로에서만 생성되므로 A는 TCA 회로이다. TCA 회로에서는 탈탄산 효소에 의한 탈탄산 반응이 일어나는 단계가 있다.

✕ B에는 ATP가 소모되는 단계가 ~~있다~~ 없다.

➡ B는 산화적 인산화이며, ATP가 합성된다. ATP가 소모되는 단계가 있는 과정은 해당 과정이다.

✕ 'NADH의 산화가 일어나는 단계가 있는가?'는 ㉠에 ~~해당한다~~ 해당하지 않는다.

➡ NADH는 산화적 인산화에서 산화된다. 'NAD^+의 환원이 일어나는 단계가 있는가?'는 ㉠에 해당한다.

02 해당 과정은 1분자의 포도당이 2분자의 피루브산으로 분해되는 과정으로, 이때 2ATP와 2NADH가 순생성된다.

| 선택지 분석 |

✕ (가)에서 NAD^+가 ~~생성된다~~ 생성되지 않는다.

➡ (가)는 ATP가 소모되면서 포도당에서 과당 2인산이 생성되는 과정이다. (다)에서 NAD^+가 환원되어 NADH가 생성된다.

✕ (나)에서 CO_2가 ~~생성된다~~ 생성되지 않는다.

➡ 해당 과정에서는 탈탄산 반응이 일어나지 않는다.

ㄷ (다)에서 ATP가 생성된다.

➡ (다)에서 기질 수준 인산화로 ATP가 생성된다. 1분자의 포도당이 2분자의 피루브산으로 분해되는 동안 2ATP가 순생성된다.

03 1분자의 NADH나 $FADH_2$가 전자 전달계를 통해 이동할 때 $\frac{1}{2}$분자의 O_2가 소모되고 1분자의 H_2O이 생성된다. 2분자의 피루브산으로부터 8분자의 NADH와 2분자의 $FADH_2$가 생성되므로 소모되는 O_2 분자 수(㉡)는 5이고 생성되는 H_2O 분자 수(㉢)는 10이다. 8분자의 NADH로부터 20분자의 ATP, 2분자의 $FADH_2$로부터 3분자의 ATP가 생성되며, 기질 수준 인산화로 2분자의 ATP가 생성되므로 생성되는 ATP 분자 수(㉣)는 20+3+2=총 25이다.

04 | 선택지 분석 |

ㄱ (가)의 ⓐ는 (나)의 Ⅱ에서 생성된다.

➡ Ⅰ은 막 사이 공간이고 Ⅱ는 미토콘드리아 기질이다. 피루브산의 산화와 TCA 회로에서 CO_2가 방출되는데, 이는 미토콘드리아 기질에서 일어난다.

✕ ⓑ는 ~~모두 NADH와 $FADH_2$의 산화~~ NADH와 $FADH_2$의 산화와 기질 수준 인산화에 의해 방출되는 에너지로 생성된다.

➡ 산화적 인산화 이외에도 TCA 회로에서 기질 수준 인산화로 ATP가 생성된다.

✕ (나)의 전자 전달계에서 H^+이 이동할 때 ~~(가)의 ATP가~~ 고에너지 전자가 이동할 때 방출되는 에너지 소모된다.

➡ 전자 전달계의 양성자 펌프는 고에너지 전자가 이동할 때 방출되는 에너지를 이용하여 H^+을 이동시킨다.

05 | 자료 분석 |

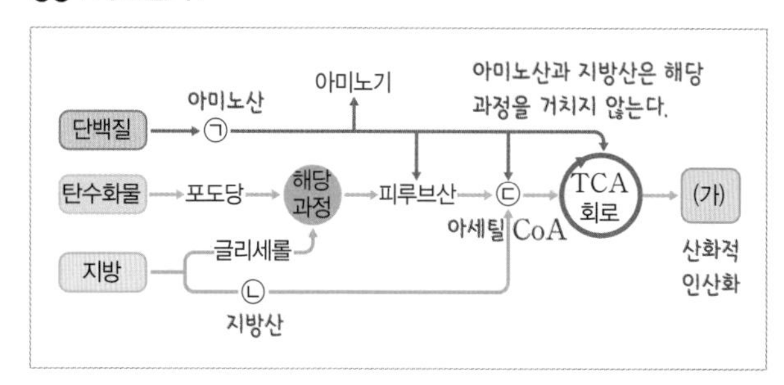

| 선택지 분석 |

ㄱ ㉠에서 제거된 아미노기는 세포 호흡에 이용되지 않는다.

➡ 제거된 아미노기(㉠)는 암모니아가 되고, 간에서 요소로 전환되어 배설된다.

ㄴ ㉡이 세포 호흡에 이용되기 위해서는 산소가 필요하다.

➡ ㉡은 지방산이며, 아세틸 CoA가 된 후 TCA 회로가 진행될 때 산소가 필요하다.

✕ ㉢에 포함된 조효소 A는 ~~(가)에서 ATP 합성의 에너지원으로 이용된다~~ TCA 회로 과정에서 방출된다.

➡ 조효소 A는 아세틸 CoA가 옥살아세트산과 결합하여 시트르산이 되는 과정에서 방출된다. (가)는 산화적 인산화이다.

06 탄수화물, 단백질, 지방은 각각 탄소, 수소, 산소의 구성비가 다르므로 호흡 기질의 종류에 따라 호흡률은 달라진다. 호흡률을 측정하면 이용되는 호흡 기질의 종류를 알 수 있는데, 탄수화물, 지방, 단백질의 호흡률은 각각 1.0, 0.7, 0.8이다.

| 선택지 분석 |

학생 A: 호흡률은 호흡 기질이 세포 호흡에 이용될 때 소모된 산소의 부피에 대한 이산화 탄소의 부피 비야.

➡ 호흡률 = $\frac{\text{생성된 이산화 탄소의 부피}}{\text{이용된 산소의 부피}}$이다.

✕ 학생 B: 호흡 기질의 종류가 달라도 호흡률은 동일해.

➡ 호흡 기질의 종류에 따라 호흡률이 다르다. 탄수화물은 1, 단백질은 0.8, 지방은 0.7이다.

학생 C: 세포 호흡의 화학 반응식을 통해 호흡률을 알 수 있어.

➡ 화학 반응식에서 계수 비는 부피 비와 같다.

07 피루브산이 산화되는 과정에서 탈탄산 반응이 일어나 CO_2가 방출되어 탄소 수가 하나 적은 생성물(아세트산)이 생성되고, 탈수소 효소의 작용으로 탈수소 반응이 일어나 NADH가 생성된다. 또한, 조효소 A(CoA)와 결합하여 아세틸 CoA가 형성된다.

채점 기준	배점
세 가지 모두 옳게 서술한 경우	100 %
세 가지 중 2가지만 옳게 서술한 경우	50 %
세 가지 중 1가지만 옳게 서술한 경우	20 %

더 알아보기 **피루브산의 산화**

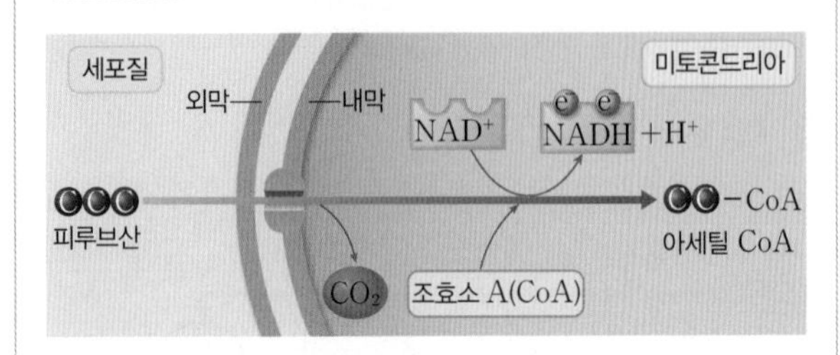

- 피루브산의 산화는 미토콘드리아 내막에 붙어 있는 피루브산 탈수소 효소 복합체에 의해 일어난다.
- 피루브산 탈수소 효소 복합체는 피루브산이 아세틸 CoA로 되는 과정에서 일어나는 탈탄산 반응, 탈수소 반응, 아세틸기 전이 반응의 세 과정을 촉매하는 효소들이 모여 복합체를 이룬 것이다.

08 피루브산이 산소가 있을 때, 미토콘드리아 기질로 이동하여 산화되는데, TCA 회로에 산소가 직접 사용되지는 않지만 산소가 필요한 산화적 인산화 과정과 맞물려 있다. 따라서 산소가 없으면 TCA 회로도 억제된다.

채점 기준	배점
산소가 전자의 최종 수용체라는 점과 산소가 없을 때 산화적 인산화가 중단된다는 내용을 옳게 서술한 경우	100 %
산소가 전자의 최종 수용체라는 점만 서술한 경우	50 %

09 (1) 전자 전달계를 통해 H^+이 미토콘드리아 기질(나)에서 막 사이 공간(가)으로 능동 수송되어 막 사이 공간의 pH가 낮아진다.
(2) ATP 합성 효소는 H^+의 농도 기울기에 따라 막 사이 공간에서 기질로 H^+이 확산될 때 기질에서 ATP가 합성된다.

더 알아보기 **화학 삼투**

미토콘드리아 내막에서 화학 삼투에 의한 ATP 합성 원리는 H^+의 농도 기울기를 만들어주면 전자 이동이 없어도 ATP가 합성될 수 있음을 확인한 실험으로 증명되었다.

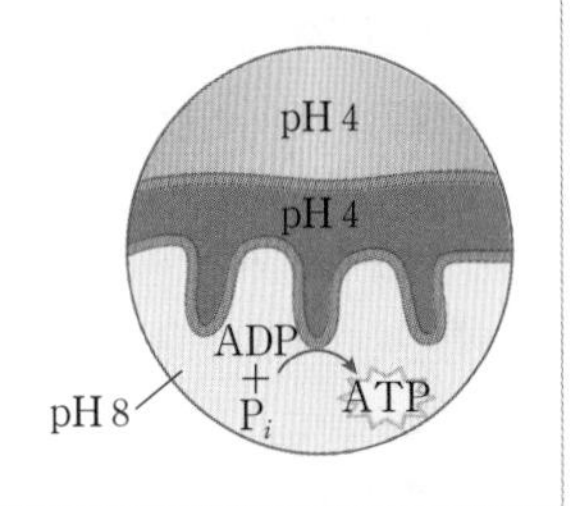

02 발효

콕콕! 개념 확인하기 101쪽

✔ 잠깐 확인!

1 알코올 **2** 젖산 **3** 미토콘드리아, 세포질 **4** 이산화 탄소 **5** 아세트알데하이드 **6** 1 **7** 2 **8** 바이오

01 (1) × (2) × (3) ○ (4) ○ **02** ㉠ 아세틸 CoA, ㉡ 젖산 **03** 이산화 탄소 **04** ㉠ 피루브산, ㉡ 생성됨, ㉢ 일어남 **05** (1)–㉡ (2)–㉠ (3)–㉡

01 (1) 발효를 통해 유기물이 완전 분해되지 않고 고에너지 상태의 생성물이 생긴다.
(2) 발효는 세포질에서 일어난다.

02 근육 세포에서 산소가 있을 때에는 산소 호흡이 일어나 해당 과정으로 생성된 피루브산이 산화되어 아세틸 CoA가 되고, 산소가 없을 때에는 젖산 발효가 일어난다.

03 효모는 산소가 있을 때 해당 과정, 피루브산의 산화와 TCA 회로, 산화적 인산화를 거치고, 산소가 없을 때 알코올 발효를 하는데, 공통적으로 이산화 탄소가 생성된다.

04 젖산 발효에서 피루브산이 NADH의 전자를 수용하여 젖산이 형성된다. 알코올 발효에서는 탈탄산 반응으로 CO_2가 생성되며, 알코올 발효와 젖산 발효에서는 공통적으로 해당 과정이 일어나 기질 수준 인산화로 ATP를 얻는다.

탄탄! 내신 다지기 102쪽~103쪽

01 ⑤ **02** ③ **03** 16배 **04** ③ **05** ㉠ NADH, ㉡ 해당 과정 **06** ㉠ 에탄올, ㉡ CO_2, ㉢ 아세틸 CoA **07** ④ **08** A: 탄소 3, 수소 6, 산소 3 B: 탄소 2, 수소 6, 산소 1 **09** ④ **10** ② **11** ③

01 | 선택지 분석 |

✗ 세포질과 ~~미토콘드리아~~에서 일어난다.
➡ 발효는 세포질에서 일어난다.

㉡ 산소 없이 NADH가 NAD^+로 산화된다.
➡ 해당 과정에서 생성된 NADH가 아세트알데하이드나 피루브산에 의해 산화된다.

㉢ 에탄올이나 젖산과 같은 물질이 생성된다.
➡ 효모의 알코올 발효에서는 에탄올이, 젖산균이나 사람의 근육 세포에서 일어나는 젖산 발효에서는 젖산이 생성된다.

㉣ 1분자의 포도당이 분해될 때 총 2분자의 ATP가 생성된다.
➡ 해당 과정을 통해 1분자의 포도당으로부터 2분자의 ATP가 생성된다.

02 (가)는 산소 호흡, (나)는 알코올 발효이다.

| 선택지 분석 |

ㄱ. (가)에서 산화적 인산화가 진행된다.
➡ 산소 호흡(가)에서 산화적 인산화가 진행된다.

ㄴ. (가)와 (나)에서 해당 과정이 일어난다.
➡ 산소 호흡(가)과 알코올 발효(나)에서 공통적으로 해당 과정이 일어난다.

ㄷ. ~~젖산~~(에탄올)은 (나)에서의 분해 산물에 해당한다.
➡ 효모의 알코올 발효에서 생성물은 에탄올이다. 젖산은 젖산균이나 사람의 근육 세포에서 일어나는 발효의 생성물이다.

03 1분자의 포도당으로부터 산소 호흡으로 생성되는 ATP의 최대 분자 수는 32이고, 알코올 발효를 통해 생성되는 ATP 분자 수는 2이다.

04 젖산 발효는 2가지(젖산, ATP), 알코올 발효는 3가지(에탄올, ATP, CO_2), 산소 호흡은 3가지(H_2O, ATP, CO_2)가 생성되는데, ㉣이 탄소를 포함하고 있으므로 (가)는 젖산 발효, (나)는 알코올 발효, (다)는 산소 호흡이다. (가)~(다)에서 공통적으로 생성되는 물질은 ATP로 ㉡이고, ㉠이 젖산, ㉢이 CO_2, ㉣이 에탄올, ㉤이 H_2O이다.

05 산소 호흡에서는 해당 과정으로 생성된 NADH가 산화적 인산화에서 산화되어 NAD^+가 해당 과정으로 투입되는데, 산소 없이 일어나는 발효에서는 해당 과정이 지속되기 위해 아세트알데하이드나 피루브산이 환원되면서 NADH가 산화되고 NAD^+가 해당 과정에 이용된다.

06 알코올 발효에서 피루브산으로부터 에탄올이 생성되는 과정은 피루브산의 환원, 산소 호흡에서 피루브산으로부터 아세틸 CoA가 되는 과정은 피루브산의 산화이다. CO_2는 알코올 발효와 산소 호흡에서 공통적으로 생성된다.

07 (가)는 해당 과정으로 2ATP와 2NADH가 생성된다.
(나)는 젖산 발효 중 NAD^+의 재생 단계로 $2NAD^+$가 생성된다.
(다)는 피루브산의 산화로 $2CO_2$, 2NADH가 생성된다.
(라)는 알코올 발효 중 탈탄산 반응과 NAD^+의 재생 단계로 $2CO_2$, $2NAD^+$가 생성된다.

| 선택지 분석 |

ㄱ. ~~(가)~(라)에서 공통적으로~~((가)에서만) ATP가 생성된다.
➡ ATP는 (가)에서만 생성된다.

ㄴ. (나)와 (라)에서 NAD^+가 생성된다.
➡ (나)에서 피루브산, (라)에서 아세트알데하이드에 의해 NADH가 산화되어 NAD^+가 생성된다.

ㄷ. (가)와 (나)는 젖산균과 사람의 근육 세포에서 일어난다.
➡ (가)와 (나)의 경로로 젖산 발효가 일어난다. 젖산 발효는 젖산균과 사람의 근육 세포에서 산소가 없을 때 일어난다.

08 | 자료 분석 |

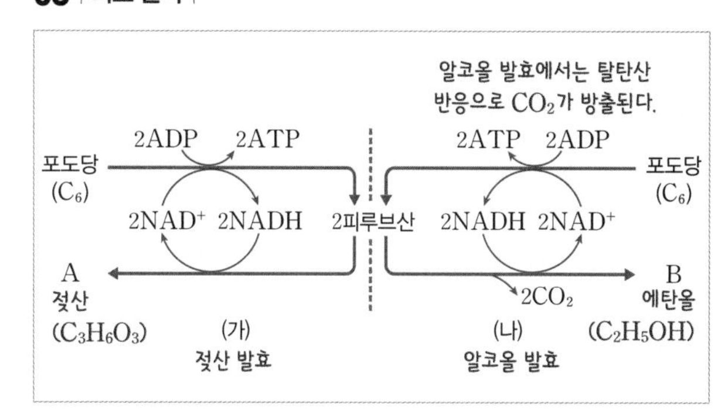

09 | 자료 분석 |

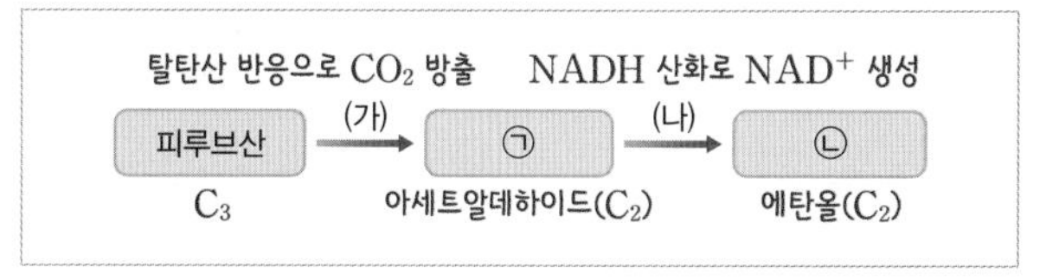

| 선택지 분석 |

① (가)에서 기질 수준 인산화가 ~~일어난다~~(일어나지 않는다).
➡ 기질 수준 인산화는 해당 과정에서 일어난다.

② ~~(나)~~((가))에서 탈탄산 반응이 일어난다.
➡ 피루브산이 아세트알데하이드가 되는 과정에서 탈탄산 반응이 일어난다.

③ ~~(가)~~((나))에서 NAD^+가 생성된다.
➡ 아세트알데하이드가 에탄올로 환원될 때 NADH가 산화되어 NAD^+가 재생된다.

④ ㉠과 ㉡의 1분자당 탄소 수는 같다.
➡ ㉠은 아세트알데하이드, ㉡은 에탄올이다. ㉠과 ㉡ 모두 1분자당 탄소 수는 2이다.

⑤ ~~㉠~~(㉡)은 에탄올이다.
➡ ㉠은 아세트알데하이드이다.

10 | 자료 분석 |

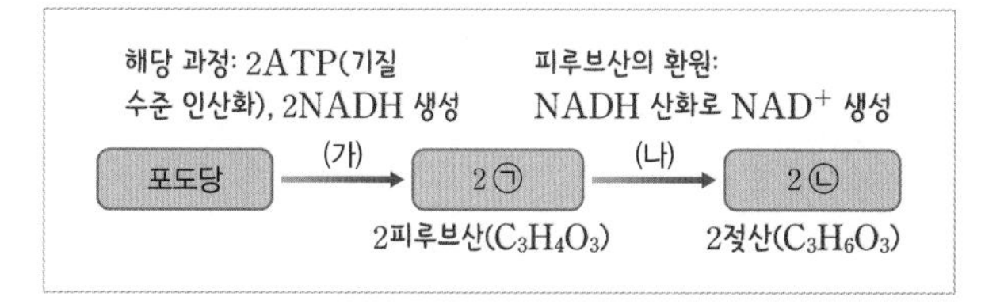

| 선택지 분석 |

① (가)에서 NAD^+가 환원된다.
➡ (가)는 해당 과정으로, NAD^+가 환원되어 NADH가 생성된다.

② ~~(나)~~((가))에서 ATP가 합성된다.
➡ ATP는 해당 과정(가)에서 합성된다.

③ (가)와 (나)는 모두 세포질에서 일어난다.
➡ 발효는 세포질에서 일어난다.

④ 1분자당 수소 수는 ㉠이 ㉡보다 작다.
➡ ㉠은 피루브산($C_3H_4O_3$), ㉡은 젖산($C_3H_6O_3$)이다. 1분자당 수소 수는 피루브산이 4, 젖산이 6이다.

⑤ 1분자당 탄소 수는 ㉠과 ㉡이 같다.

➡ 1분자당 탄소 수는 ㉠과 ㉡ 모두 3이다.

11 | **선택지 분석** |

ㄱ 바이오 에탄올 생산 과정에 술을 만드는 과정과 동일한 과정이 있다.

➡ 효모를 발효시켜 이산화 탄소와 에탄올을 얻는 과정은 알코올 발효이며, 알코올 발효는 술의 제조에 이용된다.

ㄴ 바이오 에탄올을 대량 생산하면 온실 기체의 생성을 억제할 수 ~~있다~~. 없다.

➡ 이산화 탄소는 온실 기체에 해당하므로, 바이오 에탄올을 대량 생산하면 온실 기체가 대량 생산될 수 있다.

ㄷ ㉠ 과정이 필요한 까닭은 효모의 발효에서 다당류가 호흡 기질로 이용될 수 없기 때문이다.

➡ 효모의 알코올 발효의 호흡 기질은 포도당이다. 옥수수나 사탕수수의 녹말은 직접 호흡 기질로 이용될 수 없기 때문에 녹말 분해 효소를 이용하여 포도당으로 분해한다.

도전! 실력 올리기

104쪽~105쪽

01 ⑤ **02** ⑤ **03** ① **04** ⑤ **05** ③ **06** ③

07 ㉠ NAD^+, ㉡ NADH, ㉢ CO_2

08 | **모범 답안** | 효모의 세포 호흡 결과 생성된 이산화 탄소가 KOH 수용액에 의해 제거되었기 때문이다.

09 | **모범 답안** | 산소가 있는 경우 피루브산이 미토콘드리아로 들어가 탈탄산 반응과 탈수소 반응을 거쳐 산화되어 아세틸 CoA가 생성되고, TCA 회로와 산화적 인산화가 진행된다. 산소가 없는 경우 피루브산이 세포질에서 환원되어 젖산이 생성되는 젖산 발효가 일어난다.

01 (가)는 해당 과정, (나)는 피루브산의 환원, (다)는 피루브산의 산화, (라)는 TCA 회로이다.

| **선택지 분석** |

ㄱ (가)에서 효소에 의해 ATP가 생성된다.

➡ (가)는 해당 과정으로, 기질 수준 인산화가 일어난다. 기질 수준 인산화는 인산화 효소에 의해 일어난다.

ㄴ (나)에서 피루브산이 환원된다.

➡ (나)에서 피루브산이 환원되면서 젖산 또는 에탄올이 생성된다.

ㄷ (다)와 (라)에서 탈탄산 반응이 일어난다.

➡ (다)는 피루브산의 산화, (라)는 TCA 회로이며 탈탄산 반응에 의해 이산화 탄소가 생성된다.

더 알아보기 발효

해당 과정에서 생성된 피루브산이 에탄올이나 젖산으로 환원되면서 NAD^+를 계속 재생시켜 해당 과정에서 ATP 합성이 계속 일어나게 한다. 알코올 발효의 경우 아세트알데하이드가, 젖산 발효의 경우 피루브산이 전자의 최종 수용체가 된다.

02 | **자료 분석** |

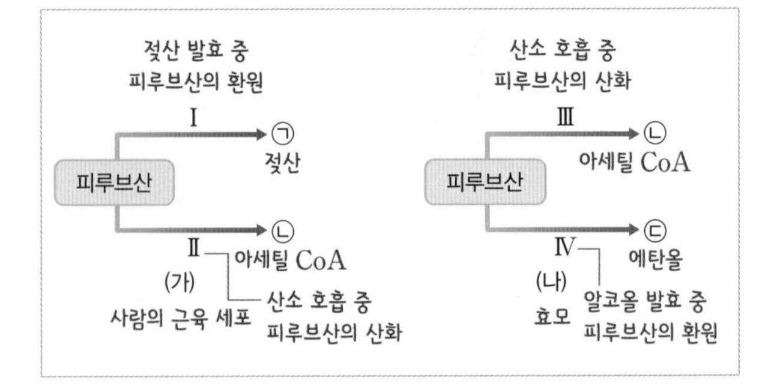

사람의 근육 세포에서는 산소 호흡과 젖산 발효, 효모에서는 산소 호흡과 알코올 발효가 일어난다. 산소 호흡에서 피루브산이 산화되어 아세틸 CoA가 되는 과정과 알코올 발효에서 에탄올이 생성되는 과정에서 CO_2가 공통적으로 생성된다.

| **선택지 분석** |

ㄱ Ⅰ과 Ⅳ는 발효 과정의 일부이다.

➡ Ⅰ은 젖산 발효 중 피루브산의 환원, Ⅳ는 알코올 발효 중 피루브산의 환원이다.

ㄴ Ⅱ와 Ⅲ은 미토콘드리아에서 일어난다.

➡ Ⅱ와 Ⅲ은 미토콘드리아에서 일어나는 피루브산의 산화 과정이다.

ㄷ 1분자당 탄소 수는 ㉠이 ㉢보다 크다.

➡ 젖산($C_3H_6O_3$)의 탄소 수는 3이고 에탄올(C_2H_6O)의 탄소 수는 2이다.

03 | **자료 분석** |

구분	A 알코올 발효	B 젖산 발효	C 산소 호흡
최종 전자 수용체	아세트알데하이드	㉠ 피루브산	? 산소
CO_2 생성	? 생성됨	생성되지 않음	㉡ 생성됨
NAD^+ 생성	생성됨	? 생성됨	생성됨
해당 과정	일어남	? 일어남	일어남
포도당 1분자당 ATP 순생성량	ⓐ 2분자	? 2분자	ⓑ 최대 32분자

| **선택지 분석** |

ㄱ ㉠은 '피루브산'이다.

➡ 젖산 발효에서 피루브산은 NADH로부터 전자를 얻어 젖산이 된다.

ㄴ ㉡은 '~~생성되지 않음~~'이다. 생성됨

➡ 산소 호흡에서 이산화 탄소가 생성된다.

ㄷ ~~ⓐ와 ⓑ는 같다~~. ⓐ보다 ⓑ가 많다.

➡ ATP 생성량은 알코올 발효에서보다 산소 호흡에서 더 많다.

04 C는 산소 환경에서는 포도당을 호흡 기질로 산소 호흡을 하고, 무산소 환경에서는 포도당을 호흡 기질로 젖산 발효를 한다. 미생물 C에 의한 젖산 발효는 김치, 요구르트, 치즈를 만드는 데 이용된다.

| 선택지 분석 |

ㄱ. t_2에서 일어나는 발효는 요구르트를 만드는 데 이용된다.
➡ 젖산 발효는 요구르트를 만드는 데 이용된다.

ㄴ. C에는 t_1과 t_2에서 모두 피루브산이 존재한다.
➡ 젖산 발효가 일어날 때 해당 과정이 진행되므로 산소 호흡이 일어나는 t_1과 젖산 발효가 일어나는 t_2에서 피루브산이 존재한다.

ㄷ. C는 산소 환경과 무산소 환경에서 모두 포도당을 호흡 기질로 사용한다.
➡ 젖산 발효는 포도당을 호흡 기질로 하는 무산소 호흡이다.

05 Ⅰ은 알코올 발효의 일부이고 Ⅱ는 젖산 발효의 일부이다. ㉠은 에탄올, ㉡은 젖산이다.

| 선택지 분석 |

ㄱ. Ⅰ과 Ⅱ는 모두 세포질에서 일어난다.
➡ 발효는 세포질에서 일어난다.

✕ 1분자당 $\frac{\text{수소(H) 수}}{\text{탄소(C) 수}}$는 ㉡이 ㉠보다 ~~크다~~. (작다.)
➡ $\frac{\text{수소(H) 수}}{\text{탄소(C) 수}}$는 에탄올은 3, 젖산은 2이므로 ㉠이 ㉡보다 크다.

ㄷ. (나)에서 t_1과 t_2일 때 모두 탈탄산 반응이 일어난다.
➡ t_1은 처음 넣어 준 산소를 이용하여 산소 호흡이 일어나는 시점으로, 산소 호흡을 통해 탈탄산 반응이 일어난다. t_2는 산소가 고갈되어 알코올 발효가 일어나는 시점으로 알코올 발효 과정을 통해 탈탄산 반응이 일어난다.

06 A는 해당 과정, B는 젖산 발효의 일부, C는 알코올 발효의 일부, D는 산소 호흡 과정에서 피루브산의 산화 과정이다.

| 선택지 분석 |

ㄱ. (가) → (나) 과정에서 A와 C가 일어난다.
➡ (가) → (나) 과정은 알코올 발효이다.

✕ (나)에서 발생하는 기포는 ~~B~~ (C) 과정에서 생성된다.
➡ (나)에서 발생하는 기포는 이산화 탄소이며, 효모의 알코올 발효 중 피루브산에서 탈탄산 반응이 일어나면서 생성된다.

ㄷ. (가)에서 뚜껑을 열어두면 D가 일어날 수 있다.
➡ 뚜껑을 열어두면 산소 호흡이 일어나므로 피루브산의 산화 과정이 일어날 수 있다.

07 | 자료 분석 |

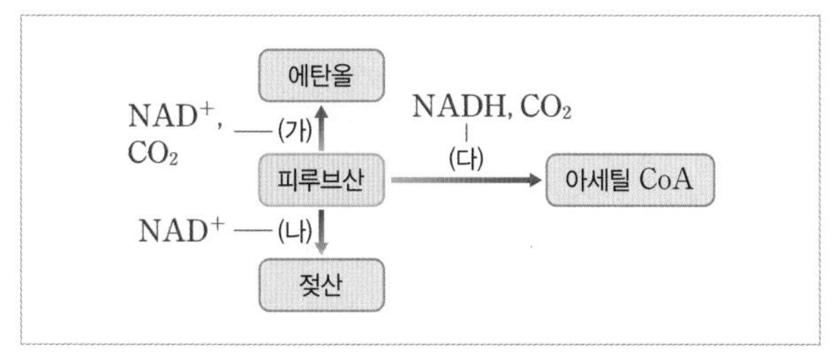

젖산과 에탄올은 NADH가 산화되고 NAD^+가 생성되는 과정에서 생성된다. 또한, 에탄올이 형성되는 과정과 아세틸 CoA가 형성되는 과정에서 탈탄산 반응이 일어나 CO_2가 방출된다. 피루브산이 산화되어 아세틸 CoA가 형성되는 과정에서 NADH가 생성된다.

08 | 자료 분석 |

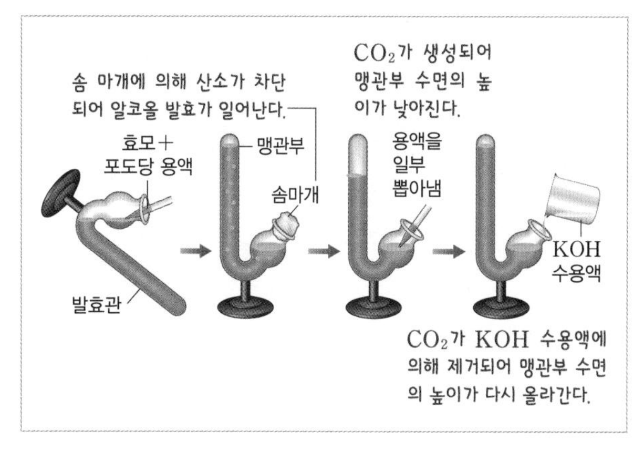

효모의 알코올 발효 과정에서 포도당이 분해되고 CO_2가 생성되면서 맹관부 위쪽의 수면의 높이가 낮아진다. 이후 KOH 수용액을 넣으면 CO_2가 KOH 수용액에 의해 제거되기 때문에 맹관부 위쪽 수면의 높이가 다시 올라간다.

채점 기준	배점
이산화 탄소가 세포 호흡으로 생성되었고, KOH 수용액에 의해 제거되었음을 옳게 서술한 경우	100 %
이산화 탄소의 생성과 KOH 수용액에 의한 제거 중 1가지만 옳게 서술한 경우	50 %

09 사람의 근육 세포에서는 산소가 있을 때 산소 호흡이, 산소 요구량이 산소 공급량보다 많을 때 젖산 발효가 일어난다. 산소가 있는 경우 피루브산이 미토콘드리아로 들어가 탈탄산 반응과 탈수소 반응을 거쳐 산화되어 아세틸 CoA가 생성되고, TCA 회로와 산화적 인산화가 진행된다. 산소가 없는 경우 피루브산이 세포질에서 환원되어 젖산이 생성되는 젖산 발효가 일어난다.

채점 기준	배점
산소가 있는 경우 미토콘드리아에서 아세틸 CoA 생성, 산소가 없는 경우 세포질에서 젖산 생성을 모두 언급한 경우	100 %
산소가 있는 경우와 없는 경우 중 1가지만 서술하거나, 반응 장소 혹은 생성물 중 1가지만 서술한 경우	50 %

실전! 수능 도전하기

107쪽~110쪽

01 ③ **02** ④ **03** ① **04** ③ **05** ② **06** ② **07** ① **08** ②
09 ④ **10** ④ **11** ⑤ **12** ⑤ **13** ③ **14** ⑤ **15** ③ **16** ③

01 | 선택지 분석 |

ㄱ. 1분자당 탄소 수는 ㉠이 ㉡의 2배이다.
➡ ㉠은 포도당($C_6H_{12}O_6$)이고 ㉡은 피루브산($C_3H_6O_3$)이다.

✕ $\frac{\text{㉠ 2분자의 총에너지}}{\text{㉡ 1분자의 에너지}}$ ~~=1~~ (<1)이다.
➡ 1분자의 포도당으로부터 2분자의 피루브산이 생성되는 동안 2ATP가 순생성되므로 포도당 1분자의 에너지가 피루브산 2분자의 총에너지보다 많다.

ㄷ. t_1과 t_2 사이에 ATP의 합성과 분해 반응이 모두 일어난다.

➡ 해당 과정에서는 ATP가 소모되면서 포도당이 과당 2인산으로 된 후, ATP와 NADH가 생성되면서 피루브산이 형성된다.

02 | 자료 분석 |

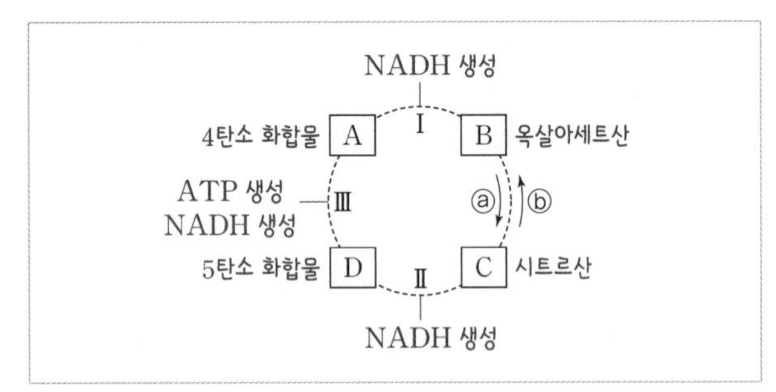

| 선택지 분석 |

ㄱ. 회로 반응의 방향은 ⓐ이다.

➡ FAD는 4탄소 화합물에서 옥살아세트산이 형성될 때 환원되며(Ⅰ), 다음 단계인 시트르산 형성 단계에서는 NAD^+ 환원이 일어나지 않는다. 따라서 회로의 방향은 ⓐ이다.

✕ 과정 ~~Ⅰ~~ Ⅲ에서 ATP가 합성된다.

➡ ATP는 5탄소 화합물에서 4탄소 화합물이 형성될 때 생성되므로 Ⅰ에 해당되지 않는다.

ㄷ. 과정 Ⅱ에서 CO_2가 방출된다.

➡ 시트르산에서 5탄소 화합물이 형성될 때 CO_2가 방출된다.

03 | 선택지 분석 |

ㄱ. 해당 과정과 TCA 회로에서 위 반응이 일어난다.

➡ 해당 과정과 TCA 회로에서 기질 수준 인산화에 의해 ATP가 합성된다.

✕ ㉠이 가진 에너지의 크기와 ㉡이 가진 에너지의 크기가 ~~같다~~ 다르다.

➡ ㉠에 포함되어 있던 인산기가 효소의 작용으로 ADP와 결합하여 반응 결과 ㉡이 생성되었다. 따라서 ㉠이 가진 에너지가 ㉡이 가지 에너지보다 크다.

✕ ㉡은 효소 X의 ~~기질~~ 생성물이다.

➡ ㉡은 효소 X의 생성물이다.

04 Ⅰ은 (다), Ⅱ는 (나), Ⅲ은 (가)이고, ㉠은 NADH, ㉡은 CO_2, ㉢은 ATP이다.

| 선택지 분석 |

ㄱ. ⓐ는 'ㅇ'이다.

➡ 4탄소 화합물에서 옥살아세트산이 될 때 NADH가 생성된다.

✕ Ⅲ은 ~~(다)~~ (가)이다.

➡ Ⅲ은 CO_2가 생성되면서 ATP가 생성되지 않는 단계이므로 시트르산에서 5탄소 화합물이 생성되는 단계이다.

ㄷ. (나)에서 ㉡이 생성된다.

➡ 5탄소 화합물에서 4탄소 화합물이 될 때 탈탄산 반응으로 CO_2가 방출된다.

05 | 자료 분석 |

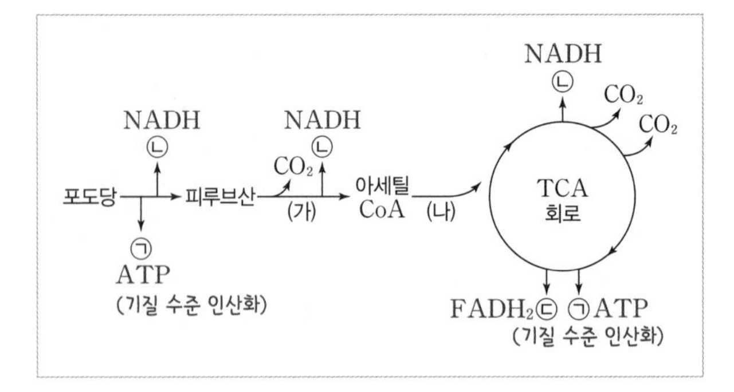

| 선택지 분석 |

✕ (가) 과정은 ~~세포질~~ 미토콘드리아 기질에서 일어난다.

➡ (가)는 피루브산의 산화로, 미토콘드리아 기질에서 일어난다.

✕ ~~(나)~~ (가) 과정에서 탈탄산 효소가 작용한다.

➡ 탈탄산 효소가 작용하는 단계에서는 CO_2가 방출되며, (나)에서는 아세틸 CoA의 조효소 A가 방출되면서 옥살아세트산과 결합한다.

ㄷ. ㉠은 ATP, ㉡은 NADH, ㉢은 $FADH_2$이다.

➡ ATP는 해당 과정과 TCA 회로에서, NADH는 해당 과정, 피루브산의 산화와 TCA 회로에서, $FADH_2$는 TCA 회로에서 생성된다.

06 | 선택지 분석 |

✕ A는 ~~㉡~~ ㉠이다.

➡ ㉠을 처리하면 ATP 합성 효소의 작용이 억제되고, ㉡을 처리하면 전자 전달계의 전자 전달이 억제된다. 산소는 전자의 최종 수용체이므로 전자 전달이 억제되면 산소 소비가 감소한다. 따라서 처리했을 때 산소 소비가 억제되는 B가 ㉡이다.

ㄴ. 구간 Ⅲ에서 미토콘드리아 내막을 통해 H^+이 이동한다.

➡ 구간 Ⅲ에서 산소가 소비되고 있으므로 미토콘드리아 내막을 통한 H^+의 이동이 일어난다.

✕ 단위 시간당 ATP 생성량은 구간 Ⅰ에서보다 구간 Ⅱ에서 ~~많다~~ 적다.

➡ A를 처리하여 ATP 합성 효소의 작용이 억제된 Ⅱ에서가 Ⅰ에서보다 ATP 생성량이 적다.

더 알아보기 세포 호흡 저해제

- 전자 전달 저해제: 전자 운반체에 결합하여 미토콘드리아 기질에서 막 사이 공간으로 H^+의 능동 수송이 일어나지 못하게 함으로써 산화적 인산화 과정을 억제한다. 예로는 로테논, 사이안화 물(청산가리), 일산화 탄소 등이 있다.
- ATP 합성 효소의 저해제: ATP 합성 효소에 결합하여 H^+이 ATP 합성 효소를 통해 확산되는 것을 저해함으로써 산화적 인산화 과정을 억제한다. 예로는 올리고마이신, 아우로베르틴, 벤추리시딘 등이 있다.
- 짝풀림제: 막 사이 공간에 축적된 H^+이 ATP 합성 효소를 통하지 않고 기질로 들어갈 수 있게 하여 H^+ 농도 기울기를 감소시켜 전자 전달계는 계속 작동하지만 ATP 합성이 일어나지 못하게 한다. 예로는 DNP, FCCP 등이 있다.

07 | 선택지 분석 |

ㄱ. Ⅰ은 미토콘드리아 기질이다.

➡ 미토콘드리아 내막의 전자 전달계는 H^+을 기질에서 막 사이 공간으로 능동 수송한다.

✕ pH는 Ⅱ에서가 Ⅰ에서보다 ~~높다~~ 낮다.

➡ 세포 호흡 과정에서 H^+이 능동 수송되어 막 사이 공간에 축적되므로 pH는 막 사이 공간(Ⅱ)에서가 미토콘드리아 기질(Ⅰ)에서보다 낮다.

✕ 이 전자 전달계에서 전자의 최종 수용체는 ~~NAD^+~~ O_2이다.

➡ 전자 전달계에서 전자의 최종 수용체는 O_2이다.

08 | 선택지 분석 |

✕ NADH에서 방출된 전자가 O_2에 전달되는 ~~과정을 억제한다~~ 과정에 관여하지 않는다.

➡ X는 전자 전달계에서 전자의 이동에 관여하지 않는다.

ㄴ. 미토콘드리아 기질과 막 사이 공간의 pH 차이를 감소시킨다.

➡ 전자 전달계에서 전자가 이동하는 과정에서 H^+의 능동 수송으로 미토콘드리아 기질과 막 사이 공간의 H^+ 농도 기울기를 형성하는데, X는 H^+의 농도 기울기에 따라 H^+의 확산을 촉진하므로 농도 기울기가 감소한다.

✕ X를 처리하면 처리하기 전보다 ATP 합성 효소에 의한 ATP 합성 속도가 ~~증가한다~~ 감소한다.

➡ ATP 합성 효소는 H^+ 농도 기울기에 따라 H^+이 확산되는 에너지로 ATP를 합성한다. 따라서 X를 처리하면 ATP 합성 효소에 의한 ATP 합성 속도가 감소한다.

09 | 선택지 분석 |

ㄱ. $\frac{ㄹ}{ㄴ+ㄷ}=\frac{5}{3}$이다.

➡ ㄴ은 5, ㄷ은 10, ㄹ은 25이다.

✕ (가)의 ⓐ는 (나)의 ~~Ⅰ~~ Ⅱ에서 생성된다.

➡ ⓐ는 전자 전달계에서 생성되는 H_2O이다. 전자 전달계에서 O_2의 소비와 H_2O의 생성은 미토콘드리아 기질(Ⅱ)에서 일어난다.

ㄷ. (나)의 막은 미토콘드리아 내막이다.

➡ 산화적 인산화는 미토콘드리아의 내막에 있는 ATP 합성 효소에 의해 일어난다.

10 | 선택지 분석 |

✕ (나)의 25분자의 ATP는 모두 ~~(가)~~ (가)와 기질 수준 인산화에 의해 생성된다.

➡ 25분자의 ATP 중 2분자는 TCA 회로에서 기질 수준 인산화로 생성된다.

ㄴ. ⓐ+ㄱ+ㄴ=13이다.

➡ ⓐ는 2, ㄱ은 5, ㄴ은 6이다.

ㄷ. (나)의 ATP 분자는 모두 Ⅰ에서 생성된다.

➡ Ⅰ은 미토콘드리아 기질, Ⅱ는 막 사이 공간이다. (나)의 ATP는 기질 수준 인산화로 2분자, (가)의 ATP 합성 효소에 의해 23분자가 합성되는데, 이는 모두 미토콘드리아 기질(Ⅰ)에서 일어나는 과정이다.

11 | 선택지 분석 |

ㄱ. ㄱ은 글리세롤이다.

➡ ㄱ은 글리세롤, ㄴ은 지방산이다.

ㄴ. ㄴ은 산소가 충분할 때 미토콘드리아에서 CO_2와 H_2O로 완전 분해된다.

➡ 지방산은 아세틸 CoA로 되어 TCA 회로와 산화적 인산화에 이용되므로 산소가 충분할 때 미토콘드리아에서 완전 분해된다.

ㄷ. ㄷ은 아미노기가 제거된 후 세포 호흡에 사용된다.

➡ 아미노산은 아미노기가 제거된 후 여러 유기산이 되어 피루브산이나 아세틸 CoA, TCA 회로의 중간 산물 등으로 전환되어 TCA 회로와 산화적 인산화를 거쳐 분해된다.

12 | 자료 분석 |

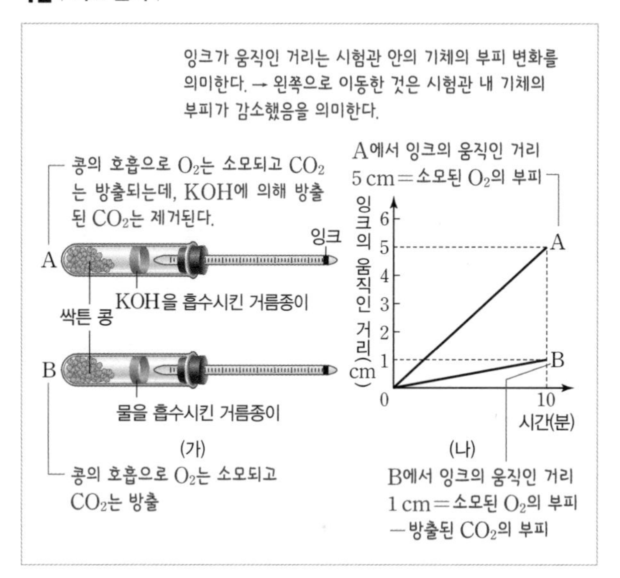

| 선택지 분석 |

ㄱ. 싹튼 콩은 호흡 기질로 주로 단백질을 이용하였다.

➡ A에서 호흡으로 방출된 CO_2가 KOH에 의해 제거되었으므로 잉크가 움직인 거리 5 cm는 소모된 O_2의 부피에 해당하고, B에서 잉크가 움직인 거리 1 cm는 소모된 O_2와 방출된 CO_2 부피의 차이값에 해당한다. 따라서 소모된 O_2의 부피는 5, 방출된 CO_2의 부피는 4이므로 호흡률은 0.8이다.

ㄴ. KOH은 CO_2를 흡수하기 위한 것이다.

➡ KOH은 O_2가 소모된 부피를 확인하기 위해 CO_2를 제거하는 데 이용하였다.

ㄷ. 소모되는 O_2의 양이 방출되는 CO_2의 양보다 많다.

➡ B에서 잉크가 왼쪽으로 움직였으므로 소모된 기체의 부피가 방출된 기체보다 크다는 것을 알 수 있다.

13 | 자료 분석 |

과정 \ 물질	ㄱ CO_2	ㄴ NAD^+	ㄷ ATP
Ⅰ 해당 과정	×	×	?○
Ⅱ 피루브산의 젖산 발효	×	○	×
Ⅲ 피루브산의 알코올 발효	?○	○	×

(○: 생성됨, ×: 생성 안 됨)

| 선택지 분석 |

ㄱ. Ⅰ에서 ATP를 사용하는 단계가 있다.
➡ 해당 과정에서 포도당 1분자당 2ATP를 소모하는 단계가 있다.

ㄴ. Ⅲ에서 탈탄산 반응이 일어난다.
➡ Ⅲ에서 탈탄산 반응으로 CO_2가 생성된다.

✕ 1분자당 $\frac{수소\ 수}{탄소\ 수}$는 A가 B보다 ~~크다~~ 작다.
➡ 젖산의 화학식은 $C_3H_6O_3$이고 에탄올의 화학식은 C_2H_5OH이다. $\frac{수소\ 수}{탄소\ 수}$는 젖산(A)에서 2이고 에탄올(B)에서 3이다.

14 | 선택지 분석 |

ㄱ. 구간 A에서 과정 Ⅰ과 Ⅱ가 모두 일어난다.
➡ 산소 요구량이 산소 소모량보다 높은 구간 A에서 젖산 발효인 과정 Ⅰ이 일어난다. 산소 소모량이 증가하고 있으므로 산소 호흡인 과정 Ⅱ도 일어난다.

ㄴ. 과정 Ⅱ는 구간 A~C에서 모두 일어난다.
➡ 산소 소모량은 구간 A~C 모두 존재하므로 산소 호흡인 과정 Ⅱ는 구간 전체에서 일어난다고 볼 수 있다.

ㄷ. 과정 Ⅰ과 Ⅱ에서 공통적으로 해당 과정이 진행된다.
➡ 해당 과정은 과정 Ⅰ과 Ⅱ에 모두 포함되어 있다.

15 ㉠은 피루브산, ㉡은 아세트알데하이드이고, A는 포도당, B는 에탄올이다.

| 선택지 분석 |

ㄱ. ㉠이 ㉡으로 전환되는 과정에서 탈탄산 반응이 일어난다.
➡ 알코올 발효 과정에서 피루브산(㉠)으로부터 탈탄산 반응으로 CO_2가 방출되면서 아세트알데하이드(㉡)가 생성된다.

✕ 1분자당 수소 수는 ~~B~~ A가 ~~A~~ B의 2배이다.
➡ 물질 농도가 감소하는 A는 포도당이고 일정 시간이 지난 후 물질 농도가 증가하는 B는 에탄올이다. 포도당(A)의 수소 수는 12이고 에탄올(B)의 수소 수는 6이므로 1분자당 수소 수는 A가 B의 2배이다.

ㄷ. 효모에서 단위 시간당 소비되는 O_2의 양은 구간 Ⅰ에서가 구간 Ⅱ에서보다 많다.
➡ 구간 Ⅰ에서는 산소 호흡이 일어나고 구간 Ⅱ에서는 알코올 발효가 주로 일어나므로 구간 Ⅰ에서가 구간 Ⅱ에서보다 O_2의 소비량이 많다.

16 ㉠은 NAD^+, ㉡은 NADH이다. (가)는 해당 과정, (나)는 탈탄산 반응, (다)는 아세트알데하이드의 환원 단계이다.

| 선택지 분석 |

ㄱ. (가)에는 ATP가 소모되는 단계가 있다.
➡ (가)는 해당 과정으로, 포도당에서 과당 2인산이 될 때 ATP가 소모되는 단계가 있다.

✕ (나)는 ~~미토콘드리아 기질~~ 세포질에서 일어난다.
➡ 알코올 발효는 전 과정이 세포질에서 일어난다.

ㄷ. (다)에서 ㉡이 산화된다.
➡ (다)에서 아세트알데하이드가 환원되면서 NADH가 산화되어 NAD^+가 생성된다.

2 »» 광합성

01 ~ 광합성

개념POOL 117쪽

01 ㉠ 6, ㉡ 6, ㉢ 6, ㉣ 5, ㉤ 3
02 (1) ○ (2) ○ (3) × (4) ○

01 3PG, DPGA, PGAL은 3탄소 화합물이고, RuBP는 5탄소 화합물이다.

02 (3) 3PG와 DPGA의 1분자당 탄소 수는 모두 3이다. 3PG의 인산기 수는 1, DPGA의 인산기 수는 2로 서로 다르다.

콕콕! 개념 확인하기 118쪽

✔ 잠깐 확인!
1 틸라코이드 **2** 전개율 **3** 명반응 **4** 비순환적 **5** 스트로마 **6** 3, 6

01 ㉠ 흡수 스펙트럼, ㉡ 작용 스펙트럼 **02** 엽록소 a, 엽록소 b, 카로틴, 잔토필 **03** (1) × (2) ○ (3) ○ **04** ㉠ 광계, ㉡ 화학 삼투 **05** (나), (라), (가), (다) **06** (1) × (2) ○ (3) ○

01 흡수 스펙트럼을 통해 엽록소가 청자색광과 적색광을 주로 흡수한다는 것을 확인할 수 있으며, 작용 스펙트럼을 통해 광합성 색소가 흡수한 파장의 빛에서 광합성이 일어난다는 것을 확인할 수 있다.

02 식물에는 엽록소 이외의 카로티노이드계 색소도 포함되어 있다.

03 (1) 엽록소는 틸라코이드가 겹겹이 쌓인 구조물인 그라나에만 있다. 엽록체의 기질 부분인 스트로마에는 DNA, RNA, 리보솜, 여러 효소가 들어 있다.

04 광인산화는 광계가 흡수한 빛에너지에 의해 전자 전달계에서 전자가 이동하면서 형성한 H^+ 농도 기울기에 의해 화학 삼투로 ATP가 합성되는 것이다.

05 비순환적 전자 흐름은 광계 Ⅱ에서 전자 방출 → 전자 전달과 H^+ 농도 기울기 형성 → 광계 Ⅰ에서 전자 방출 → 전자 전달과 NADPH의 생성 순으로 진행된다.

06 (1) 광합성의 명반응에서 생성된 ATP와 NADPH는 캘빈 회로에 이용된다. 물의 광분해로 발생한 O_2는 외부로 방출되거나 세포 호흡에 이용된다.

탄탄! 내신 다지기 119쪽~120쪽

01 ① **02** ㉠ 카로틴, ㉡ 엽록소 a, ㉢ 엽록소 b **03** ⑤ **04** ③ **05** ② **06** (가) 물(H_2O), (나) 이산화 탄소(CO_2), (다) NADPH **07** ① **08** ③ **09** ③ **10** ④

01 | 선택지 분석 |

㉠ 엽록체의 틸라코이드 막에 있다.
➡ 광합성 색소는 틸라코이드 막의 광계에 있다.

㉡ 카로틴, 잔토필은 카로티노이드계 색소이다.
➡ 녹색 식물에는 엽록소 이외에도 보조 색소 역할을 하는 카로티노이드계 색소가 있다.

~~㉢~~ 엽록소는 녹색광을 가장 많이 ~~흡수하여 광합성에 이용한다.~~ 반사한다.
➡ 색소가 반사한 빛의 색이 눈에 보인다. 엽록소는 녹색광을 많이 반사하기 때문에 잎이 녹색으로 보인다.

~~㉣~~ 가시광선, ~~자외선, 적외선 등을 모두~~ 흡수해 광합성에 이용한다.
➡ 광합성 색소는 가시광선을 광합성에 이용한다.

02 식물에 들어 있는 4종류 색소의 전개율을 큰 것부터 나열하면 카로틴, 잔토필, 엽록소 a, 엽록소 b이다.

03 | 선택지 분석 |

① ~~흡수~~ 작용 스펙트럼이다.
➡ 빛의 파장에 따른 광합성 속도를 나타낸 그래프를 작용 스펙트럼이라고 한다.

② 빛의 파장이 짧을수록 광합성 속도가 빠르다.
➡ 광합성 색소들이 많이 흡수하는 청자색광과 적색광에서 광합성 속도가 빠르게 나타난다.

③ 광합성 색소 각각의 파장별 빛 흡수율을 알 수 있다.
➡ 광합성 색소 각각의 파장별 빛 흡수율은 흡수 스펙트럼으로 알 수 있다.

④ 엽록소가 흡수하지 못하는 파장에서는 광합성이 ~~일어나지 않는다.~~ 일어난다.
➡ 엽록소가 흡수하지 못하는 파장의 빛을 흡수해 광합성에 이용하는 색소(카로티노이드계 색소)도 있다.

⑤ 광합성 색소가 녹색광보다 청자색광을 많이 흡수해 광합성에 이용한다.
➡ 녹색광보다 청자색광에서 광합성 속도가 더 빠르다.

04 A는 그라나, B는 스트로마이다.

| 선택지 분석 |

㉠ A는 인지질 2중층의 막으로 되어 있다.
➡ 그라나는 인지질 2중층의 막으로 된 틸라코이드가 겹겹이 쌓여 있는 구조이다.

~~㉡~~ B(A)에 전자 전달 효소와 ATP 합성 효소가 있다.
➡ 전자 전달 효소와 ATP 합성 효소는 그라나를 구성하는 틸라코이드 막에 있다.

㉢ B에서 CO_2를 이용하는 캘빈 회로가 일어난다.
➡ 캘빈 회로는 스트로마에서 일어난다.

05 | 자료 분석 |

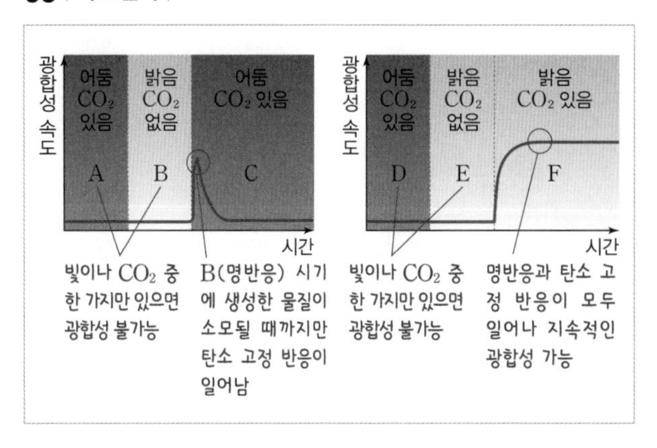

명반응은 B, E, F에서 일어났고 명반응 산물을 탄소 고정 반응에서 소모한 시기는 C의 초기와 F이다.

06 그라나에서 물이 분해되고 광인산화가 일어나 NADPH가 합성된다. 스트로마에서 명반응 산물과 CO_2를 이용하여 탄소 고정 반응을 통해 포도당이 합성된다.

07 | 선택지 분석 |

① (가)는 ~~P_{700}~~ P_{680}이다.
➡ 광계 Ⅱ의 반응 중심 색소는 P_{680}이다.

② A는 틸라코이드 막이다.
➡ 광계는 틸라코이드 막에 있다.

③ 비순환적 전자 흐름에 관여한다.
➡ 비순환적 전자 흐름에는 광계 Ⅰ과 광계 Ⅱ가 모두 관여하고, 순환적 전자 흐름에는 광계 Ⅰ만 관여한다.

④ 보조 색소는 흡수한 빛을 (가)에 전달한다.
➡ 보조 색소는 반응 중심 색소보다 먼저 빛을 흡수하여 반응 중심 색소에 전달하고, 반응 중심 색소를 보호하는 역할을 한다.

⑤ (가)는 청자색광과 적색광을 녹색광보다 많이 흡수한다.
➡ 엽록소는 청자색광과 적색광을 흡수하고 녹색광을 흡수하지 못하고 반사시킨다.

08 시험관에 들어 있는 H_2O이 분해되어 O_2가 발생하였고, H_2O이 분해될 때 방출된 전자가 옥살산 철(Ⅲ)의 Fe^{3+}에 수용되어 옥살산 철(Ⅱ)의 Fe^{2+}이 되었다.

| 선택지 분석 |

㉠ 산소(O_2)는 물의 광분해로 생성되었다.
➡ 공기가 제거된 상태에서 엽록체 추출액 속의 물이 빛에 의해 분해되어 산소(O_2)가 방출되었다.

~~㉡~~ 옥살산 철 (Ⅲ)은 ~~CO_2~~ 전자(e^-)에 의해 환원되었다.
➡ 옥살산 철(Ⅲ)은 물의 광분해로 생성된 전자(e^-)에 의해 환원되었다.

㉢ 엽록체에서 옥살산 철(Ⅲ)과 같은 작용을 하는 물질은 $NADP^+$이다.
➡ 명반응의 전자 전달계에서 $NADP^+$가 전자의 최종 수용체 역할을 한다.

09 | 자료 분석 |

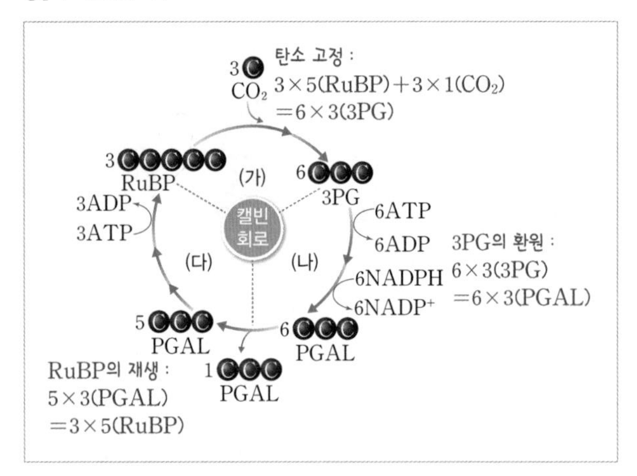

| 선택지 분석 |

ㄱ. (가)에서 CO_2와 RuBP의 결합에 효소가 관여한다.
➡ 루비스코라는 효소가 이산화 탄소와 RuBP의 결합을 촉매한다.

ㄴ. (나)에서 3PG가 NADPH에 의해 환원된다.
➡ 3PG가 NADPH에 의해 환원되어 PGAL이 생성된다.

✕ ~~(가)~(다)~~(나)와 (다)에서 모두 명반응의 산물이 이용된다.
➡ 명반응의 산물은 (나)와 (다)에서 이용된다.

10 | 선택지 분석 |

✕ 위 실험으로 ~~명반응의 과정~~탄소 고정 반응이 밝혀졌다.
➡ 캘빈의 실험은 암실에서 진행하였으며, 탄소 고정 반응의 경로를 밝힌 것이다.

ㄴ. $^{14}CO_2$에 노출된 시기를 달리하여 위 과정을 반복하였다.
➡ 광합성을 중단하는 시기를 달리하면서 광합성 초기부터 이산화 탄소를 고정한 후 차례대로 생성되는 물질을 밝혔다.

ㄷ. 위 실험으로 엽록체에서 공급된 CO_2에 의해 최초로 생성된 물질이 3PG임이 밝혀졌다.
➡ 방사성 이산화 탄소($^{14}CO_2$)를 공급하고 최초로 방사선이 검출된 물질이 3PG임을 확인하였다.

도전! 실력 올리기

121쪽

01 ① **02** ③

03 | 모범 답안 | 광합성 결과 생성되는 O_2는 H_2O에서 유래한 것이다.

04 | 모범 답안 | P_{680}은 680 nm 파장의 빛을 가장 잘 흡수하는 엽록소 a로 광계 Ⅱ의 반응 중심 색소이고, P_{700}은 700 nm 파장의 빛을 가장 잘 흡수하는 엽록소 a로 광계 Ⅰ의 반응 중심 색소이다.

05 (1) ㉠ ATP, ㉡ NADPH, ㉠의 분자 수: 18, ㉡의 분자 수: 12 (2) 3PG의 양은 감소하고 RuBP의 양은 증가한다.

01 | 선택지 분석 |

ㄱ. (가)는 광합성 색소의 흡수 스펙트럼이다.
➡ (가)는 광합성 색소의 흡수 스펙트럼이고 (나)는 작용 스펙트럼이다.

✕ 엽록소가 흡수하지 않는 빛의 파장은 광합성에 ~~이용되지 않는다.~~ 이용된다.
➡ 카로티노이드가 흡수한 빛의 파장도 광합성에 이용된다.

✕ 카로티노이드의 흡수 스펙트럼은 작용 스펙트럼과 ~~일치한다.~~ 일치하지 않는다.
➡ 작용 스펙트럼은 엽록소와 카로티노이드가 흡수한 빛의 파장에 의해 일어난 광합성 속도를 나타낸 것이다.

02 | 선택지 분석 |

ㄱ. 비순환적 전자 흐름으로 NADPH가 생성된다.
➡ 비순환적 전자 흐름에는 물의 광분해와 광계 Ⅰ, Ⅱ가 모두 관여하며, 산소, ATP, NADPH가 생성된다.

✕ 광계 Ⅰ에서 방출된 전자는 최종적으로 ~~O_2~~ $NADP^+$에 전달된다.
➡ 비순환적 전자 흐름의 최종 전자 수용체는 $NADP^+$이다.

ㄷ. H^+ 농도 기울기에 의해 ATP가 합성된다.
➡ 틸라코이드 막의 ATP 합성 효소는 전자 전달계에 의해 형성된 H^+ 농도 기울기에 의해 ATP를 합성한다.

03 루벤의 실험은 CO_2와 $H_2{}^{18}O$을 넣은 플라스크에서는 $^{18}O_2$가 발생하였고, $C^{18}O_2$와 H_2O을 넣은 플라스크에서는 O_2가 발생한 것을 통해 광합성 결과 발생하는 O_2는 물(H_2O)에서 유래되었다는 것을 확인한 실험이다.

채점 기준	배점
광합성에서 물과 산소의 관계를 옳게 서술한 경우	100 %
물과 산소의 관계를 서술하지 않고 산소의 방출만 서술한 경우	50 %

04 광계에는 광계 Ⅰ과 광계 Ⅱ 두 종류가 있으며, 두 광계는 반응 중심 색소인 엽록소 a의 종류에 따라 구분한다. P_{680}은 광계 Ⅱ의 반응 중심 색소, P_{700}은 광계 Ⅰ의 반응 중심 색소이다.

채점 기준	배점
두 색소에 대해 흡수하는 파장과 광계의 종류를 모두 옳게 서술한 경우	100 %
흡수하는 파장과 광계의 종류 중 1가지만 옳게 서술한 경우	50 %

05 | 자료 분석 |

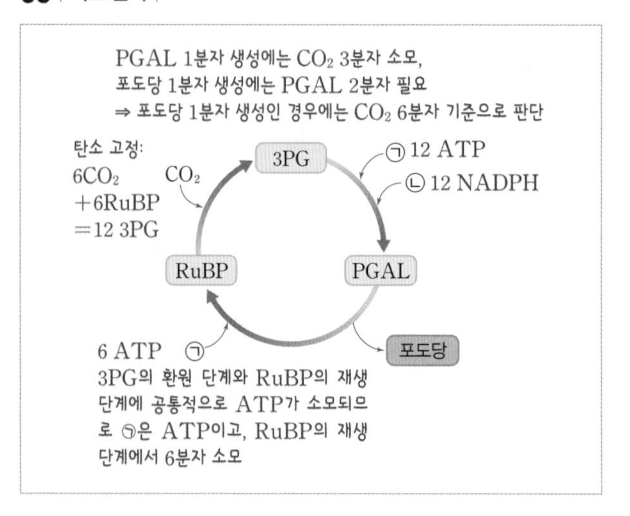

(1) 캘빈 회로에서 ATP는 3PG의 환원 단계와 RuBP의 재생 단계에, NADPH는 3PG의 환원 단계에 이용된다. 포도당 1분자 합성에 2분자의 PGAL이 생성되어야 하며, 이때 CO_2 6분자, ATP 18분자, NADPH 12분자가 소모된다.

(2) CO_2는 RuBP와 결합하여 3PG가 되는데, CO_2 공급이 중단되면 RuBP의 재생은 진행되지만 3PG의 합성이 중단되므로 3PG의 양은 감소하고 RuBP의 양은 증가한다.

02 광합성과 세포 호흡의 비교

콕콕! 개념 확인하기 124쪽

✔ 잠깐 확인!

1 포도당 **2** 캘빈 회로 **3** 산화 **4** 화학 삼투 **5** 물 **6** 능동 수송 **7** 틸라코이드 내부

01 (1)-㉠ (2)-㉡ (3)-㉡ **02** ㉠ 동화 작용, ㉡ 화학 에너지 **03** (1) × (2) × (3) ○ (4) ○ **04** ㉠ TCA 회로, ㉡ 미토콘드리아, ㉢ 엽록체

01 (1) 광합성에서 CO_2는 환원되어 포도당이 된다.

(2) 세포 호흡의 단계에는 해당 과정, 피루브산의 산화와 TCA 회로, 산화적 인산화가 있다.

(3) 세포 호흡 과정에서 포도당과 O_2가 소모되고 CO_2가 방출된다.

02 광합성은 이산화 탄소와 물이라는 간단한 물질로부터 포도당이라는 복잡한 물질을 합성하는 동화 작용이고, 세포 호흡은 포도당과 같은 유기물의 화학 에너지를 ATP로 전환하는 과정이다.

03 (1) 엽록체에서 생성된 ATP는 캘빈 회로에 모두 이용된다.

(2) 미토콘드리아 내막의 전자 전달계에서 전자의 최종 수용체는 O_2이다.

04 기질 수준 인산화는 해당 과정과 TCA 회로에서 효소에 의해 기질의 인산기가 ADP와 결합하여 ATP가 생성되는 것이고, 산화적 인산화는 미토콘드리아에서 전자 전달계에서 전자의 이동으로 형성된 H^+ 농도 기울기에 따라 ATP 합성 효소를 통해 H^+이 확산되면서 ATP가 생성되는 것이다. 광인산화는 엽록체의 틸라코이드 막에서 빛에너지에 의한 고에너지 전자의 전달로 형성된 H^+ 농도 기울기에 따라 ATP 합성 효소를 통해 H^+이 확산되면서 ATP가 생성되는 것이다.

탄탄! 내신 다지기 125쪽~126쪽

01 ⑤ **02** Ⅰ: 광합성, Ⅱ: 세포 호흡, ㉠ O_2, ㉡ CO_2 **03** ④ **04** ③ **05** ④ **06** (가) 명반응, (나) 캘빈 회로, (다) TCA 회로, (라) 산화적 인산화 **07** ② **08** ② **09** (가) 능동 수송, (나) 촉진 확산 **10** ② **11** (가) 틸라코이드 막, (나) H_2O, (다) O_2 **12** ③

01 광합성과 세포 호흡은 모두 여러 종류의 효소가 관여하여 단계적으로 일어나는 물질대사이다. 또한, 전자 전달계에 의한 전자의 전달 과정과 화학 삼투에 의한 ATP 합성 효소의 작용으로 ATP가 생성된다.

| 선택지 분석 |

~~㉠~~ 유기물의 산화 과정에서 에너지가 방출된다. – 세포 호흡에만 해당

➡ 유기물의 산화 과정에서 에너지가 방출되는 반응은 세포 호흡이다.

㉡ 여러 가지 효소에 의해 조절되는 물질대사이다.

➡ 광합성과 세포 호흡에는 탈수소 효소, 전자 전달 효소 등 다양한 효소가 관여한다.

㉢ 전자 전달계와 화학 삼투에 의해 ATP가 생성된다.

➡ 광합성의 명반응과 세포 호흡의 산화적 인산화 단계에는 전자 전달계와 화학 삼투에 의해 ATP가 생성되는 과정이 있다.

㉣ 반응하는 물질의 탄소 수에 변화가 있는 순환적 회로 반응이 포함되어 있다.

➡ 광합성의 캘빈 회로와 세포 호흡의 TCA 회로는 반응하는 물질의 탄소 수에 변화가 있는 순환적 반응이다.

02 광합성은 동화 작용이고 세포 호흡은 이화 작용이다. 광합성에서는 빛에너지를 이용하여 CO_2와 H_2O로부터 포도당과 O_2가 생성되고, 세포 호흡에서는 O_2를 이용하여 포도당이 분해되어 CO_2와 H_2O이 생성된다.

03 | 선택지 분석 |

~~학생~~ A: 식물 세포에서는 ~~광합성~~만 일어나고 동물 세포에서는 세포 호흡만 일어나. – 광합성과 세포 호흡이 모두

➡ 식물 세포에서는 광합성과 세포 호흡이 모두 일어난다.

학생 B: 광합성은 엽록체에서만 일어나고, 세포 호흡은 세포질과 미토콘드리아에서 일어나.

➡ 엽록체의 그라나에서 명반응이, 스트로마에서 탄소 고정 반응이 일어나며, 세포질에서 해당 과정, 미토콘드리아에서 피루브산의 산화와 TCA 회로, 산화적 인산화가 일어난다.

학생 C: 광합성에서 생성되는 포도당의 에너지는 물이 가진 전자가 공급된 것이지.

➡ 광합성에서 높은 에너지를 가진 포도당의 에너지는 물이 빛에 의해 고에너지 전자를 방출하면서 전달된 것이다.

> **더 알아보기 광합성의 에너지 공급**
> - 광합성의 명반응
>
> $$12H_2O \rightarrow 12H_2 + 6O_2$$
>
> 빛에너지에 의해 고에너지 전자가 방출되어 NADPH에 저장
>
> - 광합성의 탄소 고정 반응
>
> $$6CO_2 + 12H_2 \rightarrow C_6H_{12}O_6 + 6H_2O$$
>
> CO_2는 고에너지 전자를 포함한 NADPH에 의해 환원되어 포도당 생성
>
> - 명반응에서 흡수한 빛에너지는 물의 광분해로 방출된 고에너지 전자로부터 NADPH에 전달된다.
> - 탄소 고정 반응에서 CO_2에 NADPH가 공급되면서 환원되어 포도당($C_6H_{12}O_6$)이 생성된다.

04 A는 미토콘드리아 내막, B는 기질, C는 틸라코이드 막, D는 스트로마이다.

| 선택지 분석 |

① (가)와 (나)는 모두 2중막 구조이다.
➡ 엽록체와 미토콘드리아는 모두 2겹의 막으로 된 2중막 구조이다.

② A와 C에는 모두 전자 전달계가 존재한다.
➡ 미토콘드리아 내막과 틸라코이드 막의 전자 전달계에서 전자의 이동이 일어난다.

③ B와 D에는 모두 ATP 합성 효소가 있다.
➡ ATP 합성 효소는 미토콘드리아 내막과 틸라코이드 막에 있다.

④ B와 D에서 효소에 의한 순환적 회로 반응이 일어난다.
➡ 미토콘드리아 기질에서 일어나는 TCA 회로와 스트로마에서 일어나는 캘빈 회로는 효소에 의한 순환적 회로 반응이다.

⑤ (가)에서 기질 수준 인산화와 산화적 인산화가 일어난다.
➡ 미토콘드리아 기질에서 일어나는 TCA 회로에서 기질 수준 인산화가 일어나고 미토콘드리아 내막의 전자 전달계와 ATP 합성 효소를 통해 산화적 인산화가 일어난다.

05 | 선택지 분석 |

①	종류	동화 작용	이화 작용

➡ 광합성은 이산화 탄소와 물로부터 포도당을 합성하는 동화 작용이고, 세포 호흡은 포도당이 산소를 이용하여 분해되어 이산화 탄소와 물이 생성되는 이화 작용이다.

②	반응물	CO_2, H_2O	포도당, O_2

➡ 광합성의 명반응에서는 물을, 캘빈 회로에서는 이산화 탄소를 이용한다. 세포 호흡의 해당 과정에서 포도당이 피루브산으로 분해되고 산화적 인산화의 최종 전자 수용체로 산소가 이용된다.

③	생성물	포도당, O_2	CO_2, H_2O

➡ 광합성의 탄소 고정 반응을 통해 포도당이 생성되고, 명반응에서 물의 광분해를 통해 산소가 방출된다. 세포 호흡의 피루브산 산화와 TCA 회로에서 탈탄산 반응을 통해 이산화 탄소가 방출되고 전자 전달계에서 산소와 전자, H^+이 결합하여 물이 생성된다.

④	반응물의 물질 변화	산화 (포도당 → CO_2)	환원 (CO_2 → 포도당)

➡ 광합성은 이산화 탄소가 물의 광분해로 생성된 고에너지 전자에 의해 환원되어 포도당이 생성되는 반응이고, 세포 호흡은 포도당이 분해되고 산소에 의해 산화되면서 이산화 탄소가 방출되는 반응이다.

⑤	에너지 변화	빛에너지 → 화학 에너지(포도당)	화학 에너지(포도당) → 화학 에너지(ATP), 열에너지

➡ 광합성은 빛에너지가 화학 에너지인 포도당으로 전환되는 반응이고, 세포 호흡은 포도당의 화학 에너지가 ATP의 화학 에너지와 열에너지로 전환되는 반응이다.

06 광합성은 명반응과 탄소 고정 반응으로 이루어지고, 세포 호흡은 해당 과정, 피루브산의 산화와 TCA 회로, 산화적 인산화로 이루어진다.

07 | 선택지 분석 |

ㄱ. 기질 수준 인산화로 ATP가 합성된다.
➡ 기질 수준 인산화는 세포 호흡에서만 일어난다.

ㄴ. 전자의 전달에 의해 H^+ 농도 기울기가 형성된다.
➡ 광합성에서는 틸라코이드 막에서, 세포 호흡에서는 미토콘드리아 내막에서 막 안팎의 H^+ 농도 기울기가 형성된다.

ㄷ. 생성된 ATP가 생물체의 생활 에너지로 이용된다.
➡ 광합성의 명반응에서 생성된 ATP는 캘빈 회로에서 모두 소모된다.

ㄹ. ATP 합성 효소를 통해 H^+이 확산될 때 ATP가 합성된다.
➡ ATP 합성 효소를 통해 H^+이 확산되면서 ATP가 합성된다.

08 | 선택지 분석 |

①	ATP 합성 방식	광인산화	기질 수준 인산화, 산화적 인산화

➡ 광합성은 물의 광분해에 의한 고에너지 전자를 전달하는 전자 전달계와 화학 삼투에 의해 ATP가 합성되는 광인산화가 일어나고, 세포 호흡에서는 해당 과정과 TCA 회로에서 기질 수준 인산화와 미토콘드리아 내막에서의 산화적 인산화로 ATP가 합성된다.

②	전자의 흐름	한 방향으로만 흐름	순환적, 비순환적으로 흐름

➡ 광합성의 명반응에서 비순환적 전자 흐름과 순환적 전자 흐름이 일어나고, 세포 호흡에서 전자는 NADH, $FADH_2$에서 O_2로 한 방향으로만 흐른다.

③	고에너지 전자 결합 조효소	$NADP^+$	NAD^+, FAD

➡ 광합성의 비순환적 전자 흐름에서 고에너지 전자를 $NADP^+$가 수용하여 NADPH가 생성된다. 세포 호흡의 TCA 회로에서 탈수소 효소의 작용으로 NAD^+와 FAD가 전자를 수용하여 고에너지 전자를 포함하고 있는 NADH와 $FADH_2$가 생성된다.

④	전자의 에너지원	빛에너지	유기물에 포함된 화학 에너지

➡ 광합성은 물의 광분해로 고에너지 전자가 방출되고, 세포 호흡에서는 포도당의 전자가 NADH와 $FADH_2$에 전달되어 ATP 합성의 에너지원이 된다.

⑤	전자 전달에 의한 H^+ 농도 기울기	틸라코이드 내부 >스트로마	막 사이 공간> 미토콘드리아 기질

➡ 광합성의 전자 전달계는 H^+을 스트로마에서 틸라코이드 내부로, 세포 호흡의 전자 전달계는 H^+을 미토콘드리아 기질에서 막 사이 공간으로 능동 수송한다.

09 전자 전달계에서 전자가 방출하는 에너지로 스트로마에서 틸라코이드 내부로, 미토콘드리아 기질에서 막 사이 공간으로 H^+의 능동 수송이 일어난다. ATP 합성 효소를 통해 틸라코이드 내부에서 스트로마로, 막 사이 공간에서 기질로 H^+이 촉진 확산된다.

10 | 자료 분석 |

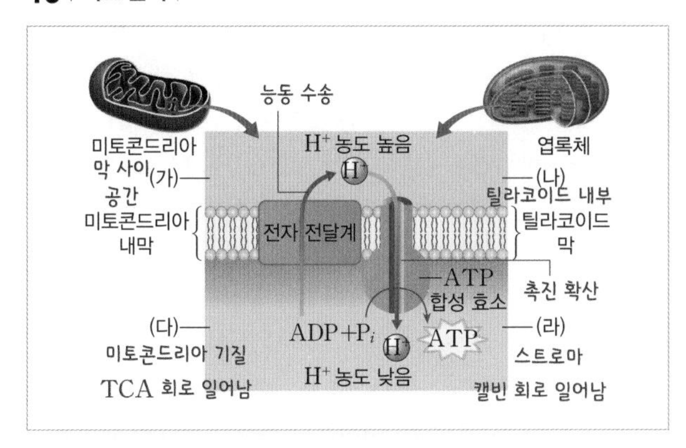

| 선택지 분석 |

✗ ~~(가)~~(다)에서 TCA 회로가 일어난다.
➡ TCA 회로는 미토콘드리아 기질에서 일어난다.

✗ ~~(나)~~(라)는 스트로마이다.
➡ H^+ 농도가 높은 (나)는 틸라코이드 내부이다.

ⓒ (다)에서 (가)로 H^+이 이동할 때 전자의 에너지가 이용된다.
➡ 미토콘드리아의 전자 전달계에서 H^+이 기질에서 막 사이 공간으로 능동 수송하는 데 공급되는 에너지는 전자의 에너지이다.

ⓡ (라)에서 3PG가 생성된다.
➡ 3PG는 캘빈 회로에서 생성되며, 캘빈 회로는 스트로마에서 일어난다.

11 광합성에서 전자의 전달은 틸라코이드 막의 광계를 포함한 전자 전달계에서 물의 광분해로 방출된 전자에 의해 일어나고, 최종 전자 수용체는 $NADP^+$이다. 세포 호흡에서 전자의 전달은 미토콘드리아 내막의 전자 전달계에서 NADH와 $FADH_2$가 산화되면서 방출된 전자에 의해 일어나고 최종 전자 수용체는 O_2이다.

12 광합성에서 고에너지 전자 결합 조효소는 $NADP^+$이고 세포 호흡에서 고에너지 전자 결합 조효소는 NAD^+와 FAD이다.

| 선택지 분석 |

① ~~해당 과정~~(TCA 회로)에서 FAD와 전자가 결합한다.
➡ $FADH_2$의 생성은 TCA 회로에서 일어난다.

② ~~순환적~~(비순환적) 전자 흐름에서 NADPH가 생성된다.
➡ NADPH는 비순환적 전자 흐름에서 생성된다.

③ $NADP^+$와 전자의 결합이 틸라코이드에서 일어난다.
➡ 틸라코이드 막의 전자 전달계에서 일어나는 비순환적 전자 흐름이 일어날 때 $NADP^+$가 물의 광분해로 방출된 고에너지 전자와 결합한다.

④ NADH의 고에너지 전자는 ~~TCA 회로~~(산화적 인산화)에서 방출된다.
➡ TCA 회로에서는 NADH가 생성된다.

⑤ NADPH의 고에너지 전자가 ~~ATP 합성 효소에 전달~~(캘빈 회로에서 3PG 환원에 이용)된다.
➡ 전자 전달계에서 전자는 최종 전자 수용체에 결합되며 ATP 합성 효소에 전달되지 않는다.

도전! 실력 올리기 127쪽~128쪽

01 ① **02** ③ **03** ② **04** ④ **05** ⑤ **06** ③

07 (1) ㉠ pH 4, ㉡ pH 8 (2) 틸라코이드 내부→스트로마, 막 사이 공간→미토콘드리아 기질

08 | **모범 답안** | (가)에서 ATP는 효소에 의해 기질의 인산기가 ADP에 결합되어 ATP가 합성되는 기질 수준 인산화로 미토콘드리아 기질에서 생성되고, (나)에서 소모되는 ATP는 명반응의 광인산화 과정을 통해 스트로마에서 생성된 것이다.

01 ㉠은 H_2O, ㉡은 O_2, ㉢은 NADPH, X는 NADH, Y는 $FADH_2$이다.

| 선택지 분석 |

ⓖ X는 NADH이다.
➡ X는 해당 과정과 피루브산의 산화, TCA 회로에서 공통적으로 생성되므로 NADH이다.

✗ $\frac{\text{2분자의 Y가 산화될 때 생성된 ㉠의 분자 수}}{\text{2분자의 ㉢이 생성될 때 소모된 ㉠의 분자 수}}=$~~2~~(1)이다.
➡ 2분자의 NADPH가 생성될 때 소모된 H_2O의 분자 수는 2이고 2분자의 $FADH_2$가 산화될 때 생성된 H_2O의 분자 수는 2이므로 $\frac{\text{2분자의 Y가 산화될 때 생성된 ㉠의 분자 수}}{\text{2분자의 ㉢이 생성될 때 소모된 ㉠의 분자 수}}=1$이다.

✗ ㉡은 ~~광합성~~(세포 호흡의 전자 전달계)에서 최종 전자 수용체의 역할을 한다.
➡ 광합성의 최종 전자 수용체는 $NADP^+$이다.

02 (가)는 광합성, (나)는 세포 호흡이다.

| **선택지 분석** |

ㄱ. (가)는 명반응과 탄소 고정 반응으로 이루어진다.
➡ 광합성(가)은 명반응과 탄소 고정 반응으로 이루어진다.

✕ (나)에서 O_2가 ~~방출된다~~ 소모된다.
➡ 세포 호흡(나)에서 O_2를 소모한다.

ㄷ. (가)와 (나)에 산화 환원 효소가 관여한다.
➡ 광합성(가)과 세포 호흡(나)에서 공통적으로 산화 환원 효소에 의해 산화 환원 반응이 일어난다.

03 ㉠은 광인산화, ㉡은 기질 수준 인산화와 산화적 인산화이다.

| **선택지 분석** |

✕ ㉠은 ~~기질 수준 인산화~~ 광인산화 과정이다.
➡ ㉠은 광인산화 과정이다.

✕ CO_2로부터 포도당이 합성될 때 ~~빛에너지가 직접~~ ATP가 이용된다.
➡ CO_2로부터 포도당이 합성될 때 명반응에서 빛에너지를 화학 에너지로 전환한 상태인 ATP를 이용한다.

ㄷ. 광합성과 세포 호흡은 모두 효소가 관여하는 반응이다.
➡ 광합성과 세포 호흡은 여러 효소가 관여하는 물질대사이다.

04 ㉠은 TCA 회로, ㉡은 캘빈 회로이다.

| **선택지 분석** |

✕ ㉠에서 ~~$FADH_2$의 산화~~ FAD의 환원가 일어난다.
➡ $FADH_2$의 산화는 산화적 인산화에서 일어난다.

ㄴ. ㉡은 스트로마에서 일어난다.
➡ 캘빈 회로(㉡)는 엽록체의 스트로마에서 일어난다.

ㄷ. NAD^+와 $NADP^+$는 모두 탈수소 효소의 조효소이다.
➡ NAD^+는 세포 호흡에서, $NADP^+$는 광합성에서 탈수소 효소의 조효소로 작용한다.

05 (가)는 엽록체의 명반응에서 비순환적 전자 흐름을, (나)는 미토콘드리아 내막의 전자 전달계이다.

| **선택지 분석** |

ㄱ. (가)는 틸라코이드 막에서 일어난다.
➡ (가)는 틸라코이드 막에서, (나)는 미토콘드리아 내막에서 일어난다.

ㄴ. H_2O은 ㉠에 해당한다.
➡ ㉠은 비순환적 전자 흐름에서 전자 공여체이고, 미토콘드리아의 전자 전달계에서의 최종 생성물이므로 H_2O이다.

ㄷ. 식물 세포의 경우 (가)에서 생성된 ㉡은 (나)에서 사용될 수 있다.
➡ ㉡은 O_2이므로 산화적 인산화 과정에서 사용할 수 있다.

더 알아보기 **광합성과 세포 호흡에서 전자 공여체와 수용체**

광합성에서 전자 공여체는 H_2O이고 최종 전자 수용체는 $NADP^+$이다. 세포 호흡에서 전자 공여체는 NADH, $FADH_2$이고 최종 전자 수용체는 O_2이다.

06 | **자료 분석** |

구분	물질	이동 장소와 방향 (물질의 농도)	막단백질
(가) 촉진 확산	H^+	틸라코이드 내부(고농도) → 스트로마(저농도)	ⓐ 사용함(ATP 합성 효소)
(나) 능동 수송	㉠ H^+	미토콘드리아 기질(저농도) → 막 사이 공간(고농도)	? 사용함 (전자 운반체)
(다) 확산	㉡ O_2	틸라코이드 내부(고농도) → 스트로마(저농도)	사용 안 함

(가)는 명반응에서 광인산화에 관여하는 전자 전달계의 작용, (나)는 미토콘드리아 내막의 전자 전달계에서 H^+의 능동 수송, (다)는 명반응에서 물의 광분해로 생성된 산소의 방출이다.

| **선택지 분석** |

ㄱ. ⓐ는 '사용함'이다.
➡ 틸라코이드 내부에서 스트로마로 막단백질인 ATP 합성 효소를 통해 H^+이 이동한다.

✕ ㉠은 ~~O_2~~ H^+이고 ㉡은 ~~H^+~~ O_2이다.
➡ ㉠은 H^+이고 ㉡은 O_2이다.

ㄷ. (나)에 미토콘드리아 내막의 전자 전달계가 관여한다.
➡ 전자 전달계의 전자 운반체가 양성자 펌프로 작용한다.

07 (1) ATP가 합성되려면 엽록체 틸라코이드 내부의 pH가 스트로마보다 낮아야 한다. pH 4인 용액에 먼저 담가두면 틸라코이드 내부와 스트로마가 모두 pH 4가 되고, 이때 엽록체를 꺼내어 pH 8인 용액에 옮기면 틸라코이드 내부는 그대로 pH가 4인 상태에서 바깥쪽에 해당하는 스트로마 부분이 pH 8로 되면서 적절한 H^+ 농도 기울기가 형성되어 ATP가 합성된다.

(2) 광합성의 명반응과 세포 호흡의 산화적 인산화 과정에서 ATP의 합성은 H^+의 농도 기울기에 따라 ATP 합성 효소를 통해 H^+이 확산되면서 일어나는데, 전자의 전달 없이 H^+ 농도 기울기를 형성하게 했을 때 ATP가 합성됨을 확인한 실험이다. 전자의 전달로 엽록체에서는 틸라코이드 내부의 H^+ 농도가 높아지고, 미토콘드리아에서는 막 사이 공간의 H^+ 농도가 높아진다.

더 알아보기 **엽록체에서 일어나는 화학 삼투**

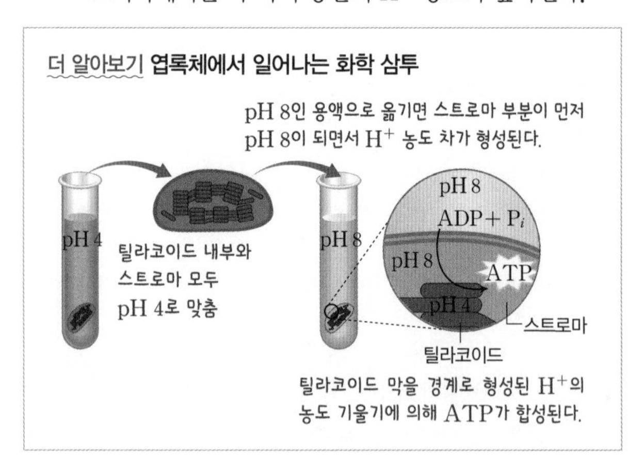

08 (가)는 TCA 회로, (나)는 캘빈 회로이다. TCA 회로에서 ATP는 효소에 의해 기질의 인산기를 ADP에 결합되어 ATP가 합성되는 기질 수준 인산화로 미토콘드리아 기질에서 생성되고, 캘빈 회로에서 소모되는 ATP는 명반응의 광인산화 과정을 통해 스트로마에서 생성된 것이다.

구분	세포 호흡	광합성
ATP의 이용	생명 활동	캘빈 회로에서 3PG의 환원 및 RuBP의 재생
ATP 합성 방식	기질 수준 인산화, 산화적 인산화	광인산화

채점 기준	배점
(가)에서 기질 수준 인산화(①), (가)의 ATP 생성 장소가 미토콘드리아 기질(②), (나)에서 광인산화(③), (나)의 ATP 생성 장소가 스트로마(④)를 모두 옳게 서술한 경우	100 %
①~④ 중 3가지를 옳게 서술한 경우	75 %
①~④ 중 2가지를 옳게 서술한 경우	50 %
①~④ 중 1가지를 옳게 서술한 경우	25 %

실전! 수능 도전하기

130쪽~133쪽

01 ④ **02** ② **03** ④ **04** ④ **05** ⑤ **06** ① **07** ④
08 ④ **09** ③ **10** ③ **11** ③ **12** ② **13** ⑤ **14** ③
15 ④ **16** ⑤

01 ㉠은 엽록소 a, ㉡은 엽록소 b이다.

| 선택지 분석 |

✕ ㉠보다 ㉡의 전개율이 ~~크다~~(작다).
➡ 원점에서 더 멀리 떨어진 ㉠의 전개율이 ㉡보다 크다.

ㄴ ㉠은 틸라코이드 막에 있다.
➡ 엽록소 a는 광계의 반응 중심 색소로 작용하므로 틸라코이드 막에 있다.

ㄷ (나)에서 잎은 파장이 550 nm인 빛보다 680 nm인 빛에 의해 더 많은 산소를 발생시킨다.
➡ 550 nm에서보다 680 nm에서 작용 스펙트럼이 더 높은 값을 나타내므로 광합성 속도가 빠르다. 따라서 더 많은 산소를 발생시킨다.

02 ㉠은 엽록소 b, ㉡은 엽록소 a이다. X는 엽록소 b, Y는 엽록소 a이다.

| 선택지 분석 |

✕ ~~X~~(Y)이다.
➡ ㉡은 광계의 반응 중심 색소로 엽록소 a이며 (나)에서 Y이다.

ㄴ P_{680}이다.
➡ (가)에서 물의 광분해로 방출된 전자로 환원되고 있으므로 (가)는 광계 Ⅱ이며, 광계 Ⅱ의 반응 중심 색소는 P_{680}이다.

✕ ㉠보다 전개율이 ~~작다~~(크다).
➡ 전개율은 엽록소 a(㉡)가 엽록소 b(㉠)보다 크다.

더 알아보기 **엽록소 a와 엽록소 b의 흡수 스펙트럼**

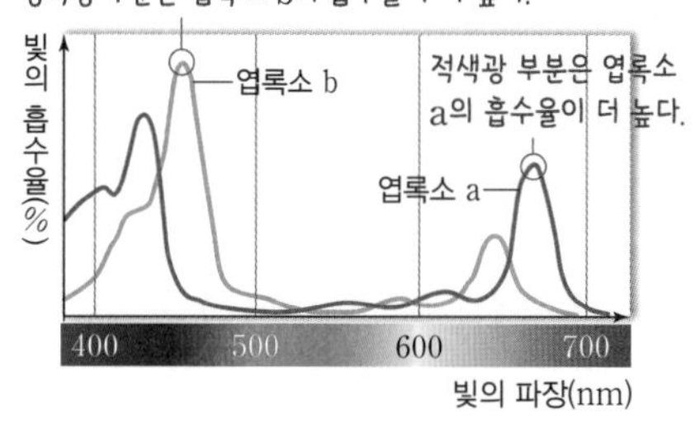

03 ㉠은 엽록소 b, ㉡은 엽록소 a이다.

| 선택지 분석 |

ㄱ 광계 Ⅰ의 반응 중심 색소는 ㉡이다.
➡ 광계 Ⅰ, Ⅱ의 반응 중심 색소는 모두 엽록소 a이며, (나)에서 엽록소 a는 430 nm와 670 nm 근처의 파장에서 높은 흡수율을 보이는 ㉡이다.

✕ (가)에서 2개의 전자가 최종 수용체에 전달될 때 ~~2~~(1)분자의 NADPH가 생성된다.
➡ (가)에서 1분자의 물이 분해되면 2개의 전자가 방출되고, 2개의 전자가 최종 전자 수용체($NADP^+$)에 전달될 때 1분자의 NADPH가 생성된다.

ㄷ $\frac{\text{스트로마의 pH}}{\text{틸라코이드 내부의 pH}}$는 파장이 450 nm인 빛에서가 550 nm인 빛에서보다 크다.
➡ 스트로마의 pH는 광합성이 빠르게 일어나는 파장이 450 nm인 빛에서가 광합성이 느리게 일어나는 파장이 500 nm인 빛에서보다 높다. 따라서 $\frac{\text{스트로마의 pH}}{\text{틸라코이드 내부의 pH}}$는 파장이 450 nm인 빛에서가 광합성이 느리게 일어나는 파장이 500 nm인 빛에서보다 크다.

04 ㉠은 스트로마, ㉡은 틸라코이드 내부이다.

| 선택지 분석 |

✕ NADPH의 산화는 ~~㉡~~(㉠)에서 일어난다.
➡ 캘빈 회로에서 NADPH가 산화되므로 ㉠(스트로마)에서 일어난다.

ㄴ ㉠에서 ATP의 농도는 t_2일 때가 t_1일 때보다 낮다.
➡ ATP는 빛이 있는 명반응 과정에서 생성되는데 t_1일 때는 빛이 있는 시기이므로 명반응이 일어나 ATP가 생성되었고 t_2일 때는 빛이 없어 명반응이 일어나지 않으면서 구간 Ⅱ 초기에 ATP와 같은 명반응의 생성물을 소모한 상태이기 때문에 ATP의 농도는 t_2일 때가 t_1일 때보다 낮다.

ㄷ O_2 생성량은 구간 Ⅰ에서가 구간 Ⅱ에서보다 많다.
➡ O_2는 물의 광분해로 생성된다. 따라서 O_2 생성량은 빛이 있는 시기인 구간 Ⅰ에서가 빛이 없는 시기인 구간 Ⅱ에서보다 많다.

05 | 선택지 분석 |

ㄱ ㉠에 DNA가 있다.
➡ 물의 광분해는 틸라코이드 내부 쪽에서 일어나므로 ㉠은 스트로마이고 ㉡은 틸라코이드 내부이다. DNA는 스트로마에 있다.

ㄴ. 이 광계의 반응 중심 색소에서 방출된 전자는 전자 전달계를 거쳐 P_{700}으로 전달된다.

➡ 물의 광분해는 광계 Ⅱ에 의해 일어나므로 이 광계(광계 Ⅱ)의 반응 중심 색소에서 방출된 전자는 전자 전달계를 거쳐 광계 Ⅰ의 반응 중심 색소인 P_{700}으로 전달된다.

ㄷ. 이 광계는 비순환적 전자 흐름에 관여한다.

➡ 이 광계(광계 Ⅱ)는 비순환적 전자 흐름에 관여한다. 비순환적 전자 흐름은 광계 Ⅱ에서 전자 방출 → 광계 Ⅰ에서 전자 방출 → NADPH 생성 순으로 일어난다.

06 | 선택지 분석 |

ㄱ. ADP와 무기 인산(P_i)은 ㉠과 ㉡에 해당한다.

➡ 틸라코이드 막에서 ATP 합성 효소에 의해 ATP가 합성되기 위해서는 ADP와 무기 인산이 있어야 한다.

✕ (라)에서 ATP는 ~~틸라코이드 내부~~(스트로마 쪽)에서 합성되었다.

➡ ATP 합성 효소는 틸라코이드 내부의 H^+을 바깥쪽으로 확산시키면서 ATP를 합성한다. 엽록체에서는 ATP 합성 효소에 의해 스트로마 쪽에서 ATP가 생성된다.

✕ (라)에서 틸라코이드 내부의 H^+ 농도는 완충 용액보다 ~~낮다~~(높다).

➡ 틸라코이드 내부의 pH를 4, 완충 용액의 pH를 8로 처리했으므로 틸라코이드 내부의 H^+ 농도가 완충 용액보다 높다.

07 | 자료 분석 |

구분	반응
Ⅰ 물의 광분해	$2H_2O \rightarrow 4H^+ + 4e^- + O_2$
Ⅱ NADPH의 생성(비순환적 전자 흐름)	$2NADP^+ + 4H^+ + 4e^- \rightarrow 2NADPH + 2H^+$ 캘빈 회로에서 3PG 환원 시기에 NADPH 소모로 생성됨

(가)

구분	㉠ 틸라코이드 내부	㉡ 스트로마
t_1 빛이 있을 때 (전자 전달계 진행)	4	8
t_2 빛 차단 이후 (전자 전달계 진행 불가능)	ⓐ	ⓑ

(나)

| 선택지 분석 |

✕ Ⅰ은 ~~㉡~~(㉠)에서 일어난다.

➡ Ⅰ은 물의 광분해로, 틸라코이드 내부(㉠)에서 일어난다.

ㄴ. Ⅱ의 반응물 중 캘빈 회로의 생성물이 있다.

➡ $NADP^+$는 캘빈 회로에서 NADPH의 산화로 생성된다.

ㄷ. ⓐ−ⓑ의 값은 4보다 작다.

➡ 빛이 차단되면 전자 전달이 억제되어 틸라코이드 내부와 스트로마의 pH 차이가 감소한다.

08 | 선택지 분석 |

✕ 'O_2가 발생한다.'는 ㉠에 ~~해당한다~~(해당하지 않는다).

➡ O_2는 비순환적 전자 흐름에서만 발생한다.

ㄴ. '광계 Ⅰ이 관여한다.'는 ㉡에 해당한다.

➡ 광계 Ⅰ은 순환적 전자 흐름과 비순환적 전자 흐름에 모두 관여한다.

ㄷ. 'NADPH를 합성한다.'는 ㉢에 해당한다.

➡ NADPH는 비순환적 전자 흐름에서만 생성된다.

09 ㉠은 PGAL, ㉡은 RuBP, ㉢은 3PG이다.

| 선택지 분석 |

ㄱ. 회로 반응의 방향은 ⓐ이다.

➡ 캘빈 회로의 방향은 RuBP에서 3PG로 진행하는 ⓐ 방향이다.

ㄴ. Ⅰ에서 사용되는 $\frac{\text{ATP 분자 수}}{\text{NADPH 분자 수}}=1$이다.

➡ Ⅰ에서 ATP와 NADPH 분자는 1 : 1의 비율로 사용된다.

✕ 1분자당 $\frac{\text{인산기 수}}{\text{탄소 수}}$는 ㉢이 ㉡보다 ~~크다~~(작다).

➡ RuBP(㉡)의 탄소 수는 5, 인산기 수는 2이고, 3PG(㉢)의 탄소 수는 3, 인산기 수는 1이다. 따라서 1분자당 $\frac{\text{인산기 수}}{\text{탄소 수}}$는 ㉡에서 $\frac{2}{5}$, ㉢에서 $\frac{1}{3}$이므로 ㉡이 ㉢보다 크다.

10 A는 PGAL, B는 RuBP, C는 3PG, D는 CO_2이고, ㉠은 10, ㉡은 6, ㉢은 12, ㉣은 6이다.

| 선택지 분석 |

ㄱ. $\frac{㉡}{㉠}=\frac{3}{5}$이다.

➡ ㉠은 10, ㉡은 6이므로 $\frac{㉡}{㉠}=\frac{3}{5}$이다.

ㄴ. ㉢은 ㉣의 2배이다.

➡ ㉢은 12, ㉣은 6이므로 ㉢은 ㉣의 2배이다.

✕ 명반응에서 합성된 NADPH가 ~~B → C 과정~~(C의 환원 과정)에서 소모된다.

➡ 명반응에서 합성한 NADPH는 3PG를 환원시키는 데 이용된다.

11 ㉠은 PGAL, ㉡은 3PG, ㉢은 RuBP이다.

| 선택지 분석 |

ㄱ. $^{14}CO_2$에 노출된 시간이 짧은 것부터 순서대로 나열하면 C, A, B이다.

➡ 캘빈의 실험에서 $^{14}CO_2$에 노출된 시간이 길어질수록 더 많은 물질이 나타난다.

ㄴ. 1분자당 $\frac{\text{인산기 수}}{\text{탄소 수}}$는 ㉠과 ㉡이 같다.

➡ PGAL(㉠)과 3PG(㉡)의 탄소 수와 인산기 수는 3, 1로 서로 같다.

✕ 캘빈 회로에서 ㉠이 ㉢으로 전환되는 과정에서 ~~NADPH~~(ATP)가 소모된다.

➡ 캘빈 회로에서 PGAL(㉠)이 RuBP(㉢)로 전환되는 과정에서 ATP는 소모되지만 NADPH는 소모되지 않는다.

12 빛을 차단하면 캘빈 회로에서 명반응의 생성물을 소모하는 단계의 반응이 억제되는데, 명반응 산물을 이용하는 단계는 3PG가 PGAL로 되는 단계와 RuBP가 재생되는 단계이다. 따라서 빛을 차단하면 3PG는 증가하고 RuBP는 감소한다.

| **선택지 분석** |

✗ ~~X~~ Y는 캘빈 회로에서 탄소 고정 단계의 생성물이다.

➡ X는 RuBP, Y는 3PG이며 캘빈 회로에서 탄소 고정 단계는 RuBP와 CO_2가 결합하여 3PG가 생성되는 과정이다.

ㄴ 1분자당 $\frac{\text{탄소 수}}{\text{인산기 수}}$는 X<Y이다.

➡ RuBP(X)의 탄소 수는 5, 인산기 수는 2이고 3PG(Y)의 탄소 수는 3, 인산기 수는 1이다.

✗ 빛을 차단하면 차단하기 전보다 스트로마에서 NADPH가 산화되는 속도가 ~~증가한다~~ 감소한다.

➡ 빛을 차단하면 광인산화 과정이 억제되므로 NADPH 생성이 감소하고, 이에 따라 캘빈 회로에서 NADPH를 소모하는 속도도 감소한다.

13 1분자당 탄소 수는 3PG가 3, RuBP가 5이고 인산기 수는 3PG가 1, RuBP가 2이다. 따라서 1분자당 $\frac{\text{탄소 수}}{\text{인산기 수}}$가 큰 ㉡이 3PG이고, 작은 ㉠이 RuBP이다.

| **선택지 분석** |

ㄱ (가)는 '빛 차단'이다.

➡ 시간이 지남에 따라 RuBP(㉠)의 농도가 감소하므로 주어진 조건 (가)는 '빛 차단'임을 알 수 있다.

ㄴ 캘빈 회로에서 ㉠이 ㉡으로 전환되는 과정에서 CO_2가 고정된다.

➡ 캘빈 회로의 CO_2 고정 단계에서는 RuBP(㉠)가 CO_2와 결합하여 3PG(㉡)로 전환된다.

ㄷ 캘빈 회로에서 ㉡이 PGAL로 전환되는 과정에서 NADPH가 사용된다.

➡ 캘빈 회로의 3PG 환원 단계에서는 NADPH가 사용되어 3PG(㉡)가 PGAL로 전환된다.

14 | **선택지 분석** |

ㄱ ㉠과 ㉡은 모두 ATP가 소비되는 반응이다.

➡ 캘빈 회로에서 3PG가 환원되는 단계와 RuBP가 재생되는 단계에서 명반응 산물 중 ATP를 공통적으로 소비한다.

ㄴ H_2O에서 방출된 전자가 비순환적 전자 흐름에 따라서 최종 수용체에 전달될 때

$$\frac{\text{분해되는 } H_2O \text{ 분자 수}}{\text{생성되는 NADPH 분자 수}}=1\text{이다.}$$

➡ 비순환적 전자 흐름에서 1분자의 H_2O이 분해될 때 NADPH 1분자가 생성된다.

✗ ㉢과 ㉣은 ~~모두 스트로마~~ 틸라코이드, 스트로마에서 일어난다.

➡ ㉢은 틸라코이드에서, ㉣은 스트로마에서 일어난다.

더 알아보기 **광인산화**

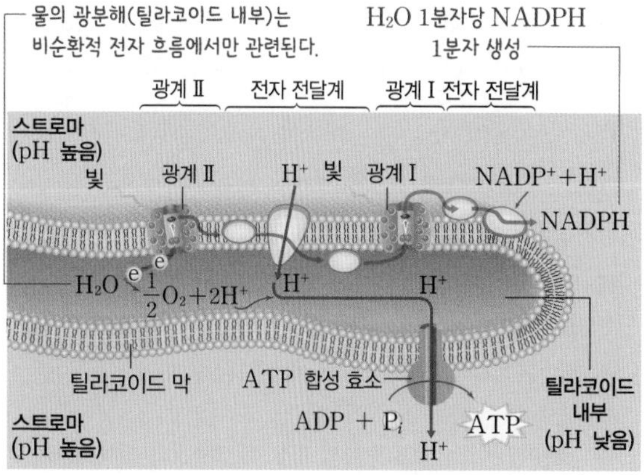

물의 광분해(틸라코이드 내부)는 비순환적 전자 흐름에서만 관련된다.
H_2O 1분자당 NADPH 1분자 생성
광계 Ⅱ 전자 전달계 광계 Ⅰ 전자 전달계
스트로마 (pH 높음)
빛 광계 Ⅱ H^+ 빛 광계 Ⅰ $NADP^+ + H^+$ NADPH
H_2O e e $\frac{1}{2}O_2 + 2H^+$ H^+ H^+
틸라코이드 막 ATP 합성 효소
스트로마 (pH 높음) ADP + P_i ATP H^+
틸라코이드 내부 (pH 낮음)

15 | **자료 분석** |

반응 ㉠~㉣
• ATP 생성 스트로마, 세포질
• NADPH 생성 스트로마
• 산화와 환원 틸라코이드 내부, 스트로마, 세포질
• 물의 광분해 틸라코이드 내부

(나)

⬇

장소 \ 반응	㉠ 물의 광분해	㉡ NADPH 생성	㉢ ATP 생성	㉣ 산화와 환원
틸라코이드 내부	○	×	×	○
스트로마	×	○	ⓐ○	ⓑ○
세포질	×	×	○	○

(○: 일어남, ×: 일어나지 않음)

(가)

| **선택지 분석** |

✗ ㉠은 '~~ATP 생성~~ 물의 광분해'이다.

➡ ㉠은 틸라코이드 내부에서 일어나는 물의 광분해이다.

ㄴ ㉡은 'NADPH 생성'이다.

➡ ㉡은 스트로마에서 일어나는 NADPH 생성이다.

ㄷ ⓐ와 ⓑ는 모두 '○'이다.

➡ 스트로마에서 ATP 생성과 NADPH 생성이 모두 일어난다.

16 ㉠은 O_2이다.

| **선택지 분석** |

ㄱ CO_2가 없어도 발생한다.

➡ 실험에서 O_2는 공기가 없는 상태에서 물에 의해 발생했으므로 CO_2가 없어도 생성된다.

ㄴ 물의 광분해에 의해 생성된다.

➡ O_2는 명반응에서 물의 광분해로 발생한다.

ㄷ 미토콘드리아 내막의 전자 전달계에서 최종 전자 수용체이다.

➡ O_2는 전자 친화력이 커서 미토콘드리아 내막의 전자 전달계에서 전자의 최종 수용체로 작용한다.

한번에 끝내는 대단원 문제 136쪽~139쪽

01 ② 02 ② 03 ⑤ 04 ② 05 ③ 06 ② 07 ⑤ 08 ⑤
09 ⑤ 10 ④ 11 ③ 12 ② 13 ④ 14 ③ 15 ③ 16 ③

17 (1) ㉠ 2, ㉡ 0, ㉢ 2, ㉣ 8, ㉤ 2, ㉥ 0, ㉦ 0, ㉧ 0, ㉨ 28, ㉩ 4
(2) 세포 호흡의 에너지 효율(%)
$= \frac{32 \times 7.3\ \text{kcal/몰}}{686\ \text{kcal/몰}} \times 100 \fallingdotseq 34$

18 (1) ㉠과 ㉡에서 모두 포도당이 에너지원이다.
(2) | **모범 답안** | t_1보다 t_2에서 배양액의 pH가 더 낮다. 젖산이 산성 물질인데 t_1보다 t_2에서 배양액의 젖산 농도가 더 높기 때문이다.

19 | **모범 답안** | 해캄의 광합성 색소 중 엽록소가 청자색광과 적색광을 다른 파장에 비해 많이 흡수하여 광합성에 이용하였기 때문에 산소 발생량이 많은 것이다.

20 (1) (가) 미토콘드리아의 막 사이 공간, (나) 엽록체의 스트로마, (다) 미토콘드리아 기질, (라) 틸라코이드 내부
(2) | **모범 답안** | 산화적 인산화의 전자 전달계에서 전자를 최종적으로 O_2가 수용한 후 H_2O이 형성되고, 명반응의 비순환적 전자 흐름에서는 H_2O의 광분해로 생성된 전자가 광계 Ⅱ의 반응 중심인 P_{680}을 환원시킨다.

01 (가)는 해당 과정, (나)는 피루브산의 산화, (다)는 TCA 회로, (라)는 산화적 인산화이다.

| **선택지 분석** |

① (가)는 세포질에서 일어난다.
➡ 해당 과정(가)은 세포질에서 일어난다.

② (가)와 (다)에서 NADH~~의 산화가 일어난다~~. 가 생성된다.
➡ 해당 과정(가)과 TCA 회로(다)에서 NAD^+가 환원되어 NADH가 생성된다.

③ (가)와 (다)에서 기질 수준 인산화가 일어난다.
➡ 해당 과정(가)과 TCA 회로(다)에서 기질 수준 인산화가 일어난다.

④ (나)와 (다)에서 CO_2가 방출된다.
➡ 피루브산의 산화(나)와 TCA 회로(다)에서 탈탄산 반응이 일어나 CO_2가 방출되고 탄소 수가 감소한 물질이 생긴다.

⑤ (나), (다), (라)는 미토콘드리아에서 일어난다.
➡ 피루브산의 산화(나), TCA 회로(다), 산화적 인산화(라)는 모두 미토콘드리아에서 산소가 있을 때 진행된다.

02 | **자료 분석** |

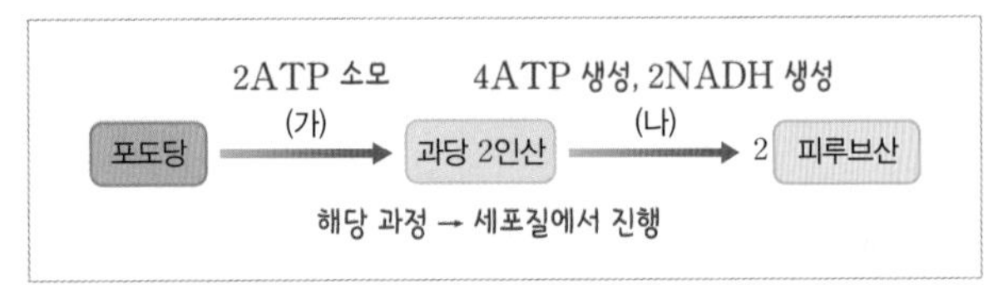

| **선택지 분석** |

① ~~(가)~~에서 기질 수준 인산화가 일어난다. (나)
➡ (나)에서 기질 수준 인산화가 일어난다.

② 1분자당 에너지양은 포도당보다 과당 2인산이 많다.
➡ (가)는 ATP가 소모되어 포도당보다 에너지 수준이 높은 과당 2인산이 생성된다.

③ ~~(가)~~에서 NAD^+의 환원이 일어난다. (나)
➡ (나)에서 NAD^+의 환원이 일어나 NADH가 생성된다.

④ ~~(나)~~에서 ATP가 소모된다. (가)
➡ (가)에서 ATP가 소모된다.

⑤ (나)는 ~~미토콘드리아 기질~~에서 일어난다. 세포질
➡ (가)와 (나)는 모두 세포질에서 일어난다.

03 | **선택지 분석** |

㉠ 미토콘드리아에서 일어나는 반응이다.
➡ 피루브산이 미토콘드리아에서 산화되는 반응이다.

㉡ 탈탄산 효소가 관여한다.
➡ 탈탄산 효소의 작용으로 CO_2가 방출된다.

㉢ 탈수소 효소가 관여한다.
➡ 탈수소 효소의 작용으로 NADH가 생성된다.

04 | **선택지 분석** |

✕ ~~(가)~~에 조효소 A(CoA)가 포함되어 있다. 아세틸 CoA
➡ 아세틸 CoA의 조효소 A는 옥살아세트산과 결합할 때 방출되고 시트르산(가)이 형성된다.

㉡ $\frac{\text{1분자당 (가)의 탄소 수}}{\text{1분자당 (다)의 탄소 수}} = \frac{3}{2}$이다.
➡ 1분자당 탄소 수는 (가)는 6, (다)는 4이다.

✕ 1분자가 가진 에너지양은 (나)보다 (다)가 ~~많다~~. 적다.
➡ (나)에서 (다)가 되는 동안 기질 수준 인산화로 ATP가 합성되었고, 고에너지 전자를 가진 NADH가 생성되었으므로 1분자당 에너지양은 (나)가 (다)보다 많다.

05 1분자의 아세틸 CoA가 TCA 회로를 거치면 3분자의 NADH와 1분자의 $FADH_2$가 생성되고, 기질 수준 인산화로 1ATP가 생성된다.

06 ㉠은 $FADH_2$, ㉡은 NADH이다.

| **선택지 분석** |

✕ ~~해당 과정~~에서 ㉠이 생성된다. TCA 회로
➡ ㉠은 $FADH_2$로, TCA 회로에서 생성된다.

✕ ~~Ⅱ~~에서 TCA 회로가 일어난다. Ⅰ
➡ TCA 회로는 미토콘드리아 기질인 Ⅰ에서 일어난다.

㉢ ATP 합성 효소를 통해 Ⅱ에서 Ⅰ로 H^+이 확산된다.
➡ ATP 합성 효소를 통해 H^+ 농도 기울기에 따라 Ⅱ(막 사이 공간)에서 Ⅰ(기질)로 H^+이 확산될 때 ATP가 합성된다.

07 | **선택지 분석** |

㉠ (가)는 아미노산이다.
➡ (가)는 아미노산, (나)는 지방산, (다)는 포도당이다.

㉡ (나)는 해당 과정을 거치지 않는다.
➡ 지방산(나)은 해당 과정을 거치지 않고 아세틸 CoA로 전환된 후 TCA 회로로 들어간다.

㉢ (다)는 탈아미노 반응을 거치지 않는다.
➡ 포도당(다)에는 아미노기가 없으므로 탈아미노 반응을 거치지 않는다.

08 | 선택지 분석 |

㉠ (가)에 ATP가 소모되는 단계가 있다.
➡ (가)는 해당 과정으로, ATP가 먼저 소모된 후 기질 수준 인산화로 ATP가 합성된다.

㉡ (나)와 (라)에서 NADH의 산화가 일어난다.
➡ (나)와 (라)에서 NADH가 산화되어 NAD^+가 재생된다. NAD^+는 해당 과정에 재사용된다.

㉢ (다)와 (라)에 탈탄산 효소가 작용한다.
➡ (다)와 (라)에서 탈탄산 효소의 작용으로 CO_2가 방출된다.

09 | 자료 분석 |

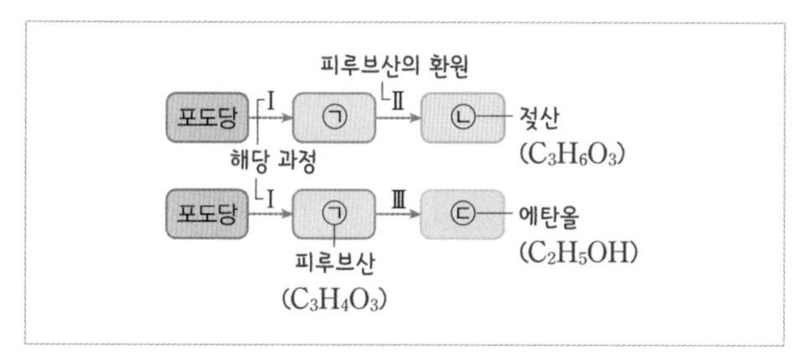

| 선택지 분석 |

㉠ Ⅰ~Ⅲ은 모두 세포질에서 일어난다.
➡ 발효는 세포질에서 일어난다.

㉡ 사람의 근육 세포에서 Ⅱ가 일어난다.
➡ 젖산 발효는 사람의 근육 세포에서 산소가 부족할 때 일어난다.

㉢ Ⅲ에서 아세트알데하이드가 환원된다.
➡ 알코올 발효에서 아세트알데하이드는 NADH에 의해 환원된다.

10 | 선택지 분석 |

✕ 광합성 속도는 ~~O_2 발생량~~(CO_2 소모량이나 포도당 생성량)으로 측정한 것이다.
➡ 명반응과 탄소 고정 반응의 관계를 알아보는 실험이므로 명반응의 산물인 O_2 발생량으로 광합성 속도를 측정하는 것은 적절하지 않다.

㉡ Ⅲ에서 캘빈 회로가 진행되었다.
➡ Ⅲ의 초기에 캘빈 회로가 진행되었다.

㉢ Ⅳ에서 물의 광분해가 일어났다.
➡ Ⅳ에서는 지속적인 명반응이 일어났으므로 물의 광분해가 일어났다.

11 | 선택지 분석 |

㉠ 비순환적 전자 흐름으로 O_2가 생성된다.
➡ 비순환적 전자 흐름에서 물의 광분해가 일어나 O_2가 생성된다.

㉡ 틸라코이드 내부의 pH가 스트로마보다 낮게 유지된다.
➡ 전자 전달계에서 H^+을 스트로마에서 틸라코이드 내부로 능동 수송한다.

✕ ~~순환적~~(비순환적) 전자 흐름으로 1개의 전자가 최종 전자 수용체에 전달될 때 1분자의 NADPH가 생성된다.
➡ NADPH는 비순환적 전자 흐름에서 생성된다.

12 | 선택지 분석 |

① X는 ~~3PG~~(PGAL)이다.
➡ X는 PGAL, Y는 RuBP, Z는 3PG이다.

② ㉢은 6이다.
➡ 3분자의 CO_2가 고정될 때, 캘빈 회로를 구성하는 3PG와 PGAL은 6분자, RuBP는 3분자이다.

③ Y의 1분자당 인산기 수는 ~~1~~(2)이다.
➡ RuBP의 인산기 수는 2이다.

④ 과정 Ⅰ에서 ~~6~~(3)분자의 ATP가 사용된다.
➡ RuBP가 재생되는 과정 Ⅰ에서 3분자의 ATP가 사용된다.

⑤ 과정 Ⅱ에서 ~~3~~(6)분자의 NADPH가 사용된다.
➡ 3PG가 환원되는 과정 Ⅱ에서 6분자의 NADPH가 사용된다.

13 (가)는 명반응, (나)는 탄소 고정 반응이다.

| 선택지 분석 |

✕ (가)에서 생성된 ATP는 ~~식물의 생장~~(모두 캘빈 회로)에 이용된다.
➡ 명반응에서 생성된 ATP는 모두 캘빈 회로에 이용된다.

㉡ (나) 중 캘빈 회로는 탄소 고정, 3PG의 환원, RuBP의 재생의 단계로 이루어진다.
➡ 캘빈 회로는 탄소 고정, 3PG의 환원, RuBP의 재생이라는 3단계로 이루어진다.

㉢ (가)와 (나)를 거쳐 진행되는 광합성은 흡열 반응에 해당한다.
➡ 명반응은 흡열 반응이고 탄소 고정 반응은 발열 반응이지만 명반응에서 흡수한 에너지양이 탄소 고정 반응에서 방출한 에너지양보다 많으므로 광합성은 전체적으로 흡열 반응이다.

더 알아보기 **광합성의 에너지 변화**

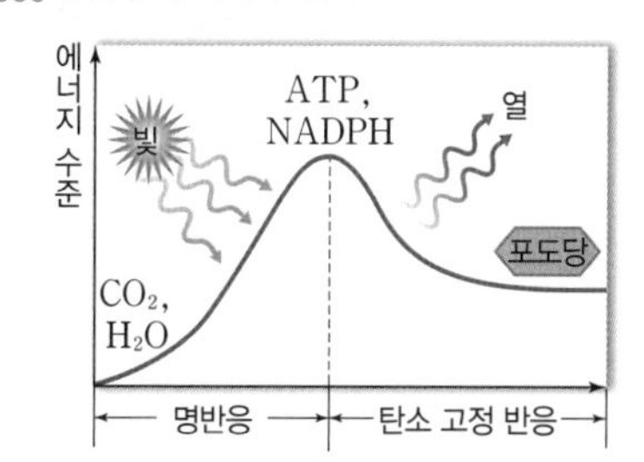

광합성의 명반응에서는 ATP가 생성되고 탄소 고정 반응에서는 ATP가 소모된다. 따라서 명반응은 빛에너지를 흡수하여 ATP를 합성하는 과정이므로 흡열 반응이고 이를 소모하는 탄소 고정 반응은 발열 반응이다.

14 A는 스트로마, B는 틸라코이드 막, C는 엽록체의 내막, D는 미토콘드리아의 기질, E는 미토콘드리아의 내막, F는 미토콘드리아의 외막이다.

| 선택지 분석 |

㉠ A와 D에 ATP가 있다.

➡ A(스트로마)는 명반응에서 생성된 ATP를 캘빈 회로에서 사용하는 곳이고 D(미토콘드리아 기질)는 TCA 회로를 통해 ATP가 생성되는 곳이다.

㉡ B와 E에 ATP 합성 효소가 있다.

➡ 틸라코이드 막(B)과 미토콘드리아 내막(E)에는 ATP 합성 효소가 있다.

✕ ~~C와 F~~(B와 E)에 전자 전달계가 있다.

➡ 전자 전달계와 ATP 합성 효소는 틸라코이드 막(B)과 미토콘드리아 내막(E)에 있다.

15 힐의 실험에서 H_2O이 분해되어 O_2가 발생하였고, 전자가 옥살산 철(Ⅲ)에 수용되어 옥살산 철(Ⅱ)이 되었다.

| 선택지 분석 |

㉠ 물의 광분해로 생성된다.

➡ ㉠~㉢은 모두 물의 광분해로 생성된 O_2이다.

㉡ 틸라코이드에서 생성된다.

➡ 물의 광분해는 틸라코이드 내부에서 일어난다.

✕ ~~순환적~~(비순환적) 전자 흐름의 산물이다.

➡ 비순환적 전자 흐름에서 물의 광분해가 일어난다.

16 | 자료 분석 |

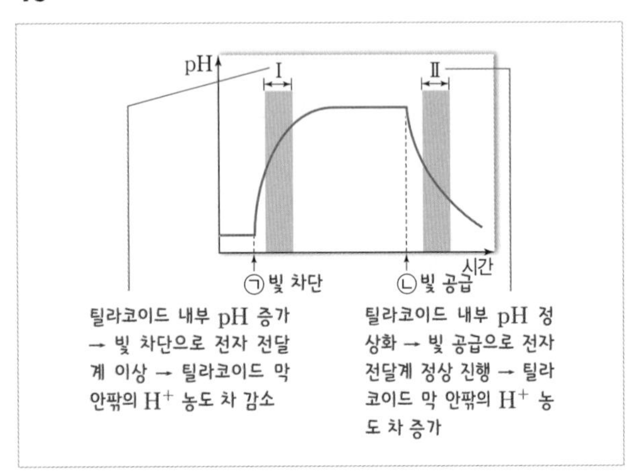

| 선택지 분석 |

㉠ ㉠은 '빛 차단'이다.

➡ ㉠ 처리 이후 틸라코이드 내부의 pH가 증가했다는 것은 명반응이 정상적으로 진행되었을 때 틸라코이드 내부의 pH가 낮게 유지되는 사실에 반한다. 따라서 ㉠은 '빛 차단'이다.

✕ 구간 Ⅰ에서 틸라코이드 내부의 pH는 스트로마보다 ~~높다~~(낮다).

➡ 구간 Ⅰ에서 틸라코이드 내부의 pH가 높아지더라도 스트로마의 pH와 차이가 감소하는 것이지 틸라코이드 내부의 pH가 스트로마보다 높아지는 것은 아니다.

㉢ 구간 Ⅱ에서 NADPH와 ATP가 생성된다.

➡ 구간 Ⅱ에서는 다시 빛이 공급되어 광인산화 과정이 일어나고 있으므로 NADPH와 ATP가 생성된다.

17 | 자료 분석 |

과정 \ 생성되는 물질의 분자 수	기질 수준 인산화에 의한 ATP 분자 수	NADH 분자 수	$FADH_2$ 분자 수	산화적 인산화에 의한 ATP 분자 수
해당 과정	2	㉠2	㉡0	0
피루브산의 산화와 TCA 회로	㉢2	㉣8	㉤2	㉥0
전자 전달계	0	㉦0	㉧0	㉨28
계	㉩4	10	2	28

(2) 기질 수준 인산화 4ATP(해당 과정 2ATP + TCA 회로 2ATP) + 산화적 인산화 28ATP(10NADH × 2.5ATP + $2FADH_2$ × 1.5ATP)=32ATP

세포 호흡의 에너지 효율(%)

$$=\frac{32\times7.3\text{ kcal/몰}}{686\text{ kcal/몰}}\times100\fallingdotseq34$$

18 (1) 포도당이 ㉠과 ㉡에서 지속적으로 감소하고 있다. ㉠에서는 산소를 이용하여 포도당을 분해하고, ㉡에서는 젖산 발효의 방식으로 포도당을 이용한다.

(2) t_2에서 젖산 발효가 일어날 때 젖산 생성량이 증가하는데, 젖산은 산성 물질이다. 따라서 t_2에서가 t_1에서보다 pH가 낮다.

채점 기준	배점
pH 비교와 까닭을 모두 옳게 서술한 경우	100 %
pH 비교는 옳게 했으나 까닭을 옳게 서술하지 못한 경우	50 %

19 (2) 호기성 세균은 산소가 많은 곳에서 증식이 활발하다. 해캄이 청자색광과 적색광 부근에서 광합성을 많이 하여 산소 발생량이 많았다는 것은 해캄의 광합성 색소가 청자색광과 적색광을 다른 파장에 비해 많이 흡수하여 광합성에 이용했음을 의미한다.

채점 기준	배점
광합성 색소가 흡수한 빛을 광합성에 이용한다는 사실을 옳게 서술한 경우	100 %
청자색광과 적색광을 많이 흡수했다고만 서술한 경우	50 %

20 (1) 미토콘드리아에서는 H^+이 기질에서 막 사이 공간으로 능동 수송되고, 엽록체에서는 H^+이 스트로마에서 틸라코이드 내부로 능동 수송된다.

(2) H_2O은 산화적 인산화에서 전자 전달계의 최종 생성 물질이고, 명반응의 광인산화 과정 중 비순환적 전자 흐름에서 광분해되어 고에너지 전자를 공급하는 전자 공급원이다.

채점 기준	배점
전자를 최종적으로 수용하여 H_2O이 형성됨(①), 비순환적 전자 흐름에서 H_2O이 광분해된다는 점(②)을 모두 옳게 서술한 경우	100 %
①과 ② 중 1가지만 옳게 서술한 경우	50 %

1 »» 유전 물질

01 유전 물질의 구조

탐구POOL 146쪽

01 ㉠ 인지질, ㉡ DNA **02** DNA

01 식물 세포의 DNA는 세포벽과 세포막, 핵막으로 둘러싸여 있다.

02 추출액과 에탄올의 경계 부분에서 브로콜리의 DNA가 흰 침전물로 생성된다.

콕콕! 개념 확인하기 147쪽

✔ 잠깐 확인!

1 DNA **2** 단백질 **3** 형질 전환 **4** DNA **5** 뉴클레오타이드 **6** 샤가프 **7** 유전체

01 (1) × (2) × (3) ○ **02** ㉠ ^{35}S, ㉡ ^{32}P **03** (1)-㉠ (2)-㉢ (3)-㉡ **04** (1) × (2) ○ (3) ○ (4) × **05** (1) 원핵세포 (2) 진핵세포 (3) 진핵세포

01 (1) S형 균이 병원성, R형 균이 비병원성이다.
(2) R형 균이 S형 균으로 형질 전환되어 쥐가 죽는다.

02 DNA를 표지하기 위해 ^{32}P을, 단백질을 표지하기 위해 ^{35}S을 사용한다.

03 DNA를 구성하는 염기에는 2개의 고리 모양인 퓨린 계열 염기와 1개의 고리 모양인 피리미딘 계열 염기가 있다. 퓨린 계열 염기에는 아데닌(A)과 구아닌(G)이 있고, 피리미딘 계열 염기에는 사이토신(C)과 타이민(T)이 있다.

04 (1) DNA 이중 나선이 1회전할 때 10개의 염기쌍(20개의 염기)이 배열되어 있다.
(4) G－C 염기쌍에는 3개의 수소 결합이 형성된다.

05 유전체는 생물의 한 세포에 들어 있는 모든 유전 정보가 저장되어 있는 DNA 전체이다. 원핵세포는 핵막이 없으며, 진핵세포는 핵막으로 둘러싸인 핵 안에 유전체가 분포한다.

탄탄! 내신 다지기 148쪽~149쪽

01 ② **02** ⑤ **03** (가) 단백질, (나) DNA **04** ③ **05** ② **06** ④ **07** ② **08** ⑤ **09** ㉠ 2, ㉡ 3 **10** ④ **11** ③

01 유전 형질은 매우 다양하므로 4종류의 뉴클레오타이드로 이루어진 DNA보다는 20종류의 아미노산으로 이루어진 단백질이 유전 물질로 더 적합하다고 생각하였다.

02 | 선택지 분석 |

① ⓐ는 ~~㉠~~(㉡)에 해당한다.
➡ ㉠과 ⓑ는 S형 균으로 병원성이고, ㉡과 ⓐ는 R형 균으로 비병원성이다.

② ⓑ는 S형 균으로 ~~비병원성~~(병원성)이다.
➡ S형 균은 피막이 있어 숙주의 면역 체계로부터 죽지 않고 생존할 수 있다.

③ ~~(다)와~~ (라)에서 모두 형질 전환이 일어났다.
➡ (라)에서만 형질 전환이 일어났다.

④ ㉠을 가열하면 ㉠이 가진 유전 물질의 ~~기능도 사라진다~~(기능이 사라지지 않는다).
➡ 유전 물질인 DNA는 가열을 하여도 기능이 사라지지 않는다.

✔⑤ (라)의 죽은 쥐에서 살아 있는 ⓑ를 발견할 수 있다.
➡ R형 균이 S형 균으로 형질 전환이 일어나 죽은 쥐의 몸속에서 살아 있는 ⓑ를 발견할 수 있다.

03 DNA와 단백질을 따로 표지하기 위해서는 서로 공통으로 가지지 않는 원소를 이용해야 하므로 DNA는 ^{32}P, 단백질은 ^{35}S으로 표지해야 한다.

04 | 선택지 분석 |

① 기본 단위는 뉴클레오타이드이다.
➡ 핵산의 기본 단위는 뉴클레오타이드이다.

② 5탄당인 디옥시리보스를 포함한다.
➡ DNA는 디옥시리보스, RNA는 리보스를 포함한다.

✔③ 아데닌, 구아닌, 타이민, ~~유라실~~(사이토신)의 염기를 포함한다.
➡ 유라실은 RNA를 구성하는 염기이다.

④ 인산을 포함하고 있어 수용액에서 음(－)전하를 띤다.
➡ 인산이 H^+을 방출하기 때문에 DNA는 수용액에서 음(－)전하를 띤다.

⑤ 인산, 당, 염기가 1 : 1 : 1로 결합한 물질로 이루어져 있다.
➡ DNA는 인산, 당, 염기가 1 : 1 : 1로 결합한 물질인 뉴클레오타이드로 되어 있다.

05 퓨린 계열 염기는 2개의 고리 모양으로 아데닌(A), 구아닌(G)이 이에 속하고, 피리미딘 계열 염기는 1개의 고리 모양으로 사이토신(C), 타이민(T)이 이에 속한다.

| 선택지 분석 |

✗ㄱ. (가)는 ~~피리미딘~~(퓨린) 계열, (나)는 ~~퓨린~~(피리미딘) 계열이다.
➡ 퓨린 계열 염기는 2개의 고리 모양, 피리미딘 계열 염기는 1개의 고리 모양이다.

✗ㄴ. ~~(가)~~((나))에 해당하는 염기로 사이토신(C), 타이민(T)이 있다.
➡ 퓨린 계열 염기에는 아데닌(A), 구아닌(G)이 속하고, 피리미딘 계열 염기에는 사이토신(C), 타이민(T)이 속한다.

ㄷ. DNA 전체에 들어 있는 (가)와 (나)의 비는 1 : 1이다.

➡ DNA를 구성하는 두 가닥의 폴리뉴클레오타이드 사이에서 A은 T과, G은 C과 상보적 결합을 하므로 DNA 전체에 들어 있는 퓨린 계열 염기와 피리미딘 계열 염기의 비는 1 : 1이다.

06 | 자료 분석 |

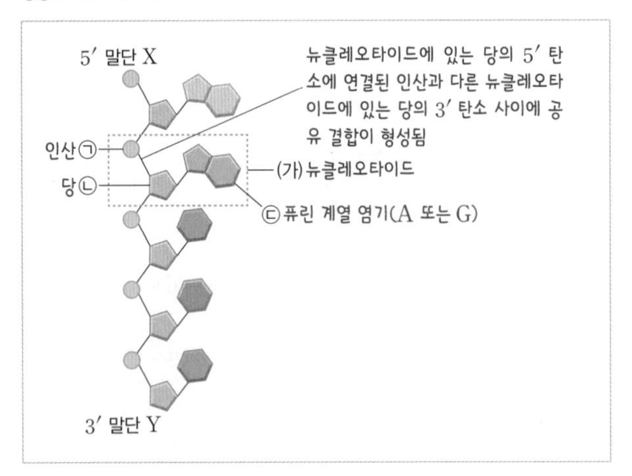

| 선택지 분석 |

① (가)는 ~~폴리뉴클레오타이드~~ 뉴클레오타이드이다.

➡ 폴리뉴클레오타이드는 여러 개의 뉴클레오타이드가 연결된 것이다.

② ㉠과 ㉡ 사이에 ~~수소 결합~~ 공유 결합이 형성된다.

➡ 당의 5′ 탄소에 연결된 인산과 다른 뉴클레오타이드를 구성하는 당의 3′ 탄소 사이에 공유 결합이 형성된다.

③ ㉢은 ~~사이토신(C)~~ 구아닌(G)과 타이민(T) 중 하나이다.

➡ ㉢은 2개의 고리 모양이므로 퓨린 계열 염기이다.

④ X는 5′ 말단이고, Y는 3′ 말단이다.

➡ 디옥시리보스의 1번 탄소에는 염기, 3번 탄소에는 $-OH$, 5번 탄소에는 인산이 각각 연결되어 있다.

⑤ 염기 - 인산 골격을 기본으로 당에 결합된 ~~인이~~ 염기가 서열을 형성한다.

➡ 폴리뉴클레오타이드에서는 당 - 인산 골격을 기본으로 당에 결합된 염기가 서열을 형성한다.

07 DNA의 염기 사이에서 A은 T과, G은 C과 상보적으로 결합하며, 염기 조성을 완성하면 표와 같다.

구분	염기 조성(%)				계
	A	C	G	T	
DNA Ⅰ	㉠30	?20	20	?30	100
DNA Ⅱ	10	?40	㉡40	?10	100

| 선택지 분석 |

ㄱ. ㉠과 ㉡의 합은 50보다 ~~작다~~ 크다.

➡ ㉠은 30, ㉡은 40이므로 ㉠과 ㉡의 합은 50보다 크다.

ㄴ. Ⅰ은 Ⅱ보다 더 낮은 온도에서 단일 가닥으로 분리된다.

➡ G - C 염기쌍은 3개의 수소 결합으로 연결되므로 G - C 염기쌍이 많을수록 DNA 이중 가닥은 더 높은 온도에서 분리된다.

ㄷ. Ⅱ에 존재하는 수소 결합의 수는 ~~120~~ 140개이다.

➡ Ⅱ에 존재하는 수소 결합의 수는 $2\times10+3\times40=140$개이다.

08 | 선택지 분석 |

① X는 약 ~~20개~~ 10개의 염기쌍마다 한 바퀴씩 회전한다.

➡ 한 바퀴 회전한 DNA에는 20개의 염기가 들어 있다.

② Ⅰ과 Ⅱ는 모두 위쪽은 3′ 말단, 아래쪽은 5′ 말단인 ~~평행한~~ 역평행 구조를 하고 있다.

➡ Ⅰ과 Ⅱ는 역평행 구조이므로 한쪽 가닥의 끝이 5′ 말단이면 다른 쪽 가닥의 끝은 3′ 말단이다.

③ 퓨린 계열 염기는 ~~퓨린~~ 피리미딘 계열 염기끼리, 피리미딘 계열 염기는 ~~피리미딘~~ 퓨린 계열 염기끼리 상보적 결합을 한다.

➡ A은 T과, G은 C과 상보적으로 결합하므로 퓨린 계열 염기와 피리미딘 계열 염기가 상보적으로 결합한다.

④ X는 이중 나선으로 지름이 항상 일정하며, 당 - 인산 골격은 ~~안쪽~~ 바깥쪽, 염기는 ~~바깥쪽~~ 안쪽에 위치한다.

➡ DNA의 당 - 인산 골격은 바깥쪽, 염기는 안쪽에 위치한다.

⑤ ㉠은 아데닌(A)에 해당하며, 디옥시리보스의 1번 탄소에 공유 결합으로 연결되어 있다.

➡ ㉠은 2개의 고리 모양이며 2개의 수소 결합을 하므로 아데닌(A)이다.

09 A - T 염기쌍은 2개의 수소 결합이, G - C 염기쌍은 3개의 수소 결합이 형성되므로 G - C 염기쌍이 많을수록 DNA를 이루는 두 가닥이 잘 분리되지 않는다.

10 | 선택지 분석 |

ㄱ. 유전체 DNA가 히스톤 단백질과 결합되어 있지 않다.

➡ 원핵세포의 유전체는 원형 DNA 1개로 구성되며, 세포 분열 시 응축되지 않는다.

ㄴ. 유전자에 단백질 비암호화 부위인 인트론이 ~~있다~~ 없다.

➡ 원핵세포의 유전자는 매우 조밀하게 배열되어 있으며, 인트론이 없다.

ㄷ. 오페론이 있으며 여러 유전자의 전사가 한꺼번에 조절된다.

➡ 원핵세포에서는 유전자의 발현 조절이 오페론 단위로 이루어진다.

11 (가)는 진핵세포, (나)는 원핵세포이다.

| 선택지 분석 |

ㄱ. (가)의 유전체는 핵 안에, (나)의 유전체는 세포질에 퍼져 있다.

➡ 진핵세포(가)는 핵이 있으므로 유전체가 핵 안에 들어 있으며, 원핵세포(나)는 핵이 없어 세포질에 유전체가 있다.

ㄴ. ~~(나)~~ (가)의 유전체는 선형 DNA 여러 개로 구성되며, DNA가 뉴클레오솜 구조를 형성한다.

➡ 원핵세포(나)는 하나의 원형 DNA를 가진다.

ㄷ. A는 플라스미드로 크기가 작고 독자적으로 증식할 수 있는 DNA이다.

➡ 플라스미드는 세균의 세포질에 있는 염색체와는 별도로 존재하는 크기가 작고 독자적으로 증식할 수 있는 원형의 DNA이다.

도전! 실력 올리기

150쪽~151쪽

01 ④ **02** ④ **03** ② **04** ② **05** ①

06 (1) A: DNA, B: 단백질, a: DNA 분해 효소, b: 단백질 분해 효소 (2) (가) R형 균, (나) R형 균

07 | **모범 답안** | A보다 B가 3개의 수소 결합으로 연결된 G과 C의 함량이 높기 때문이다.

01 ㉠은 단백질 분해 효소, ㉡은 DNA 분해 효소이다.

| **선택지 분석** |

ㄱ 쥐 A에는 피막을 가진 폐렴 쌍구균이 있다.
➡ 쥐 A에는 피막을 갖는 S형 균의 폐렴 쌍구균이 있다.

✕ ~~㉠~~(㉡)에 의해 형질 전환을 일으키는 유전 물질이 분해된다.
➡ DNA 분해 효소(㉡)에 의해 유전 물질이 분해된다.

ㄷ 시험관 (가)에 들어 있는 유전체는 원형 DNA 1개로 구성된다.
➡ 폐렴 쌍구균은 원핵생물이므로 유전체로 원형 DNA 1개를 갖는다.

02 | **자료 분석** |

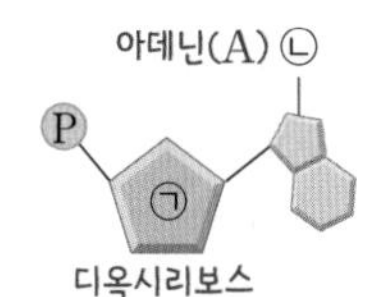

전체 염기 중 ㉡의 비율	수소 결합 총 개수
20 %	260개

이중 가닥 DNA에서 A은 T과 2개의 수소 결합, G은 C과 3개의 수소 결합을 하므로 A의 수를 x, G의 수를 y라고 하면, A의 수 = T의 수 = x, G의 수 = C의 수 = y이다. 수소 결합의 수는 $2x+3y$이므로, DNA X의 수소 결합 수가 260개가 되려면 $2x+3y=260$이고, 전체 염기 수는 200개이므로 $2x+2y=200$이다. 따라서 $x=40$, $y=60$이므로 A과 T은 각각 40개, G과 C은 각각 60개씩 들어 있어야 한다. ㉡은 2개의 고리 모양이고 20 %가 있다고 하였으므로 아데닌(A)이다.

| **선택지 분석** |

✕ ㉠은 5탄당인 ~~리보스~~(디옥시리보스)이다.
➡ DNA는 디옥시리보스, RNA는 리보스를 당으로 가진다.

ㄴ ㉡은 타이민(T)과 상보적 결합을 한다.
➡ 아데닌(㉡)은 타이민(T)과 2개의 수소 결합으로 연결된다.

ㄷ DNA X에서 $\frac{A+T}{G+C}=\frac{2}{3}$이다.
➡ A+T=80, G+C=120이므로 $\frac{A+T}{C+G}=\frac{2}{3}$이다.

03 ㉠은 ^{35}S으로 단백질을 표지하고, ㉡은 ^{32}P으로 DNA를 표지하므로 D에서 방사선이 검출된다.

| **선택지 분석** |

✕ ㉠은 박테리오파지의 ~~DNA~~(단백질)를 표지한다.
➡ S은 단백질에는 있으나 DNA에는 없는 원소이다.

ㄴ 자기 방사법이 사용되었다.
➡ 자기 방사법은 방사성 동위 원소에서 방출되는 방사선을 추적하여 물질의 위치를 파악하는 방법이다.

✕ D에 들어 있는 ~~모든~~(일부) 유전체가 ^{32}P으로 표지되었다.
➡ 박테리오파지 DNA와 이로부터 유래된 DNA 일부만 ^{32}P으로 표지된다.

04 ㉠은 당, ㉡은 인산, ㉢은 G, ㉣은 C이다.

| **선택지 분석** |

✕ ㉠과 ㉡은 ~~수소 결합~~(공유 결합)으로 연결된다.
➡ 당과 인산은 공유 결합, 염기끼리는 수소 결합으로 연결된다.

ㄴ ㉢은 구아닌(G), ㉣은 사이토신(C)이다.
➡ ㉢은 2개의 고리 모양인 퓨린 계열 염기, ㉣은 1개의 고리 모양인 피리미딘 계열 염기이고, 3개의 수소 결합을 하므로 ㉢은 구아닌(G), ㉣은 사이토신(C)이다.

✕ (가)에서 ~~인산기~~(수산기)가 있는 끝은 3′ 말단, ~~수산기~~(인산기)(−OH)가 있는 끝은 5′ 말단이다.
➡ (가)와 (나)의 양 말단의 방향은 서로 반대이다.

05 (가)는 대장균의 DNA, (나)는 사람의 DNA이다.

| **선택지 분석** |

ㄱ 오페론은 (가)에만 있고 (나)에는 없다.
➡ 원핵세포에는 유전자 발현 조절 단위인 오페론이 있어 여러 유전자의 전사가 한꺼번에 조절되는 경우가 많다.

✕ a는 ~~인트론~~(엑손), b는 ~~엑손~~(인트론)이다.
➡ 인트론은 유전자에서 유전 정보를 가지고 있지 않는 부분이고, 엑손은 유전 정보가 있는 부분이다.

✕ ~~(나)~~((가))의 유전자의 발현을 위한 mRNA 전사와 단백질 합성은 동일한 장소에서 진행된다.
➡ 사람의 경우 mRNA 전사는 핵에서, 단백질 합성은 세포질에서 진행된다.

더 알아보기 원핵세포와 진핵세포의 유전자 비교

구분	특징
원핵 세포	• 유전자의 크기가 비교적 작다. • 하나의 유전자 안에 인트론이 없다. • 유전자 사이에 빈 부분이 거의 없다. • 오페론이 있어 여러 유전자들의 발현을 함께 조절한다.
진핵 세포	• 대부분 유전자의 크기가 원핵세포보다 크다. • 하나의 유전자 안에 엑손과 인트론이 있다. • 유전자 사이에 유전 정보를 저장하지 않는 빈 부분이 많다. • 유전자 발현에 필요한 조절 단백질이 많고 오페론이 없어 유전자 발현이 각각 독립적으로 조절된다.

06 (1) 유전 물질은 DNA로 형질 전환을 일으키는 물질이며, DNA 분해 효소에 의해 분해되면 형질 전환이 일어나지 않는다. Ⅱ의 경우 A를 첨가하였을 때 S형 균이 관찰된 것으로 보아 A는 DNA이고, b는 단백질 분해 효소이다.

(2) B는 단백질이므로 형질 전환이 일어나지 않는다. 그러므로 Ⅲ과 Ⅳ에는 R형 균만 존재한다.

07 DNA 양쪽 가닥의 폴리뉴클레오타이드에 있는 염기 중 A은 T과 2개의 수소 결합, G은 C과 3개의 수소 결합으로 연결된다.

채점 기준	배점
G과 C이 3개의 수소 결합으로 연결되었음을 언급하며 옳게 서술한 경우	100 %
3개의 수소 결합을 언급하지 않고 G과 C의 함량만 옳게 서술한 경우	50 %

02 DNA 복제

탐구POOL 154쪽

01 반보존적 복제 **02** (1) ○ (2) ×

01 반보존적 복제에서는 DNA 이중 나선이 풀린 후 각각의 가닥이 주형이 되어 새로운 DNA가 합성된다.

02 (1) DNA는 반보존적 복제에 의해 5′→3′ 방향으로만 합성된다.
(2) 새로운 DNA 가닥 중 연속적으로 합성되는 가닥은 선도 가닥이고, 불연속적으로 합성되는 가닥은 지연 가닥이다.

콕콕! 개념 확인하기 155쪽

✔ 잠깐 확인!

1 보존적 복제 **2** 반보존적 복제 **3** 분산적 복제 **4** 복제 원점 **5** 헬리케이스 **6** DNA 중합 효소 **7** 5′, 3′ **8** 선도 가닥

01 (1) ○ (2) × (3) ○ **02** (1) – ㉡ (2) – ㉢ (3) – ㉠
03 ㉠ 뉴클레오타이드(디옥시리보뉴클레오타이드), ㉡ 반보존적 **04** (나), (가), (다), (라)

01 (2) DNA 이중 나선 전체를 주형으로 하여 새로운 DNA를 합성한다는 것은 보존적 복제 모델에 해당한다. 분산적 복제 모델은 DNA가 작은 조각으로 나누어져 복제된 후 다시 연결된다는 것이다.

04 DNA의 반보존적 복제 과정: 헬리케이스에 의해 DNA 이중 나선 풀림 → 프라이머 합성 → DNA 중합 효소는 합성 중인 가닥의 3′ 말단의 –OH에 새로운 디옥시리보뉴클레오타이드를 결합하여 새로운 가닥을 합성

탄탄! 내신 다지기 156쪽~157쪽

01 ② **02** ① **03** ① **04** ④ **05** ② **06** ④ **07** ①
08 ㉠ 프라이머, ㉡ 3′ **09** ⑤

01 (가)는 반보존적 복제 모델, (나)는 보존적 복제 모델, (다)는 분산적 복제 모델이다.

| 선택지 분석 |

① (가)는 보존적 복제 모델이다.
➡ 보존적 복제 모델은 (나)이다.

② 새로 합성된 DNA에 원래의 DNA 가닥이 포함되지 않는 것은 (나)이다.
➡ 보존적 복제 모델(나)에서는 새로 합성된 DNA에는 원래의 DNA 가닥이 포함되지 않는다.

③ (다)에서는 DNA 이중 나선 전체를 주형으로 하여 새로운 DNA를 합성한다.
➡ DNA 이중 나선 전체를 주형으로 하여 새로운 DNA를 합성하는 것은 보존적 복제 모델(나)이다.

④ (가)와 (나) 모두 새로 합성된 DNA에서 한 가닥은 원래의 것이고, 다른 하나는 새로 합성된 것이다.
➡ 반보존적 복제 모델(가)에서는 새로 합성된 DNA에서 한 가닥은 원래의 것이고, 다른 하나는 새로 합성된 것이다.

⑤ (가)와 (다) 모두 DNA 이중 나선이 풀린 후 각각의 가닥이 주형이 되어 새로운 DNA를 합성한다.
➡ DNA 이중 나선이 풀린 후 각각의 가닥이 주형이 되어 새로운 DNA를 합성하는 것은 반보존적 복제 모델(가)이다.

02 | 선택지 분석 |

㉠ 분산적 복제 모델이 옳다면 결과는 ⓐ만 나타날 것이다.
➡ 분산적 복제 모델에서는 새로 합성된 DNA가 원래의 DNA 조각들과 새로 합성된 조각들로 구성되므로 중간 무게의 DNA 한 층만 나타난다.

㉡ 결과가 ⓑ 또는 ⓒ 중 하나라면 보존적 복제 모델이 옳다고 할 수 있다.
➡ 보존적 복제 모델 결과에서는 ⓒ만 나타나야 한다.

㉢ 반보존적 복제 모델이 옳다면 결과는 ⓐ와 ⓓ 모두 나타날 것이다.
➡ 반보존적 복제 모델 결과에서는 ⓐ만 나타나야 한다.

03 | 선택지 분석 |

㉠ DNA 이중 나선 전체가 주형이다.
➡ 보존적 복제 모델에서는 DNA 이중 나선 전체를 주형으로 하여 새로운 DNA를 합성하므로 새로 합성된 DNA에는 원래의 DNA 가닥이 포함되지 않는다.

㉡ 복제 전에 DNA가 작은 조각으로 나뉜다.
➡ 분산적 복제 모델의 특징이다. 분산적 복제 모델은 DNA가 작은 조각으로 나누어져 합성된 후 다시 연결되어 새로운 DNA를 합성한다는 것이다.

㉢ 새로 합성된 DNA 중 한 가닥은 원래의 DNA 가닥이다.
➡ 반보존적 복제 모델의 특징이다.

✕ 새로 합성된 DNA에는 원래의 DNA 조각들과 새로 합성된 조각들이 섞여 있다.
➡ 분산적 복제 모델의 특징이다.

04 DNA는 반보존적으로 복제되므로 G_0에서는 하층, G_1에서는 중층, G_2에서는 상층 : 중층=1 : 1, G_3에서는 상층 : 중층=3 : 1로 나타난다.

05 ㉠은 뉴클레오타이드, (가)는 DNA 중합 효소이다.

| 선택지 분석 |

✕ ㉠에는 타이민(T)과 ~~리보스~~(디옥시리보스)가 들어 있다.
➡ ㉠은 디옥시리보스와 아데닌(A)에 상보적인 염기인 타이민(T)을 가진다.

ⓛ 효소 (가)는 ⓑ에 ㉠을 공유 결합으로 연결한다.
➡ 인산과 당은 공유 결합으로 연결된다.

✕ ⓐ는 ~~3′~~(5′) 말단, ⓑ는 ~~5′~~(3′) 말단이다.
➡ 인산기가 있는 부분은 5′ 말단, 수산기(−OH)가 있는 부분은 3′ 말단이다.

06 | 선택지 분석 |

✕ Ⅰ은 ~~선도~~(주형) 가닥, Ⅱ는 ~~지연~~(주형) 가닥이다.
➡ Ⅰ과 Ⅱ는 주형 가닥이고 Ⅰ을 주형으로 합성되는 것은 선도 가닥, Ⅱ를 주형으로 합성되는 것은 지연 가닥이다.

ⓛ ㉠을 구성하는 기본 단위는 리보뉴클레오타이드이다.
➡ ㉠은 RNA 프라이머이다. RNA 프라이머를 구성하는 뉴클레오타이드는 당이 리보스인 리보뉴클레오타이드이다.

ⓒ ㉡에서 DNA 중합 효소의 이동 방향은 (나)이다.
➡ 헬리케이스의 이동 방향이 (가)이므로 지연 가닥에서는 복제 방향이 반대 방향인 (나)로 DNA 중합 효소가 이동한다.

ⓡ ⓐ는 3′ 말단이다.
➡ DNA 중합 효소는 주형 가닥을 따라 3′→5′ 방향으로 이동하므로 ⓐ는 3′ 말단이다.

07 | 선택지 분석 |

✓① (가)는 연속적으로 합성된다.
➡ (가)는 연속적으로 합성되는 선도 가닥이다.

② (다)는 ~~지연~~(선도) 가닥이다.
➡ (다)는 연속적으로 합성되는 선도 가닥이다.

③ (나), (라), (마)는 ~~3′→5′~~(5′→3′) 방향으로 합성된다.
➡ DNA 합성은 항상 5′→3′ 방향으로 일어난다.

④ (바)는 ~~DNA 중합 효소~~(프라이메이스)가 합성한 것이다.
➡ (바)는 RNA 프라이머이다.

⑤ ⓐ와 ~~ⓑ~~(ⓒ)는 5′ 말단이고, ⓑ와 ~~ⓒ~~(ⓓ)는 3′ 말단이다.
➡ DNA 합성은 5′→3′ 방향으로 일어나므로 ⓐ와 ⓒ는 5′ 말단이고, ⓑ와 ⓓ는 3′ 말단이다.

08 DNA 중합 효소는 폴리뉴클레오타이드의 3′-OH가 있을 때만 새로운 뉴클레오타이드의 인산기를 결합시켜 당-인산 결합을 형성한다.

09 | 선택지 분석 |

① (가)는 ~~헬리케이스~~(DNA 중합 효소)이다.
➡ 헬리케이스는 DNA 이중 나선을 푸는 (나)이다.

② (나)는 ~~불연속적으로 합성된 짧은 가닥을 연결한다~~(헬리케이스이다).
➡ 불연속적으로 합성된 짧은 가닥을 연결하는 것은 DNA 연결 효소이다.

③ ㉠은 ~~지연~~(선도) 가닥, ㉢은 ~~선도 가닥~~(지연 가닥을 구성하는 짧은 가닥)이다.
➡ DNA의 복제 분기점이 이동하는 방향과 같은 방향으로 DNA 합성이 일어나는 가닥이 선도 가닥이다.

④ ㉡은 A, ~~T~~(U), G, C의 염기로 구성된다.
➡ ㉡은 RNA 프라이머로 T을 포함하지 않는다.

✓⑤ ⓐ와 ⓓ는 5′ 말단이고 ⓑ와 ⓒ는 3′ 말단이다.
➡ DNA 합성은 5′→3′ 방향으로 일어난다.

도전! 실력 올리기

158쪽~159쪽

01 ⑤ **02** ② **03** ① **04** ③ **05** ④

06 A: 중층, B: 하층, C: 상층, ㉠ 0.5, ㉡ 0.25, ㉢ 0.125

07 | **모범 답안** | 선도 가닥이다. DNA는 5′→3′ 방향으로 합성되므로 DNA가 오른쪽 방향으로 풀린다면 새로운 가닥이 연속적으로 합성될 수 있기 때문이다.

01 DNA는 반보존적으로 복제되므로 G_3에서는 중간 무게의 DNA와 무거운 DNA가 1 : 3의 비로 합성된다.

02 | 선택지 분석 |

✕ ㉠은 ~~지연 가닥~~(선도 가닥), ㉡은 ~~선도 가닥~~(지연 가닥)이다.
➡ DNA 합성은 5′→3′ 방향으로 일어나므로 한 가닥에서는 연속적으로 합성되지만 다른 가닥에서는 불연속적으로 합성된다.

ⓛ 이 과정은 간기의 S기에 일어난다.
➡ DNA 복제는 세포 분열 간기의 S기에 일어난다.

✕ ㉠과 ㉡에 들어 있는 사이토신(C)의 수를 모두 합한 값은 ~~20~~(15)이다.
➡ A은 T과, G은 C과 상보적 결합을 하므로 A의 염기 수가 30개이면 T의 염기 수도 30개이다. G의 염기 수를 x라고 하면, 전체 염기 수는 90이므로 $2x+60=90$이다. $x=15$이므로 G과 C은 각각 15개씩 들어 있다.

03 Ⅰ과 Ⅲ은 주형 가닥, Ⅱ는 지연 가닥, Ⅳ는 선도 가닥이다.

| 선택지 분석 |

ⓖ Ⅱ는 비연속적으로 합성된다.
➡ 주형 가닥 Ⅰ이 5′→3′ 방향으로 풀리므로 Ⅱ에서는 연속적으로 DNA를 합성할 수 없다.

✕ 복제가 완료된 후 Ⅰ과 ~~Ⅳ~~(Ⅱ)는 서로 상보적인 염기 서열을 갖는다.
➡ 복제가 끝나면 Ⅰ과 Ⅱ, Ⅲ과 Ⅳ가 서로 상보적이다.

✕ Ⅲ에서 피리미딘 계열 염기의 비율은 ~~56 %~~ 44이다.

➡ Ⅲ은 Ⅰ과 상보적이므로 Ⅲ에서 피리미딘 계열 염기인 C과 T의 비율은 44 %이다.

04 | 자료 분석 |

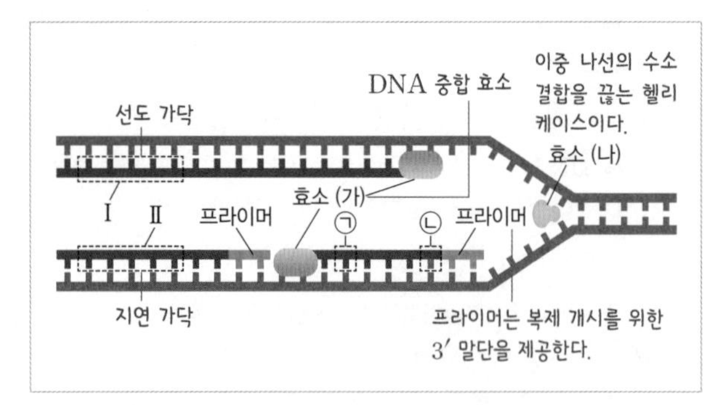

| 선택지 분석 |

㉠ (가)에 의해 ㉠보다 ㉡이 합성되는 가닥에 먼저 결합된다.

➡ 하나의 DNA 조각에서 프라이머 가까이 있는 ㉡이 ㉠보다 먼저 합성되는 가닥에 결합되었다.

㉡ (나)는 염기 사이의 수소 결합을 끊는 역할을 한다.

➡ 복제 원점에 헬리케이스(나)가 부착하여 염기 사이의 수소 결합을 끊으면 DNA 이중 나선이 풀리기 시작한다.

✕ Ⅰ과 Ⅱ에 포함된 전체 염기 중 아데닌(A)의 비율이 30 %라면 Ⅰ과 Ⅱ에 들어 있는 구아닌(G)과 타이민(T)의 수를 모두 합한 값은 ~~4~~ 5이다.

➡ Ⅰ과 Ⅱ는 상보적이므로 Ⅰ과 Ⅱ에 포함된 전체 염기 중 A이 30 %라면, T도 30 %, G과 C은 각각 20 %이다. Ⅰ과 Ⅱ에 포함된 전체 염기는 10개이므로 A은 3개, G은 2개, T은 3개, C은 2개이므로 G+T=5이다.

05 | 자료 분석 |

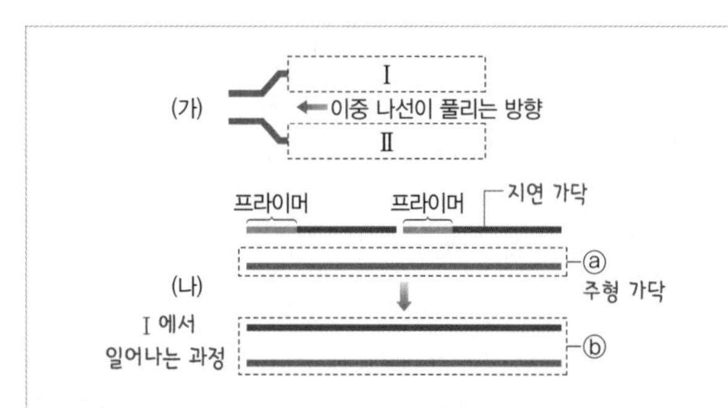

ⓑ에서 A의 수=T의 수=x, G의 수=C의 수=y라고 하면, $\frac{A+T}{G+C}=\frac{2x}{2y}=\frac{3}{7}$, 수소 결합 수는 $2x+3y=270$이므로, $x=30$, $y=70$이다. 따라서 염기의 수는 다음과 같다.

구분	A	G	C	T
ⓐ	8	32	38	22
ⓐ로부터 복제된 가닥	22	38	32	8

$\frac{\text{Ⅰ에서 복제 주형 가닥에 있는 A의 수}}{\text{Ⅱ에서 복제 주형 가닥에 있는 C의 수}}=\frac{1}{4}=\frac{8}{32}$이므로, Ⅰ에서 복제 주형 가닥은 ⓐ이다. 그러므로 Ⅰ에서는 지연 가닥, Ⅱ에서는 선도 가닥이 각각 합성된다.

| 선택지 분석 |

✕ Ⅰ에서는 ~~선도 가닥~~ 지연 가닥, Ⅱ에서는 ~~지연 가닥~~ 선도 가닥이 각각 합성된다.

➡ ⓐ는 Ⅰ에 있는 복제 주형 가닥이므로 Ⅰ에서는 지연 가닥이 합성된다.

㉡ (나)는 Ⅰ에서 일어나는 과정이다.

➡ (나)는 지연 가닥이 합성되는 과정이다.

㉢ Ⅱ에서 복제 주형 가닥에 있는 C과 T을 합한 염기의 수는 40개이다.

➡ Ⅱ에서 복제 주형 가닥은 Ⅰ에서 복제된 가닥과 동일하므로 C의 수는 32개, T의 수는 8개이다.

06 DNA는 반보존적 복제를 하므로 새로 합성된 이중 가닥 DNA에서 한 가닥은 원래의 것이고 나머지 한 가닥은 새로 합성된 것이다. 각 세대별 전체 DNA 중 특정 DNA가 차지하는 비율을 나타낸 표를 완성하면 다음과 같다.

구분 \ 세대	G_0	G_1	G_2	G_3	G_4
A(중층)	0	1	0.5	㉡ 0.25	? 0.875
B(하층)	0	0	㉠ 0.5	0.75	? 0
C(상층)	1	0	? 0	? 0	㉢ 0.125

07 DNA는 항상 5′ → 3′ 방향으로 합성되므로 DNA 가닥이 복제 원점을 중심으로 풀릴 때 새로 합성되는 가닥 중 한 가닥은 연속적으로 합성되지만 다른 가닥은 연속적으로 합성될 수 없다. 복제 진행 방향이 주형 가닥의 3′ → 5′ 방향일 때 선도 가닥은 5′ → 3′ 방향으로 합성되며, 복제 진행 방향이 주형 가닥의 5′ → 3′ 방향일 때 지연 가닥이 합성되고, 불연속적으로 5′ → 3′ 방향으로 합성된다.

채점 기준	배점
명칭을 쓰고 DNA 합성 방향을 언급하며 까닭을 옳게 서술한 경우	100 %
명칭을 쓰고 DNA 합성 방향을 언급하지 않고 까닭을 옳게 서술하거나 명칭과 까닭 중 하나만 옳은 경우	50 %

03 유전자 발현

개념POOL 165쪽

01 (1) × (2) ○ (3) ×

01 (1) 원핵세포는 RNA가 만들어지고 난 후 가공 과정을 거치지 않는다.

(3) 하나의 코돈은 하나의 아미노산만을 지정하지만, 한 종류의 아미노산을 지정하는 코돈의 종류는 하나 이상이다.

탐구POOL 166쪽

01 UAG **02** 5개

01 5′－AUAAUGGCACUUUGCGGCACCUAG－3′
(AUG: 개시 코돈, UAG: 종결 코돈)

02 합성된 폴리펩타이드는 메싸이오닌－알라닌－류신－시스테인－글리신－트레오닌이므로 5개의 펩타이드 결합이 있다.

콕콕! 개념 확인하기 167쪽

✔ 잠깐 확인!
1 1유전자 1효소설 **2** 중심 원리 **3** 전사 **4** 번역 **5** 코돈
6 mRNA **7** tRNA

01 ㉠ 유전자, ㉡ 유전자 발현 **02** (1)－㉡ (2)－㉠ (3)－㉡
03 (1) ○ (2) × (3) ○ (4) × **04** ㉠ 프로모터, ㉡ 뉴클레오타이드(리보뉴클레오타이드), ㉢ 5′, ㉣ 3′ **05** ㄴ, ㄷ, ㄹ

01 유전자는 DNA의 특정 염기 서열로 단백질 합성에 필요한 유전 정보를 저장하고 있다.

03 (2) 2개의 염기가 조합을 이루어 아미노산을 지정하면 $4^2=16$종류의 아미노산만 지정할 수 있으므로 20종류의 아미노산을 충분히 지정할 수 없다.
(4) 유전부호는 거의 모든 생명체에서 동일하게 사용되어 생물이 공통 조상으로부터 진화해 왔다는 증거가 된다.

04 RNA를 구성하는 단위체는 리보뉴클레오타이드이며, RNA 중합 효소는 프로모터에 결합하여 전사를 개시하여 5′→3′ 방향으로 RNA를 합성한다.

05 DNA는 DNA 복제와 전사에, 프라이머는 DNA 복제에 필요하다.

탄탄! 내신 다지기 168쪽~169쪽

01 ② **02** ② **03** ⑤ **04** ① **05** ㄴ, ㄷ **06** ④ **07** ③
08 ③ **09** ㄱ, ㄷ **10** ①

01 유전자는 효소뿐만 아니라 인슐린과 같은 호르몬, 머리카락을 구성하는 케라틴, RNA 등의 물질을 합성하는 유전 정보를 담고 있다.

02 | 선택지 분석 |

ㄱ. ✕ 유전자 1에만 돌연변이가 발생한 경우 최소 배지에 (가)를 첨가하여도 (나)와 (다) 모두 ~~합성되지 않는다~~ 합성된다.
➡ 유전자 1에 돌연변이가 발생한 경우 다른 효소의 기능은 정상이다.

㉡ 유전자 2에만 돌연변이가 발생한 경우 최소 배지에 (다)를 첨가하면 생존할 수 있다.
➡ (다)를 첨가하면 유전자 1, 2, 3에 돌연변이가 발생하여도 생존할 수 있다.

ㄷ. ✕ 유전자 1과 유전자 3에 모두 돌연변이가 발생한 경우 (가)를 첨가하여도 (나)를 ~~합성되지 않는다~~ 합성된다.
➡ 효소 2는 정상이므로 (나)를 합성할 수 있다.

03 | 선택지 분석 |

ㄱ. ✕ 물질이 합성되는 과정은 ~~㉠→㉢→㉡~~ ㉡→㉢→㉠이다.
➡ A는 ㉡→㉢, B는 전구 물질→㉡, C는 ㉢→㉠을 각각 합성하는 과정에 이상이 생긴 것이다.

㉡ A는 ㉡을 ㉢으로 합성하는 효소에 이상이 있다.
➡ A는 최소 배지에 ㉡을 첨가하여도 생장하지 못한다.

㉢ ㉡을 합성하는 데 관여하는 효소의 유전자에 돌연변이가 발생한 것은 B이다.
➡ B는 최소 배지에 ㉠, ㉡, ㉢을 각각 넣었을 때 생장하였으므로 전구 물질→㉡ 과정을 담당하는 효소에 이상이 생긴 것이다.

04 (가)는 복제, (나)는 전사, (다)는 번역, A는 DNA, B는 RNA, C는 단백질, D는 아미노산이다.

| 선택지 분석 |

✓① 유전 정보의 중심 원리를 나타낸 것이다.
➡ DNA의 유전 정보는 RNA로 전달되고 RNA의 유전 정보는 단백질 합성 과정에 사용되는 것을 중심 원리라고 한다.

② A와 B의 단위체는 구성하는 염기의 종류만 다르고 ~~나머지 구성 물질은 모두 동일하다~~ 당도 다르다.
➡ DNA를 구성하는 당은 디옥시리보스, 염기의 종류는 A, T, G, C이고 RNA를 구성하는 당은 리보스, 염기의 종류는 A, U, G, C이다.

③ C는 단위체 D의 ~~수소 결합~~ 펩타이드 결합을 통해 만들어진다.
➡ 단백질은 아미노산과 아미노산 사이의 펩타이드 결합을 통해 만들어진다.

④ (가)는 ~~전사~~ 복제, (나)는 ~~번역~~ 전사 과정이다.
➡ (가)는 DNA가 복제되는 과정, (나)는 DNA의 유전 정보가 RNA의 유전 정보로 전달되는 전사이다.

⑤ ~~진핵세포~~ 원핵세포에서는 (나)와 (다) 과정이 동시에 일어난다.
➡ 진핵세포에서는 핵 안에서 전사(나)가 일어나고 세포질에서 번역(다)이 일어난다.

05 | 선택지 분석 |

ㄱ. ✕ 전사는 ~~핵~~ 세포질에서, 번역은 세포질에서 일어난다.
➡ 진핵세포의 경우 전사는 핵에서, 번역은 세포질에서 일어난다.

㉡ RNA가 만들어진 후 가공 과정을 거치지 않는다.
➡ RNA 가공은 진핵세포에서만 일어난다.

㉢ 전사와 번역이 동시에 진행된다.
➡ 원핵세포는 핵이 없으므로 전사와 번역이 세포질에서 동시에 진행된다.

06 DNA에서 하나의 아미노산을 지정하는 연속된 3개의 염기로 이루어진 유전부호를 3염기 조합이라 하며, 3염기 조합에서 전사된 mRNA의 연속된 3개의 염기로 이루어진 유전부호를 코돈이라 한다. 하나의 유전부호는 하나의 아미노산만을 지정하지만, 한 종류의 아미노산을 지정하는 유전부호의 종류는 하나 이상이다.

07 | 선택지 분석 |

ㄱ (가)는 RNA 중합 효소이다.
➡ DNA 합성은 DNA 중합 효소, RNA 합성은 RNA 중합 효소에 의해 일어난다.

ㄴ ⓐ와 ⓒ는 5′ 말단, ⓑ는 3′ 말단이다.
➡ 5′→3′ 방향으로 RNA가 합성된다.

✕ 이 과정을 통해 DNA 가닥 Ⅰ에 있는 ~~유전 정보 전체~~(특정 유전자)를 전사한 RNA가 합성된다.
➡ 이 과정을 통해 DNA 가닥 Ⅰ에 있는 특정 유전자의 유전 정보가 RNA로 전사된다.

08 | 선택지 분석 |

ㄱ ㉠은 3′ 말단으로 아미노산이 결합된다.
➡ ㉠은 아미노산이 결합하는 부분으로 3′ 말단이다.

✕ ㉡과 결합하는 코돈은 3′-~~CUU~~(UUC)-5′이다.
➡ ㉡은 안티코돈으로 이와 결합하는 코돈은 5′-CUU-3′이다.

ㄷ (가)는 단일 가닥의 폴리뉴클레오타이드로 입체 구조를 형성한다.
➡ tRNA(가)는 단일 가닥의 폴리뉴클레오타이드로 상보적 염기 사이에 수소 결합이 형성되어 입체 구조를 형성한다.

09 | 선택지 분석 |

ㄱ (가)는 단백질과 rRNA로 이루어져 있다.
➡ rRNA는 대부분 핵 속의 인에서 전사되어 단백질과 함께 리보솜을 구성한다.

✕ (가)는 아미노산을 ~~수소 결합~~(펩타이드 결합)으로 연결한다.
➡ (가)는 리보솜으로, 아미노산과 아미노산 사이를 펩타이드 결합으로 연결하여 단백질을 합성한다.

ㄷ 개시 tRNA는 리보솜의 P 자리에 결합한다.
➡ 개시 tRNA는 P 자리에 결합하고 다음 아미노산을 운반하는 tRNA는 A 자리에 온다.

10 | 선택지 분석 |

ㄱ ⓐ는 5′ 말단, ⓑ는 3′ 말단이다.
➡ 리보솜은 ⓐ에서 ⓑ로 이동하므로 ⓐ는 5′ 말단, ⓑ는 3′ 말단이다.

✕ ㉠~㉢은 아미노산으로 ㉢은 ~~㉠~~(㉡)과 결합한다.
➡ ㉢은 가장 최근에 폴리펩타이드에 결합된 ㉡과 펩타이드 결합을 한다.

✕ 리보솜은 mRNA의 ~~염기~~(코돈) 하나만큼 5′→3′ 방향으로 이동한다.
➡ mRNA를 따라 리보솜은 5′→3′ 방향으로 코돈 하나만큼 이동한다.

더 알아보기 **번역 과정**

- **개시:** mRNA가 리보솜 소단위체에 결합 → 개시 tRNA가 mRNA의 개시 코돈에 결합 → 리보솜 대단위체 결합
- **신장:** A 자리에 새로운 tRNA 들어옴 → 아미노산 사이에 펩타이드 결합 형성 → 리보솜 이동 → 개시 tRNA는 E 자리로, A 자리의 tRNA는 P 자리로 이동, A 자리에 새로운 tRNA가 결합하며 과정이 반복됨
- **종결:** 리보솜이 종결 코돈에 도달하면 번역 과정 종결 → 폴리펩타이드, 리보솜, mRNA, tRNA 분리

도전! 실력 올리기

170쪽~071쪽

01 ② **02** ④ **03** ③ **04** ①

05 Ⅰ: c, Ⅱ: b

06 | 모범 답안 | 원핵세포이다. 전사와 번역이 같은 장소에서 동시에 일어나기 때문이다.

01 ㉠은 시트룰린, ㉡은 오르니틴, ㉢은 아르지닌이고, Ⅰ은 c, Ⅱ는 a, Ⅲ은 b, Ⅳ는 a와 b에 돌연변이가 일어난 것이다.

| 선택지 분석 |

✕ 물질의 합성 과정은 ~~㉢→㉠→㉡~~(㉡→㉠→㉢)이다.
➡ 물질의 합성 과정은 ㉡(오르니틴)→㉠(시트룰린)→㉢(아르지닌)이다.

ㄴ Ⅲ은 오르니틴을 기질로 이용하지 못한다.
➡ Ⅲ은 b에 이상이 생긴 것으로 오르니틴을 이용할 수 없다.

✕ Ⅳ는 a와 ~~c~~(b) 모두에 돌연변이가 일어난 것이다.
➡ Ⅳ는 최소 배지와 최소 배지에 오르니틴을 첨가했을 때에만 생장하지 못하므로 c는 정상이다.

02 | 자료 분석 |

DNA와 mRNA의 염기 조성을 나타낸 표를 완성하면 다음과 같다.

구분		염기 조성(개)				
		A	G	T	C	U
DNA	Ⅰ	㉠ 23	? 33	17	? 27	? 0
	Ⅱ	? 17	27	? 23	㉢ 33	? 0
mRNA		? 23	㉡ 33	? 0	? 27	17

| 선택지 분석 |

✕ 전사될 때 주형 가닥은 ~~Ⅰ~~(Ⅱ)이다.
➡ mRNA의 염기 조성 중 U과 상보적 결합을 하는 DNA의 A 염기 조성이 같은 Ⅱ가 주형 가닥이다.

ㄴ ㉠, ㉡, ㉢을 모두 합한 값은 89이다.
➡ ㉠은 23, ㉡은 33, ㉢은 33이므로 모두 합한 값은 89이다.

ㄷ Ⅱ에는 퓨린 계열 염기<피리미딘 계열 염기이다.
➡ 가닥 Ⅱ에서 퓨린 계열 염기인 A=17, G=27이고 피리미딘 계열 염기인 C=33, T=23이다.

03 ㉠은 개시 tRNA, ㉡은 mRNA와 리보솜 소단위체의 결합을 차단하는 물질, ㉢은 리보솜 A 자리에 tRNA가 결합하는 것을 차단하는 물질이다.

| 선택지 분석 |

✕ ㉠의 안티코돈은 5′−~~AUG~~−3′이다. (CAU)

➡ ㉠(개시 tRNA)은 개시 코돈 5′−AUG−3′에 상보적으로 결합한다.

✕ ~~㉡~~(㉢)은 리보솜 A 자리에 tRNA가 결합하는 것을 차단하는 물질이다.

➡ Ⅱ에서 t_1에 ㉡을 첨가하였을 때는 시간이 흐른 후 ⓐ의 삽입이 중지되었고, Ⅳ에서 t_0에 ㉡을 첨가하였을 때는 처음부터 ⓐ의 삽입이 없었으므로 ㉡은 mRNA와 리보솜 소단위체의 결합을 차단하는 물질임을 알 수 있다.

ⓒ Ⅴ에서는 펩타이드 결합이 형성되지 않는다.

➡ 리보솜의 A 자리에 새로운 tRNA가 결합하지 못하므로 아미노산 사이의 펩타이드 결합이 형성될 수 없다.

04 DNA 가닥 Ⅰ과 Ⅱ의 염기 서열과 유전자 발현 결과는 그림과 같다.

발린 − 류신 − 아르지닌 − 메싸이오닌

mRNA······ 3′−AACCUACC GAU GUG GUC AGC GUA U[?]AUUGG−5′ (? → A or G)
㉠ (종결 코돈)

가닥 Ⅰ ········ 5′−TTGG[ATG GCT ACA CCA GTC GCA TA[?]T]AACC−3′ (? → T or C)

가닥 Ⅱ ········ 3′−AACC[TAC CGA TGT GGT CAG CGT AT[?]A]TTGG−5′ (? → A or G)
㉡

mRNA······ 5′−UUGG AUG GCU ACA CCA GUC GCA UA[?] UAA CC−3′ (? → U or C)
(종결 코돈)

메싸이오닌 − 알라닌 − 트레오닌 − 프롤린 − 발린 − 알라닌 − 타이로신

| 선택지 분석 |

ⓞ X와 Y가 합성될 때의 종결 코돈은 각각 UAG, UAA이다.

➡ X가 합성될 때의 종결 코돈은 UAG, Y가 합성될 때의 종결 코돈은 UAA이다.

✕ X는 가닥 Ⅰ의 (가)에서 3′ 말단의 ~~7~~(8)번째 염기부터 아미노산을 지정한다.

➡ 개시 코돈은 5′−AUG−3′이므로 이에 상보적인 DNA 3염기 조합은 3′−TAC−5′이다. 따라서 3′ 말단의 8번째 염기부터 아미노산을 지정한다.

✕ Y에 포함된 2개의 알라닌을 지정하는 코돈은 모두 ~~GCU~~이다. (GCU, GCA)

➡ Y에 포함된 2개의 알라닌을 지정하는 코돈은 하나는 GCU, 다른 하나는 GCA이다.

05 야생형이 검은색이므로 ㉢은 검은색 색소이고, X를 첨가하면 모두 검은색이 만들어지므로 X가 ㉢이다. Ⅰ은 Y 여부에 관계없이 Z를 만들기 때문에 Ⅰ은 c에 돌연변이가 일어난 것이다. 한편, Y를 첨가하지 않았을 때 Ⅰ은 Z를 합성하여 갈색이 되고 Ⅱ는 Z를 합성하지 못해 황색이 되므로 ㉡은 갈색 색소이며 Z이고, ㉠은 황색 색소이며 Y이다. 그러므로 Ⅱ는 b에 돌연변이가 일어난 것이다.

06 원핵세포는 핵이 없어 세포질에서 전사와 번역이 동시에 일어난다. 즉, RNA가 만들어지는 중에 단백질이 합성된다. 한편, 진핵세포의 경우 전사는 핵에서, 번역은 세포질에서 일어나므로 전사와 번역이 동시에 일어나지 않는다.

채점 기준	배점
세포의 종류를 쓰고 전사와 번역이 동시에 일어난다는 언급을 하며 까닭을 옳게 서술한 경우	100 %
세포의 종류를 쓰고 전사와 번역이 동시에 일어난다는 언급을 하지 않고 까닭을 서술한 경우	60 %

실전! 수능 도전하기

173쪽~176쪽

01 ② **02** ⑤ **03** ② **04** ④ **05** ③ **06** ⑤ **07** ①
08 ⑤ **09** ① **10** ② **11** ②

01 ⓐ와 ⓑ는 모두 R형 균이고, ㉢은 DNA 분해 효소이다.

| 선택지 분석 |

✕ ⓐ는 R형 균, ⓑ는 ~~S형 균~~이다. (R형 균)

➡ Ⅲ과 Ⅳ에 DNA 분해 효소인 ㉢을 처리하였으므로 ⓐ와 ⓑ는 모두 R형 균이다.

✕ 형질 전환을 일으키는 물질은 ~~㉡~~(㉢)에 의해 분해되었다.

➡ 형질 전환을 일으키는 물질은 DNA이므로 DNA 분해 효소(㉢)에 의해 분해된다.

ⓒ Ⅳ에는 피막이 있는 폐렴 쌍구균이 없다.

➡ Ⅳ에 존재하는 것은 R형 균이며, R형 균은 피막이 없다.

02 | 선택지 분석 |

✕ ㉡은 ~~단백질~~을 표지한다. (DNA)

➡ ㉠은 ^{35}S으로 단백질을 표지하고, ㉡은 ^{32}P으로 DNA를 표지한다.

ⓛ 믹서 작동은 대장균에 붙어 있는 파지를 분리하기 위한 과정이다.

➡ 믹서 작동으로 대장균과 파지를 분리한 후 원심 분리기로 대장균을 침전시킨다.

ⓒ (가)의 방사능이 검출된 층에는 ^{35}S이 있다.

➡ 파지의 단백질은 대장균 안으로 들어가지 않으므로 (가)의 상층액에서 ^{35}S이 검출된다.

03 붉은빵곰팡이는 ㉢을 합성하면 생장할 수 있으므로 ㉢은 아르지닌이다. 최소 배지에 ㉠을 첨가하면 모두 ㉢를 합성할 수 있으므로 ㉠은 시트룰린이고, ㉡은 오르니틴이다. Ⅰ은 최소 배지에 ㉡을 첨가해도 ㉢을 합성하지 못하므로 b에 돌연변이가 일어난 것이고, Ⅱ는 a에 돌연변이가 일어난 것이다.

| 선택지 분석 |

✕ ㉡은 ~~시트룰린~~이다. (오르니틴)

➡ Ⅰ은 b에 돌연변이가 일어난 것이므로 ㉠은 시트룰린, ㉡은 오르니틴이다.

✗ 효소 B의 기질은 ~~㉢~~(㉡)이다.

➡ B의 기질은 오르니틴이고 오르니틴은 ㉡에 해당한다. ㉢은 아르지닌이다.

ㄷ. Ⅱ는 a에 돌연변이가 일어난 것이다.

➡ Ⅱ는 최소 배지에 ㉠이나 ㉡을 첨가하였을 때 모두 생장하였으므로 a에 돌연변이가 일어난 것이다.

04 | 자료 분석 |

구분	㉠ (G₂ 또는 G₃)	㉡ G_0	㉢ (G₂ 또는 G₃)	㉣ G_1
$^{15}N-^{15}N$ ⓐ	○	○	○	×
$^{14}N-^{14}N$ ⓑ	×	×	×	×
$^{14}N-^{15}N$ ⓒ	○	×	○	○

(○: 있음, ×: 없음)

G_0은 $^{15}N-^{15}N$ DNA 1종류만 있으며, 같은 종류로 한 층을 이루는 세대가 없는 것으로 보아 G_1은 ^{14}N 배지에서 배양하였고 $^{14}N-^{15}N$ DNA만 있다. 그러므로 ㉡과 ㉣은 각각 G_0 또는 G_1이다. 그런데 ㉠과 ㉢은 $^{15}N-^{15}N$ DNA와 $^{14}N-^{15}N$ DNA층이 나타나므로 G_2와 G_3은 ^{15}N 배지에서 배양하여 $^{15}N-^{15}N$ DNA와 $^{14}N-^{15}N$ DNA를 가졌음을 알 수 있다. 그런데 G_4는 ^{14}N 배지를 사용하였으므로 $^{14}N-^{14}N$ DNA와 $^{14}N-^{15}N$ DNA가 있다. 따라서 ⓒ는 $^{14}N-^{15}N$ DNA, ⓑ는 $^{14}N-^{14}N$ DNA, ⓐ는 $^{15}N-^{15}N$ DNA이다. 그리고 ㉡은 G_0이고, ㉣은 G_1이다. 결국 G_0으로부터 G_4까지 얻는 과정에서 사용된 질소는 $^{15}N \rightarrow {}^{14}N \rightarrow {}^{15}N \rightarrow {}^{15}N \rightarrow {}^{14}N$이며, G_4에서 $^{14}N-^{14}N$ DNA : $^{14}N-^{15}N$ DNA$=1:7$이다.

| 선택지 분석 |

ㄱ. ⓐ는 $^{15}N-^{15}N$ DNA이다.

➡ ⓐ는 $^{15}N-^{15}N$ DNA, ⓑ는 $^{14}N-^{14}N$ DNA, ⓒ는 $^{14}N-^{15}N$ DNA이다.

✗ ~~㉢~~(㉣)은 G_1이다.

➡ ㉠은 G_2 또는 G_3, ㉡은 G_0, ㉢은 G_2 또는 G_3, ㉣은 G_1이다.

ㄷ. G_4에서 ⓒ의 비율은 G_4 전체 DNA의 $\frac{7}{8}$이다.

➡ G_4에서 $^{14}N-^{14}N$ DNA : $^{14}N-^{15}N$ DNA$=1:7$이므로 ⓒ의 비율은 G_4 전체 DNA의 $\frac{7}{8}$이다.

05 | 자료 분석 |

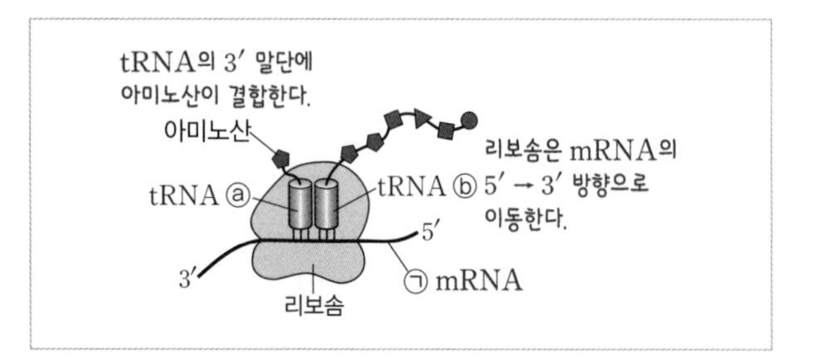

| 선택지 분석 |

ㄱ. 리보솜은 단백질과 rRNA로 이루어진다.

➡ 리보솜은 핵에서 합성되며 세포질에서 단백질을 합성한다.

✗ ㉠은 ~~디옥시리보뉴클레오타이드~~(리보뉴클레오타이드)를 단위체로 한다.

➡ ㉠은 mRNA이므로 단위체는 리보뉴클레오타이드이다.

ㄷ. 리보솜에서 tRNA ⓑ가 tRNA ⓐ보다 먼저 방출된다.

➡ 리보솜은 ㉠의 3′ 쪽으로 이동하므로 tRNA ⓑ가 먼저 방출된다.

06

X에서 A+T=60 %, G+C=40 %, X_1의 G은 16 %, C+T=52 %이므로 X_1과 X_2의 염기 비율은 다음과 같다.

	A	T	G	C
X_1	32 %	28 %	16 %	24 %
X_2	28 %	32%	24 %	16 %

Y에서 A+T=30 %, G+C=70 %, Y_1의 C은 30 %, Y_2의 A은 12 %이므로 Y_1과 Y_2의 염기 비율은 다음과 같다.

	A	T	G	C
Y_1	18 %	12 %	40 %	30 %
Y_2	12 %	18 %	30 %	40 %

그러므로 X_2가 Z의 주형 가닥이다.

| 선택지 분석 |

✗ Z의 주형 가닥은 ~~X_1~~(X_2)이다.

➡ Z에서 구아닌(G)의 비율이 16 %이므로 이에 상보적 결합을 하는 C의 비율 16 %인 X_2가 주형 가닥이다.

ㄴ. Y_1에서 퓨린 계열 염기의 비율은 58 %이다.

➡ Y_1에서 A+G=18+40=58 %이다.

ㄷ. 염기 간 수소 결합의 총 개수는 X가 Y보다 적다.

➡ 염기 간 수소 결합의 총 개수는 X가 Y보다 G+C가 30 % 적으므로 90개(=30 %×300개)가 적다.

07

(가)에서 염기의 비율은 $\frac{A+㉠}{㉡+㉢}=\frac{1}{4}$일 때 ㉠은 G이나 C이 될 수 없으므로 T(피리미딘 계열 염기)이다. 따라서 (가)의 A+T=40, G+C=160이다. Ⅰ의 A과 Ⅱ의 T이 13이므로 Ⅰ의 T과 Ⅱ의 A은 7이다. Ⅲ의 G은 28이므로 Ⅰ과 Ⅱ를 구성하는 G이나 C은 28 또는 52($=\frac{160-28\times2}{2}$) 중 하나이다. 그런데 Ⅱ에서 C의 수가 G의 수보다 많다고 하였으므로 Ⅱ의 C은 52, G은 28, Ⅰ의 C은 28, G은 52이다. 따라서 주형 가닥은 Ⅰ이다.

| 선택지 분석 |

ㄱ. Ⅲ의 주형 가닥은 Ⅰ이다.

➡ Ⅲ에서 G의 수는 28인데, Ⅱ의 C은 52, Ⅰ의 C은 28이므로 주형 가닥은 Ⅰ이다.

✗ Ⅰ에서 피리미딘 계열 염기는 ~~31~~(35)개이다.

➡ Ⅰ에서 피리미딘 계열 염기인 C+T의 수는 모두 35개이다.

✗ ㉠은 ~~퓨린~~(피리미딘) 계열 염기이다.

➡ ㉠은 T이며 피리미딘 계열 염기에 해당한다.

08 Ⅰ의 총 염기 수는 40, $\frac{A+T}{G+C}=\frac{2}{3}$이므로 Ⅰ의 A+T=16, G+C=24이다. 그런데 (가)와 ㉠ 사이의 염기 간 수소 결합의 총 개수는 115개이므로 ㉠에서는 115=2×(A+T+U)+3(G+C)이고 ㉠의 A+T+G+C+U=44이므로 ㉠은 G+C=27이다. ㉠은 Ⅰ과 X로 구성되고 X는 C 또는 U로 이루어지는데, ㉠에서의 G+C=27, Ⅰ에서의 G+C=24이므로 X에는 C이 3개, U이 1개 있고, Y는 상보적이므로 G이 3개, A이 1개 있다. Ⅱ의 총 염기 수는 18, $\frac{A+T}{G+C}=\frac{1}{2}$이므로 Ⅱ의 A+T=6, G+C=12이다. Ⅱ와 Ⅲ의 염기 수가 18로 같고 Ⅱ와 (나) 사이, Ⅲ과 (나) 사이의 염기 간 수소 결합 수가 같으므로 Ⅱ와 Ⅲ에 포함된 A+T의 양과 G+C의 양은 서로 같다. 따라서 Ⅲ에 있는 G+C=12, A+T=6이다. 한편, ㉠의 염기는 ㉡, ㉢의 염기와 상보적이고 ㉠의 염기 수는 ㉡과 ㉢의 염기 수의 합과 같으므로 Ⅰ과 X로 구성된 ㉠에는 A+T=16, G+C=27, U=1이고, Ⅱ와 Y로 구성된 ㉡에는 A+T=7, G+C=15이다. Ⅲ은 G+C=12, A+T=6이므로 Z는 A 또는 U로만 이루어진다. ㉢에는 $\frac{A}{G}=\frac{2}{3}$이고, $\frac{T}{C}=1$, G+C=12, A+T+U=10이므로 ㉢에 있는 가능한 염기의 수는 A=4, G=6, C=6, T=6, U=0 또는 A=6, G=9, C=3, T=3, U=1이다.

| 선택지 분석 |

ㄱ. X에서 사이토신(C)의 개수는 1개이다.

➡ X에는 C이 3개, U이 1개가 있으므로 사이토신(C)의 개수는 3개이다.

ㄴ. $\frac{A+T}{G+C}$는 Ⅰ에서가 ㉢에서보다 작다.

➡ $\frac{A+T}{G+C}$는 Ⅰ에서는 $\frac{2}{3}$이고 ㉢에서는 $\frac{5}{6}$ 또는 $\frac{3}{4}$이므로 Ⅰ에서가 ㉢에서보다 작다.

ㄷ. 염기 간 수소 결합의 총 개수는 (나)와 ㉡ 사이가 (나)와 ㉢ 사이보다 많다.

➡ ㉡의 염기는 A+T=7, G+C=15이며, ㉢에 있는 가능한 염기는 A=4, G=6, C=6, T=6, U=0 또는 A=6, G=9, C=3, T=3, U=1이다. ㉡에 포함된 G+C의 수가 ㉢보다 많으므로 염기 간 수소 결합의 총 개수는 (나)와 ㉡ 사이가 (나)와 ㉢ 사이보다 많다.

09 ㉠의 염기 수는 20, ㉮와 ㉠ 사이의 염기 간 수소 결합의 총 개수는 53개이므로 ㉠의 모든 염기인 A+T+G+C+U=20이고 53=2×(A+T+U)+3(G+C)이다. 따라서 G+C=13, A+T+U=7이다. ㉮의 일부로 ㉠과 상보적인 부분의 염기는 G+C=13, A+T=7인데, Ⅰ은 ㉠과 상보적인 부분에서 X(CCCC 또는 UUUU 중 하나)와 상보적 염기를 제외해야 하고, Ⅰ은 $\frac{A+T}{G+C}<\frac{1}{2}$이므로 이 조건을 만족하려면 X는 UUUU이 되고 Ⅰ의 G+C=13, A+T=3이 된다. Ⅱ는 8개의 염기로 이루어지고, $\frac{A+T}{G+C}=3$이므로 G+C=2, A+T=6이다. Ⅲ은 12개의 염기로 이루어지고 $\frac{A+T}{G+C}=3$이므로 G+C=3, A+T=9이다. ㉯는 ㉮와 상보적인 염기 배열이므로 ㉯에서 X에 해당하는 부분은 TTTT를, Ⅰ과 상보적인 부분은 G+C=13, A+T=3을, Ⅱ와 상보적인 부분은 G+C=2, A+T=6을, Ⅲ과 상보적인 부분은 G+C=3, A+T=9를, Y(GGGG 또는 AAAA 중 하나)와 동일한 염기, Z와 상보적인 염기를 갖는다. 그러므로 ㉯는 G+C=18, A+T=22, GGGG 또는 AAAA, Z와 상보적인 염기로 되어 있다. 한편, ㉯에서 $\frac{T}{C}=1$이고 ㉯의 모든 염기 수는 48=A+T+G+C이므로 48=A+2T+G과 같은데 A+G의 수가 짝수가 되어야만 T과 C의 값이 나온다. ㉯에서 $\frac{A}{G}=\frac{4}{3}$인데 위 내용을 만족하는 A과 G은 A=8, G=6 또는 A=16, G=12 또는 A=24, G=18이다. 각 경우에 맞는 염기 수를 구하면 다음과 같다.

	A	G	T	C
ⓐ	8	6	17	17
ⓑ	16	12	10	10
ⓒ	24	18	3	3

㉯는 G+C=18, A+T=22, GGGG 또는 AAAA, Z(X와 Y 중 하나와 같다.)와 상보적인 염기로 구성되었다고 하였으므로 이를 만족하는 경우는 ⓑ이고 이때 Y는 GGGG이고 Z는 X와 같다.

| 선택지 분석 |

ㄱ. ㉡이 ㉠보다 먼저 합성되었다.

➡ 복제 진행 방향이 주형 가닥의 5′ → 3′ 방향인 왼쪽이므로 ㉠과 ㉡은 지연 가닥이다. 복제 분기점에서 더 멀리 있는 ㉡이 ㉠보다 먼저 합성되었다.

ㄴ. Y는 아데닌(A)으로 구성된다.

➡ Y는 GGGG이다.

ㄷ. Z의 염기 서열은 Y와 같다.

➡ X와 Z는 UUUU이다.

10 w에서 전사된 mRNA 염기 서열과 아미노산 서열은 다음과 같다.

5′	UACA	AUG	GGC	AGC	CAC	CAC	UCG	UAA	CUAA	3′
		메싸이오닌 (개시 코돈)	글리신	세린	히스티딘	히스티딘	세린	종결 코돈		

x는 w의 전사 주형 가닥에 연속된 2개의 구아닌(G)이 1회 삽입되었으므로 mRNA에는 CC이 삽입되었다. X는 서로 다른 8개의 아미노산으로 구성된다고 하였으므로 히스티딘과 히스티딘 사이에 CC이 삽입되어야 한다.

x에서 전사된 mRNA 염기 서열과 아미노산 서열은 다음과 같다.(아래 CC 중 연속된 2개가 삽입된 것임)

5′	UACA	AUG	GGC	AGC	CAC	CCC	ACU	CGU	AAC	UAA	3′
		메싸이오닌(개시 코돈)	글리신	세린	히스티딘	프롤린	트레오닌	아르지닌	아스파라진	종결 코돈	

y는 x에서 GG 대신 피리미딘 계열 염기에 속하는 동일한 2개의 염기로 바뀌었으므로 mRNA에는 AA이나 GG이 들어가고 Y는 7종류의 아미노산으로 구성된다고 하였으므로 y에서 전사된 가능성 있는 mRNA 염기 서열과 아미노산 서열은 다음 4가지이다.

5′	UACA	AUG	GGC	AGC	CAA	ACC	ACU	CGU	AAC	UAA	3′
ⓐ		메싸이오닌(개시 코돈)	글리신	세린	글루타민	트레오닌	트레오닌	아르지닌	아스파라진	종결 코돈	

5′	UACA	AUG	GGC	AGC	CAC	GGC	ACU	CGU	AAC	UAA	3′
ⓑ		메싸이오닌(개시 코돈)	글리신	세린	히스티딘	글리신	트레오닌	아르지닌	아스파라진	종결 코돈	

5′	UACA	AUG	GGC	AGC	CAC	AAC	ACU	CGU	AAC	UAA	3′
ⓒ		메싸이오닌(개시 코돈)	글리신	세린	히스티딘	아스파라진	트레오닌	아르지닌	아스파라진	종결 코돈	

5′	UACA	AUG	GGC	AGC	CAC	CGG	ACU	CGU	AAC	UAA	3′
ⓓ		메싸이오닌(개시 코돈)	글리신	세린	히스티딘	아르지닌	트레오닌	아르지닌	아스파라진	종결 코돈	

z는 y의 전사 주형 가닥에서 연속된 2개의 동일한 염기가 하나는 퓨린 계열 염기로, 다른 하나는 피리미딘 계열 염기로 치환되었고 Z는 Y와 동일한 아미노산 서열을 가진다고 하였는데, 염기가 바뀌어도 동일한 아미노산을 가지기 위해서는 세 번째 염기가 바뀌는 것과 첫 번째 염기가 바뀌어도 아미노산이 같은 것을 찾아야 한다. 그중 첫 번째 염기가 바뀌어도 아미노산이 같은 것에는 류신, 세린, 아르지닌이 있으며 이 중 y에서 전사된 mRNA에서 연속된 동일 염기를 가진 것을 찾으면 ⓓ가 되므로 y에서 전사된 mRNA는 ⓓ이다.

z에서 전사된 mRNA 염기 서열과 아미노산 서열은 다음과 같다.

5′	UACA	AUG	GGC	AGC	CAU	AGG	ACU	CGU	AAC	UAA	3′
		메싸이오닌(개시 코돈)	글리신	세린	히스티딘	아르지닌	트레오닌	아르지닌	아스파라진	종결 코돈	

| 선택지 분석 |

✕ ㉠은 ~~TT~~(CC)이다.

➡ y는 x에서 GG 대신 피리미딘 계열 염기 중 CC으로 치환되어 삽입된 것이다.

ⓛ Y에 아르지닌은 2개 있다.

➡ y에서 전사된 mRNA 염기 서열은 5′-AUG GGC AGC CAC CGG ACU CGU AAC UAA-3′이다. Y의 아미노산 배열 순서는 메싸이오닌-글리신-세린-히스티딘-아르지닌-트레오닌-아르지닌-아스파라진이다.

✕ ㉡은 5′-~~AT~~(TA)-3′으로 치환되었다.

➡ mRNA 염기 서열에서 5′-CC-3′이 5′-UA-3′으로 치환되었으므로 DNA 주형 가닥은 3′-AT-5′으로 치환된 것이다.

11 x에서 전사된 mRNA 염기 서열과 아미노산 서열은 다음과 같다.

5′	CA	AUG	CUA	AAG	UCU	GUG	ACU	GCU	CUU	UAA	CAU	3′
ⓐ		메싸이오닌(개시 코돈)	류신	라이신	세린	발린	트레오닌	알라닌	류신	종결 코돈		

5′	AUG	UUA	AAG	AGC	AGU	CAC	AGA	CUU	UAG	CAU	UG	3′
ⓑ	메싸이오닌(개시 코돈)	류신	라이신	세린	세린	히스티딘	아르지닌	류신	종결 코돈			

이 중 전사된 가닥은 ⓐ이다.

y는 x의 주형 가닥에서 연속된 2개의 퓨린 계열 염기가 2개의 피리미딘 계열 염기로 치환된 것이므로 mRNA에서는 연속된 2개의 C 또는 U이 A 또는 G으로 치환되었으며, 이로부터 합성되는 아미노산 서열은 X와 동일하다. 유전 암호표에서 보면 C 또는 U이 A 또는 G으로 치환되었을 때 아미노산이 동일한 것은 세린이다.

5′	CA	AUG	CUA	AAG	UCU → AGU	GUG	ACU	GCU	CUU	UAA	CAU	3′
ⓐ		메싸이오닌(개시 코돈)	류신	라이신	세린	발린	트레오닌	알라닌	류신	종결 코돈		

그러므로 y에서 전사된 mRNA 염기 서열과 아미노산 서열은 다음과 같다.

5′	CA	AUG	CUA	AAG	AGU	GUG	ACU	GCU	CUU	UAA	CAU	3′
		메싸이오닌(개시 코돈)	류신	라이신	세린	발린	트레오닌	알라닌	류신	종결 코돈		

z는 x의 염기쌍 중 하나의 염기쌍이 결실되어 아미노산 서열이 메싸이오닌-류신-세린-류신으로 되려면 x에서 전사된 mRNA 염기 서열에서 하나의 염기가 결실되어 종결 코돈을 형성해야 하므로 x에서 전사된 mRNA 염기 서열과 아미노산 서열은 다음과 같이 변경되었다.

5′	CA	AUG	CUA	AAG → AGU	UCU → CUG	UGA	CU	GCU	CUU	UAA	CAU	3′
		메싸이오닌(개시 코돈)	류신	라이신 → 세린	세린 → 류신	종결 코돈						

| 선택지 분석 |

✕ ㉠은 3′-~~GA~~(AG)-5′이다.

➡ x에서 전사된 mRNA 염기 서열은 5′-AUG CUA AAG <u>UCU</u> GUG ACU GCU CUU UAA-3′이고 y에서 전사된 mRNA 염기 서열은 5′-AUG CUA AAG <u>AGU</u> GUG ACU GCU CUU UAA-3′이다.

mRNA 염기 서열에서 5′-UC-3′이 5′-AG-3′으로 치환되었으므로 DNA 주형 가닥은 3′-AG-5′이 3′-TC-5′으로 치환된 것이다.

ⓛ ㉡은 2개의 수소 결합을 한다.

➡ x에서 전사된 mRNA 염기 서열에서 라이신에 해당하는 5′-AAG-3′에서 A이 결실된 것이다. 따라서 ㉡은 A과 T이므로 2개의 수소 결합을 한다.

✕ Z가 합성될 때 사용된 종결 코돈은 5′-~~UAA~~(UGA)-3′이다.

➡ Z가 합성될 때 mRNA 염기 서열은 5′-AUG CUA AGU CUG UGA-3′이므로 종결 코돈은 UGA이다.

2 ››› 유전자 발현 조절

01 유전자 발현 조절

콕콕! 개념 확인하기 182쪽

✔ 잠깐 확인!

1 오페론 **2** 구조 유전자 **3** 조절 유전자 **4** RNA 중합 효소 **5** 전사 인자 **6** 전사 개시 복합체 **7** 조절 부위 **8** 번역 조절

01 (1) × (2) ○ (3) × (4) ○ **02** (1)－㉡ (2)－㉢ (3)－㉠ **03** ㉠ 프로모터, ㉡ 전사 인자, ㉢ 조절 부위 **04** (가) 전사 후 단계, (나) 전사 전 단계, (다) 전사 단계

01 (1) 원핵생물은 여러 유전자가 하나의 프로모터에 의해 연결되어 있다.
(3) 젖당 오페론은 프로모터, 작동 부위, 구조 유전자로 구성되어 있다.

03 전사 인자는 유전자의 조절 부위에 결합하여 RNA 중합 효소에 의한 전사를 조절하는 조절 단백질이다.

04 진핵생물에서는 전사 전 단계, 전사 단계, 전사 후 단계, 번역 단계, 번역 후 단계 등 유전자 발현의 전체 과정에서 조절이 일어난다.

탄탄! 내신 다지기 183쪽~185쪽

01 ② **02** ① **03** Ⅰ, Ⅲ **04** ⑤ **05** ⑤ **06** ① **07** ③ **08** ② **09** ② **10** ② **11** ㉠ **12** ③

01 A는 조절 유전자, B는 작동 부위, C는 구조 유전자이다.

| 선택지 분석 |

✕ ~~A~~(프로모터), B, C를 합한 것을 젖당 오페론이라 한다.
➡ 젖당 오페론에는 조절 유전자(A)가 포함되지 않는다.

㉡ 프로모터에는 RNA 중합 효소가 결합한다.
➡ 원핵세포의 RNA 중합 효소는 독자적으로 프로모터에 결합할 수 있다.

✕ B(A)는 ~~작동 부위~~(조절 유전자)로 억제 단백질의 정보가 저장되어 있다.
➡ 작동 부위는 억제 단백질이 결합하는 부위이다.

02 | 선택지 분석 |

✔① X는 항상 발현된다.
➡ X는 조절 유전자로 항상 억제 단백질(가)이 합성된다.

② (가)는 전사를 ~~촉진~~(억제)하는 ~~전사 인자~~(억제 단백질)이다.
➡ (가)는 억제 단백질로 구조 유전자의 전사를 억제한다.

③ 위 조절 과정 결과 젖당 분해 효소가 ~~합성된다~~(합성되지 않는다).
➡ RNA 중합 효소가 프로모터에 결합할 수 없어 전사가 일어나지 않아 젖당 분해 효소가 합성되지 않는다.

④ RNA 중합 효소는 ~~전사 인자의 도움을 받아~~ 프로모터에 결합한다.
➡ 원핵생물에서는 전사 인자의 도움 없이 RNA 중합 효소가 프로모터에 결합한다.

⑤ RNA 중합 효소는 프로모터에 결합하여 ~~작동 부위와~~ 구조 유전자를 모두 전사한다.
➡ 작동 부위는 억제 단백질이 결합하는 부위이다.

> **더 알아보기 젖당 오페론의 작동 원리**
>
> 조절 유전자의 발현 산물로 조절 유전자는 항상 발현되고 있다.
>
> • **젖당이 없을 때:** 억제 단백질이 젖당 오페론의 작동 부위에 결합하면 RNA 중합 효소가 프로모터와 결합하지 못하므로 구조 유전자의 전사가 일어나지 않아 젖당 분해 효소가 만들어지지 않는다.
> 구조 유전자에 젖당 분해 효소의 유전 정보가 저장되어 있다.
>
> • **젖당이 있을 때:** 젖당이 배지에 첨가되면 젖당 유도체가 억제 단백질과 결합하여 억제 단백질이 변형되므로 억제 단백질은 작동 부위에 결합하지 못한다. 이후 RNA 중합 효소가 프로모터에 결합하여 전사가 일어나 젖당 분해 효소가 합성된다.

03 억제 단백질이 작동 부위에 결합하여 구조 유전자의 전사를 방해하므로 억제 단백질을 생성하지 않거나, 억제 단백질이 작동 부위에 결합하지 않으면 젖당 분해 효소를 항상 합성할 수 있다.

04 | 선택지 분석 |

✕ A의 조절 유전자는 ~~t_1일 때는 발현되지 못하나 t_2일 때는~~(항상) 발현된다.
➡ 야생형 대장균(A)의 조절 유전자는 항상 발현된다.

㉡ B는 조절 유전자의 발현 산물이 젖당 유도체에 결합하지 못하는 돌연변이가 일어난 것이다.
➡ B는 억제 단백질이 젖당 유도체에 결합하지 못하여 젖당 분해 효소를 합성하지 못하는 조절 유전자에만 돌연변이가 일어난 대장균이다.

㉢ A에서 생성되고 있는 젖당 분해 효소의 양은 t_2일 때가 t_3일 때보다 적다.
➡ A에서 t_2일 때보다 t_3일 때 mRNA의 양이 많은 것으로 보아 생성되고 있는 젖당 분해 효소의 양도 많다.

05 | 선택지 분석 |

✕ t_1일 때 조절 유전자는 ~~발현되지 않는다~~(발현된다).
➡ 조절 유전자는 항상 발현된다.

㉡ t_2일 때 억제 단백질은 작동 부위에 결합하지 않는다.
➡ t_2일 때 대장균의 수가 증가하는 시기이므로 억제 단백질이 작동 부위에 결합되지 않는다.

㉢ t_1일 때보다 t_2일 때 구조 유전자의 전사가 더 활발하다.
➡ t_2는 대장균의 수가 증가하는 시기이므로 구조 유전자의 전사가 활발하게 일어난다.

06 | **선택지 분석** |

ㄱ. t_1일 때 대장균은 포도당을 주된 에너지원으로 이용한다.
➡ 대장균은 젖당보다 포도당을 먼저 사용한다.

ㄴ. t_2일 때 대장균의 조절 유전자는 ~~발현되지 않는다~~ 발현된다.
➡ 조절 유전자는 항상 발현된다.

ㄷ. ~~t_2~~ t_1일 때보다 ~~t_1~~ t_2일 때 (나)와 같은 상태의 대장균이 더 많이 존재한다.
➡ (나)는 젖당 분해 효소를 합성하는 중이므로 t_1일 때보다 t_2일 때 (나)와 같은 상태가 더 많다.

07 (가)는 전사 전 단계, (나)는 전사 단계, (다)는 전사 후 단계, (라)는 번역 단계, (마)는 번역 후 단계이다.

| **선택지 분석** |

① ~~(가)~~ (라): mRNA의 분해 속도를 조절한다.

② ~~(나)~~ (가): 염색질의 응축된 구조를 조절한다.

③ (다): RNA 가공을 통해 조절한다.
➡ RNA 가공은 처음 만들어진 RNA의 인트론을 제거하고 엑손만 남겨 성숙한 mRNA를 만드는 과정이다.

④ ~~(라)~~ (마): 폴리펩타이드의 변형을 통해 조절한다.

⑤ ~~(마)~~ (나): 전사 인자를 이용하여 조절한다.

08 (가)는 원핵세포, (나)는 진핵세포에서 일어나는 유전자 발현의 조절 과정이다.

| **선택지 분석** |

ㄱ. ~~(가)와~~ (나)는 모두 핵 안에서 일어난다.
➡ (가)는 원핵세포의 세포질, (나)는 진핵세포의 핵에서 일어난다.

ㄴ. (가) 과정이 일어나는 세포에는 오페론이 있다.
➡ 프로모터, 작동 부위, 구조 유전자가 모여 오페론을 구성한다.

ㄷ. (나)의 전사 인자는 ㉠과 ㉡~~이 발현되어 합성된 것이다~~ 에 결합한다.
➡ ㉠과 ㉡은 전사 인자가 결합하는 부위로 단백질 합성에 관한 유전 정보가 없다.

09 | **선택지 분석** |

ㄱ. (가)는 ~~원거리 조절 부위~~ 프로모터이다.
➡ 원거리 조절 부위는 ㉠이다. (가)는 전사 개시 복합체(RNA 중합 효소+전사 인자)가 결합하는 부분이므로 프로모터이다.

ㄴ. ㉠은 전사 조절에 관여하는 DNA 부분이다.
➡ ㉠은 원거리 조절 부위로 전사 인자가 결합하는 DNA 특정 부위이다.

ㄷ. ~~A~~ 원핵세포에서는 전사와 번역이 동시에 일어난다.
➡ A는 진핵세포이며 전사와 번역이 동시에 일어나는 것은 원핵세포이다.

10 | **선택지 분석** |

ㄱ. ㉠은 ~~번역~~ 전사 단계에서 유전자 발현을 조절한다.
➡ 전사 인자는 전사 단계에서 전사 개시 여부와 전사 속도에 영향을 미친다.

ㄴ. ㉡은 프로모터에서 멀리 떨어져 있지만 ㉠이 붙으면 DNA가 구부러져 프로모터에 접근하게 된다.
➡ ㉡은 전사 인자가 결합하는 DNA 특정 부위이다.

ㄷ. ㉠~~과 ㉡은~~ 은 모두 유전자 발현으로 만들어진 단백질이다.
➡ ㉠은 단백질이고, ㉡은 DNA의 특정 부위이다.

11 ㉠은 전사 단계, ㉡은 전사 후 단계(RNA 가공), ㉢은 번역 단계이다. (나)는 전사 개시 과정이므로 ㉠에서 진행된다.

12 ㉰만 있는 세포에서는 z만 전사되므로 ㉰의 결합 부위는 y에는 없고 z에만 있는 C이다. ㉯와 ㉰만 있을 때 돌연변이 Ⅱ에서 z만 전사되었으므로 x와 y의 발현에 필요한 조절 부위인 A가 결실된 것이며 ㉯의 결합 부위는 A임을 알 수 있다. 따라서 나머지 ㉮의 결합 부위는 B이다. 돌연변이 Ⅰ에서 y와 z가 전사되었으므로 y와 z에 모두 있는 B가 결실된 것이며, 따라서 나머지 Ⅲ은 C가 결실된 것이다.

| **선택지 분석** |

ㄱ. ㉮의 결합 부위는 ~~C~~ B이다.
➡ ㉰의 결합 부위가 C이다.

ㄴ. ㉠은 '~~×~~ ○', ㉡은 '~~○~~ ×'이다.
➡ Ⅰ은 B가 결실된 것이므로 x는 전사되며, Ⅲ은 C가 결실된 것이므로는 z는 전사될 수 없다.

ㄷ. Ⅰ은 B, Ⅲ은 C가 각각 결실된 것이다.
➡ ㉯와 ㉰만 있을 때 Ⅱ에서는 y는 발현되지 않고 z만 발현되므로 A가 없고, Ⅲ에서는 x는 발현되지 않고 y만 발현되므로 C가 없으며, Ⅰ은 B가 없다.

도전! 실력 올리기

186쪽~187쪽

01 ② **02** ② **03** ① **04** ② **05** ③

06 Ⅰ: 프로모터가 결실된 대장균, Ⅱ: 야생형 대장균, Ⅲ: 조절 유전자가 결실된 대장균, ㉠ 포도당은 없고 젖당이 있는 배지, ㉡ 포도당과 젖당이 모두 없는 배지

07 | **모범 답안** | 간세포와 이자 세포에서 발현된 전사 인자의 종류와 조합이 서로 다르기 때문이다.

01 A는 조절 유전자, B는 프로모터, C는 구조 유전자이다.

| **선택지 분석** |

ㄱ. A는 ~~젖당이 있을 때만~~ 항상 발현된다.
➡ 조절 유전자는 젖당 유무에 상관없이 항상 발현된다.

ㄴ. 젖당이 없을 때 RNA 중합 효소는 B에 결합할 수 없다.
➡ 젖당이 없으면 억제 단백질이 작동 부위에 결합하기 때문에 RNA 중합 효소가 프로모터에 결합할 수 없다.

ㄷ. C가 발현되어 단백질이 합성되는 경우는 젖당이 ~~없을 때~~ 있을 때이다.
➡ 젖당이 있으면 억제 단백질이 젖당 유도체와 결합하여 작동 부위에 결합하지 못하므로 프로모터에 RNA 중합 효소가 결합하여 구조 유전자가 발현된다.

02 | 자료 분석 |

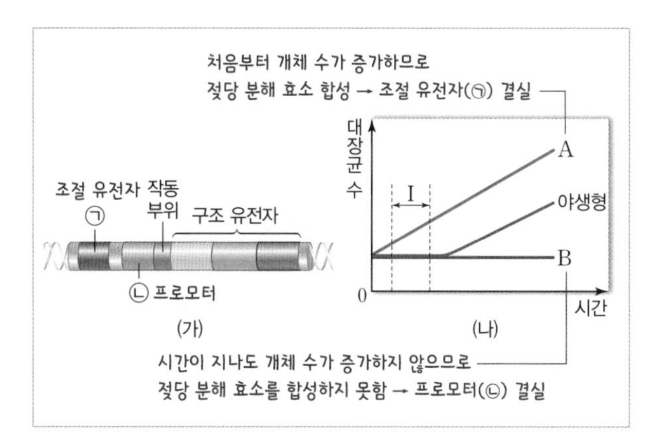

| 선택지 분석 |

✕ A는 ~~㉡~~(㉠), B는 ~~㉠~~(㉡)이 결실된 대장균이다.

➡ A는 조절 유전자(㉠)가 결실된 대장균, B는 프로모터(㉡)가 결실된 대장균이다.

㉡ 구간 Ⅰ에서 A는 구조 유전자가 발현된다.

➡ A는 조절 유전자가 결실되어 억제 단백질을 합성하지 못하므로 구조 유전자가 항상 발현된다.

✕ B는 ㉠이 발현되어 합성된 단백질이 작동 부위에 ~~결합한다~~(결합하지 않는다).

➡ B는 프로모터가 결실되었고 조절 유전자는 정상이므로 조절 유전자에서 발현된 억제 단백질이 젖당 유도체와 결합하므로 작동 부위에는 결합하지 못한다.

03 Ⅰ은 조절 유전자, Ⅱ는 작동 부위, Ⅲ은 구조 유전자가 결실된 것이다.

| 선택지 분석 |

㉠ Ⅰ은 항상 억제 단백질을 합성하지 못한다.

➡ Ⅰ은 조절 유전자가 결실되었으므로 억제 단백질을 합성할 수 없다.

✕ Ⅱ는 젖당이 있어도 젖당 분해 효소를 ~~합성하지 못한다~~(합성한다).

➡ Ⅱ는 작동 부위가 결실되었으므로 RNA 합성 효소가 프로모터에 결합하여 항상 젖당 분해 효소를 합성한다.

✕ ~~ⓐ와 ⓑ는 모두 '×'~~(ⓐ는 'ㅇ', ⓑ는 '×')이다.

➡ Ⅲ은 구조 유전자가 결실된 것으로 억제 단백질이 항상 합성되므로 억제 단백질과 젖당 유도체의 결합은 일어난다.

04 | 선택지 분석 |

✕ a, b, c는 ~~A, B, C가 발현되어 합성된 것이다~~(전사 인자이다).

➡ A, B, C는 조절 부위로 단백질 합성에 관한 정보를 갖고 있지 않고 전사 인자가 결합하는 DNA 부분이다.

㉡ 사람의 근육 세포에도 A, B, C가 존재한다.

➡ 세포가 분화되어도 유전자는 변하지 않고 모두 존재한다.

✕ a, b, c는 RNA 중합 효소가 ~~조절 부위~~(프로모터)에 결합하는 것을 돕는다.

➡ 원핵세포의 RNA 중합 효소는 단독으로 프로모터에 결합할 수 있으나, 진핵세포의 RNA 중합 효소는 전사 인자의 도움을 받아야 프로모터에 결합할 수 있다.

05 Ⅱ에서 ㉡만 발현되는데 y의 전사가 촉진되므로 ㉡은 C에 결합하며, 나머지 ㉢은 B에 결합한다. Ⅰ에서 x의 전사가 촉진되므로 ㉠과 ㉡이 발현되어 있으며, Ⅲ에서만 w의 전사가 일어나므로 Ⅲ에서 ㉠과 ㉢이 발현되어 있다.

| 선택지 분석 |

✕ Ⅰ에서 w, x, y, z 모두 전사가 촉진된다.

➡ Ⅰ은 ㉠과 ㉡이 발현되어 있으므로 x, y, z의 전사만 촉진된다.

✕ Ⅱ와 Ⅲ에서 전사가 촉진되는 유전자 수는 같다.

➡ Ⅱ는 ㉡만 발현되어 있으므로 y와 z 2개의 유전자만 전사가 촉진되며, Ⅲ은 ㉠, ㉢이 발현되어 있으므로 w, y, z 3개의 유전자 전사가 촉진된다.

㉢ Ⅰ~Ⅲ 모두에서 전사가 촉진되는 유전자는 2개이다.

➡ Ⅰ~Ⅲ 모두에서 전사가 촉진되는 유전자는 y와 z이다.

06 Ⅲ은 억제 단백질을 생성하지 않으므로 조절 유전자가 결실된 대장균이며, Ⅱ는 ㉠에서 구조 유전자를 발현하므로 Ⅱ는 야생형 대장균이고 ㉠은 포도당은 없고 젖당이 있는 배지이다. 따라서 나머지 Ⅰ은 프로모터가 결실된 대장균이며, ㉡은 포도당과 젖당이 모두 없는 배지이다.

07 진핵세포에서는 전사 인자의 조합에 따라 유전자 발현이 달라진다.

채점 기준	배점
전사 인자를 언급하며 까닭을 옳게 서술한 경우	100 %
전사 인자를 언급하였으나 서술이 미흡한 경우	40 %

02 세포 분화와 발생

콕콕! 개념 확인하기 190쪽

✓ 잠깐 확인!

1 세포 분화 **2** 결정 **3** 핵심 조절 유전자 **4** 마이오디 **5** 마이오디 단백질 **6** 혹스 유전자 **7** 체절

01 (1) × (2) ○ (3) × (4) ○ **02** (1)–㉠ (2)–㉢ (3)–㉡ **03** ㉠ 체절, ㉡ 기관 **04** 혹스 유전자

01 (1) 다세포 진핵생물은 하나의 수정란에서 유래된 다양한 세포들로 구성되어 있다.

(3) 분화된 세포마다 서로 다른 단백질을 생성하는 이유는 서로 다른 종류의 유전자를 선택적으로 발현시켰기 때문이다.

04 혹스 유전자는 정확한 위치에 적합한 기관이 형성되도록 유도하는 핵심 조절 유전자이다.

탄탄! 내신 다지기 191쪽~193쪽

01 ⑤ 02 ③ 03 ④ 04 ① 05 핵심 조절 유전자 06 ②
07 ② 08 ③ 09 ③ 10 ⑤ 11 기관 12 ④

01 | 선택지 분석 |

① 분화된 세포들은 서로 다른 단백질을 생성한다.
➡ 분화된 세포마다 고유한 기능을 수행하는 데 필요한 단백질을 합성한다.

② 세포 분화는 구조와 기능이 특수화된 세포가 만들어지는 과정이다.
➡ 분화 과정을 통해 고유한 기능을 수행하는 세포가 만들어진다.

③ 분화된 세포들은 서로 다른 종류의 유전자를 선택적으로 발현시킨다.
➡ 분화된 세포들마다 고유의 역할을 수행하기 위해 필요한 유전자를 선택적으로 발현시킨다.

④ 핵심 조절 유전자는 세포의 발생 운명을 결정하는 상위 단계의 조절 유전자이다.
➡ 핵심 조절 유전자가 발현되면 세포의 운명이 결정되어진다.

⑤ 분화가 진행되면서 세포의 유전자는 변화가 없으나 유전체 구성은 ~~변한다~~. (변하지 않는다.)
➡ 세포가 분화되더라도 유전체 구성은 변하지 않는다.

02 | 선택지 분석 |

× 전구 세포는 발생 운명이 ~~결정된~~ (결정되지 않은) 세포이다.
➡ 전구 세포는 아직 발생 운명이 결정되지 않은 세포이다.

× H 세포의 핵심 조절 유전자는 전사 인자 ㉮을 (①) 합성한다.
➡ 핵심 조절 유전자는 세포 분화 과정에서 가장 상위의 조절 유전자이므로 H 세포의 핵심 조절 유전자는 전사 인자 ①을 합성한다. 이 전사 인자에 의해 다른 조절 유전자가 발현되는 과정이 연속적으로 일어난다.

ㄷ. 다양한 전사 인자의 조합으로 세포의 분화가 진행된다.
➡ 전사 인자의 조합에 따라 발현되는 유전자가 달라지면서 세포의 분화가 이루어진다.

03 분화된 소장 세포에 존재하는 유전체는 수정란에 있는 유전체와 동일하므로 소장 세포의 핵을 무핵 난자에 이식하였을 때 올챙이로 발생한 것이다. 즉, 분화 과정에서 유전자는 변하지 않는다는 것을 알 수 있다.

04 | 선택지 분석 |

ㄱ. 마이오디($MyoD$) 유전자의 발현으로 만들어진 마이오디(MyoD) 단백질은 전사 인자이다.
➡ 마이오디(MyoD) 단백질은 다른 유전자의 발현을 조절하므로 전사 인자이다.

× 1단계의 마이오디($MyoD$) 유전자만 발현된 세포의 경우 다른 세포로도 분화가 ~~가능~~ (불가능)하다.
➡ 마이오디($MyoD$) 유전자는 핵심 조절 유전자이므로 이미 발현된 경우 다른 세포로의 분화는 불가능하다.

× 피부 세포로 분화가 진행 중인 세포에서 액틴과 마이오신 유전자를 인위적으로 발현하도록 조절하면 근육 세포로 분화시킬 수 ~~있다~~. (없다.)
➡ 피부 세포로 분화되기 위한 핵심 조절 유전자가 발현되었으므로 다른 세포로 분화되지 않는다.

05 핵심 조절 유전자는 세포의 발생 운명을 결정하는 상위 단계의 조절 유전자이다. 근육 세포는 핵심 조절 유전자인 마이오디 유전자가 발현되면서 발생 운명이 결정된다.

06 | 선택지 분석 |

× x를 갖는 세포는 모두 근육 세포가 ~~된다~~. (되는 것은 아니다.)
➡ x가 발현되어야 근육 세포가 된다.

ㄴ. 핵심 조절 유전자는 x이다.
➡ x의 발현으로 다른 유전자의 발현이 순차적으로 일어나 근육 세포의 특성을 나타내는 단백질을 합성하므로 x는 핵심 조절 유전자이다.

× 마이오신과 액틴은 근육 세포의 ~~분화를 유도하는 또 다른 전사 인자이다~~. (구성 성분이다.)
➡ 마이오신과 액틴은 근육의 수축과 이완을 담당하는 근육 세포의 구성 성분이다.

07 | 선택지 분석 |

× 세포가 분화되면 유전체는 ~~변한다~~. (변하지 않는다.)
➡ 세포가 분화되어도 유전체는 변하지 않는다.

ㄴ. ㉠에서 이자 세포로의 분화를 유도하는 핵심 조절 유전자가 발현되었다.
➡ 수정란은 미분화된 세포이고 이자 세포는 분화가 끝난 세포이므로 ㉠에서 운명을 결정하는 핵심 조절 유전자가 발현되었다.

× 항체 유전자, 인슐린 유전자, 케라틴 유전자의 전사 인자는 모두 ~~동일하다~~. (다르다.)
➡ 서로 다른 유전자이므로 각각의 유전자마다 발현되기 위해 필요한 전사 인자의 종류와 조합이 다르다.

08 | 선택지 분석 |

× Y는 ~~x의 전사~~(마이오신 발현)를 촉진하는 전사 인자이다.
➡ x는 핵심 조절 유전자이며, X는 y의 전사를 촉진하는 전사 인자이다.

× ㉢에는 y와 마이오신을 암호화하는 유전자는 ~~존재하지 않는다~~. (존재한다.)
➡ ㉢에는 모든 유전자가 존재한다.

ㄷ. X와 Y는 DNA의 조절 부위에 결합한다.
➡ X와 Y는 전사 인자이므로 DNA의 조절 부위에 결합한다.

09 | 선택지 분석 |

ㄱ. 초파리의 ey 유전자의 발현 산물은 다른 유전자의 발현을 촉진한다.
➡ ey 유전자의 발현 산물은 전사 인자이므로 다른 유전자의 발현을 촉진한다.

✕ 초파리의 다리에는 겹눈 형성에 필요한 유전자가 ~~없다~~. 있다.

➡ 초파리의 다리를 구성하는 세포에는 수정란에서 유래한 유전체가 존재한다.

ㄷ pax6은 생쥐뿐만 아니라 초파리에서도 전사 인자로 작용한다.

➡ 생쥐의 pax6은 초파리의 다리에 겹눈 구조가 형성되게 하므로 초파리에서도 전사 인자로 작용한다.

10 | 선택지 분석 |

① 혹스 유전자의 발현 물질은 전사 인자이다.

➡ 혹스 유전자의 발현으로 다른 유전자의 발현이 일어난다.

② 특정 유전자의 발현을 조절하는 핵심 조절 유전자이다.

➡ 혹스 유전자의 발현으로 기관이 형성된다.

③ 초기 배아에서 발현되는 혹스 유전자는 체절에 따라 다르다.

➡ 체절에 따라 다른 혹스 유전자가 발현됨으로써 서로 다른 기관이 형성된다.

④ 혹스 유전자는 모두 호미오 박스라는 염기 서열을 가진다.

➡ 혹스 유전자는 호미오 박스라고 하는 특정 염기 서열을 공통으로 가진다.

⑤ 동물의 경우 종이 다르면 각각에 존재하는 혹스 유전자의 염기 서열이 ~~모두 다르다~~. 유사하다.

➡ 여러 동물 종의 혹스 유전자는 염기 서열이 유사하다.

더 알아보기 혹스 유전자

- 혹스 유전자는 각 체절마다 기관이 형성되도록 유도하는 핵심 조절 유전자이며, 호미오 박스라는 공통적인 염기 서열을 가진다.
- 초기 배아에서 발현되는 혹스 유전자가 체절에 따라 다르므로 각 체절에 서로 다른 구조가 형성된다.
- 혹스 유전자는 대부분의 동물에게 존재하며, 종과 상관없이 유사한 방식으로 기관 형성에 영향을 미친다.

11 혹스 유전자는 각 체절마다 기관이 형성되도록 유도하는 핵심 조절 유전자이다.

12 | 선택지 분석 |

ㄱ 초파리 배아의 부위에 따라 서로 다른 혹스 유전자가 발현된다.

➡ 체절에 따라 다른 혹스 유전자가 발현되어 부위에 따라 적절한 기관이 형성된다.

ㄴ 혹스 유전자의 발현에 따라 각 위치에 알맞은 기관의 형성이 조절된다.

➡ 혹스 유전자는 각 체절마다 기관이 형성되도록 유도하는 핵심 조절 유전자이다.

✕ 초파리 세포에 존재하는 혹스 유전자의 종류는 기관을 형성하는 세포에 따라 다르다.

➡ 세포에 존재하는 유전자는 동일하지만 다르게 발현됨으로써 다른 기관이 형성되는 것이다.

도전! 실력 올리기

194쪽~195쪽

01 ② **02** ④ **03** ④ **04** ② **05** ⑤

06 A, 마이오디 유전자

07 | **모범 답안** | 다양한 생물이 공통 조상으로부터 진화하였음을 의미한다.

01 | 선택지 분석 |

✕ 연골 세포, 근육 모세포, 지방 세포에 분포하는 유전자는 모두 ~~다르다~~. 동일하다.

ㄴ A~C의 주성분은 모두 아미노산의 펩타이드 결합으로 이루어진 물질이다.

➡ 전사 인자는 아미노산의 펩타이드 결합으로 이루어진 단백질이다.

✕ A~C에 의한 유전자 발현 조절은 모두 ~~전사 후 단계~~ 전사 단계에서 일어난다.

➡ 전사 단계 조절은 다양한 조절 단백질인 전사 인자로 유전자 발현을 조절하는 것이다. A~C에 의한 유전자 발현 조절은 모두 전사 단계에서 일어난다.

02 | 자료 분석 |

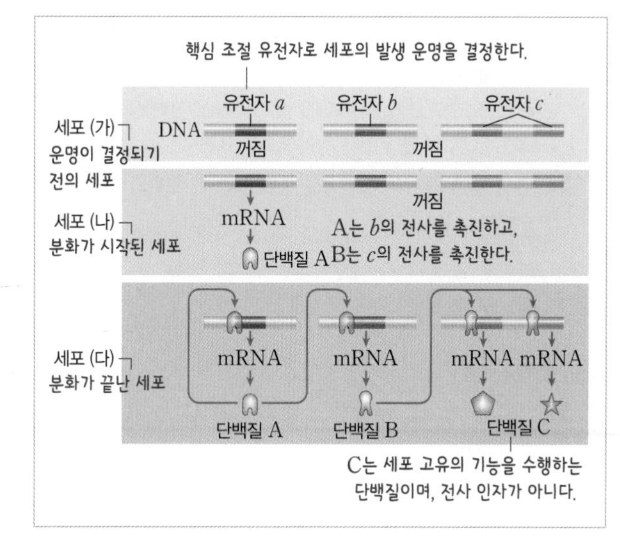

| 선택지 분석 |

ㄱ A와 B는 전사 인자이다.

➡ A는 b의 전사를 촉진하고, B는 c의 전사를 촉진하는 전사 인자이다.

ㄴ 핵심 조절 유전자는 a이다.

➡ a가 발현됨으로써 세포의 운명이 결정되므로 a는 핵심 조절 유전자이다.

✕ (가)와 (나)는 발생 운명이 ~~결정된~~ 결정되기 전 상태이다.

➡ (가)는 핵심 조절 유전자가 발현되지 않아 세포의 발생 운명이 결정되기 전의 상태이다. (나)는 핵심 조절 유전자가 발현되어 전사 인자인 단백질 A가 합성되었으므로 발생 운명이 결정된 상태로 분화가 시작되는 세포이다. (다)는 세포 고유의 기능을 수행하는 단백질 C가 합성되므로 분화가 끝난 세포이다.

03 | 선택지 분석 |

㉠ X에는 b와 c가 존재한다.

➡ X는 ㉡만 발현되었으므로 b와 c가 각각 B와 C에 결합할 때 ㉡의 전사가 일어난다.

✕ Y에는 d를 ~~암호화하는 유전자~~만 존재한다.
모든 유전자가

➡ Y에는 d를 암호화하는 유전자뿐만 아니라 다른 유전자도 모두 존재한다.

㉢ P가 Z로 분화되기 위해 a가 필요하다.

➡ P가 Z로 분화되기 위해서는 ㉡과 ㉢이 모두 발현되어야 하며, ㉡이 발현되기 위해서는 전사 인자 b를 암호화하는 ㉠이 발현되어야 하므로 a가 필요하다.

04 표는 각 기관 발생 시에 합성된 전사 인자를 나타낸 것이다.

기관	합성된 전사 인자
암술, 수술	B, C
암술, 꽃받침	A, C
꽃잎, 꽃받침	A, B

암술은 C, 꽃받침은 A, 수술은 B와 C, 꽃잎은 A와 B가 있어야 분화될 수 있다.

| 선택지 분석 |

✕ A와 B는 전사 촉진 인자, C는 전사 ~~억제~~ 인자이다.
촉진

➡ A, B, C 모두 전사 촉진 인자이다.

㉡ a와 b는 모두 발현되지 않고 c만 발현되면 (가)에서는 x가 발현된다.

➡ a와 c, b와 c가 발현되었을 때 모두 암술이 형성되는 것으로 보아 c만 발현되면 암술 형성에 필요한 유전자인 x가 발현된다.

✕ 꽃받침이 형성되려면 ~~b~~를 발현시키면 된다.
a

➡ 합성된 전사 인자가 A, C일 때 암술, 꽃받침이 형성되고 A, B일 때 꽃잎, 꽃받침이 형성되므로 꽃받침 형성에 필요한 전사 인자는 A임을 알 수 있다.

05 | 선택지 분석 |

✕ 머리와 다리를 구성하는 세포에 존재하는 혹스 유전자가 ~~다르다~~.
같다.

➡ 초파리의 머리와 다리를 구성하는 세포는 모두 유전자의 구성이 동일하다.

㉡ A~H는 모두 호미오 박스를 가진다.

➡ 혹스 유전자는 공통적인 염기 서열인 호미오 박스를 가진다.

㉢ A~H는 기관 형성에 중요한 역할을 한다.

➡ 혹스 유전자는 각 체절의 정확한 위치에 적합한 기관이 형성되도록 유도한다.

06 핵심 조절 유전자는 세포의 발생 운명을 결정하는 상위 단계의 조절 유전자이다. 배아 전구 세포에서 근육 모세포로의 결정은 마이오디 유전자가 발현됨으로써 일어난다.

07 호미오 유전자는 호미오 박스를 가진 유전자로 대부분의 동물에 존재하며, 종과 상관없이 유사한 방식으로 기관 형성에 영향을 미친다.

채점 기준	배점
공통 조상을 언급하며 의미를 옳게 서술한 경우	100 %
공통 조상을 언급하였으나 서술이 미흡한 경우	40 %

실전! 수능 도전하기

197쪽~199쪽

01 ④ 02 ② 03 ⑤ 04 ③ 05 ① 06 ⑤ 07 ④
08 ⑤ 09 ②

01 A는 조절 유전자의 결실, B는 프로모터의 결실, C는 작동 부위의 결실이 일어난 돌연변이이다.

| 선택지 분석 |

㉠ A는 ㉠에서 구조 유전자를 발현한다.

➡ A는 조절 유전자가 결실되어 억제 단백질을 합성하지 못하므로 젖당 유무에 상관없이 항상 구조 유전자가 발현된다.

㉡ B와 C는 모두 젖당 오페론에 돌연변이가 일어났다.

➡ 젖당 오페론에는 프로모터, 작동 부위, 구조 유전자가 포함되므로 B와 C는 모두 젖당 오페론에 돌연변이가 일어난 것이다.

✕ ㉠에서 B는 RNA 중합 효소가 전사를 개시한다.

➡ B는 프로모터가 결실되었으므로 ㉠에서 RNA 중합 효소가 프로모터에 결합을 할 수 없으므로 전사를 개시하지 못한다.

02 | 자료 분석 |

- 프로모터가 결실된 돌연변이: RNA 중합 효소가 프로모터에 결합할 수 없어 구조 유전자가 전사될 수 없으므로 젖당 분해 효소가 합성되지 않음
- 작동 부위가 결실된 돌연변이: 억제 단백질이 작동 부위에 결합할 수 없어 RNA 중합 효소가 프로모터에 결합할 수 있으므로 구조 유전자가 전사되어 젖당 분해 효소가 합성됨

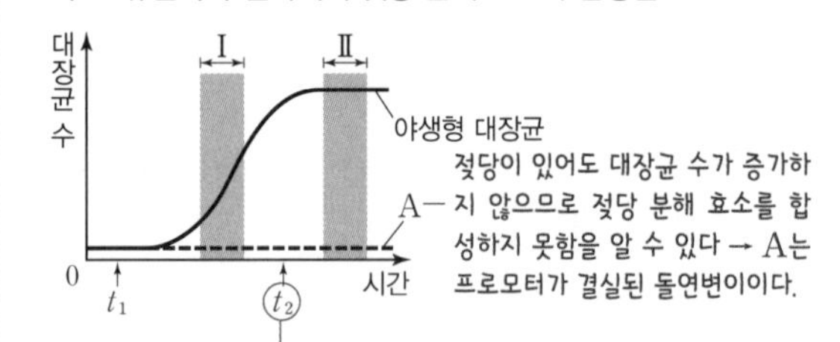

야생형 대장균은 젖당 분해 효소를 합성하여 젖당을 분해하므로 대장균 수가 증가하나 젖당이 고갈된 t_2 이후에는 더 이상 증가하지 않는다.

| 선택지 분석 |

✕ A는 ~~작동 부위~~가 결실된 돌연변이이다.
프로모터

➡ A는 젖당 배지에서 대장균 수가 증가하지 않으므로 젖당 분해 효소를 합성하지 못함을 알 수 있다. 따라서 A는 프로모터가 결실된 돌연변이이다.

㉡ t_1일 때 A에서 억제 단백질은 작동 부위에 결합하고 있지 않다.

➡ A의 조절 유전자에서 합성된 억제 단백질은 젖당 유도체와 결합하므로 작동 부위에 결합하지 않는다.

✕ 야생형 대장균에서 구조 유전자로부터 전사되는 mRNA 양은 구간 Ⅱ에서가 구간 Ⅰ에서보다 ~~많다~~. 적다.

➡ 야생형 대장균의 개체 수 증가량은 구간 Ⅱ에서가 구간 Ⅰ에서보다 적으므로 구조 유전자로부터 전사되는 mRNA 양은 구간 Ⅱ에서가 구간 Ⅰ에서보다 적다.

03 ㉠은 억제 단백질과 젖당(젖당 유도체)의 결합, ㉡은 억제 단백질과 작동 부위의 결합, ㉢은 프로모터와 RNA 중합 효소의 결합, Ⅰ은 작동 부위가 결실된 돌연변이, Ⅱ는 조절 유전자가 결실된 돌연변이, Ⅲ은 프로모터가 결실된 돌연변이이다.

| 선택지 분석 |

✕ ~~Ⅰ~~Ⅱ은 젖당 오페론을 조절하는 조절 유전자가 결실된 돌연변이이다.

➡ Ⅰ은 억제 단백질과 젖당(젖당 유도체)의 결합이 일어났으므로 억제 단백질을 합성하는 조절 유전자가 결실되지 않았다.

ㄴ ㉠은 '억제 단백질과 젖당(젖당 유도체)의 결합'이다.

➡ ㉡은 야생형의 경우 결합이 일어나지 않는 것이므로 억제 단백질과 작동 부위의 결합이고, ㉢은 효소를 생성하는 모든 대장균에서 결합한다고 하였으므로 프로모터와 RNA 중합 효소의 결합이므로 나머지 하나인 억제 단백질과 젖당(젖당 유도체)의 결합은 ㉠에 해당한다.

ㄷ ⓐ와 ⓑ는 모두 '×'이다.

➡ 조절 유전자가 결실된 돌연변이는 억제 단백질을 합성할 수 없으므로 억제 단백질과 작동 부위의 결합이 일어나지 않아 ⓐ는 '×'이고, 프로모터가 결실된 돌연변이는 프로모터와 RNA 중합 효소의 결합이 일어나지 않아 ⓑ는 '×'이다.

04 | 자료 분석 |

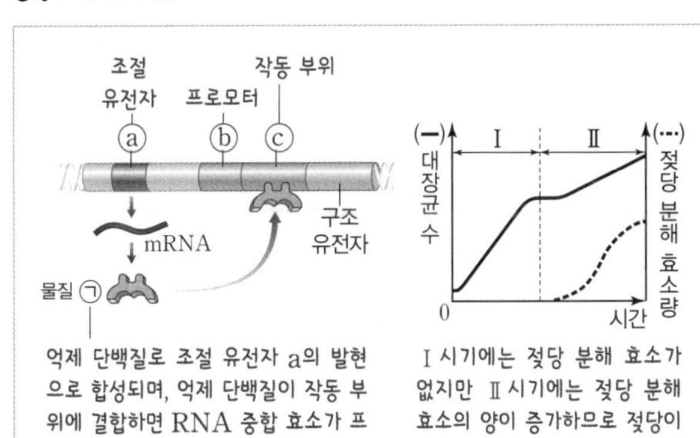

| 선택지 분석 |

ㄱ Ⅰ에서 ㉠은 c에 결합한다.

➡ Ⅰ에는 젖당이 없으므로 억제 단백질은 작동 부위에 결합한다.

✕ 젖당 오페론에 ~~a~~, b, c가 모두 포함된다.

➡ 젖당 오페론에는 프로모터, 작동 부위, 구조 유전자만 포함된다. 조절 유전자인 a는 포함되지 않는다.

ㄷ Ⅱ에서 RNA 중합 효소가 b에 결합한다.

➡ Ⅱ에는 젖당이 있어 억제 단백질이 작동 부위에 결합하지 못하므로 RNA 중합 효소가 프로모터(b)에 결합한다.

05 | 자료 분석 |

억제한 유전자 \ 돌연변이 세포	결실 부위 Ⅰ	결실 부위 Ⅱ	결실 부위 Ⅲ
없음	㉠	−	X
a	−	?	㉡
c	Y	−	−
a, b	?	−	−

(−: 합성 안 됨)

Ⅰ이 결실된 세포에서 c를 억제하여 전사 인자 A와 B만 있는 경우 Y가 합성되었으므로 A와 B는 Ⅱ 또는 Ⅲ에 결합한다. 그러므로 C는 Ⅰ에 결합한다.

Ⅲ이 결실된 세포에서 a를 억제하여 전사 인자 B와 C만 있는 경우 X를 합성하지 못하므로 B는 Ⅲ에 결합한다는 것을 알 수 있다. 따라서 A는 Ⅱ에 결합한다.

| 선택지 분석 |

ㄱ ㉠은 Y이다.

➡ Ⅰ이 결실되고 전사 인자는 모두 다 있으므로 Y만 합성된다.

✕ Ⅰ에 결합하는 전사 인자는 ~~B~~C이다.

➡ A는 Ⅱ에, B는 Ⅲ에, C는 Ⅰ에 각각 결합한다.

✕ 정상 세포에서 a의 발현을 억제할 경우 Y는 ~~합성된다~~. 합성되지 않는다.

➡ A는 x와 y의 발현에 모두 필요한 전사 인자이므로 a를 억제하면 X, Y 모두 합성되지 않는다.

06 ㉠은 A에, ㉡은 B에, ㉢은 C에, ㉣은 D에 결합하여 전사를 조절하는 전사 인자이다.

| 선택지 분석 |

ㄱ Ⅰ에서는 ㉡이 발현되지 않는다.

➡ Ⅰ에서는 ㉡이 발현되지 않고 X~Z 중 2가지만 발현되므로 ㉠과 ㉣이 발현되어야 한다.

ㄴ Ⅲ에서는 ㉡이 발현된다.

➡ Ⅲ에서는 ㉠이 발현되지 않고 X와 Z가 발현되므로 ㉡이 발현되었음을 알 수 있다.

ㄷ ㉣의 결합 부위는 D이다.

➡ Ⅱ에서는 ㉢만 발현되어 Z만 발현되므로 ㉢은 C에 결합하고, ㉣은 D에 결합함을 알 수 있다.

07 | 선택지 분석 |

ㄱ ⓐ는 전사 주형 가닥의 3′ 말단이다.

➡ mRNA 합성은 5′ → 3′ 방향으로 일어나고 DNA 주형 가닥과 mRNA는 방향이 반대이므로 ⓐ는 3′ 말단이다.

✕ ㉠은 ~~엑손~~이다. 인트론

➡ RNA 가공 후에도 남아 있는 부위를 엑손이라 하고 RNA 가공 과정에서 잘려 나가는 부위를 인트론이라 한다.

ㄷ (가) 과정에는 전사 인자가, (나) 과정에는 tRNA가 관여한다.

➡ (가)는 전사 과정, (나)는 번역 과정이다. 전사 인자는 전사를 촉진하거나 억제하고, 번역 과정에서는 tRNA가 아미노산을 리보솜으로 운반하는 일을 한다.

08 | **선택지 분석** |

ㄱ ㉠에서는 조직 Ⅱ로부터 수술이 분화된다.

➡ ㉠에서는 조직 Ⅱ에서 b와 c가 발현되므로 수술로 분화된다.

✕ 정상 개체의 경우 조직 Ⅲ에는 ~~A, B, C~~(B, C)가 모두 존재한다.

➡ 정상 개체의 경우 조직 Ⅲ에는 발현되는 유전자가 b, c이므로 이것이 발현되어 B, C가 존재한다.

ㄷ 조직 Ⅰ과 Ⅳ의 세포에 b가 있다.

➡ 조직 Ⅰ과 Ⅳ의 세포에는 모든 유전자가 있으며, 발현되는 유전자의 종류에 따라 분화되는 조직이 달라진다.

09 | **자료 분석** |

구조가 발현될 때 필요한 유전자는 다음과 같다.

구분	필요한 유전자		
	a	b	c
꽃받침	○	×	×
꽃잎	○	○	×
수술	×	○	○
암술	×	×	○

(○: 있음, ×: 없음)

구분	꽃에서 형성된 구조			
	꽃받침	꽃잎	수술	암술
(가)	○	○	×	×
(나)	○	×	×	○
(다)	×	×	○	○
(라)	○	×	㉠ ×	×

(○: 있음, ×: 없음)

(가): 꽃받침과 꽃잎이 있으므로 a와 b는 발현되었음 ➡ c 결실

(나): 꽃받침과 암술이 있으므로 a와 c는 발현되었음 ➡ b 결실

(다): 수술과 암술이 있으므로 b와 c는 발현되었음 ➡ a 결실

(라): 꽃잎과 암술이 없고 꽃받침은 있으므로 a는 발현되었음 ➡ b와 c가 결실되었음 ➡ b가 결실되었으므로 수술은 형성될 수 없음

| **선택지 분석** |

✕ ㉠은 '~~○~~(×)'이다.

➡ (라)는 b와 c가 결실된 것이므로 수술이 형성되지 않는다.

✕ (나)에서는 ~~a~~(b)가 결실되었다.

➡ (나)에서 꽃받침과 암술은 형성되었으므로 a와 c는 있으며, 꽃잎과 수술이 형성되지 않았으므로 a, b, c 중 b가 결실된 것이다.

ㄷ 야생형의 꽃받침 세포에는 b와 c가 모두 있다.

➡ 야생형의 꽃받침 세포에는 모든 유전자가 있다.

한번에 끝내는 대단원 문제 202쪽~205쪽

01 ⑤ 02 ② 03 ④ 04 ① 05 ④ 06 ① 07 ② 08 ③ 09 ② 10 ③ 11 ②

12 모범 답안 | (가)는 선도 가닥, (나)는 지연 가닥이다. DNA 합성은 항상 5′ → 3′ 방향으로 일어나는데, (가)는 DNA가 풀리는 방향을 따라 연속적인 합성을 할 수 있지만 (나)는 DNA의 일정 부분이 풀려야 5′ → 3′ 방향으로 불연속적인 합성을 할 수 있기 때문이다.

13 (1) | **모범 답안** | ㉠은 ^{14}N, ㉡은 ^{15}N이다. DNA는 반보존적으로 복제되므로 G_2의 하층(^{15}N$-$^{15}N) DNA 중 한 가닥은 G_1의 DNA에서 온 것이고 나머지 한 가닥은 새로 합성된 것이다. 따라서 G_2는 ^{15}N가 있는 배지에서 배양된 것이고 ㉡은 ^{15}N이다.

(2) 0 : 1 : 3

14 | **모범 답안** | (가)에서는 억제 단백질이 작동 부위에 결합하여 RNA 중합 효소가 프로모터에 결합할 수 없어 구조 유전자가 전사되지 않으며, (나)에서는 억제 단백질이 젖당 유도체와 결합하여 작동 부위에 결합하지 않으므로 RNA 중합 효소가 프로모터에 결합하여 구조 유전자가 전사된다.

15 | **모범 답안** | ㉠은 조절 부위로 전사 인자가 결합하는 DNA의 특정 부위이다. ㉡은 전사 인자로 조절 부위에 결합하여 RNA 중합 효소의 전사를 촉진한다.

16 (1) 혹스 유전자

(2) | **모범 답안** | 머리 부분에 다리가 달린 돌연변이가 발생할 것이다.

01 | **선택지 분석** |

ㄱ 살아 있는 ㉠은 피막을 갖는다.

➡ ㉠은 S형 균으로 피막을 가지고, ㉡은 R형 균으로 피막이 없다.

✕ (가)에서 ~~㉠~~(㉡)이 ~~㉡~~(㉠)으로 형질 전환되었다.

➡ 살아 있는 S형 균(㉠)이 관찰되었으므로 R형 균(㉡)이 S형 균(㉠)으로 형질 전환되었다.

ㄷ (나)에서 DNA 분해 효소 대신 단백질 분해 효소를 처리하면 형질 전환이 일어날 것이다.

➡ 형질 전환을 일으키는 물질은 DNA이므로 DNA 분해 효소에 의해 DNA가 분해되어 S형 균이 관찰되지 않았다.

02 | **선택지 분석** |

✕ ㉠은 ~~^{35}S~~(^{32}P)이다.

➡ ㉠으로 표지한 파지를 대장균에 감염시켰을 경우 ⓑ에서만 방사선이 검출되었으므로 ㉠은 ^{32}P임을 알 수 있고 ㉡으로 표지한 파지를 대장균에 감염시켰을 경우 ⓒ에서만 방사선이 검출되었으므로 ㉡은 ^{35}S임을 알 수 있다.

✕ Ⅱ의 ⓓ에는 ^{32}P이 ~~있다~~(없다).

➡ Ⅱ는 ^{35}S으로 표지하였으므로 ⓒ에서 방사선이 검출된다.

ㄷ 파지의 DNA는 ⓑ와 ⓓ 모두에 있다.

➡ 파지의 DNA는 대장균 안으로 들어가므로 ⓑ와 ⓓ 모두에 있다.

03 | 선택지 분석 |

① ㉠은 ~~T~~이다.
A

➡ ㉠은 2개의 고리 모양인 퓨린 계열 염기이고 2개의 수소 결합을 하므로 아데닌(A)이다.

② ⓐ는 ~~리보스~~를 포함한 뉴클레오타이드이다.
디옥시리보스

➡ ⓐ는 디옥시리보뉴클레오타이드이다.

③ ~~(가)~~와 (나)는 수소 결합이다.

➡ (가)는 공유 결합, (나)는 수소 결합이다.

④ Ⅰ에 G이 17개가 있다면 Ⅱ에는 G이 3개 있다.

➡ DNA의 A+T=60, G+C=40이며, 만약 Ⅰ의 G이 17개라면 Ⅱ의 C도 17개이고 Ⅰ의 C과 Ⅱ의 G은 모두 3개씩 있다.

⑤ 이 DNA에는 A과 T이 모두 ~~40~~개 있다.
60

➡ $\frac{A+T}{G+C}=1.5$이므로 A+T=60, G+C=40이다.

04 (나)로부터 복제 완료된 염기 서열과 여기에 사용된 프라이머 중 하나의 염기 서열인 5′−UCAG−3′을 표시하면 다음과 같다.

−−GACTGCTTGTCTGAACTCCAGCGCTGACT−−
(ⓐ: 앞쪽 GACT, ⓑ: 뒤쪽 GACT)

ⓐ가 프라이머 위치였다면 3′ 말단 이후로 계속 염기를 연결할 수 없으므로 결국 ⓑ가 프라이머이고 T이 있는 부분이 5′이며, ⓑ는 프라이머 Y임을 알 수 있다. 그리고 (나)의 ㉠은 5′ 말단, ㉡은 3′ 말단이 된다. 한편 Ⅱ와 Ⅲ 각각에서 C과 T의 개수는 7개이므로 ⓑ 부분 이후로 7개, 반대쪽 끝에서 7개를 찾아보면 프라이머 X를 확인할 수 있다.

3′−−GACTGCTTGTCUGAACTCCAGCGCTGACU−−5′
(프라이머 X: UGAA)

| 선택지 분석 |

ㄱ. ㉠은 5′ 말단이다.

➡ ㉠은 5′ 말단, ㉡은 3′ 말단이다.

ㄴ. X의 염기 서열은 5′−~~UGAA~~−3′이다.
AAGU

➡ X의 염기 서열은 3′−UGAA−5′이고, Y의 염기 서열은 3′−GACU−5′이다.

ㄷ. X에 들어 있는 퓨린 계열 염기는 ~~1개~~이다.
3개

➡ X의 염기 서열은 3′−UGAA−5′이므로 퓨린 계열 염기(A, G)는 3개이다.

05 | 선택지 분석 |

ㄱ. (가)는 'o'이다.

➡ Ⅱ는 B를 합성하지 못하나, A는 합성할 수 있으므로 ㉢을 합성할 수 있다.

ㄴ. Ⅲ은 ~~C~~를 합성하지 못한다.
A

➡ Ⅲ은 ㉠을 첨가하였을 때 ㉡을 합성할 수 있으므로 C를 합성할 수 있다.

ㄷ. ㉠은 시트룰린이다.

➡ ㉡이 합성되면 모두 생장하므로 ㉡은 아르지닌이다. Ⅲ은 최소 배지에 ㉠을 첨가하면 ㉢을 합성하지는 않지만 생장하므로 ㉢이 대사 과정에서 먼저 합성되는 오르니틴이고, ㉠은 시트룰린이다.

06 | 선택지 분석 |

① ㉠은 시스테인이다.

➡ ㉠을 지정하는 코돈은 5′−UGC−3′이므로 ㉠은 시스테인이다.

② (가)는 ~~5′~~ 방향이다.
3′

➡ E 자리 쪽이 5′ 방향이므로 (가)는 3′ 방향이다.

③ X의 ~~5′~~ 말단에 아미노산이 연결된다.
3′

➡ tRNA의 3′ 말단이 아미노산 결합 부위이다.

④ ㉠과 ㉡ 사이에 ~~수소 결합~~이 형성된다.
펩타이드 결합

➡ 아미노산과 아미노산 사이의 결합은 펩타이드 결합이다.

⑤ X는 세포질에서, Y는 핵에서 합성된다.

➡ 진핵생물에서 일어나는 과정이므로 RNA X와 Y 합성은 핵에서 일어난다.

07 다음은 X의 아미노산 서열에 따른 가능한 코돈 염기 배열이다.

아미노산		메싸이오닌	발린	라이신	(가)	트레오닌	(나)	아이소류신	류신	글리신	
x의 mRNA	5′	AUG	GUU GUC GUA GUG	AAA AAG	UCU UCC UCA UCG AGU AGC CGU CGC CGG CGA AGA AGG	ACU ACC ACA ACG	UCU UCC UCA UCG AGU AGC CGU CGC CGG CGA AGA AGG	AUU AUC AUA	UUA UUG CUU CUC CUA CUG	GGU GGC GGA GGG	3′

x에서 1개의 염기쌍이 결실되고, 다른 위치에 1개의 염기쌍이 삽입된 Y의 아미노산 서열과 y에서 전사된 mRNA의 염기 서열은 다음과 같다.

아미노산		메싸이오닌	발린	세린	발린	히스티딘	글루타민	타이로신	발린	글리신	
y의 mRNA	5′	AUG	GUU GUC GUA GUG	UCU UCC UCA UCG AGU AGC	GUU GUC GUA GUG	CAU CAC	CAA CAG	UAU UAC	GUU GUC GUA GUG	GGU GGC GGA GGG	3′

위 두 자료를 비교하면 x의 염기 서열에서 6번째 또는 7번째 염기 중 하나가 빠지고 류신에 G이 삽입되었음을 알 수 있다.

z는 x에서 동일한 염기가 연속된 2개의 염기쌍이 결실되고, 다른 위치에 결실된 2개의 염기쌍이 삽입된 것이며, Z를 구성하는 아미노산의 개수는 7개, Z의 네 번째 아미노산은 타이로신인데, x에서 타이로신을 만들고 8번째 아미노산 자리에 종결 코돈이 오기 위해서는 x의 7번째와 8번째의 AA이 빠지고 글리신 앞에 삽입되어야 하고 류신의 코돈은 CUU이어야 한다. 그러므로 x, y, z에서 전사된 mRNA의 염기 서열은 다음과 같다.

아미노산		메싸이오닌	발린	라이신	아르지닌	트레오닌	세린	아이소류신	류신	글리신	
x의 mRNA	5′	AUG	GUU GUC GUA GUG	AAG	CGU	ACA	UCA	AUA	CUU	GGU GGC GGA GGG	3′

아미노산		메싸이오닌	발린	세린	발린	히스티딘	글루타민	타이로신	발린	글리신	
y의 mRNA	5′	AUG	GUU GUC GUA GUG	AGC	GUA	CAU	CAA	UAC	GUU	GGU GGC GGA GGG	3′

아미노산		메싸이오닌	발린	알라닌	타이로신	아이소류신	아스파라진	트레오닌	종결 코돈		
z의 mRNA	5′	AUG	GUU GUC GUA GUG	GCG	UAC	AUC	AAU	ACU	UAA	GGU GGC GGA GGG	3′

| 선택지 분석 |

✕ (가)는 ~~세린~~(아르지닌), (나)는 ~~아르지닌~~(세린)이다.

➡ 코돈이 CGU이므로 (가)는 아르지닌, 코돈이 UCA이므로 (나)는 세린이다.

✕ ⓐ와 ⓑ를 암호화하는 코돈의 염기 서열은 ~~다르다~~(같다).

➡ Y와 Z의 타이로신은 모두 UAC이다.

ㄷ z의 종결 코돈은 UAA이다.

➡ z는 AA이 결실되었다가 삽입되었으므로 z의 종결 코돈은 UAA이다.

08 | 선택지 분석 |

ㄱ ㉠이 작용하는 데 전사 인자가 필요하다.

➡ 진핵세포는 RNA 중합 효소가 프로모터에 결합하여 전사를 할 때 전사 인자가 필요하다.

✕ 말단 ⓐ와 ⓑ는 모두 ~~3′~~(5′) 방향이다.

➡ 전사와 복제에서 새로 합성되는 가닥은 모두 5′ → 3′ 방향으로 합성된다.

ㄷ (가)와 (나)는 모두 핵 속에서 일어난다.

➡ 진핵세포에서 (가)와 (나)는 모두 핵 속에서 일어난다.

09 | 선택지 분석 |

✕ X에서 억제 단백질은 작동 부위에 ~~결합하지 않는다~~(결합한다).

➡ X는 조절 유전자의 돌연변이로 젖당 유도체와 결합하지 않고 작동 부위에는 결합하는 억제 단백질이 합성되었다.

✕ (가)는 '~~○~~(×)'이다.

➡ Y는 억제 단백질이 젖당 유도체와 결합하여 작동 부위에 결합하지 않으므로 (가)는 '×'이다.

ㄷ 야생형 대장균에서 생성되는 젖당 분해 효소의 양은 Ⅰ에서가 Ⅱ에서보다 많다.

➡ Ⅰ에서는 대장균의 수가 계속 증가하나 Ⅱ에서는 더 이상 증가하지 않으므로 젖당 분해 효소의 양은 Ⅰ에서가 Ⅱ에서보다 많다.

10 | 선택지 분석 |

✕ (가)에서 구조 유전자 전사 과정은 ~~핵~~(세포질)에서 일어난다.

➡ 젖당 오페론은 원핵생물의 유전자 발현 조절 과정으로 원핵생물은 핵이 없어 세포질에서 전사가 일어난다.

✕ X는 Ⅰ에서 조절 유전자를 ~~발현시키지 않는다~~(발현시킨다).

➡ 조절 유전자는 항상 발현된다.

ㄷ 젖당 오페론에는 프로모터, 작동 부위, 구조 유전자만 포함된다.

➡ 원핵생물에서 기능적으로 연관된 여러 유전자가 DNA 일정한 부위에 모여 있는 유전자 집단을 오페론이라 한다.

11 | 선택지 분석 |

✕ ㉠~㉢ 중 X에 존재하는 유전자는 ~~1~~(3)개이다.

➡ 세포가 분화되더라도 유전자는 변형되지 않는다.

ㄴ a가 합성되지 않으면 P가 Z로 분화될 수 없다.

➡ P는 ㉡과 ㉢이 모두 발현되어야 세포 Z로 분화되는데, ㉡이 발현되기 위해서는 ㉠이 발현되어야 하므로 a가 먼저 합성되어야 한다.

✕ ~~㉠~~(㉡)이 발현되려면 ~~㉡~~(㉠)이 먼저 발현되어야 한다.

➡ b를 암호화하는 유일한 유전자가 ㉠이므로 ㉠이 발현되면 ㉡의 발현에 필요한 b가 합성된다.

12 DNA를 구성하는 두 가닥의 폴리뉴클레오타이드는 방향이 서로 반대이고, DNA 합성은 5′ → 3′ 방향으로 일어난다.

채점 기준	배점
(가)와 (나)의 종류를 쓰고 복제 방향을 언급하며 까닭을 옳게 서술한 경우	100 %
(가)와 (나)의 종류를 쓰고 복제 방향을 언급하지 않고 까닭을 서술한 경우	70 %
(가)와 (나)의 종류만 쓴 경우	30 %

13 (1) DNA는 반보존적 복제를 하며 G_2에서 하층($^{15}N-^{15}N$)의 띠 중 한 가닥은 새로 합성된 DNA이다.

채점 기준	배점
㉠과 ㉡의 종류를 쓰고 복제 방식을 언급하며 까닭을 옳게 서술한 경우	100 %
㉠과 ㉡의 종류를 쓰고 복제 방식을 언급하지 않고 까닭을 서술한 경우	70 %
㉠과 ㉡의 종류만 쓴 경우	30 %

14 구조 유전자가 전사되기 위해서는 RNA 중합 효소가 프로모터에 결합해야 하며, 이를 위해서는 억제 단백질이 작동 부위에 결합하지 않아야 한다.

채점 기준	배점
억제 단백질과 작동 부위를 언급하며 옳게 서술한 경우	100 %
억제 단백질과 작동 부위를 언급하지 않고 RNA 중합 효소가 프로모터에 결합하는 것만 서술한 경우	40 %

15 진핵세포에서는 RNA 중합 효소가 단독으로 프로모터에 결합하지 못하고 여러 전사 인자들과 함께 전사 개시 복합체를 형성함으로써 프로모터에 결합할 수 있다.

채점 기준	배점
㉠과 ㉡의 명칭과 역할을 모두 옳게 서술한 경우	100 %
㉠과 ㉡의 명칭과 역할 중 하나만 옳게 서술한 경우	50 %

16 (2) 혹스 유전자로부터 합성된 전사 인자에 의해 특정 유전자의 발현이 조절되고, 그 결과 정확한 위치에 적합한 기관이 형성된다. 따라서 혹스 유전자에 돌연변이가 일어나면 관련된 기관 전체가 비정상적인 돌연변이 개체가 발생한다.

채점 기준	배점
머리 부분에 생기는 기관의 명칭을 정확히 쓰고 특징을 옳게 서술한 경우	100 %
머리 부분에 생기는 기관의 명칭을 정확히 쓰지 않고 특징을 서술한 경우	50 %

1 »» 생명의 기원과 다양성

01 원시 생명체의 탄생과 진화

콕콕! 개념 확인하기 213쪽

✔ 잠깐 확인!

1 환원성 **2** 화학적 **3** 심해 열수구설 **4** 마이크로스피어 **5** RNA **6** 미토콘드리아, 엽록체 **7** 균체

01 A: 간단한 유기물, B: 복잡한 유기물, C: 유기물 복합체
02 메테인(CH_4), 암모니아(NH_3), 수소(H_2), 수증기(H_2O)
03 리보자임 **04** (1) ○ (2) ○ (3) ○ (4) × (5) ×
05 (가) 막 진화설, (나) 세포내 공생설

04 (1), (3) (가)는 무산소 호흡을 하는 종속 영양 원핵생물, (나)는 광합성을 하는 독립 영양 원핵생물(광합성 세균), (다)는 산소 호흡을 하는 종속 영양 원핵생물이다.
(2) 남세균은 광합성 세균에 속한다.
(4) 무산소 호흡을 하는 종속 영양 원핵생물(가)에 의해 대기의 CO_2 농도가 증가하였고, 광합성 세균(나)에 의해 대기의 O_2 농도가 증가하였다.
(5) 산소 호흡을 하는 종속 영양 원핵생물(다)의 출현으로 광합성 세균(나)이 멸종된 것은 아니다. 남세균과 같은 광합성 세균은 현재까지 존재한다.

탄탄! 내신 다지기 214쪽~215쪽

01 메테인(CH_4), 암모니아(NH_3), 수소(H_2), 수증기(H_2O) 중 3가지 **02** ③ **03** ⑤ **04** 심해 열수구 **05** 코아세르베이트 **06** ① **07** ⑤ **08** ⑤ **09** ③ **10** ②

01 밀러와 유리는 실험에서 메테인(CH_4), 암모니아(NH_3), 수소(H_2), 수증기(H_2O) 등의 환원성 기체를 사용하였다.

02 밀러와 유리의 실험에서 환원성 기체로부터 간단한 유기물인 아미노산을 합성하였고, 폭스의 실험에서 아미노산으로부터 폴리펩타이드를 합성하였다. 유기물 복합체에는 코아세르베이트, 마이크로스피어, 리포솜 등이 있다.

03 | 선택지 분석 |
① 실험 결과 (나)에서 아미노산이 검출되었다.
➡ 실험 결과 (나)에서 간단한 유기물인 아미노산이 검출되었다.
② (가) 속의 혼합 기체는 원시 대기를 가정한 것이다.
➡ (가)는 둥근 플라스크이며, 둥근 플라스크 속의 혼합 기체는 원시 대기를 가정한 것이다.
③ 전기 방전은 물질 합성에 필요한 에너지를 공급한다.
➡ 전기 방전은 원시 대기의 번개를 가정한 것이며, 이는 원시 지구에서처럼 물질 합성에 필요한 에너지를 공급한다.
④ (가)에는 메테인(CH_4), 암모니아(NH_3) 등이 들어 있다.
➡ 둥근 플라스크 안에는 원시 대기의 기체로 추정되는 메테인(CH_4), 암모니아(NH_3), 수소(H_2), 수증기(H_2O) 등이 들어 있다.
⑤ 이 실험으로 원시 지구에서의 ~~단백질~~ 아미노산 합성이 증명되었다.
➡ 이 실험에서는 생명체의 작용 없이도 무기물로부터 간단한 유기물인 아미노산이 합성될 수 있음이 증명되었다.

04 심해 열수구는 화산 활동으로 에너지가 풍부하고, 환원성 물질이 높은 농도로 존재하며, 온도와 압력이 매우 높으므로 유기물이 합성될 수 있어 최근에 최초의 생명체 탄생 장소로 주목받고 있다.

05 오파린은 원시 대기의 기체로부터 간단한 유기물을 거쳐 복잡한 유기물이 형성되었고, 복잡한 유기물이 뭉쳐 액상의 막으로 둘러싸인 유기물 복합체인 코아세르베이트가 만들어졌을 것이라고 생각하였다.

06 | 선택지 분석 |
① ~~2중 나선 구조~~ 다양한 입체 구조이다.
➡ 리보자임은 RNA이므로 단일 가닥이며, 단일 가닥이 다양한 입체 구조를 만든다.
② 리보뉴클레오타이드로 구성된다.
➡ 리보자임은 RNA이므로, 리보뉴클레오타이드로 구성된다.
③ 화학 반응을 촉매하는 기능이 있다.
➡ 리보자임은 뉴클레오타이드를 이용하여 짧은 RNA를 상보적으로 복제하는 작용을 촉매할 수 있다.
④ 유전 정보의 저장 기능을 가지고 있다.
➡ 리보자임은 RNA이므로, 유전 정보를 저장할 수 있다.
⑤ 염기의 상보적 결합을 거쳐 스스로 복제될 수 있다.
➡ 리보자임의 염기 서열을 바탕으로 상보적 결합을 거쳐 스스로 복제될 수 있다.

07 | 자료 분석 |

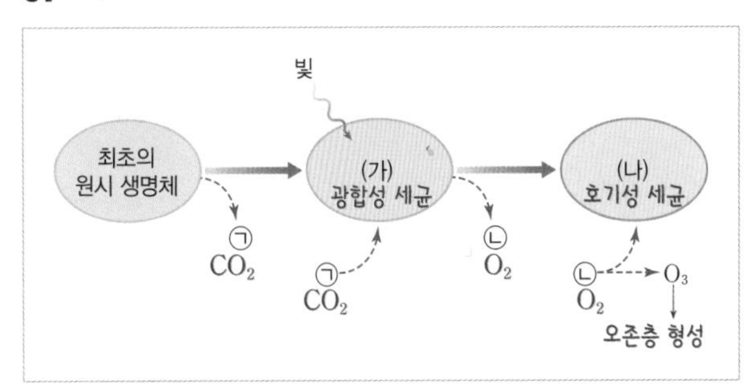

| 선택지 분석 |
① ㉠은 CO_2, ㉡은 O_2이다.
➡ ㉠은 최초의 원시 생명체가 세포 호흡한 결과 생성된 CO_2이다. ㉡은 광합성 세균이 광합성한 결과 생성된 O_2이다.
② (가)는 광합성 세균이다.
➡ (가)는 광합성 세균, (나)는 호기성 세균이다.

③ (나)는 종속 영양 생물에 속한다.

➡ (나)는 광합성 세균(가)의 광합성 결과 O_2와 유기물 양이 많아져 출현한 산소 호흡 종속 영양 원핵생물이다.

④ 최초의 원시 생명체는 무산소 호흡을 하였다.

➡ 최초의 원시 생명체가 출현할 당시에는 대기 중에 O_2가 없었다. 따라서 최초의 원시 생명체는 무산소 호흡을 하였다.

⑤ 대기의 O_3 농도 증가로 인해 (나)가 ~~모두 사라졌다~~ 사라진 것은 아니다.

➡ 대기의 O_3(오존) 농도 증가로 인해 대기의 상층부에 오존층이 형성되었다. 오존층은 태양의 강한 자외선을 차단하여 육상 생물이 출현할 수 있는 기틀을 마련하였다. O_3 농도 증가로 인해 이전에 있던 생명체가 사라진 것은 아니다.

08 | **선택지 분석** |

① ⓐ에는 유전 물질이 있다.

➡ ⓐ는 미토콘드리아의 기원이므로 호기성 세균이고, ⓑ는 엽록체의 기원이므로 광합성 세균이다. ⓐ와 ⓑ에는 모두 유전 물질인 DNA가 있다.

② ⓑ는 원핵생물이다.

➡ 광합성 세균(ⓑ)은 핵막이 없는 원핵생물이다.

③ ⓑ는 독립 영양 생물이다.

➡ 광합성 세균(ⓑ)은 광합성을 하여 스스로 유기물을 합성하는 독립 영양 생물이다.

④ 미토콘드리아 내막은 ⓐ의 세포막에서 유래하였다.

➡ 미토콘드리아는 호기성 세균(ⓐ)이 원시 원핵세포의 세포 안으로 들어가는 과정에서 생성되었다. 즉, 미토콘드리아의 외막은 원시 원핵세포에서, 내막은 호기성 세균의 세포막에서 유래하였다.

⑤ ⓐ와 ⓑ는 모두 막으로 둘러싸인 세포 소기관을 ~~가진다~~ 가지지 않는다.

➡ 호기성 세균(ⓐ)과 광합성 세균(ⓑ)은 모두 원핵생물이므로 막으로 둘러싸인 세포 소기관을 가지지 않는다.

더 알아보기 **단세포 진핵생물의 출현**

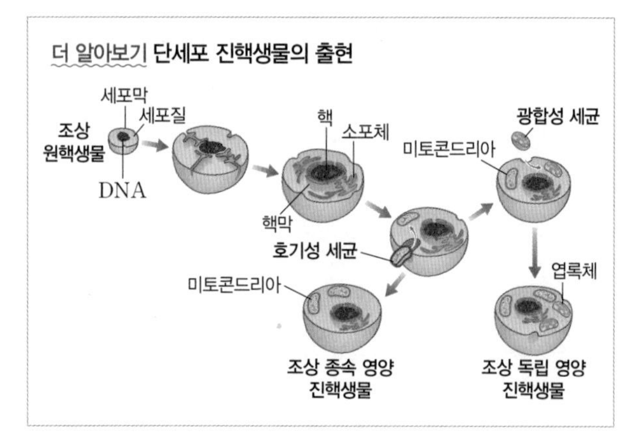

09 | **선택지 분석** |

① 단세포 진핵생물은 핵이 ~~없다~~ 있다.

➡ 진핵생물은 핵막으로 둘러싸인 핵이 있다.

② ㉠은 ~~양분을 합성~~ 운동을 담당하는 세포이다.

➡ ㉠에 편모가 있으므로 ㉠은 운동을 담당하는 세포이고, ㉡이 양분을 합성하는 세포이다.

③ (나) 과정에서 세포의 분화가 일어났다.

➡ 독립된 단세포 진핵생물이 모여 군체를 형성한 후, 세포의 형태와 기능이 분화되어 다세포 진핵생물로 진화하였다.

④ 세포내 공생은 ~~(나) 과정 이후~~ 단세포 진핵생물 출현 이전에 일어났다.

➡ 세포내 공생에 의해 단세포 진핵생물이 출현하였다. 따라서 세포내 공생은 (가)와 (나) 이전에 일어났다.

⑤ 핵을 가진 생물은 (가) 과정 ~~이후~~ 이전에 출현하였다.

➡ 단세포 진핵생물은 핵을 가지고 있으므로, 핵을 가진 생물은 (가) 과정 이전에 출현하였다.

10 | **선택지 분석** |

① A는 종속 영양을 한다.

➡ A는 O_2가 없는 지구에 가장 먼저 출현하였으므로 무산소 호흡 종속 영양 생물이고, B의 출현 이후 O_2 농도가 증가하였으므로 B는 광합성을 하는 남세균이다. C는 산소 호흡을 하는 호기성 세균이다.

② B의 출현에 의해 A가 ~~멸종되었다~~ 멸종된 것은 아니다.

➡ 남세균(B)이 출현하였다고 해서 무산소 호흡 종속 영양 생물(A)이 멸종한 것은 아니다.

③ C는 산소 호흡을 하여 CO_2를 방출한다.

➡ 호기성 세균(C)은 산소 호흡 종속 영양 생물이므로 산소 호흡을 하여 CO_2를 방출한다.

④ B는 빛에너지를 이용하여 유기물을 합성한다.

➡ 남세균(B)은 광합성을 하므로 빛에너지를 이용하여 유기물을 합성한다.

⑤ A에 의해 원시 바다의 유기물 양이 감소하였다.

➡ A는 종속 영양 생물이므로 원시 바다의 유기물을 이용하여 에너지를 얻기 때문에 A에 의해 원시 바다의 유기물 양이 감소하였다.

도전! 실력 올리기

216쪽~217쪽

01 ① **02** ④ **03** ④ **04** ③ **05** ② **06** ③

07 | **모범 답안** | 플라스크 속의 혼합 기체는 원시 지구의 대기를 가정한 것이고, U자관에 고인 액체는 원시 지구의 바다를 가정한 것이다.

08 (가) 세포내 공생설, (나) 막 진화설

09 | **모범 답안** | (가) 미토콘드리아와 엽록체는 독자적인 DNA와 리보솜을 가지고 있다. 미토콘드리아와 엽록체에 있는 DNA와 리보솜은 진핵세포보다 원핵세포의 것과 유사하다. 미토콘드리아와 엽록체는 2중막 구조이고, 내막은 원핵생물의 세포막과 비슷한 조성의 지질로 이루어져 있다. 중 1가지

(나) 핵막을 구성하는 성분과 세포막을 구성하는 성분이 서로 유사하다.

01 | **선택지 분석** |

㉠ 코아세르베이트는 ㉠에 해당한다.

➡ 코아세르베이트는 복잡한 유기물이 모여 막 구조를 형성한 유기물 복합체로, ㉠에 해당한다.

✕ (가)에 의해 원시 바다의 유기물 양이 ~~증가~~하였다.
감소
➡ (가)는 무산소 호흡 종속 영양 생물이며, 바닷속 유기물을 이용하여 에너지를 생성하였다. 따라서 (가)에 의해 원시 바다의 유기물 양이 감소하였다.

✕ (나)는 최초의 육상 생물이다.
➡ (나)는 산소 호흡 종속 영양 생물이며, 원시 바다에서 출현하였다. 최초의 육상 생물은 오존층이 형성된 이후에 출현하였다.

02 | 선택지 분석 |

✕ ㉠에는 산소(O_2)가 ~~있다~~.
없다.
➡ ㉠에는 메테인(CH_4), 암모니아(NH_3), 수소(H_2), 수증기(H_2O) 등이 있고, 산소(O_2)는 없다.

ㄴ ㉡은 원시 바다를 가정한 것이다.
➡ ㉠은 원시 대기를, ㉡은 원시 바다를 가정한 것이다.

ㄷ ㉡에서 아미노산이 검출된다.
➡ (다)의 U자관에 고인 액체에서 간단한 유기물인 아미노산이 검출된다.

03 | 선택지 분석 |

ㄱ 리보자임은 ㉠에 해당한다.
➡ 리보자임은 자기 복제 능력이 있는 RNA를 의미한다.

✕ ~~DNA~~가 ~~RNA~~보다 유전 물질로 먼저 사용되었다.
RNA DNA
➡ RNA는 유전 정보를 저장하는 능력이 있고, RNA를 상보적으로 복제하는 작용을 촉매할 수 있어 최초의 유전 물질로 추정된다.

ㄷ DNA는 RNA보다 유전 정보를 더 안정적으로 저장할 수 있다.
➡ DNA는 이중 나선 구조를 형성하고 있어 RNA보다 더 안정적으로 유전 정보를 저장할 수 있다.

04 | 선택지 분석 |

ㄱ (가)는 화학적 진화이다.
➡ 최초의 원시 생명체가 출현하기 전까지의 (가)는 화학적 진화이고, 최초의 원시 생명체가 출현한 후의 (나)는 생물학적 진화이다.

ㄴ 바다에서 원시 세포에서 원시 생명체로의 진화가 일어났다.
➡ 원시 생명체가 출현할 당시에는 오존층이 없어 태양의 강한 자외선이 지표까지 도달하였다. 따라서 육상 생물이 출현할 수 없었고, 바다에서 원시 세포에서 원시 생명체로의 진화가 일어났다.

✕ 최초의 유전 물질이었을 가능성이 가장 높은 것은 ~~DNA~~이다.
RNA
➡ 리보자임의 발견으로 최초의 유전 물질이었을 가능성이 가장 높은 것은 RNA로 추정된다.

05 | 선택지 분석 |

✕ Ⅰ 시기에 ~~산소~~ 호흡을 하는 종속 영양 생물이 최초로 출현하였다.
무산소
➡ Ⅰ 시기에는 대기 중에 산소가 없었으므로 이 시기에 출현한 생물은 무산소 호흡을 하는 종속 영양 생물이다. 산소 호흡을 하는 종속 영양 생물은 Ⅱ 시기에 출현하였다.

✕ Ⅱ 시기에 ~~독립 영양~~ 생물이 최초로 출현하였다.
산소 호흡 종속 영양
➡ 독립 영양 생물은 대기 중 산소 농도가 증가하기 이전에 출현하였다.

ㄷ Ⅲ 시기에 핵을 가지는 생물이 존재하였다.
➡ Ⅲ 시기에 단세포 진핵생물이 존재하였으므로 핵을 가지는 생물이 존재하였다.

06 | 자료 분석 |

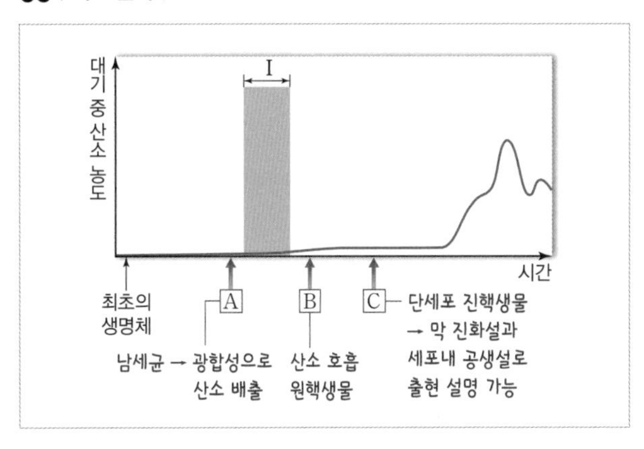

| 선택지 분석 |

ㄱ A는 남세균이다.
➡ A는 남세균, B는 산소 호흡 원핵생물, C는 단세포 진핵생물이다.

ㄴ B는 산소를 이용하여 유기물을 분해한다.
➡ 산소 호흡 원핵생물(B)은 산소를 이용하여 세포 호흡을 통해 포도당과 같은 유기물을 분해한다.

✕ ~~구간 Ⅰ에서~~ 세포내 공생이 일어났다.
B 출현과 C 출현 사이에서
➡ 세포내 공생에 의해 진핵생물이 출현하였다. 따라서 세포내 공생은 B 출현과 C 출현 사이에서 일어났다.

07 플라스크 속의 혼합 기체는 원시 지구의 환원성 대기, 강한 방전은 번개와 같은 원시 지구의 에너지, 냉각 장치를 통과한 물은 원시 지구에 내린 비, U자관에 고인 액체는 원시 지구의 바다를 가정한 것이다.

채점 기준	배점
플라스크 속의 혼합 기체와 U자관에 고인 액체가 각각 원시 지구의 무엇을 가정한 것인지 모두 옳게 서술한 경우	100 %
플라스크 속의 혼합 기체와 U자관에 고인 액체가 각각 원시 지구의 무엇을 가정한 것인지 1가지만 옳게 서술한 경우	40 %

08 (가)는 독립적으로 생활하던 호기성 세균과 광합성 세균이 더 큰 원핵세포의 내부로 들어가 공생하다가 미토콘드리아, 엽록체와 같은 세포 소기관으로 분화되었다는 세포내 공생설을 나타낸 것이다. (나)는 조상 원핵세포의 세포막이 안으로 함입되어 들어가 세포막과 분리되면서 핵, 소포체, 골지체 등과 같은 막성 세포 소기관을 형성하였다는 막 진화설을 나타낸 것이다.

09 세포내 공생설을 지지하는 근거는 다음과 같다.

첫째, 미토콘드리아와 엽록체는 독자적인 DNA와 리보솜을 가지고 있어서 스스로 복제가 가능하고 단백질을 합성할 수 있다.

둘째, 미토콘드리아와 엽록체에 있는 DNA와 리보솜은 진핵세포보다 원핵세포의 것과 유사하다. 이는 미토콘드리아와 엽록체가 진핵세포와 발생 기원이 다르다는 것을 뜻한다.

셋째, 미토콘드리아와 엽록체는 2중막 구조이고, 내막은 원핵생물의 세포막과 비슷한 조성의 지질로 이루어져 있다. 이는 식세포 작용에 의해 원핵생물이 숙주 세포로 삼켜진 흔적으로 추정된다. 내막은 삼켜진 원핵생물의 세포막에서 유래한 것이고, 외막은 숙주 세포의 세포막이 안으로 접혀서 형성된 것이다.

채점 기준	배점
(가)와 (나)를 지지하는 근거를 1가지씩 모두 옳게 서술한 경우	100 %
(가)와 (나)를 지지하는 근거 중 1가지만 옳게 서술한 경우	40 %

02 생물의 분류 체계

개념POOL 220쪽

01 (1) ○ (2) ○ (3) × (4) × (5) ○

01 (3) D와 E의 유연관계는 D와 C의 유연관계보다 멀다.

(4) ㉠~㉥ 중 C와 D의 공통된 특징은 ㉡, ㉢, ㉣, ㉥의 4개이다.

콕콕! 개념 확인하기 221쪽

✔ **잠깐 확인!**

1 종 **2** 분류 **3** 생식적 **4** 학명 **5** 속명, 종소명 **6** 계통수 **7** 분기점

01 ㉠ 형태학적, ㉡ 생물학적 **02** ㉠ 속, ㉡ 과, ㉢ 목, ㉣ 강, ㉤ 문, ㉥ 계 **03** (1) ○ (2) ○ (3) × (4) × **04** (1) ○ (2) × (3) × (4) ○ **05** (가) 2계 분류 체계, (나) 3계 분류 체계, (다) 5계 분류 체계, (라) 3역 6계 분류 체계

03 (3) 이명법에서 종소명 뒤에 명명자의 이름을 쓰기도 한다.

(4) 이명법에서 속명의 첫 글자는 대문자, 종소명의 첫 글자는 소문자로 표기한다.

04 (1) (나)가 거치는 가지에 있는 특징은 ⓐ, ⓑ, ⓔ이다.

(2) (라)와 (다)가 공통으로 가지는 특징이 (라)와 (마)가 공통으로 가지는 특징보다 많으므로, (라)와 (마)의 유연관계는 (라)와 (다)의 유연관계보다 멀다.

(3) (다)와 (라)가 가지는 공통적인 특징은 ⓐ, ⓑ, ⓓ이다.

(4) (나)와 (마)가 분화되는 분기점은 (나)와 (다)가 분화되는 분기점보다 아래쪽에 있으므로, (나)와 (마)의 분화는 (나)와 (다)의 분화보다 먼저 일어났다.

탄탄! 내신 다지기 222쪽~223쪽

01 ⑤ **02** ⑤ **03** ⑤ **04** ④ **05** ⑤ **06** ⑤ **07** ② **08** ㉠ (라), ㉡ (나), ㉢ (다) **09** (가) 세균역, (나) 고세균역, (다) 진핵생물역 **10** ④

01 | 선택지 분석 |

① 수호랑이와 암사자는 서로 다른 종이다.

➡ 수호랑이와 암사자 사이에서 태어난 타이곤은 생식 능력이 없으므로 수호랑이와 암사자는 서로 다른 종이다.

② 진돗개와 불독은 같은 속에 속한다.

➡ 진돗개와 불독 사이에서는 생식 능력이 있는 자손이 태어나므로 진돗개와 불독은 같은 종이다. 따라서 상위 분류 단계인 속도 같다.

③ 호랑이와 타이곤은 생식적으로 격리되어 있다.

➡ 호랑이와 타이곤은 서로 다른 종이므로 생식적으로 격리되어 있다.

④ 진돗개와 여우는 학명이 다르다.

➡ 진돗개와 여우는 다른 종이므로 학명이 다르다.

⑤ 생물학적 종의 개념에서 진돗개와 여우의 유연관계는 진돗개와 불독의 유연관계보다 가깝다.

➡ 진돗개와 불독은 같은 종이고 진돗개와 여우는 다른 종이므로 생물학적 종의 개념에서 진돗개와 여우의 유연관계는 진돗개와 불독의 유연관계보다 멀다.

02 | 선택지 분석 |

① (가)에서 호랑이의 학명은 이명법을 사용하였다.

➡ (가)에서 호랑이의 학명은 속명+종소명+명명자로 나타내었으므로 이명법을 사용하였다.

② (나)의 학명에서 명명자는 Brass이다.

➡ (나)의 학명에서 명명자는 정체로 나타낸 Brass이다.

③ (다)에서 고양이의 속명은 *Felis*이다.

➡ (다)에서 고양이의 속명은 *Felis*, 종소명은 *catus*, 명명자는 Linné이다.

④ (라)에서 사자의 종소명은 *leo*이다.

➡ (라)에서 사자의 속명은 *Panthera*, 종소명은 *leo*, 명명자는 Linné이다.

⑤ (가)~(라) 중 같은 속에 속하는 동물의 수는 2이다.

➡ (가)~(라) 중 (가), (나), (라)는 속명이 같으므로 같은 속에 속하고, (다)는 다른 속에 속한다.

더 알아보기 학명

학명(이명법):	속명	+	종소명	+	명명자
예 사람:	*Homo*		*sapiens*		Linné
구상나무:	*Abies*		*koreana*		E.H.Wilson

03 속명의 첫 글자는 대문자로, 종소명의 첫 글자는 소문자로 표기한다.

04 | 선택지 분석 |

ㄱ. 원시적이고 조상형일수록 계통수의 ~~위쪽~~(아래쪽)에 위치한다.
➡ 계통수에서 조상형일수록 아래쪽에 위치한다.

ㄴ. 계통수의 같은 가지에 놓인 생물은 공통 조상에서 분화하였다.

ㄷ. 유연관계가 가까운 무리는 계통수의 가까운 위치에 놓인다.

05 | 선택지 분석 |

① A와 B는 모두 ㉡을 갖는다.
➡ A와 B는 모두 ㉠과 ㉡을 갖는다.

② A와 F는 모두 ㉠을 갖는다.
➡ A와 F는 모두 ㉠을 갖는다.

③ C와 E는 모두 ㉢을 갖는다.
➡ C와 E는 모두 ㉠과 ㉢을 갖는다.

④ E와 F는 모두 ㉣을 갖는다.
➡ E와 F는 모두 ㉠, ㉢, ㉣을 갖는다.

⑤ B와 C의 유연관계는 B와 A의 유연관계보다 ~~가깝다~~(멀다).
➡ B와 C보다 B와 A가 공통으로 가지는 특징이 더 많으므로, B와 C의 유연관계는 B와 A의 유연관계보다 멀다.

06 | 선택지 분석 |

① A, B, C는 모두 ㉠을 갖는다.
➡ A, B, C가 있는 가지에 ㉠이 있으므로 A, B, C는 모두 ㉠을 갖는다.

② D, G, H는 모두 멸종된 종이다.
➡ D, G, H는 현재에 존재하지 않으므로 모두 멸종된 종이다.

③ 시기 Ⅰ~Ⅲ에서 모두 새로운 종이 출현하였다.
➡ 시기 Ⅰ~Ⅲ에서 모두 분기점이 있으므로 새로운 종이 출현하였다.

④ E와 F의 유연관계는 E와 C의 유연관계보다 가깝다.
➡ E와 F는 E와 C보다 최근에 갈라져 나왔으므로 E와 F의 유연관계는 E와 C의 유연관계보다 가깝다.

⑤ 종의 분화가 많이 일어난 시기는 ~~Ⅰ > Ⅱ > Ⅲ~~(Ⅰ > Ⅲ > Ⅱ) 순이다.
➡ 종의 분화는 Ⅰ 시기에 4번, Ⅱ 시기에 1번, Ⅲ 시기에 2번 일어났다. 따라서 종의 분화가 많이 일어난 시기는 Ⅰ > Ⅲ > Ⅱ 순이다.

07 ⓐ는 A~G, ⓑ는 F, G, ⓒ는 A~E, ⓓ는 A~C, ⓔ는 D, E, ⓕ는 A, B가 가지므로 ⓐ는 ㉠, ⓑ는 ㉢, ⓒ는 ㉡, ⓓ는 ㉣, ⓔ는 ㉤, ⓕ는 ㉥이다.

08 (가)와 공통된 특징이 가장 많은 (나)는 유연관계가 가장 가까우므로 ㉡이다. 다음으로 (가)와 공통된 특징이 많은 (라)는 ㉠이다. (가)와 공통된 특징이 가장 적은 (다)는 ㉢이다.

09 진정세균계가 속하는 (가)는 세균역, 고세균계가 속하는 (나)는 고세균역, 식물계와 균계, 동물계, 원생생물계가 속하는 (다)는 진핵생물역이다.

10 | 선택지 분석 |

① ㉠은 식물계이다.
➡ ㉠은 식물계, ㉡은 원생생물계, ㉢은 원핵생물계이다.

② ㉡에 속하는 생물은 모두 C에 속한다.
➡ A는 세균역, B는 고세균역, C는 진핵생물역이다. 원생생물계(㉡)는 진핵생물역(C)에 속한다.

③ 균계에 속하는 생물은 모두 C에 속한다.
➡ 균계는 모두 진핵생물역(C)에 속한다.

④ ㉢에 속하는 생물은 ~~모두 A~~(A 또는 B)에 속한다.
➡ 세균역(A)과 고세균역(B)에 속하는 생물은 모두 원핵생물이다. 따라서 원핵생물계(㉢)에 속하는 생물은 세균역(A) 또는 고세균역(B)에 속한다.

⑤ ㉢에 속하는 생물은 모두 핵이 존재하지 않는다.
➡ 원핵생물계(㉢)에 속하는 생물은 모두 핵이 존재하지 않는다.

더 알아보기 5계 분류 체계와 3역 6계 분류 체계

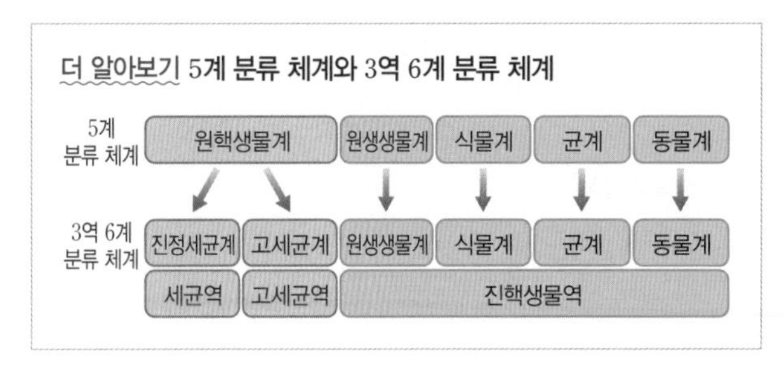

도전! 실력 올리기 224쪽~225쪽

01 ④ **02** ③ **03** ⑤ **04** ③ **05** ④ **06** ①

07 | 모범 답안 | 생물학적 종의 개념은 자연 상태에서 자유롭게 교배하여 생식 능력이 있는 자손을 낳을 수 있는 생물 무리이다. 암말과 수탕나귀 사이에서 태어나는 노새는 생식 능력이 없으므로 말과 당나귀는 같은 종이 아니다.

08 진정세균계, 고세균계, 원생생물계, 식물계, 균계, 동물계

09 | 모범 답안 | 목, '목'이 '과'보다 상위 분류 단계이기 때문이다.

10 ㉠ 갯과, ㉡ 고양잇과, ㉢ 식육목, ㉣ 취목

01 | 선택지 분석 |

㉠ ㉢은 D이다.

➡ A와 C가 같은 속에 속하므로 ㉠은 C이고, B와 E가 같은 속에 속하므로 ㉡은 E이다. 따라서 ㉢은 D이다.

✕ A와 E는 ~~같은~~ 다른 과에 속한다.

➡ A와 C는 같은 과에 속하고, B와 E는 같은 과에 속한다. A~E는 3개의 과에 속하므로 D는 다른 과이다.

㉢ B와 ㉡의 유연관계는 B와 ㉢의 유연관계보다 가깝다.

➡ B와 ㉡은 B와 ㉢보다 최근에 갈라져 나왔으므로 B와 ㉡의 유연관계는 B와 ㉢의 유연관계보다 가깝다.

02 | 선택지 분석 |

㉠ (가)는 A이다.

➡ (가)는 A이고, (나)와 (다) 중 하나는 B, 다른 하나는 C이다.

㉡ B는 미나리아재비과이다.

➡ B와 C는 속명이 같으므로 같은 속에 속한다. 따라서 상위 분류 단계인 과도 같다.

✕ D의 속명은 *Anemone*~~이다~~ 가 아니다.

➡ A~D는 3개의 속에 속하므로 D는 B, C와 다른 속에 속한다. 따라서 속명이 *Anemone*가 아니다.

03 | 자료 분석 |

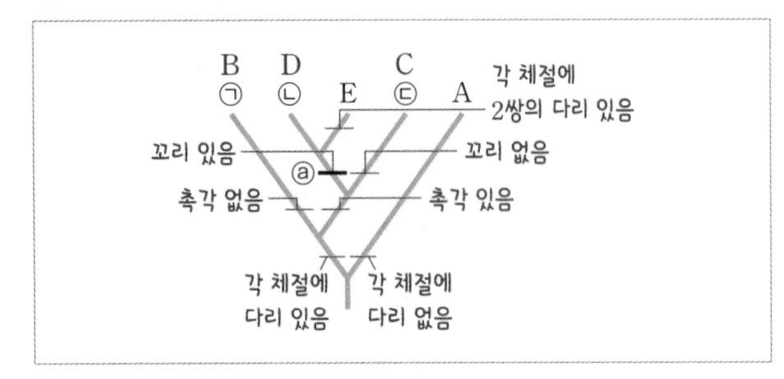

| 선택지 분석 |

✕ ⓐ는 '~~촉각 있음~~ 꼬리 있음'이다.

➡ ⓐ는 D(㉡)와 E의 공통적인 특징인 '꼬리 있음'이다.

㉡ ㉡은 D이다.

➡ ㉠은 B, ㉡은 D, ㉢은 C이다.

㉢ D와 E의 유연관계는 D와 C의 유연관계보다 가깝다.

➡ D와 E는 D와 C보다 최근에 갈라져 나왔으므로 D와 E의 유연관계는 D와 C의 유연관계보다 가깝다.

04 | 자료 분석 |

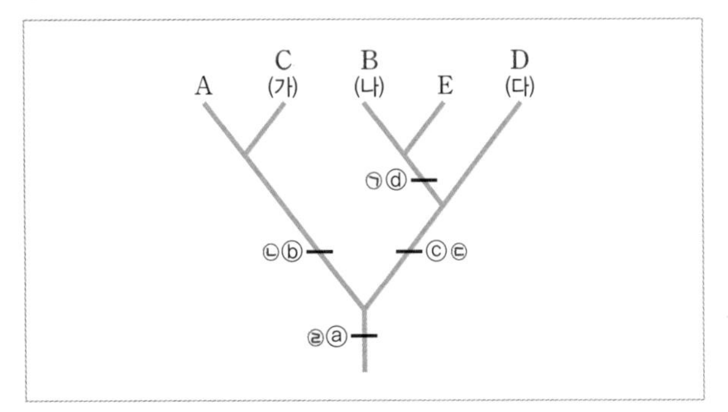

| 선택지 분석 |

㉠ (가)는 C이고, (나)는 B이다.

➡ (가)는 C, (나)는 B, (다)는 D이다.

㉡ ⓑ는 ㉡이고, ⓓ는 ㉠이다.

➡ ⓐ는 ㉣, ⓑ는 ㉡, ⓒ는 ㉢, ⓓ는 ㉠이다.

✕ (가)와 (다)의 공통 조상은 특징 ~~㉢~~ ㉣을 가진다.

➡ ⓐ는 특징 ㉣이므로 C(가)와 D(다)의 공통 조상은 특징 ㉣을 가진다. ㉢은 B(나), E, D(다)가 공통으로 가지는 특징이다.

05 | 선택지 분석 |

㉠ 종 C와 D를 분류하는 데 기준이 되는 형질은 1이다.

➡ 종 C와 D는 1이 서로 다르므로 종 C와 D를 분류하는 데 기준이 되는 형질은 1이다.

✕ 종 E와 F를 분류하는 데 기준이 되는 형질은 ~~3~~ 1과 4이다.

➡ 종 E와 F는 모두 3을 공통으로 가지고 1과 4가 다르므로 E와 F를 분류하는 데 기준이 되는 형질은 1과 4이다.

㉢ 종 B~F를 속 (가)와 (나)로 분류하는 데 기준이 되는 형질은 2와 3이다.

➡ 속 (가)는 2를 가지고, 속 (나)는 3을 가지므로 종 B~F를 속 (가)와 (나)로 분류하는 데 기준이 되는 형질은 2와 3이다.

06 B는 C와 유연관계가 가장 가깝고, D는 E와 유연관계가 가장 가깝다.

07 생물학적 종은 다른 종과 구별되는 공통적인 특징과 생활형을 가지며, 자연 상태에서 자유롭게 교배하여 생식 능력이 있는 자손을 낳을 수 있는 무리를 뜻한다. 인위적인 환경에서 암말과 수탕나귀의 교배로 노새가 태어나는데, 노새는 자연 상태에서 생식 능력이 있는 자손을 낳을 수 없는 종간 잡종이다. 따라서 말과 당나귀는 서로 다른 종으로 분류한다.

채점 기준	배점
생물학적 종의 개념과 말과 당나귀가 같은 종이 아닌 까닭을 모두 옳게 서술한 경우	100 %
생물학적 종의 개념과 말과 당나귀가 같은 종이 아닌 까닭 중 1가지만 옳게 서술한 경우	40 %

08 3역 6계 분류 체계에서는 특정 rRNA의 염기 서열을 이용하여 작성한 계통수를 근거로 생물을 세균역, 고세균역, 진핵생물역의 3역과 진정세균계, 고세균계, 원생생물계, 식물계, 균계, 동물계의 6계로 분류한다.

09 생물의 분류 단계는 좁은 범위에서 넓은 범위로 가면서 종, 속, 과, 목, 강, 문, 계, 역의 8단계로 나타낼 수 있다. '목'은 '과'보다 상위 분류 단계이므로, 목에 속하는 종 수가 과에 속하는 종 수보다 많다.

채점 기준	배점
목이라고 쓰고, 그 까닭을 옳게 서술한 경우	100 %
목이라고만 쓴 경우	40 %

10 A와 C는 같은 속에 속하므로 상위 분류 단계인 과도 같다. 따라서 ㉠은 갯과이다. B와 D는 같은 속에 속하므로 상위 분류 단계인 과도 같다. 따라서 ㉡은 고양잇과이다. 고양잇과와 갯과는 모두 식육목에 속하므로 ㉢은 식육목이며, A~F는 2개의 목으로 분류되므로 ㉣은 쥐목이다.

03 생물의 다양성

개념POOL　　231쪽

01 ㉠ 진정세균계, ㉡ 고세균계, ㉢ 원생생물계, ㉣ 식물계, ㉤ 균계, ㉥ 동물계 **02** (1) ○ (2) ○ (3) × (4) × (5) ×

02 (3) 원생생물은 진핵생물역에 속한다.
(4) 버섯, 곰팡이는 모두 균계에 속한다.
(5) 동물은 종속 영양 생물이지만, 식물은 독립 영양 생물이다.

콕콕! 개념 확인하기　　232쪽

✔ 잠깐 확인!
1 원생생물계, 균계, 동물계 **2** 진정세균 **3** 원생생물 **4** 독립, 셀룰로스 **5** 관다발 **6** 석송, 양치 **7** 종자 **8** 방사, 좌우 **9** 미삭

01 세포벽의 펩티도글리칸 성분 유무 **02** (1) × (2) ○ (3) × (4) ○ (5) ○ **03** ㉠ 관다발 있음, ㉡ 종자 형성함, ㉢ 씨방 있음 **04** (1)-㉡ (2)-㉠ (3)-㉢ **05** (1)-㉡ (2)-㉠ **06** (1)-㉠ (2)-㉡

01 세균역에 속하는 생물은 세포벽에 펩티도글리칸 성분이 있고, 고세균역에 속하는 생물은 세포벽에 펩티도글리칸 성분이 없다.

02 (1) 균계에 속한 생물은 대부분 다세포 생물이다.
(2) 균계는 세포에 핵막이 있는 진핵생물이다.
(3) 균계는 세포벽에 키틴 성분이 있다. 세포벽에 셀룰로스 성분이 있는 것은 식물계이다.
(4) 균계는 외부로 소화 효소를 분비하며 주변 유기물을 분해하여 에너지를 얻는 종속 영양 생물이다.
(5) 균계에는 버섯, 곰팡이가 속해 있다.

03 선태식물은 다른 식물과 달리 관다발이 없고, 겉씨식물과 속씨식물은 종자를 형성하는 종자식물이다. 겉씨식물은 씨방이 없고, 속씨식물은 씨방이 있다.

탄탄! 내신 다지기　　233쪽~234쪽

01 ⑤ **02** ④ **03** ① **04** ③ **05** A: 우산이끼, 솔이끼, 뿔이끼 등, B: 석송, 물부추 등, C: 고사리, 고비, 쇠뜨기 등, D: 은행나무, 소철, 소나무 등, E: 장미, 백합 등 중 각각 1가지 **06** ④ **07** ② **08** ⑤ **09** ③ **10** ㄱ, ㄷ **11** ⑤

01 | 선택지 분석 |
① (가)는 ~~세균역~~(고세균역)이다.
➡ (나)는 핵막이 있으므로 진핵생물역이고, (다)는 핵막이 없고 세포벽에 펩티도글리칸 성분이 있으므로 세균역이다. 따라서 (가)는 고세균역이다.
② ㉠은 '~~있음~~(없음)'이다.
➡ 고세균역(가)에 속하는 생물은 세포벽이 있지만, 세포벽에 펩티도글리칸 성분이 없다.
③ ㉡은 '~~없음~~(있음)'이다.
➡ 진핵생물역(나)에 속하는 생물은 히스톤과 결합한 DNA가 있다.
④ ㉢은 '~~선형~~(원형)'이다.
➡ 세균역(다)에 속하는 생물은 염색체 모양이 원형이다.
⑤ (나)에는 4개의 계가 속한다.
➡ 진핵생물역(나)에는 원생생물계, 식물계, 균계, 동물계가 속한다.

02 남세균, 대장균은 진정세균계에, 극호열균, 메테인 생성균은 고세균계에, 짚신벌레, 아메바, 미역은 원생생물계에, 솔이끼, 우산이끼, 은행나무, 소나무는 식물계에, 곰팡이, 광대버섯은 균계에, 토끼, 플라나리아, 우렁쉥이, 지렁이, 호랑이는 동물계에 속한다.

03 | 선택지 분석 |
① 세포벽에 펩티도글리칸 성분이 ~~있다~~(없다).
➡ 고세균계에 속하는 생물은 세포벽이 있지만 세포벽에 펩티도글리칸 성분이 없다. 세포벽에 펩티도글리칸 성분이 있는 생물은 진정세균계에 속하는 생물이다.
② 메테인 생성균, 극호열균이 속한다.
➡ 고세균계에는 메테인 생성균, 극호열균, 극호염균 등이 속한다.
③ 진정세균보다 진핵생물과 유연관계가 더 가깝다.
➡ 고세균은 핵막이 없고 세포벽을 가지는 점은 진정세균과 같지만, 세포벽에 펩티도글리칸 성분이 없고 히스톤과 결합한 DNA를 가진 것도 일부 있으며 유전 정보의 발현과 관련된 많은 부분

이 진핵생물과 유사하므로, 진정세균보다 진핵생물과 유연관계가 더 가깝다고 여겨진다.

④ 주로 무기물이나 유기물을 산화시켜 에너지를 얻는다.

⑤ 염분 농도가 높거나 온도가 높은 극한 환경에서 서식하는 것이 있다.

➡ 극호염균은 사해와 같이 염분 농도가 높은 곳에 서식하고, 극호열균은 온도가 매우 높은 화산 온천에 서식한다.

04 관다발을 형성하지 않는 A는 선태식물이고, 관다발을 형성하면서 종자를 형성하지 않는 B는 석송식물, C는 양치식물이다. 종자를 형성하면서 씨방을 형성하지 않는 D는 겉씨식물이고, 씨방을 형성하는 E는 속씨식물이다.

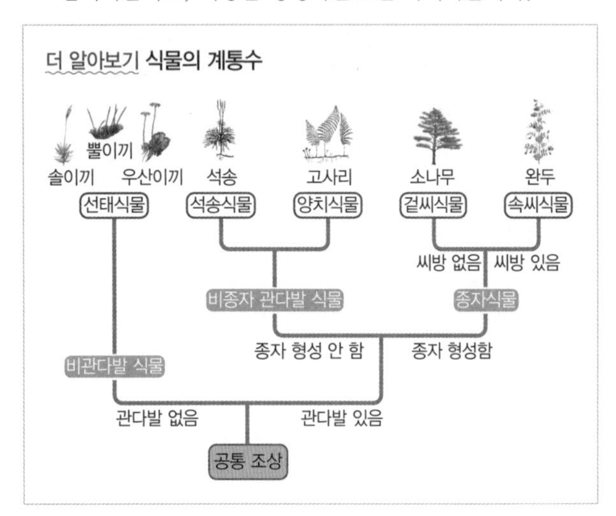

05 선태식물(A)에는 우산이끼, 솔이끼, 뿔이끼 등이 있고, 석송식물(B)에는 석송, 물부추 등이 있으며, 양치식물(C)에는 고사리, 고비, 쇠뜨기 등이 있다. 겉씨식물(D)에는 은행나무, 소철, 소나무 등이 있고, 속씨식물(E)에는 장미, 백합 등이 있다.

06 | 선택지 분석 |

ㄱ 석송식물과 양치식물이 해당한다.

ㄴ ✕ 잎, 줄기, 뿌리가 분화되어 ~~있지 않다~~ 있다.

➡ 비종자 관다발 식물은 잎, 줄기, 뿌리가 분화되어 있다. 잎, 줄기, 뿌리가 제대로 분화되어 있지 않은 식물은 선태식물이다.

ㄷ 헛물관이 있다.

➡ 비종자 관다발 식물은 관다발이 헛물관과 체관으로 이루어져 있다.

07 | 선택지 분석 |

ㄱ ✕ 씨방이 ~~있다~~ 없다.

➡ (가)~(다)는 모두 씨방이 없는 겉씨식물에 속한다.

ㄴ ✕ ~~포자~~ 종자로 번식한다.

➡ (가)~(다)는 모두 종자로 번식하는 종자식물에 속한다.

ㄷ 관다발이 있다.

➡ (가)~(다)는 모두 헛물관과 체관으로 이루어진 관다발이 있다.

08 편형동물, 연체동물, 환형동물은 먹이 포획에 이용되는 촉수관을 가지거나 담륜자 유생 시기를 갖는 촉수담륜동물이다. 선형동물, 절지동물은 모두 탈피를 하는 탈피동물이다. 또, 편형동물, 연체동물, 환형동물, 선형동물, 절지동물은 모두 원구가 입이 되는 선구동물이고, 편형동물, 연체동물, 환형동물, 선형동물, 절지동물, 극피동물, 척삭동물은 모두 몸이 좌우 대칭인 좌우 대칭 동물이다.

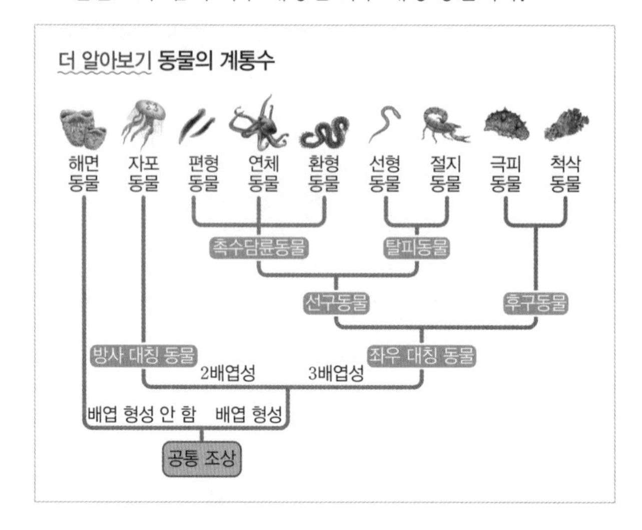

09 | 선택지 분석 |

① (가)는 선구동물의 발생 과정이다.

➡ (가)는 발생 과정에서 원구가 입이 되는 선구동물이다.

② (가)는 발생 과정에서 원구가 입이 된다.

➡ (가)는 발생 과정에서 원구가 입이 되고 반대편에 항문이 생긴다.

③ ~~2배엽성~~ 3배엽성 동물은 ~~(나)~~ (가) 또는 (나)와 같은 발생 과정을 거친다.

➡ 원구가 입이나 항문이 되는 과정은 중배엽이 형성되고 나서 일어난다. 따라서 2배엽성 동물은 (가), (나)와 같은 발생 과정이 일어나지 않는다.

④ 절지동물문에 속하는 동물은 (가)와 같은 발생 과정을 거친다.

➡ 절지동물문에 속하는 동물은 (가)와 같은 발생 과정을 거치는 선구동물이다.

⑤ 극피동물문에 속하는 동물은 (나)와 같은 발생 과정을 거친다.

➡ 극피동물문에 속하는 동물은 (나)와 같은 발생 과정을 거치는 후구동물이다.

10 발생 과정에서 원구가 입이 되고 담륜자 유생 시기를 거치는 동물은 일부 연체동물과 환형동물이다.

| 선택지 분석 |

ㄱ 조개

➡ 조개는 연체동물이므로 (가)에 속한다.

ㄴ ✕ 거미

➡ 거미는 절지동물이므로 (가)에 속하지 않는다.

ㄷ 갯지렁이

➡ 갯지렁이는 환형동물이므로 (가)에 속한다.

❌ 예쁜꼬마선충
➡ 예쁜꼬마선충은 선형동물이므로 (가)에 속하지 않는다.

11 (가)는 히드라, (나)는 불가사리, (다)는 플라나리아이다.

| **선택지 분석** |

① (가)는 ~~3배엽성~~ 동물이다. (2배엽성)
➡ 히드라(가)는 자포동물이며, 2배엽성 동물이다.

② (가)는 탈피를 ~~한다~~. (하지 않는다.)
➡ 히드라(가)는 탈피를 하지 않는다. 탈피를 하는 동물은 선형동물, 절지동물이다.

③ (나)는 발생 과정에서 원구가 ~~입~~이 된다. (항문)
➡ 불가사리(나)는 발생 과정에서 원구가 항문이 되는 후구동물이다.

④ (다)는 ~~방사~~ 대칭 동물이다. (좌우)
➡ 플라나리아(다)는 편형동물이므로 좌우 대칭 동물이다.

✔⑤ (다)는 촉수관을 가진다.
➡ 플라나리아(다)는 촉수관을 가지는 촉수담륜동물이다.

도전! 실력 올리기 235쪽~236쪽

01 ③ **02** ② **03** ③ **04** ③ **05** ④ **06** ③

07 | **모범 답안** | ㉠은 관다발의 유무, ㉡은 종자의 유무, ㉢은 씨방의 유무이다.

08 편형동물문, 연체동물문, 환형동물문, 선형동물문, 절지동물문, 극피동물문, 척삭동물문

09 X: 세포벽의 펩티도글리칸 성분의 유무, Y: 몸의 대칭성, 배엽의 수

01 | **자료 분석** |

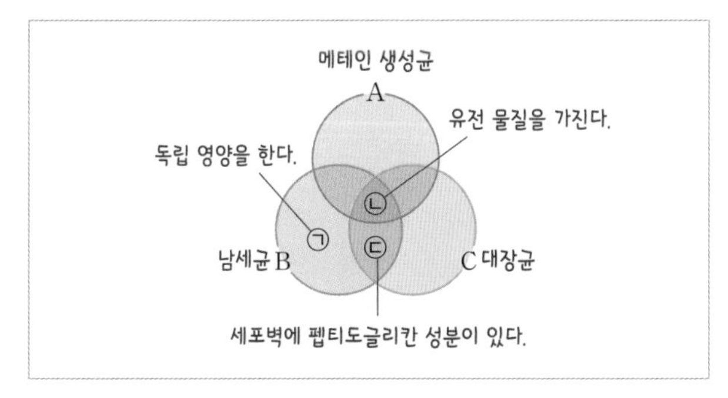

| **선택지 분석** |

㉠ C는 대장균이다.
➡ '독립 영양을 한다.'는 남세균만 해당되고, '유전 물질을 가진다.'는 남세균, 대장균, 메테인 생성균이 모두 해당되며, '세포벽에 펩티도글리칸 성분이 있다.'는 남세균과 대장균이 해당되므로 A는 메테인 생성균, B는 남세균, C는 대장균이다.

㉡ ㉢은 '세포벽에 펩티도글리칸 성분이 있다.'이다.
➡ ㉠은 '독립 영양을 한다.', ㉡은 '유전 물질을 가진다.', ㉢은 '세포벽에 펩티도글리칸 성분이 있다.'이다.

❌ 3역 6계 분류 체계에서 A와 B는 ~~같은~~ 계에 속한다. (다른)
➡ 3역 6계 분류 체계에서 메테인 생성균(A)은 고세균계, 남세균(B)은 진정세균계에 속한다.

02 | **선택지 분석** |

❌ ~~A~~는 선태식물에 속한다. (우산이끼)
➡ 종자가 없고 관다발이 있는 A는 석송이다. 석송은 선태식물에 속하지 않는다. 선태식물에 속하는 식물은 우산이끼이다.

㉡ B는 소나무이다.
➡ 밑씨가 겉으로 드러나 있는 겉씨식물에 속하는 B는 소나무이다.

❌ C는 잎맥이 ~~그물맥~~이다. (나란히맥)
➡ 벼(C)는 떡잎이 1장인 외떡잎식물이며, 외떡잎식물의 잎맥은 나란히맥이다.

03 | **선택지 분석** |

㉠ '관다발 있음'은 특징 ㉠에 해당한다.
➡ '관다발 있음'은 고사리, 은행나무, 장미만 해당되므로, 특징 ㉠에 해당한다.

㉡ '종자 있음'은 특징 ㉡에 해당한다.
➡ '종자 있음'은 은행나무, 장미만 해당되므로, 특징 ㉡에 해당한다.

❌ ~~은행나무와 장미는 모두~~ 씨방이 있다. (장미만)
➡ 은행나무는 씨방이 없는 겉씨식물이고, 장미는 씨방이 있는 속씨식물이다.

04 | **선택지 분석** |

㉠ A는 솔이끼이다.
➡ (나)는 원구가 입이 되는 선구동물을 나타낸 것이므로, 특징 ㉠은 선구동물이다. 따라서 C는 환형동물인 지렁이이고, 지렁이와 유연관계가 가장 가까운 D는 불가사리이다. 이에 따라 동물계와 유연관계가 가장 먼 A는 식물계에 속하는 솔이끼이고, B는 균계에 속하는 광대버섯이다.

㉡ B와 C는 모두 종속 영양을 한다.
➡ 광대버섯(B)은 균계에 속하고 지렁이(C)는 동물계에 속하므로 모두 종속 영양을 한다.

❌ D는 ~~척삭동물문~~에 속한다. (극피동물문)
➡ 불가사리(D)는 극피동물문에 속한다.

05 | **자료 분석** |

특징 \ 동물	A 뱀	B 성게	C 해파리
㉠ 2배엽성 동물이다.	×	×	○
㉡ 척추를 가진다.	○	×	×
㉢ 원구가 항문이 된다.	○	○	ⓐ×

(○: 있음, ×: 없음)

| 선택지 분석 |

ㄱ. C는 자포동물문에 속한다.

➡ '척추를 가진다.'는 뱀만 해당되고, '2배엽성 동물이다.'는 해파리만 해당되며, '원구가 항문이 된다.'는 뱀, 성게만 해당되므로 A는 뱀, B는 성게, C는 해파리이다. 해파리는 자포동물문에 속한다.

ㄴ. ㉠은 '2배엽성 동물이다.'이다.

➡ ㉠은 '2배엽성 동물이다.', ㉡은 '척추를 가진다.', ㉢은 '원구가 항문이 된다.'이다.

~~ㄷ.~~ ⓐ는 '~~○~~(×)'이다.

➡ 해파리(C)는 자포동물문에 속하므로 ⓐ는 '×'이다.

06 | 자료 분석 |

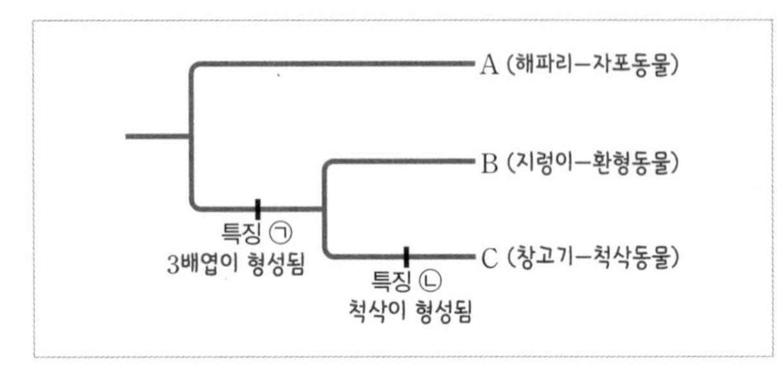

| 선택지 분석 |

ㄱ. ㉠은 '3배엽이 형성됨'이다.

➡ '척삭이 형성됨'은 창고기만 해당되고, '3배엽이 형성됨'은 지렁이, 창고기만 해당되므로 ㉠은 '3배엽이 형성됨', ㉡은 '척삭이 형성됨'이다.

ㄴ. B는 촉수담륜동물에 해당한다.

➡ A는 해파리, B는 지렁이, C는 창고기이다. 지렁이(B)는 환형동물이므로 촉수담륜동물에 해당한다.

~~ㄷ.~~ C는 ~~선구동물~~(후구동물)에 해당한다.

➡ 창고기(C)는 척삭동물이므로 원구가 항문이 되는 후구동물에 해당한다.

07 솔이끼는 관다발이 없는 선태식물이고, 고사리, 소나무, 백합은 관다발이 있으므로 ㉠은 관다발의 유무이다. 고사리는 종자가 없는 양치식물이고, 소나무와 백합은 종자로 번식하는 종자식물이므로 ㉡은 종자의 유무이다. 소나무는 씨방이 없어 밑씨가 겉으로 드러나 있는 겉씨식물이고, 백합은 씨방이 있어 밑씨가 씨방 속에 들어 있는 속씨식물이므로 ㉢은 씨방의 유무이다.

채점 기준	배점
㉠~㉢을 모두 옳게 서술한 경우	100 %
㉠~㉢ 중 2가지만 옳게 서술한 경우	60 %
㉠~㉢ 중 1가지만 옳게 서술한 경우	30 %

08 제시된 그림은 초기 발생 과정에서 외배엽, 중배엽, 내배엽이 모두 형성되므로, 3배엽성 동물의 발생 과정을 나타낸 것이다. 3배엽성 동물에는 편형동물문, 연체동물문, 환형동물문, 선형동물문, 절지동물문, 극피동물문, 척삭동물문이 있다.

09 젖산균, 대장균은 진정세균계에 속하고, 극호염균, 극호열균은 고세균계에 속한다. 따라서 X는 세포벽의 펩티도글리칸 성분의 유무이다. 말미잘, 산호는 자포동물에 속하고, 자포동물은 방사 대칭 동물이자 2배엽성 동물이다. 플라나리아는 편형동물에 속하고, 회충은 선형동물에 속한다. 편형동물과 선형동물은 모두 좌우 대칭 동물이자 3배엽성 동물이다.

실전! 수능 도전하기

238쪽~240쪽

01 ④ 02 ③ 03 ③ 04 ② 05 ② 06 ⑤ 07 ④ 08 ③ 09 ⑤ 10 ④ 11 ③ 12 ⑤

01 ㉠이 지구상에 가장 먼저 나타났으므로 원핵생물이고, ㉡은 그 다음으로 나타났으므로 단세포 진핵생물이며, ㉢은 가장 나중에 나타났으므로 다세포 진핵생물이다.

| 선택지 분석 |

~~ㄱ.~~ 효모는 ~~㉠~~(㉡)에 속한다.

➡ 효모는 균계에 속하므로 단세포 진핵생물이다. 따라서 ㉡에 속한다.

ㄴ. ㉡에는 RNA가 있다.

➡ ㉠~㉢에서는 모두 전사가 일어나므로 RNA가 있다.

ㄷ. ㉢은 다세포 진핵생물이다.

➡ ㉢은 가장 늦게 출현하였으므로 다세포 진핵생물이다.

02 | 선택지 분석 |

ㄱ. ⓐ는 호기성 세균이다.

➡ ⓐ는 미토콘드리아의 기원이므로 호기성 세균이고, ⓑ는 엽록체의 기원이므로 광합성 세균이다.

~~ㄴ.~~ ⓑ에는 핵이 ~~있다~~(없다).

➡ 광합성 세균(ⓑ)은 진정세균계에 속하므로 원핵생물이다. 따라서 핵이 없다.

ㄷ. ⓐ와 ⓑ에는 모두 DNA가 있다.

➡ 호기성 세균(ⓐ)과 광합성 세균(ⓑ)에는 모두 유전 물질인 DNA가 있다. 따라서 미토콘드리아와 엽록체에도 DNA가 있다.

03 | 선택지 분석 |

~~ㄱ.~~ (가)의 혼합 기체에 산소(O_2)가 ~~포함되어 있다~~(없다).

➡ (가)의 혼합 기체에는 메테인(CH_4), 암모니아(NH_3), 수소(H_2), 수증기(H_2O) 등의 환원성 기체가 들어 있다. 산화성 기체인 산소는 포함되어 있지 않다.

~~ㄴ.~~ 실험 결과 U자관 내에서 ~~원핵생물~~(아미노산)이 관찰된다.

➡ U자관에 고인 액체는 원시 지구의 바다에 해당하며, 실험 결과 U자관 내에서 아미노산과 같은 간단한 유기물이 관찰된다.

ㄷ B는 아미노산이다.
➡ A는 시간이 지나면서 감소하므로 암모니아이고, B는 시간이 지나면서 증가하므로 아미노산이다.

04 | 선택지 분석 |

✕ ㉠은 ~~호기성 세균~~이다. 무산소 호흡 종속 영양 생물
➡ ㉠은 산소가 없는 지구에 가장 먼저 나타났으므로 무산소 호흡 종속 영양 생물, ㉡의 출현 이후 O_2가 방출되었으므로 ㉡은 광합성 세균, ㉢은 O_2로 호흡하는 호기성 세균이다.

ㄴ ㉡에는 엽록소가 있다.
➡ 광합성 세균(㉡)에는 엽록소가 있어 광합성을 할 수 있다.

✕ ㉢은 막으로 둘러싸인 세포 소기관을 ~~가진다~~. 가지지 않는다.
➡ 호기성 세균(㉢)은 원핵생물이므로 막으로 둘러싸인 세포 소기관을 가지지 않는다.

05 | 선택지 분석 |

✕ A와 C의 유연관계는 A와 F의 유연관계보다 ~~가깝다~~. 멀다.
➡ A는 E와 속명이 같으므로 고양잇과이고, D는 B와 속명이 같으므로 갯과이다. 이에 따라 C는 족제비과이다. A와 F는 과명이 같고 A와 C는 과명이 다르므로, A와 C의 유연관계는 A와 F의 유연관계보다 멀다.

ㄴ B와 E는 같은 강에 속한다.
➡ B와 E는 목이 같으므로 상위 분류 단계인 강도 같다.

✕ D의 학명에서 종소명은 '~~*Canis*~~'이다. *latrans*
➡ 이명법은 학명을 속명+종소명으로 나타내므로 D의 종소명은 '*latrans*'이다.

06 | 선택지 분석 |

ㄱ '광합성이 일어나는가?'는 ㉠에 해당한다.
➡ '광합성이 일어나는가?'는 공변세포에만 해당되므로 ㉠에 해당한다.

ㄴ A의 세포벽에는 펩티도글리칸 성분이 있다.
➡ 대장균은 세포벽이 있는 진정세균계에 속하고, 사람은 세포벽이 없는 동물계에 속하므로, A는 대장균이고 B는 사람의 간세포이다. 대장균의 세포벽에는 펩티도글리칸 성분이 있다.

ㄷ B에는 핵이 있다.
➡ 사람의 간세포(B)는 진핵세포이므로 핵이 있다.

07 | 선택지 분석 |

✕ ㉠은 ~~F~~이다. D
➡ C는 D와 같은 속에 속하고, E, F와 다른 속에 속하므로 C와 유연관계가 가까운 ㉠은 D이다. 또, C는 E와 같은 목에 속하고, F와는 다른 목에 속하므로 ㉡은 E, ㉢은 F이다.

ㄴ C와 D의 유연관계는 C와 E의 유연관계보다 가깝다.
➡ C와 D는 속명이 같고, C와 E는 속명이 다르므로, C와 D의 유연관계는 C와 E의 유연관계보다 가깝다.

ㄷ F의 학명은 이명법을 사용하였다.
➡ F의 학명은 속명+종소명+명명자로 나타냈으므로, 이명법을 사용하였다.

08 뿔이끼는 식물계, 남세균은 진정세균계, 푸른곰팡이는 균계에 속하므로, A는 남세균, B는 뿔이끼, C는 푸른곰팡이이다.

| 선택지 분석 |

ㄱ A는 원핵생물에 해당한다.
➡ 남세균(A)은 핵막이 없으므로 원핵생물에 해당한다.

✕ B는 관다발이 ~~있다~~. 없다.
➡ 뿔이끼(B)는 선태식물에 속하므로 관다발이 없다.

ㄷ C는 균계에 속한다.
➡ 푸른곰팡이(C)는 균계에 속한다.

09 | 자료 분석 |

• ㉠과 ㉡은 원생생물계에 속한다. 김, 아메바
• ㉠과 ㉣은 종속 영양 생활을 한다. 아메바, 검은빵곰팡이
• ㉢과 ㉣은 포자로 번식한다. 솔이끼, 검은빵곰팡이

㉠은 아메바, ㉡은 김, ㉢은 솔이끼, ㉣은 검은빵곰팡이이다.

| 선택지 분석 |

ㄱ ㉠은 위족을 형성한다.
➡ 아메바(㉠)는 원생생물계에 속하며, 위족을 형성한다.

ㄴ ㉢은 엽록소 b를 갖는다.
➡ 솔이끼(㉢)는 식물계에 속하므로, 엽록소 a, b를 갖는다.

ㄷ ㉣은 균사를 갖는다.
➡ 검은빵곰팡이(㉣)는 균계에 속하므로, 균사를 갖는다.

10 | 자료 분석 |

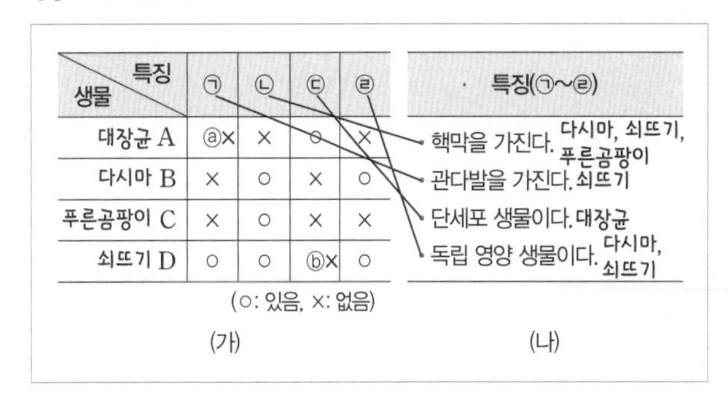

생물 \ 특징	㉠	㉡	㉢	㉣
대장균 A	ⓐ×	×	○	×
다시마 B	×	○	×	○
푸른곰팡이 C	×	○	×	×
쇠뜨기 D	○	○	ⓑ×	○

(○: 있음, ×: 없음)

(가)

특징(㉠~㉣)
핵막을 가진다. 다시마, 쇠뜨기, 푸른곰팡이
관다발을 가진다. 쇠뜨기
단세포 생물이다. 대장균
독립 영양 생물이다. 다시마, 쇠뜨기

(나)

다시마는 원생생물계, 대장균은 진정세균계, 쇠뜨기는 식물계, 푸른곰팡이는 균계에 속한다. 핵막을 가지는 것은 다시마, 쇠뜨기, 푸른곰팡이이므로, '핵막을 가진다.'는 ㉡이고 A는 대장균이다. 관다발을 가지는 것은 양치식물인 쇠뜨기이므로, '관다발을 가진다.'는 ㉠이고 D는 쇠뜨기이며 ⓐ는 '×'이다. 단세포 생물인 것은 대장균이므로, ㉢은 '단세포 생물이다.'이고 ⓑ는 '×'이다. 독립 영양 생물인 것은 다시마, 쇠뜨기이므로, ㉣은 '독립 영양 생물이다.'이고 B는 다시마, C는 푸른곰팡이이다.

| 선택지 분석 |

ㄱ ⓐ와 ⓑ는 모두 '×'이다.
➡ 대장균은 관다발이 없고 쇠뜨기는 단세포 생물이 아니므로 ⓐ와 ⓑ는 모두 '×'이다.

✕ B는 ~~푸른곰팡이~~이다.
다시마
➡ A는 대장균, B는 다시마, C는 푸른곰팡이, D는 쇠뜨기이다.

㉢ D는 양치식물문에 속한다.
➡ 쇠뜨기(D)는 양치식물문에 속한다.

11 회충은 선형동물, 도마뱀은 척추동물, 창고기는 두삭동물, 불가사리는 극피동물에 속한다.

| 선택지 분석 |

㉠ A는 회충이다.
➡ '원구가 항문이 됨'은 도마뱀, 창고기, 불가사리만 해당되므로 A는 회충이다.

㉡ B는 좌우 대칭 동물이다.
➡ 원구가 항문이 되고 척삭을 형성하지 않는 동물은 불가사리이므로 B는 불가사리이다. 불가사리는 좌우 대칭 동물이지만 성체 시기에는 방사 대칭의 몸 구조를 갖는다.

✕ C는 ~~미삭동물~~에 속한다.
두삭동물
➡ 척삭을 형성하면서 척추를 가지지 않는 C는 창고기이다. 창고기는 일생 동안 뚜렷한 척삭이 나타나므로 두삭동물에 속한다.

12 | 자료 분석 |

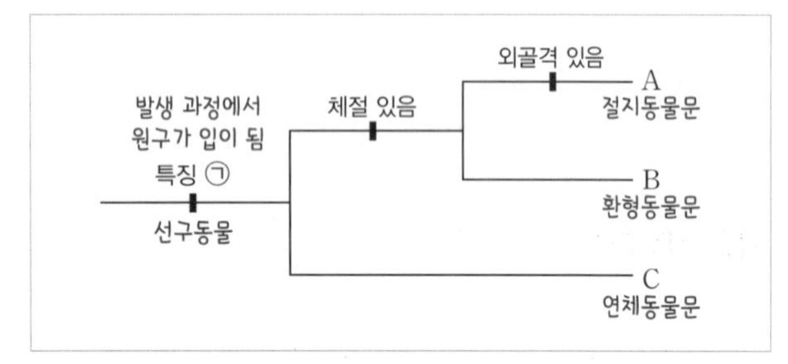

A는 몸에 체절이 있고 외골격이 있는 동물이므로 절지동물문이고, B는 몸에 체절이 있는 환형동물문이다. 따라서 C는 연체동물문이다.

| 선택지 분석 |

㉠ '발생 과정에서 원구가 입이 됨'은 ㉠에 해당한다.
➡ 발생 과정에서 원구가 입이 되는 선구동물은 연체동물문, 절지동물문, 환형동물문 모두에 해당되므로 ㉠에 해당한다.

㉡ A는 절지동물문이다.
➡ 몸에 체절이 있고 외골격이 있는 A는 절지동물문이다.

㉢ 갯지렁이는 B에 속한다.
➡ 갯지렁이는 환형동물문(B)에 속한다.

2 ››› 생물의 진화

01 ~ 진화의 증거

콕콕! 개념 확인하기 245쪽

✔ 잠깐 확인!

1 화석 **2** 팔, 앞다리 **3** 날개, 날개 **4** 월리스 **5** 진화발생학적 **6** 유연관계

01 화석상의 증거 **02** (1) ㉠ 상동 기관, ㉡ 상사 기관, ㉢ 흔적 기관 (2) 사람 배아의 아가미 틈, 사람의 꼬리뼈, 사람의 막창자꼬리 등 **03** (1) ○ (2) × (3) ○ **04** (1) ㄴ (2) ㄷ (3) ㄱ (4) ㄹ

03 (2) 생물종 간에 DNA 염기 서열이나 단백질의 아미노산 서열의 차이가 클수록 상대적으로 오래전에 분화한 것이고, 차이가 작을수록 비교적 최근에 공통 조상에서 분화한 것이다.

탄탄! 내신 다지기 246쪽~247쪽

01 ① **02** ⑤ **03** ④ **04** ③ **05** ④ **06** ② **07** ③ **08** ④
09 (가) 비교해부학적 증거, (나) 분자진화학적 증거, (다) 분류학적 증거

01 화석을 연구하면 지층이 형성될 당시의 생물 다양성과 환경의 특성을 알 수 있으므로, 화석은 환경 변화와 생물의 진화를 보여 주는 가장 직접적인 증거이다. 그림은 고래의 화석을 통해 알 수 있는 고래의 진화 과정이므로 화석상의 증거이다.

02 | 선택지 분석 |

① (가)에서 박쥐의 날개와 잠자리의 날개는 ~~상동~~ 기관이다.
상사
➡ 박쥐의 날개와 잠자리의 날개는 발생 기원이 다르지만 모양과 기능이 유사한 상사 기관이다.

② (가)에서 박쥐의 날개와 잠자리의 날개는 발생 기원이 ~~같다~~.
다르다.
➡ 박쥐의 날개와 잠자리의 날개는 발생 기원이 다르지만 비슷한 환경에 적응하면서 유사한 형질을 갖게 된 것이다.

③ (나)에서 고양이의 앞다리와 고래의 가슴지느러미는 ~~상사~~ 기관이다.
상동
➡ 고양이의 앞다리와 고래의 가슴지느러미는 모양과 기능이 다르지만 발생 기원과 해부학적 구조가 같은 상동 기관이다.

④ (나)에서 사람의 팔과 고양이의 앞다리는 발생 기원이 ~~다르다~~. 같다.

➡ 사람의 팔과 고양이의 앞다리는 발생 기원이 같지만 다른 환경에 적응하면서 다른 기능을 수행하도록 진화한 것이다.

⑤ (가)와 (나)는 모두 진화의 증거 중 비교해부학적 증거에 해당한다.

➡ (가)의 상사 기관과 (나)의 상동 기관은 모두 진화의 증거 중 비교해부학적 증거에 해당한다.

03 | 선택지 분석 |

① (가)는 진화의 증거 중 화석상의 증거이다.

➡ 공룡의 화석을 통해 공룡에 대한 정보를 얻을 수 있으므로 (가)는 진화의 증거 중 화석상의 증거에 해당한다.

② (나)는 진화의 증거 중 비교해부학적 증거이다.

➡ 현존하는 여러 생물의 형태적 특징을 비교해 보면 이들이 공통 조상을 갖는지, 서로 다른 조상으로부터 진화했는지를 알 수 있다. 이와 같은 진화의 증거를 비교해부학적 증거라고 한다.

③ (나)에서 완두의 덩굴손과 포도의 덩굴손은 상사 기관이다.

➡ 완두의 덩굴손과 포도의 덩굴손은 발생 기원이 다르지만 모양과 기능이 유사한 상사 기관이다.

④ (다)는 진화의 증거 중 ~~분자진화학적~~ 증거이다. 비교해부학적

➡ (다)는 비교해부학적 증거이다.

⑤ (다)에서 사람의 막창자꼬리는 흔적 기관이다.

➡ 사람의 막창자꼬리는 현재에는 과거의 기능을 더 이상 수행하지 않고 흔적으로만 남아 있는 기관이므로 흔적 기관이다.

04 생물의 분포는 각 지역마다 독특하게 나타나는데, 이는 같은 종의 생물이 지리적으로 격리된 후 오랜 세월 동안 독자적인 진화 과정을 거쳤기 때문이다. 갈라파고스 제도의 핀치는 지리적으로 격리된 후 먹이에 따라 부리의 형태가 달라졌으므로 생물지리학적 증거이다.

05 유연관계가 가까운 생물들은 발생 초기 단계에서 성체에서는 보이지 않는 유사한 특징이 나타난다. 척추동물의 발생 초기 배아는 형태가 매우 유사하고 아가미 틈이 관찰된다. 이를 통해 이들이 공통 조상으로부터 진화해 왔다는 것을 알 수 있으며, 이는 진화발생학적 증거이다.

06 | 선택지 분석 |

① 고래의 조상은 육지에서 생활하였다.

➡ 진화의 증거 중 화석상의 증거이다.

② 환형동물과 연체동물은 담륜자 유생 시기를 거친다.

➡ 진화의 증거 중 진화발생학적 증거이다.

③ 선인장의 가시와 장미의 가시는 발생 기원이 다르다.

➡ 진화의 증거 중 비교해부학적 증거(상사 기관)이다.

④ 실러캔스와 폐어는 어류이지만, 뼈와 근육으로 이루어진 지느러미를 갖는다.

➡ 진화의 증거 중 분류학적 증거이다.

⑤ 난황 단백질을 암호화하는 유전자의 염기 서열이 여러 포유류의 염색체에서 공통적으로 발견되었다.

➡ 진화의 증거 중 분자진화학적 증거이다.

> 더 알아보기 **진화발생학적 증거**
>
> 생물의 기관 발생 과정을 총괄적으로 조절하는 핵심 조절 유전자는 대부분의 진핵생물에서 발견되는데, 이 핵심 조절 유전자는 초기 배아에서 발현되는 부위와 기능이 비슷하고 생명체들이 수억 년 동안 진화하면서 동물이나 식물에서 거의 보존될 만큼 발생 과정에서 중요한 역할을 한다.
>
> 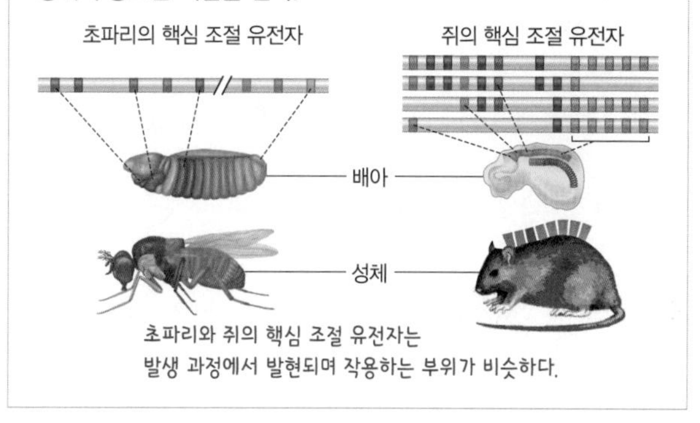
>
> 초파리와 쥐의 핵심 조절 유전자는 발생 과정에서 발현되며 작용하는 부위가 비슷하다.

07 | 선택지 분석 |

① 진화의 증거 중 ~~분류학적~~ 증거이다. 분자진화학적

➡ 진화의 증거 중 분자진화학적 증거이다.

② 닭은 사람과 동일한 헤모글로빈의 아미노산이 ~~없다~~. 있다.

➡ 닭은 사람과 헤모글로빈의 아미노산 서열 차이가 약 45개이므로 나머지 아미노산은 사람과 동일하다.

③ 사람과 유연관계가 가장 가까운 동물은 붉은털원숭이이다.

➡ 붉은털원숭이는 사람과 헤모글로빈의 아미노산 서열 차이가 가장 적으므로, 사람과 유연관계가 가장 가깝다.

④ 생쥐와 닭 사이에서 차이가 나는 헤모글로빈의 아미노산은 ~~25개이다~~. 알 수 없다.

➡ 이 자료는 사람과 차이 나는 헤모글로빈의 아미노산 서열에 대한 자료이므로, 생쥐와 닭에서 차이가 나는 헤모글로빈의 아미노산 수는 알 수 없다.

⑤ 생쥐는 칠성장어보다 사람과 헤모글로빈의 아미노산 서열 차이가 ~~많이~~ 난다. 적게

➡ 생쥐는 사람과 헤모글로빈의 아미노산 서열 차이가 약 25개, 칠성장어는 사람과 헤모글로빈의 아미노산 서열 차이가 125개이다.

08 | 자료 분석 |

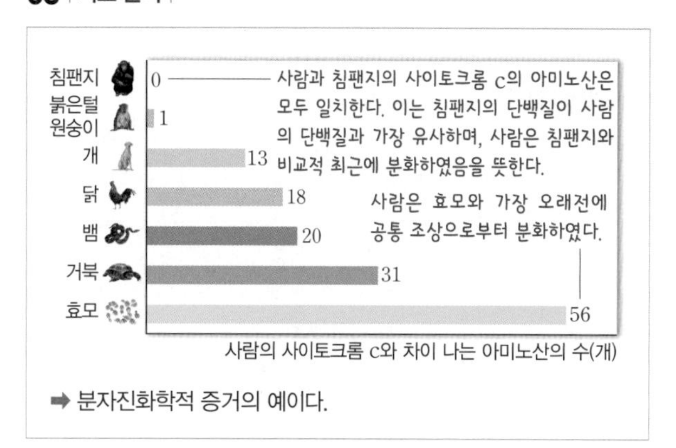

➡ 분자진화학적 증거의 예이다.

| 선택지 분석 |

① 사람의 막창자꼬리는 흔적 기관으로 남아 있다.
➡ 진화의 증거 중 비교해부학적 증거이다.

② 갈라파고스 제도의 핀치는 섬마다 부리 모양이 다르다.
➡ 진화의 증거 중 생물지리학적 증거이다.

③ 척추동물은 발생 초기에 근육성 꼬리가 공통적으로 나타난다.
➡ 진화의 증거 중 진화발생학적 증거이다.

④ 사람과 유연관계가 가까운 동물은 헤모글로빈의 아미노산 서열 차이가 적다.
➡ 진화의 증거 중 분자진화학적 증거이다.

⑤ 오스트레일리아구에는 태반이 발달하지 않은 포유류가 서식하지만, 동남아시아구에는 서식하지 않는다.
➡ 진화의 증거 중 생물지리학적 증거이다.

09 (가)는 비교해부학적 증거이다. (나)는 척추동물에서 나타나는 유전자의 염기 서열 흔적에 대한 예이므로 분자진화학적 증거이다. (다)는 포유류와 파충류가 공통 조상에서 기원되었음을 알 수 있는 예이므로 분류학적 증거이다.

도전! 실력 올리기 248쪽~249쪽

01 ④ **02** ① **03** ③ **04** ⑤ **05** ③ **06** ④

07 | **모범 답안** | 상동 기관은 발생 기원과 해부학적 구조는 같지만 모양과 기능이 다른 기관을 뜻하고, 상사 기관은 발생 기원과 해부학적 구조는 다르지만 모양과 기능이 유사한 기관을 뜻한다. 상동 기관의 예로는 사람의 팔과 고양이의 앞다리와 같은 척추동물의 앞다리 골격 구조가 있으며, 상사 기관의 예로는 완두의 덩굴손과 포도의 덩굴손이 있다.

08 생물지리학적 증거

09 | **모범 답안** | 남아메리카 대륙에는 단 두 종의 핀치가 서식하지만, 이와 가까운 갈라파고스 제도에는 섬마다 부리 모양이 조금씩 다른 여러 종의 핀치가 서식한다. 이는 섬마다 핀치가 먹을 수 있는 먹이의 종류가 달라서 그에 따라 다르게 진화해 왔기 때문이다.

01 | 선택지 분석 |

ㄱ. (가)는 진화의 증거 중 생물지리학적 증거에 해당한다.
➡ 오스트레일리아에는 캥거루, 코알라와 같이 태반이 발달하지 않은 유대류가 서식하지만, 다른 대륙에는 서식하지 않는다. 이처럼 생물의 분포는 각 지역마다 독특하게 나타나는데, 이는 같은 종의 생물이 지리적으로 격리된 후 오랜 세월 동안 독자적인 진화 과정을 거쳤기 때문으로 여겨진다.

✕ (나)는 진화의 증거 중 ~~비교해부학적~~ 화석상의 증거에 해당한다.
➡ (나)는 진화의 증거 중 화석상의 증거에 해당한다.

ㄷ. (다)는 상사 기관의 예이다.
➡ 새의 날개와 곤충의 날개는 발생 기원이 다르지만 비슷한 환경에 적응하여 모양과 기능이 유사해진 경우이므로 상사 기관이다.

02 | 선택지 분석 |

ㄱ. 고래의 뒷다리는 흔적 기관이다.
➡ 고래의 뒷다리는 조상에게는 있었지만 현재에는 퇴화되어 흔적만 남아 있는 기관이므로 흔적 기관이다.

✕ 고래의 조상은 ~~바다~~ 육지에서 살았다.
➡ 고래의 조상은 4개의 다리가 있었으므로 육지에서 살았던 것으로 추정된다.

✕ 진화의 증거 중 ~~비교해부학적~~ 화석상의 증거에 해당한다.
➡ 진화의 증거 중 화석상의 증거에 해당한다.

더 알아보기 화석상의 증거

오늘날의 고래는 뒷다리가 흔적으로만 남아 있지만 고래 조상종의 화석에서는 온전한 뒷다리가 발견된다. 이는 육상 생활을 하던 포유류의 일부가 고래로 진화하였음을 보여 준다.

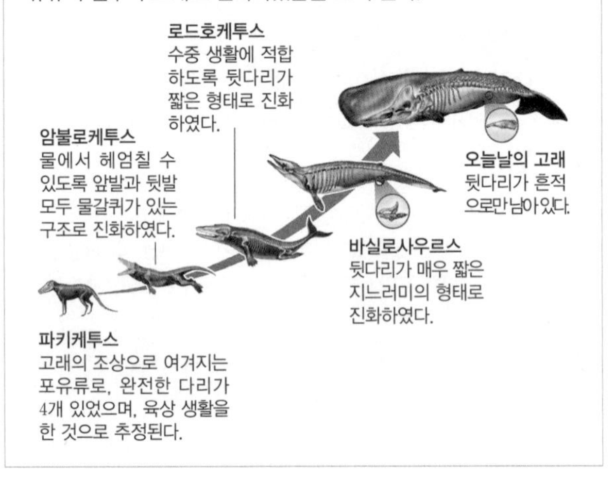

03 | 선택지 분석 |

ㄱ. 사람의 팔과 박쥐의 날개는 상동 기관이다.
➡ 사람의 팔과 박쥐의 날개는 발생 기원이 같지만 다른 환경에 적응하여 모양과 기능이 다르게 진화한 경우이므로 상동 기관이다.

✕ 생물이 각각의 환경에 따라 ~~동일한~~ 다른 방향으로 진화하였음을 알 수 있다.
➡ 상동 기관은 발생 기원이 같지만, 서로 다른 환경에 적응하여 다른 방향으로 진화한 것이다.

ㄷ. 진화의 증거 중 비교해부학적 증거에 해당한다.
➡ 상동 기관은 진화의 증거 중 비교해부학적 증거에 해당한다.

04 | 선택지 분석 |

✕ 아가미 틈은 ~~상사~~ 흔적 기관이다.
➡ 아가미 틈은 퇴화된 기관이므로 흔적 기관이다.

ㄴ. 척추동물의 공통 조상은 수중 생활을 하였다.
➡ 척추동물의 발생 초기 배아에 아가미 틈이 있으므로 척추동물의 공통 조상은 수중 생활을 하였던 것으로 추정된다.

ㄷ. 진화의 증거 중 진화발생학적 증거에 해당한다.
➡ 유연관계가 가까운 생물은 발생 초기에 성체에서 보이지 않는 유사한 특징이 나타나는데, 이는 진화발생학적 증거에 해당한다.

05 | 선택지 분석 |

ㄱ. 진화의 증거 중 분자진화학적 증거에 해당한다.

ㄴ. 사람과 Ⅰ의 유연관계는 사람과 Ⅲ의 유연관계보다 가깝다.
➡ 사람과 차이를 보이는 사이토크롬 c의 아미노산 수가 적을수록 사람과 유연관계가 가깝다. 사람과 차이를 보이는 사이토크롬 c의 아미노산 수가 Ⅰ은 13개, Ⅲ은 31개이므로 사람과 Ⅰ의 유연관계는 사람과 Ⅲ의 유연관계보다 가깝다.

✕ 이 자료를 통해 Ⅱ와 Ⅲ의 유연관계를 알 수 ~~있다~~ 없다.
➡ 이 자료로는 사람과 Ⅰ~Ⅳ 사이의 유연관계만 알 수 있다.

06 | 선택지 분석 |

ㄱ. (가)와 차이 나는 (라)의 아미노산 수는 11개이다.

✕ (가)와 (나)의 유연관계는 (가)와 (다)의 유연관계보다 ~~가깝다~~ 멀다.
➡ (가)와 차이 나는 (나)의 아미노산 수는 9개, (가)와 차이 나는 (다)의 아미노산 수는 5개이므로, (가)와 (나)의 유연관계는 (가)와 (다)의 유연관계보다 멀다.

ㄷ. 진화의 증거 중 분자진화학적 증거에 해당한다.

07 상동 기관은 발생 기원이 같지만, 각기 다른 환경에 적응하여 모양과 기능이 다르게 진화한 기관으로, 공통 조상으로부터 기원하였지만 각기 다른 환경에 적응하면서 다른 기능을 수행하도록 진화하였음을 알 수 있다. 상사 기관은 발생 기원이 다르지만, 비슷한 환경에 적응하여 모양과 기능이 유사하게 진화한 기관으로, 발생 기원이 다른 생물이 비슷한 환경에 적응하면서 유사한 형질을 갖도록 진화하였음을 알 수 있다.

채점 기준	배점
상동 기관과 상사 기관의 정의를 각각 옳게 서술하고, 상동 기관과 상사 기관에 해당하는 예를 각각 옳게 서술한 경우	100 %
상동 기관과 상사 기관의 정의와 상동 기관과 상사 기관에 해당하는 예 중 1가지만 옳게 서술한 경우	40 %

08 생물의 분포는 각 지역마다 독특하게 나타나는데, 이는 같은 종의 생물이 지리적으로 격리된 후 오랜 세월이 흐르는 동안 독자적인 진화 과정을 거쳐 분화한 결과로 여겨진다. 이는 진화의 증거 중 생물지리학적 증거에 해당한다.

09 생물지리학적 증거의 대표적인 예로는 월리스선을 기준으로 한 유대류의 분포, 갈라파고스 제도의 핀치가 있다.

채점 기준	배점
생물지리학적 증거의 예를 옳게 서술한 경우	100 %
생물지리학적 증거의 예를 서술하였지만, 내용이 일부 부족한 경우	40 %

02 진화의 원리와 종분화

탐구POOL 255쪽

01 한 개체의 유전자형
02 대립유전자 A의 빈도: 0.5, 대립유전자 a의 빈도: 0.5

02 집단이 흰 바둑돌 50개와 검은 바둑돌 50개로 구성되므로, 대립유전자 A의 빈도(p)는 $\frac{50}{100}=0.5$이고, 대립유전자 a의 빈도(q)는 $\frac{50}{100}=0.5$이다.

콕콕! 개념 확인하기 256쪽

✔ 잠깐 확인!
1 유전자풀 **2** 하디·바인베르크 **3** 멘델 **4** 돌연변이 **5** 창시자 **6** 자연 선택 **7** 종분화

01 (1) 0.6 (2) 0.4 **02** (1) ○ (2) × (3) × **03** (가) 돌연변이, (나) 유전적 부동, (다) 자연 선택, (라) 유전자 흐름 **04** (1) × (2) ○ (3) ○ (4) ○ **05** (가)→(다)→(나)

01 대립유전자 R의 빈도를 p, r의 빈도를 q라고 할 때 $q^2=\left(\frac{16}{100}\right)$이므로 $q=0.4$이다. $p+q=1$이므로 $p=1-0.4=0.6$이다.

02 (2) 대립유전자 A와 a의 빈도는 각각 p와 q이므로 유전자형이 Aa가 나올 확률은 $2pq$이다.
(3) 이 집단은 멘델 집단이므로, 세대를 거듭하여도 p와 q는 변하지 않는다.

04 (1) 집단의 크기가 작을수록 유전적 부동이 심하게 일어난다.
(2) 유전자 흐름이 일어나면 집단에 없던 새로운 대립유전자가 도입되어 두 집단 사이의 유전자풀 차이가 줄어든다.

탄탄! 내신 다지기 257쪽~258쪽

01 ② **02** ③ **03** ⑤ **04** ④ **05** ② **06** 창시자 효과 **07** ② **08** ⑤ **09** ④

01 멘델 집단에서는 자연 선택이 일어나지 않는다.

02 ㉠은 1000－360－160＝480이고, 2000개의 대립유전자 중 대립유전자 A의 수는 (360×2)＋480＝1200개, 대립유전자 a의 수는 480＋(160×2)＝800개이다. 따라서 대립유전자 A의 빈도는 $\frac{1200}{2000}$＝0.6, a의 빈도는 $\frac{800}{2000}$＝0.4이다.

| 선택지 분석 |

① 대립유전자 A의 빈도는 ~~0.4~~ 0.6이다.

➡ 대립유전자 A의 빈도는 $\frac{360\times2+480}{1000\times2}$＝0.6이다.

② 대립유전자 a의 빈도는 ~~0.6~~ 0.4이다.

➡ 대립유전자 a의 빈도는 $\frac{160\times2+480}{1000\times2}$＝0.4이다.

③ ㉠은 480이다.

➡ ㉠은 1000－360－160＝480이다.

④ 다음 세대에서 대립유전자 A의 빈도는 ~~증가한다~~ 유지된다.

➡ 유전적 평형이 유지되는 멘델 집단에서는 세대를 거듭하여도 대립유전자 빈도는 변하지 않는다.

⑤ 다음 세대에서 유전자형을 Aa로 갖는 개체 수는 ~~㉠보다 감소한다~~ ㉠과 같다.

➡ 유전적 평형이 유지되는 멘델 집단에서는 세대를 거듭하여도 대립유전자 빈도는 일정하게 유지되므로, 다음 세대에서 유전자형을 Aa로 갖는 개체 수는 ㉠과 같다.

03 | 선택지 분석 |

① (나)는 멘델 집단이다.

➡ (가)는 세대를 거듭할 때 대립유전자 빈도가 변하므로 멘델 집단이 아니다. (나)는 세대를 거듭하여도 대립유전자 빈도가 변하지 않으므로 멘델 집단이다.

② ⓐ는 0.6이다.

➡ 대립유전자 빈도의 합은 1이다. F_1의 (가)에서 대립유전자 t의 빈도가 0.4이므로 대립유전자 T의 빈도는 0.6이다.

③ ⓑ는 0.3이다.

➡ (나)는 멘델 집단이므로 대립유전자 빈도가 변하지 않는다. 따라서 ⓑ는 0.3이다.

④ F_2에서 대립유전자 T를 갖는 개체 수는 (가)에서가 (나)에서보다 적다.

➡ 대립유전자 T를 갖는 개체 수는 유전자형이 TT인 개체 수와 유전자형이 Tt인 개체 수의 합이다. F_2의 (가)에서 대립유전자 T를 갖는 개체 수는 $(p^2+2pq)\times1000$이므로 $(0.8^2+2\times0.8\times0.2)\times1000=960$이고, (나)에서 대립유전자 T를 갖는 개체 수는 $(p^2+2pq)\times1200$이므로 $(0.7^2+2\times0.7\times0.3)\times1200=1092$이다.

⑤ (나)에서 대립유전자 T를 갖는 개체가 t를 갖는 개체보다 유리하다.

➡ (나)는 멘델 집단이므로 자연 선택이 일어나지 않아 대립유전자 T를 갖는 개체가 t를 갖는 개체보다 유리하다고 볼 수 없다.

04 | 선택지 분석 |

① p는 0.7이다.

➡ $q^2=\frac{90}{1000}$이므로 $q=0.3$이다. $p+q=1$이므로 p는 0.7이다.

② 유전자형이 RR인 사람의 빈도는 0.49이다.

➡ 유전자형이 RR인 사람의 빈도는 p^2이므로 0.49이다.

③ 유전자형이 rr인 사람의 빈도는 0.09이다.

➡ 유전자형이 rr인 사람의 빈도는 q^2이므로 0.09이다.

④ 유전자형이 Rr인 사람의 수는 ~~490~~ 420이다.

➡ 유전자형이 Rr인 사람의 빈도는 $2pq$이므로 0.42이다. 따라서 사람의 수는 0.42×1000이므로 420이다.

⑤ 세대를 거듭하여도 대립유전자 R와 r의 빈도는 일정하다.

➡ (가)는 유전적 평형이 유지되는 멘델 집단이므로 세대를 거듭하여도 대립유전자 R와 r의 빈도는 일정하게 유지된다.

05 검은 용암 지대가 형성되면서 밝은 털을 가진 포켓쥐가 어두운 털을 가진 포켓쥐보다 포식자에게 발견될 확률이 높아 어두운 털을 가진 포켓쥐가 생존에 유리하여 자연 선택되었다.

더 알아보기 자연 선택

자연 선택은 생존율과 번식률을 높이는 데 유리한 어떤 형질을 가진 개체가 다른 개체보다 더 많은 대립유전자를 다음 세대에 남겨 집단의 유전자풀이 변하는 현상이다. 자연 선택이 일어나면 시간이 지남에 따라 환경의 변화에 가장 적합한 대립유전자를 가진 개체들의 비율이 증가한 집단이 구성된다.

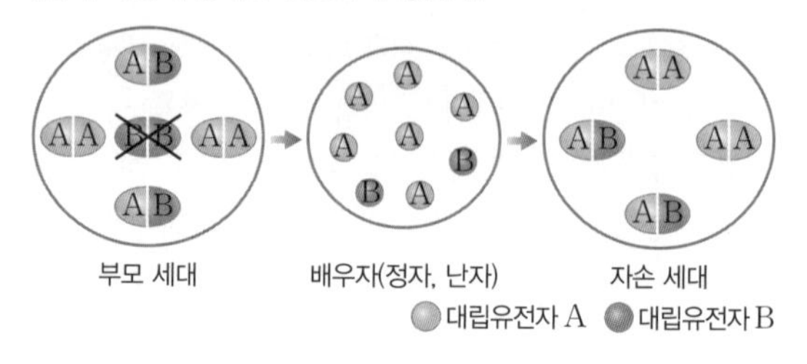

06 큰 집단으로부터 일부 개체가 떨어져 나와 새로운 집단을 구성할 때, 대립유전자 빈도가 기존 집단과 달라지는 현상을 창시자 효과라고 한다.

더 알아보기 유전적 부동

집단을 구성하는 개체는 자손에게 자신이 가지고 있는 대립유전자 중 하나를 무작위로 전달한다. 유전적 부동은 대립유전자가 자손에게 무작위로 전달되기 때문에 세대와 세대 사이에서 대립유전자 빈도가 예측할 수 없는 방향으로 변화하는 현상이다. 유전적 부동은 병목 효과, 창시자 효과를 겪은 집단에서 잘 나타난다.

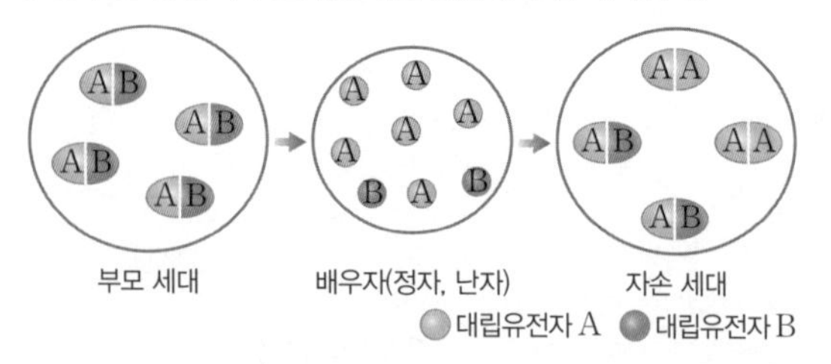

07 (가)는 DNA 염기 서열이 변화한 사례이므로 유전자풀을 변화시킨 주된 요인은 돌연변이이다. (나)는 말라리아에 대한 저항성을 가진 낫 모양 적혈구 빈혈증 유전자가 자연 선택된 것이다. (다)는 집단의 크기가 갑작스러운 환경 변화에 의해 급격히 감소한 것이므로 병목 효과이다.

08 | 선택지 분석 |

ㄱ (가)에서 지리적 격리가 일어났다.
➡ 산맥이 형성되면서 지리적 격리가 일어났다.

ㄴ (나)에서 돌연변이가 일어났다.
➡ A만 살던 지역에서 B, C가 출현하였으므로 돌연변이가 일어났다.

ㄷ B와 C는 생식적으로 격리되어 있다.
➡ B와 C는 서로 다른 생물학적 종이므로 생식적으로 격리되어 있다.

09 | 선택지 분석 |

✕ ㉠의 A와 ㉡의 A는 생식적으로 격리되어 ~~있다~~ 있지 않다.
➡ 섬 ㉠과 ㉡의 A는 같은 종이므로 생식적으로 격리되어 있지 않다.

ㄴ B와 C는 모두 돌연변이에 의해 출현하였다.
➡ B는 A의 돌연변이에 의해, C는 B의 돌연변이에 의해 출현하였다.

ㄷ B와 C의 유연관계는 B와 A의 유연관계보다 가깝다.
➡ B와 C의 분화가 B와 A의 분화보다 더 최근에 일어났으므로, B와 C의 유연관계는 B와 A의 유연관계보다 가깝다.

도전! 실력 올리기

259쪽~260쪽

01 ③ **02** ③ **03** ④ **04** ② **05** ④

06 $\frac{1}{4}$

07 | **모범 답안** | (나)에서 유전자형이 Rr인 개체가 나타난 까닭은 돌연변이에 의해 대립유전자 R가 나타났기 때문이다. (다)에서 유전자형이 RR인 개체의 비율이 증가한 까닭은 대립유전자 r를 가진 개체보다 대립유전자 R를 가진 개체가 DDT가 있는 환경에서 살아남기에 유리하여 R를 많이 가진 유전자형이 RR인 개체가 자연 선택되었기 때문이다.

01 | 선택지 분석 |

ㄱ 부모 세대에서 대립유전자 A의 빈도는 0.8이다.
➡ 대립유전자 A의 빈도를 p, a의 빈도를 q라고 할 때 $q^2=\frac{40}{1000}=0.04$이므로 $q=0.2$이다. 따라서 $p=1-0.2=0.8$이다.

ㄴ n 세대에서 대립유전자 a의 빈도는 0.2이다.
➡ 멘델 집단에서는 부모 세대의 대립유전자 빈도가 n 세대까지 동일하다. 따라서 n 세대에서 대립유전자 a의 빈도는 부모 세대에서 대립유전자 a의 빈도와 같은 0.2이다.

✕ 나비의 생식 성공률은 진회색 > 회색 > 흰색 순이다.
➡ 멘델 집단에서는 개체들의 무작위 교배가 일어나며, 각 개체의 생식 성공률은 모두 일정하다.

02 | 선택지 분석 |

ㄱ A는 항생제 내성이 없는 세균이다.
➡ A는 항생제 내성 유전자가 없으므로 항생제 내성이 없는 세균이다.

ㄴ (가)에서 돌연변이가 일어났다.
➡ (가) 이후 항생제 내성 유전자를 가진 세균이 출현하였으므로 (가)에서 돌연변이가 일어났다.

✕ (나)에서 ~~A~~ B는 자연 선택되었다.
➡ (나)에서 B의 개체 수가 증가하였으므로 B가 자연 선택되었다.

03 | 선택지 분석 |

✕ DDT 저항성을 갖는 모기의 비율은 ~~$A>B>C$~~ $A<B<C$이다.
➡ 모기 집단의 사망률이 낮을수록 DDT 저항성을 갖는 모기의 비율이 높은 것이다. 따라서 DDT 저항성을 갖는 모기의 비율은 $A<B<C$이다.

ㄴ 처음 DDT 살포 시점에서 모기 집단 내에 DDT 저항성 유전자가 존재한다.
➡ 처음 DDT 살포 시점에서 모기 집단의 사망률이 100 %가 아니므로, 처음 DDT 살포 시점에서 모기 집단 내에 DDT 저항성 유전자가 존재한다.

ㄷ 처음 DDT 살포 이후 16개월 동안 자연 선택에 의해 모기 집단의 유전자풀이 변화되었다.
➡ 처음 DDT 살포 이후 16개월 동안 모기 집단의 사망률이 감소하였으므로 자연 선택에 의해 DDT 저항성 유전자를 가진 모기의 빈도가 증가하여 모기 집단의 유전자풀이 변화되었다.

04 | 선택지 분석 |

✕ A 집단과 B 집단은 유전자풀이 ~~같다~~ 다르다.
➡ A와 B는 서로 다른 생물학적 종이므로 집단의 유전자풀이 다르다.

ㄴ ㉠과 ㉡에서 모두 돌연변이가 일어났다.
➡ ㉠에서 A의 돌연변이에 의해 B가, ㉡에서 A의 돌연변이에 의해 C가 출현하였다.

✕ 산맥이 사라지면 A와 C는 교배하여 생식 능력을 갖는 자손을 얻을 수 ~~있다~~ 없다.
➡ A와 C는 서로 다른 생물학적 종이므로, 산맥이 사라져도 A와 C는 교배하여 생식 능력을 갖는 자손을 얻을 수 없다.

05 | 선택지 분석 |

✕ 가뭄 후 ㉠은 자연 선택~~되었다~~ 되지 않았다.
➡ 가뭄 후 작은 부리를 가진 핀치는 가뭄에 살아남기 어려웠으므로 자연 선택되지 않았다.

ㄴ 가뭄 전보다 가뭄 후에 핀치 부리의 평균 크기가 커졌다.
➡ 그림에서 가뭄 전보다 가뭄 후에 핀치 부리의 평균 크기가 커졌다.

ㄷ 가뭄 전과 가뭄 후 모두 핀치 부리 크기에 대한 변이가 존재한다.
➡ 가뭄 전과 가뭄 후 모두 핀치 부리 크기가 다양하므로 핀치 부리 크기에 대한 변이가 존재한다.

06 적록 색맹 대립유전자는 X 염색체에 있고, 적록 색맹 대립유전자가 정상 대립유전자에 대해 열성이므로 남자가 여자보다 적록 색맹이 많이 발생한다. 정상 대립유전자의 빈도를 p, 적록 색맹 대립유전자의 빈도를 q라고 하면 적록 색맹인 여자(X^rX^r)의 빈도는 q^2, 적록 색맹인 남자(X^rY)의 빈도는 q이다. 적록 색맹인 사람은 모두 250명이고 남녀의 수는 각각 800명이므로 $250=800q^2+800q$가 되고 $16q^2+16q-5=0$이다. 따라서 $(4q-1)(4q+5)=0$이므로 $q=\frac{1}{4}$ 또는 $-\frac{5}{4}$인데, q는 음수가 될 수 없으므로 $\frac{1}{4}$이다.

07 (가)에는 없던 유전자형이 Rr인 개체가 (나)에서 갑자기 나타난 까닭은 돌연변이에 의해 대립유전자 R가 나타났기 때문이다. (다)에서 유전자형이 RR인 개체의 비율이 증가한 까닭은 DDT가 있는 환경에서 대립유전자 r를 가진 개체보다 대립유전자 R를 가진 개체가 살아남기에 유리하여 R를 많이 가진 개체가 자연 선택되었기 때문이다.

채점 기준	배점
(나)에서 유전자형이 Rr인 개체가 나타난 까닭과 (다)에서 유전자형이 RR인 개체의 비율이 증가한 까닭을 모두 옳게 서술한 경우	100 %
(나)에서 유전자형이 Rr인 개체가 나타난 까닭과 (다)에서 유전자형이 RR인 개체의 비율이 증가한 까닭 중 1가지만 옳게 서술한 경우	40 %

실전! 수능 도전하기

262쪽~263쪽

01 ③ **02** ③ **03** ① **04** ⑤ **05** ③ **06** ④ **07** ① **08** ④ **09** ⑤

01 | 선택지 분석 |

✕ 진화의 증거 중 ~~진화발생학적~~ 분자진화학적 증거에 해당한다.
➡ 생물 사이의 아미노산 서열 차이는 분자진화학적 증거에 해당한다.

✕ 이 동물들 중 사람과 유연관계가 가장 가까운 동물은 ~~참치~~ 원숭이이다.
➡ 사람과 유연관계가 가장 가까운 동물은 아미노산 서열 차이가 가장 적은 원숭이이다.

ㄷ 개구리와 참치의 유연관계는 개구리와 원숭이의 유연관계보다 가깝다.
➡ 개구리와 참치의 아미노산 서열 차이(15)가 개구리와 원숭이의 아미노산 서열 차이(17)보다 적으므로 개구리와 참치의 유연관계는 개구리와 원숭이의 유연관계보다 가깝다.

02 ㉠의 혈청을 토끼에 주사하여 채취한 토끼의 혈청에는 ㉠에 대한 항체가 있다.

| 선택지 분석 |

ㄱ ㉠은 사람이다.
➡ ㉠에 대한 항체와 사람의 혈청을 섞었을 때 침전율이 100 %이므로 ㉠은 사람이다.

ㄴ A~C 중 사람과 유연관계가 가장 가까운 동물은 A이다.
➡ ㉠이 사람이므로 침전율이 높을수록 사람과 유연관계가 가깝다.

✕ 진화의 증거 중 ~~비교해부학적~~ 분자진화학적 증거에 해당한다.
➡ 진화의 증거 중 분자진화학적 증거에 해당한다.

03 집단 Ⅰ에서 긴 털 대립유전자 A의 빈도를 p_1, 짧은 털 대립유전자 A*의 빈도를 q_1이라고 할 때 대립유전자 A가 A*에 대해 완전 우성이라면 Ⅰ에서 임의의 긴 털 암컷이 임의의 짧은 털 수컷과 교배하여 자손(F_1)을 낳았을 때 이 F_1이 긴 털을 가질 확률은 (임의의 긴 털 암컷의 유전자형이 AA일 확률)×(임의의 짧은 털 수컷과의 사이에서 긴 털의 자손이 태어날 확률)+(임의의 긴 털 암컷의 유전자형이 AA*일 확률)×(임의의 짧은 털 수컷과의 사이에서 긴 털의 자손이 태어날 확률)$=\frac{p_1^2}{p_1^2+2p_1q_1}\times1+\frac{2p_1q_1}{p_1^2+2p_1q_1}\times\frac{1}{2}=\frac{1}{1+q_1}=\frac{4}{9}$이며, 짧은 털 대립유전자 A*의 빈도($q_1$)는 $\frac{5}{4}$가 되어 모순이 발생한다. 따라서 짧은 털 대립유전자 A*가 긴 털 대립유전자 A에 대해 완전 우성이다. 다시 짧은 털 대립유전자 A*의 빈도를 p_1, 긴 털 대립유전자 A의 빈도를 q_1이라고 하고, Ⅰ에서 임의의 긴 털 암컷이 임의의 짧은 털 수컷과 교배하여 자손(F_1)을 낳았을 때 이 F_1이 긴 털을 가질 확률이 $\frac{4}{9}$임을 적용하면, (임의의 짧은 털 수컷의 유전자형이 A*A*일 확률)×(임의의 긴 털 암컷과의 사이에서 긴 털의 자손이 태어날 확률)+(임의의 짧은 털 수컷의 유전자형이 AA*일 확률)×(임의의 긴 털 암컷과의 사이에서 긴 털의 자손이 태어날 확률)=
$\frac{p_1^2}{p_1^2+2p_1q_1}\times0+\frac{2p_1q_1}{p_1^2+2p_1q_1}\times\frac{1}{2}=\frac{4}{9}$이다. 따라서 $p_1=0.2$, $q_1=0.8$이다.
Ⅱ에서 짧은 털 대립유전자 A*의 빈도를 p_2, 긴 털 대립유전자 A의 빈도를 q_2라고 할 때 집단 Ⅰ과 Ⅱ에서 짧은 털을 갖는 개체 수의 합은 15600이므로
$20000\times(1-q_1^2)+10000\times(1-q_2^2)=15600$이다. 따라서 $p_2=0.6$, $q_2=0.4$이다.

Ⅱ의 유전자형이 AA*인 암컷이 Ⅱ의 임의의 짧은 털 수컷과 교배하여 자손(F_1)을 낳을 때 이 F_1이 짧은 털을 가질 확률은 (임의의 짧은 털 수컷의 유전자형이 A*A*일 확률)×(유전자형이 AA*인 암컷과의 사이에서 짧은 털의 자손이 태어날 확률)+(임의의 짧은 털 수컷의 유전자형이 AA*일 확률)×(유전자형이 AA*인 암컷과의 사이에서 짧은 털의 자손이 태어날 확률)

$=\frac{p_2^2}{p_2^2+2p_2q_2}\times 1+\frac{2p_2q_2}{p_2^2+2p_2q_2}\times\frac{3}{4}=\frac{6}{7}$이다.

04 | 선택지 분석 |

㉠ Ⅰ과 Ⅱ에서 모두 개체 사이에 부리 크기의 변이가 있었다.
➡ Ⅰ과 Ⅱ에서 모두 다양한 부리 크기가 있으므로 개체 사이에 부리 크기의 변이가 있었다.

✕ Ⅰ과 Ⅱ에서 P의 유전자풀은 서로 ~~같다~~ 다르다.
➡ Ⅰ과 Ⅱ에서 부리 크기에 따른 개체 수의 비율이 다르므로 P의 유전자풀은 서로 다르다.

㉢ 부리 크기가 a인 개체 수는 Ⅱ에서가 Ⅰ에서보다 적다.

05 | 선택지 분석 |

✕ 집단 내에 존재하지 않던 새로운 대립유전자를 제공한다.
➡ 집단 내에 존재하지 않던 새로운 대립유전자를 제공하는 것은 돌연변이이다.

✕ 두 집단 사이의 유전자 흐름(이동)에 의해 일어난다.
➡ 병목 효과는 가뭄, 홍수, 산불, 질병, 지진과 같은 자연재해에 의해 우연히 나타나고, 창시자 효과는 큰 집단으로부터 일부 개체가 떨어져 나와 새로운 집단을 구성할 때 나타난다.

㉢ 유전적 부동의 한 현상이다.
➡ 병목 효과와 창시자 효과는 유전적 부동의 한 현상이다.

06 | 선택지 분석 |

✕ 창시자 효과는 ~~자연 선택~~ 유전적 부동의 한 현상이다.
➡ 유전적 부동에는 창시자 효과와 병목 효과가 있다.

㉡ 자연 선택이 일어나면 환경의 변화에 가장 적합한 대립유전자를 가진 개체들의 비율이 증가한다.
➡ 자연 선택이 일어나면 시간이 지남에 따라 환경의 변화에 가장 적합한 대립유전자를 가진 개체들의 비율이 증가한 집단이 구성된다.

㉢ 자연 선택과 유전적 부동은 모두 유전자풀의 변화 요인이다.
➡ 유전자풀의 변화 요인에는 돌연변이, 자연 선택, 유전적 부동, 유전자 흐름 등이 있다.

07 | 선택지 분석 |

㉠ P에서 털색이 검은색에 가까운 쥐들의 생존율과 번식률이 높아 형성된 집단은 A이다.
➡ A는 털색의 평균이 검은색 쪽에 치우쳐 있으므로, P에서 털색이 검은색에 가까운 쥐들의 생존율과 번식률이 높아 형성된 집단은 A이다.

✕ B의 유전자풀은 C의 유전자풀과 ~~동일하다~~ 다르다.
➡ B와 C에서 나타나는 털색의 빈도가 다르므로 B의 유전자풀은 C의 유전자풀과 다르다.

✕ 털색 표현형의 변이는 C보다 P에서 ~~작다~~ 크다.
➡ P가 C보다 털색이 다양하므로 털색 표현형의 변이는 C보다 P에서 크다.

08 | 선택지 분석 |

㉠ ㉡은 지리적 격리에 의해 ㉠으로부터 종분화되었다.
➡ ㉡은 섬의 분리에 의한 지리적 격리에 의해 ㉠으로부터 종분화되었다.

㉡ ㉡과 ㉢은 서로 다른 과에 속한다.
➡ ㉠과 ㉢에서 ⓐ는 Ⅰ로 같은데 ⓑ는 다르므로 ⓐ는 '과', ⓑ는 '속'이다. ㉡의 과는 Ⅱ이고, ㉢의 과는 Ⅰ이므로 서로 다른 과에 속한다.

✕ ㉠과 ㉡의 유연관계는 ㉠과 ㉢의 유연관계보다 ~~가깝다~~ 멀다.
➡ ㉠과 ㉡의 분화는 ㉠과 ㉢의 분화보다 먼저 일어났으므로, ㉠과 ㉡의 유연관계는 ㉠과 ㉢의 유연관계보다 멀다.

09 | 선택지 분석 |

✕ X_1과 X_2는 종소명이 ~~같다~~ 다르다.
➡ X_1과 X_2는 서로 다른 생물학적 종이므로 종소명이 다르다.

㉡ X_2와 X_3의 유전자풀은 다르다.
➡ X_2와 X_3은 서로 다른 생물학적 종이므로 대립유전자 빈도가 달라 유전자풀이 다르다.

㉢ 이 과정에서 창시자 효과 현상이 나타났다.
➡ X_1에서 일부 개체가 떨어져 나와 섬으로 이주한 후 대립유전자 빈도가 변하여 다른 생물학적 종인 X_2와 X_3이 출현하였다. 이와 같은 현상을 창시자 효과라고 한다.

한번에 끝내는 대단원 문제 266쪽~269쪽

01 ⑤ **02** ① **03** ⑤ **04** ④ **05** ④ **06** ③ **07** ④
08 ④ **09** ⑤ **10** ④ **11** ③ **12** ㄱ, ㄴ, ㄷ

13 | **모범 답안** | ㉠ 배엽을 형성한다. ㉡ 몸이 좌우 대칭이다. 또는 3배엽성 동물이다. ㉢ 몸이 방사 대칭이다. 또는 2배엽성 동물이다. ㉣ 후구동물이다. ㉤ 선구동물이다. 또는 촉수담륜동물이다.

14 상동 기관, 비교해부학적 증거

15 | **모범 답안** | (다), 유전적 평형이 유지되는 집단은 세대를 거듭하여도 대립유전자 빈도가 변하지 않기 때문이다.

16 | **모범 답안** | (가), 개체 수가 작을수록 유전적 부동의 영향이 더 크게 나타나며, 유전적 부동의 영향이 클수록 대립유전자 빈도가 크게 변하기 때문이다.

17 H의 빈도: 0.4, H*의 빈도: 0.6

18 0.3

01 | 선택지 분석 |

ㄱ. (나)는 광합성 세균이다.
➡ (가)는 무산소 호흡 종속 영양 생물, (나)는 광합성 세균, (다)는 호기성 세균이다.

ㄴ. ⓐ와 ⓑ는 모두 '없음'이다.
➡ 호기성 세균(다)은 원핵생물이므로 막으로 된 세포 소기관을 갖지 않는다. 무산소 호흡 종속 영양 생물(가)은 산소 호흡을 하지 않는다. 따라서 ⓐ는 '없음', ⓑ는 '없음'이다.

ㄷ. 대기 중 ㉡의 농도가 증가하여 오존층이 생성되었다.
➡ 무산소 호흡 종속 영양 생물(가)의 호흡 결과 대기 중 CO_2 농도가 증가하였으므로 ㉠은 CO_2이고, 광합성 세균의 호흡 결과 대기 중 O_2 농도가 증가하였으므로 ㉡은 O_2이다. 대기 중 O_2의 농도가 증가하여 오존층이 생성되었다.

02 '2중 나선 구조이다.'는 DNA만 해당하고, '기본 단위가 뉴클레오타이드이다.'는 DNA와 리보자임(RNA)만 해당하므로 A는 단백질, B는 리보자임(RNA), C는 DNA이다.

| 선택지 분석 |

ㄱ. '촉매 기능이 있다.'는 ㉠에 해당한다.
➡ '촉매 기능이 있다.'는 리보자임(RNA)과 단백질만 해당하므로 ㉠에 해당한다.

✕ ㄴ. '입체 구조가 다양하다.'는 ~~㉡~~ ㉠에 해당한다.
➡ '입체 구조가 다양하다.'는 리보자임(RNA)과 단백질만 해당하므로 ㉠에 해당한다.

✕ ㄷ. A~C 중 최초의 유전 물질이었을 가능성이 가장 높은 것은 ~~C~~ B이다.
➡ 리보자임(B)은 유전 정보를 저장할 수 있고, 다양한 입체 구조를 형성하여 효소(촉매)로 작용할 수 있으며 자기 복제 기능이 있으므로, 최초의 유전 물질이었을 가능성이 높다.

03 | 자료 분석 |

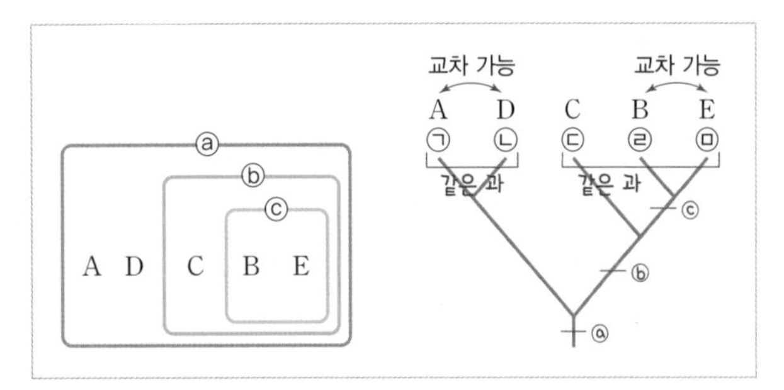

| 선택지 분석 |

✕ ㄱ. ㉠은 ~~E~~ A 또는 D이다.
➡ ㉠과 ㉡ 중 하나는 A이고, 나머지 하나는 D이다. ㉢은 C이다. ㉣과 ㉤ 중 하나는 B이고, 나머지 하나는 E이다.

ㄴ. ㉤은 ⓐ, ⓑ, ⓒ를 모두 가진다.
➡ ㉤은 B 또는 E이므로 ⓐ, ⓑ, ⓒ를 모두 가진다.

ㄷ. ㉢과 B는 같은 과에 속한다.
➡ ㉠~㉤은 2개의 과로 이루어지므로, ㉠과 ㉡은 같은 과에 속하고, ㉢, ㉣, ㉤은 같은 과에 속한다.

04 | 자료 분석 |

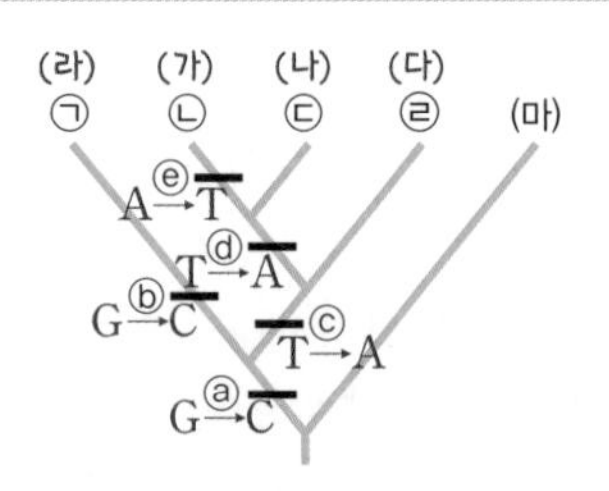

- (마)에서 어떤 유전자의 DNA 염기 서열 GTGATAGT 중 G이 C으로 치환되어 (마)와 ㉠~㉣이 분기되었다. 따라서 ⓐ는 G에서 C으로의 치환이다.
- (마)와 염기 서열 차이가 가장 적은 것은 (라)이므로 ㉠은 (라)이고 ⓑ는 G에서 C으로의 치환이다.
- (라)와 염기 서열 차이가 가장 적은 것은 (다)이므로 ㉣은 (다)이고 ⓒ는 T에서 A으로의 치환이다.
- (다)는 (가)와 2개의 염기가 다르고 (다)는 (나)와 1개의 염기가 다르므로, ㉡은 (가)이고 ㉢은 (나)이며 ⓓ는 T에서 A으로의 치환, ⓔ는 A에서 T으로의 치환이다.

| 선택지 분석 |

✕ ㄱ. ㉠은 ~~(나)~~ (라)이다.
➡ ㉠은 (라), ㉡은 (가), ㉢은 (나), ㉣은 (다)이다.

ㄴ. ⓒ는 T에서 A으로의 치환이다.

ㄷ. (나)와 (가)의 유연관계는 (나)와 (다)의 유연관계보다 가깝다.
➡ (나)와 (가)는 (나)와 (다)보다 늦게 분기되었으므로 (나)와 (가)의 유연관계는 (나)와 (다)의 유연관계보다 가깝다.

05 | 선택지 분석 |

ㄱ. (나)는 ㉣이다.
➡ (다)는 ㉥과 유연관계가 가장 가까우므로 ㉥과 속명이 같은 ㉤이며, (나)는 ㉡과 유연관계가 가장 가까우므로 ㉡과 속명이 같은 ㉣이다. 따라서 (가)는 ㉠과 ㉢ 중 하나이다.

✕ ㄴ. (가)는 ~~뱁새과~~ 참새과 또는 되새과이다.
➡ (가)는 ㉠ 또는 ㉢이므로 참새과 또는 되새과이다.

ㄷ. ㉥과 ㉤의 유연관계는 ㉥과 (나)의 유연관계보다 가깝다.
➡ ㉥은 (나)(㉣)보다 (다)(㉤)와 더 가까운 가지를 공유하므로 ㉥과 ㉤의 유연관계는 ㉥과 (나)의 유연관계보다 가깝다.

06 A는 남세균, B는 사람의 간세포, C는 시금치의 공변세포이다.

| 선택지 분석 |

✕ ㄱ. A는 ~~고세균계~~ 진정세균계에 속한다.
➡ 핵막이 없는 것은 원핵세포이므로 A는 남세균이다. 남세균은 진정세균계에 속한다.

✕ ㄴ. B는 ~~원핵~~ 진핵세포이다.
➡ 세포벽이 없는 것은 동물 세포이므로 B는 사람의 간세포이다.

ㄷ C에는 엽록체가 있다.

➡ 세포벽에 셀룰로스 성분이 있는 것은 식물 세포이므로 C는 시금치의 공변세포이다. 식물의 공변세포에는 엽록체가 있어 광합성이 일어난다.

07 미역은 원생생물계, 솔이끼는 식물계, 검은빵곰팡이와 푸른곰팡이는 균계에 속하며, 4가지 생물 모두 진핵생물역에 속한다.

| 선택지 분석 |

ㄱ '막성 세포 소기관이 있다.'는 A에 해당한다.

➡ '막성 세포 소기관이 있다.'는 진핵세포의 특징이므로 미역, 솔이끼, 검은빵곰팡이, 푸른곰팡이 모두가 해당되는 A에 해당한다.

✕ '엽록소가 있다.'는 B에 ~~해당한다~~ 해당하지 않는다.

➡ '엽록소가 있다.'는 미역, 솔이끼만 해당되므로 B에 해당하지 않는다.

ㄷ '균사가 있다.'는 C에 해당한다.

➡ '균사가 있다.'는 푸른곰팡이와 검은빵곰팡이만 해당되므로 C에 해당한다.

08 | 자료 분석 |

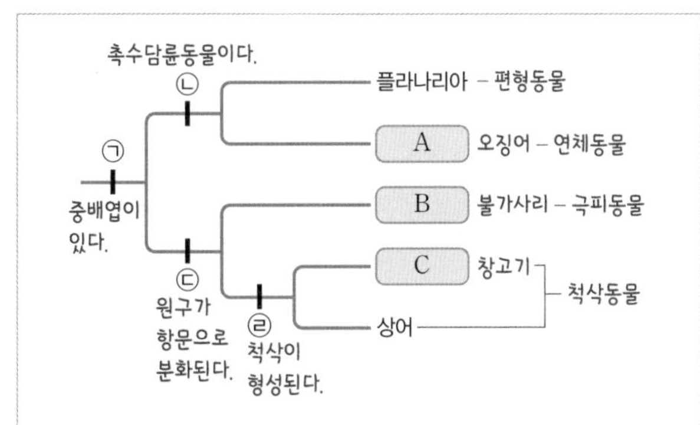

• '촉수담륜동물이다.'는 편형동물인 플라나리아와 연체동물인 오징어만 해당되는 특징이므로 ㉡이고 A는 오징어이다.
• '척삭이 형성된다.'는 척삭동물인 상어와 창고기만 해당되므로 ㉣이고 C는 창고기이다. 따라서 B는 극피동물인 불가사리이다.
• 불가사리, 창고기, 상어 모두 원구가 항문으로 분화한 후구동물이므로 ㉢은 '원구가 항문으로 분화된다.'이다.
• 5종의 동물 모두 발생 과정에서 중배엽을 형성하는 3배엽성 동물이므로 ㉠은 '중배엽이 있다.'이다.

| 선택지 분석 |

ㄱ ㉡은 '촉수담륜동물이다.'이다.

✕ ~~㉢~~ ㉣은 '척삭이 형성된다.'이다.

➡ '척삭이 형성된다.'는 상어와 창고기만 해당되므로 ㉣이다.

ㄷ A는 몸이 외투막으로 싸여 있다.

➡ A는 오징어이므로 몸이 외투막으로 싸여 있다.

09 | 선택지 분석 |

ㄱ 각 섬의 핀치는 먹이의 종류에 따라 각각 다른 종으로 자연 선택되었다.

➡ 갈라파고스 제도의 각 섬에 있는 생물의 종류가 달라서 각 섬에 서식하는 핀치 먹이의 종류도 다르다. 따라서 핀치는 먹이의 종류에 따라 각각 다른 종으로 진화하였다.

ㄴ 각 섬의 핀치가 서로 다른 종으로 진화하는 데 지리적 격리가 영향을 미쳤다.

➡ 조상종 핀치는 원래 남아메리카 대륙에 살고 있었으나 어떤 요인에 의해 갈라파고스 제도의 각 섬에 와서 지리적 격리가 일어났고, 먹이가 다른 환경에 적응하면서 각각 다른 종으로 진화하였다.

ㄷ 진화의 증거 중 생물지리학적 증거에 해당한다.

➡ 갈라파고스 제도의 각 섬에 서식하는 핀치의 부리 모양이 서로 다르게 진화한 것은 진화의 증거 중 생물지리학적 증거에 해당한다.

10 | 선택지 분석 |

✕ ⓑ는 ~~(나)~~ (다)이다.

➡ 생물종 간에 DNA 염기 서열의 차이가 클수록 상대적으로 오래전에 분화한 것이며, 차이가 작을수록 비교적 최근에 공통 조상에서 분화하였다고 볼 수 있다. 따라서 ⓐ는 (라), ⓑ는 (다), ⓒ는 (나), ⓓ는 (가)이다.

ㄴ (가)~(라) 중 사람과 유연관계가 가장 가까운 동물은 (가)이다.

➡ 사람의 DNA 염기 서열과의 차이가 작을수록 사람과 유연관계가 가깝다.

ㄷ 진화의 증거 중 분자진화학적 증거이다.

➡ DNA 염기 서열이나 단백질의 아미노산 서열과 같은 분자생물학적 특징을 비교해 보면 생물 간의 진화적 유연관계를 알 수 있는데, 이는 진화의 증거 중 분자진화학적 증거이다.

11 | 선택지 분석 |

ㄱ (가)에서 털색에 대한 변이가 있다.

➡ (가)에는 다양한 털색이 있으므로 털색에 대한 변이가 있다.

✕ (나)에서 세대가 거듭될수록 털색이 검은색인 개체의 비율이 흰색인 개체의 비율보다 ~~커진다~~ 작아진다.

➡ (나)에서 흰색의 적응도가 검은색의 적응도보다 높으므로 (나)에서 세대가 거듭될수록 털색이 흰색인 개체의 비율이 검은색인 개체의 비율보다 커진다.

ㄷ (가)~(다) 중 종분화될 가능성은 (다)에서 가장 크다.

➡ (다)에서 흰색과 검은색의 적응도가 동시에 높으므로 (가)~(다) 중 종이 분화될 가능성은 (다)에서 가장 크다.

12 | 선택지 분석 |

ㄱ ㉠~㉢은 모두 같은 속에 속한다.

➡ ㉠~㉢은 속명이 같으므로 모두 같은 속에 속한다.

ㄴ ㉡과 ㉢은 지리적 격리의 결과로 생성되었다.

➡ ㉡과 ㉢은 지리적 격리에 의해 태평양과 카리브 해로 분리되어 서로 다른 환경에서 서식한 결과 ㉠으로부터 종분화되었다.

ㄷ ㉡과 ㉢의 유전자풀은 서로 다르다.

➡ ㉡과 ㉢은 종소명이 다르므로 서로 다른 종이다. 따라서 ㉡과 ㉢은 유전자풀이 서로 다르다.

13 자포동물은 몸이 방사 대칭이고, 낭배 단계에서 발생이 멈추어 내배엽과 외배엽으로 이루어진 2배엽성 동물이다. 연체동물은 몸이 좌우 대칭이고, 3배엽성 동물이며 원구가 입이 되는 선구동물이다. 척삭동물은 몸이 좌우 대칭이고, 3배엽성 동물이며 원구가 항문이 되는 후구동물이다.

채점 기준	배점
㉠~㉤을 모두 옳게 서술한 경우	100 %
㉠~㉤ 중 4가지만 옳게 서술한 경우	70 %
㉠~㉤ 중 3가지만 옳게 서술한 경우	40 %
㉠~㉤ 중 2가지만 옳게 서술한 경우	20 %

14 사람의 팔(㉠), 새의 날개(㉡), 사자의 앞다리(㉢), 물개의 앞다리(㉣) 골격 구조는 발생 기원이 같지만 모양과 기능이 다른 상동 기관으로, 진화의 증거 중 비교해부학적 증거에 해당한다.

15 (가), (나)와 달리 (다)는 세대를 거듭하여도 대립유전자 A의 빈도가 변하지 않는다. 이는 (다)가 유전적 평형이 유지되는 집단이기 때문이다.

채점 기준	배점
(다)라고 쓰고, 그 까닭을 옳게 서술한 경우	100 %
(다)라고만 쓴 경우	40 %

16 (가)는 세대를 거듭하여도 대립유전자 R의 빈도 변화가 크지 않다. 그러나 (나)는 세대를 거듭할수록 대립유전자 R의 빈도 변화가 크게 나타나는데, 이는 개체 수가 작아 유전적 부동의 영향을 더 크게 받기 때문이다.

채점 기준	배점
(가)라고 쓰고, 그 까닭을 옳게 서술한 경우	100 %
(가)라고만 쓴 경우	40 %

17 대립유전자 H는 X 염색체에 존재하고, H가 H*에 대해 완전 우성이며, 민수는 정상, 민수의 어머니는 ㉠이 발현되므로 어머니의 유전자형은 X^HX^{H*}이고, 민수의 유전자형은 $X^{H*}Y$이다. 어머니가 이형 접합인데 ㉠이 발현되므로 ㉠은 정상에 대해 우성이다. 따라서 H는 ㉠ 대립유전자, H*는 정상 대립유전자이다.

대립유전자 H의 빈도를 p, H*의 빈도를 q라고 할 때 Ⅰ에서 ㉠이 발현된 여자의 유전자형은 X^HX^H, X^HX^{H*}이며, 빈도는 p^2+2pq이다. Ⅰ에서 남자와 여자의 수가 같으므로 ㉠이 발현된 여자의 수는 $0.5(p^2+2pq)$이다. ㉠이 발현된 남자의 유전자형은 X^HY이며, 빈도는 p이다. Ⅰ에서 남자와 여자의 수가 같으므로 ㉠이 발현된 남자의 수는 $0.5p$이다. 따라서 Ⅰ에서 ㉠이 발현된 사람의 수는 $0.5(p^2+2pq)+0.5p$이다. 유전자형이 HH*가 가능한 사람은 여자밖에 없으므로 유전자형이 HH*인 사람의 수는 $0.5\times2pq$이다. 따라서

$$\frac{\text{유전자형이 HH*인 사람의 수}}{\text{㉠이 발현된 사람의 수}}=\frac{pq}{0.5p^2+pq+0.5p}=\frac{6}{13}$$

이므로 이를 계산하면 $p=0.4$, $q=0.6$이다.

18 ㉠이 발현되는 여자의 유전자형은 X^HX^H 또는 X^HX^{H*}이고, 아이에게서 ㉠이 발현되지 않으려면 이 여자는 대립유전자 H*를 물려줘야 한다. 따라서 X^HX^H와 X^HX^{H*} 중 X^HX^{H*}를 선택해야 하며, X^HX^H의 빈도는 p^2, X^HX^{H*}의 빈도는 $2pq$이므로 X^HX^H와 X^HX^{H*} 중 X^HX^{H*}를 선택할 확률은 $\frac{2pq}{p^2+2pq}$이다. X^HX^{H*}에서 아이에게 X^{H*}를 물려줄 확률은 $\frac{1}{2}$이다. 따라서 구하는 확률은 $\frac{2pq}{p^2+2pq}\times\frac{1}{2}$이다. 임의의 남자의 유전자형은 X^HY 또는 $X^{H*}Y$이며, X^HY와 $X^{H*}Y$ 중 X^HY를 선택할 확률은 p이고, X^HY에서 Y 염색체를 물려줄 확률은 $\frac{1}{2}$이다. X^HY와 $X^{H*}Y$ 중 $X^{H*}Y$를 선택할 확률은 q이며, $X^{H*}Y$에서는 X^{H*} 염색체나 Y 염색체를 모두 물려주어도 되므로 확률은 1이다. 따라서 구하는 확률은 $\frac{1}{2}\times p+q$이다. 이에 따라서 최종적으로 구하는 확률은 $\left(\frac{2pq}{p^2+2pq}\times\frac{1}{2}\right)\times\left(\frac{1}{2}\times p+q\right)$이며, $p=0.4$, $q=0.6$이므로 0.3이다.

1 »» 생명 공학 기술

01 ~ 유전자 재조합 기술의 원리와 활용

탐구POOL 274쪽

01 흰색 **02** 동일한 제한 효소를 사용해야 한다.

01 배지에서 흰색 군체가 형성된 것은 대장균에서 젖당 분해 효소가 생성되지 않아 X-gal이 분해되지 않았기 때문이다. 대장균에 재조합 플라스미드가 도입되면 젖당 분해 효소가 만들어지지 않는다.
배지에서 푸른색 군체가 형성된 것은 젖당 분해 효소가 작용하여 X-gal을 분해하였기 때문이다.

02 동일한 제한 효소를 사용해야 말단 부위의 염기 서열이 동일해지기 때문이다.

콕콕! 개념 확인하기 275쪽

✔ 잠깐 확인!!
1 DNA 운반체 **2** 제한 효소 **3** DNA 연결 효소 **4** 숙주 세포 **5** 플라스미드 **6** 점착 말단

01 (1) × (2) ○ (3) ○ (4) ○ **02** 단백질 **03** (1)-㉣ (2)-㉢ (3)-㉠ (4)-㉡ **04** 인슐린, 생장 호르몬, 인터페론, 혈전 용해제, 간염 백신, 혈액 응고 인자 등 중 3가지 **05** ㉠ 의약품, ㉡ 형질 전환 생물

01 (1) 제한 효소는 DNA의 특정 염기 서열을 인식하여 자르는 효소이다.

02 각 유전자에는 특정 단백질에 대한 정보가 저장되어 있어 유전자에 저장된 정보에 따라 다양한 단백질이 합성되고, 한 개체의 여러 형질이 결정된다.

05 유전자 재조합 기술은 기초 생명 과학 연구, 의약품 생산, 형질 전환 생물 개발 등에 활용할 수 있다.

탄탄! 내신 다지기 276쪽~277쪽

01 ⑤ **02** ② **03** ③ **04** 점착 말단 **05** ④ **06** 플라스미드 **07** ① **08** ③ **09** ④ **10** 형질 전환 **11** ④

01 인슐린 유전자 재조합에는 인슐린 유전자, 유용한 유전자를 숙주 세포로 운반하는 플라스미드, DNA의 특정 염기 서열을 인식하여 자르는 제한 효소, DNA 조각들을 이어주는 DNA 연결 효소, 재조합 DNA가 이식되는 숙주 세포가 필요하다. DNA 중합 효소는 DNA 복제에 필요한 효소이다.

02 플라스미드는 세균이 가지고 있으며, 세균의 주염색체 외에 별도로 존재하는 고리 모양의 DNA이다.

03 제한 효소는 DNA를 자르기만 한다. 자른 DNA를 다시 연결할 때는 DNA 연결 효소를 사용한다.

04 점착 말단은 상보적인 염기 서열을 가지고 있다. 따라서 동일한 제한 효소로 자른 서로 다른 DNA 가닥에 DNA 연결 효소가 작용하면 상보적인 점착 말단이 결합하여 DNA가 연결된다.

05 | 선택지 분석 |

① 제한 효소는 점착 말단을 만들어 낸다.
➡ 제한 효소는 DNA의 두 가닥을 엇갈리게 잘라서 잘린 부위에 짧은 단일 가닥 말단을 만드는데, 이 말단은 다른 DNA 조각의 상보적인 단일 가닥 말단과 결합할 수 있으므로, 이 부위를 점착 말단이라고 한다.

② 숙주 세포로는 대장균을 주로 사용한다.

③ 플라스미드는 유용한 유전자를 숙주 세포로 운반한다.
➡ 유용한 유전자를 숙주 세포로 운반하는 역할을 하는 DNA 운반체로는 세균의 플라스미드가 많이 사용된다.

④ 유용한 유전자와 플라스미드를 ~~서로 다른~~ 동일한 제한 효소로 자른다.
➡ 유용한 유전자와 플라스미드는 동일한 제한 효소를 사용하여 잘라야 한다. 그래야 플라스미드와 유용한 유전자를 DNA 연결 효소로 연결하여 재조합 DNA를 만들 수 있다.

⑤ DNA 연결 효소로 유용한 유전자와 DNA 운반체를 연결한다.
➡ DNA 연결 효소는 인접한 뉴클레오타이드의 당과 인산의 공유 결합을 촉매하여 DNA 조각들을 연결한다.

06 세균이 주염색체 외에 가지고 있는 작은 고리 모양의 DNA를 플라스미드라고 한다.

07 플라스미드와 사람의 DNA를 동시에 자르는 효소는 제한 효소이고, 이 두 DNA를 연결하는 효소는 DNA 연결 효소이다. 이렇게 연결된 DNA를 재조합 DNA라고 한다.

08 인슐린 유전자가 포함된 재조합 DNA를 만들기 위해서는 사람의 DNA에 제한 효소를 처리하여 인슐린 유전자를 얻어야 하고, 대장균의 플라스미드를 동일한 제한 효소로 처리한 후 인슐린 유전자를 삽입하여 DNA 연결 효소로

연결해야 한다. 이 재조합 DNA를 숙주 세포인 대장균에 도입하여 형질 전환 대장균을 만들면 형질 전환 대장균이 증식하면서 인슐린을 생산한다.

09 유전자 재조합 기술을 활용하면 특정 유전자를 다른 생물에게 발현시켜서 형질 전환 생물을 만들 수 있다. 유전자 재조합 기술을 활용하여 해충에 강한 옥수수, 제초제 저항성 식물 등을 개발할 수 있다.

10 한 생명체가 가지고 있는 유전자를 다른 생명체에 넣어서 새로운 형질을 발현시킨 생물을 형질 전환 생물이라고 한다.

11 임신 진단 키트는 유전자 재조합 기술을 활용한 것이 아니라 세포 융합 기술을 활용한 단일 클론 항체를 사용하여 만든 것이다.

도전! 실력 올리기

278쪽~279쪽

01 ④ **02** ③ **03** ④ **04** ⑤ **05** ⑤

06 가위: 제한 효소, 풀: DNA 연결 효소

07 | **모범 답안** | 사람의 DNA와 플라스미드를 동일한 제한 효소로 잘라야 점착 말단이 동일한 염기 서열을 가지게 된다. 그래야 유용한 유전자를 플라스미드에 삽입하여 재조합 DNA를 만들 수 있게 된다.

08 | **모범 답안** | 숙주의 염색체와는 독립적으로 복제된다. 크기가 작아 세균에서 분리하여 조작하기 쉽다. 크기가 작아 다른 세포로 쉽게 도입될 수 있다. 일부는 항생제 내성 유전자가 있어 재조합 DNA가 도입된 형질 전환 세포를 선별하는 데 사용된다. 중 2가지

01 | **선택지 분석** |

ㄱ (가)는 효소 X를 합성하지 못한다.

➡ (가)는 항생제 Y 내성 유전자가 정상적으로 존재하지만, 효소 X 유전자에 인슐린 유전자가 삽입되었다. 따라서 (가)는 효소 X를 합성하지 못한다.

ㄴ (가)는 사람의 인슐린을 합성한다.

➡ (가)에는 사람의 인슐린 유전자가 삽입되었으므로 사람의 인슐린을 합성할 수 있다.

✕ 배지에 항생제 Y가 있으면, (가)는 생존할 수 ~~없다~~. 있다.

➡ (가)에는 항생제 Y 내성 유전자가 존재하므로, (가)는 배지에 항생제 Y가 있어도 생존 가능하다.

02 재조합 DNA는 세균의 플라스미드에 유용한 유전자를 삽입해서 만든다. 이 과정에서 DNA를 자를 때 제한 효소를 사용한다. 멸종 위기 생물을 되살리는 데 활용하는 것은 핵치환 기술이나 조직 배양 기술이다.

03 A는 플라스미드, B는 제한 효소, C는 DNA 연결 효소이다.

| **선택지 분석** |

ㄱ A는 DNA 운반체 역할을 한다.

➡ 플라스미드(A)는 유용한 유전자를 숙주 세포로 운반한다.

✕ B는 DNA ~~부위를 무작위로~~ 특정 염기 서열을 인식하여 절단한다.

➡ 제한 효소(B)는 DNA의 특정 염기 서열을 인식하여 자른다.

ㄷ C는 DNA를 복제할 때도 사용된다.

➡ DNA 연결 효소(C)는 DNA를 복제할 때도 사용된다.

04 | **선택지 분석** |

✕ 항생제 X가 있는 배지에서 살아남는 대장균은 ~~㉠뿐~~ ㉡과 ㉢이다.

➡ 대장균 ㉠은 항생제 X 내성 유전자를 가지는 플라스미드가 없으므로, 항생제 X가 있는 배지에서 죽는다. 나머지 ㉡과 ㉢은 항생제 X 내성 유전자가 있으므로 항생제 X가 있는 배지에서 살아남는다.

ㄴ 인슐린을 생산하는 대장균은 물질 Y를 분해할 수 없다.

➡ 인슐린 유전자가 물질 Y 분해 유전자 사이로 삽입되므로 인슐린을 생산하는 대장균은 물질 Y를 분해할 수 없다.

ㄷ 인슐린 유전자 추출에 사용한 제한 효소는 플라스미드를 자르는 제한 효소와 동일하다.

➡ 플라스미드 절단과 인슐린 유전자 추출에 동일한 제한 효소를 사용해야 동일한 점착 말단이 만들어져서 인슐린 유전자를 플라스미드에 삽입할 수 있다.

05 | **선택지 분석** |

ㄱ 사용된 제한 효소는 A이다.

ㄴ Y에는 젖당 분해 효소 유전자가 존재한다.

➡ '정상 배지+X'에서 푸른색 군체가 생존하였으므로 Y에는 젖당 분해 효소 유전자가 존재한다. 따라서 젖당 분해 효소 유전자를 절단하지 않는 제한 효소 A를 사용하였다.

ㄷ ㉠은 '푸른색 군체 생존'이다.

➡ 제한 효소 A는 항생제 α 저항성 유전자 부위를 자르므로, 항생제 β 저항성 유전자는 정상적으로 기능한다. 따라서 ㉠은 '푸른색 군체 생존'이다.

06 가위(DNA를 자르는 것)는 제한 효소 역할을 하고, 풀(잘린 DNA를 다시 붙여 주는 것)은 DNA 연결 효소 역할을 한다.

07 제한 효소는 DNA의 두 가닥을 엇갈리게 잘라서 잘린 부위에 짧은 단일 가닥 말단을 만드는데, 이 말단은 다른 DNA 조각의 상보적인 단일 가닥 말단과 결합할 수 있으므로, 이 부위를 점착 말단이라고 한다. 사람의 DNA와 플라스미드를 동일한 제한 효소로 잘라야 점착 말단이 동일한 염기 서열을 가지게 된다.

채점 기준	배점
점착 말단이 동일한 염기 서열을 가지게 되어 재조합 DNA를 만들 수 있게 된다는 것을 옳게 서술한 경우	100 %
점착 말단이 동일한 염기 서열을 가지게 된다는 것만 서술한 경우	50 %

08 플라스미드는 복제 원점이 있어 숙주의 염색체와는 독립적으로 복제될 수 있다. 또, 크기가 작아 세균에서 분리하여 조작하기 쉽고, 다른 세포로 쉽게 도입될 수 있다. 일부는 항생제 내성 유전자를 합성하는 항생제 내성 유전자가 있어 재조합 DNA가 도입된 형질 전환 세포를 선별하는 데 사용된다.

채점 기준	배점
까닭을 2가지 모두 옳게 서술한 경우	100 %
까닭을 1가지만 옳게 서술한 경우	50 %

02 생명 공학 기술의 원리와 실제 사례

콕콕! 개념 확인하기 283쪽

✔ 잠깐 확인!

1 핵치환 **2** 줄기세포 **3** 세포 융합 **4** 단일 클론 항체 **5** 조직 배양 **6** 유전자 치료

01 (1) ○ (2) ○ (3) ○ (4) × **02** hCG(융모성 생식선 자극 호르몬) **03** (1) 유도 만능 줄기세포 (2) 성체 줄기세포 (3) 배아 줄기세포 **04** 조직 배양 **05** (1) 체내 유전자 치료 (2) 체외 유전자 치료

01 (4) 핵치환은 동물을 복제하거나 줄기세포를 만드는 데 활용된다.

02 hCG는 임신 직후 태반에서 분비되는 호르몬으로, 황체가 퇴화되지 않도록 하여 임신을 유지시킨다. hCG는 일부 오줌으로 배출되므로, 임신을 진단하는 데 이용된다.

04 조직 배양 기술은 주로 식물에서 활용하지만, 최근에는 동물에서도 자주 활용하며, 다른 생명 공학 기술과 함께 활용되기도 한다.

05 두 치료 방법의 차이는 바이러스를 직접 체내에 주입하는가, 바이러스에 감염된 세포를 체내에 주입하는가이다.

탄탄! 내신 다지기 284쪽~285쪽

01 ⑤ **02** (가) 조직 배양, (나) 세포 융합 **03** ③ **04** 배아 줄기세포 **05** ⑤ **06** ⑤ **07** 유도 만능 줄기세포 **08** ① **09** ① **10** 세포 융합 **11** 유전자 치료 **12** ④

01 | 선택지 분석 |

① 복제 양 돌리가 탄생하는 데 활용되었다.

② 멸종 위기 동식물을 보존하는 데 활용한다.

③ 체세포 복제 배아 줄기세포를 만드는 데 활용할 수 있다.
➡ 핵치환 기술로 만들어진 복제 배아를 배양하는 과정에서 줄기세포를 얻을 수 있다.

④ 핵을 제거한 세포에 다른 세포의 핵을 이식하는 기술이다.
➡ 핵치환은 세포에서 핵을 제거하고, 이 세포에 다른 세포의 핵을 이식하는 기술이다.

⑤ 오줌으로 임신 여부를 진단하는 키트를 만드는 데 활용할 수 있다.
➡ 오줌으로 임신 여부를 진단하는 키트는 세포 융합 기술을 활용하여 만든 단일 클론 항체를 사용한다.

02 식물의 조직 배양은 어버이와 동일한 식물체를 많이 만들 수 있어 형질이 우수한 식물이나 번식 능력이 약한 식물을 인공적으로 대량 증식하는 데 활용할 수 있다. 토마토와 감자의 세포를 융합하면 두 식물의 특징을 모두 가지는 식물을 만들 수 있다.

03 | 선택지 분석 |

ㄱ. A와 C의 핵에 들어 있는 DNA는 동일하다.
➡ C의 체세포 핵은 A에서 받은 것이므로, A와 C의 핵에 들어 있는 DNA는 동일하다.

ㄴ. C의 미토콘드리아 DNA는 B와 같다.
➡ C의 세포질은 B에서 받은 것이므로 C의 미토콘드리아 DNA는 B와 같다.

ㄷ. 이 과정에서 세포 융합 기술이 활용되었다.
➡ 이 과정은 난자에 체세포 핵을 넣었으므로 핵치환 기술을 활용한 것이다.

04 핵치환으로 만들어진 세포의 초기 발생 단계에서 만들어진 줄기세포이므로 배아 줄기세포이다.

05 | 선택지 분석 |

① 손상된 신경의 치료에 사용된다.
➡ 줄기세포는 손상된 신경의 치료에 사용 가능하다.

② 체세포를 역분화시켜 얻을 수 있다.
➡ 체세포를 역분화시켜 얻은 줄기세포를 유도 만능 줄기세포라고 한다.

③ 발생 초기 배아에서 분리하여 얻을 수 있다.
➡ 발생 초기 배아에서 분리하여 얻은 줄기세포를 배아 줄기세포라고 한다.

④ 몸을 구성하는 다양한 종류의 세포로 분화할 수 있다.
➡ 줄기세포는 몸을 구성하는 다양한 세포로 분화할 수 있다.

⑤ 골수나 탯줄의 혈액과 같이 분화된 세포에서는 얻을 수 없다.
➡ 골수나 탯줄의 혈액과 같이 분화된 세포에서 만들어진 줄기세포를 성체 줄기세포라고 한다.

06 | 선택지 분석 |

㉠ (가)와 (나)는 미분화된 세포이다.
➡ (가)는 배아 줄기세포이고 (나)는 성체 줄기세포이며, (가)와 (나)는 모두 미분화된 세포이다.

㉡ (가)는 모든 종류의 세포로 분화될 수 있다.
➡ 배아 줄기세포(가)는 모든 종류의 세포로 분화가 가능하다.

㉢ (나)를 사용하면 윤리적 논쟁을 피할 수 있다.
➡ 성체 줄기세포(나)는 배아 줄기세포를 만들 때 제기되는 윤리적 논쟁을 피할 수 있다.

07 체세포를 역분화시켜 얻은 줄기세포를 유도 만능 줄기세포라고 한다. 유도 만능 줄기세포는 생명 윤리 문제로부터 자유롭지만, 체세포를 역분화시키는 과정에서 유전자 변이가 일어날 수 있다는 문제점이 있다.

08 | 선택지 분석 |

① 동물 세포에서는 (가) 과정이 필요 없다.
➡ 동물 세포는 세포벽이 없으므로 세포벽을 제거하는 (가) 과정이 필요 없다.

② (나)에서 제한 효소가 ~~필요하다~~ 필요하지 않다.
➡ (나)는 세포 융합 과정으로, 제한 효소가 필요 없다.

③ ~~(나)에서 핵~~ 세포질 융합 후에 ~~세포질~~ 핵 융합이 일어난다.
➡ 세포질 융합이 일어난 후에 핵 융합이 일어난다.

④ (다)에서 ~~핵치환~~ 조직 배양 기술이 이용된다.

⑤ ~~이~~ 핵치환 기술은 멸종 위기 동물 복제에 활용된다.
➡ 세포 융합 기술은 잡종 식물의 생산이나 단일 클론 항체를 만드는 데 활용된다. 멸종 위기 동물 복제에는 핵치환 기술이 활용된다.

09 | 선택지 분석 |

① ㉠은 위암 치료에 사용된다.
➡ ㉠에는 항암제가 부착되어 있으므로 위암 치료에 사용할 수 있다.

② 골수암 세포는 항체 생산 능력이 ~~있다~~ 없다.
➡ 골수암 세포는 지속적인 세포 분열 능력이 있으며, 항체 생산 능력은 B 림프구가 가지고 있다.

③ 단일 클론 항체의 주성분은 ~~탄수화물~~ 단백질이다.
➡ 항체는 주성분이 단백질이다.

④ (가)는 ~~유전자 재조합~~ 세포 융합 기술로 얻은 것이다.
➡ 잡종 세포는 세포 융합 기술에 의해 만들어졌다.

⑤ X와 (가)의 모든 유전자 염기 서열이 같다.
➡ 잡종 세포는 골수암 세포와 X가 융합된 것으로, 2개의 유전자가 합쳐져 있다. 따라서 X와 (가)의 유전자 염기 서열은 다르다.

10 암세포와 B 림프구를 융합하여 잡종 세포를 만드는 데 세포 융합 기술이 활용되었다.

11 유전자 치료는 DNA 운반체를 사용하여 정상 유전자를 사람의 몸에 넣어 결함이 있는 유전자를 대체하고 정상 단백질을 생산하도록 하는 치료 방법이다.

12 | 선택지 분석 |

✕ (가)는 ~~체외~~ 체내 유전자 치료 방법이다.
➡ (가)는 체내 유전자 치료 방법이고, (나)는 체외 유전자 치료 방법이다.

㉡ (나)에서 X는 비정상 세포이다.
➡ (나)에서 환자에서 추출된 세포 X는 비정상 세포이다.

㉢ 두 방법에 모두 유전자 재조합 기술이 활용되었다.
➡ 두 방법 모두 DNA 운반체에 정상 유전자를 도입하기 위해 유전자 재조합 기술을 활용하였다.

도전! 실력 올리기

286쪽~287쪽

01 ④ **02** ③ **03** ② **04** ③ **05** ① **06** ⑤

07 | 모범 답안 | 환자의 체세포 핵을 무핵 난자에 이식하여 만든 줄기세포이므로 유전적으로 환자와 동일하다. 따라서 이 줄기세포에서 분화된 조직이나 기관을 환자에 이식할 경우 거부 반응이 일어나지 않는다.

08 | 모범 답안 | 암세포는 수명이 반영구적이며 무한 증식을 하는 특성을 가지고 있고, B 림프구는 항체를 생산할 수 있지만 수명이 짧다. 따라서 두 세포를 융합하여 만든 잡종 세포는 항체 생산 능력을 가지면서 수명이 반영구적인 특성을 갖는다.

01 A는 성체 줄기세포이고, B는 유도 만능 줄기세포이다.

| 선택지 분석 |

✕ ~~A~~ 배아 줄기세포는 모든 세포로 분화할 수 있다.
➡ 성체 줄기세포(A)는 분화되는 세포의 종류가 제한적이다.

㉡ B는 면역 거부 반응이 없다.
➡ 유도 만능 줄기세포(B)는 환자 자신의 체세포를 사용하여 만든 것이므로 면역 거부 반응이 없다.

㉢ A와 B를 만들 때 윤리적인 문제가 없다.
➡ 성체 줄기세포(A)와 유도 만능 줄기세포(B)는 성체 세포를 사용하여 줄기세포를 만들기 때문에 윤리적인 문제가 없다.

02 | 선택지 분석 |

㉠ 세포 융합 기술이 활용되었다.
➡ 단일 클론 항체를 생산하는 잡종 세포는 암세포와 쥐의 B 림프구를 융합하여 만들었으므로, 세포 융합 기술이 활용되었다.

㉡ ㉠은 수명이 반영구적이다.
➡ ㉠은 암세포와 B 림프구가 융합되어 만들어진 잡종 세포이므로, 수명이 거의 반영구적이다.

✕ ㉡은 ~~다양한~~ 한 종류의 항원을 공격할 수 있다.
➡ ㉡은 한 종류의 잡종 세포에서 나온 항체이므로 한 종류의 항원만을 공격한다.

03 | 자료 분석 |

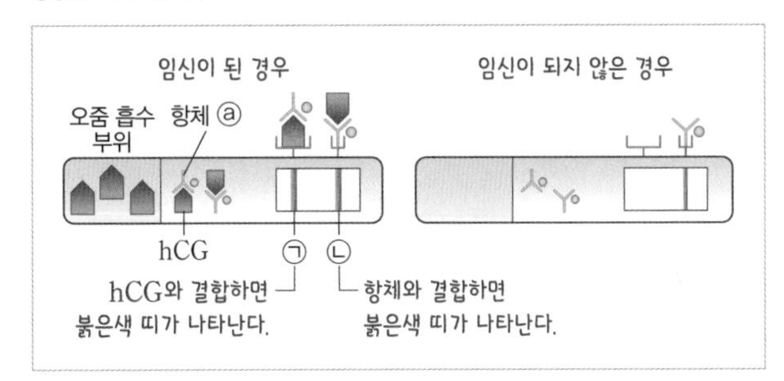

| 선택지 분석 |

㉠ ⓐ는 hCG에 대한 단일 클론 항체이다.
➡ ⓐ는 단일 클론 항체로, hCG와 결합한다.

㉡ (가)는 임신이 된 경우이다.
➡ (가)는 hCG와 항체가 결합한 복합체에 대한 띠 ㉠이 있으므로 임신이 된 경우이고, (나)는 hCG와 항체가 결합한 복합체에 대한 띠가 없으므로 임신이 되지 않은 경우이다.

✕ ㉡은 ~~hCG가 ⓐ와 결합한 경우에만~~ 나타난다.
항체만 결합해도
➡ ㉡은 항체만 결합해도 나타나는 띠이다.

04 | 선택지 분석 |

㉠ (가)의 세포는 분열 능력이 있는 세포이다.
➡ (가)의 세포는 당근 뿌리에서 분열 조직을 채취한 것이므로 분열 능력이 있다.

㉡ (나)의 배는 완전한 식물체로 발생할 수 있다.
➡ (나)는 미분화된 상태로 되돌린 것이므로 배양하면 완전한 식물체로 발생할 수 있다.

✕ 세포 융합 기술이 사용되었다.
➡ 그림은 조직 배양 기술이 사용되는 과정을 나타낸 것이다.

05 | 선택지 분석 |

㉠ (가)는 유전자 재조합 기술로 만들었다.
➡ (가)는 유전자 재조합 기술을 사용하여 만든 것이다.

✕ (나)는 다른 환자에게 ~~주입해도~~ 거부 반응이 ~~없다~~.
주입하면 나타날 수 있다.
➡ (나)는 이 환자에게만 사용할 수 있고, 다른 환자에게 사용하면 거부 반응이 나타날 수 있다.

✕ ~~체내~~ 유전자 치료 방법을 나타낸 것이다.
체외
➡ 이 유전자 치료 방법은 체외 유전자 치료 방법을 나타낸 것이다.

06 | 선택지 분석 |

㉠ 바이러스는 정상 유전자를 운반한다.
➡ 바이러스는 정상 유전자를 환자의 골수 세포에 전달하는 DNA 운반체 역할을 한다.

㉡ 바이러스에 정상 유전자를 삽입할 때 제한 효소와 DNA 연결 효소가 사용된다.
➡ 바이러스에 정상 유전자를 삽입할 경우에는 재조합 DNA를 만들 때와 동일하게 제한 효소와 DNA 연결 효소를 사용한다.

㉢ 환자의 체내에서 정상 유전자가 발현되면 치료 효과가 나타난다.
➡ 치료 효과는 환자의 체내에서 정상 유전자가 발현되어야 나타난다.

07 그림은 체세포 복제 배아에서 줄기세포를 얻는 과정을 나타낸 것이다. 핵치환 기술로 환자의 체세포 핵을 무핵 난자에 이식하여 복제 배아를 만들고, 이 복제 배아에서 줄기세포를 얻을 수 있다. 이 방법으로 얻은 줄기세포를 치료에 사용할 경우 환자와 배아의 유전자가 같아 면역 거부 반응이 일어나지 않는다.

채점 기준	배점
환자의 체세포 핵을 이식하여 만든 줄기세포이므로 유전적으로 환자와 동일하다는 내용을 포함하여 옳게 서술한 경우	100 %
환자의 체세포 핵을 이식하여 만든 줄기세포라고만 서술한 경우	50 %

08 단일 클론 항체는 한 종류의 잡종 세포의 세포군(클론)에서 만들어지는 한 종류의 항체로, 한 가지 항원 결정기에만 특이적으로 결합하는 특성이 있다.

채점 기준	배점
암세포와 B 림프구의 특성을 모두 포함하여 잡종 세포의 특성을 옳게 서술한 경우	100 %
암세포와 B 림프구의 특성 중 1가지와 잡종 세포의 특성을 옳게 서술한 경우	50 %
잡종 세포의 특성만 옳게 서술한 경우	30 %

03 생명 공학 기술의 발달과 문제점

콕콕! 개념 확인하기 290쪽

✔ 잠깐 확인!
1 바이오 산업 2 조직 배양 3 생명 윤리 4 생태계 평형

01 유전자 변형 생물체(LMO) 02 (1) ○ (2) ○ (3) ○
03 ㉠ 식량, ㉡ 생물 다양성 04 (1)-㉣ (2)-㉤ (3)-㉡ (4)-㉢ (5)-㉠ 05 (1) ○ (2) ○ (3) ○

01 기존의 번식 방법으로는 얻을 수 없는 새로운 유전자를 도입하여 발현되도록 조작한 생물을 유전자 변형 생물체(LMO)라고 한다.

03 단일 품종의 LMO 작물을 대규모로 재배하면 유전자의 단일화로 인해 생물 다양성이 감소될 수 있다.

탄탄! 내신 다지기 291쪽~292쪽

01 ① 02 ⑤ 03 (가) LMO, (나) GMO 04 ⑤ 05 유전자 재조합 기술 06 ④ 07 ② 08 ⑤ 09 법의학 분야 10 ⑤ 11 ② 12 생명 윤리

01 제초제 저항성 옥수수를 키우던 농장에서 제초제에 저항성을 가지는 슈퍼 잡초가 나타나거나, 유전자의 단일화로 인한 생물 다양성의 감소로 인해 생태계 파괴가 일어나는 등 부정적인 영향을 받기도 한다.

02 유전적으로 우수한 개체를 씨가축으로 사용하는 것은 전통적인 방식의 육종으로, 유전자 변형 생물체(LMO)에 해당하지 않는다.

03 LMO는 살아 있는 유전자 변형 생물체로, 생식과 번식이 가능한 생물 그 자체를 말한다. GMO는 LMO 뿐만 아니라 LMO로 만든 식품이나 가공물 등을 모두 포함한다. 따라서 GMO가 LMO보다 더 포괄적인 용어로 사용되고 있다.

04 | 선택지 분석 |

① 제초제 저항성 콩
➡ 식량 자원을 위해 개발한 것이다.

② 기름을 분해하는 세균
➡ 환경 오염 방지를 위해 개발한 것이다.

③ 중금속을 흡수하는 식물
➡ 환경 오염 방지를 위해 개발한 것이다.

④ 바이오 에탄올용 고구마
➡ 신재생 에너지 생산을 위해 개발한 것이다.

⑤ 생장 호르몬을 생산하는 세균
➡ 이 세균은 생장 호르몬(의학적으로 유용한 물질)의 대량 생산을 위해 개발한 것이다.

05 사람의 생장 호르몬 유전자와 같은 특정 형질에 대한 유전자를 플라스미드와 같은 DNA 운반체에 삽입하고, 이렇게 재조합된 DNA를 생쥐에게 주입한다. 이처럼 재조합 DNA를 만드는 기술은 유전자 재조합 기술이다.

06 | 선택지 분석 |

㉠ (가)는 유전자 재조합 기술로 만들어진 것이다.
➡ (가)는 플라스미드에 유용한 유전자가 포함된 것으로, 유전자 재조합 기술로 만들어진 재조합 DNA이다.

㉡ (나)의 식물은 유용한 유전자를 가지고 있다.
➡ (나)는 재조합 DNA가 도입된 식물을 배양한 것이므로, (나)의 식물은 유용한 유전자를 가지고 있다.

✕ 이 과정에는 ~~세포 융합 기술~~이 활용되었다.
유전자 재조합 기술과 조직 배양 기술
➡ 이 과정에는 유전자 재조합 기술과 조직 배양 기술이 활용되었다.

07 | 선택지 분석 |

✕ (가)를 만드는 데 ~~세포 융합 기술~~이 활용된다.
유전자 재조합 기술
➡ (가)는 유용한 유전자가 염색체에 삽입된 것이므로, 유전자 재조합 기술을 활용한 것이다.

㉡ (나)의 미토콘드리아 DNA는 (라)에게 전달된다.
➡ 유전자 변형 염소(라)를 만들 때 (나)의 난자가 사용되므로, (나)의 미토콘드리아 DNA가 (라)에게 전달된다.

✕ (다)의 체세포 핵에 있는 유전자는 (라)에게 ~~전달된다~~.
전달되지 않는다.
➡ (다)는 대리모이므로 (라)에게 핵에 있는 유전자와 세포질 중에서 아무것도 전달하지 못한다.

08 | 선택지 분석 |

① 식량 문제를 해결할 수 있다.
➡ 병충해에 강하고 수확량이 많은 LMO의 개발로 가능하다.

② 환경 오염을 개선할 수 있다.
➡ LMO는 제초제, 살충제 등의 사용을 감소시키므로 환경 오염을 개선할 수 있다.

③ 의약품을 대량 생산할 수 있다.
➡ LMO는 호르몬, 항체 등을 대량으로 생산할 수 있다.

④ 농가 소득을 향상시킬 수 있다.
➡ LMO는 생산비를 절감할 수 있고, 적은 노동력으로 생산성이 증가할 수 있다.

⑤ 특허로 인해 질병 치료 비용이 증가한다.
➡ 이는 LMO의 부정적인 측면이다.

09 범죄 현장이나 범죄 증거물에서 얻은 자료에 대해 PCR (중합 효소 연쇄 반응) 기술과 DNA 지문 검사 등을 활용하여 범인을 검거하거나 무죄를 증명할 수 있도록 생명 공학 기술을 적용하는 분야는 법의학 분야이다.

10 | 선택지 분석 |

① 우수한 형질을 가진 동물을 대량 생산할 수 있다.
➡ 생명 공학 기술을 이용하여 멸종 위기 동식물과 우수한 형질을 가진 동물을 생산할 수 있다.

② 사람의 생장 호르몬, 인슐린 등을 대량으로 생산할 수 있다.
➡ 의학적으로 긍정적인 전망이다.

③ 유전체 편집을 이용한 유전자 교정이 가능하여 난치병 치료의 길이 열렸다.
➡ 의학적으로 긍정적인 전망이다.

④ PCR 기술과 DNA 지문 검사로 범인을 검거할 때 활용할 수 있다.
➡ 법의학 분야에서 활용 가능한 긍정적인 전망이다.

⑤ 바이오 연료용 작물을 과다하게 재배하면 생태계가 파괴될 수 있다.
➡ 바이오 연료용 작물의 과다한 재배와 이로 인한 생태계 파괴는 생명 공학 기술의 부정적인 영향에 해당한다.

11 | 선택지 분석 |

㉠ 유전자 가위 기술로 유전자를 더 빠르고 정확하게 교정할 수 있다.
➡ 유전자 가위 기술은 유전자 치료 기술의 효과를 증대시킬 수 있다.

ⓒ 환경 정화 생물로 환경 오염 극복이 가능하다.
➡ 생명 공학 기술을 활용하여 만든 환경 정화 생물은 환경 오염 감소를 기대하게 한다.

✕ 단일 품종 LMO 작물의 대규모 재배는 생물 다양성을 감소시킨다.
➡ 단일 품종 LMO 작물의 대규모 재배는 생물 다양성을 감소시키고 결국은 생태계 파괴로 이어진다. 이것은 생명 공학 기술의 문제점에 해당한다.

12 생명체에 대한 무분별한 실험을 제한하는 장치로 법적인 규제가 있는데, 우리나라는 '생명 윤리 및 안전에 관한 법률(생명 윤리법)'을 제정하여 시행하고 있다.

도전! 실력 올리기 293쪽

01 ④ **02** ⑤

03 유전자 변형 생물체(LMO)

04 (1) 유전자 재조합 기술

(2) | **모범 답안** | 식물에 있는 제초제 저항성 유전자가 잡초에 전이되면 잡초가 제초제에 저항성을 갖게 되어 제초제를 뿌려도 제거되지 않는 슈퍼 잡초가 나타날 수 있다.

05 | **모범 답안** | 사람에게 적용하려는 의약품의 안전성을 확인하려면 사람과 최대한 비슷한 동물을 대상으로 실험해야 하기 때문이다. 즉, 단세포 생물인 세균이나 무척추동물인 초파리로 실험하는 것보다는 사람과 같은 척추동물인 쥐나 토끼로 실험해야 사람과 유사한 결과를 얻을 수 있다.

01 | 자료 분석 |

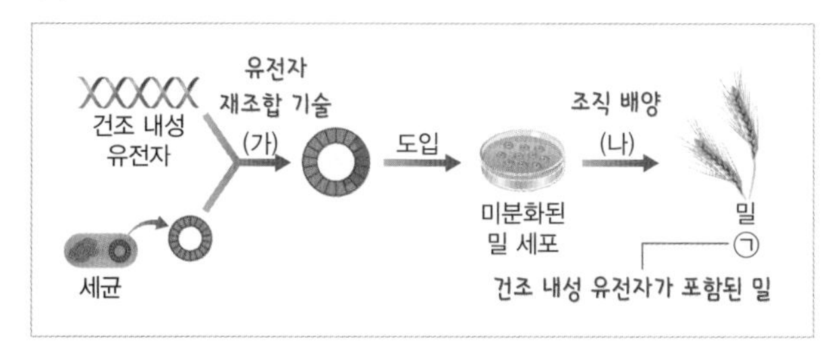

| 선택지 분석 |

ⓐ (가) 과정에 제한 효소가 사용되었다.
➡ (가)는 유전자 재조합 기술이 활용되는 과정으로, 이때 제한 효소가 사용된다.

✕ (나) 과정에 ~~세포 융합~~(조직 배양) 기술이 활용되었다.
➡ (나)는 재조합된 유전자가 도입된 밀을 선별해서 조직 배양하는 과정이므로, 세포 융합 기술이 활용되지 않는다.

ⓒ ㉠은 건조한 지역에서 잘 자란다.
➡ ㉠은 건조 내성 유전자가 도입된 밀이므로, 건조한 지역에서 잘 자란다.

02 | 선택지 분석 |

ⓐ 범인은 용의자 B이다.
➡ 범인의 DNA 전기 영동 결과와 용의자 B의 DNA 전기 영동 결과가 동일하므로 용의자 B가 범인이다.

ⓑ DNA의 증폭에는 PCR 기술을 활용한다.
➡ 범인과 용의자의 DNA를 증폭하는 과정에는 PCR 기술이 활용된다.

ⓒ 생명 공학 기술이 법의학 분야에 적용된 것이다.
➡ PCR 기술이 법의학 분야에 적용된 것이다.

03 생명 공학 기술을 활용하여 만들어진 새로운 조합의 유전 물질을 가진 생물을 유전자 변형 생물체(LMO)라고 한다.

04 (1) 플라스미드에 유용한 유전자를 삽입한 것이므로 유전자 재조합 기술이 활용되었다.

(2) LMO에 도입된 유전자의 전이로 유전자가 변형된 새로운 생물이 나타나 생태계가 교란될 수 있다.

채점 기준	배점
제초제 저항성 유전자가 잡초에 전이되는 과정과 그에 따른 제초제 저항성 슈퍼 잡초가 나타나는 과정을 모두 옳게 서술한 경우	100 %
제초제 저항성 유전자가 잡초에 전이된다고만 서술한 경우	50 %

05 의약품에 대한 동물 실험을 할 때는 생명 윤리 문제가 발생하지 않도록 주의해야 한다.

채점 기준	배점
실험 동물이 사람과 비슷해야 한다는 기준과 척추동물이라는 기준 2가지를 모두 옳게 서술한 경우	100 %
실험 동물이 사람과 비슷해야 한다는 기준과 척추동물이라는 기준 중 1가지만 옳게 서술한 경우	50 %

실전! 수능 도전하기 295쪽~297쪽

01 ③ **02** ⑤ **03** ④ **04** ④ **05** ② **06** ③ **07** ①
08 ⑤ **09** ② **10** ④ **11** ④

01 | 선택지 분석 |

ⓐ A는 플라스미드이다.
➡ A는 대장균에서 추출한 플라스미드이다.

✕ (가)와 (나)에는 ~~동일한~~(서로 다른) 효소가 사용된다.
➡ (가)에는 제한 효소, (나)에는 DNA 연결 효소가 사용된다.

ⓒ ㉠은 사람의 인슐린 유전자를 가진다.
➡ 대장균 ㉠에는 재조합 DNA가 들어 있으므로 ㉠은 사람의 인슐린 유전자를 가진다.

02 | 자료 분석 |

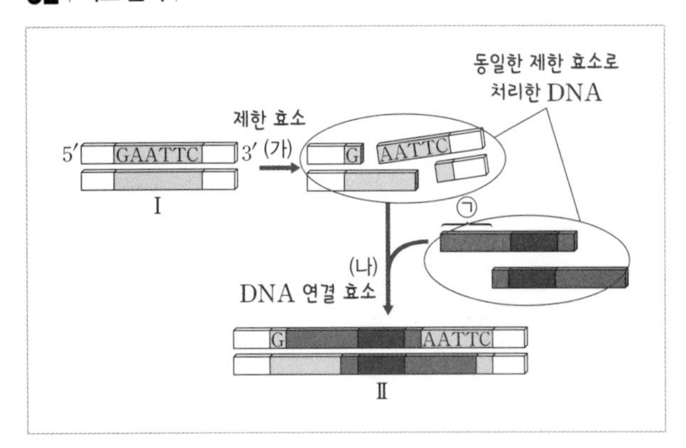

| 선택지 분석 |

ㄱ. ㉠ 부분의 염기 서열은 5′-AATT-3′이다.
➡ ㉠ 부분은 Ⅰ과 동일한 제한 효소로 처리하였고, DNA 연결 효소에 의해 Ⅰ과 결합한 부위이므로 점착 말단 부분에 해당한다. 따라서 염기 서열은 5′-AATT-3′이다.

ㄴ. Ⅰ은 DNA 운반체 역할을 한다.
➡ Ⅰ의 염기 서열 사이에 유전자를 삽입하였으므로, Ⅰ은 DNA 운반체 역할을 하는 것이다.

ㄷ. (가) 과정에 사용된 X는 DNA의 특정 부위만을 자른다.
➡ (가) 과정에 사용된 X는 제한 효소이므로 DNA의 특정한 부위만을 자른다.

03 대장균 Ⅰ은 앰피실린 저항성 유전자, 카나마이신 저항성 유전자, 테트라사이클린 저항성 유전자가 들어 있는 플라스미드가 없으므로 (나)의 모든 배지에서 균체를 형성하지 못한다.

대장균 Ⅱ는 3종류의 항생제 저항성 유전자를 모두 가지고 있으므로 (나)의 모든 배지에서 균체를 형성한다.

대장균 Ⅲ은 유전자 B 부분이 절단되었으므로 한 가지 항생제에 대한 저항성이 없다. 따라서 앰피실린이나 테트라사이클린 첨가 배지에서는 균체를 형성하지만, 카나마이신 첨가 배지에서 균체를 형성하지 못하는 대장균이다. ㉠이 여기 속하는 대장균이며, 유전자 X가 삽입된 유전자 B가 카나마이신 저항성 유전자이다.

대장균 Ⅳ는 유전자 B와 C가 절단되었으므로 카나마이신과 테트라사이클린 첨가 배지에서 균체를 형성하지 못한다. 유전자 Y가 삽입된 유전자 C가 테트라사이클린 저항성 유전자이다.

| 선택지 분석 |

✕ Y가 삽입된 위치는 ~~카나마이신~~ 테트라사이클린 저항성 유전자이다.
➡ 유전자 Y가 삽입된 위치는 테트라사이클린 저항성 유전자이다.

ㄴ. (나)에서 ㉠은 X의 단백질을 생산한다.
➡ (나)에서 ㉠은 유전자 X만 삽입된 대장균 Ⅲ이므로 유전자 X의 단백질을 생산한다.

ㄷ. A는 앰피실린 저항성 유전자이다.
➡ 앰피실린 첨가 배지에서는 대장균 Ⅱ~Ⅳ가 모두 균체를 형성하였으므로, 앰피실린 저항성 유전자는 다른 유전자가 삽입되지 않은 것이고, 따라서 유전자 A는 앰피실린 저항성 유전자이다.

04 | 선택지 분석 |

ㄱ. ⓐ의 핵상은 $2n$이다.
➡ ⓐ는 체세포인 젖샘 세포의 핵을 받았으므로 핵상은 $2n$이다.

ㄴ. ㉠은 난자의 핵을 제거하는 과정이다.
➡ ㉠은 난자가 가지고 있던 핵을 제거하는 과정이다.

✕ 양 C는 ~~양 B~~ 양 A를 복제한 것이다.
➡ 양 C는 양 A의 핵을 받았으므로 양 A를 복제한 것이다.

05 | 선택지 분석 |

✕ 단위 무게당 효소 X의 양은 무르지 않는 토마토가 무른 토마토보다 ~~많다~~ 적다.
➡ 효소 X는 토마토의 껍질을 연하게 만드는 효소이다. 그러므로 효소 X는 무르지 않는 토마토보다 무른 토마토에 더 많다.

ㄴ. (가)에서 유전자 재조합 기술이 이용된다.
➡ (가)는 유전자 A와 플라스미드를 같은 제한 효소로 자른 후 DNA 연결 효소로 연결시켜 재조합 DNA를 만드는 과정으로 유전자 재조합 기술이 이용된다.

✕ (나)에서 ~~감수~~ 체세포 분열이 일어난다.
➡ (나)는 조직 배양 기술로 형질 전환된 세포를 어린 식물로 만드는 과정이다. 이 조직 배양 과정은 체세포 분열로 일어난다.

06 (가)는 체세포 복제 배아 줄기세포, (나)는 성체 줄기세포, (다)는 유도 만능 줄기세포를 만드는 과정이다.

| 선택지 분석 |

ㄱ. (가)로 만들어진 줄기세포는 모든 세포로 분화가 가능하다.
➡ 배아 줄기세포는 인체를 이루는 모든 세포로 분화할 수 있다.

✕ (나)는 생명 윤리 문제를 ~~발생시킨다~~ 발생시키지 않는다.
➡ (나)는 성체의 체세포를 이용하므로 생명 윤리 문제를 발생시키지 않는다.

ㄷ. (다)는 역분화 과정에서 유전자 변이가 일어날 수 있다.
➡ (다)는 체세포의 역분화 과정에서 유전자 변이가 일어날 수 있다는 단점이 있다.

07 | 선택지 분석 |

ㄱ. B 림프구에는 항체 생성 능력이 있다.
➡ B 림프구는 주입한 항원에 대항하는 항체를 생성하는 능력을 가진 세포이다.

✕ (가) 과정에서 ~~핵치환~~ 세포 융합 기술이 이용된다.
➡ (가) 과정에는 B 림프구와 세포 ㉠을 융합시키는 세포 융합 기술이 이용된다.

✕ ㉠과 ㉡의 모든 유전자의 염기 서열이 동일하다.
➡ 세포 ㉡은 B 림프구와 세포 ㉠을 융합시켜 얻은 잡종 세포이므로, B 림프구와 세포 ㉠의 유전자를 함께 가지고 있다. 따라서 세포 ㉠과 ㉡의 유전자 염기 서열은 동일하지 않다.

08 | 선택지 분석 |

ㄱ. ㉠과 ㉡의 유전자 조성은 서로 다르다.
➡ ㉠은 유전자 X가 삽입되어 있고, ㉡은 유전자 X가 삽입되지 않은 상태이다.

ㄴ (라)에서 제한 효소와 DNA 연결 효소가 사용되었다.
➡ 식물에서 유전자 X를 분리하고 플라스미드의 특정 부위를 자를 때는 제한 효소를 사용하고, 분리한 유전자 X와 플라스미드를 재조합할 때는 DNA 연결 효소를 사용한다.

ㄷ 철수의 실험 수행 순서는 (라) → (가) → (다) → (나)이다.
➡ 형질 전환 옥수수를 만드는 과정: (라) 도입할 유전자를 분리하여 플라스미드와 재조합 → (가) 재조합된 플라스미드를 세균에 도입 → (다) 이 세균을 식물 세포에 감염 → (나) 유전자 X가 도입된 식물 세포를 조직 배양

09 | 선택지 분석 |

ㄱ A와 D는 유전적으로 ~~동일한~~ 다른 염소이다.
➡ 염소 D는 염소 A의 핵 DNA에 사람의 항응고 단백질 유전자가 추가되었으므로 염소 A와 D는 유전적으로 동일하지 않다.

ㄴ C의 미토콘드리아 유전자가 D에게 ~~전달되었다~~ 전달되지 않았다.
➡ 염소 C는 대리모 역할을 하였으므로 염소 D에게 유전자나 세포질을 전달하지 않는다.

ㄷ 이 과정에서 핵치환 기술이 이용되었다.
➡ 염소 A의 핵을 염소 B의 무핵 난자에 넣을 때 핵치환 기술이 이용되었다.

10 | 선택지 분석 |

ㄱ A는 ㉠으로 만든 것이다.
➡ 체세포 복제 배아 줄기세포는 ㉠의 세포를 추출하여 만든다.

ㄴ 영희 체세포의 DNA는 ㉢이다.
➡ 줄기세포 A는 철수의 체세포 핵을 사용하여 만들었으므로, 철수와 A의 DNA는 일치한다. 따라서 DNA 분리가 다르게 나타난 ㉢가 영희의 체세포 DNA이다.

ㄷ A를 영희 몸에 이식하면 면역 거부 반응이 ~~일어나지 않는다~~ 일어날 수 있다.
➡ A는 철수의 체세포 핵을 사용하여 만들었으므로 철수에게는 면역 거부 반응이 일어나지 않지만, 영희에게는 면역 거부 반응이 일어날 수 있다.

11 | 자료 분석 |

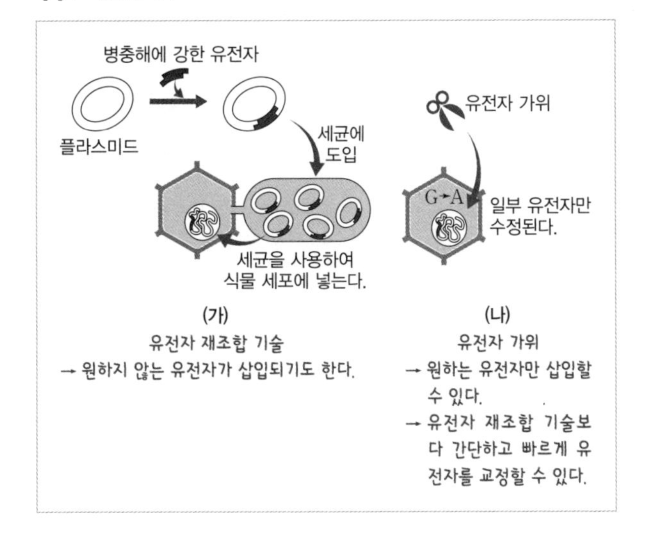

| 선택지 분석 |

ㄱ (가)는 ~~원하는 유전자만을~~ 원하지 않는 유전자도 함께 삽입할 수 있다.
➡ (가)에서는 원하지 않는 유전자가 함께 삽입되기도 한다.

ㄴ (나)는 맞춤형 아기를 탄생시킬 수 있어 생명 윤리 문제를 일으킨다.
➡ 유전자 가위를 활용한 맞춤형 아기 탄생 가능성은 생명 윤리에 대한 문제를 일으킨다.

ㄷ 형질 전환 생물의 안전성은 (나)가 (가)보다 높다.
➡ 재조합 DNA를 세균을 사용하여 식물 세포에 넣는 경우 원하지 않는 유전자가 함께 삽입되기도 한다. 반면, 유전자 가위는 원하는 유전자만 삽입되므로 안전성이 높다.

한번에 끝내는 대단원 문제 300쪽~302쪽

01 ③ **02** ③ **03** ① **04** ⑤ **05** ④ **06** ③ **07** ④ **08** ⑤ **09** ⑤

10 (1) 세포 융합
(2) | **모범 답안** | 단일 잡종 세포는 B 림프구와 종양 세포가 융합되어 만들어졌으므로, 반영구적으로 분열할 수 있으며 한 종류의 항체를 만들어 낼 수 있다.

11 (1) (나), (다)
(2) | **모범 답안** | 줄기세포를 만드는 데 활용하는 생명 공학 기술은 핵치환이다. 핵치환 기술로 환자의 체세포 핵을 무핵 난자에 이식하여 복제 배아를 만들고, 이 복제 배아에서 줄기세포를 얻는다.

12 | **모범 답안** | 대장균 A가 가지고 있는 물질 X를 분해하는 효소 Y에 대한 유전자를 추출한다. 추출한 유전자를 유전자 재조합 기술이나 유전자 주입 기술을 활용하여 돼지 수정란에 삽입하여 효소 Y를 만들어 낼 수 있도록 하면 하천 오염 문제가 해결된다.

13 | **모범 답안** | 유전자 변형 생물체(LMO)에 도입된 유전자가 다른 생물로 유입되어 생태계를 교란시킬 수 있다. 단일 품종의 LMO를 대규모로 재배하면 생물 다양성이 감소되어 생태계를 파괴할 수 있다. LMO로 만든 식품의 안전성이 충분히 검증되지 않아 인류의 건강을 위협할 수 있다. 중 2가지

01 | 선택지 분석 |

ㄱ 이것을 만드는 과정에 제한 효소가 사용된다.
➡ 재조합 DNA를 만드는 데 제한 효소와 DNA 연결 효소가 사용된다.

ㄴ 이 DNA를 삽입한 대장균은 항생제 B에 내성을 ~~보인다~~ 보이지 않는다.
➡ 재조합 DNA에서 유용한 유전자가 항생제 B 내성 유전자 사이에 삽입되었으므로, 항생제 B 내성 유전자는 기능을 잃게 되어 항생제 B에 내성을 보이지 않는다.

ㄷ 이 DNA를 삽입한 대장균은 유용한 유전자에 대한 단백질을 합성한다.

➡ 유용한 유전자가 삽입된 재조합 DNA이므로, 이것을 삽입한 대장균은 유용한 유전자에 대한 단백질을 합성한다.

02 | 선택지 분석 |

ㄱ 대장균 군체 ㉠에는 효소 A가 존재한다.

➡ 대장균 군체 ㉠은 푸른색을 띠므로, 효소 A가 X를 분해한 결과로 나타난 것이다.

ㄴ 대장균 군체 ㉡에서는 항생제 ⓐ 저항성 유전자가 발현되지 않았다. (발현되었다.)

➡ 대장균 군체 ㉡은 죽지 않았으므로 항생제 ⓐ에 대한 저항성이 있으며, 따라서 항생제 ⓐ 저항성 유전자가 발현되었다. 균체가 흰색을 띠는 것은 효소 A 유전자 사이에 인슐린 유전자가 삽입되어 효소 A가 만들어지지 않았기 때문이다.

ㄷ 플라스미드에서 제한 효소로 자른 부분은 효소 A 유전자 부분이다.

➡ 그림에 나타난 바와 같이 플라스미드에서 제한 효소로 자른 부분은 효소 A 유전자 부분이다.

03 | 자료 분석 |

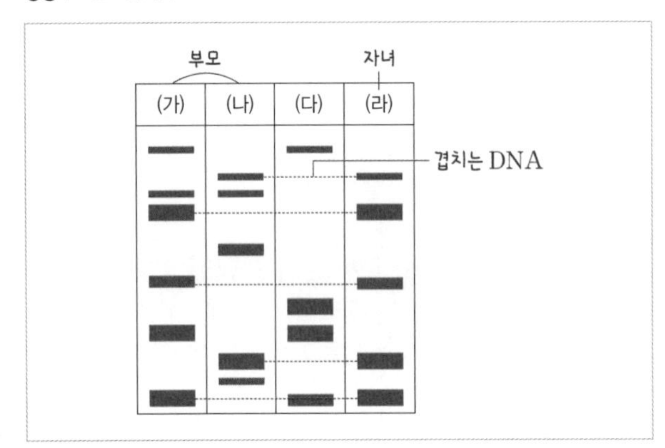

자녀는 부모로부터 DNA를 물려받기 때문에 자녀의 DNA는 부모 중 한 명의 DNA와 겹치는 부분이 반드시 존재해야 한다. DNA에서 겹치는 부분이 없으면 부모가 되지 못한다.

04 | 선택지 분석 |

ㄱ ⓐ는 암세포와만 특이적으로 결합한다.

➡ 항체 ⓐ는 암세포와 결합할 수 있도록 만들어진 단일 클론 항체이므로, 암세포와만 특이적으로 결합한다. ⓐ는 다른 물질이나 세포와는 결합하지 않는다.

ㄴ ⓐ는 반영구적으로 분열한다. (잡종 세포)

➡ 항체 ⓐ는 암세포와 결합하여 항암제를 전달하는 기능을 수행한다. 반영구적으로 분열하는 것은 B 림프구와 암세포가 융합된 잡종 세포이다.

ㄷ 단일 클론 항체를 만드는 데 세포 융합 기술이 활용되었다.

➡ 단일 클론 항체를 생산하는 잡종 세포를 만드는 데 세포 융합 기술이 활용되었다.

05 | 선택지 분석 |

① (가)는 핵치환 과정이다.

➡ (가) 과정은 무핵 난자에 추출된 핵을 삽입하는 핵치환 과정을 나타낸 것이다.

② A와 D는 미토콘드리아 DNA가 동일하다.

➡ A의 난자를 사용하여 D가 탄생하였으므로, A와 D의 미토콘드리아 DNA가 동일하다.

③ B와 D는 핵 DNA가 동일하다.

➡ B의 핵을 사용하여 D가 탄생하였으므로, B와 D의 핵 DNA가 동일하다.

④ C의 줄기세포를 사용하여 D가 탄생하였다.

➡ C는 D가 발생할 수 있는 자궁을 제공하는 역할만 하였다. 따라서 C는 D에게 어떤 유전자도 물려주지 않는다.

⑤ D의 세포질은 A로부터 물려받았다.

➡ A의 난자를 사용하여 D가 탄생하였으므로, D의 세포질은 A로부터 물려받았다.

06 | 선택지 분석 |

ㄱ 유전자 재조합 (조직 배양) 기술이 활용되었다.

➡ 이 과정에 활용된 기술은 조직 배양 기술이다.

ㄴ 동물을 복제할 때 이 기술만 활용한다.

➡ 동물을 복제할 때 활용하는 기술은 핵치환 기술이다.

ㄷ 당근의 뿌리는 완전한 당근이 되는 데 필요한 유전자를 모두 가지고 있다.

➡ 당근의 뿌리가 완전한 당근이 될 수 있는 것은 그에 필요한 유전자를 모두 가지고 있기 때문이다.

07 | 선택지 분석 |

① 배아 줄기세포는 발생 초기 배아에서 얻는다.

② 배아 줄기세포는 발생 중인 배아를 희생시킨다.

➡ 배아 줄기세포는 발생 초기 배아에서 얻는다. 따라서 여자에게서 난자를 채취해야 하고 배아를 희생시키므로 생명 윤리 문제가 발생한다.

③ 성체 줄기세포는 면역 거부 반응이 없다.

➡ 성체 줄기세포는 환자 자신의 세포를 사용하므로 면역 거부 반응이 없다.

④ 성체의 체세포를 역분화시켜 얻은 것을 성체 (유도 만능) 줄기세포라고 한다.

➡ 성체의 체세포를 역분화시켜 얻은 줄기세포를 유도 만능 줄기세포 또는 역분화 줄기세포라고 한다.

⑤ 유도 만능 줄기세포는 생명 윤리 문제가 없다.

➡ 유도 만능 줄기세포는 환자 자신의 체세포를 사용하므로 생명 윤리 문제가 발생하지 않는다.

08 생명 공학 기술을 활용하여 다른 생물의 유용한 유전자를 도입하고 발현되도록 조작한 생물을 유전자 변형 생물체(LMO)라고 한다.

| 선택지 분석 |

ㄱ 생태계가 교란될 가능성이 있다.
➡ 새롭게 도입된 유전 형질이 다른 생물에게 전이되면 의도하지 않은 생물이 나타날 수 있어 생태계가 교란될 수 있다.

ㄴ 여러 생명 공학 기술을 활용하여 만든다.
➡ LMO를 만들 때 유전자 재조합, 세포 융합, 핵치환, 조직 배양 등 다양한 생명 공학 기술을 활용한다.

ㄷ 기존 번식 방법으로는 나타날 수 없는 형질을 가진 생물들이다.
➡ LMO는 기존 번식 방법으로는 나타날 수 없는 형질을 도입한 생물이다.

09 | 선택지 분석 |

① 질병 치료에 도움을 준다.
➡ 호르몬이나 항체 등 사람에게 유용한 의약품을 대량 생산할 수 있어 질병 치료에 도움을 준다.

② 식량 문제를 해결할 수 있다.
➡ 병충해에 강하고 생산성이 높은 품종을 개발하여 식량 문제를 해결할 수 있다.

③ 에너지 문제를 해결할 수 있다.
➡ 바이오 에탄올과 같은 바이오 연료를 개발하여 에너지 문제를 해결할 수 있다.

④ 환경 오염 물질을 제거할 수 있다.
➡ 기름이나 독성 유기 화합물을 분해하는 세균을 개발하여 환경 오염 물질을 제거할 수 있다.

⑤ 단일 품종의 LMO 작물을 대규모로 재배해면 ~~생태계 평형을 가져온다~~.
생태계가 파괴될 수 있다.
➡ 단일 품종의 LMO 작물을 대규모로 재배하면 생물 다양성이 감소하여 생태계가 파괴될 수 있다.

10 (1) B 림프구와 종양 세포가 융합되어 하나의 잡종 세포를 형성하였다.

(2) 잡종 세포는 B 림프구와 종양 세포가 융합된 세포이므로, 두 세포의 장점을 모두 가지고 있다.

채점 기준	배점
반영구적인 분열과 한 종류의 항체를 만들어 내는 2가지 특징을 모두 옳게 서술한 경우	100 %
2가지 특징 중 1가지만 옳게 서술한 경우	50 %

11 (1) (가)는 배아 줄기세포, (나)는 성체 줄기세포, (다)는 유도 만능 줄기세포이다. (나)와 (다)를 만들 때는 환자 자신의 세포를 사용하기 때문에 생명 윤리 문제가 발생하지 않는다.

(2) 배아 줄기세포를 만들 때는 체세포 복제 배아를 사용하기도 한다. 체세포 복제 배아 줄기세포는 핵을 제공한 환자와 유전적으로 동일하므로, 환자에게 이식하였을 때 면역 거부 반응이 없다.

채점 기준	배점
핵치환 기술이라고 쓰고, 핵치환 기술을 활용하여 줄기세포를 만드는 과정을 옳게 서술한 경우	100 %
핵치환 기술이라고만 쓴 경우	30 %

12 유전자 변형 동물은 유용한 유전자를 난자나 수정란에 직접 주입하여 포배까지 발생시킨 후 대리모의 자궁에 착상시켜 얻는다.

채점 기준	배점
대장균에서 효소 Y에 대한 유전자를 추출하는 것과 유전자 재조합 기술이나 유전자 주입 기술을 활용하여 돼지에 삽입하는 것 2가지를 모두 옳게 서술한 경우	100 %
2가지 중에서 1가지만 옳게 서술한 경우	50 %

13 보라색 토마토, 황금쌀, 기름 분해 세균 등은 유전자 변형 생물체(LMO)의 예이다. 만약 LMO에 도입된 유전자가 다른 생물에게 전이되면 의도하지 않은 형질을 가진 생물이 출현하여 생태계가 교란될 수 있다. 또, 단일 품종의 LMO를 대규모로 재배하면 생물 다양성이 감소되어 생태계 평형이 파괴될 수 있다.

채점 기준	배점
LMO가 생태계에 미치는 부정적인 영향을 2가지 모두 옳게 서술한 경우	100 %
2가지 중 1가지만 옳게 서술한 경우	50 %

꿈을 이루는 법

자신감은 불가능을 가능하게 만듭니다.
꿈의 실현은 '난 할 수 있다'는 자신감으로부터 시작됩니다.
스스로에게 할 수 있다는 주문을 걸어보세요.
"난 못해", "난 잘 할 수가 없어." 같은 말은 자신감 형성에
방해가 되므로 하지 말아야겠죠.

작은 결과가 모여 성공의 힘이 됩니다.
자신에 대한 조그마한 긍정적 체험이 모여
자신을 바꿔가는 힘이 됩니다.
꿈을 이루기 위한 계획을 세울 때도
크고 무리한 계획에 무너지지 말고 작은 계획부터
실천해 보세요. 계획을 실천하는 성취감을 맛보면
이것이 모여 스스로 능력을 키울 수 있습니다.

목표에 집중하세요.
대부분 우리들은 바라는 어떤 것,
꿈꾸는 것을 이루기 위해서는 많은 것들을
해야 한다고 생각합니다.
꿈을 이루려면 어떻게 해야 할까요?
목표를 더 분명히 하고 더 집중해 보세요.
성취된 느낌에 집중할 때
꿈은 어느새 현실이 되어 있음을 느낄 수 있습니다.

개념 학습과 정리가 한번에 끝나는 기본서

개념풀

생명과학 Ⅱ

사과탐 성적 향상 전략

개념 학습은 개념풀

사과탐 실력의 기본은 개념,
개념을 알기 쉽게 풀어 이해가 쉬운
개념풀 기본서로 개념을 완성하세요.

사회 통합사회, 한국사, 생활과 윤리, 윤리와 사상, 한국지리, 세계지리, 정치와 법, 사회·문화

과학 통합과학, 물리학 I, 화학 I, 생명과학 I, 지구과학 I 화학 II, 생명과학 II

시험 대비는 핵심큐

빠르게 내신 실력을 올리는 전략,
내신기출문제를 철저히 분석하여 구성한
핵심큐 문제집으로 내신 만점에 도전하세요.

사회 통합사회, 한국지리, 사회·문화, 생활과 윤리, 정치와 법

과학 통합과학, 물리학 I, 화학 I, 생명과학 I, 지구과학 I

지학사 서포터즈 모집안내

모집 분야

개념 학습과 정리가 한번에 끝나는 기본서	수학을 쉽게 만들어 주는 자
개념풀	**풍산자**
• **대상** 고등학생(1~2학년)	• **대상** 중·고등학생(1~3학년)
• **모집 시기** 매년 3월, 12월	• **모집 시기** 매년 2월, 8월

활동 내용

❶ 교재 리뷰 작성

❷ 홍보 미션 수행

혜택

❶ 해당 시리즈 교재 중 1권 증정

❷ 미션 수행자에게 푸짐한 선물 증정

상기 모집 내용 및 일정은 사정에 따라 변동될 수 있습니다. 자세한 사항은 지학사 홈페이지 (www.jihak.co.kr)를 통해 공지됩니다.

개념 학습과 정리가 한번에 끝나는 기본서

개념풀

생명과학 Ⅱ

발 행 인 권준구
발 행 처 (주)지학사 (등록번호 : 1957.3.18 제 13-11호) 04056 서울시 마포구 신촌로6길 5
발 행 일 2019년 12월 20일 [초판 1쇄] 2021년 10월 15일 [2판 1쇄]
구입 문의 TEL 02-330-5300 | FAX 02-325-8010 구입 후에는 철회되지 않으며, 잘못된 제품은 구입처에서 교환해 드립니다.
내용 문의 www.jihak.co.kr 전화번호는 홈페이지 〈고객센터 → 담당자 안내〉에 있습니다.

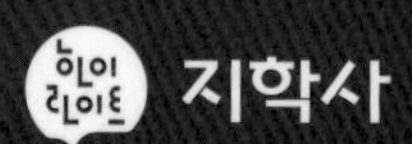

학습한 개념을
스스로 정리해 보는
개념책 1:1 맞춤

정리 노트

개념풀 생명과학 Ⅱ

의 노트

개념과 정리가 한번에 끝나는 기본서

개념풀

생명과학 Ⅱ

개념책 1:1 맞춤

정리노트

contents

학습한 개념을 단권화 할 수 있는

개념풀 정리노트 사용법

정리노트를 작성하기 전 중단원의 흐름을 살펴보면서 워밍업을 해 보세요.

❶ 노트 정리 전에 공부할 마음을 다잡아 보아요.

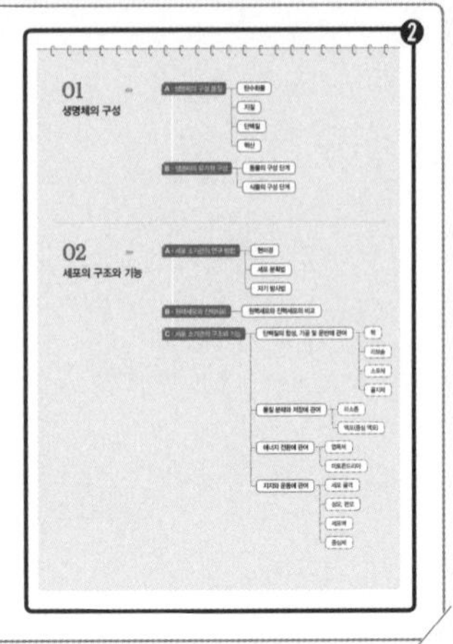

❷ 중단원의 흐름을 한번에 훑어 보세요. 공부했던 내용들의 흐름이 기억날 거예요.

기억이 잘 안난다구요? 기억이 나지 않아도 걱정 마세요. 이제부터 시작이니까요.

소단원별 중요 내용의 구조를 보고, 개념을 정리하세요.

❶ 선배들이 개념책을 보고 소단원 전체의 소제목과 내용 구조를 정리했어요.

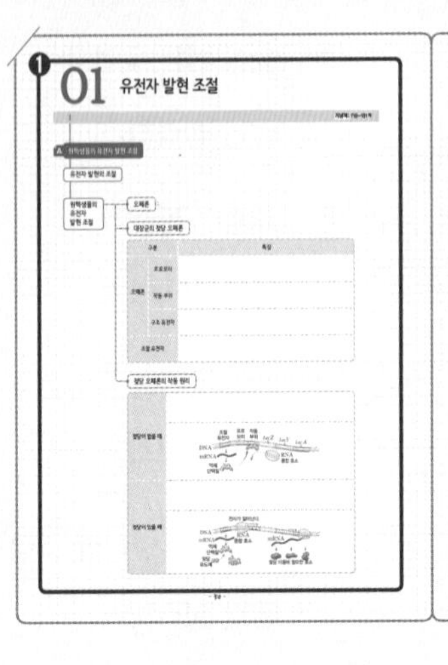

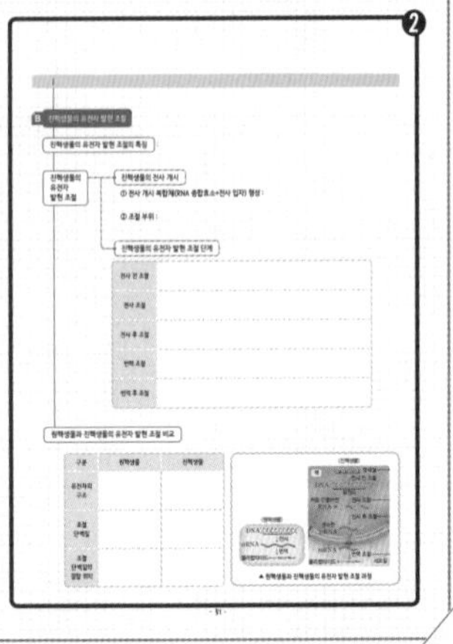

❷ 어디서부터 어떻게 정리해야 할지 모른다구요? 개념책을 펴 보세요. 흐름이 같지요? 개념책의 내용을 나만의 스타일로 정리해 보세요.

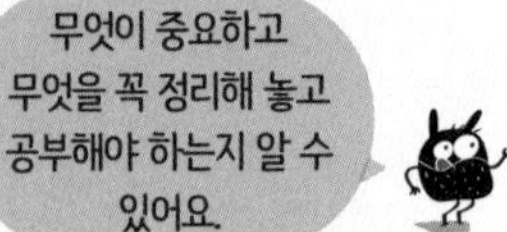

대단원별 중요 그림 다시 보기와 마인드맵으로 단원 내용을 확실하게 정리하세요.

❶ 대단원별 중요한 그림에 자신만의 설명을 적어 보세요. 단원의 핵심 자료를 확실하게 정리할 수 있어요.

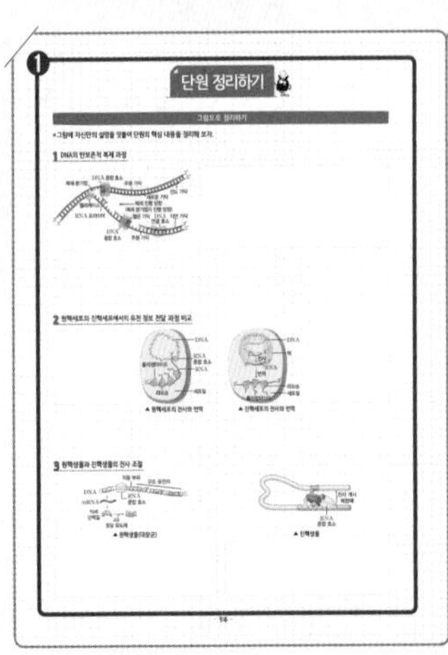

❷ 자신만의 마인드맵을 만들어 보아요. 단원의 핵심 내용이 머릿속에 쏙!

정리노트 사용하는 2가지 방법

1. 개념책이나 교과서를 펴놓고 중요 개념을 보면서 써 보기!
2. 외웠던 것을 스스로 확인하는 차원에서 정리해 보기!

수능 1등급 받은 선배들의 정리노트 이야기

정리노트를 작성하기가 막막해?
정리노트를 다시 쓰고 싶다고?
지학사 홈페이지(www.jihak.co.kr)에 들어오면,
빈노트와 선배들의 정리노트를 다운받을 수 있어!

선배들이 직접 들려주는 정리노트 노하우!

"노트 정리를 하며 공부하려고 하면 무엇부터 써야하는지 막막하잖아. 노트 정리법을 직접 알려주려고 동영상을 만들었어. 어떤 노하우가 있는지 궁금하지 않아?"

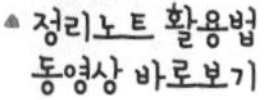

▲ 정리노트 활용법 동영상 바로보기

▲ 나만의 공부 팁! 동영상 바로보기

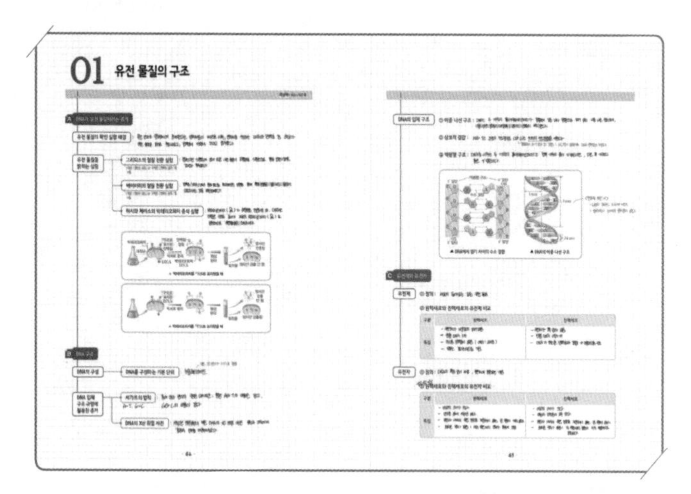

강영훈 서울대 재학생

"개념풀 정리노트는 공부를 좀 더 편하게 할 수 있도록 도와주는 친구 같아. 생명과학 공부에 필요한 그림이 나와 있어서 정말 편하게 활용할 수 있지. 개념풀 정리노트와 함께라면 시험이 두렵지 않아!"

◂ 강영훈 학생의 노트 바로가기

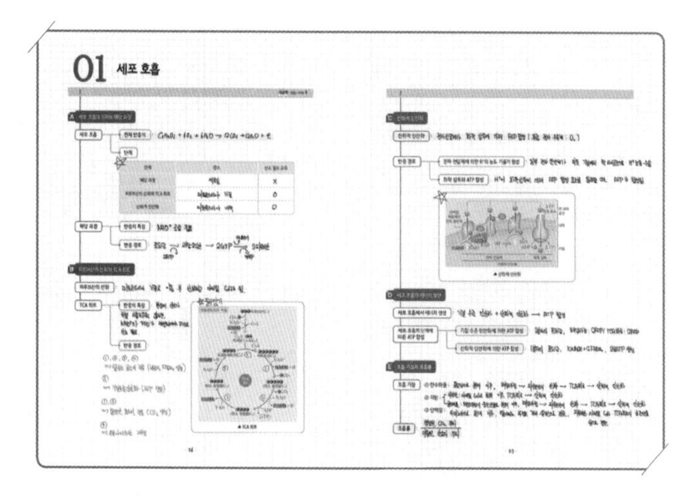

정효령 서울대 재학생

"개념풀 정리노트는 구조도를 통해 단원의 흐름을 살펴보고 시작할 수 있어서 좋아. 또 좋은 건 그림과 마인드맵으로 단원을 정리할 수 있는 부분이 있다는 것! 이 부분은 시험 기간에 활용하는 것을 추천할게!"

◂ 정효령 학생의 노트 바로가기

» 선배들이 작성한 정리노트 바로가기

1

생명 과학의 역사

01

생명 과학의 발달 과정과 연구 방법

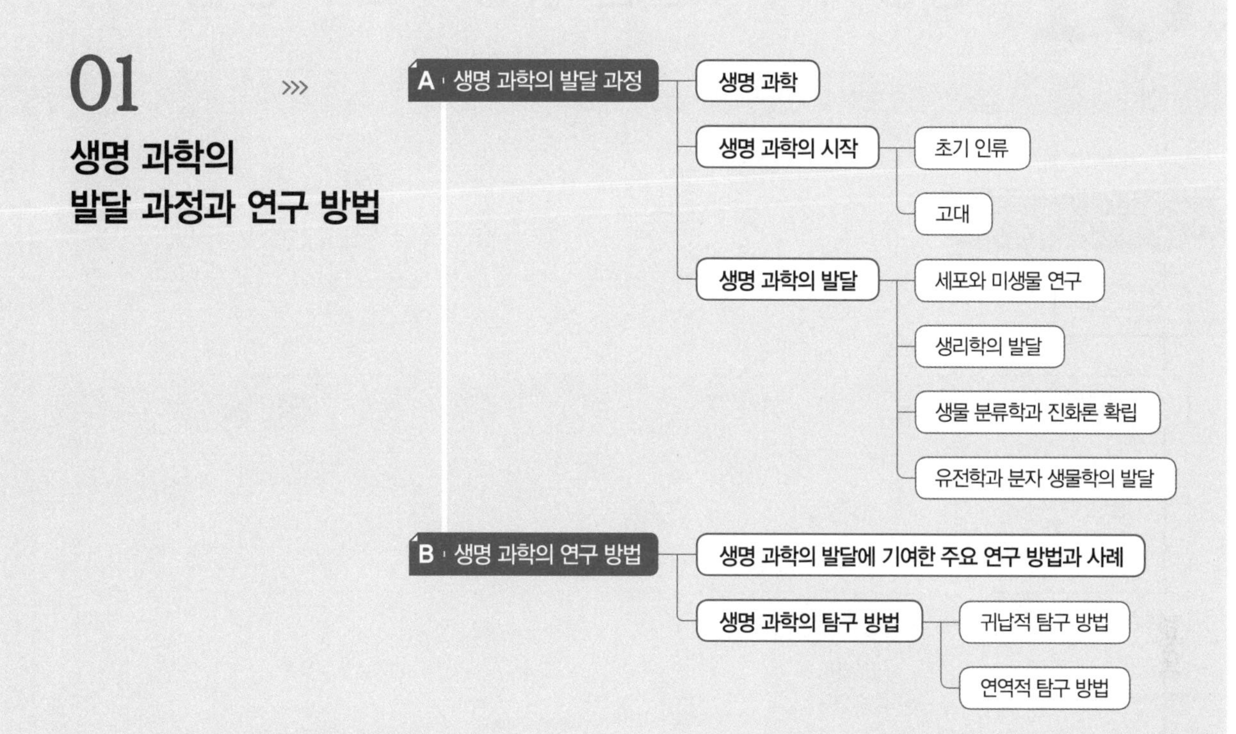

01 생명 과학의 발달 과정과 연구 방법

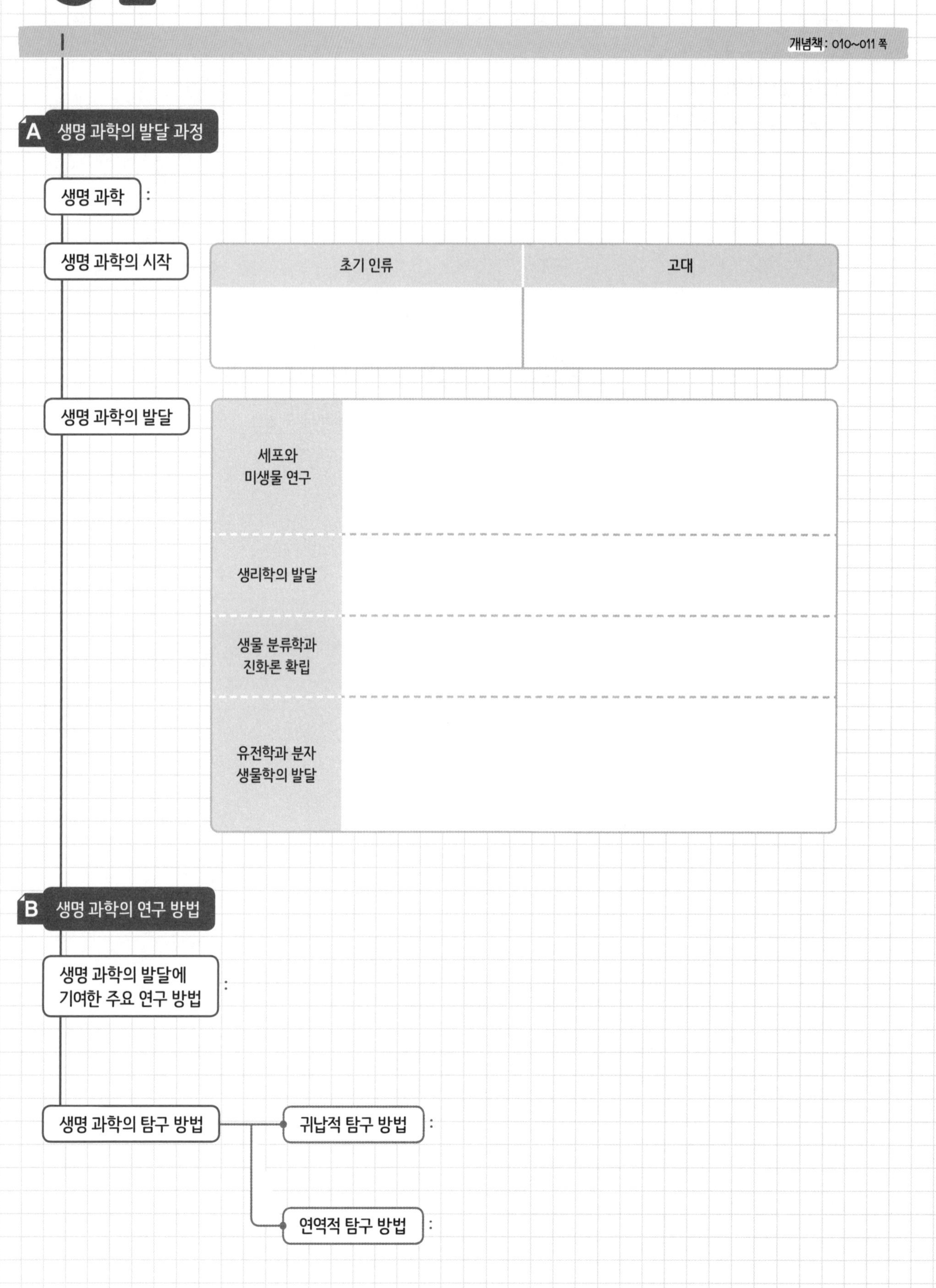

마인드맵으로 정리하기

◉ 자신만의 마인드맵을 만들어 단원의 핵심 내용을 정리해 보자.

» 선배들이 작성한 정리노트 바로가기

1
세포의 특성

01 생명체의 구성

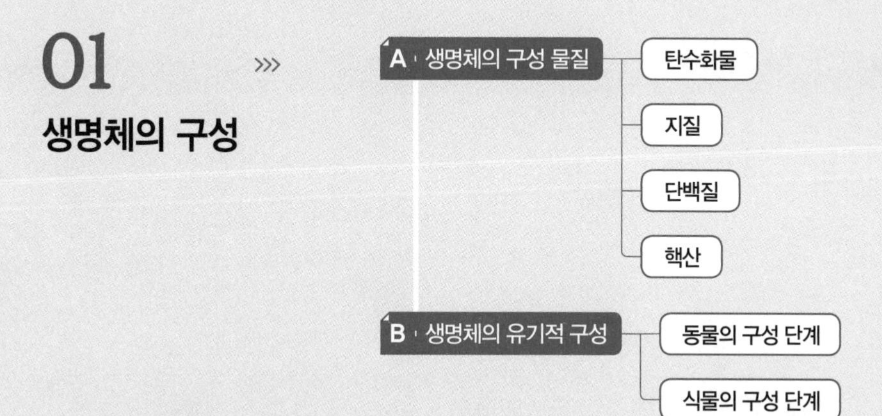

02 세포의 구조와 기능

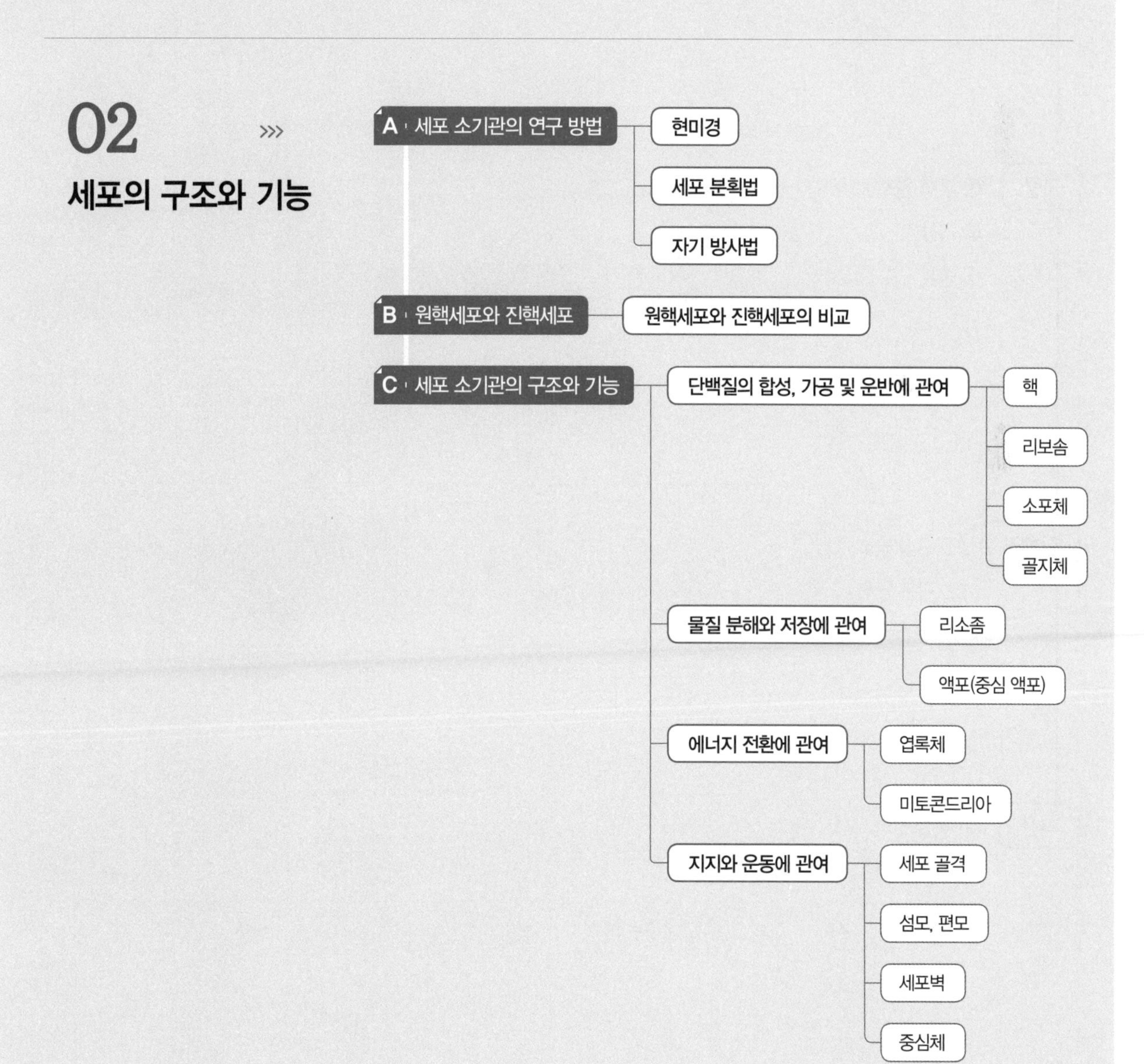

01 생명체의 구성

개념책 : 028~031 쪽

A 생명체의 구성 물질

탄수화물

① 구성 원소 :

② 기능 :

③ 종류

단당류	이당류	다당류

지질

① 구성 원소 :

② 기능 :

③ 종류

중성 지방	인지질	스테로이드

단백질

① 구성 원소 :

② 기본 단위 :

③ 구조 :

④ 기능 :

핵산

① 구성 원소 :

② 기본 단위 :

③ 종류

구분	DNA	RNA
구조		
기능		
당		
염기		

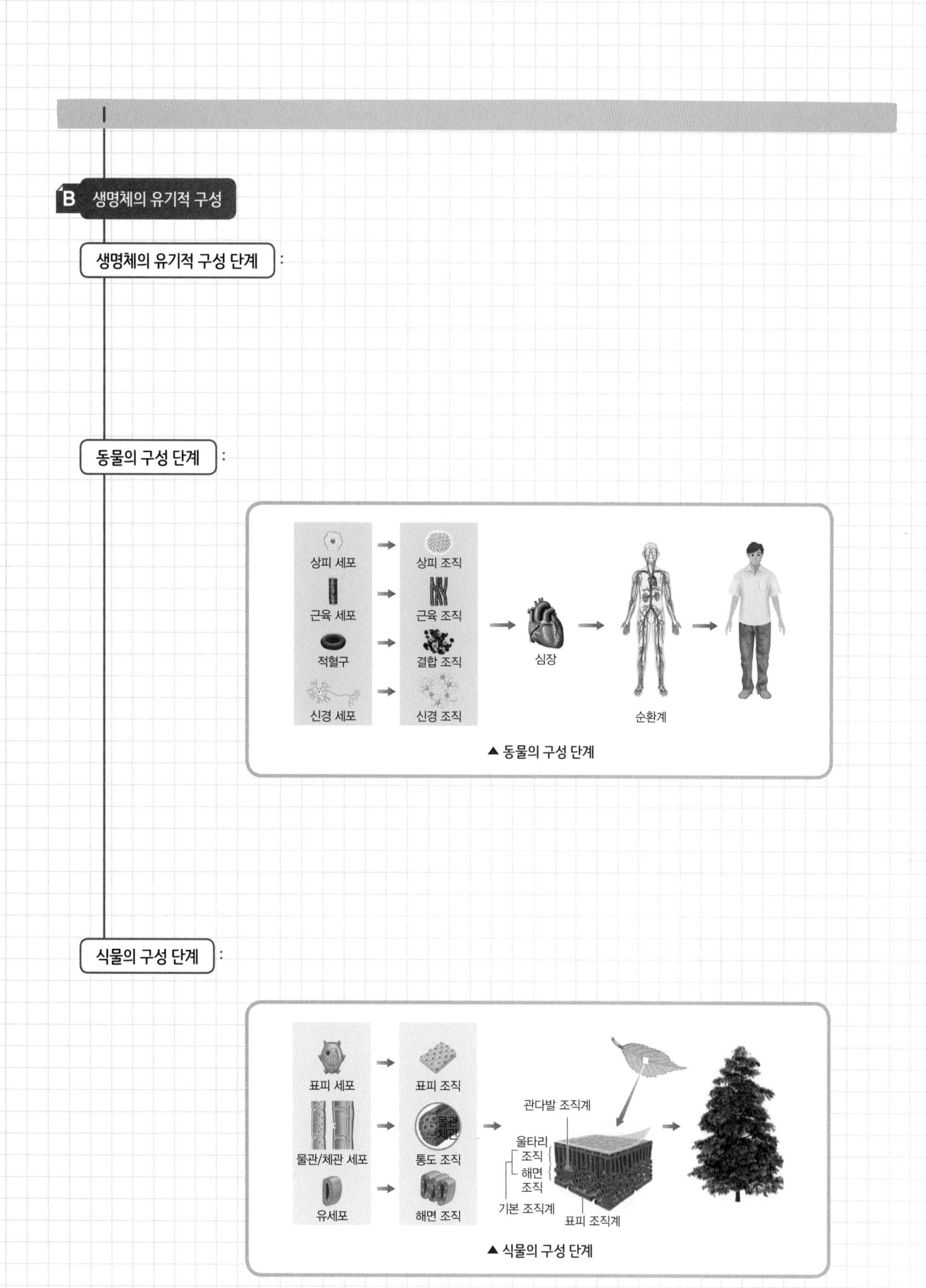

▲ 동물의 구성 단계

▲ 식물의 구성 단계

02 세포의 구조와 기능

개념책 : 036~041 쪽

A 세포 소기관의 연구 방법

현미경

종류와 특징

광학 현미경 (LM)	
투과 전자 현미경 (TEM)	
주사 전자 현미경 (SEM)	

세포 분획법

① 원리 :

② 방법 및 결과 :

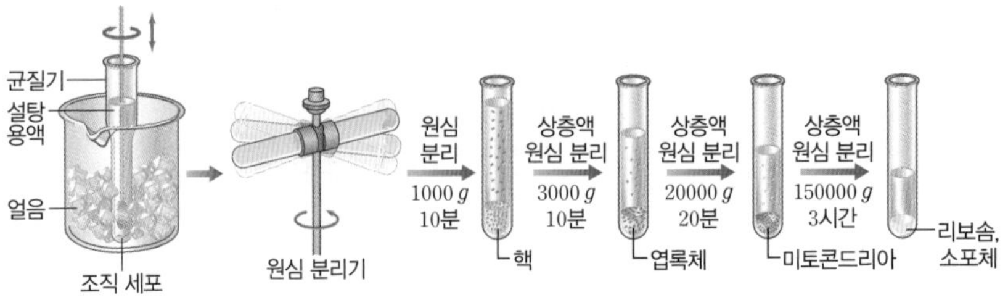

▲ 세포 분획법(식물 세포를 분획한 경우)

자기 방사법

① 원리 :

② 방법 :

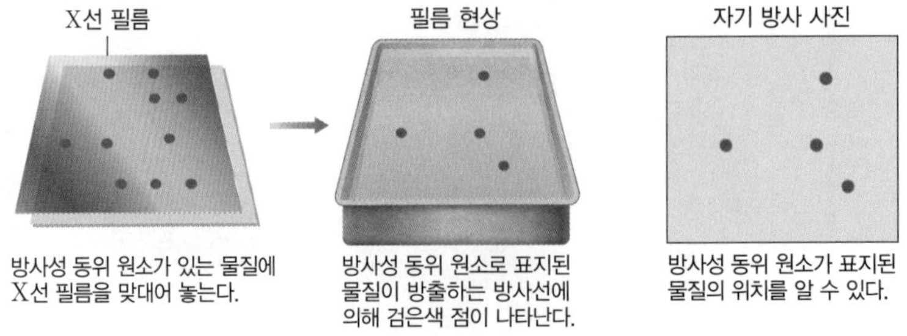

▲ 자기 방사법

B 원핵세포와 진핵세포

원핵세포와 진핵세포의 비교

구분	원핵세포	진핵세포
정의		
구조	플라스미드 리보솜 유전 물질 세포질 세포막 세포벽	세포질 핵 리보솜 세포막
크기		
핵과 막성 세포 소기관		
염색체		
리보솜		
세포벽		
생물 예		

C 세포 소기관의 구조와 기능

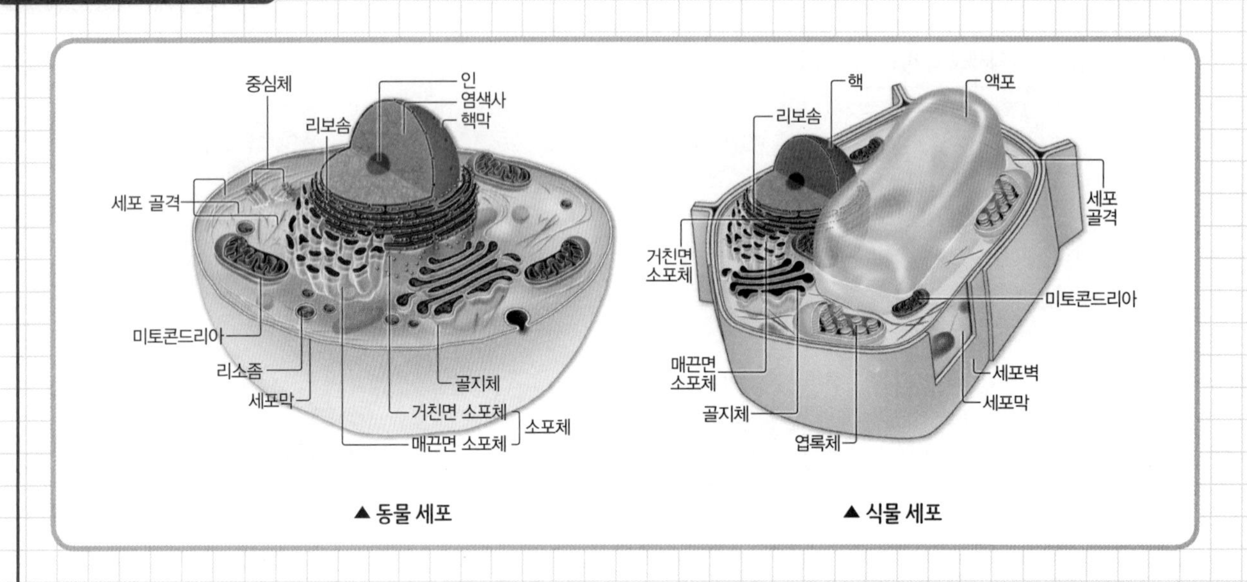

▲ 동물 세포 ▲ 식물 세포

동물 세포와 식물 세포의 세포 소기관

공통으로 가지는 세포 소기관	
주로 동물 세포에만 있는 세포 소기관	
주로 식물 세포에만 있는 세포 소기관	

단백질의 합성, 가공 및 운반에 관여하는 세포 소기관

구분	구조	기능
핵		
리보솜		
소포체		
골지체		

물질 분해와 저장에 관여하는 세포 소기관

구분	구조	기능
리소좀		
액포 (중심 액포)		

에너지 전환에 관여하는 세포 소기관

구분	구조	기능
엽록체		
미토콘드리아		

지지와 운동에 관여하는 세포 소기관

세포 골격	구분	미세 소관	중간 섬유	미세 섬유
	구조			
	기능			
섬모와 편모				
세포벽				
중심체				

2

세포막과 효소

01 세포막을 통한 물질 이동

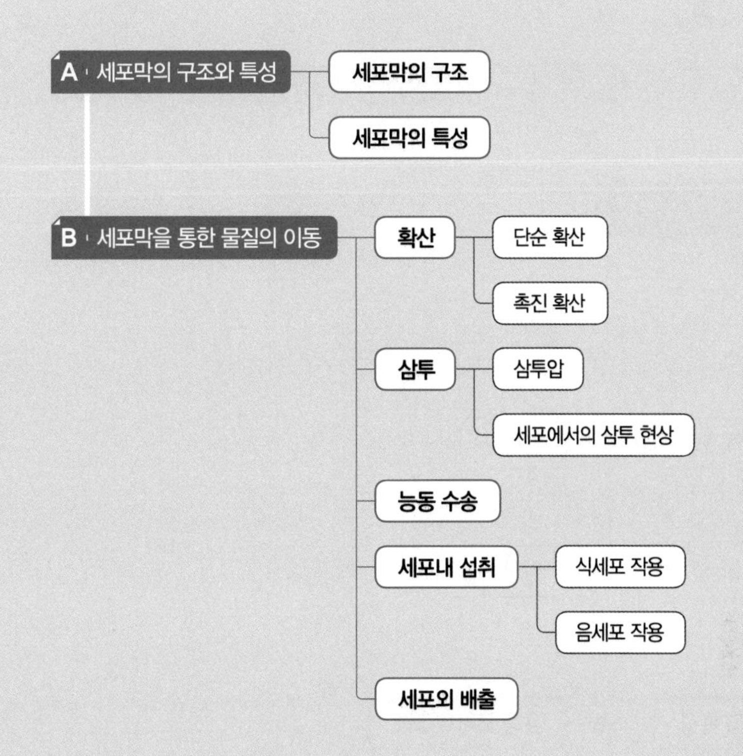

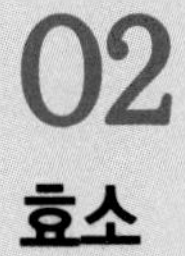

02 효소

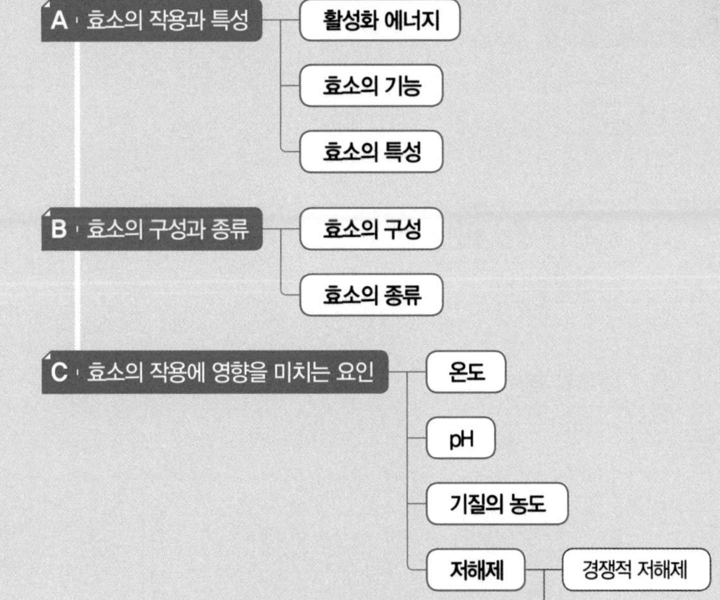

01 세포막을 통한 물질 이동

개념책: 054~058 쪽

A 세포막의 구조와 특성

세포막 :

세포막의 구조
- 인지질 :
- 막단백질 :

세포막의 특성
- 유동 모자이크막 :
- 선택적 투과성 :

B 세포막을 통한 물질의 이동

확산
- 정의 :
- 세포막을 통한 확산의 종류 :

① 단순 확산 :

② 촉진 확산 :

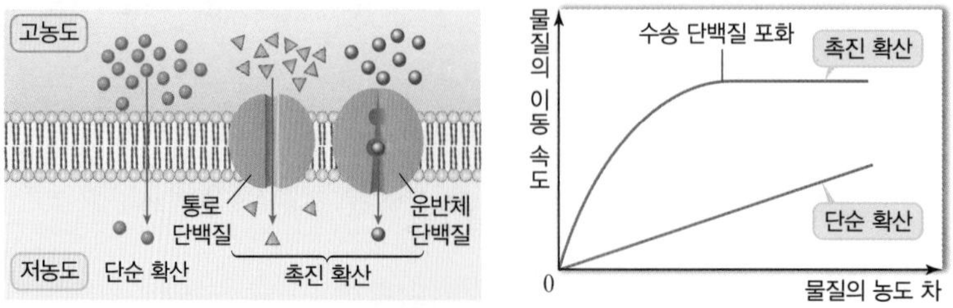

▲ 단순 확산과 촉진 확산의 비교

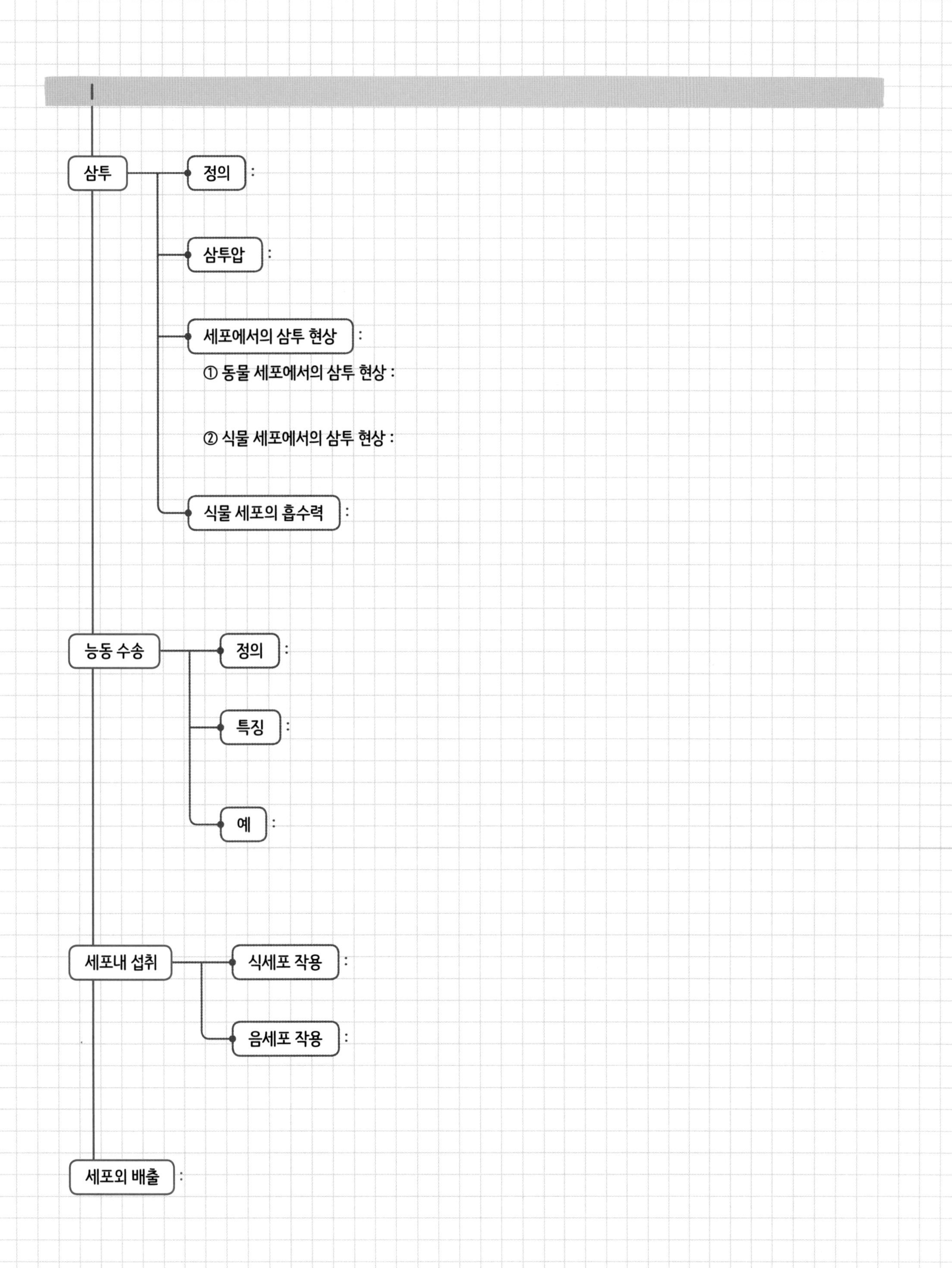
삼투
정의 :
삼투압 :
세포에서의 삼투 현상 :
① 동물 세포에서의 삼투 현상 :
② 식물 세포에서의 삼투 현상 :
식물 세포의 흡수력 :
능동 수송
정의 :
특징 :
예 :
세포내 섭취
식세포 작용 :
음세포 작용 :
세포외 배출 :

02 효소

개념책: 066~068 쪽

A 효소의 작용과 특성

활성화 에너지 :

효소의 기능 :

효소의 특성
- 작용 원리 :
- 기질 특이성 :

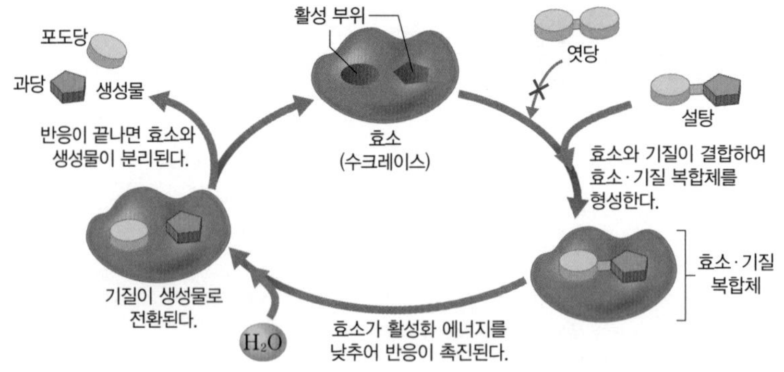

활성 부위
포도당
과당
생성물
엿당
설탕
효소
(수크레이스)
반응이 끝나면 효소와 생성물이 분리된다.
효소와 기질이 결합하여 효소·기질 복합체를 형성한다.
효소·기질 복합체
기질이 생성물로 전환된다.
H_2O
효소가 활성화 에너지를 낮추어 반응이 촉진된다.

▲ 효소의 작용과 특성

B 효소의 구성과 종류

효소의 구성 :

효소의 종류
① 산화 환원 효소 :
② 전이 효소 :
③ 가수 분해 효소 :
④ 제거 부가 효소 :
⑤ 이성질화 효소 :
⑥ 연결 효소 :

일상생활 속 효소의 이용 :

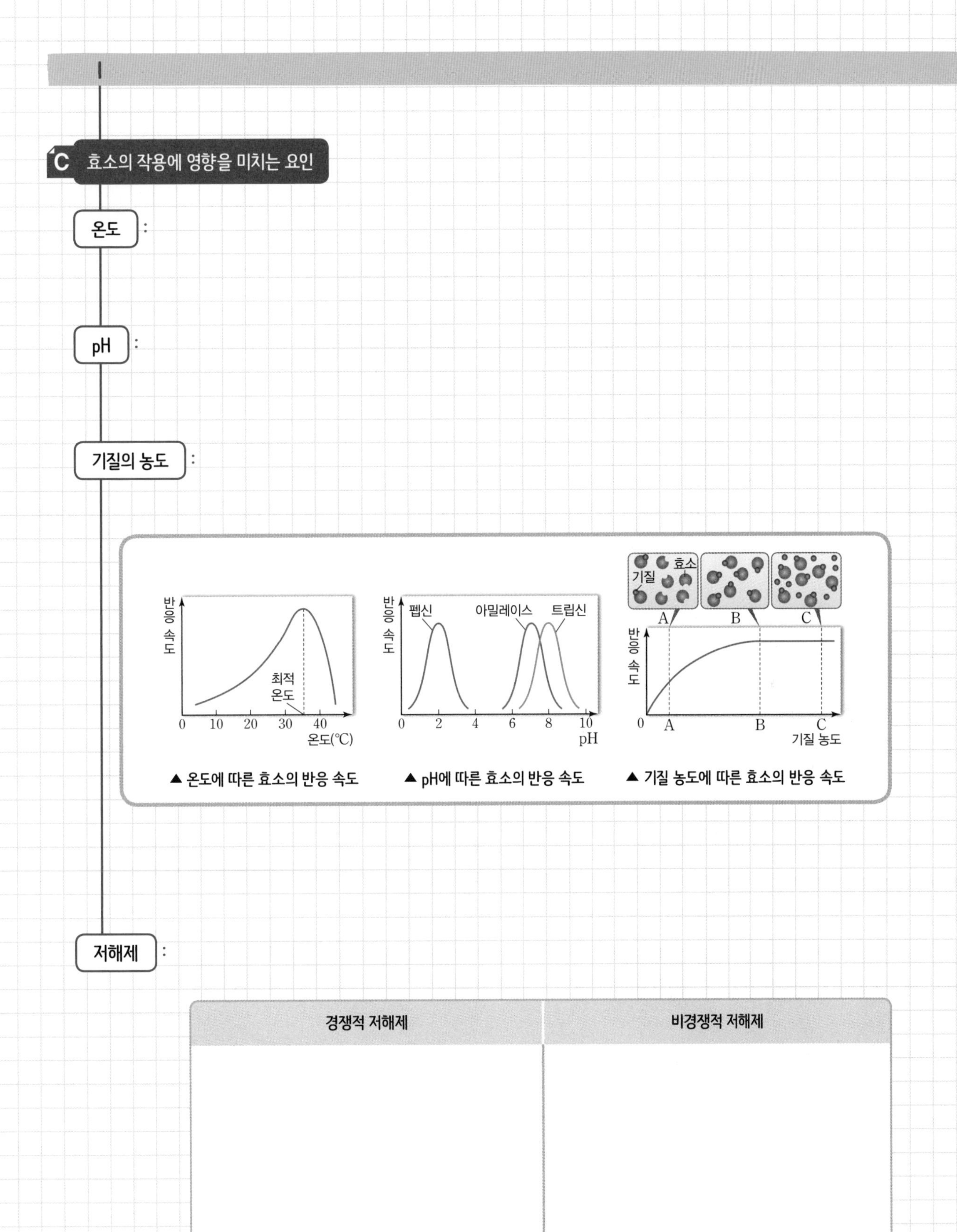

▲ 온도에 따른 효소의 반응 속도

▲ pH에 따른 효소의 반응 속도

▲ 기질 농도에 따른 효소의 반응 속도

단원 정리하기

그림으로 정리하기

그림에 자신만의 설명을 덧붙여 단원의 핵심 내용을 정리해 보자.

1 세포 소기관의 구조와 기능

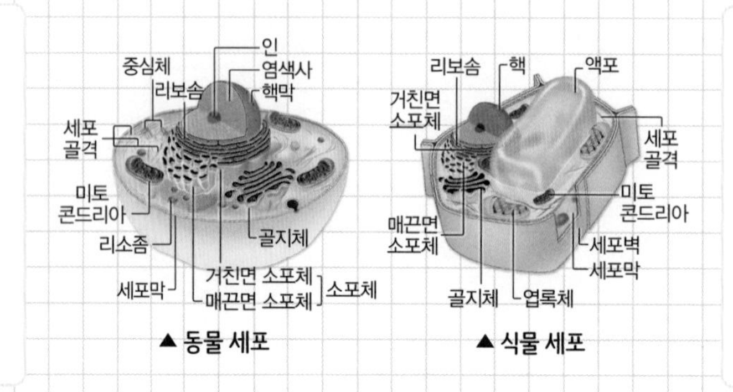

▲ 동물 세포 ▲ 식물 세포

2 세포막의 구조

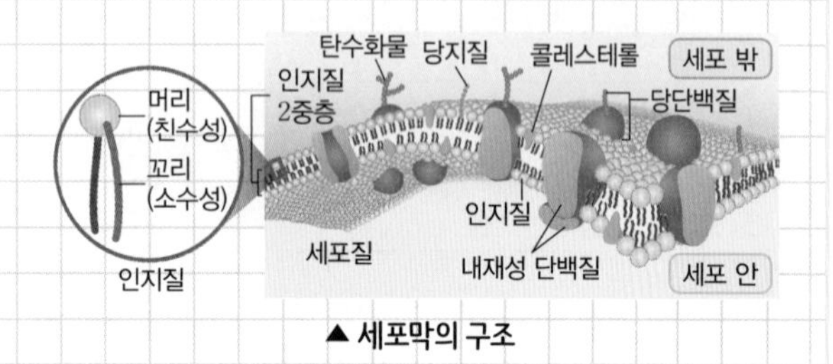

▲ 세포막의 구조

3 세포막을 통한 물질의 이동

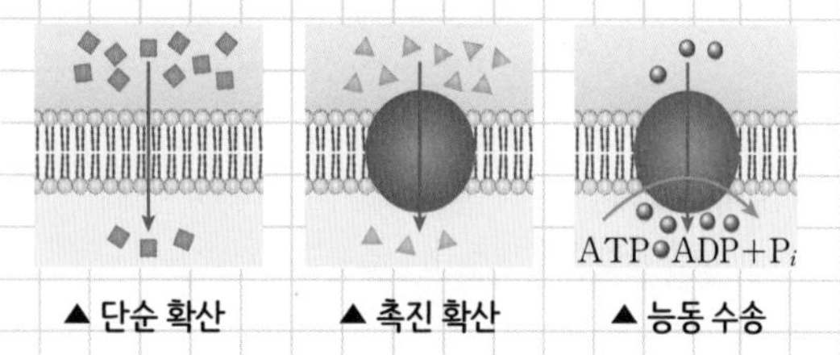

▲ 단순 확산 ▲ 촉진 확산 ▲ 능동 수송

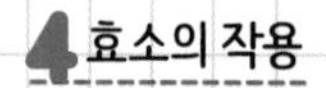

4 효소의 작용

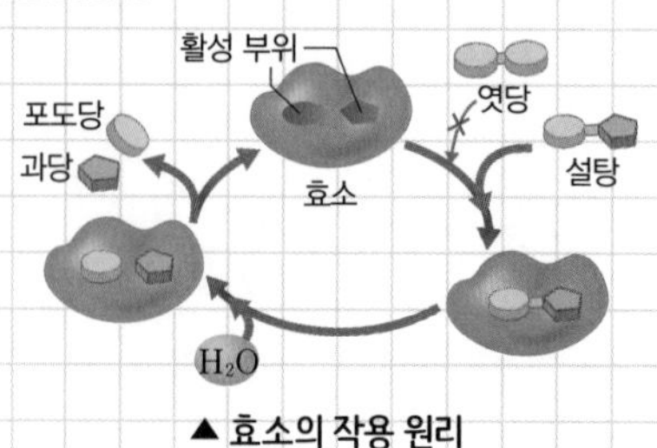

▲ 효소의 작용 원리

마인드맵으로 정리하기

- 자신만의 마인드맵을 만들어 단원의 핵심 내용을 정리해 보자.

» 선배들이 작성한 정리노트 바로가기

1

세포 호흡과 발효

01 세포 호흡

A 세포 호흡의 의미와 해당 과정
- 세포 호흡
- 해당 과정

B 피루브산의 산화와 TCA 회로
- 피루브산의 산화
- TCA 회로

C 산화적 인산화
- 산화적 인산화
- 반응 경로

D 세포 호흡의 에너지 생산
- 세포 호흡에서 에너지 생성
- 세포 호흡의 단계에 따른 ATP 합성

E 호흡 기질과 호흡률
- 호흡 기질
  - 탄수화물
  - 지방
  - 단백질
- 호흡률

02 발효

A 산소 호흡과 발효
- 산소 호흡과 무산소 호흡
- 발효

B 발효 과정
- 알코올 발효
- 젖산 발효
- 산소 호흡과 알코올 발효 및 젖산 발효의 비교

C 실생활에서 발효의 이용
- 발효의 이용
- 실생활 속에서의 발효 이용

01 세포 호흡

개념책 : 086~090 쪽

A 세포 호흡의 의미와 해당 과정

세포 호흡
- 세포 호흡의 전체 반응식 :
- 세포 호흡의 단계

단계	장소	산소 필요 유무
해당 과정		
피루브산의 산화와 TCA 회로		
산화적 인산화		

해당 과정
- 반응의 특징 :
- 반응 경로 :

B 피루브산의 산화와 TCA 회로

피루브산의 산화 :

TCA 회로
- 반응의 특징 :
- 반응 경로 :

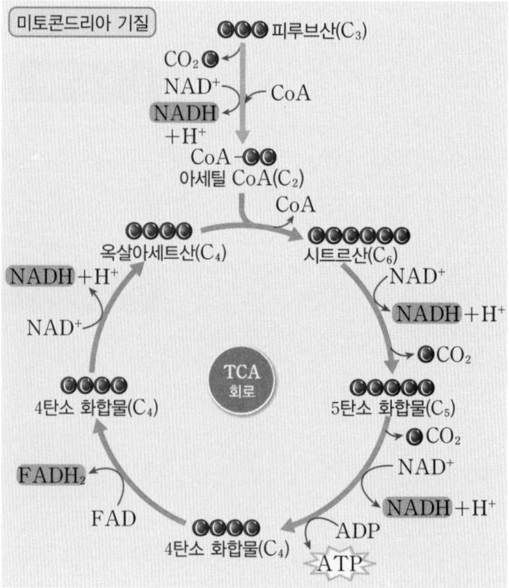

미토콘드리아 기질
피루브산(C_3)
CO_2
NAD^+
CoA
NADH
$+H^+$
CoA-
아세틸 CoA(C_2)
CoA
옥살아세트산(C_4)
시트르산(C_6)
$NADH+H^+$
NAD^+
NAD^+
$NADH+H^+$
CO_2
TCA 회로
4탄소 화합물(C_4)
5탄소 화합물(C_5)
CO_2
$FADH_2$
NAD^+
$NADH+H^+$
FAD
4탄소 화합물(C_4)
ADP
ATP

▲ TCA 회로

C 산화적 인산화

산화적 인산화 :

반응 경로
- **전자 전달계에 의한 H^+의 농도 기울기 형성** :
- **화학 삼투와 ATP 합성** :

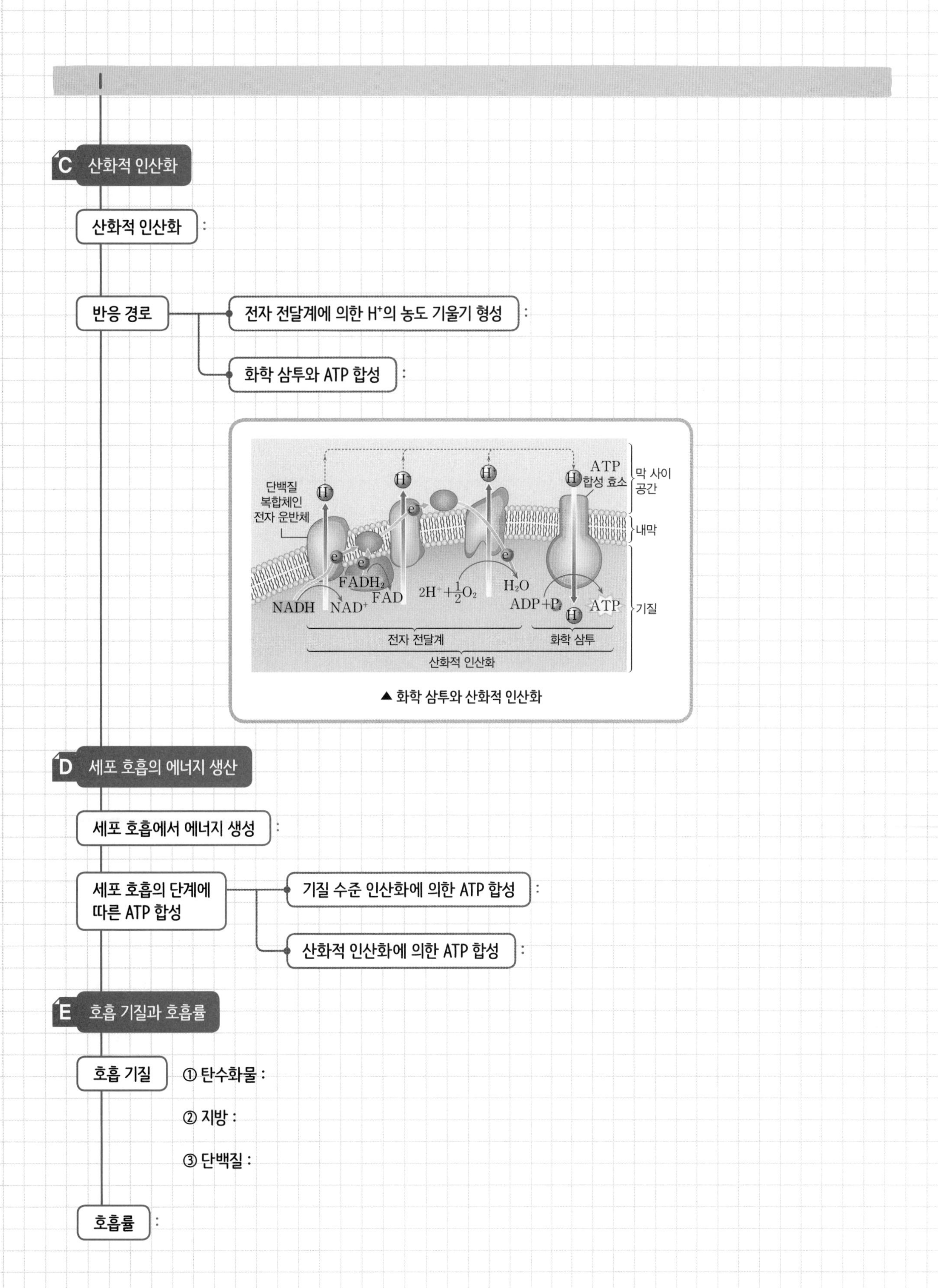

▲ 화학 삼투와 산화적 인산화

D 세포 호흡의 에너지 생산

세포 호흡에서 에너지 생성 :

세포 호흡의 단계에 따른 ATP 합성
- **기질 수준 인산화에 의한 ATP 합성** :
- **산화적 인산화에 의한 ATP 합성** :

E 호흡 기질과 호흡률

호흡 기질

① 탄수화물 :

② 지방 :

③ 단백질 :

호흡률 :

02 발효

개념책: 098~100 쪽

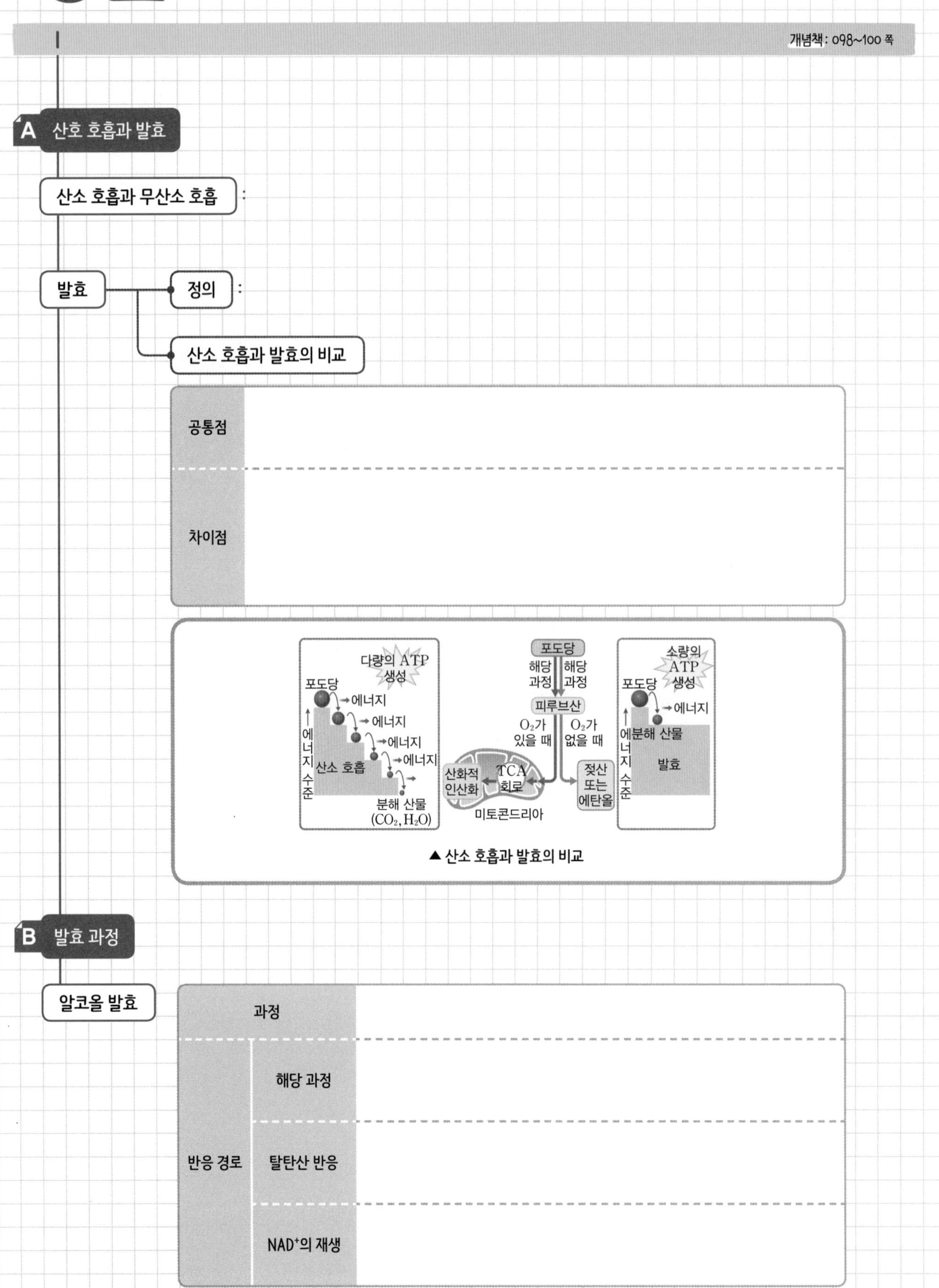

A 산호 호흡과 발효

산소 호흡과 무산소 호흡 :

발효

- **정의** :
- **산소 호흡과 발효의 비교**

공통점	
차이점	

▲ 산소 호흡과 발효의 비교

B 발효 과정

알코올 발효

과정		
반응 경로	해당 과정	
	탈탄산 반응	
	NAD^+의 재생	

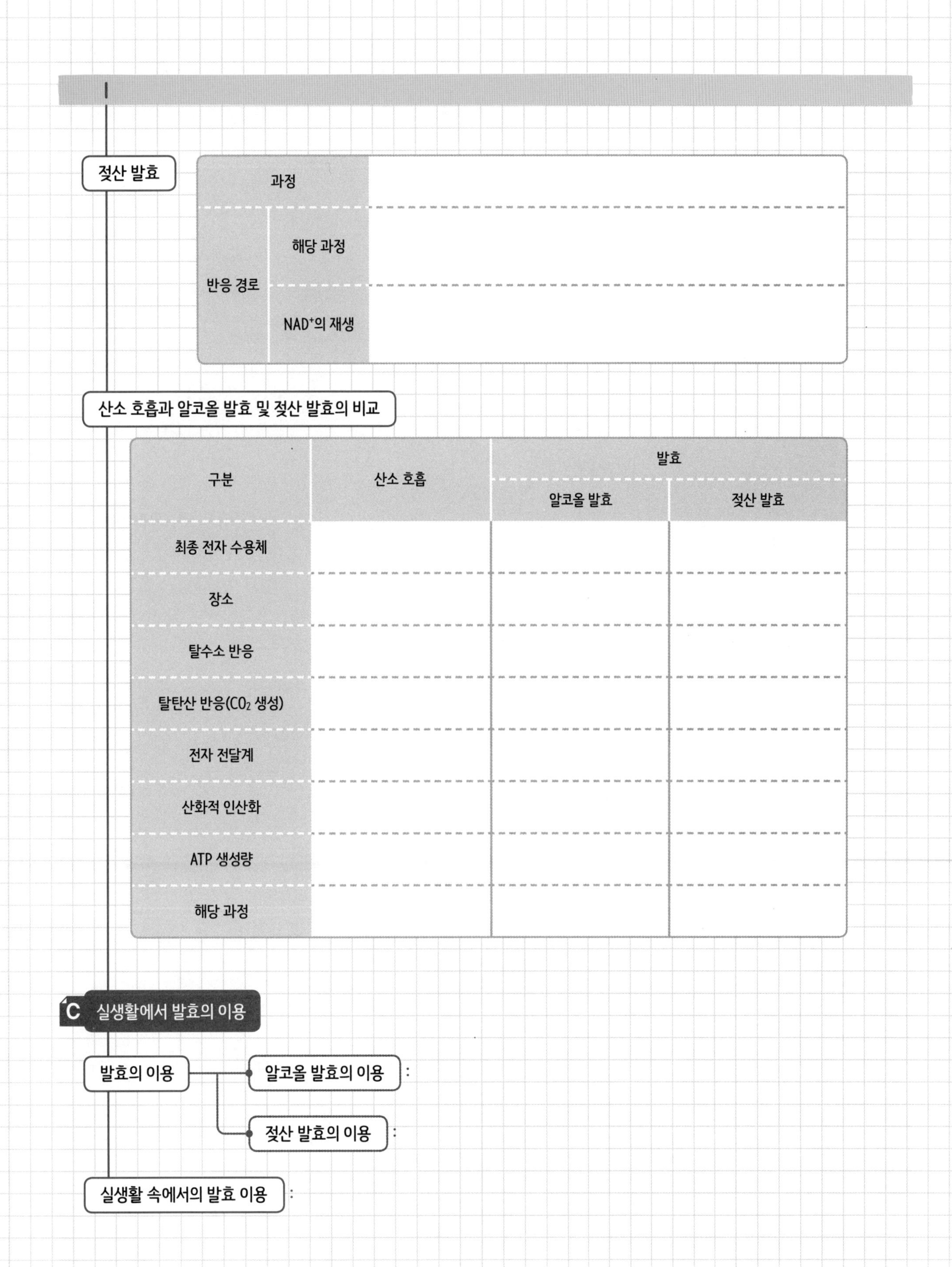

젖산 발효

과정		
반응 경로	해당 과정	
	NAD^+의 재생	

산소 호흡과 알코올 발효 및 젖산 발효의 비교

구분	산소 호흡	발효	
		알코올 발효	젖산 발효
최종 전자 수용체			
장소			
탈수소 반응			
탈탄산 반응(CO_2 생성)			
전자 전달계			
산화적 인산화			
ATP 생성량			
해당 과정			

C 실생활에서 발효의 이용

발효의 이용
- 알코올 발효의 이용 :
- 젖산 발효의 이용 :

실생활 속에서의 발효 이용 :

2

광합성

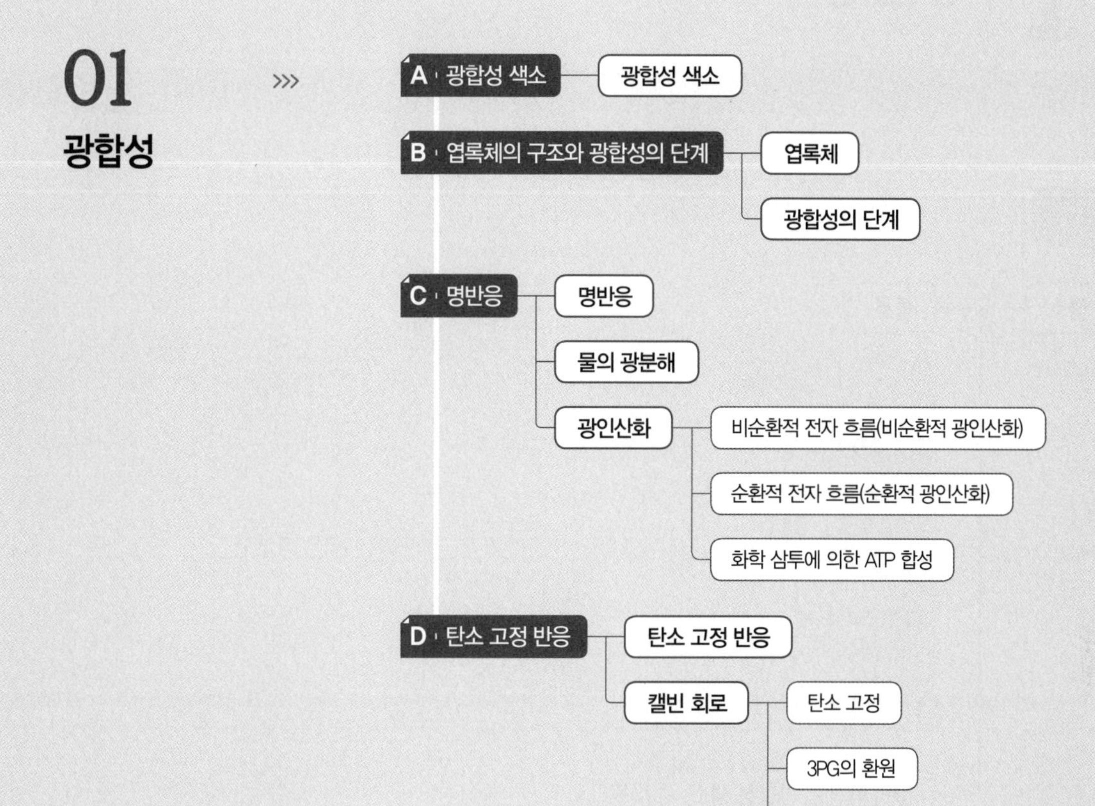

02 광합성과 세포 호흡의 비교

- **A** 광합성과 세포 호흡의 비교
  - 광합성과 세포 호흡의 공통점
  - 광합성과 세포 호흡의 차이점
- **B** 광합성과 세포 호흡에서 ATP의 합성
  - 광합성과 세포 호흡에서 전자 전달과 ATP 합성
  - 광합성과 세포 호흡에서 전자 전달과 ATP 합성 비교

01 광합성

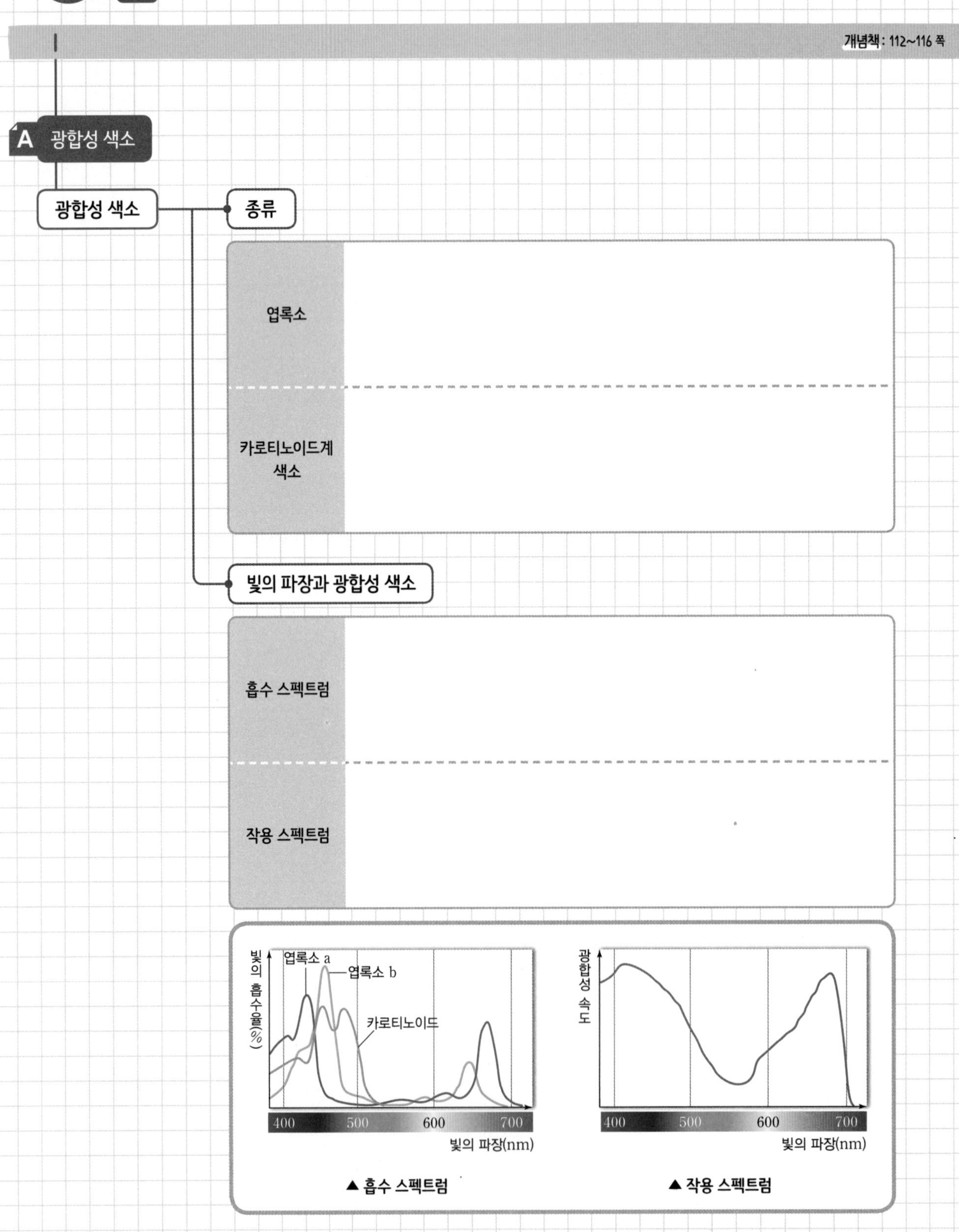

▲ 흡수 스펙트럼

▲ 작용 스펙트럼

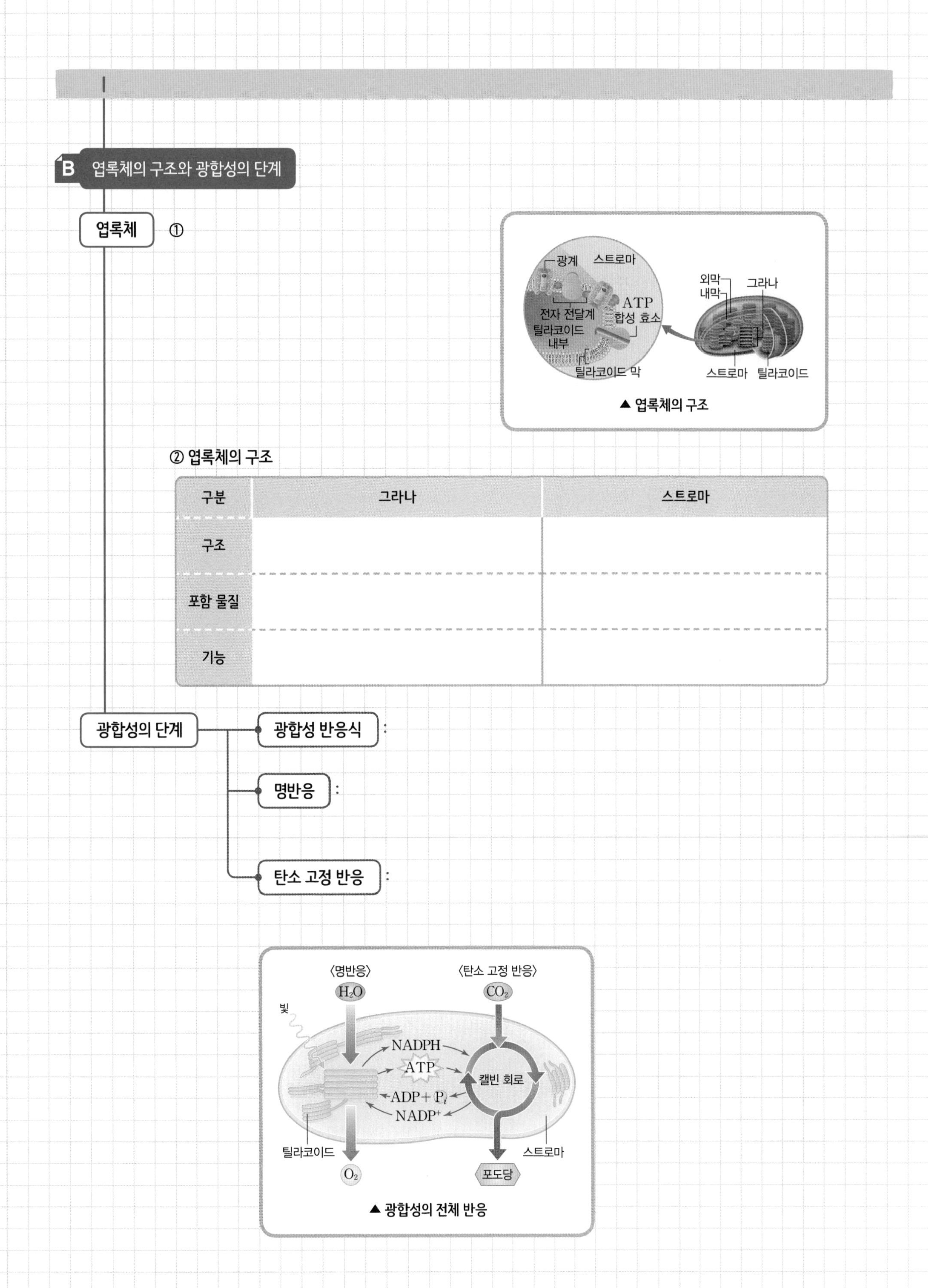

B 엽록체의 구조와 광합성의 단계

엽록체 ①

▲ 엽록체의 구조

② 엽록체의 구조

구분	그라나	스트로마
구조		
포함 물질		
기능		

광합성의 단계

- **광합성 반응식** :
- **명반응** :
- **탄소 고정 반응** :

▲ 광합성의 전체 반응

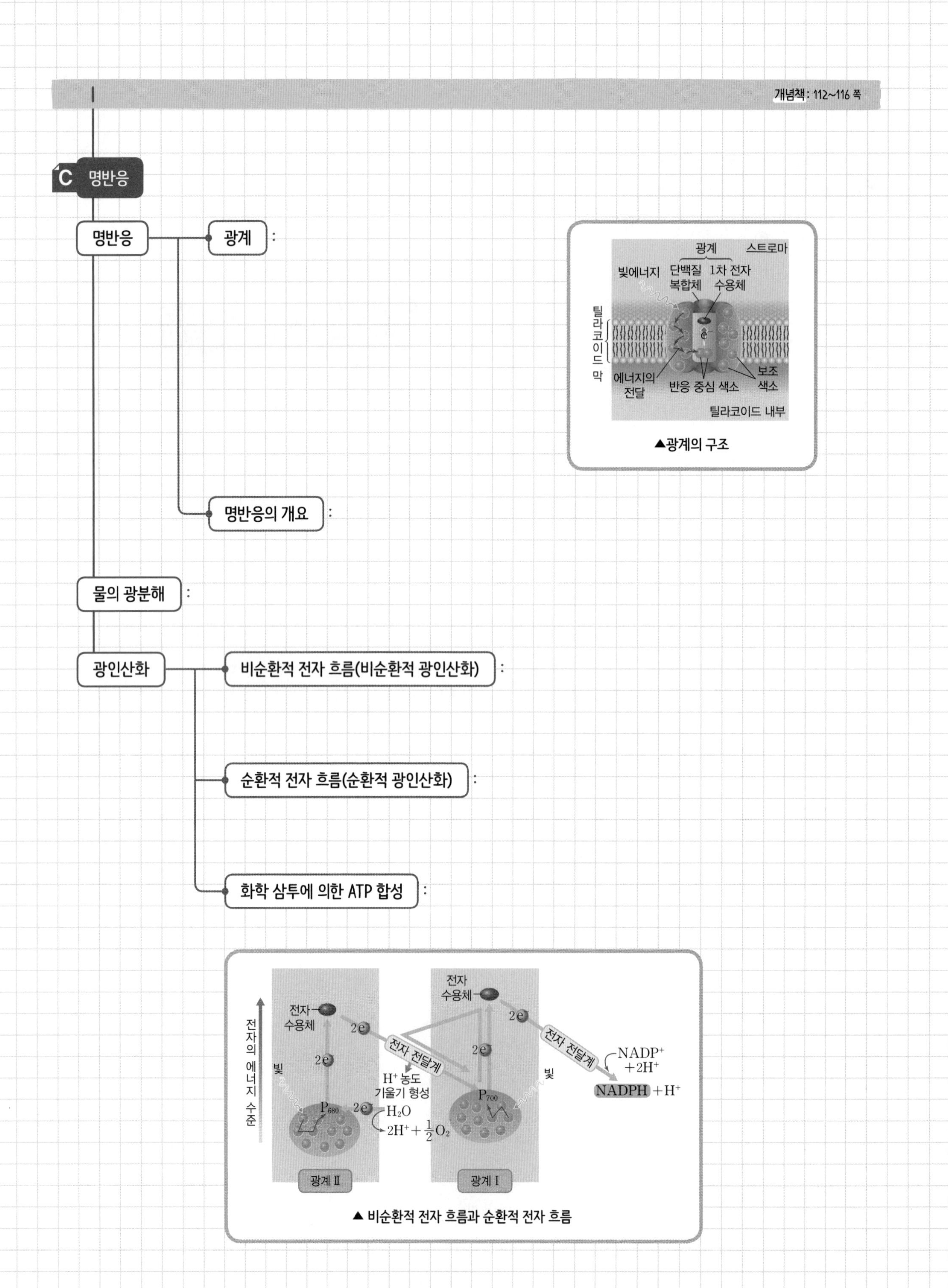

▲광계의 구조

▲ 비순환적 전자 흐름과 순환적 전자 흐름

D 탄소 고정 반응

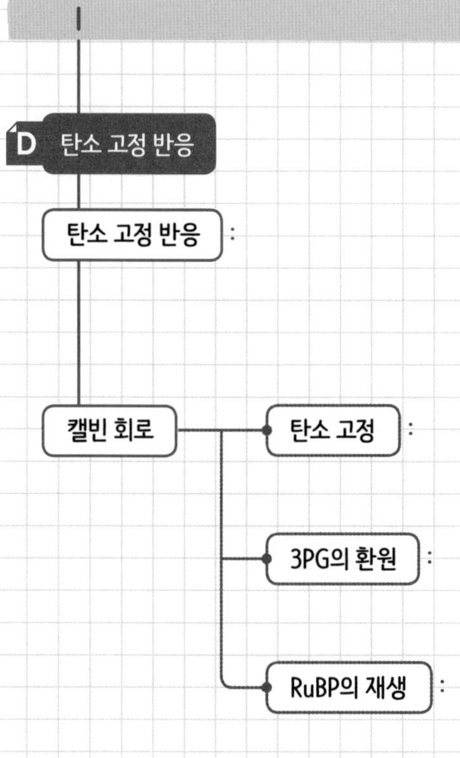

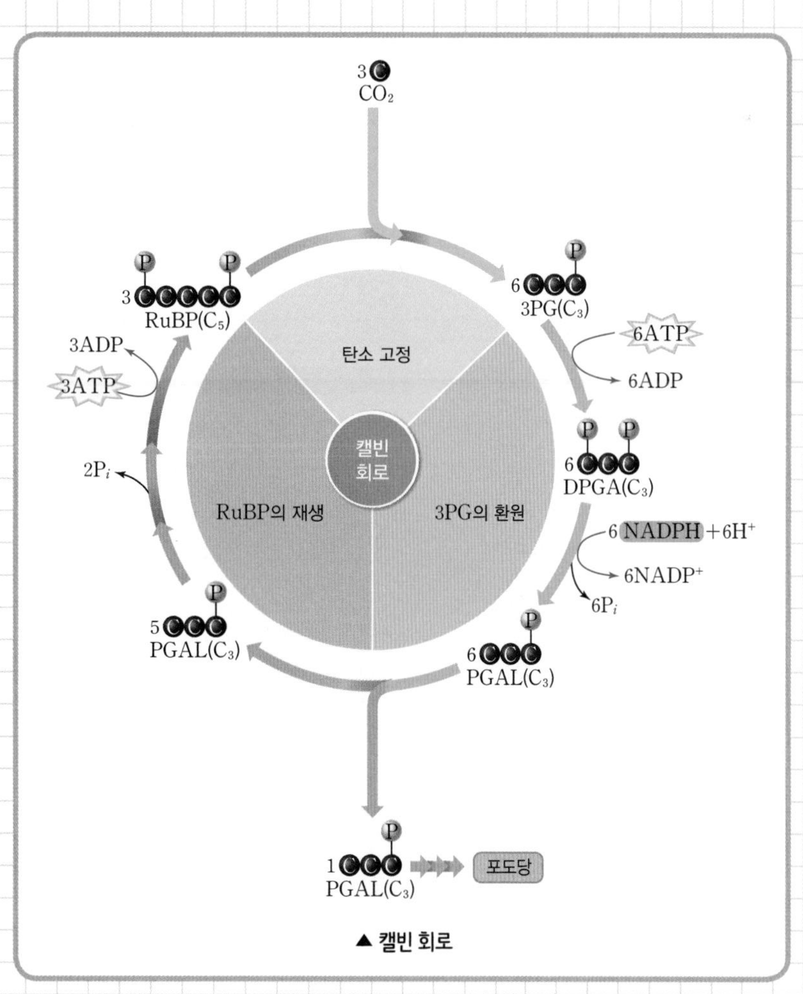

▲ 캘빈 회로

02 광합성과 세포 호흡의 비교

개념책: 122~123 쪽

A 광합성과 세포 호흡의 비교

광합성과 세포 호흡의 공통점 :

광합성과 세포 호흡의 차이점

구분	광합성	세포 호흡
반응 장소		
반응 종류		
반응물의 물질 변화		
에너지 변화		

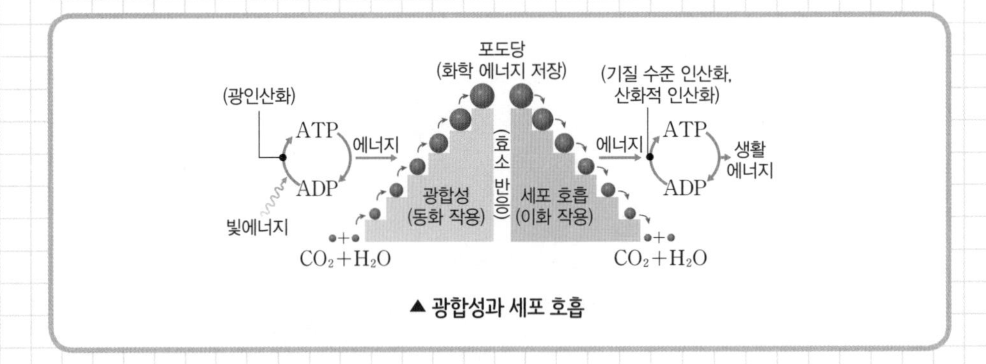

▲ 광합성과 세포 호흡

B 광합성과 세포 호흡에서 ATP의 합성

광합성과 세포 호흡에서 전자 전달과 ATP 합성 :

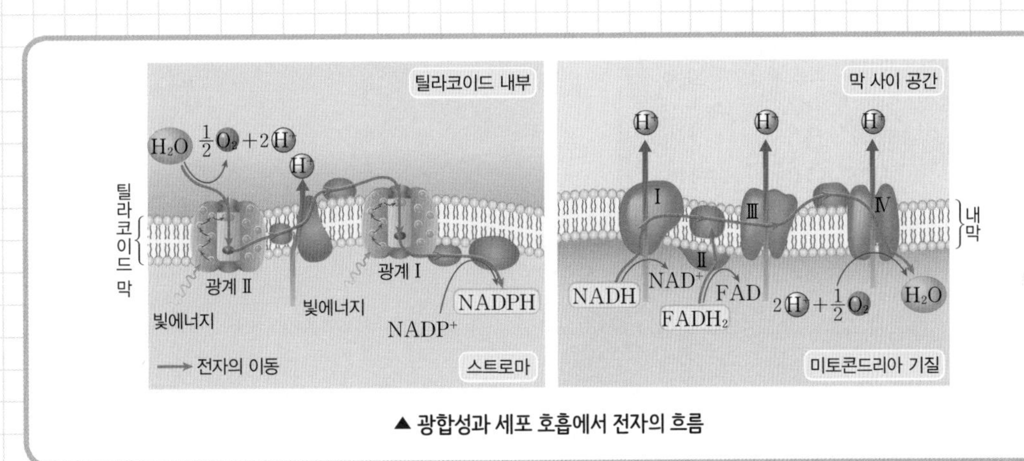

▲ 광합성과 세포 호흡에서 전자의 흐름

광합성과 세포 호흡에서 전자 전달과 ATP 합성 비교

구분	광합성	세포 호흡
ATP의 이용		
ATP 합성 방식		
전자의 흐름		
전자의 에너지원		
고에너지 전자 결합 조효소		
전자 공여체		
최종 전자 수용체		
관여하는 막		
전자 전달 과정에서 H^+의 이동		
ATP 합성 과정에서 H^+의 이동		

단원 정리하기

그림으로 정리하기

- 그림에 자신만의 설명을 덧붙여 단원의 핵심 내용을 정리해 보자.

1 세포 호흡 과정

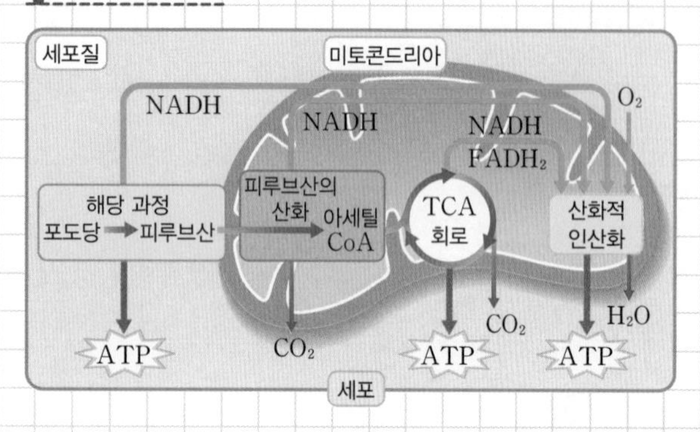

2 식물 세포에서 일어나는 광합성과 세포 호흡

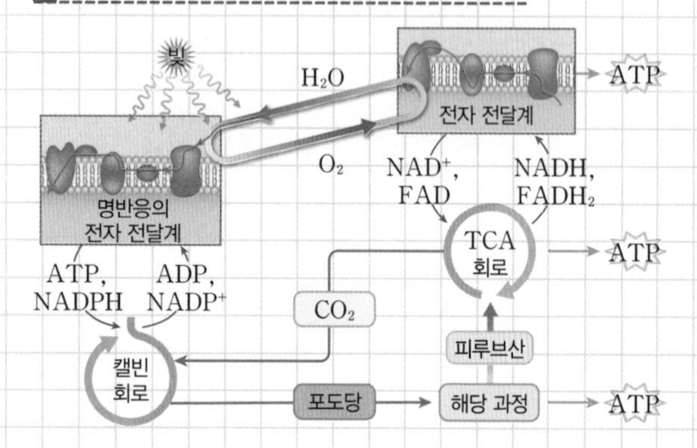

3 엽록체에서의 광인산화와 미토콘드리아에서의 산화적 인산화

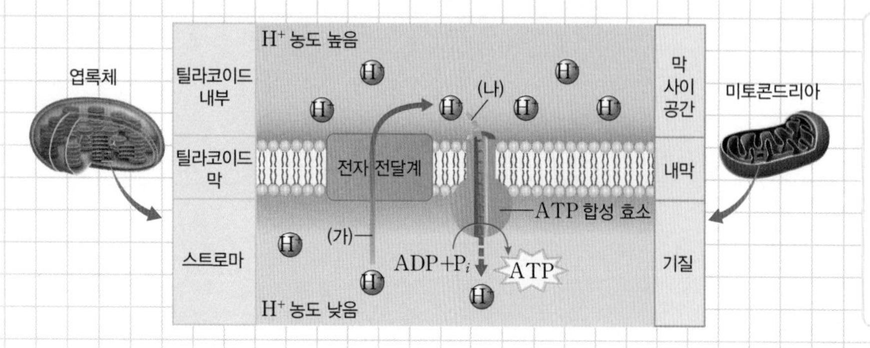

마인드맵으로 정리하기

● 자신만의 마인드맵을 만들어 단원의 핵심 내용을 정리해 보자.

» 선배들이 작성한 정리노트 바로가기

1
유전 물질

01 »» 유전 물질의 구조

- A · DNA가 유전 물질이라는 증거
  - 유전 물질의 확인 실험 배경
  - 유전 물질을 밝히는 실험
    - 그리피스의 형질 전환 실험
    - 에이버리의 형질 전환 실험
    - 허시와 체이스의 박테리오파지 증식 실험
- B · DNA 구조
  - DNA의 구성
  - DNA 입체 구조 규명에 활용된 증거
    - 샤가프의 법칙
    - DNA의 X선 회절 사진
  - DNA의 입체 구조
- C · 유전체와 유전자
  - 유전체
  - 유전자

02
DNA 복제

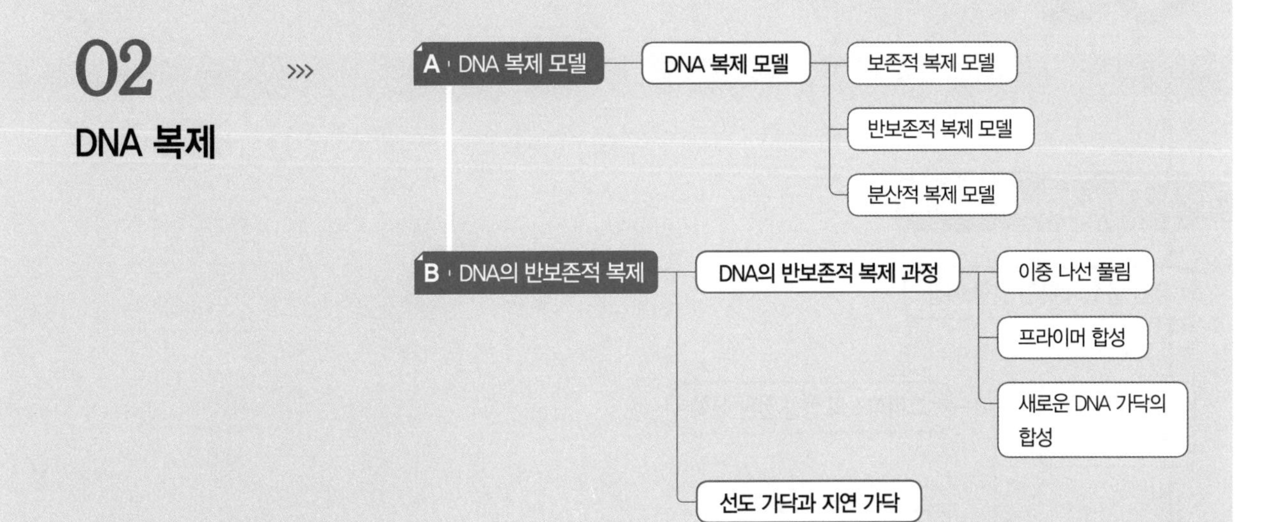

03
유전자 발현

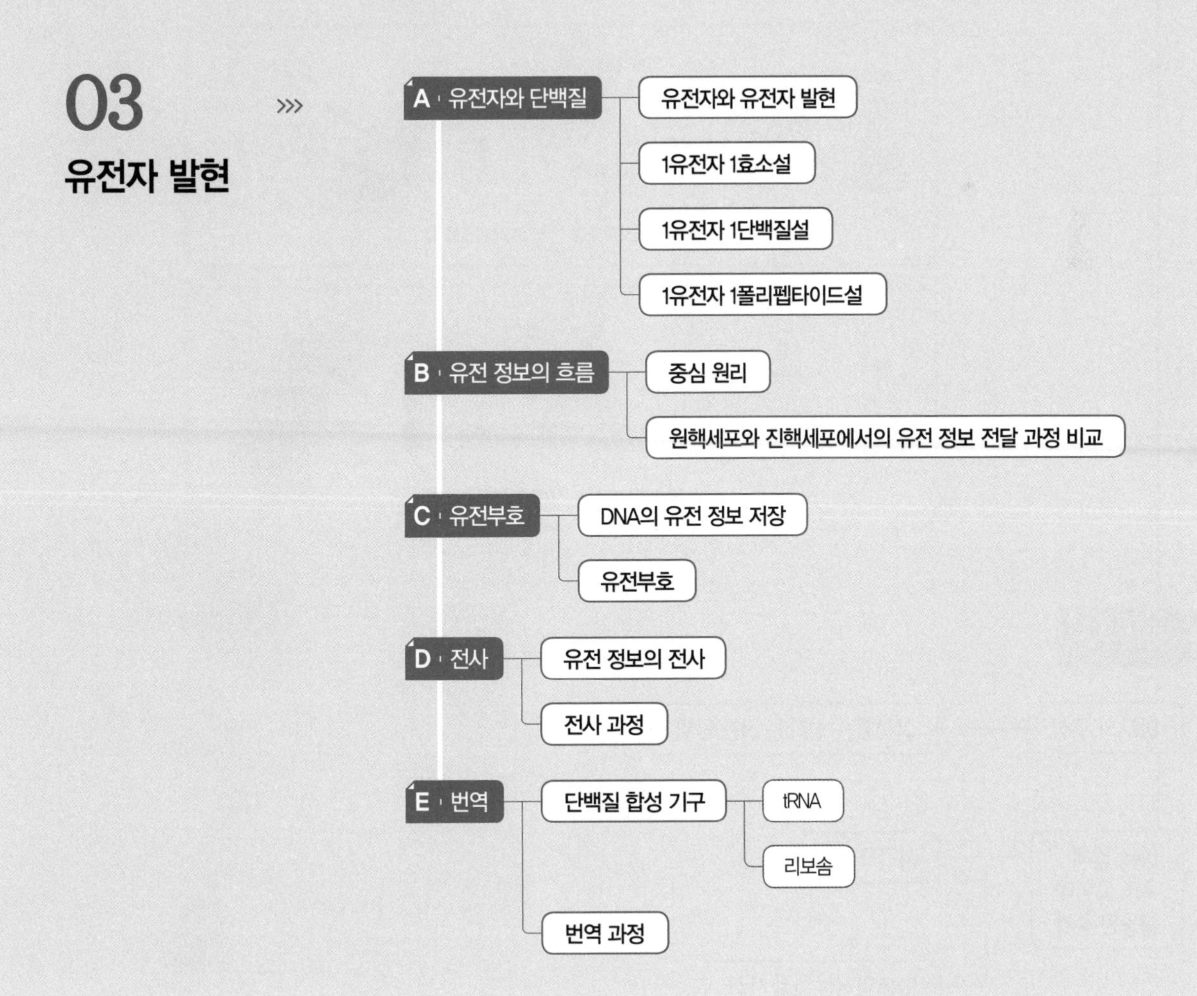

01 유전 물질의 구조

개념책 : 142~145 쪽

A DNA가 유전 물질이라는 증거

유전 물질의 확인 실험 배경 :

유전 물질을 밝히는 실험

- **그리피스의 형질 전환 실험** :
- **에이버리의 형질 전환 실험** :
- **허시와 체이스의 박테리오파지 증식 실험** :

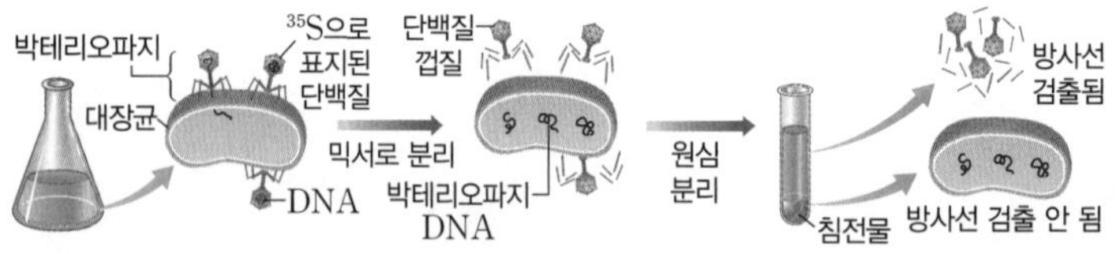

▲ 박테리오파지를 ^{35}S으로 표지했을 때

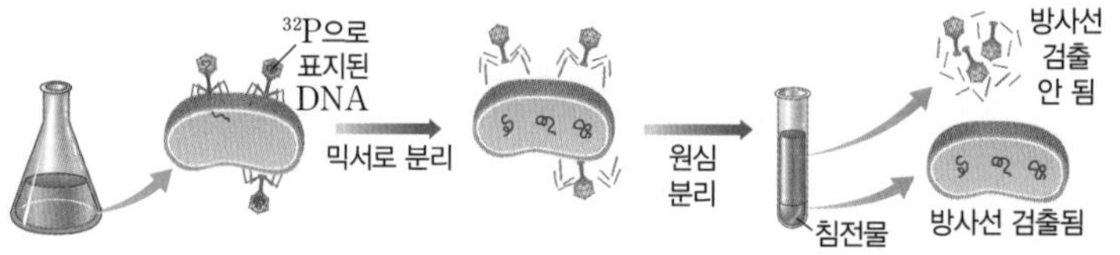

▲ 박테리오파지를 ^{32}P으로 표지했을 때

B DNA 구조

DNA의 구성

- **DNA를 구성하는 기본 단위** :

DNA 입체 구조 규명에 활용된 증거

- **샤가프의 법칙** :
- **DNA의 X선 회절 사진** :

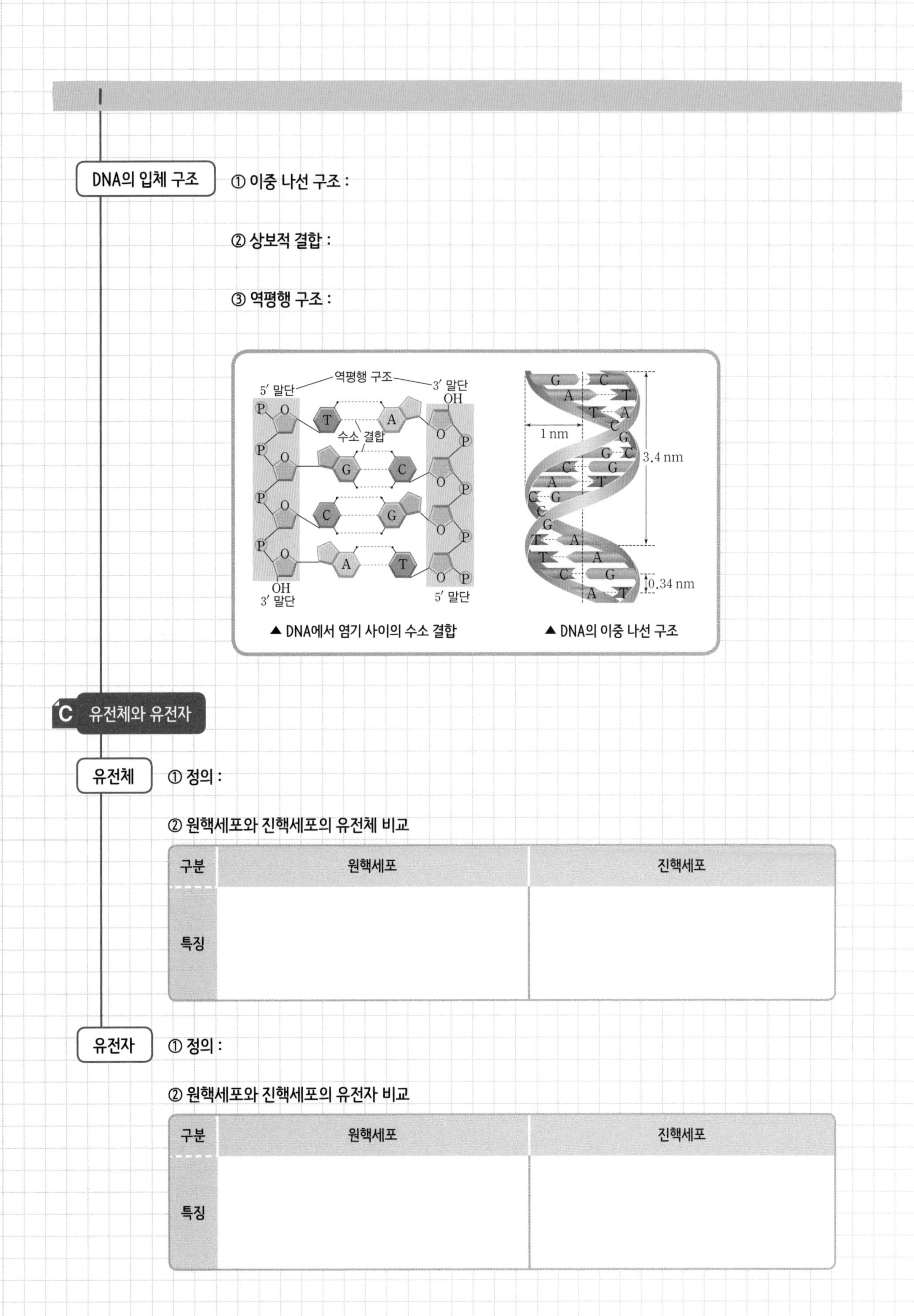

DNA의 입체 구조

① 이중 나선 구조 :

② 상보적 결합 :

③ 역평행 구조 :

▲ DNA에서 염기 사이의 수소 결합

▲ DNA의 이중 나선 구조

C 유전체와 유전자

유전체

① 정의 :

② 원핵세포와 진핵세포의 유전체 비교

구분	원핵세포	진핵세포
특징		

유전자

① 정의 :

② 원핵세포와 진핵세포의 유전자 비교

구분	원핵세포	진핵세포
특징		

02 DNA 복제

개념책: 152~153 쪽

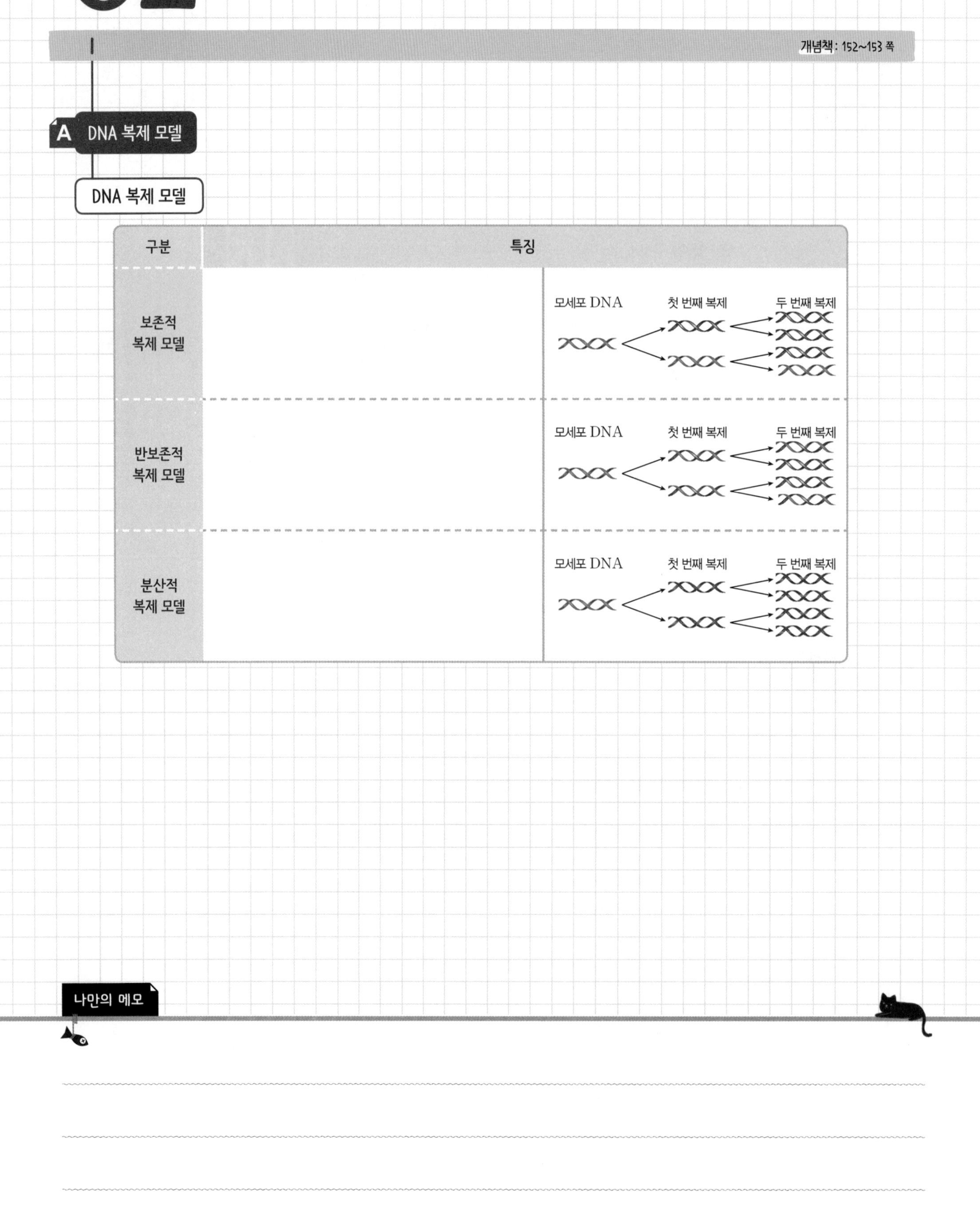

A DNA 복제 모델

DNA 복제 모델

구분	특징	
보존적 복제 모델		모세포 DNA / 첫 번째 복제 / 두 번째 복제
반보존적 복제 모델		모세포 DNA / 첫 번째 복제 / 두 번째 복제
분산적 복제 모델		모세포 DNA / 첫 번째 복제 / 두 번째 복제

나만의 메모

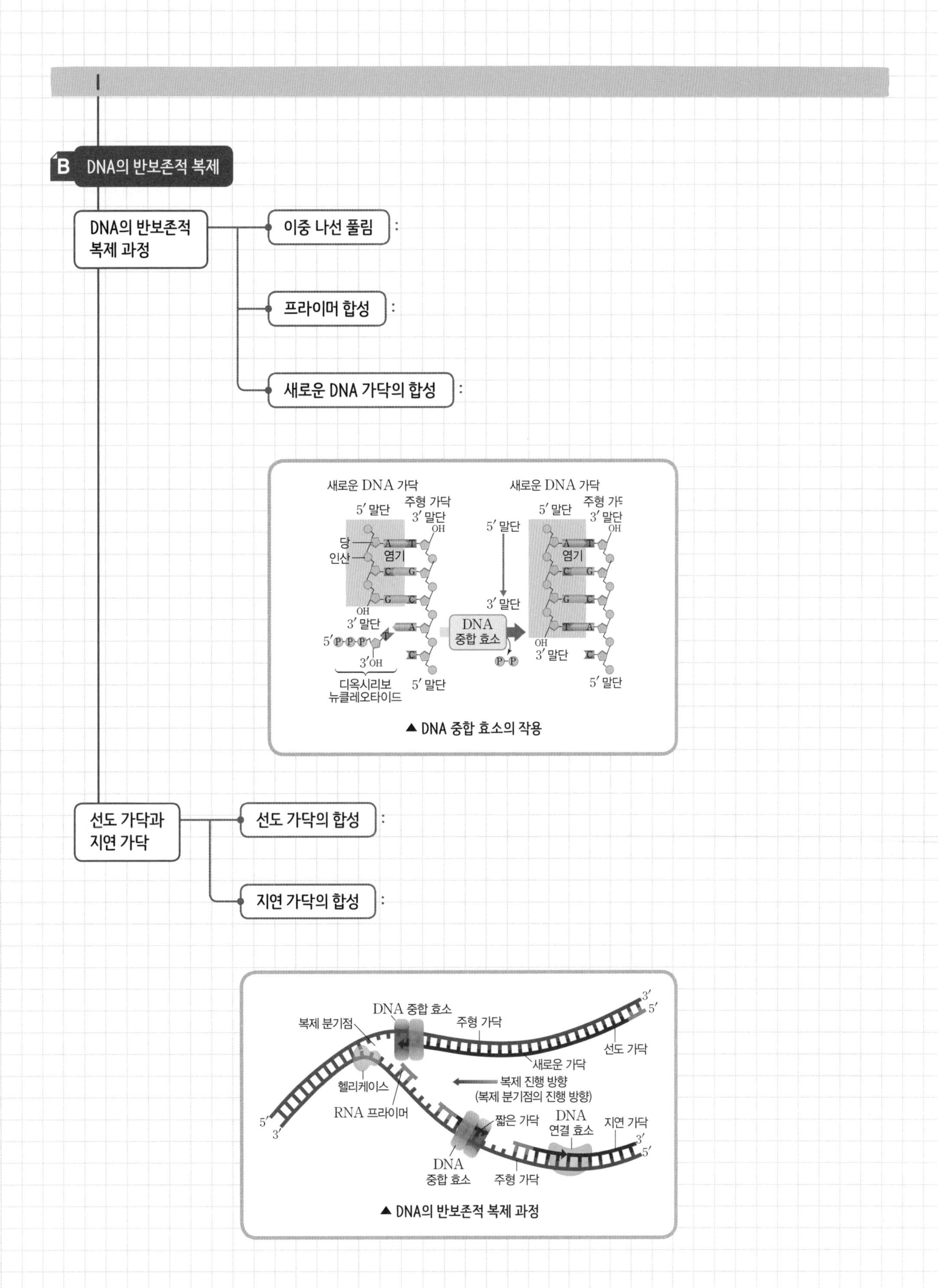

▲ DNA 중합 효소의 작용

▲ DNA의 반보존적 복제 과정

03 유전자 발현

개념책 : 160~164 쪽

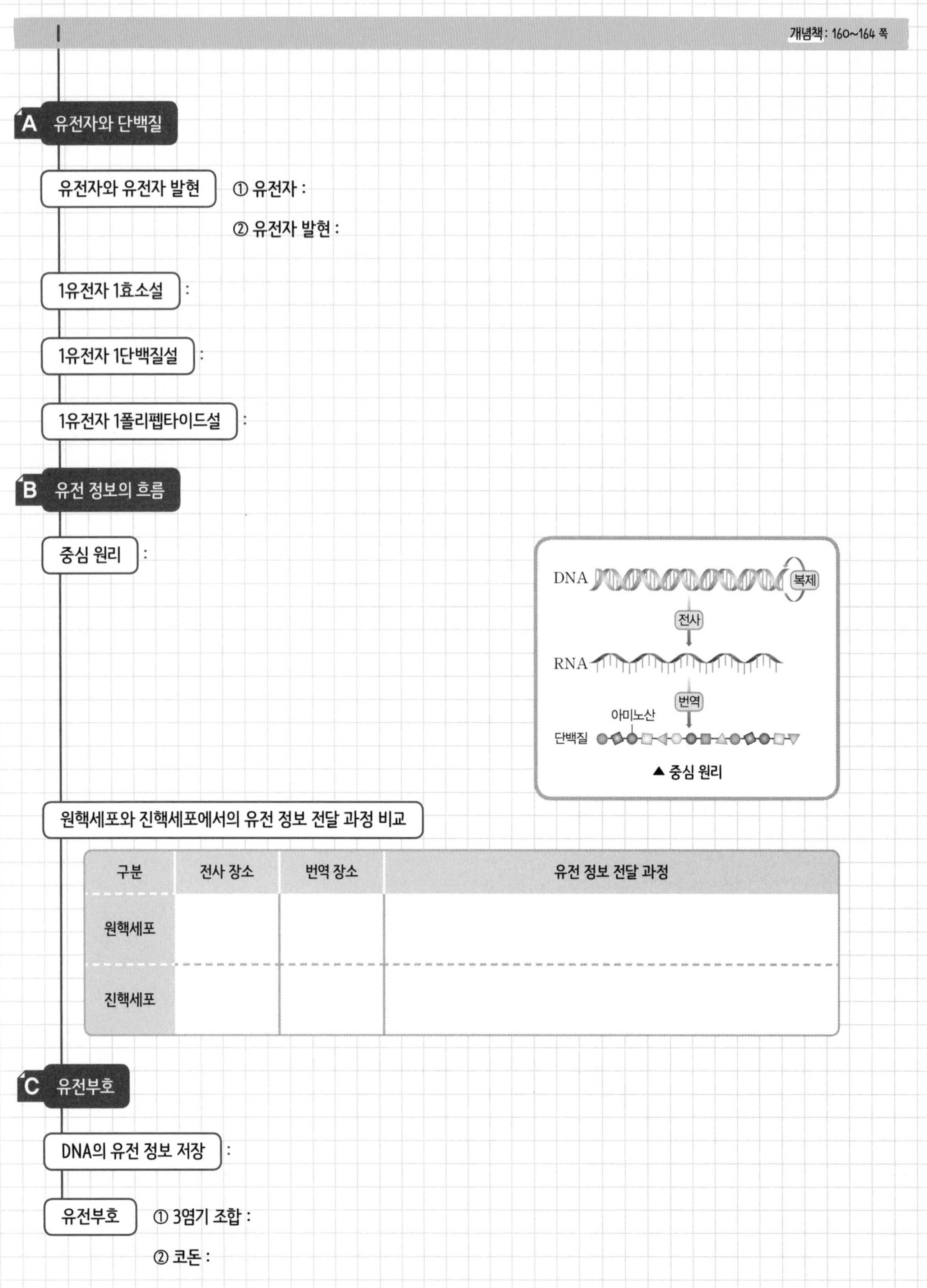

A 유전자와 단백질

유전자와 유전자 발현 ① 유전자 :

② 유전자 발현 :

1유전자 1효소설 :

1유전자 1단백질설 :

1유전자 1폴리펩타이드설 :

B 유전 정보의 흐름

중심 원리 :

▲ 중심 원리

원핵세포와 진핵세포에서의 유전 정보 전달 과정 비교

구분	전사 장소	번역 장소	유전 정보 전달 과정
원핵세포			
진핵세포			

C 유전부호

DNA의 유전 정보 저장 :

유전부호 ① 3염기 조합 :

② 코돈 :

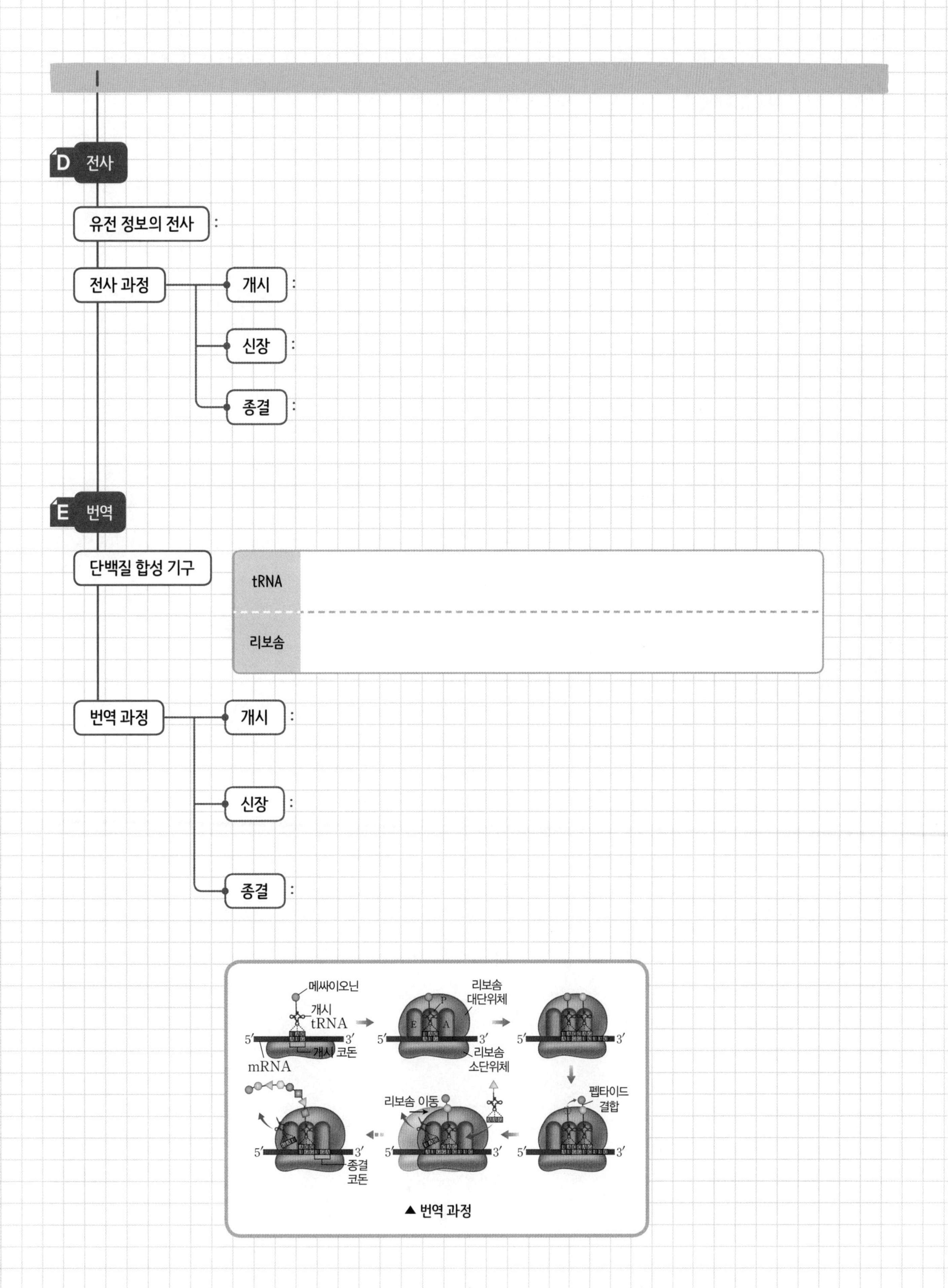
D 전사
유전 정보의 전사 :
전사 과정
개시 :
신장 :
종결 :
E 번역
단백질 합성 기구
tRNA
리보솜
번역 과정
개시 :
신장 :
종결 :
메싸이오닌
개시 tRNA
개시 코돈
mRNA
리보솜 대단위체
리보솜 소단위체
펩타이드 결합
리보솜 이동
종결 코돈
5′
3′
▲ 번역 과정

2
유전자 발현 조절

01 유전자 발현 조절

- A 원핵생물의 유전자 발현 조절
  - 유전자 발현의 조절
  - 원핵생물의 유전자 발현 조절
- B 진핵생물의 유전자 발현 조절
  - 진핵생물의 유전자 발현 조절의 특징
  - 진핵생물의 유전자 발현 조절
  - 원핵생물과 진핵생물의 유전자 발현 조절 비교

02 세포 분화와 발생

- A 세포 분화와 유전자 발현 조절
  - 세포 분화
  - 유전자의 선택적 발현에 의한 세포 분화
- B 발생과 유전자 발현 조절
  - 발생
  - 혹스 유전자

01 유전자 발현 조절

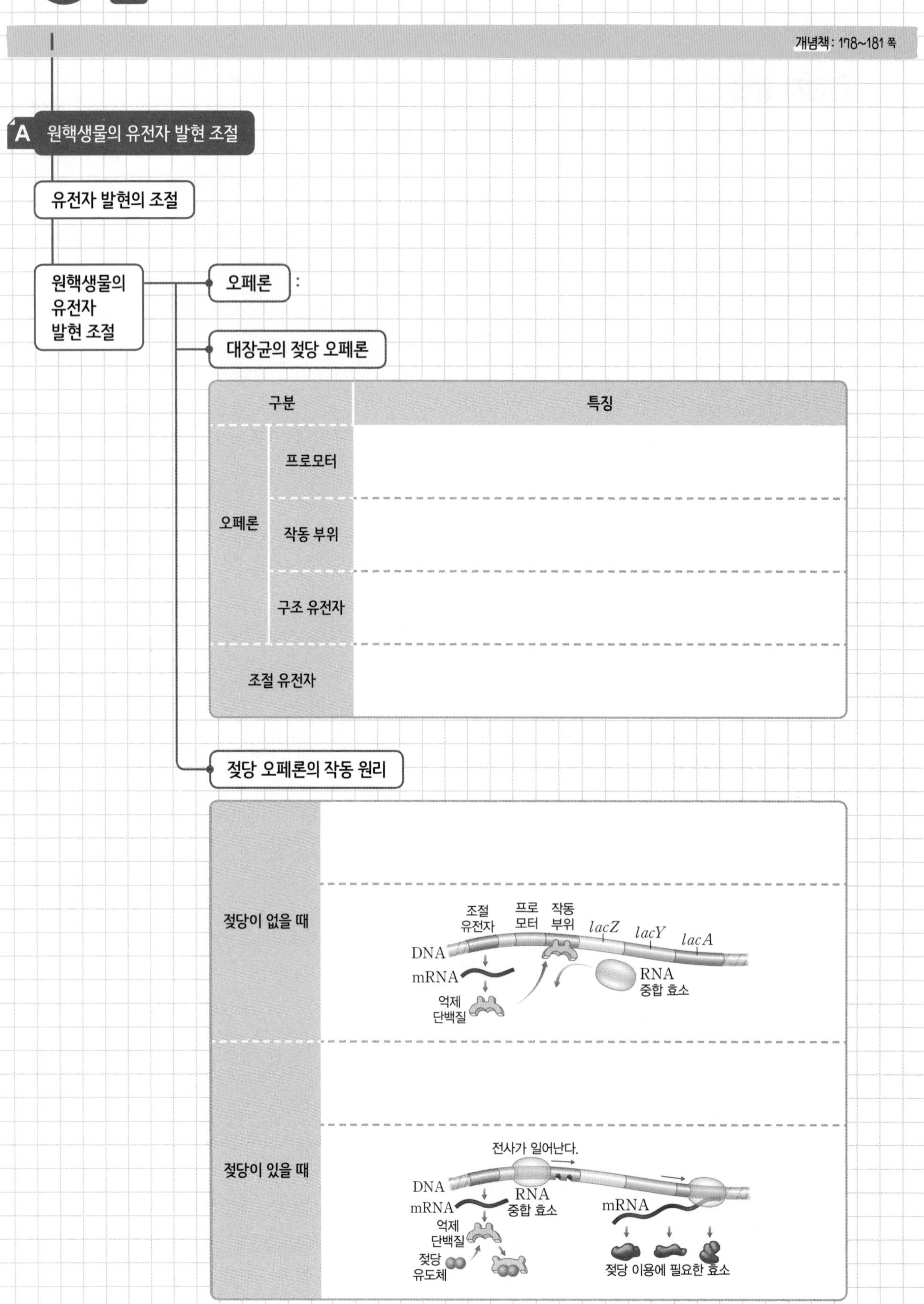
개념책 : 178~181 쪽
A 원핵생물의 유전자 발현 조절
유전자 발현의 조절
원핵생물의 유전자 발현 조절
오페론 :
대장균의 젖당 오페론
구분
특징
오페론
프로모터
작동 부위
구조 유전자
조절 유전자
젖당 오페론의 작동 원리
젖당이 없을 때
조절 유전자
프로 모터
작동 부위
lacZ
lacY
lacA
DNA
mRNA
RNA 중합 효소
억제 단백질
젖당이 있을 때
전사가 일어난다.
DNA
mRNA
RNA 중합 효소
mRNA
억제 단백질
젖당 유도체
젖당 이용에 필요한 효소

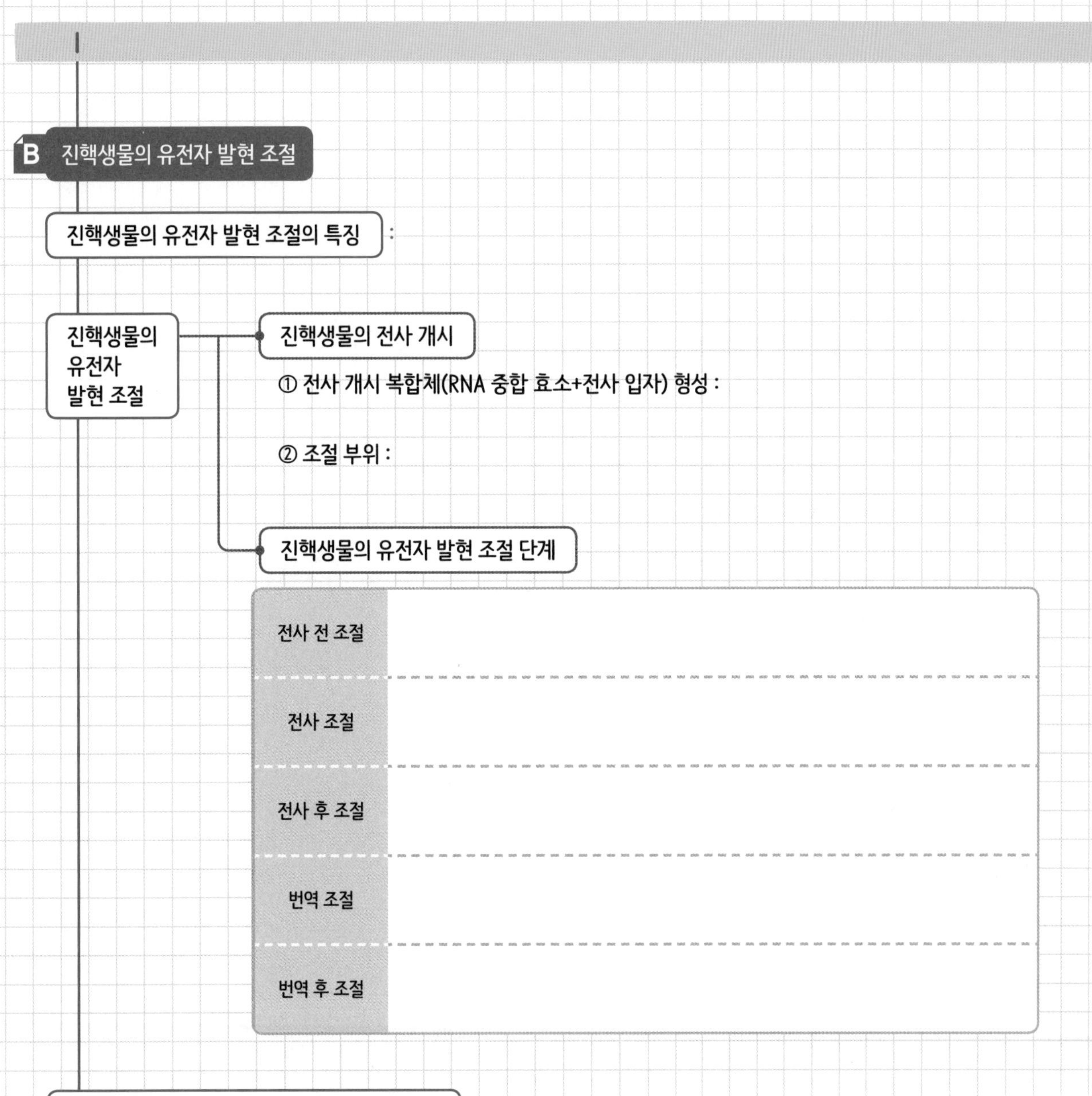

B 진핵생물의 유전자 발현 조절

진핵생물의 유전자 발현 조절의 특징 :

진핵생물의 유전자 발현 조절

진핵생물의 전사 개시

① 전사 개시 복합체(RNA 중합 효소+전사 인자) 형성 :

② 조절 부위 :

진핵생물의 유전자 발현 조절 단계

단계	
전사 전 조절	
전사 조절	
전사 후 조절	
번역 조절	
번역 후 조절	

원핵생물과 진핵생물의 유전자 발현 조절 비교

구분	원핵생물	진핵생물
유전자의 구조		
조절 단백질		
조절 단백질의 결합 위치		

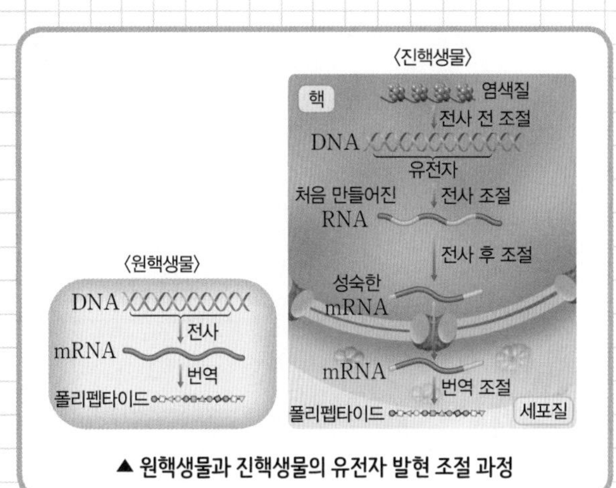

▲ 원핵생물과 진핵생물의 유전자 발현 조절 과정

02 세포 분화와 발생

개념책: 188~189 쪽

A 세포 분화와 유전자 발현 조절

세포 분화

- **세포 분화** :
- **분화된 세포의 유전체** :

유전자의 선택적 발현에 의한 세포 분화

- **유전자의 선택적 발현**

  ① 조절 유전자 :

  ② 핵심 조절 유전자 :

  ③

- **근육 세포의 분화**

  ①

  ②

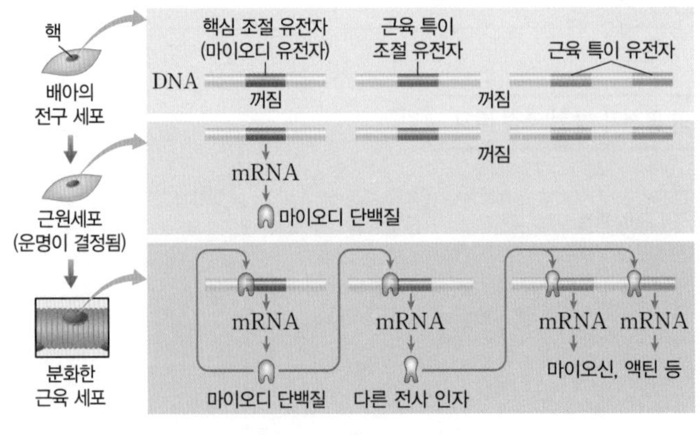

▲ 마이오디 유전자의 작용

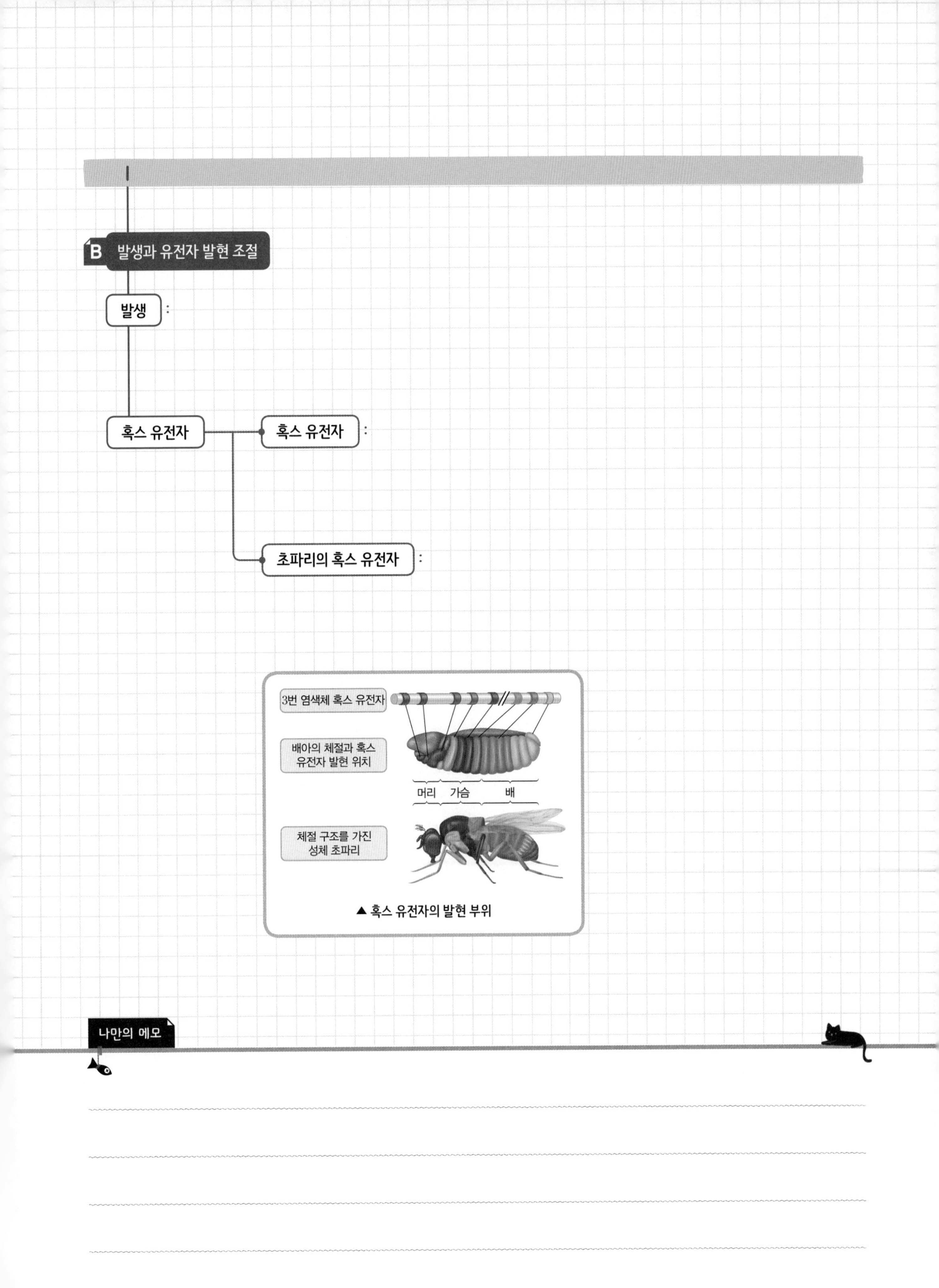
B 발생과 유전자 발현 조절
발생 :
혹스 유전자
혹스 유전자 :
초파리의 혹스 유전자 :
3번 염색체 혹스 유전자
배아의 체절과 혹스 유전자 발현 위치
머리
가슴
배
체절 구조를 가진 성체 초파리
나만의 메모
▲ 혹스 유전자의 발현 부위

단원 정리하기

그림으로 정리하기

● 그림에 자신만의 설명을 덧붙여 단원의 핵심 내용을 정리해 보자.

1 DNA의 반보존적 복제 과정

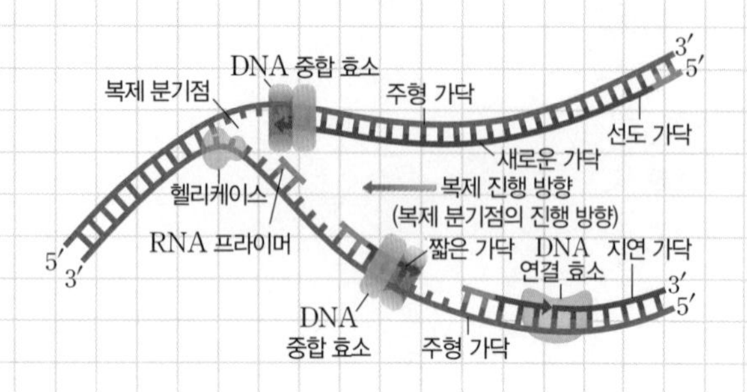

2 원핵세포와 진핵세포에서의 유전 정보 전달 과정 비교

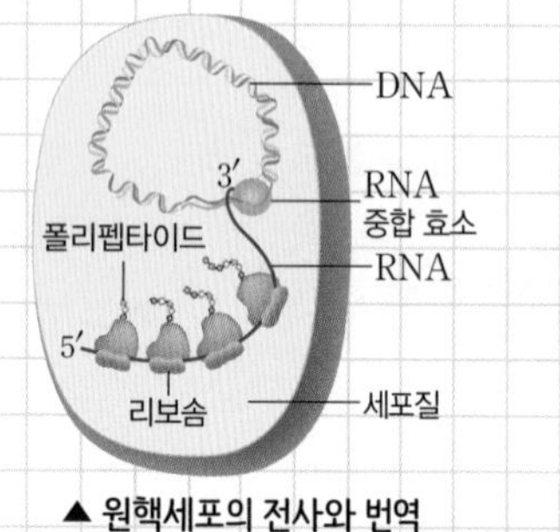

▲ 원핵세포의 전사와 번역

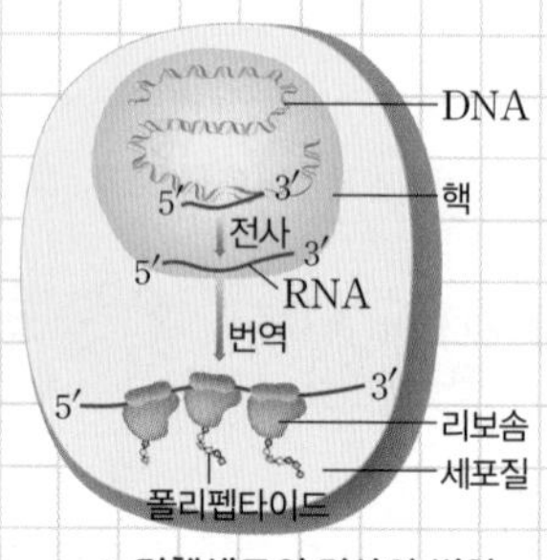

▲ 진핵세포의 전사와 번역

3 원핵생물과 진핵생물의 전사 조절

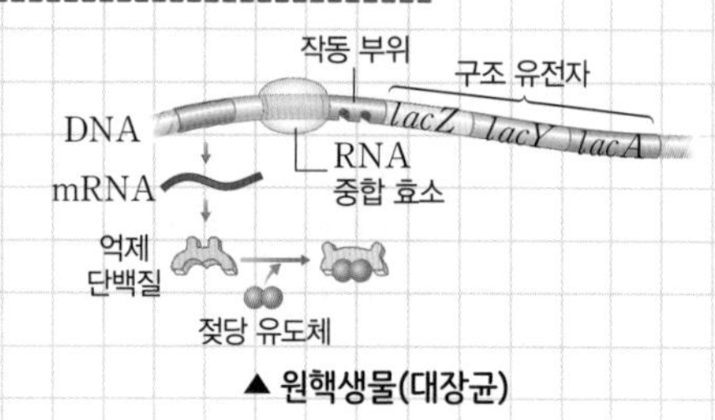

▲ 원핵생물(대장균)

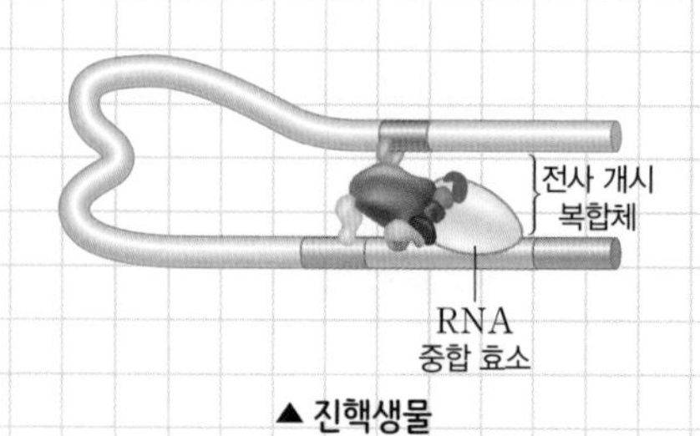

▲ 진핵생물

마인드맵으로 정리하기

● 자신만의 마인드맵을 만들어 단원의 핵심 내용을 정리해 보자.

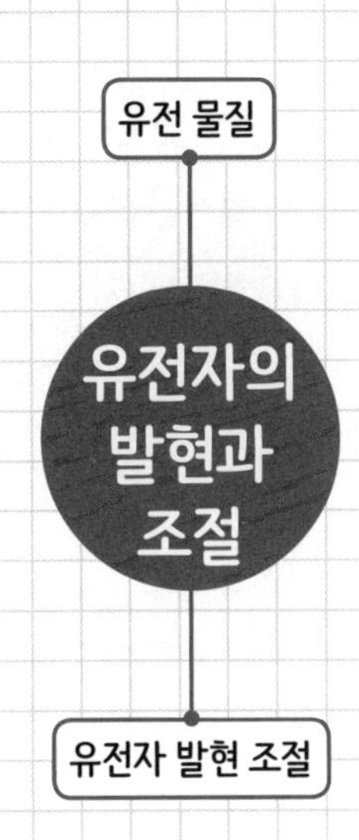

》 선배들이 작성한 정리노트 바로가기

1 생명의 기원과 다양성

01 원시 생명체의 탄생과 진화 》》

A 최초 생명체 탄생에 대한 가설들
- 원시 지구의 환경
- 원시 생명체의 탄생 가설
  - 화학적 진화설
  - 심해 열수구설
- 화학적 진화설에 따른 원시 세포의 탄생 과정
  - 간단한 유기물의 생성
  - 복잡한 유기물의 생성
  - 막 구조를 가진 유기물 복합체의 형성
  - 원시 세포(원시 생명체)의 탄생

- 원핵생물의 출현
- 단세포 진핵생물의 출현
- 다세포 진핵생물의 출현
- 육상 생물의 출현

02 생물의 분류 체계

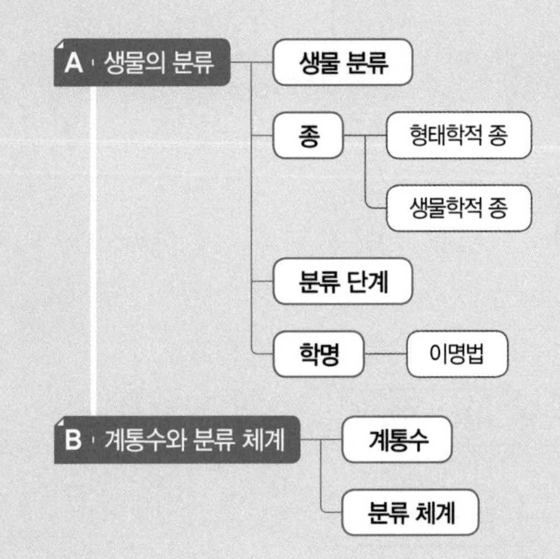

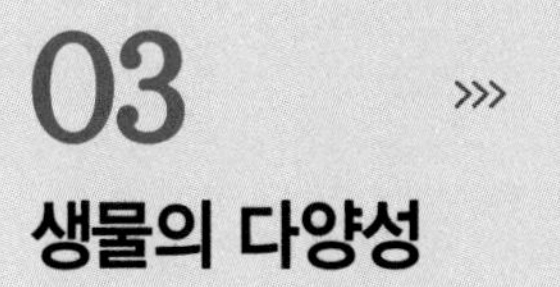

03 생물의 다양성

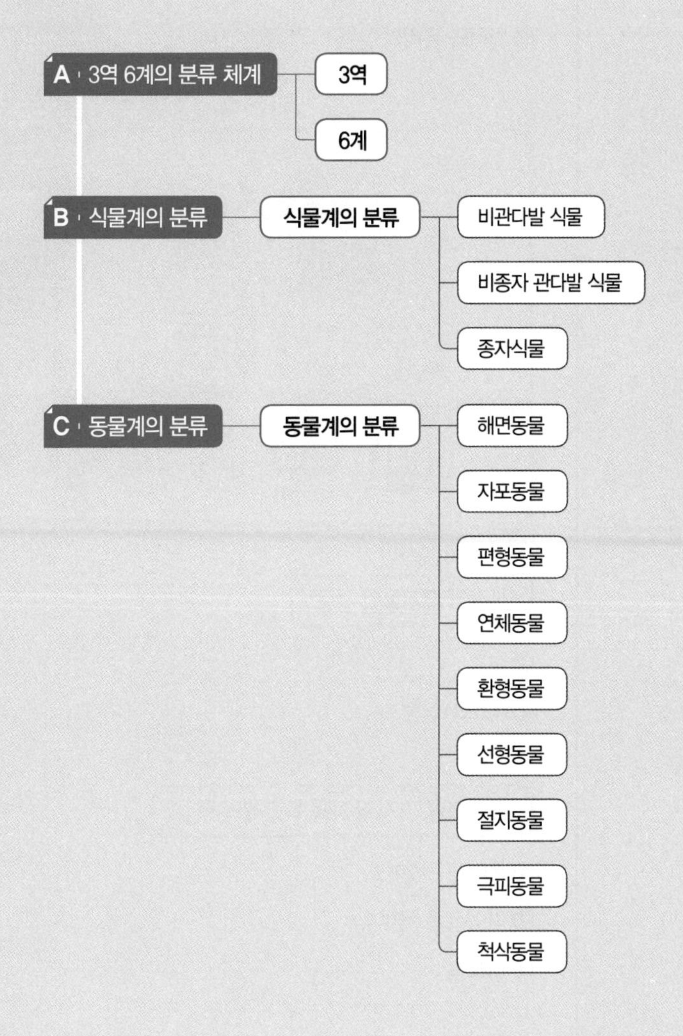

01 원시 생명체의 탄생과 진화

개념책 : 208~212 쪽

A 최초 생명체 탄생에 대한 가설들

원시 지구의 환경 :

원시 생명체의 탄생 가설
- 화학적 진화설 :
- 심해 열수구설 :

화학적 진화설에 따른 원시 세포의 탄생 과정

간단한 유기물의 생성

①

② 밀러와 유리의 실험 :

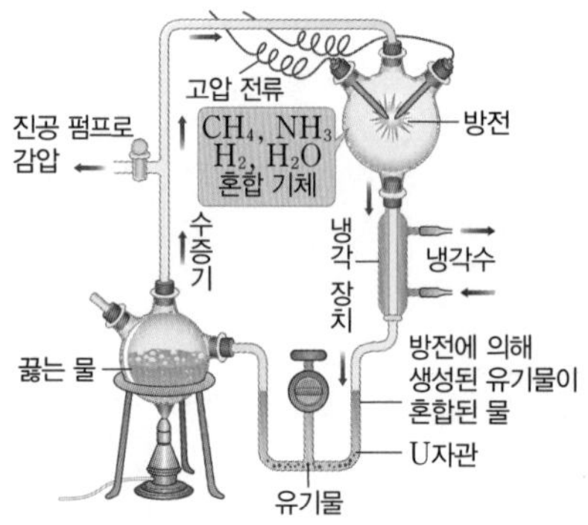

실험 장치	원시 지구

복잡한 유기물의 생성

①

② 폭스의 실험 :

막 구조를 가진 유기물 복합체의 형성

① 코아세르베이트 :

② 마이크로스피어 :

③ 리포솜 :

원시 세포(원시 생명체)의 탄생 :

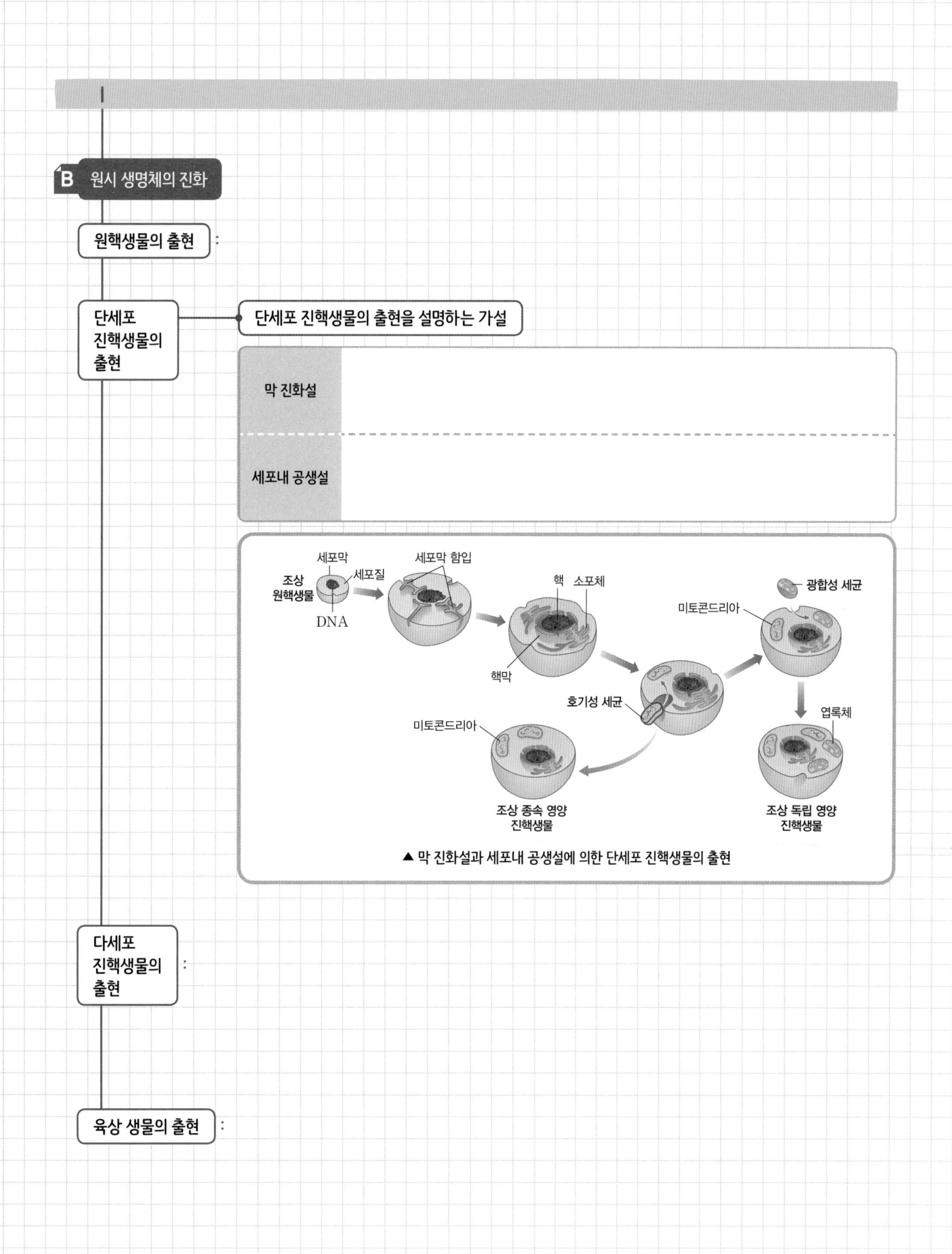
B 원시 생명체의 진화
원핵생물의 출현 :
단세포 진핵생물의 출현
단세포 진핵생물의 출현을 설명하는 가설
막 진화설
세포내 공생설
세포막
세포질
조상 원핵생물
DNA
세포막 함입
핵
소포체
핵막
광합성 세균
미토콘드리아
호기성 세균
엽록체
미토콘드리아
조상 종속 영양 진핵생물
조상 독립 영양 진핵생물
▲ 막 진화설과 세포내 공생설에 의한 단세포 진핵생물의 출현
다세포 진핵생물의 출현 :
육상 생물의 출현 :

02 생물의 분류 체계

개념책 : 218~219 쪽

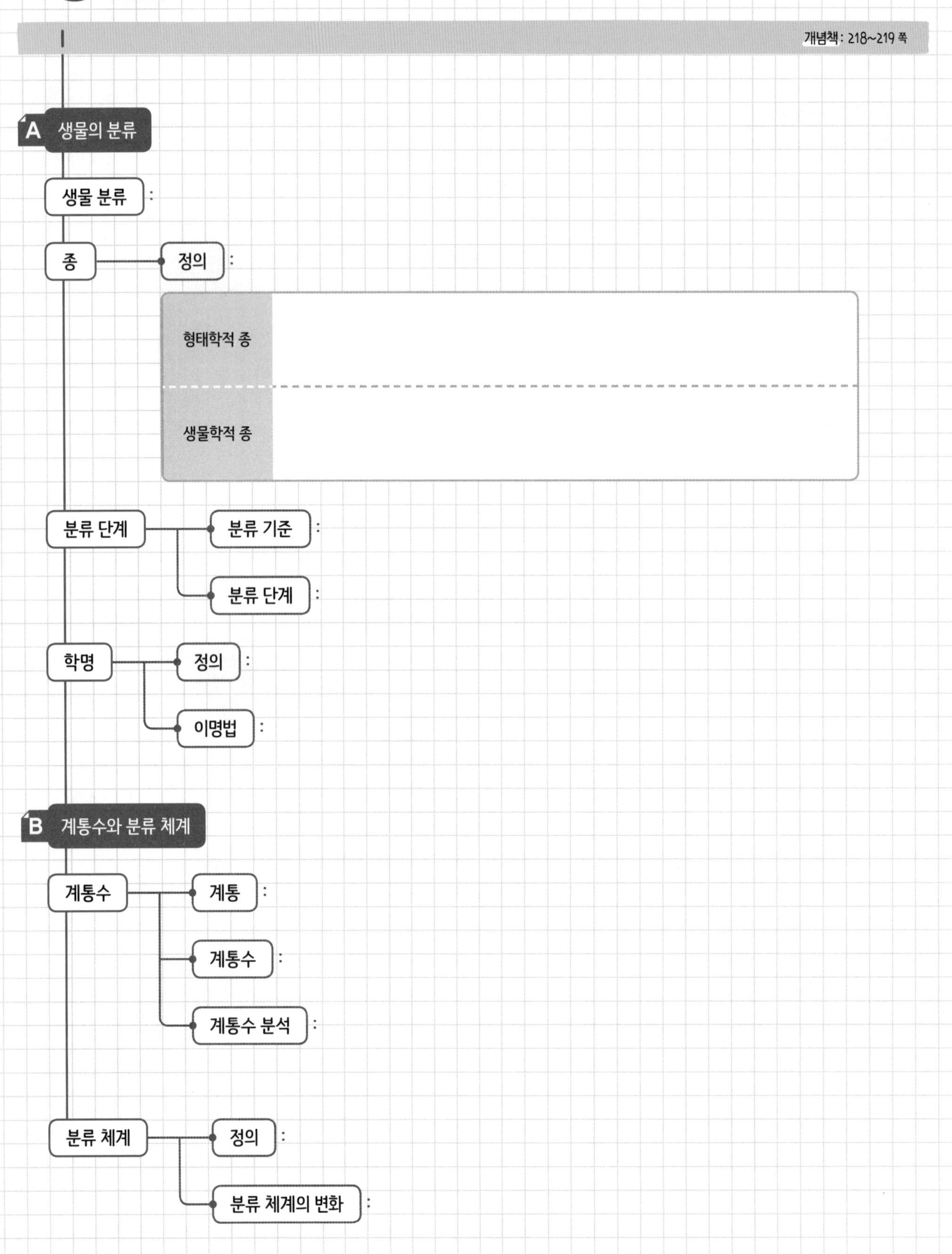

03 생물의 다양성

개념책 : 226~230 쪽

A 3역 6계 분류 체계

3역의 특징

구분	세균역	고세균역	진핵생물역
핵막과 막성 세포 소기관			
펩티도글리칸 성분의 세포벽			
히스톤과 결합한 DNA			
염색체 모양			

6계의 특징

세균역	진정세균계	
고세균역	고세균계	
진핵 생물역	원생생물계	
	식물계	
	균계	
	동물계	

B 식물계의 분류

식물계의 특징 :

식물계의 분류

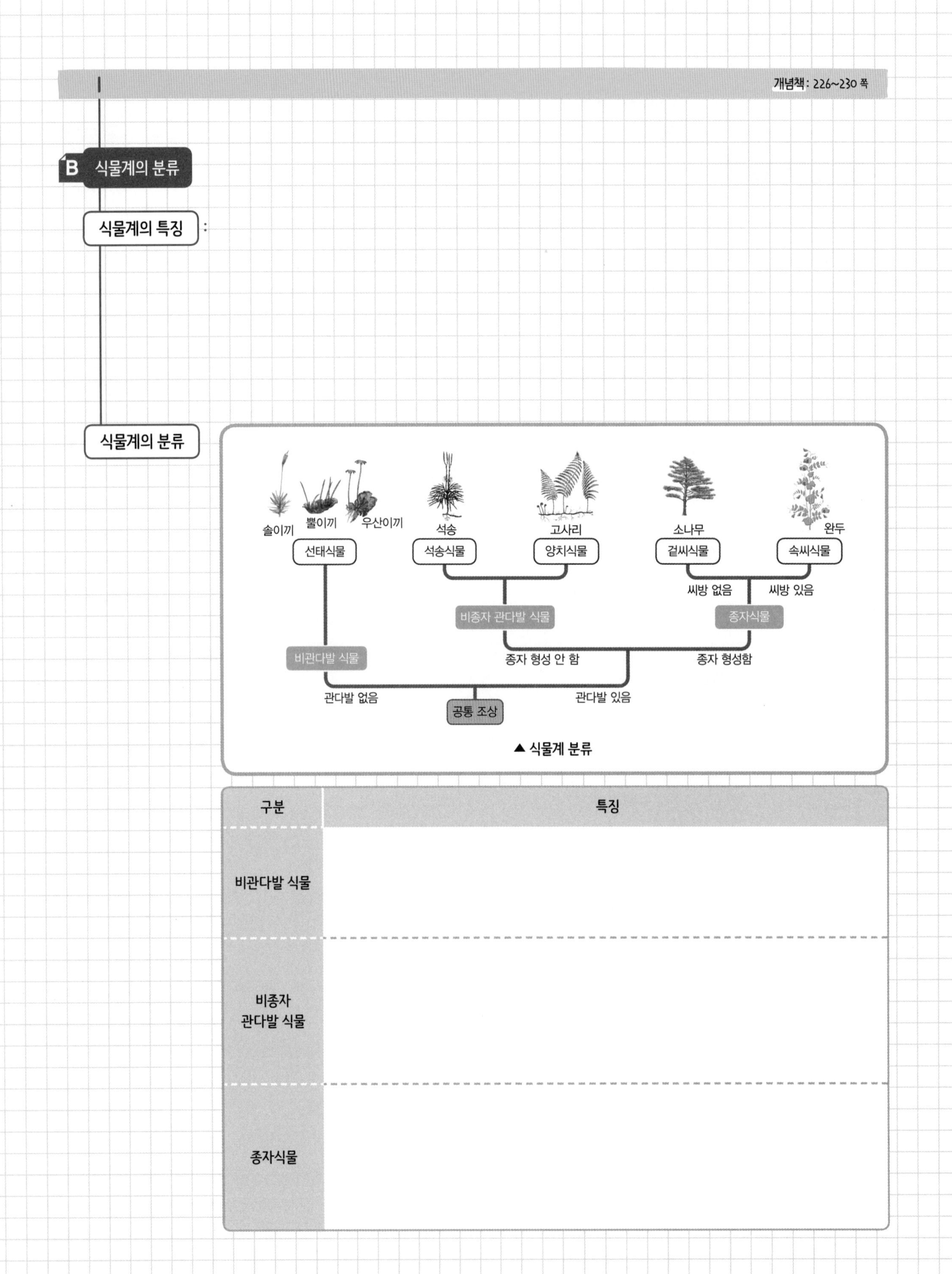

▲ 식물계 분류

구분	특징
비관다발 식물	
비종자 관다발 식물	
종자식물	

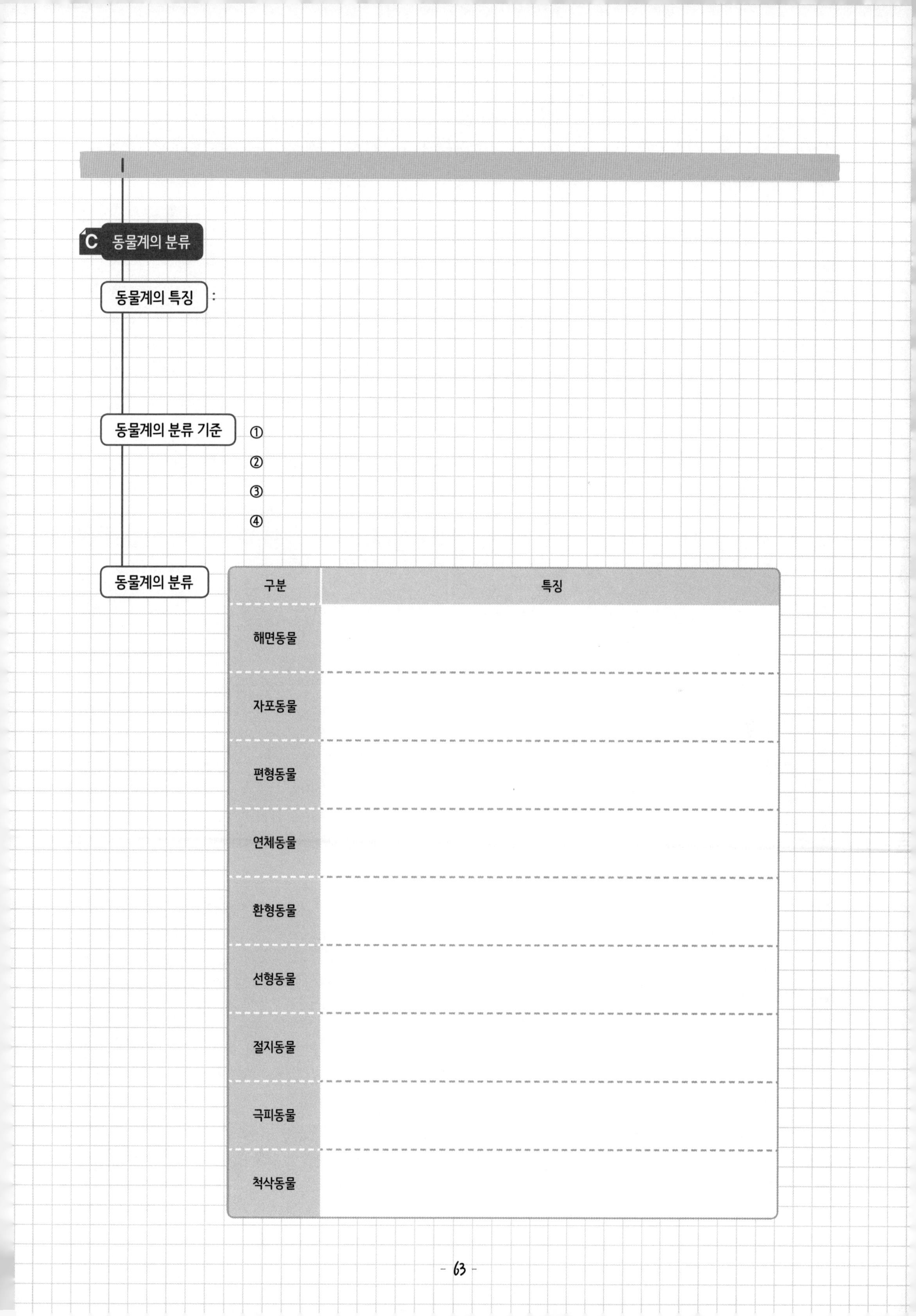

C 동물계의 분류

동물계의 특징 :

동물계의 분류 기준

①

②

③

④

동물계의 분류

구분	특징
해면동물	
자포동물	
편형동물	
연체동물	
환형동물	
선형동물	
절지동물	
극피동물	
척삭동물	

2
생물의 진화

01 진화의 증거

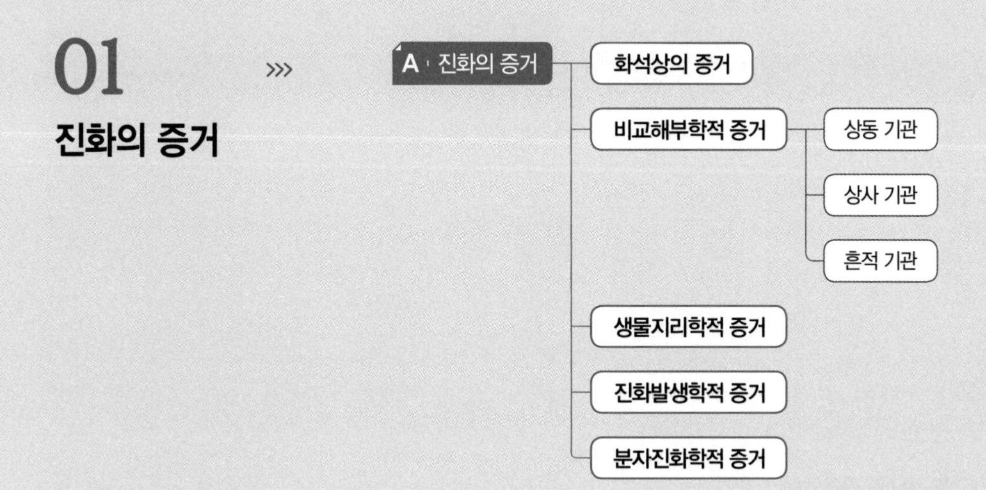

02 진화의 원리와 종분화

01 진화의 증거

개념책: 242~244 쪽

A 진화의 증거

화석상의 증거 ①

②

③ 화석상의 증거의 예 :

비교해부학적 증거 :

상동 기관	1 2 3 4 5 사람 고양이 고래 박쥐 ▲ 척추동물의 앞다리 골격 구조
상사 기관	
흔적 기관	

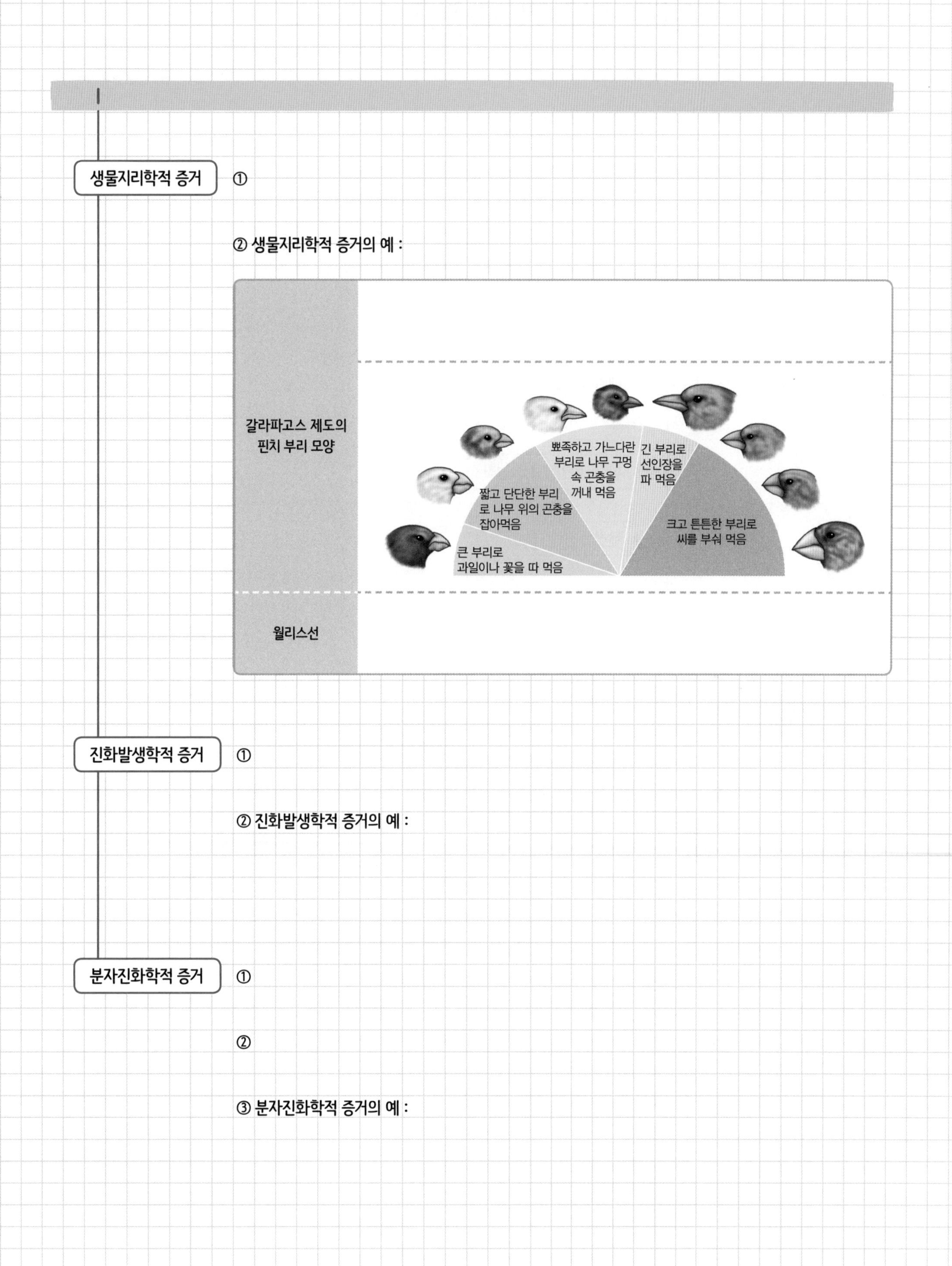

생물지리학적 증거 ①

② 생물지리학적 증거의 예 :

갈라파고스 제도의 핀치 부리 모양	
월리스선	

진화발생학적 증거 ①

② 진화발생학적 증거의 예 :

분자진화학적 증거 ①

②

③ 분자진화학적 증거의 예 :

02 진화의 원리와 종분화

개념책: 250~254 쪽

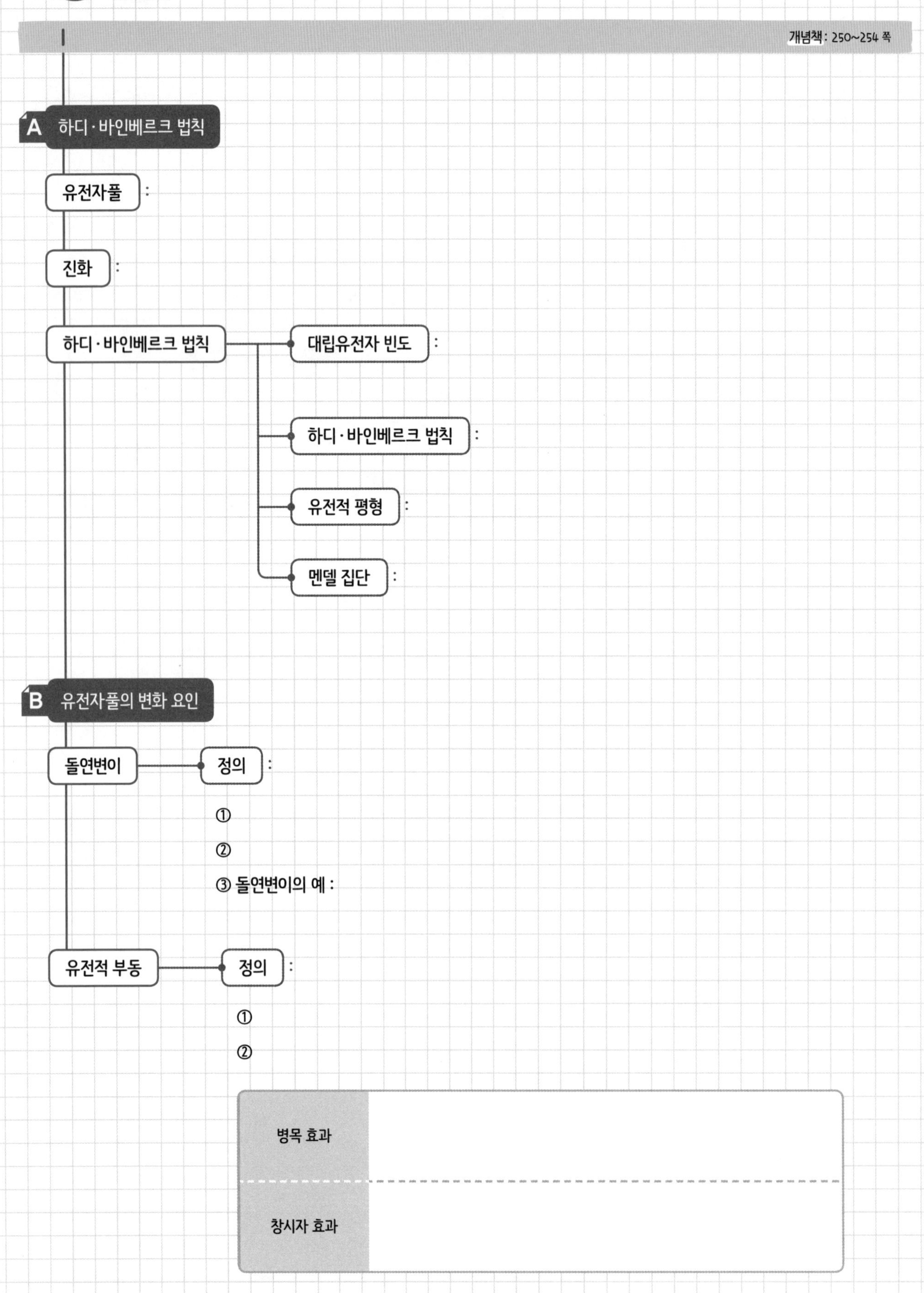

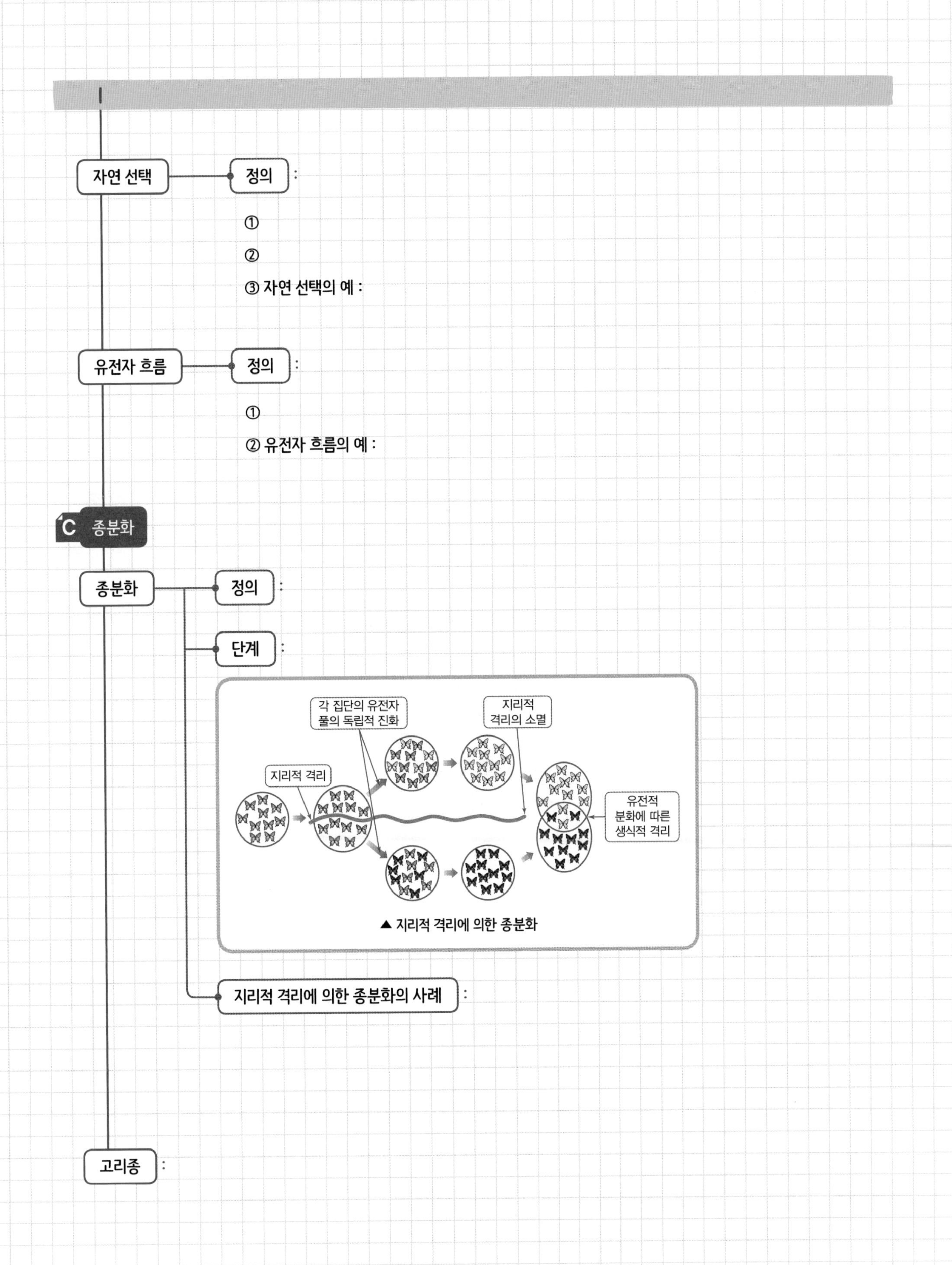

자연 선택
정의 :
①
②
③ 자연 선택의 예 :
유전자 흐름
정의 :
①
② 유전자 흐름의 예 :
C 종분화
종분화
정의 :
단계 :
각 집단의 유전자 풀의 독립적 진화
지리적 격리의 소멸
지리적 격리
유전적 분화에 따른 생식적 격리
▲ 지리적 격리에 의한 종분화
지리적 격리에 의한 종분화의 사례 :
고리종 :

단원 정리하기

그림으로 정리하기

● 그림에 자신만의 설명을 덧붙여 단원의 핵심 내용을 정리해 보자.

1 3역 6계 분류 체계

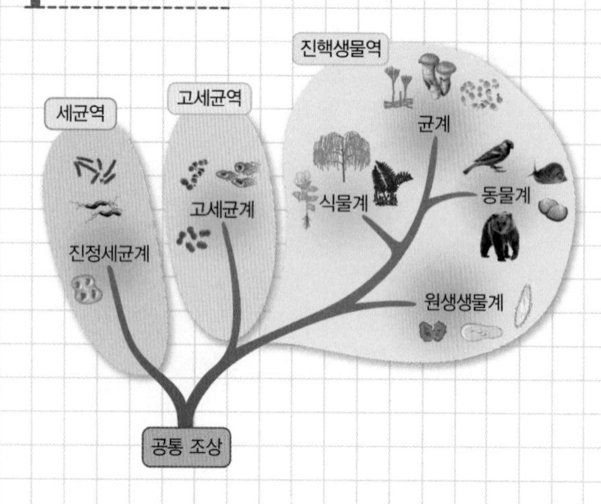

2 동물계의 분류

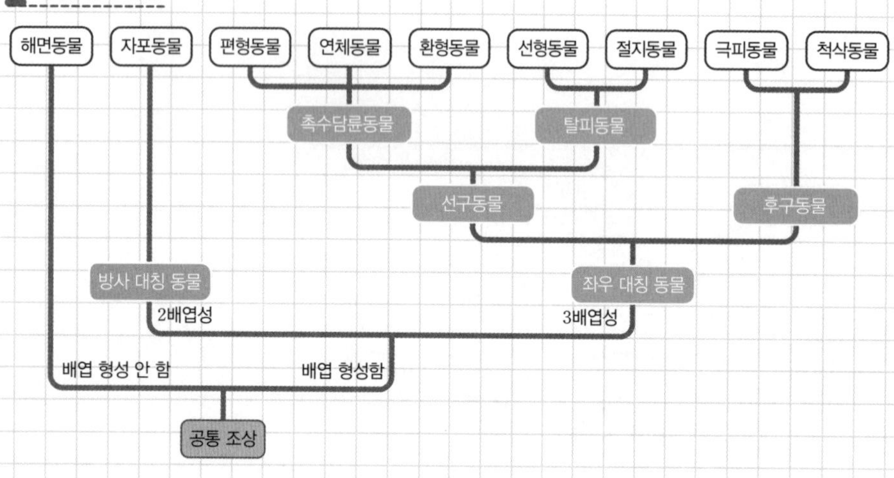

3 유전자풀의 변화 요인

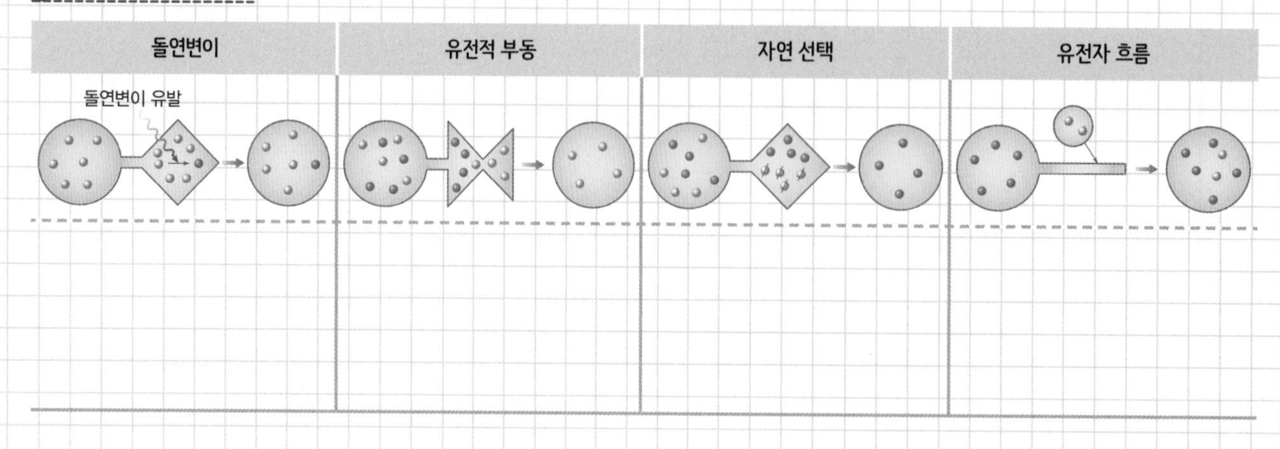

마인드맵으로 정리하기

◎ 자신만의 마인드맵을 만들어 단원의 핵심 내용을 정리해 보자.

» 선배들이 작성한 정리노트 바로가기

1 생명 공학 기술

01 유전자 재조합 기술의 원리와 활용 »»

- A 유전자 재조합 기술의 원리
  - 유전자 재조합 기술
  - 유전자 재조합에 필요한 요소
    - 유용한 유전자
    - DNA 운반체
    - 제한 효소
    - DNA 연결 효소
    - 숙주 세포
  - 유전자 재조합 기술을 이용한 인슐린 생산 과정
- B 유전자 재조합 기술의 활용
  - 기초 생명 과학 연구
  - 의약품 생산
  - 형질 전환 생물의 개발

02 >>> 생명 공학 기술의 원리와 실제 사례

- A 생명 공학 기술의 원리와 적용 사례
  - 핵치환
  - 세포 융합
  - 조직 배양
    - 식물의 조직 배양
    - 동물의 조직 배양
  - 유전자 치료
    - 체내 유전자 치료
    - 체외 유전자 치료
    - 유전자 가위

03 >>> 생명 공학 기술의 발달과 문제점

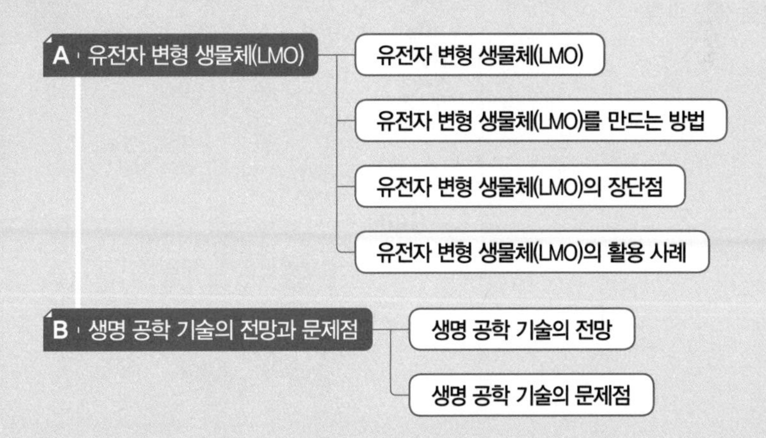

01 유전자 재조합 기술의 원리와 활용

개념책: 272~273 쪽

A 유전자 재조합 기술의 원리

유전자 재조합 기술 :

유전자 재조합에 필요한 요소

유용한 유전자	
DNA 운반체	
제한 효소	
DNA 연결 효소	
숙주 세포	

유전자 재조합 기술을 이용한 인슐린 생산 과정

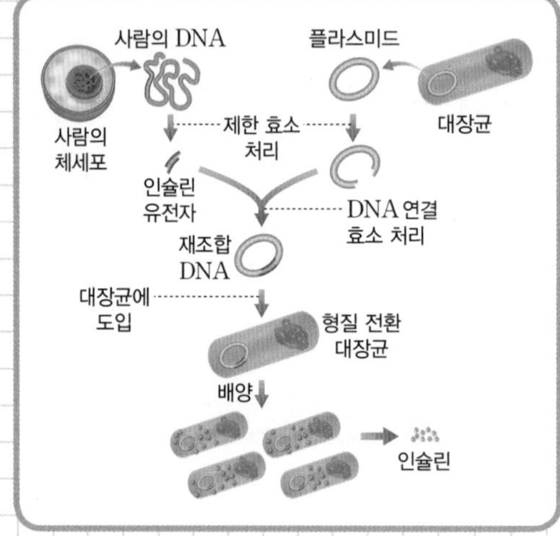

B 유전자 재조합 기술의 활용

기초 생명 과학 연구 :

의약품 생산 :

형질 전환 생물의 개발 :

02 생명 공학 기술의 원리와 실제 사례

개념책 : 280~282 쪽

A 생명 공학 기술의 원리와 적용 사례

핵치환

핵치환 방법 :

줄기세포

① 정의 :

② 종류

배아 줄기세포	
성체 줄기세포	
유도 만능 줄기세포	

③ 줄기세포를 활용한 치료 :

세포 융합

세포 융합 방법 :

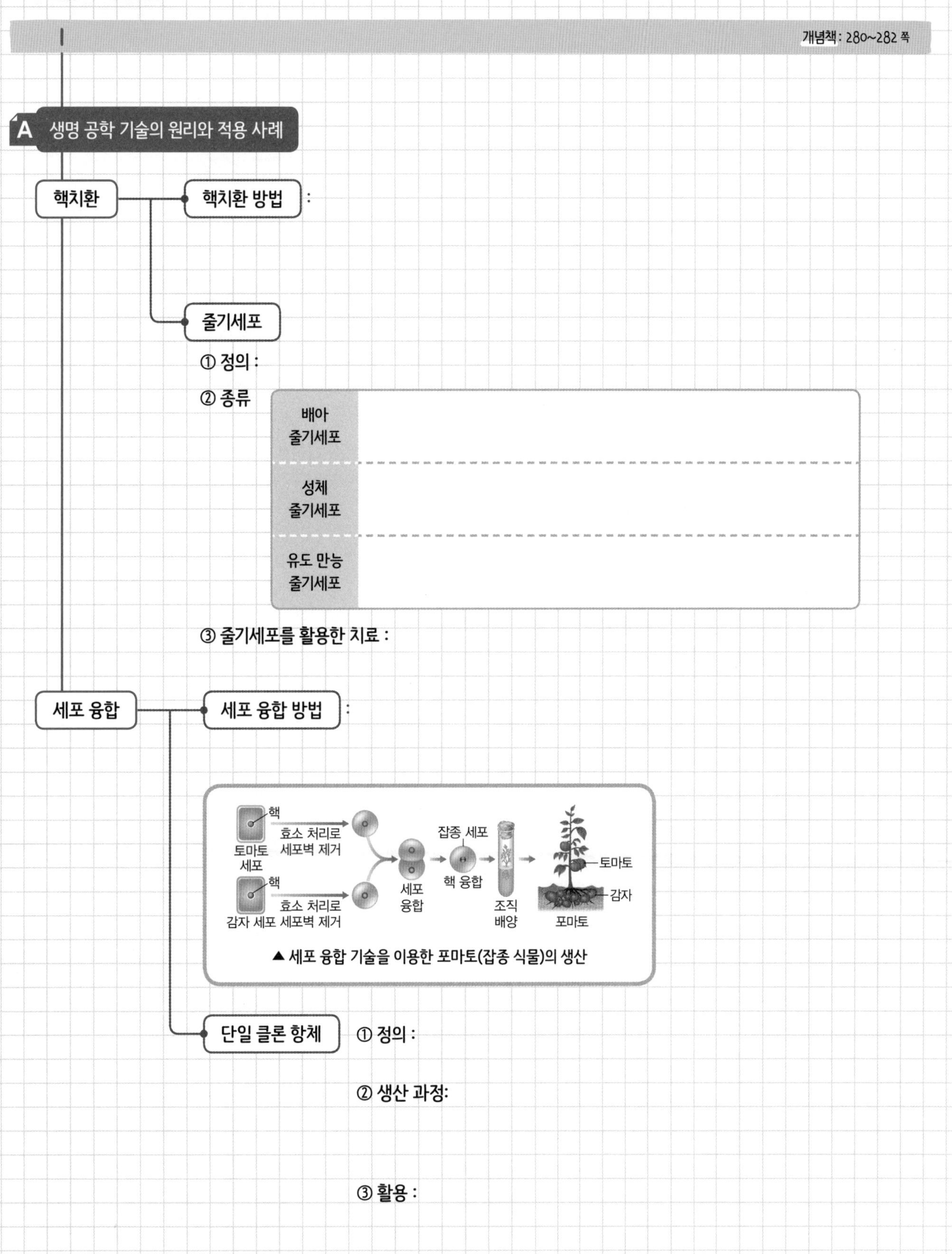

▲ 세포 융합 기술을 이용한 포마토(잡종 식물)의 생산

단일 클론 항체

① 정의 :

② 생산 과정:

③ 활용 :

조직 배양

조직 배양 방법 :

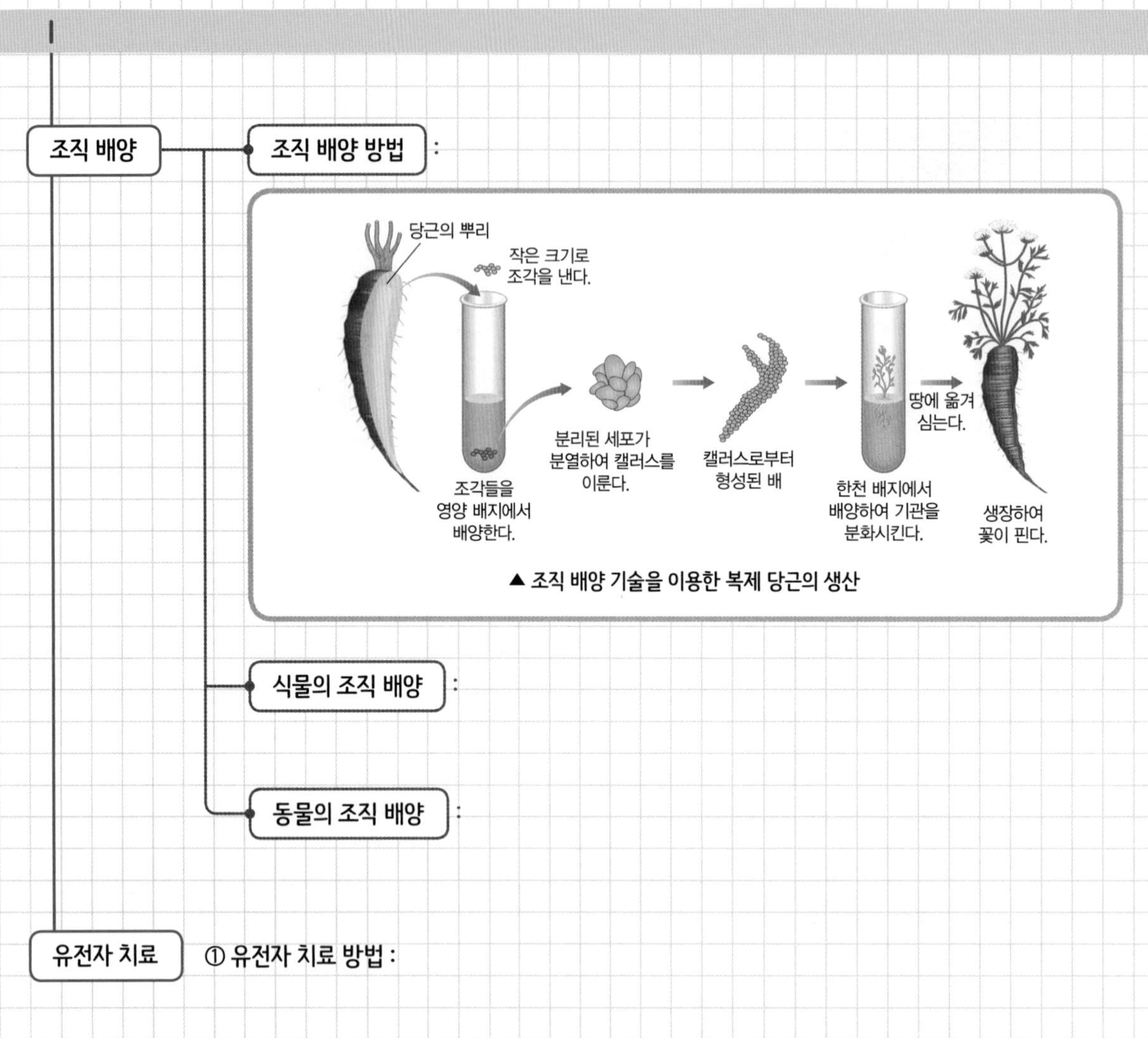

▲ 조직 배양 기술을 이용한 복제 당근의 생산

식물의 조직 배양 :

동물의 조직 배양 :

유전자 치료

① 유전자 치료 방법 :

② 종류

체내 유전자 치료	체외 유전자 치료	유전자 가위

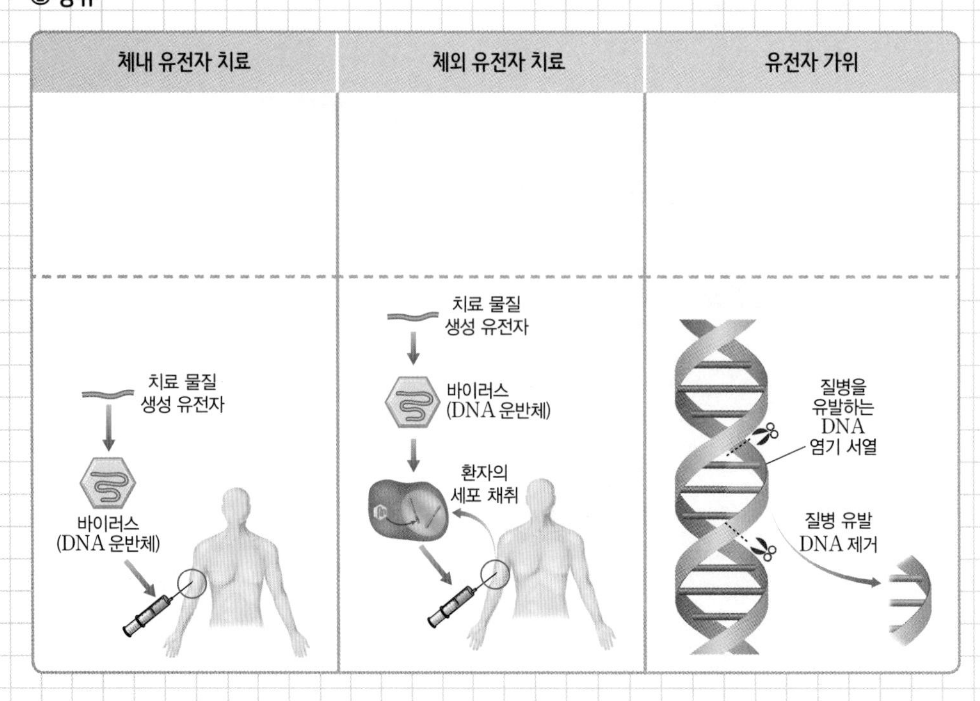

03 생명 공학 기술의 발달과 문제점

개념책 : 288~289 쪽

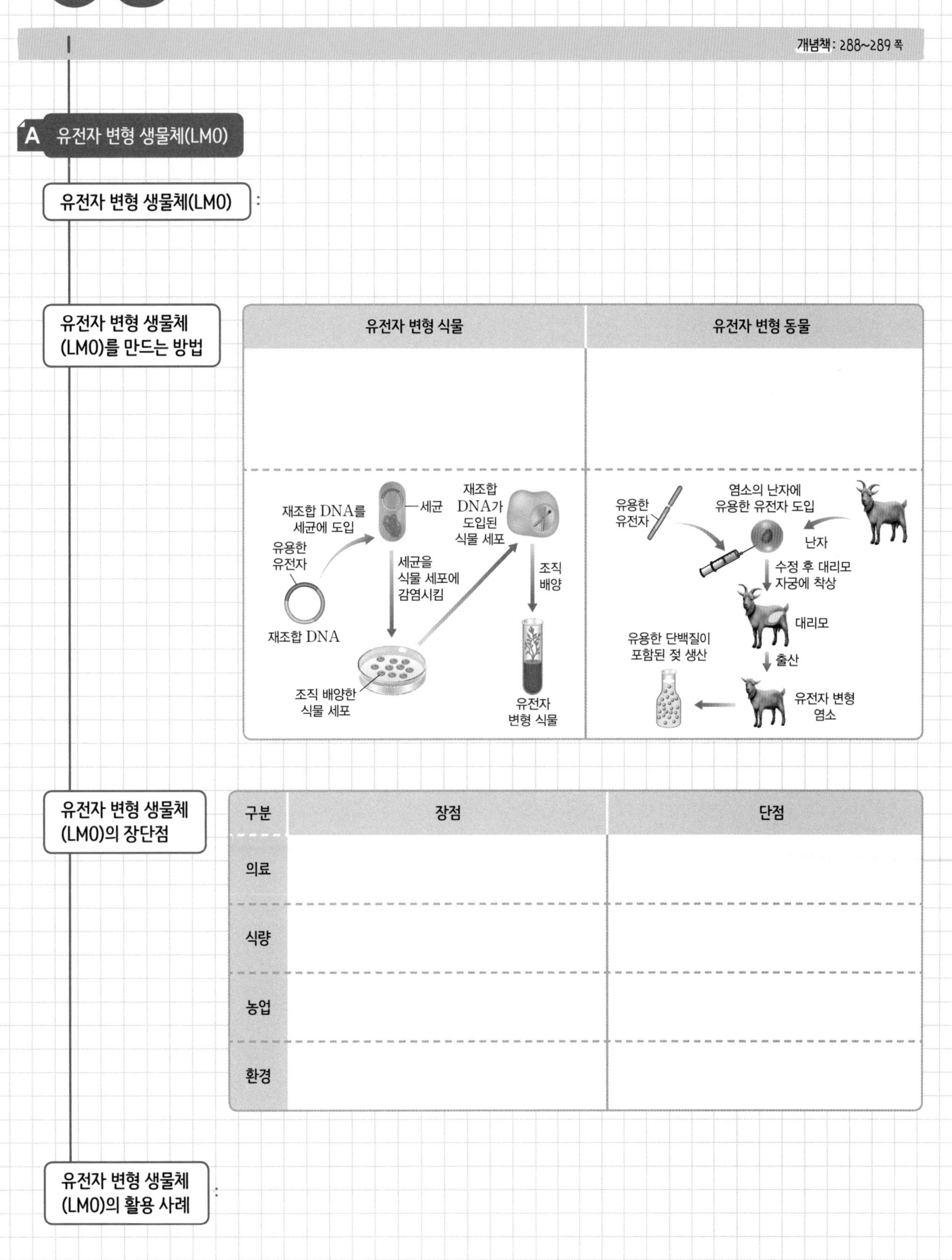

A 유전자 변형 생물체(LMO)

유전자 변형 생물체(LMO) :

유전자 변형 생물체(LMO)를 만드는 방법

유전자 변형 식물	유전자 변형 동물

유전자 변형 생물체(LMO)의 장단점

구분	장점	단점
의료		
식량		
농업		
환경		

유전자 변형 생물체(LMO)의 활용 사례 :

B 생명 공학 기술의 전망과 문제점

생명 공학 기술의 전망

의학 분야	
농업·축산업 분야	
법의학 분야	
환경 분야	
산업 분야	

생명 공학 기술의 문제점

생명 윤리 문제	
사회적 문제	
생태학적 문제	
법적 문제	

단원 정리하기

그림으로 정리하기

● 그림에 자신만의 설명을 덧붙여 단원의 핵심 내용을 정리해 보자.

1 유전자 재조합 기술을 활용한 인슐린 생산 과정

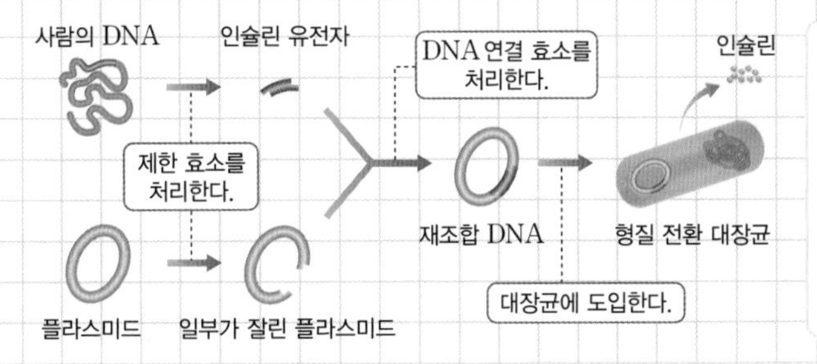

2 핵치환 기술을 이용한 복제 양의 생산 과정

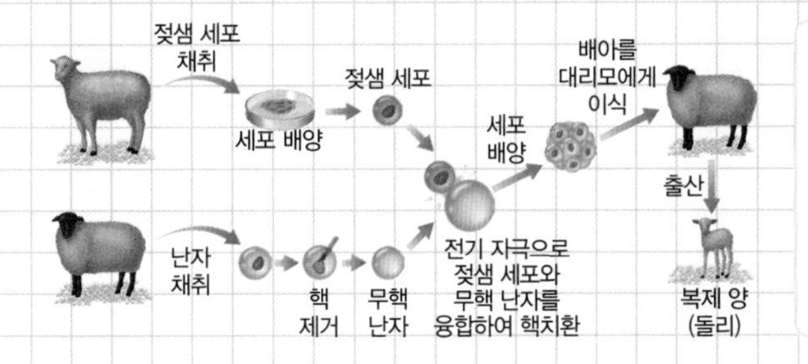

3 단일 클론 항체의 생산 과정

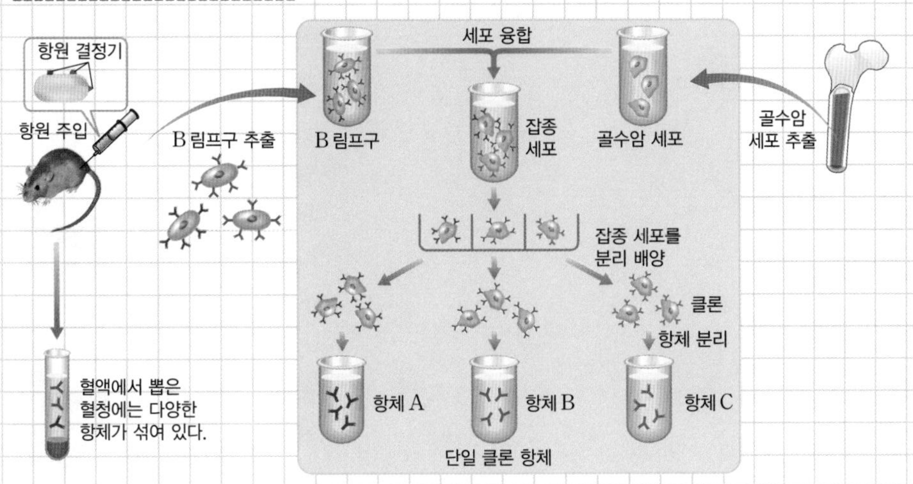

마인드맵으로 정리하기

- 자신만의 마인드맵을 만들어 단원의 핵심 내용을 정리해 보자.